Salamina

Novela Histórica

Javier Negrete

Salamina

El papel utilizado para la impresión de este libro es cien por cien libre de cloro y está calificado como **papel ecológico**.

Diseño e ilustración de la cubierta: CalderónStudio
Fotografía del autor: © Fotolaso
Primera edición en Colección Booket: septiembre de 2009
Segunda impresión: noviembre de 2009
Tercera impresión: junio de 2010

Depósito legal: B. 25.382-2010
ISBN: 978-84-670-3213-0
Composición: La Nueva Edimac, S. L.
Impresión y encuadernación: Litografía Rosés, S. A.
Printed in Spain - Impreso en España

Biografía

Javier Negrete nació en Madrid en 1964. Estudió Filología Clásica y desde 1991 trabaja como profesor de griego en el IES Gabriel y Galán de Plasencia. En 1992 publicó su primera novela, *La luna quieta*. Es autor de otras obras de ciencia ficción como *La mirada de las furias* (premio Ignotus a la mejor novela, 1998) y *Estado crepuscular* (premios Ignotus y Gigamesh al mejor relato, 1994). Ha cultivado también la literatura juvenil con *Memoria de dragón* y *Los héroes de Kalanúm*. Con *Buscador de sombras* ganó el premio UPC de novela corta del año 2000 y ha recibido tres veces la mención especial del jurado de dicho premio. Por otro lado ha resultado finalista de los premios Edebé, El Barco de Vapor y La Sonrisa Vertical. En Minotauro publicó en 2003 *La Espada de Fuego*, merecedora del premio Ignotus a la mejor novela, y *El espíritu del mago*, en 2005. Ambas obras han tenido una entusiasta acogida de público y crítica. También ha aparecido en edición de bolsillo el ómnibus que contiene *Buscador de sombras* y *La luna quieta*. En 2006 ganó el premio Minotauro con *Señores del Olimpo*. Siguieron la ucronía *Alejandro Magno y las águilas de Roma* (2007), la novela histórica *Salamina* (Espasa, 2008), que recibió el premio Espartaco de la Semana de Gijón a la mejor novela histórica de 2009, y *Atlántida* (Espasa, 2010), una mezcla explosiva de novela de aventuras, ciencia y arqueología. Es autor también del ensayo de divulgación histórica *La gran aventura de los griegos* (2009). Tiene una hija llamada Lydia.

A Marimar.
Mi infatigable compañera de viaje.
Mi guía en el descenso al Hades
y la subida al Olimpo
que hay que emprender en cada novela.

Prologo

Atenas, 514 a. C.

El verano en que Temístocles cumplió nueve años, una pareja de amantes asesinó al tirano Hiparco. Ese crimen fue el primero de una serie de hechos que revolucionaron la política de Atenas. Aunque aún no podía sospecharlo, el propio Temístocles, hijo de un mercader, sería uno de los protagonistas en la larga cadena de acontecimientos que arrebatarían el monopolio del poder a los nobles atenienses.

Pero, por muchos años que pasaran, para Temístocles el recuerdo más vívido de aquel verano no fue el tiranicidio cometido al pie de la Acrópolis, sino el de la humillación que él había sufrido delante de sus compañeros.

Fénix el gramatista, su maestro de letras, les repetía todos los días que la verdad era la piedra angular de la virtud. Aquella mañana, en vísperas de las fiestas Panateneas, no fue la excepción.

—Fijaos si es importante evitar la mentira que incluso los bárbaros persas sólo enseñan dos cosas a sus hijos: a disparar el arco y a decir la verdad.

El gramatista hizo una pausa y se apretó la rodilla derecha con la mano. Él aseguraba que le dolía por una herida recibida en combate contra los tebanos, pero los niños sospechaban que debía tratarse de un achaque de la edad. Si Fénix hubiera poseído patrimonio suficiente para mantener las costosas armas de un hoplita y formar en las filas de la falange, no habría tenido que ganarse la vida recibiendo dinero de otros ciudadanos a cambio de enseñar a sus hijos los rudimentos de la lectura. Y todo el mundo sabía que el muchacho que molía la tinta para Fénix, enceraba su sillón de madera y barría el polvo y la hojarasca del suelo de la escuela era su propio nieto, porque con las clases no ganaba bastante para comprarse un esclavo.

—Cazar con el arco es un arte noble patrocinado por Ártemis —prosiguió Fénix—. Pero usarlo en la guerra es de cobardes. Una horda de arqueros persas podrá derrotar a una falange griega, mas nunca podrá parangonarse en gallardía y valor a nuestros hoplitas.

Temístocles era por entonces un niño moreno y más bien flacucho, con unos ojos grandes y oscuros que lo absorbían todo sin apenas parpadear. Al escuchar a Fénix, se inclinó hacia su amigo Euforión, sentado en el taburete de su derecha, y le susurró:

—¿De qué sirven tanta nobleza y tanto valor si te derrotan?

Euforión se retorció los dedos nervioso, sin saber qué contestar. Pero a su espalda otra voz dijo:

—Prefiero una derrota con honor que una victoria con vergüenza.

Temístocles volvió el cuello para mirar de reojo. El chico que había hablado era su antítesis. Lo aventajaba en más de un palmo, aunque era bien cierto que le llevaba dos años. Tenía la piel muy clara y enrojecida por el sol, los ojos azul zafiro y el pelo tan rubio que su cabeza destacaba entre las demás como una espiga de trigo solitaria en un campo de rastrojos quemados. Los demás niños lo seguían como las ovejas al perro y lo elegían de cabecilla en sus juegos, de juez en sus tribunales, de general en las batallas contra los chicos de otras escuelas y de corifeo en las danzas y cantos de los festivales. Temístocles lo aborrecía. Era Arístides, hijo de Lisímaco. Un eupátrida, un noble ateniense de los pies a la cabeza que cuando miraba a Temístocles siempre lo hacía levantando la barbilla y entornando los ojos.

Todo porque el padre de Temístocles era un nuevo rico. Hasta su nombre, Neocles, «el de la fama reciente», lo delataba. En lugar de poseer tierras que le trabajaran los aparceros, como hacían los eupátridas desde tiempos inmemoriales, Neocles cometía el nefando pecado de fletar barcos que cruzaban el mar para comerciar con las islas del Egeo y las ciudades de la costa de Asia Menor. Además, tenía arrendadas varias minas de plata en el Laurión, en la costa sudeste del Ática, y no se conformaba con cobrar sus rentas, sino que las administraba *en persona.*

No es que los nobles fuesen reacios a atesorar dinero, pero les desagradaba hablar de ello. Preferían que la plata entrara en sus arcas por sí sola, con la misma magia alada con que los males del mundo habían huido volando de la jarra de Pandora.

—La sinceridad es la mayor virtud de un hombre —insistió Fénix, ajeno a los cuchicheos de sus alumnos—. Ni los dioses escapan a la obligación de decir la verdad. Hasta ellos deben respetar la palabra dada cuando juran por las aguas de la laguna Estigia. ¿Qué pasa si un inmortal comete perjurio?

Aunque era una pregunta retórica, Temístocles levantó la mano. Fénix fingió no verlo, pero el niño mantuvo el brazo erguido como el mástil de un trirreme y, al final, el gramatista no tuvo más remedio que concederle la palabra señalándolo con su báculo. Temístocles se levantó del taburete, respiró hondo y recitó con su vocecilla aún no formada:

—*Si uno de los inmortales que habitan las cimas del nevado Olimpo comete perjurio al verter las aguas de la Estigia, ha de yacer exánime durante un año entero. Tampoco puede probar ni la ambrosía ni el néctar ni la comida, sino que debe tenderse mudo y sin respiración sobre lechos preparados, envuelto por un espantoso sopor.*

Al terminar, el corazón le latía como un timbal. Era la primera vez que tomaba la palabra delante de tantas personas, pues había allí más de veinte alumnos. Pero sabía que había recitado bien. Pese a que el dialecto era muy diferente del griego ático que todos ellos empleaban y a que algunas palabras, de tan antiguas, apenas tenían sentido para él, había marcado todas las pausas en su sitio y no se había equivocado al escandir ni una sola sílaba.

Sin embargo, Fénix puso cara de estar oliendo vinagre.

—Eso no es de Homero.

A Temístocles, que no se esperaba esa objeción, se le cayó la mandíbula.

—Lo sé, maestro. Es de Hesíodo.

—¿Qué estáis aprendiendo conmigo? —preguntó Fénix dirigiéndose a los demás.

Jantipo, al que los demás llamaban Pepino porque tenía la cabeza en forma ahuevada, se apresuró a responder:

—Los poemas de Homero, maestro. —Y añadió con venenoso retintín, mirando a Temístocles—: Aún no nos toca saber quién es Hesíodo.

Pues a Jantipo ya desde entonces le gustaba ver en aprietos a los demás.

Fénix se volvió hacia Temístocles.

—¿Dónde has aprendido a Hesíodo, hijo de Neocles? —Nunca lo llamaba por su nombre—. ¿Tan mal maestro te parezco que tu padre te paga otro más caro por las tardes?

Entre los demás niños hubo codazos y risitas sofocadas. Temístocles notó que se le subía la sangre a la cara. Por suerte, era tan moreno que no se le notaba el rubor.

—No, maestro —respondió con aplomo—. Se lo oí recitar a un rapsoda en el Ágora.

—¿Ah, sí? ¿Se lo oíste recitar?

—Sí —contestó Temístocles. Luego se acordó y añadió—: Maestro.

—¿Cuántas veces se lo oíste para que entrara en esa cabeza de chorlito?

—Una, maestro.

—Qué trolero —murmuró Jantipo. El gramatista asintió a aquel comentario.

—¡Menuda tontería! Siéntate ahora mismo y no vuelvas a interrumpirme.

Fénix prosiguió con la clase. Aquellos días estaban aprendiendo de carrerilla los versos que narraban cómo Polifemo iba devorando uno por uno a los compañeros de Ulises, hasta que éste lo emborrachaba con vino puro y aprovechaba que el cíclope dormía la cogorza para dejarlo ciego. Temístocles ya se sabía aquella historia, y de propina había memorizado las aventuras de Circe, Escila y Caribdis, las Sirenas y las vacas del Sol. Le gustaban mucho más los viajes y correrías de la *Odisea* que los combates de la *Ilíada*. Ya desde niño soñaba con recorrer el vasto mar, arribar a países desconocidos y escuchar las mil y una lenguas que se hablaban por el mundo. Y también admiraba más la astucia de Ulises que la ira ciega y brutal de Aquiles.

En un descanso del recitado, Fénix, sin levantarse de su cátedra, señaló a Arístides con el bastón.

—A ver, Arístides, ¿por qué crees que Ulises ciega a Polifemo?

—Pues... porque Ulises le clava una estaca en el ojo —titubeó Arístides. De pronto pareció darse cuenta de un detalle y añadió con una sonrisa de aplomo—: Y como los cíclopes sólo tienen un ojo, se queda ciego.

—Muy buena conclusión, pero no me refería exactamente a eso. Quiero decir, ¿tú crees que Polifemo se merece lo que le ocurre?

Arístides volvió a vacilar.

—Pues sí.

—¿Por haberse saltado los preceptos de la hospitalidad, por no respetar las leyes sagradas de Zeus Xenio, por su soberbia y su crueldad? ¿Por su *hybris*, en suma?

Arístides se quedó un rato pensativo y, por fin, contestó:

—Pues sí.

El maestro abrió los brazos para dirigirse a todos los niños de la clase.

—¿Veis? He aquí cómo debéis aprender los versos del divino Homero. No basta con recitarlos de memoria y sin alma, como canta el gallo —Fénix señaló a Temístocles con un gesto elocuente—, sino que debéis comprender las enseñanzas que encierran para insuflarles nueva vida cada vez que los recitéis. Tomad ejemplo de vuestro compañero Arístides, que no se limita a memorizar sin más, sino que trata de sacar provecho de lo que lee.

Temístocles se mordió el labio, indignado por aquel favoritismo. Pero un mes antes, poco después de las fiestas Arreforias, había presenciado otro ejemplo aún más palmario de la predilección del maestro por Arístides.

Ese día hacía mucho calor, el cielo estaba tan bajo que difuminaba los perfiles de las sombras y en el aire flotaba una humedad pegajosa que presagiaba tormenta. Las moscas zumbaban rabiosas y asaeteaban a picotazos a los muchachos, tan inquietos como ellas. Mientras rascaban los trazos de las letras en sus dípticos de cera y trataban de aventar a las moscas, Fénix leía en voz baja los versos que tenía apuntados en un rollo de lienzo y que sus estudiantes iban a memorizar después. Al hacerlo, se acomodó a un lado, seguramente para descansar su rodilla mala. Aunque Arístides era de los alumnos más disciplinados, la ocasión de ver al maestro levantar una nalga debió parecerle irresistible, así que se llevó el dorso de la mano a la boca y soltó una sonora pedorreta, tan perfectamente sincronizada con el movimiento de Fénix que tal parecía que éste hubiera ladeado la cadera para aliviar los gases.

El propio Temístocles se había reído con los demás, pues lo cierto era que la broma de Arístides tuvo su gracia. No se lo pareció así al maestro, que se levantó de su asiento rojo de ira y vergüenza y aporreó el suelo con la contera del bastón para imponer silencio.

—¿Quién de vosotros ha sido?

Sin dudarlo, Arístides se levantó. Por su gesto de estupor, era evidente que ni él mismo sabía qué espíritu o *daimon* maligno lo había impulsado a cometer aquella fechoría.

—He sido yo, maestro —dijo con voz firme.

Temístocles recordaba perfectamente cómo en el rostro de Fénix habían luchado la ira, el miedo y otra sensación que aún era joven para interpretar. El maestro había levantado el puño sobre la cabeza de Arístides; pero cuando parecía que iba a aporrearlo, abrió los dedos, los clavó entre los rizos dorados y le acarició la cabeza.

No tardaría mucho en enterarse Temístocles de que el maestro estaba enamorado de Arístides. Pese a lo magro de sus ingresos, incluso le regalaba de vez en cuando un gallo con la vana esperanza de conseguir sus favores. Pero, por el momento, no sabía nada de aquello.

—Has dicho la verdad —dijo por fin Fénix, en tono suave—. Sí, has dicho la verdad a sabiendas de que podías recibir un castigo por tu trastada. Y lo has hecho porque sabes que la sinceridad es la mayor virtud, ¿cierto?

Arístides había asentido, sin levantar la mirada.

—Por esta vez te perdono. Que os sirva de lección a todos —había añadido Fénix, dirigiéndose a los demás y apuntándoles con el bastón—. Un hombre de verdad, un caballero, un *kalos kagathós* debe reconocer sus errores y mantener su palabra. La verdad sólo os traerá bienes. Ningún mal os vendrá si sois sinceros.

Fue entonces cuando Fénix mencionó por primera vez el juramento de la Estigia. Temístocles, que quería ganarse también el favor del maestro, le pidió a su madre el medio óbolo con el que pagó al rapsoda del Ágora para que le recitara los versos de Hesíodo. Con oírlos una vez le bastó para aprenderlos de memoria, pero no había tenido ocasión de repetirlos hasta hoy. Y ahora, un mes después, comprobaba para su desesperación que había desperdiciado su tiempo y su dinero.

Pensó que, ya que la *Teogonía* no le había servido de nada, debía tomar medidas más drásticas para conquistar la estimación que merecía. ¿No le gustaban al gramatista los hombres que decían la verdad? Pues él le iba a demostrar que a sincero no lo ganaba ni Arístides ni ningún eupátrida. Y, de paso, iba a conquistar a los demás compañeros con su audacia.

Los niños almorzaban en la propia escuela y se turnaban entre ellos para llevarle al maestro comida de casa. Aquel día le tocaba a Euforión, que había traído un *énkhytos*, un suculento pastel frito de queso y sémola.

—No se lo des todavía —le dijo Temístocles a su amigo.

Mientras los demás abrían sus alforjas para sacar la comida, Temístocles salió corriendo al patio. No tardó en localizar a la salamanquesa que solía ponerse en la pared norte y la golpeó con una rama, cuidando de darle de plano con las hojas para sólo aturdirla. Cuando cayó al suelo, la cogió entre ambas manos sin apretarla y, riéndose entre dientes de su propia ocurrencia, volvió a entrar en la escuela.

—Ahora se lo puedes dar —le dijo a Euforión.

—¿Qué vas a hacer? Ten cuidado, que te la puedes cargar.

—¿Qué te apuestas a que no?

Euforión se rascó la sien y sacudió la cabeza a la izquierda un par de veces. Ya entonces había empezado a sufrir los tics que lo atormentarían de adulto y por los que se ganaría el mote de Nervios.

—No me apuesto nada —dijo—. Pero si te pillan, que conste que yo no sabía nada.

A regañadientes, Euforión se acercó al gramatista para llevarle su alforja. Cuando Fénix vio el *énkhytos,* se relamió y le brillaron los ojos, y más aún cuando Euforión le dio un cuenco con miel para que la echara por encima del pastel. Mientras el maestro colocaba su almuerzo sobre el taburete que le había traído su nieto a modo de mesa, Temístocles pasó de puntillas por detrás de él. En un trípode de cobre, junto a la cátedra, Fénix tenía un pequeño cántaro de vino aguado del que bebía directamente. Aunque siempre le ponía una tapa para evitar que se colaran las moscas, el niño actuó con rapidez, la levantó y soltó la salamanquesa. Algunos lo vieron y se dieron codazos, disimulando las risas. Temístocles se sintió por un instante un pequeño caudillo y miró a Arístides con gesto desafiante.

Fénix tardó poco en zamparse el pastel. Después se chupeteó la miel de los dedos, se los terminó de limpiar en el borde de la túnica y se volvió a la derecha para tomar el cántaro. Un silencio como el que precede a la tormenta cayó sobre la clase.

La broma salió mejor de lo previsto. La miel debía haberle dejado áspera la garganta a Fénix, que destapó el cántaro, lo empinó y dio un largo trago. De pronto, su nuez se detuvo a medio camino entre la subida y la bajada y, con un grito de espanto, tiró al suelo el ánfora, que se hizo añicos sobre las losas. Durante un instante, la cola de la salamanquesa asomó por la boca del gramatista sacudiéndose como un minúsculo látigo. Después, Fénix escupió al reptil junto con un chorro de vino y tuvo que llevarse las manos al estómago para contener las arcadas.

Mientras los alumnos se desternillaban y el bichejo escapaba a puertos más seguros, Fénix, con el rostro púrpura, preguntó:

—¿Quién ha sido?

Temístocles carraspeó y dio un paso al frente. Pero en el mismo momento en que con tono orgulloso respondía: *«Yo, maestro»,* una lamparita se encendió en su mente y comprendió de pronto que su recompensa no iba a ser un discurso sobre el valor de la verdad.

Para su mortificación, Fénix utilizó como ayudantes del castigo a sus peores enemigos: Arístides le agarró las manos mientras Jantipo el Pepino le levantaba la túnica. Estar allí con el trasero al aire era más humillante que si el maestro le hubiera ordenado desnudarse del todo. Fénix se desahogó a placer con una verdasca de olivo. Pero lo que más le dolió a Temístocles, mucho más aún que los golpes, fueron las carcajadas de sus compañeros, incluido el leal Euforión. Ni entonces ni nunca se le ocurrió pensar que, de haber estado en su lugar, él también se habría reído de la desgracia ajena. Sólo supo ver que ellos, los eupátridas, se estaban burlando de él, el hijo de Neocles el mercader, y pensó que con sus risas le decían: *«Eres un vulgar* demotes. *Nunca serás de los nuestros.»*

Cuando Temístocles llegó a casa, Euterpe, su madre, que sabía interpretar hasta el menor de sus silencios, le preguntó qué le pasaba. El niño, que hasta entonces se había aguantado las lágrimas, rompió a llorar mientras se lo contaba. Su madre le soltó un bofetón, y con la turquesa engastada en el anillo le abrió una herida en el labio. Temístocles empalideció y contuvo el aliento.

—Nunca vuelvas a llorar por una desgracia —le dijo su madre con voz fría—. Puedes llorar de emoción al oír una oda, o de alegría por el bien de los tuyos. Pero jamás llores porque algo malo te ocurra.

—¿Por qué, madre?

—Porque para eso eres hijo mío —repuso ella, levantando la barbilla con gesto principesco. Euterpe, que tenía sangre caria, era prima carnal de Ligdamis, el tirano de Halicarnaso, y llevaba muy mal que su ilustre prosapia no le sirviera de nada en Atenas—. Ahora, cuéntame lo que ha pasado. Sin llorar.

Temístocles pensó que si la diosa Justicia existía, desde luego para él era ciega e incluso sorda. Pero se tragó las lágrimas y le explicó todo a su madre. Euterpe amagó con levantar la comisura de la boca cuando escuchó lo del rabo de la salamanquesa, pero no llegó a sonreír, y al terminar el relato le dio de propina a su hijo otros dos guantazos: uno por la trastada y otro por ser tan estúpido de pensar que por confesar su delito se iba a salvar de las consecuencias.

Aquella noche, en su pequeña alcoba, Temístocles se quedó con los ojos abiertos mirando al techo, y entre las sombras de sus vigas volvió a ver las miradas burlonas de sus compañeros, sus rostros deformados por unas carcajadas casi demoníacas. Fue la primera vez que sufrió el insomnio que ya no lo perdonaría el resto de su vida. Y en las largas horas de aquella noche se juró a sí mismo que iba a demostrarles a los hijos de los eupátridas quién era él, Temístocles el hijo del mercader. Algún día, todos volverían a señalarlo con el dedo, pero esta vez sería con admiración.

Haré grandes cosas, se prometió. Y, sin saber por qué, sus pensamientos volvieron a los persas y a las palabras de Fénix. Conque esos bárbaros tan sólo enseñaban a sus hijos a decir la verdad. Pues si era así, les enseñaban algo muy poco útil. Él ya había comprobado en sus posaderas y en su rostro cuáles eran las consecuencias de decir la verdad, y había tomado nota para el futuro.

Los persas, se repitió. *Los persas...* Cuando por fin se durmió, soñó con vastas llanuras y montañas nevadas, y vio ciudades de paredes jaspeadas y techos dorados que se extendían junto a la morada del Sol.

Y precisamente en aquel momento, mientras Temístocles soñaba con ellos, los persas clavaban sus ojos en Occidente. Por primera vez, las tropas de Darío, el Rey de Reyes, cruzaron el mar y plantaron en Europa sus lujosas tiendas y los alados estandartes de Ahuramazda para luchar contra los bárbaros tracios. Sin que los griegos lo sospecharan, la negra nube de una guerra como jamás habían concebido se cernía sobre ellos.

Primer acto

Maratón, 490 a. C.

Eretria, noche del 29 de agosto

Apolonia abrió los ojos y vio junto a su cama a la diosa, empuñando una lanza cuya punta de bronce rozaba las vigas de madera del techo. En la alcoba sólo ardía una lamparilla de aceite, pero la deidad resplandecía como una jarra de vidrio de Sidón alumbrada por una llama interior.

—Apolonia —le dijo—, toma a tu hija y a tus criados contigo. Huye de esta ciudad condenada si no quieres acabar tus días como esclava del persa en una villa remota junto a los pozos de betún. Pues mis hijos, a los que esperabais, ya no vendrán a salvaros.

Apolonia intentó levantarse, pero su cuerpo estaba paralizado bajo la fina manta. Los enormes ojos almendrados de la diosa la miraron con tristeza.

—Mucho antes de que cante el gallo, unos traidores abrirán las puertas de Eretria al persa. Busca el barco de Temístocles, el ateniense, cruza el estrecho y acógete a la protección de mi ciudad. Ahora, despierta, Apolonia.

La diosa levantó la lanza y luego golpeó en el suelo con fuerza. La contera arrancó un fogonazo de los tablones encerados, y la visión se esfumó.

Apolonia, liberada del marasmo del sueño, se incorporó en el lecho con un respingo. *Toma a tu hija contigo.* Al mirar a la izquierda y ver que la cuna no estaba allí, el corazón le dio un vuelco. Luego recordó que ella misma había enviado a la pequeña Mnesiptólema a la habitación del aya, pues quería yacer con su marido.

Durante unos instantes permaneció así, jadeando y con el pecho dolorido, en la penumbra apenas iluminada por la minúscula llama de aceite. Después se dio cuenta de que los pezones se le habían endurecido como canicas y se tapó los senos con la manta. Corría el último mes del verano y las noches empezaban a ser más largas y frescas. O tal vez era el frío que emanaba de la diosa, una gelidez que había erizado la piel de Apolonia y había penetrado hasta su vientre. La visión había sido tan real que incluso había dejado en el aire el olor punzante que anuncia la tormenta.

Mis hijos ya no vendrán a salvaros. La diosa virgen no tenía hijos. Sólo podía referirse al ejército ateniense que la ciudad de Eretria llevaba seis días aguardando, la última esperanza que conservaban los defensores para rechazar el asedio de los persas.

Apolonia se volvió a su derecha para hablar con su marido, pero ya no estaba allí. La joven se levantó de la cama, y al hacerlo notó la simiente de Jasón removiéndose en su interior. La presencia de la diosa se había desvanecido del aire o de su recuerdo. En su lugar, en la habitación pequeña y sin ventilar sólo quedaban el olor untuoso del aceite quemado y el aroma almizclado del sexo.

Mala época para engendrar un hijo, pensó, *si la misma noche de su concepción ese hijo tiene que convertirse en un apátrida por orden de la diosa.* Apolonia rezó para que aquella semilla no fructificara.

Era raro que Jasón hubiera abandonado el lecho. Cuando compartía la alcoba con su mujer, casi siempre se dormía después de copular y amanecía en la misma postura en que hubiera caído. Pero esta vez, en lugar de amodorrarse, se había quedado mirando al techo con los ojos abiertos. Ésa era la última visión que Apolonia había tenido de él antes de hundirse a su vez en las tibias aguas del sueño.

Su esposo, que siempre había roncado a pierna suelta, llevaba un tiempo sin dormir bien. Desde que se supo que la gran expedición persa venía contra Eretria, Jasón andaba inquieto, saltaba en el asiento al menor ruido, había empezado a perder peso y se desvelaba con facilidad. Apolonia trataba de tranquilizarlo, pero sabía que tenía razones para sentir angustia por el futuro. Jasón pertenecía al grupo de oradores que tomaban la palabra en la asamblea para defender al partido del pueblo contra los aristócratas y los oligarcas. Desde el principio había apoyado la rebelión de las ciudades jonias contra el rey Darío, así que si los invasores persas acababan expugnando la ciudad, su vida sería de las primeras que correrían peligro.

Deberías habértelo pensado antes de votar con tanta alegría la ayuda a la revuelta jonia, pensaba Apolonia cuando lo veía tan angustiado. No se le habría ocurrido hacerle un reproche directo a su esposo, pero eso no le impedía formarse sus propias opiniones. Aunque como mujer no podía asistir a los consejos ni asambleas, sabía observar y escuchar, y desde niña se las había ingeniado para informarse bien de lo que sucedía dentro y fuera de la ciudad. Por eso recordaba bien de dónde venían todos aquellos males.

Su origen se remontaba a ocho años atrás, cuando Apolonia tenía tan sólo catorce, y su padre y Jasón acababan de acordar los esponsales. Fue en aquel verano cuando los súbditos jonios de Darío se sublevaron contra él a lo largo de toda la costa de Asia Menor y pidieron ayuda a sus parientes griegos del otro lado del Egeo. Los espartanos, más timoratos o, como se comprobó luego, más prudentes, habían declinado participar en la guerra. Pero los atenienses y los eretrios habían contestado que sí a los jonios y les habían enviado soldados y barcos para una expedición conjunta contra la satrapía de Lidia.

Cuando se supo que la alianza griega había tomado e incendiado nada menos que la capital del Gran Rey, en las calles de Eretria cundió el regocijo. Después de todo, se dijeron, los persas no eran tan poderosos ni invencibles como los pintaban. Apolonia no entendía la razón de tanto entusiasmo. ¿Qué se les había perdido a los eretrios allende el mar? Cuando oía hablar a su padre con tanto entusiasmo de la revuelta contra los persas le daba la impresión de que era él quien se había convertido en un adolescente y ella quien veía las cosas con algo de madurez. Pero, aunque estaba convencida de que aquella aventura sólo podía traerles problemas en el futuro, le habían imbuido desde niña que aquéllos no eran asuntos de mujeres, así que se mordía la lengua y no decía nada.

El alborozo de los eretrios se enfrió enseguida cuando los más informados y viajados de la asamblea, como el propio Jasón, explicaron a los demás que Sardes, la ciudad quemada por los aliados, era tan sólo una capital provincial. La verdadera sede del poder de Darío se hallaba mucho más al este, en las ciudades de Susa y Babilonia, a tres meses de viaje tierra adentro. A Apolonia aquella distancia se le antojaba inconcebible, y le despertaba imágenes de un país remoto donde el sol debía abrasar los palacios del Gran Rey cuando se levantaba sobre el horizonte.

Para irritar más al emperador persa, la participación de los eretrios no se había reducido a la campaña de Sardes. Casi al mismo tiempo en que los atenienses y los demás jonios realizaban su incursión, una poderosa flota eretria se enfrentaba por mar contra una armada chipriota y fenicia dirigida por generales persas. La victoria fue para los eretrios, que se jactaban desde hacía muchos años de ostentar la talasocracia. Pero las pérdidas en barcos y hombres fueron tan cuantiosas que desde entonces la ciudad no había recobrado el dominio del mar. Y las peores consecuencias de su intromisión en los asuntos del Gran Rey aún estaban por llegar.

La venganza persa era como un rodillo gigante, lenta pero inexorable. Lo primero que hizo el Gran Rey fue aplastar a los rebeldes, arrasar la ciudad de Mileto, que había acaudillado la sublevación, y esclavizar a todos sus habitantes. Sólo entonces, ocho años después del estallido de la revuelta, cuando tuvo atados todos los cabos en su imperio y los eretrios ya confiaban en que escaparían impunes del picotazo que habían dado en la piel del paquidermo persa, se decidió Darío a volver la mirada al otro lado del Egeo.

A principios del mes de agosto, los mercantes que arribaban

del este trajeron noticias preocupantes. Una flota enorme había zarpado de las costas de Cilicia, al sur de Asia Menor, y recorría el Egeo sometiendo islas, conquistando ciudades y quemando templos. Sólo el santuario de Apolo en Delos se había salvado de las llamas.

No cabían dudas sobre las intenciones de los persas, ya que su comandante, el medo Datis, se había encargado de proclamarlas. Iban a vengar la ayuda que Eretria y Atenas habían prestado a los jonios y, sobre todo, a hacerles pagar por el incendio de Sardes. Las órdenes de Darío eran reducir a cenizas y escombros ambas ciudades.

Durante muchos días, los eretrios imploraron a los dioses para que los persas decidieran atacar primero Atenas. Al fin y al cabo, los atenienses, aunque no poseían una gran flota, podían desplegar en el campo de batalla el triple de hoplitas que ellos. Pero, pese a sus plegarias y sacrificios, los eretrios no tardaron en saber que habían sido elegidos como la primera presa. A mediados de agosto, los persas desembarcaron al sur de la isla de Eubea, y desde allí recorrieron la costa occidental saqueándolo todo a su paso. Para impedir que llegaran a la ciudad, los restos de la flota eretria, que entre trirremes y penteconteras no alcanzaban a treinta naves de guerra, zarparon a su encuentro.

No se habían recibido más noticias de esa flota.

Un par de días después había aparecido en la alargada playa de Egilia una nube de barcos, una armada tan numerosa como los eretrios jamás habrían podido concebir. Quinientas, seiscientas naves, tal vez mil.

Apolonia las había visto desde la torre de madera adosada a la fachada este de su casa. Esas atalayas eran más típicas de las casas de campo, construidas a modo de pequeñas fortalezas para protegerlas de ladrones y saqueadores. Pero Jasón se había empeñado en levantar la torre, aunque fuese en plena ciudad, porque le gustaba otear las naves que llegaban al puerto para acudir cuanto antes a recibir a sus barcos. Aquel día la atalaya les sirvió a ambos para contemplar cómo esa inmensa flota que parecía cubrir todo el estrecho varaba en la playa. Diminutos e incontables como una plaga de insectos, los persas habían desembarcado al este de la ciudad, y en cuestión de unas horas habían levantado en la llanura un campamento tan extenso que llegaba hasta los insalubres pantanos de Ptecas.

—¿Qué va a pasar ahora? —le había preguntado Apolonia a su esposo—. ¿Qué vamos a hacer?

—No lo sé —reconoció él, con el rostro gris como la ceniza.

Cuando los griegos no querían presentar batalla campal a un enemigo, por verse en inferioridad numérica o por alguna otra razón, aplicaban el truco del erizo de Arquíloco, se encerraban tras sus murallas y esperaban a que escampara la tormenta. Si los adversarios eran otros griegos, o bien se marchaban, o bien se plantaban alrededor de la muralla y esperaban a que los asediados se rindieran por hambre —contingencia que no solía darse— o a que algunos traidores del interior les abrieran las puertas al amparo de la noche. Y traidores nunca faltaban, pues basta con que se junten tres griegos para que formen al menos dos facciones y la una trame asechanzas contra la otra.

Pero los persas actuaban de una forma más metódica e implacable. El primer día del asedio cavaron un foso para proteger su campamento. Después empezaron a nivelar el terreno que miraba hacia la muralla oriental de Eretria y levantaron rampas de tierra apisonada. Los defensores les lanzaban proyectiles, pero sus arcos no tenían tanto alcance como los persas. Los eretrios los disparaban a la manera griega, tensando la cuerda hasta el pecho, mientras que los asiáticos llevaban la pluma de la saeta hasta la oreja y, entre su superior pericia y la mayor tensión de sus arcos compuestos de madera y cuerno, les ganaban más de treinta metros de distancia. Además, disparaban en masa, protegidos por soldados que los flanqueaban portando escudos casi tan altos como un hombre, y sus flechas caían como una granizada constante sobre la muralla.

Al atardecer del tercer día de asedio, los eretrios intentaron una salida para desbaratar las filas de arqueros que no dejaban de hostigar a los defensores del adarve. Apolonia había presenciado esa batalla con sus propios ojos, ya que ese día había subido al pequeño santuario de Ártemis Olimpia, en la Acrópolis, para preparar las Tesmoforias del mes siguiente.

Estaba depositando sobre el altar los gruesos trozos de carne roja que se cocinarían al sol y se enterrarían durante un mes para ofrecérselos después a la diosa. Trataba de concentrarse en su labor para no ofender a Ártemis, pero los ojos se le iban sin querer al este, donde se libraba la refriega. La propia sacerdotisa que supervisaba sus actos también estaba distraída, y no era para menos, pues el griterío que provenía de allí abajo era como el mugido del mar en una galerna. Más de quinientos jinetes eretrios, la caballería de la que tanto se enorgullecía la nobleza de la ciudad, habían salido por la puerta oriental para cargar contra los persas. Al principio, su bizarra acometida consiguió espantar a los arqueros y a los portadores de los escudos, y los defensores de la muralla los jalearon con gritos de alegría. Pero al abrirse las filas enemigas, por detrás de ellas apareció una multitud de jinetes persas, el doble o el triple que los griegos. Su formación de dientes de sierra embistió contra los eretrios y desbarató su ofensiva como quien espanta una mosca.

Desde la Acrópolis todo parecía una marea confusa de hombres y caballos. El clangor del metal contra el metal y los relinchos de las bestias eran tan estridentes que acallaban incluso los gritos de los que morían. Más tarde, Apolonia supo que sólo doscientos hombres habían conseguido regresar al amparo de la muralla antes de que los defensores cerraran las puertas. Los demás habían desaparecido engullidos por la carga persa.

Al atardecer, cuatro de esos jinetes volvieron a la ciudad, portadores de una orden de rendición de Datis, el jefe persa. La traían grabada a punzón en la espalda. Pero no era aquel mensaje escrito en sangre lo que más impresionó a los defensores. Los bárbaros habían castrado a los cuatro hombres y les habían cortado la nariz, las orejas, la lengua y los labios, de modo que todo lo que podían emitir por la boca eran gorgoteos ininteligibles y salpicados de sangre.

«Si no abrís las puertas ahora y entregáis las armas, todos los varones de esta ciudad sufriréis el mismo destino», rezaban las letras jónicas.

Tras comprobar el resultado del primer combate y lo que les había pasado a los prisioneros, los eretrios no habían vuelto a intentar más salidas. Ante su mirada impotente, los persas habían proseguido la construcción de las rampas, acercándose cada vez más al muro. Los defensores observaban con el corazón encogido, preguntándose qué vehículos pretenderían acercar por esos taludes.

—Los atenienses llegarán —insistía Jasón en los escasos ratos en que abandonaba la muralla para pasar por casa y recuperarse—. No nos pueden dejar solos.

—¿Estás seguro? ¿Por qué van a arriesgarse por nosotros? —le preguntaba Apolonia.

—Si no lo hacen, cuando los persas acaben con Eretria irán a por ellos. Los atenienses saben que es mejor que unamos nuestras fuerzas en vez de luchar por separado.

A unos diez kilómetros al noroeste de la ciudad, ocupando las tierras que hasta hacía poco habían pertenecido a la ciudad de Calcis, eterna rival de Eretria, vivían mil clerucos, colonos de Atenas que se habían instalado en aquellos terrenos con sus familias. Deberían haber sido los primeros en acudir como vanguardia de los demás atenienses; pero, por más que los eretrios escudriñaban el horizonte a poniente, por allí no aparecía nadie.

Por fin, en la sexta jornada de sitio, la víspera de la visión de Apolonia, los persas habían dado por terminados los preparativos y habían lanzado un asalto en masa contra la muralla. Primero arrimaron al muro ocho artefactos a modo de arietes. Pero aquellas máquinas eran mucho más refinadas que las que construían los griegos. En lugar de estar rematadas con bolas de bronce o hierro, los constructores las habían armado con hojas de metal, a modo de grandes espátulas que aplicaban contra los sillares de la muralla haciendo palanca para arrancarlos. De esta manera derruían poco a poco la capa exterior de piedra y se acercaban al corazón de tierra de la muralla. Los arietes eran casi invulnerables, pues venían transportados sobre grandes armazones con ruedas y protegidos por gruesas chapas de madera y planchas de cuero hervido, de manera que los soldados que los empujaban quedaban escudados de los proyectiles que les lanzaban desde el adarve. Carmo, el general que mandaba las tropas eretrias, ordenó aplicar estopa y brea a las flechas de los defensores para incendiar las máquinas; pero también fue en vano, pues en cada ariete había servidores parapetados tras la tabla frontal que apagaban las llamas vertiendo agua sobre ellas con enormes cucharones de cobre.

Mientras los arietes batían el muro con la tenacidad de bataneros pisando el paño, cuatro torres de madera se acercaron bamboleándose y traqueteando sobre sus enormes ruedas. La muralla de Eretria, con sus siete metros de altura, era un orgullo para sus habitantes; pero aquellas atalayas móviles medían diez metros, y los arqueros y honderos instalados en ellas podían disparar a placer contra los defensores desde sus ventanas y aspilleras.

Jasón había combatido durante toda la tarde frente a uno de esos monstruos ciclópeos. Agazapado tras el parapeto, se asomaba cuando podía y disparaba apresuradamente alguna flecha, pues si se quedaba al descubierto más de un segundo, tres o cuatro proyectiles venían contra él, tanto desde las torres como desde las líneas de arqueros que disparaban en parábola desde el suelo. Después de ver lo que le había ocurrido al hombre que combatía a su lado en al adarve, Jasón se andaba con mucho cuidado. Para un hoplita acorazado, las flechas no eran demasiado peligrosas si sus trayectorias eran curvas o les alcanzaban de lado; pero su vecino de puesto había tenido la mala suerte de que una saeta persa lo alcanzara de frente. Con un seco crujido, la punta piramidal había atravesado el peto de capas de lino y se le había clavado en el corazón. La coraza de Jasón, formada por dos piezas de bronce que encajaban como una campana, era más dura, pero después de aquella jornada su superficie pulida quedó afeada por un sinfín de abollones y raspaduras.

Mientras los arietes y las bastidas atacaban la muralla, la infantería persa tendía escalas de madera y lanzaba ataques simultáneos por más de diez puntos. Dos grupos lograron poner el pie sobre el adarve a la altura de la puerta de Caristo, pero los defensores, tras encarnizados combates cuerpo a cuerpo, consiguieron rechazarlos y derribar las escalas.

Por fin, al caer el sol, las trompas persas tocaron la orden de retirada. Un suspiro de cansancio y dolor recorrió la muralla. El general Carmo dio licencia a la mayor parte de los defensores para que regresaran a sus casas a pasar la noche, pues temía que si no les daba descanso, no aguantarían los ataques del día siguiente. Mientras, equipos de esclavos de ambos sexos se dedicaron a apuntalar la muralla allí donde las cabezas de los arietes habían abierto grietas. Pero sólo podían reforzar la parte interior, pues en el exterior montaban guardia retenes de arqueros persas que disparaban a bulto contra todo lo que se movía.

Gracias al permiso concedido por Carmo, Jasón había podido cenar con su esposa y narrarle los horrores de aquel día reclinado en el diván. Ella, sentada en un taburete como exigía el recato, le escuchaba y de vez en cuando hacía una seña a la joven esclava File para que les sirviera vino en ambas copas.

—Son como la marea —repitió Jasón—. Por más que los rechaces, siempre vienen más y más de refresco. Y traen unas máquinas diabólicas que nadie había visto nunca.

El mercader tenía la mirada perdida a lo lejos, como si en vez del rostro de su esposa contemplase aún las filas interminables de persas que se abatían en oleadas sobre la muralla. Estaba tan cansado que apenas probaba bocado, aunque ya había vaciado cuatro veces la copa de vino.

—No creo que resistamos otro día. No podemos con ellos. Nosotros somos ciudadanos que se enfundan una armadura de verano en verano para entrenar unos días, y de vez en cuando luchamos contra otros hoplitas tan aficionados como nosotros. Ellos son soldados profesionales. Nos van a barrer. Nuestra única esperanza es que los atenienses lleguen a tiempo.

—¿Por qué lo dices? —Tras oír el relato de su marido y ver sus ojeras negras y sus mejillas descolgadas, Apolonia tenía la impresión de que ninguna ciudad griega, ni sola ni en coalición con otras, podía derrotar a aquellos diablos venidos de Asia—. ¿Es que los atenienses tienen soldados profesionales, o es que son más numerosos que los persas?

Jasón meneó la cabeza.

—No, no lo son. Ni por asomo podrían vencerlos en una batalla campal. Pero si se unen a nosotros, podríamos defender todo el perímetro de la muralla y aguantar más tiempo. Tal vez los persas se queden sin provisiones y decidan levantar el cerco...

Ni siquiera él, que siempre había hablado maravillas de Atenas, parecía convencido de sus palabras. Apolonia había pensado por vez primera en la posibilidad de huir de Eretria, en abandonar su casa. Pero ¿adónde irían? No hay nada más triste en este mundo que ser una desterrada y vagar lejos de las tumbas de tus antepasados y los héroes de tu ciudad. Fue entonces cuando, para apartar aquel lúgubre pensamiento, le quitó la copa de la mano a Jasón y le dijo:

—¿Por qué no duermes conmigo? Es de noche. Estas horas le pertenecen a Afrodita, no al cruel Ares.

Y ambos subieron a la alcoba e hicieron el amor. Y luego apareció la diosa de ojos glaucos a traer su advertencia.

Ahora, Apolonia tomó la túnica que había dejado plegada sobre la tapa del arcón y se la echó por encima. Normalmente la ayudaba a vestirse File, pero Apolonia no quería despertar a nadie antes de hablar con Jasón, así que ella misma se abrochó los botones de plata que le sostenían el quitón sobre los hombros. Sin entretenerse en ponerse un manto o hacerse un moño, ya que era de noche todavía y tan sólo iba a verla su esposo, salió de la alcoba y recorrió el pasillo descalza, caminando de puntillas para que los crujidos de los peldaños no despertaran a Mnesiptólema.

Cuando bajó las escaleras y llegó al patio, se dio cuenta de que Jasón estaba hablando con alguien. Su primer impulso fue darse la vuelta y subir corriendo para que no la viera otro hombre. Pero después se dijo que el mensaje de la diosa era más importante que cualquier norma de conducta dictada por el decoro, y se acercó con paso cauteloso.

Ambos hombres conversaban a la luz de un candelabro, pues la noche era muy oscura. Enfrascados en su conversación, no repararon en la presencia de Apolonia, que permaneció a unos pasos de ellos, oculta entre las sombras.

El visitante era Esquines, amigo de su marido y, como él, orador en la asamblea. Apolonia lo conocía porque cuando murió su padre, había asistido al funeral y le había dado el pésame en la calle. Esquines era un hombre alto y apuesto, pero había algo en él que repelía a Apolonia.

—No esperes que los atenienses vengan —estaba diciendo—. Ellos mismos me lo han confirmado. Se van de la isla.

—¡Eso es imposible! —respondió Jasón—. Prometieron ayudarnos. Temístocles en persona me dio su palabra.

Apolonia recordó que la diosa le había dicho: «Busca el barco de Temístocles.» Aunque no lo conocía en persona, había oído hablar de aquel hombre. Era próxeno de su esposo, lo que significaba que cuando Jasón visitaba Atenas, se alojaba en casa de Temístocles, y cuando éste venía a Eretria —circunstancia que aún no se había dado desde la boda de Apolonia—, se hospedaba con Jasón.

Al parecer, Temístocles, como el propio Jasón, se dedicaba a comerciar con ciudades e islas de todo el Egeo y más allá, y sus naves habían llegado hasta Italia y Sicilia. Pero, por los comentarios de su propio marido, Apolonia sospechaba que el ateniense era mucho más activo y ambicioso en política que él.

—Es Temístocles quien se está encargando de la evacuación de los colonos al continente —respondió Esquines—. Lo he visto con mis propios ojos.

—¡No puede ser! Él me aseguró que acudirían en nuestra ayuda si los persas venían primero contra nosotros.

—Olvídalo. No hay solución. No podemos resistir solos a los persas —dijo Esquines.

Aunque Jasón había dicho eso mismo durante la cena, ahora sacudió la cabeza, negándose a resignarse.

—Piénsalo, Jasón —insistió Esquines—. Con esas máquinas, los persas acabarán tomando la muralla. Y cuando lo hagan, entrarán furiosos, en pleno ardor del combate, y se dedicarán a asesinar a los hombres y a violar a las mujeres. Pero si un comité de eretrios distinguidos pacta con ellos la entrega voluntaria de la ciudad, lo más probable es que nos perdonen.

—Ya. Después de cortarnos las narices y las orejas.

Apolonia se estremeció entre las sombras. Aunque no había visto a los desdichados que habían traído el mensaje persa, la imagen que tenía de ellos era tan cruda y real que había soñado una noche con sus rostros mutilados. Alguien le había contado que dos de ellos ya se habían cortado las venas.

—Eso lo hacen para sembrar el miedo y conseguir que nos rindamos —argumentó Esquines—. Los persas no son tan crueles como crees. Por mucho que se quejen, las ciudades griegas de la costa de Asia Menor viven muy bien bajo el dominio de Darío.

—¡No puedo creer que tú me estés diciendo eso! ¿Cómo van a vivir bien bajo esa tiranía?

—El gobierno persa no es ninguna tiranía, Jasón. Es verdad que esas ciudades tienen que pagar más de cuatrocientos talentos de tributo al Gran Rey. Pero, a cambio, la paz de Darío les permite prosperar y comerciar con mil lugares remotos. Así que los mismos jonios que no dejan de protestar del yugo persa se enriquecen tanto que sus ingresos compensan de sobra lo que pierden en tributos.

—Esos argumentos ya los he oído antes en la asamblea —respondió Jasón—. Pero nunca imaginé que saldrían de tu boca.

Esquines se encogió de hombros.

—Hay que resignarse, Jasón. Ante el gigante persa no somos más que un puñado de hormigas. Tenemos que cambiar de actitud si no queremos que nos aplaste.

—¿Y qué actitud quieres que tomemos? Ya es demasiado tarde. Todo el mundo sabe en qué bando estamos.

—¡No, no es tarde en absoluto! He hablado con algunas personas del partido oligárquico, y van a reunirse conmigo en mi casa antes de amanecer. Me han propuesto un pacto.

—¿Qué tipo de pacto? —preguntó Jasón.

—Saben que eres un hombre moderado, y que tienes ascendiente sobre los mercaderes y los artesanos. Si los apoyamos en la asamblea cuando propongan la entrega, ellos nos garantizarán inmunidad ante los persas. —Esquines apoyó una mano en el hombro de Jasón, al que casi sacaba la cabeza—. Ven conmigo a mi casa y ellos terminarán de convencerte.

—¡No! —exclamó Apolonia, saliendo a la luz.

Ambos se volvieron hacia ella. En el gesto de Jasón había sorpresa. En el de Esquines, algo más. De repente, Apolonia se dio cuenta de que, con el relente de la noche, los pezones se le habían vuelto a endurecer. Bajo la fina túnica de lino, que sin duda se transparentaba a la luz del candelabro, se sintió más desnuda que si no llevara nada de ropa. Para colmo, el cabello suelto le caía sobre los hombros; sabía que su negra melena atraía a los hombres tanto como su talle de junco, sus anchas caderas y sus dientes blancos y rectos. Esquines, aprovechando que estaba un paso por detrás de Jasón y que éste no podía saber dónde ponía los ojos, se la comió con la vista, demorándose en sus pechos. Después la miró al rostro y le sonrió con descaro.

Apolonia debería haber vuelto corriendo al gineceo. Pero no lo hizo. De pronto había visto en un destello todo lo que sucedería si no hacía nada. Jasón acompañando a Esquines a su casa. Jasón asesinado por los oligarcas. Los persas entrando en la ciudad a sangre y fuego. Esquines ocupando el lugar de Jasón en su lecho, quizá como esposo o, simplemente, como dueño y señor de su cuerpo.

No, eso no pasaría si estaba en su mano evitarlo.

—¿Qué haces levantada, Apolonia? —preguntó Jasón—. ¿Te han despertado nuestras voces?

Ella negó con la cabeza. No quería hablar de la visión delante de Esquines.

—¿Qué pasa entonces? —insistió su marido con un dejo de impaciencia en la voz.

—No quiero que salgas de casa —respondió Apolonia. Luego añadió, en tono más meloso—: Esta noche no.

—¿Dejas que tu esposa te diga lo que debes hacer? No sabía que la tenías tan consentida —intervino Esquines.

Jasón se volvió y le miró de soslayo. *Ha cometido un error,* comprendió Apolonia. El tono de Esquines había sonado demasiado venenoso.

—En esta casa, ella tiene más derecho a decírmelo que tú —respondió Jasón, y Apolonia sintió una oleada de gratitud que, en parte, alivió el frío de sus entrañas—. Vete a reunirte con esos hombres si quieres. Yo necesito pensar.

—Pues no te lo pienses demasiado. No disponemos de mucho tiempo.

Esquines dirigió una última mirada a Apolonia, que se cruzó los brazos sobre los senos para cubrirlos de su vista. Después salió sin despedirse. Jasón se sentó en un banco de piedra del patio, o más bien se desplomó sobre él. *Qué cansado parece,* pensó Apolonia con ternura, olvidando por unos segundos la urgencia del aviso de la diosa.

Jasón, que se había casado muy tarde, casi la doblaba en edad; pero ahora los veinte años que le sacaba a Apolonia parecían haberse convertido en treinta. La joven le quería, pero al meterse en la cama con él nunca había llegado a sentir esa calidez líquida en el vientre ni ese temblor en las pantorrillas del que hablaban los epitalamios. El mercader era apenas un dedo más alto que ella, tenía las piernas flacas y peludas, la barbilla blanda y huidiza y la coronilla en barbecho. Por más que se lavara y se perfumara con menta las axilas, su sudor ya olía a rancio cuando brotaba de su piel. Pero era un buen padre y un marido amable, y cuando organizaba banquetes en casa tenía la decencia de no invitar a flautistas ni prostitutas. Lo que hiciera en los simposios a los que le invitaban otros amigos, Apolonia prefería no saberlo.

La joven tomó aliento y dijo:

—He tenido una visión.

Jasón levantó la mirada y entrecerró los ojos. Apolonia se apresuró a contarle el sueño y las palabras de Atenea sin apenas dejar pausa entre las frases para que él no tuviera tiempo de poner objeciones.

—¿Crees que es un sueño veraz? —preguntó su marido al final.

Ella asintió. Al despertar, las imágenes de los sueños tienden a disiparse como lo hace la niebla matinal conforme se levanta el sol. Pero la visión de Atenea y sus armas seguía siendo tan vívida como la que ahora tenía de su esposo, o incluso más. Si cerraba los ojos, casi podía contar los pliegues del fino drapeado de su peplo.

—Creo que el sueño ha salido por la puerta de cuerno —respondió—. La propia diosa ha venido a avisarnos. Debemos huir de aquí.

Jasón se quedó unos segundos cabizbajo. Apolonia casi pudo leer sus pensamientos. Huir de la ciudad suponía desertar de su puesto en la muralla. Pero ella le había dado una razón honorable para abandonar: nada menos que un mensaje de los dioses. Y ahora, sin tan siquiera la esperanza de los refuerzos atenienses, ya no les quedaba la menor posibilidad de victoria.

Jasón apoyó las manos en los muslos y se levantó del banco con un gruñido de dolor. Al enderezarse le chascaron las rodillas.

—Despierta a los criados —le dijo a Apolonia—. Recoge todo lo que tengamos de valor y podamos llevar encima. Yo voy a avisar a alguna gente. ¡Arges! ¡Arges, espabila!

El esclavo tuerto subió de la bodega, donde se había quedado dormido después de reparar los desperfectos de la coraza y el escudo de su señor y sustituir el astil de tejo de la lanza por otro nuevo. Jasón le ordenó que acudiera a casa de su amigo Amonio, y le dio también los nombres de otras personas. Apolonia no sabía exactamente para qué quería su esposo a Amonio, pero lo sospechaba: el broncista vivía a pocos pasos de la muralla occidental, y el oeste era la única dirección posible para huir.

Mientras Jasón preparaba su panoplia y reunía provisiones, Apolonia subió al piso de arriba, despertó a las esclavas y les ordenó que guardaran las mejores ropas en el baúl de cedro.

Todo lo que tengamos de valor, se dijo. ¿Cómo se medía eso? ¿Qué valor tenía la tosca cuna de Mnesiptólema, que Jasón había fabricado con sus propias manos? ¿Y Nendia, la muñeca de terracota pintada que le había regalado el padre de Apolonia, o Pegaso, el caballo de madera articulado con el que ella había jugado de niña y que ahora le servía a su hija?

Tengo que ser práctica, pensó. Oro y plata, sobre todo. Con ellos podría comprarle a su hija decenas de muñecas y caballitos. Ella misma se puso encima todas las joyas que pudo, y además guardó en una arqueta montones de dracmas de plata de Corinto y de Eretria, amén de estateras e incluso daricos, monedas persas de oro que habían llegado a manos de Jasón en sus mercadeos con el este. Después ordenó a las criadas que cargaran con un tercer baúl, más pesado que los otros dos, en el que guardaba las vajillas y los candelabros de plata y de electro. Era mucho peso para huir en la noche, pero esa riqueza les garantizaría empezar una nueva vida en Atenas con un mínimo de dignidad.

Las voces, los crujidos de los pasos y el tintineo de la plata despertaron a Mnesiptólema, que empezó a llamar a su madre.

—Yo la atiendo, *déspoina* —dijo Hedia.

—No, déjame a mí.

Apolonia entró en la habitación del aya y levantó a su hija de la cuna. De repente sentía la urgencia de apretar ese cuerpecillo que conservaba el calor del sueño, como un panecillo recién sacado del horno, y enterrar la nariz en sus rizos rubios. Apolonia sospechaba que con el tiempo el cabello de la niña se volvería castaño como el de su padre, pero de momento disfrutaba acariciando aquellos bucles de miel y aspirando su aroma de mejorana.

—¿Qué pasa, mamá? —preguntó la niña con su media lengua.

—Nada, Nesi. —Todos la llamaban así, porque su nombre, elegido en honor de su difunta abuela, era demasiado sonoro y rimbombante para una niña tan pequeña—. Vamos a salir de paseo todos juntos. Ya verás qué divertido es. A lo mejor hasta montamos en barco.

—Tengo mucho sueño —lloriqueó Nesi.

—Pues duérmete otro poco —dijo Apolonia, mientras se la pasaba a Hedia. Con gusto se habría quedado con la niña en brazos, pero era ella quien sabía dónde se guardaban todas las cosas y mejor podía organizar a las criadas.

Cuando cerraban el último baúl, Apolonia creyó oír un grito lejano y ordenó a las esclavas que guardaran silencio. Unos segundos después, les llegó el tañido de una campana, y las cuatro mujeres se miraron alarmadas.

La noche estaba muy avanzada, pero aún no había quebrado el alba. «Mucho antes de que cante el gallo, unos traidores abrirán las puertas de Eretria al persa.» ¿Se había cumplido ya la advertencia de la diosa?

Apolonia se apresuró hacia la escalera y subió a la torre desde la que había presenciado el desembarco de los persas. Incluso antes de llegar arriba percibió el olor a quemado; y, una vez asomada a la pequeña atalaya, observó que en la parte noroeste de la ciudad, junto a la puerta de Caristo, habían aparecido llamas que empezaban a propagarse de tejado en tejado. El corazón se le paró durante unos segundos. El fuego estaba a menos de mil metros de su casa.

Y a menos de mil metros de su hija.

Bajó corriendo al patio. Allí estaban ya Hedia con la niña, y File y Lampo, que habían bajado los baúles con la ayuda del portero y el ecónomo.

—¡Tenemos que irnos ya! —exclamó Apolonia.

Jasón asintió. Él también debía de haber oído la campana. En ese momento regresó Arges, y entre él y el propio Jasón cargaron con las armas de hoplita. Apolonia cogió en brazos a Nesi, mientras los demás esclavos acarreaban los cestos de provisiones y los tres baúles. Alumbrados por las antorchas que llevaban Arges, el portero y Jasón, salieron por la puerta. Apolonia dirigió una última mirada atrás. Aunque no era el hogar donde había nacido, la joven había llegado a encariñarse con aquella casa que su esposo había dejado prácticamente en sus manos y que ella había organizado a su gusto.

Antes de una hora, sería pasto de las llamas. Se imaginó a Pegaso ardiendo entre una pila de muebles rotos, y se preguntó cómo podría contárselo a su hija cuando le preguntara por él, cómo podría explicarle que había hombres tan crueles que querían quemarle su caballito de madera. De pronto, aquélla le pareció la mayor de las maldades, un crimen mucho peor que la destrucción de la ciudad, tal vez porque ésta le resultaba inconcebible. Los ojos se le arrasaron de lágrimas. *Tienes que ser práctica*, se repitió, y se las secó para que Mnesiptólema no las viera. Lo único importante ahora era salvar a su pequeña.

Cruzaron un angosto callejón y salieron a la avenida de los Caldereros. Por las puertas empezaban a asomar vecinos que le preguntaban a Jasón qué pasaba. Él, sin dejar de caminar, les decía que los persas habían entrado en la ciudad. Algunos le gritaron que se diera la vuelta, que había que acudir a defender las murallas, y Jasón les respondió:

—¡No seáis necios! Huid mientras podáis. ¡La ciudad está condenada!

Pronto llegaron a la mansión de Amonio, que era mayor que la suya. Apolonia conocía la casa porque había ido a visitar a la esposa del broncista un par de veces por el nacimiento de su último hijo. El propio Amonio les salió a recibir a la puerta y les hizo señas para que pasaran.

—¿Por qué entramos en su casa? —preguntó Apolonia a Jasón—. Tenemos que salir de la ciudad.

—Descuida, mujer —contestó Jasón. Había tensión en su voz, como una cuerda de lira a punto de romperse, pero seguía siendo cortés con ella—. Ya teníamos preparado esto desde que nos enteramos de que venían los persas. Siempre hemos sabido que podía haber traidores entre nosotros.

—Pues esos traidores ya están ocupando el puente de la puerta oeste —intervino Amonio—. Pero a nosotros no nos verán.

En el patio ya se había congregado una pequeña multitud, entre hombres cargados con sus pesadas panoplias y mujeres, niños y esclavos que llevaban a cuestas los enseres que habían podido reunir con tanta precipitación. Las campanas habían dejado de sonar, pero el aire de la noche traía una confusa marea de voces y lamentos que cada vez sonaban más altos y cercanos. Apolonia tuvo una visión de vigías degollados y de guerreros gigantescos aplicando antorchas a las casas, y meneó la cabeza para tratar de apartar aquella imagen. No había tiempo para pensar en eso.

El aroma de la resina de pino que ardía en las teas apenas disimulaba el hedor acre del miedo. Los hombres susurraban con gesto grave, los niños más pequeños lloriqueaban y algunas mujeres se mesaban el pelo y se arañaban el rostro, lamentando todo lo que habían dejado atrás en sus casas. Apolonia abrazó aún más fuerte a Mnesiptólema y se dijo que lo que más le importaba iba con ella.

El olor a humo era cada vez más intenso, y había ya pavesas flotando sobre el patio. Amonio y Jasón cruzaron unas breves palabras, y después el broncista ordenó a todos que lo siguieran. Guiados por sus sirvientes, los fugitivos descendieron en fila de a dos por una escalera que bajaba a una bodega. Al fondo, en una pared de roca viva, había una puerta abierta que daba paso a un túnel. Allí, un esclavo con una antorcha indicó a Jasón y a su familia que lo siguieran.

—Este pasadizo sale a más de dos estadios de la muralla —le explicó Jasón a Apolonia—. Lo excavaron hace mucho tiempo, cuando llevaron a cabo las obras para drenar la llanura y canalizar el río.

El túnel era tan angosto que tenían que caminar de uno en uno, pero al menos no había que agachar la cabeza, y las paredes estaban más secas de lo que Apolonia se había esperado. Lo recorrieron en espectral procesión, iluminados por antorchas y lamparillas, como si acudieran a celebrar un ritual secreto en honor de Perséfone en las entrañas de la tierra. Caminaron un buen rato entre el sonido sordo de las pisadas sobre el suelo compacto, el entrechocar metálico de las armas, el frufrú de las largas túnicas de las mujeres y los jadeos de los sirvientes que cargaban con arcones y fardos. De vez en cuando se oía un sollozo, una maldición o el retazo de una conversación en susurros.

Apolonia había reconocido muchas caras en el patio, y sabía que todas esas personas eran como ella y su marido, miembros de la clase media de Eretria que habitaba el barrio noroeste de la ciudad. No había allí hipobotas, los terratenientes que remontaban sus ancestros a los dioses y que se enorgullecían de competir con sus caballos y sus carros en los juegos de Nemea y de Olimpia; los mismos que, sospechaba Apolonia, habían abierto las puertas de la ciudad al persa. No, en el túnel sólo había artesanos y comerciantes que técnicamente pertenecían al demos, pero que habían prosperado lo suficiente y habían podido adquirir las caras panoplias necesarias para servir como hoplitas y combatir en las filas de la infantería pesada.

Apolonia se preguntó qué estaría pasando cerca del puerto, en la parte sur de la ciudad, donde vivían los vecinos más humildes, asalariados, libertos y jornaleros. También estarían intentando huir; pero por mar era imposible, pues la inmensa flota persa tenía bloqueada la bocana del puerto. Muerte, mutilación, esclavitud: ése era el destino que esperaba a aquellos infelices.

—¿Dónde están los atenienses? —se lamentó una mujer, unos pasos detrás de Apolonia—. Esos cobardes nos han abandonado.

—Cállate, mujer. Ya me lo has dicho mil veces —le espetó su marido.

Apolonia los conocía a ambos. Eran Terámenes, un tratante de perfumes que había defendido el apoyo a la revuelta jonia y el envío de barcos en alianza con Atenas, y su esposa Zósima. Llevaban treinta años casados y no habían dejado de discutir ni uno solo de ellos.

—¡Y mil veces más te lo diré!

Otra mujer estaba preguntando si era verdad lo que había oído sobre el empalamiento, y un hombre, su marido o tal vez un esclavo, se extendió en truculentos detalles. Al parecer, los persas desnudaban a sus prisioneros, los levantaban en vilo y los colocaban sobre estacas largas y aguzadas que, por su propio peso, se les iban introduciendo poco a poco por el ano y desgarrándoles las entrañas en una agonía que podía durar más de cinco días. Apolonia se estremeció y tapó las orejas de Mnesiptólema, aunque la niña iba dormida y era dudoso que entendiera de qué hablaban los mayores.

—¡Callad de una vez! —ordenó Amonio el broncista, con su vozarrón de oso.

Durante unos segundos se hizo el silencio. Después, File le preguntó a Hedia si creía que los persas las violarían a todas, y el aya le dijo que cerrara la boca. Apolonia se estremeció. Poco antes de casarse, había soñado varias noches seguidas que un hombre muy apuesto, tal vez un dios, se presentaba en su alcoba, le desgarraba la túnica y la tomaba a la fuerza. Cuando eso pasaba, la joven se despertaba con un extraño calor en el vientre, y durante el resto del día esperaba, con una mezcla de temor e impaciencia morbosa, a que llegara la noche, anticipando el contacto de aquellos dedos poderosos y el seco rasgar de la tela.

Pero ahora que esa turbia fantasía podía convertirse en realidad, ya no sentía ninguna calidez, sino sólo un miedo frío y resbaladizo como la tripa de un sapo.

Si algún persa la intentaba violar, se dijo, ella misma se clavaría el cuchillo que llevaba bajo la túnica, y con la mano izquierda se palpó debajo del esternón, calculando por dónde entraría la fría hoja de hierro. Y entonces otra voz interior le dijo: *¿Y qué pasará entonces con tu hija?*

Por fin salieron del túnel. Allí se reagruparon todos bajo las órdenes de Amonio y Jasón. Mientras lo hacían, Apolonia volvió la vista atrás. El estrecho gajo de la luna creciente no saldría hasta después del amanecer, y el cielo seguía oscuro y cuajado de estrellas. Al norte se recortaba una sombra aún más negra, el monte Olimpo que dominaba la ciudad, hermano pequeño del otro Olimpo que se levantaba en el continente y de cuyas cumbres nevadas le había hablado su esposo. Apolonia respiró hondo. Flotaba un olor untuoso en el aire, tal vez de alguna almazara cercana; mezclado con él, aunque el viento venía del monte y no de la ciudad, captó el del humo y la madera quemada.

—¡En marcha! —ordenó Amonio—. ¡Hacia el oeste!

—¿Por qué no subimos al monte? —preguntó Terámenes el perfumista—. Allí la caballería persa no nos perseguirá, y cuando se vayan de la isla podremos regresar a la ciudad.

—No —respondió Jasón—. Atenea se me ha aparecido en sueños y me ha dicho que debemos buscar el barco de Temístocles y cruzar el estrecho.

—¿Quién nos dice que ese sueño es veraz?

—Ha sido ese sueño el que nos ha avisado a tiempo de que los persas iban a entrar en la ciudad —repuso Amonio—. Así que callad de una vez y seguid andando.

A Apolonia le dolió que su marido se apropiara de su visión, pero comprendió con tristeza que los hombres se la habrían tomado menos en serio de saber que Atenea no se había dirigido a él, sino a su esposa.

Emprendieron el camino, ahora en una columna irregular de tres o cuatro personas. Apolonia, que iba cerca de la vanguardia, se volvió y calculó que podía haber unos doscientos en el grupo, aunque no era fácil precisarlo a la luz de las antorchas. Sobre sus cabezas, en la oscura masa de la Acrópolis, habían aparecido unas luces que primero titilaron tímidas como luciérnagas bailando en el aire y después se unieron en inconfundibles lenguas de fuego.

Apolonia se imaginó el templo de Ártemis Olimpia ardiendo, y pensó: *Jamás volveré a Eretria.* Mientras sus sandalias crujían sobre los secos terrones del viñedo que atravesaban, se dio cuenta de que era la primera vez que sus pies pisaban fuera de la muralla. Su padre poseía un taller donde fabricaba talabartería, corazas y yelmos de cuero, y nunca había tenido intereses en el campo. Y en cuanto a Jasón, lo más lejos que la había llevado había sido hasta el puerto para ver zarpar alguno de sus barcos.

Esa muralla que dejaba atrás era la misma que desde ese momento la separaba de su vida anterior. A partir de ahora, bien fuera a sobrevivir o a morir en las próximas horas, nada volvería a ser lo mismo.

—Tengo frío, mamá —se quejó Nesi, medio en sueños.

Apolonia la arrebujó más en un pliegue de su manto y la apretó con fuerza.

Tras atravesar más viñedos y un higueral, llegaron a unos campos de cebada y trigo que esperaban la siembra del mes siguiente. Las alquerías estaban desiertas, y no había en los campos ni ovejas ni cabras ni vacas, pues los eretrios se habían llevado todo el ganado a la ciudad o a las montañas, y sólo el olor del estiércol revelaba que unos días antes sus rebaños habían pastado en aquel llano.

El cielo empezó a grisear, y contra su fondo frío Apolonia pudo distinguir una estribación del Olimpo que descendía hacia el oeste. Jasón le explicó que por allí, entre esa ladera y el mar, entrarían en la llanura Lelantina, la fértil tierra que antes pertenecía a Calcis y que ahora estaba en poder de los colonos atenienses. Si todo iba bien y las palabras de la diosa se cumplían, encontrarían algún barco que los llevara al otro lado del estrecho.

—Allí estaremos a salvo —dijo Jasón.

Por un tiempo, pensó Apolonia. *Los persas han quemado Ere-*

tria, pero aún les queda vengarse de Atenas. Pero su esposo tenía el rostro tan demacrado que no quiso desanimarlo más.

Un niño o una niña gritaron con voz aguda en la cola de la comitiva. Apolonia se volvió, como los demás. Sobre la ciudad se divisaban negras humaredas, entre las que se adivinaba alguna lengua de fuego. Pero por delante de ellas, flotando encima de los árboles, se levantaba otra columna más clara, casi blanca. Apolonia tardó unos instantes en comprender que no era humo, sino polvo. Arges se tumbó y pegó la oreja al suelo. No tardó en levantarse y decirle a Jasón con gesto grave:

—Caballería.

Antes de caer prisionero de guerra y ser vendido como esclavo, Arges había servido de mercenario y explorador en Tracia, así que sabía de lo que hablaba. La voz corrió entre los fugitivos. Los hombres urgieron a las mujeres y a los niños a apretar el paso. Algunas que no estaban acostumbradas a salir de su casa ni para ir al Ágora a comprar se quejaban amargamente de sus pies doloridos. A la propia Apolonia le había salido una ampolla en el pie derecho, en la planta del izquierdo notaba algo húmedo y tibio que debía ser sangre, y tenía los brazos entumecidos de cargar con el peso de la niña; pero no dijo nada y trató de aligerar la marcha.

—¿Nos están persiguiendo? —preguntó alguien. Amonio miró hacia atrás y trató de tranquilizarlos.

—Los persas no pueden saber que estamos aquí. Debe de ser una partida que está barriendo los alrededores de la ciudad por si hay otros fugitivos.

Pero mientras los perfiles del monte se teñían de una fría pátina morada, se hizo evidente que la columna de polvo estaba cada vez más cerca. Apolonia pensó en Esquines, de quien estaba cada vez más segura que les había abierto la puerta a los persas. ¿Habría cometido Jasón la imprudencia de hablarle del túnel que salía de casa de Amonio? Conociendo a su marido, seguro que la respuesta era afirmativa.

Apolonia creyó escuchar la aguda llamada de un pájaro, pero al prestar más atención se dio cuenta de que eran relinchos. De pronto vio la imagen de un persa arrancándole la ropa, y hasta creyó oír el seco chasquido de la tela rasgada por unos dedos manchados de sangre. Instintivamente apretó a Nesi, más por cubrirse los pechos que por proteger a la propia niña.

—¡Vienen a por nosotros, Amonio! —exclamó Terámenes.

—Hay que apretar el paso —animó el broncista, haciendo aspavientos para que todos aceleraran la marcha. Pero Jasón le agarró por el hombro y le dijo:

—Es inútil. No podemos escapar de la caballería. Aunque no fuéramos con los niños y las mujeres, nos alcanzarían.

—¿Y qué hacemos entonces?

—Tú sabes lo que tenemos que hacer —respondió Jasón, y luego miró de reojo a Apolonia. La joven vio en su mirada un pozo negro y recordó las palabras de la diosa.

«Toma a tu hija y a tus criados contigo.»

Sólo entonces reparó en que Atenea no le había dicho nada de su esposo.

Las mujeres y los niños se habían ido ya, junto con los esclavos más ancianos. Sólo quedaban los ciudadanos y sus sirvientes de confianza. Jasón se protegió las espinillas con las grebas de bronce, y después levantó los brazos para que Arges le asegurara los cierres laterales de la coraza campaniforme. Siempre le había costado ajustársela, pues su padre, de quien la había heredado, estaba más delgado que él. Pero en los últimos días Jasón había perdido tanta tripa que ahora el peto casi le quedaba holgado.

—Ya puedes irte, Arges —le dijo al esclavo mientras él mismo se calaba la cofia de fieltro hasta las orejas.

—No voy a ninguna parte, Jasón. Me quedo contigo.

Arges, que nunca había destacado por ser demasiado respetuoso, raras veces lo llamaba *déspota* o *kyrie*. Pero le había sido fiel durante más de diez años, y ahora sabía disimular el miedo mejor que el propio Jasón.

—No hay nada que hacer. Lo único que podemos conseguir es ganar tiempo. Vete —insistió Jasón.

—Lo sé —respondió Arges—. Por eso, cuantos más hombres seamos, más tiempo ganaremos.

Jasón le puso una mano en el hombro y le apretó con fuerza.

—Escúchame, Arges. Si de verdad quieres servirme, corre como si te persiguieran las Furias y alcanza a mi esposa y a mi hija. Ahora que no tienen ciudad, necesitarán a alguien que las proteja. No me fío de los otros criados. Tú eres el único que puede hacerlo.

Arges agachó la cabeza y se quedó pensando unos segundos. Cuando levantó de nuevo la mirada, su gesto era casi de alivio. Su amo le había brindado una excusa honrosa para la retirada.

—Hazlo —insistió Jasón.

Arges asintió y se dio la vuelta. Pero antes de arrancar a correr se le ocurrió algo.

—Si sólo es caballería, aguantad en formación —le dijo, girando a medias el cuerpo hacia él—. No os dejéis llevar por Fobo, pues si os posee el pánico y rompéis las filas estaréis perdidos.

—Dale instrucciones a quien te las pida, esclavo —respondió Antíoco, un marmolista al que le había correspondido formar a la derecha de Jasón—. Nosotros sabemos luchar como ciudadanos libres.

Arges le miró con desprecio, pero no dijo nada y se alejó trotando. Jasón comprendió que se había quedado solo, y que ahora él era el único bastión entre los persas y los miembros de su casa. *Salva a los míos, portadora de la égida,* le suplicó a Atenea.

Jasón miró en derredor, estudiando la posición. Estaban en el punto más estrecho que separaba los terrenos de Eretria de la llanura de Lelanto. A unos treinta o cuarenta pasos de ellos, a su izquierda, empezaba una cuesta pedregosa y sembrada de pinos y brezos que subía poco a poco hacia las estribaciones del monte Olimpo. A la derecha se extendía una playa de arena gruesa y oscura. Para cubrir todo el espacio que se abría entre el agua y el monte bajo habrían necesitado diez veces más hombres.

Amonio debió leer en su mente las dudas, porque le dijo:

—No te preocupes, Jasón. Los persas no pasarán de largo para perseguir a las mujeres. Nosotros y nuestras armas somos una presa más honorable. Lucharán.

—Sí. Lucharán —repitió Jasón, tragando saliva, y miró a su derecha.

El sol, que por fin había salido sobre el Olimpo, arrancaba a las olas reflejos blancos, pero todavía no calentaba. El viento terral de la noche se había retirado para dejar su lugar a la brisa del mar. Jasón respiró hondo; la nariz se le llenó de olor a sal, y los ojos de lágrimas. Como buen marino y viajero, siempre había dicho que quería morir al lado del mar y no dentro de sus aguas. Ahora, pensó con amargura, su deseo se iba a cumplir.

Algunos esclavos se habían quedado con sus señores, pero ahora se apartaron hacia los brezos, armados de venablos y piedras. Una vez solos los ciudadanos libres, Jasón pudo contar cuántos eran. Cuarenta hoplitas. Sin necesidad de deliberar quién de ellos sería el jefe, Amonio dio las órdenes desde el principio. Siendo tan pocos, formar con ocho hombres de profundidad como en una falange convencional era ridículo. Para cubrir más terreno, el broncista los organizó en dos filas de veinte. En la primera emplazó a quienes tenían corazas de campana, como Jasón, o al menos de lino reforzado con escamas de bronce; y en la segunda formaron los que tenían las corazas de lino más finas o simples petos de cuero hervido.

En una batalla formal, el general habría hecho un sacrificio a los dioses. Pero allí no tenían víctimas que degollar, así que Amonio se limitó a levantar las palmas de las manos al cielo y a pronunciar una plegaria pidiendo ayuda a Zeus, a Eníalo y a Ártemis. Después se volvió hacia los demás. Aunque era un hombre con influencias, nunca había destacado en la asamblea por su oratoria, y su arenga fue breve.

—Esos cabrones no van a tocar ni a nuestros hijos ni a nuestras mujeres. ¡Vamos a joderlos bien!

Los perseguidores ya estaban a la vista, a menos de dos estadios. Venían cabalgando por la playa en columna, de modo que resultaba difícil calcular cuántos eran. Pero al ver a los eretrios en posición, refrenaron el paso de sus monturas. Uno de los jinetes, montado en un caballo negro y seguido por un portaestandarte, desfiló ante los demás para distribuirlos o acaso arengarlos antes del combate. Tras unos instantes, los persas se abrieron en un frente mucho más amplio que la exigua falange que habían organizado los eretrios. Después empezaron a avanzar al paso. Jasón tragó saliva. Ahora que se habían desplegado, resultaba evidente que los enemigos eran muchos, quizá el doble que ellos.

En el centro del escuadrón, rodeando al jefe, venían siete u ocho corceles enormes que se adelantaron a los demás. Aquellas bestias iban protegidas con petrales y testeras de metal que brillaban como electro bajo el sol naciente, y sus jinetes también cabalgaban blindados de pies a cabeza. Al oír los relinchos de los caballos y el chasquido metálico de las escamas de hierro y bronce, en la pequeña falange griega se escucharon gemidos de consternación apenas disimulados. A Jasón le llegó un olor acre, y comprendió que alguien se había defecado encima. Nadie hizo comentario alguno; todos habían servido en la muralla el tiempo suficiente para saber que esas reacciones no se podían controlar. El propio Jasón contuvo a duras penas un terrible retortijón; era como si sus tripas estuvieran pobladas de ratas de sentina que quisieran huir del inminente naufragio.

—¡No os amilanéis! —gritó Amonio, desfilando por última vez ante su reducida formación—. ¡Los caballos no cargan contra un muro de lanzas! ¡Recordad el dicho del erizo y embrazad bien los escudos!

Jasón recitó en voz baja los versos de Arquíloco: *Muchas cosas sabe la zorra. El erizo sólo una, ¡pero qué buena es!* Enseguida iban a comprobar si el poeta de Paros tenía razón.

Amonio se colocó en el extremo derecho, el lugar de honor de la falange, y también el más peligroso, donde nadie más podía resguardarle el costado indefenso que manejaba la lanza. A su señal, los que aún no se habían cubierto la cabeza lo hicieron. Al ponerse el casco, Jasón volvió a experimentar aquella sensación ya conocida, como si hubiera metido los oídos en sendas caracolas. Los ruidos del exterior quedaban amortiguados tras un cojín de fieltro y bronce, y los latidos de su propio corazón sonaban tan fuertes y frenéticos como los tambores de una procesión en honor de Dioniso. Aunque aquél era el palpitar del miedo, le tranquilizó un poco, pues bajo el casco se creaba una curiosa burbuja, una sensación de aislamiento e invulnerabilidad que él mismo sabía engañosa.

Jasón levantó el escudo, acomodó el hombro izquierdo bajo su concavidad y después enarboló la lanza sobre el borde del broquel. Las articulaciones de sus brazos protestaron, pero apretó los dientes y aguantó mientras maniobraba el escudo para encajarlo mejor con los de Antíoco, el hoplita que tenía a su derecha, y Terámenes, que formaba a su izquierda.

En ese momento, los caballeros acorazados que iban en cabeza se detuvieron, a unos cien metros de la falange, y el hombre del corcel negro levantó la mano y ladró una orden seca. A ambos lados, los escuadrones de caballería que los flanqueaban se lanzaron al trote y después al galope, convergiendo hacia los hoplitas. Jasón tenía el campo de visión muy limitado por el estrecho visor de su yelmo corintio, pero calculó que embestían contra ellos no menos de sesenta enemigos. Sus caballos no estaban blindados, y si los jinetes llevaban armadura debía ser debajo de los pantalones y los caftanes de vivos colores.

Amonio empezó el peán, y los demás eretrios entonaron el canto guerrero con él para darse valor. Pero el ululato de los asiáticos, el retumbar de los cascos y el relincho de los caballos ahogaron sus voces, y se callaron antes de llegar al último verso.

—¡Aguantad! —rugió Amonio, acostumbrado a hacerse oír en el estrépito de la herrería—. ¡No abandonéis la formación! ¡Ya os he dicho que los caballos no cargan contra una pared!

Jasón apretó los dientes y clavó los pies en tierra. Ya podía ver los rostros de los enemigos, y hasta distinguir los ollares dilatados de los caballos. Pero los persas, como había predicho Amonio, no cargaron de frente contra la formación griega. Cuando estaban a menos de treinta pasos, todos los caballos giraron hacia la izquierda perfectamente coordinados mientras sus jinetes torcían la cintura para seguir mirando a los eretrios. Jasón vio cómo los persas empulgaban sus arcos y tragó saliva, imaginándose el crujiente lamento de la madera y del cuero al tensarse al límite. Aquí no había un parapeto de piedra tras el cual guarecerse; sólo su escudo, tres palmos de madera de roble y chapa de bronce.

—¡Mantened la formación! —insistió Amonio.

Mientras los jinetes enemigos desfilaban veloces ante ellos, lejos del alcance de sus lanzas, la primera andanada de flechas voló por los aires. Jasón, sin aguardar a ver por dónde venían los proyectiles, se encogió y agachó la cabeza bajo el escudo, y los hombres que tenía a ambos lados lo imitaron. Se oyó el diáfano repiqueteo de metal contra metal, acompañado por maldiciones entre dientes. En la primera ráfaga Jasón no sintió ningún impacto. Al mirar a ambos lados de reojo le pareció que nadie había caído, aunque los cuerpos de Antíoco y Terámenes le obstaculizaban la visión.

—¿Os dais cuenta? —gritó Amonio—. ¡Sus flechas no pueden penetrar nuestros escudos! ¡Aguantad!

Tras la primera descarga conjunta, los enemigos se dedicaron a disparar a discreción sin dejar de cabalgar. Aquellos demonios asiáticos manejaban los arcos con tal destreza que nunca había menos de veinte flechas surcando el aire. Jasón sintió un impacto en el escudo, pero el dardo rebotó y cayó inofensivo delante de él, y durante un instante pensó que realmente tenían posibilidades de resistir, de ser tan impenetrables como el erizo de Arquíloco.

Mas, por desgracia, todos juntos formaban un erizo muy pequeño. En el mismo momento en que el último arquero de la formación enemiga pasaba por delante de Jasón, éste oyó un grito de alarma de Eudemo, el hombre que tenía detrás. Giró el cuello y vio que los jinetes persas ya estaban allí, disparándoles por la retaguardia. Habían rebasado sin problemas el flanco izquierdo de su reducida falange y ahora se dedicaban a cabalgar en círculo alrededor de ellos sin dejar de disparar. Al igual que los demás hoplitas de la primera fila, Jasón trató de darse la vuelta para protegerse de las flechas que ahora le venían por la espalda; su escudo se quedó enganchado con el de Antíoco y ambos estuvieron a punto de caer al suelo.

—¡No hagáis eso! —gritó Amonio—. ¡Los de la primera fila, escudos hacia delante! ¡Los de la segunda, escudos a retaguardia! ¡Confiad en vuestros compañeros!

Pero pedir a aquellos caldereros, mercaderes, alfareros, perfumistas y taberneros que formaran una falange de dos frentes era esperar demasiado. Algunos hombres obedecían las órdenes de Amonio, otros se volvían contra la nueva amenaza y algunos, como el propio Jasón, trataban de mantener un precario equilibrio entre ambas acciones, girando nerviosos de un lado a otro. Los persas seguían galopando en círculo, tan cerca de ellos que algunas de sus flechas atravesaban la chapa de los escudos e incluso las corazas más débiles. Entre los silbidos de las saetas, los insultos y maldiciones en griego, las toses por la polvareda que levantaban los caballos y los rugidos de Amonio, empezaban a oírse ya gritos de dolor y estertores de agonía. Los proyectiles llegaban de todas partes, y muchos hoplitas se habían arrodillado ya en el suelo para acurrucarse detrás de sus escudos. Cuando Terámenes el perfumista hizo lo propio, Jasón miró a su izquierda y comprobó que la ordenada fila de veinte se había convertido en un caos y que ya había varios hombres tendidos en el suelo.

Jasón oyó una maldición a su lado, y algo caliente le salpicó el cuello. Al mirar a la derecha, vio que una certera saeta se había colado en el visor de Antíoco. El marmolista dejó caer ambos brazos y se desplomó de bruces como un guiñapo, tronchando el astil de la flecha con su peso. Ya no podría grabar las lápidas de los demás.

Un jinete persa se apartó del círculo de atacantes, se acercó a menos de diez metros de los hoplitas y apuntó su arco hacia Jasón. Éste vio venir la flecha hacia su cara y apartó la cabeza por reflejo. El proyectil rozó su yelmo con un desagradable rechinar metálico. «¡Cabrón!», mascculló el mercader, y para su placer vio que el caballo tropezaba y caía. Terámenes, que seguía arrodillado, se puso en pie y corrió hacia el persa blandiendo la lanza sobre la cabeza. Varios hombres más lo siguieron.

—¡No! —gritó Amonio—. ¡No abandonéis la formación!

Pero su orden fue en vano. Era más fácil combatir el miedo moviéndose que aguantando en el sitio, y el propio Jasón comprobó que sus piernas lo llevaban por sí solas hacia el enemigo caído. Cuando parecía que los eretrios iban a cobrarse su primera víctima, el caballo se levantó de golpe y el jinete saltó sobre su grupa. Tras esquivar la lanza de Terámenes por menos de dos palmos, el persa se alejó entre carcajadas. El perfumista se quedó un momento maldiciéndolo, y al levantar el brazo derecho una flecha se clavó bajo su axila. Jasón, llevado por la inercia de la carrera, se plantó a su lado y trató de cubrir con su escudo al compañero herido.

En ese momento, un enorme bulto negro y dorado surgió de entre la nube de polvo. Jasón se volvió por instinto e interpuso el escudo cuando los cascos delanteros del caballo se precipitaron sobre él. Las tablas de roble aguantaron, pero su hombro se descoyuntó con un doloroso crujido, y Jasón cayó de espaldas.

En la franja del visor apareció la cabeza de su atacante, recortándose contra el cielo, tan alto e inalcanzable como Zeus en su trono. Por un segundo, Jasón pensó que era una estatua de metal dotada de vida, pero luego se dio cuenta de que el persa llevaba una máscara de oro labrada con una enigmática sonrisa. Por encima del yelmo picudo ondeaba un estandarte con un sol alado.

—Mariya, dushmartiya!

Una sombra oscura tapó su visor, y Jasón comprendió que, en realidad, las alas del estandarte pertenecían a las Keres. Los pájaros de la muerte habían venido a llevarse su alma.

Apolonia, Nesi, que los dioses os protejan...

Apolonia habría querido correr, pero ni sus pulmones ni sus pies se lo permitían. Estaban ya en la llanura de Lelanto, atravesando unos campos segados que esperarían en vano la siembra otoñal. A la derecha había huertos de higueras y de viñedos que habían quedado sin recoger. Mnesiptólema lloriqueaba, diciendo que tenía hambre y sed. Al pasar junto a un bardal medio derribado, Apolonia estiró el brazo y arrancó un par de racimos. Después, como un pájaro alimentando a su cría, quitó las pepitas de las uvas con su propia boca y le pasó la pulpa a Nesi.

—¿Dónde está papá? —preguntó la niña.

—Se ha quedado detrás porque no es capaz de andar tan rápido como nosotras —contestó Apolonia, con un nudo en la garganta—. ¿Te has dado cuenta de qué rápidas somos?

Pero no debían serlo tanto, porque, en ese momento, las alcanzó Arges, jadeante y sudoroso. Al oír que los persas les pisaban los talones, Apolonia se volvió hacia atrás. De momento no se veía a los bárbaros; tan sólo la penosa columna de marcha que formaban los fugitivos, con huecos cada vez más amplios entre cada grupo. Pero por encima de sus cabezas seguía flotando la nube de polvo, y ahora entre los relinchos de los caballos sonaban también gritos y alaridos confusos.

—¡Mirad! ¡Barcos! —gritó Zósima, la esposa del perfumista, señalando hacia delante. Allí, por delante de un cabo que se proyectaba hacia el suroeste, una hilera de naves desfilaba hacia el continente.

—Deben de ser los atenienses —dijo Arges—. Hay que darse prisa, antes de que se larguen.

Aunque todos estaban exhaustos, apretaron el paso. Pronto descrestaron una pequeña cuesta, y ante ellos se abrió una bahía de aguas transparentes y arenas blancas. Aún quedaban fondeados cinco barcos de transporte de cascos negros, redondos y panzudos, y dos naves de guerra con las popas varadas en la playa. Una era una alargada pentecontera y la otra un trirreme pintado de azul, con dos ojos enormes en la proa. Sobre las velas de ambos barcos ondeaban sendos gallardetes con la lechuza de Atenea. Apolonia le dio gracias a la diosa, se encomendó de nuevo a su protección y, olvidándose de las heridas y ampollas de sus pies, corrió directamente hacia el trirreme.

Delante de cada nave había grupos de gente que hacían cola para subir a bordo. Ante el trirreme aguardaban unas cuarenta personas entre hombres, mujeres y niños. Traían con ellos ovejas y cabras, mulas y unos cuantos bueyes. Los carromatos habían quedado abandonados junto a la orilla, y las posesiones que cargaban ahora colgaban de grandes cestos de los hombros de los colonos, o hacían equilibrios en aparatosos fardos sobre las cabezas de sus mujeres.

—¿Adónde te crees que vas?

Apolonia, que casi había llegado a la escalerilla del trirreme, se dio la vuelta. Una mujerona con hombros de estibador la miraba con los brazos en jarras.

Apolonia se quedó un instante sin saber qué decir. Se había alegrado tanto al ver las naves que ni por un segundo se le había pasado por la cabeza la posibilidad de que no hubiera sitio en ellas.

—Venimos huyendo de los persas. Tenemos que darnos prisa, no tardarán en llegar.

—¿Tenemos? ¿Quién eres tú para darnos órdenes? —dijo la mujer. Su marido, un hombrecillo de aspecto tímido, se acercó a ella y le agarró el brazo murmurando algo, pero la mujer se lo sacudió de encima diciendo—: Tú no te metas en esto.

—¿Sois atenienses? —preguntó Apolonia.

—¿Pues de dónde íbamos a ser?

—Entonces tenéis que ayudarnos. ¡Nos lo prometisteis!

—Yo no recuerdo haberte prometido nada, ricura.

Apolonia señaló hacia las columnas de humo negro que se levantaban al este y que la brisa llevaba tierra adentro, hacia el monte.

—Ésa era nuestra ciudad. Los persas la han quemado mientras esperábamos vuestra ayuda. ¡No podéis abandonarnos ahora!

—Pues si no tienes ciudad —intervino otro colono—, ¿qué vienes ahora a reclamar?

Apolonia miró en derredor, desesperada. Los demás fugitivos eretrios se habían repartido por las diversas colas, y en todas ellas encontraban el mismo problema.

—¿Qué demonios pasa aquí?

Apolonia se volvió hacia la escalerilla que subía junto al codaste. Por ella bajaba un hombre joven y alto, armado con una reluciente coraza cuyo repujado representaba a un león. Lo seguían otro soldado y un marinero que tomaba notas con un punzón en una tablilla de cera.

—Venimos huyendo de los persas —le dijo Apolonia—. ¡Tenéis que ayudarnos!

El ateniense se paró ante ella, con las manos cruzadas a la espalda. Apolonia calculó que no tendría mucho más de veinte años, y sin embargo desprendía un aura de seguridad impropia de alguien tan joven. Tal vez tenía que ver con su atractivo. Poseía unos rasgos perfectos y una figura digna de Apolo, con los hombros anchos y cuadrados, la cintura angosta y las piernas largas y musculosas. Llevaba la barba muy recortada, y el cabello le caía en largas trenzas negras sobre los hombros. Pero la mirada de sus ojos grises era fría como el mar bajo un cielo encapotado.

—¿Sois de Eretria? —preguntó.

—Sí —respondió Apolonia—. Quién sabe si no somos los únicos supervivientes de nuestra ciudad. ¡Sacadnos de aquí, por favor!

—Lo siento, mujer, pero no tenemos sitio.

—Por favor —dijo Apolonia, tendiéndole a la niña en gesto de suplicante—. Señor, seas quien seas, no permitas que caigamos en manos de los persas.

—Me llamo Cimón, hijo de Milcíades —contestó el joven en tono orgulloso, mientras cogía a la niña con desmaña y la examinaba como si fuera un cachorro—. Siento lo de tu ciudad. Pero, como ya te he dicho, no tenemos sitio en los barcos.

Apolonia se volvió señalando a los demás eretrios, que aguardaban expectantes el resultado de aquella negociación.

—Míranos, hijo de Milcíades. Como mucho somos cien personas. ¿Es que no podéis acomodar a quince o veinte pasajeros más por barco? Será muy poco rato. Hasta la otra orilla no hay más de veinte estadios —argumentó, señalando hacia el continente, que parecía a la vez cercano y tan inalcanzable como la morada de los dioses.

Cimón frunció el ceño, pensativo. En ese momento, Mnesiptólema se puso a llorar. En vez de devolvérsela a su madre, el joven la levantó sobre su cabeza y empezó a sacudirla, creyendo tal vez que así la calmaría; pero a la niña no le hacían gracia las alturas, y gritó más fuerte. Mientras tanto, los demás fugitivos eretrios se habían sumado al coro de súplicas y discutían con los colonos. En aquel guirigay, gesticulaban tanto que las manos de unos y otros ya se tocaban, como si en cualquier momento fuera a estallar una pelea, y Apolonia, por más que pedía al joven ateniense que le devolviera a su niña, no conseguía hacerse oír.

Un trompetazo estridente y prolongado resonó en la cubierta del trirreme. Todo el mundo se calló y se quedó mirando hacia la nave de guerra. Por la escalerilla bajaba otro hombre, cubierto con una coraza de lino blanco ribeteada de rojo y reforzada con placas de metal. El oficial se acercó a Cimón y extendió los brazos.

—Deja que coja yo a esa criatura.

El joven le pasó a Nesi. El recién llegado la tomó con soltura y con cierta delicadeza. Algo debió ver la niña en él que la hizo confiar, porque se agarró a su cuello y dejó de llorar.

—¿Cómo lo has hecho? —preguntó Cimón.

—Fácil. Teniendo cuatro hijos.

El oficial pasó junto al joven, que se apartó un poco. Antes de dejar a la niña en brazos de su madre, le acarició con un dedo la punta de la nariz y le sonrió. A Apolonia le gustó el detalle. La mayoría de los varones limitaban sus arrumacos a pellizcar con fuerza los mofletes de la cría, como si pensaran que aquello les hacía gracia a ella o a su madre.

Apolonia respiró hondo para controlar su voz y dijo:

—Gracias, señor. ¿Eres tú quien está al mando de estos barcos?

Él asintió.

—Soy taxiarca de la tribu Leóntide. He venido a evacuar a los colonos de Atenas por orden del colegio de generales.

Aquel hombre, que debía de tener entre treinta y cuarenta años, no era tan alto como Cimón, y aunque estaba delgado, tampoco lucía tan buena planta. Pero a Apolonia le agradaron sus rasgos. Tenía la nariz fina y algo aguileña, los labios carnosos y, sobre todo, unos ojos grandes y oscuros que entre pestañeo y pestañeo parecían absorberlo todo.

—Tenéis que sacarnos de Eubea —dijo Apolonia, tratando de mantener bajo el tono de su voz. Algo le decía que con aquel hombre valían más los razonamientos que los gritos y los llantos—. Si nos dejáis aquí, caeremos en manos de los bárbaros, y nos matarán o nos convertirán en esclavas.

El taxiarca parpadeó por fin, con cierta languidez. La joven intuyó que bajo ese rostro y esos ojos convivían a la vez un intelecto frío y una apasionada sensualidad. Estaba tan cerca de ella que le llegó el olor de su perfume, una mezcla sutil en la que se percibía una pizca de mirra y también de azafrán. Sintió que el ombligo se le encogía y se dio cuenta de que, por primera vez en muchas horas, no era de miedo.

Por Hera, ¿qué estoy pensando?, se reprochó. Su marido debía de estar muerto ya; y ella, mientras, se atrevía a mantener la mirada de aquel hombre.

—No os quedaréis aquí. —El taxiarca se volvió hacia el marinero que llevaba la tablilla y el punzón—. Por favor, Grilo, intenta encontrar sitio a esta gente cuanto antes. Esa polvareda de ahí está cada vez más cerca.

—¿Cómo vamos a entrar todos en los barcos? —se quejó la mujer de los hombros anchos—. Tú mismo nos dijiste que el sitio era justo.

—Muy sencillo —repuso el taxiarca, sin perder la calma—. Todos los animales se quedan aquí.

—¿Cómo? —dijo el marido con voz quejumbrosa—. ¡Si dejo aquí mis bueyes, dejaré de ser un hoplita y volveré a ser un mísero jornalero de la cuarta clase!

Una chispa de furia brilló en los ojos del taxiarca, pero la dominó enseguida y contestó con voz calmada.

—Así funciona la voluntad de los dioses, amigo.

Los demás colonos empezaron a protestar y amenazaron al oficial con denunciarlo en cuanto llegaran a Atenas si les privaba de sus posesiones. Él frunció el ceño; era evidente que le preocupaba que lo llevaran a juicio.

—Podemos pagar por esos bueyes —dijo Apolonia—. ¡Traemos dinero!

—No es buena idea decirlo, señora —susurró Arges.

—Nadie os lo robará —dijo el taxiarca, que debía de tener un oído muy fino—. ¿Lo habéis escuchado? —preguntó, dirigiéndose a los clerucos—. Se os pagará por vuestras bestias. Cuando lleguéis a Atenas podréis comprar otras, y os quedará la satisfacción de no haber abandonado a estas personas en la adversidad.

La mujer, que llevaba la voz cantante de todo el grupo, pidió cincuenta dracmas por cada buey. El taxiarca le contestó que tendrían que conformarse con treinta y cinco, que era el precio que se estaba pagando en el Ática, y de ahí para abajo con los demás animales. La mujer juró y maldijo, pero él sacudió la cabeza, imperturbable.

Apolonia oyó cascos de caballo a su espalda y se volvió alarmada. Pero no eran los bárbaros, sino dos exploradores griegos montados.

—¡Se acerca un escuadrón de jinetes persas, Temístocles! —gritó uno de los jinetes.

—¿Cuántos son?

—¡Más de cincuenta y menos de cien!

¡Temístocles! A Apolonia se le aceleró más el corazón al darse cuenta de que aquel hombre era el próxeno de su esposo, y de que Atenea había sabido guiar sus pasos hasta él.

Temístocles se volvió hacia el ecónomo de su trirreme y le ordenó que acelerara el embarque.

—Haz que suba todo el mundo ahora mismo, Grilo. Ya se aclararán las cuentas luego.

—Tenemos hombres suficientes para hacer frente a los persas —protestó Cimón.

—Y poco tiempo para desplegarlos en formación. Es mucho más práctico poner agua de por medio. Vamos, mi joven león —dijo el taxiarca, apretándole el brazo—. Tendrás muchos días para combatir.

A Apolonia y sus criados les tocó en suerte embarcar en el trirreme. La cubierta, dos largas plataformas montadas sobre el pescante donde bogaba la última bancada de remeros, estaba atestada. Los pasajeros tenían que sentarse y agarrarse como bien podían, pues no había bordas, los rociones de agua habían dejado la madera resbaladiza y cualquier bandazo podía dar con sus huesos en el mar. A los refugiados eretrios los hicieron bajar a la sentina, donde normalmente estaban los bancos de las dos filas inferiores de remeros; ahora los habían desmantelado para hacer sitio. De allí abajo subía una mezcla de hedores: agua estancada, sudor revenido, orines, la grasa de oveja que usaban para lubricar los remos e impermeabilizar las correas de los toletes. A Apolonia se le revolvió el estómago.

—Huele mal, mamá —se quejó Mnesiptólema, tapándose la nariz.

Por demorar la bajada a la bodega, Apolonia aprovechó que el taxiarca pasaba a su lado y le dijo:

—¿Eres el Temístocles que yo creo, el hijo de Neocles?

—Sí. ¿Por qué?

—Yo soy la esposa de Jasón, hijo de Euforbo.

Temístocles abrió los ojos un instante, sorprendido. Pero enseguida reaccionó.

—¿Dónde está tu marido, Apolonia?

A ella le halagó que Temístocles supiera su nombre. Sin duda, Jasón le había hablado de ella.

—Ha formado con los demás ciudadanos para frenar a los persas y ganar tiempo.

Temístocles bajó la cabeza y se mordió los labios; pero enseguida volvió a mirar a Apolonia a los ojos.

—Jasón ha sido un valiente. No hay nada más honroso que entregar la vida por los tuyos.

—¿Quieres decir que...?

El ateniense, con un gesto de tristeza, señaló tierra adentro. La nube de polvo había tomado ya forma, para convertirse en una tropa a caballo que cabalgaba hacia la bahía entre gritos y relinchos. Jasón, Amonio y los demás hoplitas habían retenido a los persas el tiempo justo para que sus familias embarcaran.

Bendita Atenea, que su muerte haya sido rápida, rogó Apolonia, tratando de espantar las imágenes de prisioneros torturados que le acudían a la cabeza.

La pentecontera ya estaba alejándose de la orilla, y los barcos de transporte habían levado anclas. Sólo quedaba varado el trirreme. Entre unos cuantos marineros lo empujaron con palancas hasta desembarrancar la popa, y después treparon a bordo agarrándose a unos cabos con nudos. El jefe de boga dio una orden, y los remeros clavaron las palas. La nave, que normalmente llevaba el triple de dotación, se movió entre crujidos perezosos, pero, poco a poco, se separó de la orilla.

A Apolonia se le empañaron los ojos pensando en su casa, en su ciudad quemada, en las tumbas de sus padres. En Jasón, al que ni siquiera podría enterrar. Todo quedaba atrás, perdido en aquella isla. Pero apretó con más fuerza a su hija y se dispuso a bajar a la sentina con los demás.

—No —le dijo Temístocles—. Quédate aquí en la cubierta. A partir de ahora tú y los tuyos estáis bajo mi protección.

—Gracias, señor.

—No me llames así, te lo ruego. Tu esposo era un buen amigo. Te prometo que no os faltará de nada, Apolonia, y cuando llegue el momento le daré una dote a tu hija como habría hecho su padre.

Al ver que Temístocles acariciaba los rizos de Nesi, Apolonia se dejó llevar por un impulso, le tomó la mano y se la besó. Los dedos de Temístocles eran largos y finos, y olían a aceite de almendra. Le sorprendió notar que tenía callos en la palma de la mano, pues no parecía hombre que necesitara trabajar para ganarse el pan.

—Te llevarás bien con Arquipa, mi esposa —añadió Temístocles, algo turbado por el gesto de la joven.

Aquellas palabras cayeron como agua fría sobre Apolonia. Así que tenía esposa. Claro, había dicho antes que tenía cuatro hijos. *¿Cómo puedes pensar en eso ahora?,* se reprochó. Pero otra voz interior le dijo que no hacía tan mal. Acababa de quedar viuda. Desde hacía años era huérfana y no tenía hermanos; y de haberlos tenido, seguro que ahora estarían muertos o en poder de los persas. ¿Quién podía echarle en cara que buscara un protector legal para ella y su hija?

Un protector legal, sí. Un compañero de cama, no, le canturreó una tercera vocecilla.

Arges, que se había quedado con ella en la popa, le preguntó al taxiarca:

—¿Por qué no vinisteis a ayudarnos? Hemos estado esperando hasta el último momento refuerzos de Atenas.

Apolonia temió que Temístocles respondiera con algún exabrupto al esclavo que se atrevía a dirigirse a él con tanto descaro. Pero el taxiarca miró a Arges a la cara y, sin parpadear ni alterar el tono, le respondió:

—Ya lo he dicho antes. Ha sido decisión del colegio de los

generales, a sugerencia de Milcíades, el padre de Cimón. —Temístocles señaló hacia el apuesto joven, que estaba en la proa hablando con otro soldado. Después se volvió hacia Apolonia y añadió—: Siento mucho lo que ha pasado en tu ciudad. Pero ahora tengo que luchar para que no ocurra lo mismo con la mía.

Los persas habían llegado ya a la playa, y la mayoría frenaron sus monturas al borde del agua. Pero uno de ellos, que montaba un enorme corcel negro cargado de metal, hizo que su animal entrara en el agua hasta los jarretes, sacó una flecha del carcaj que colgaba a un flanco del caballo y tensó el arco.

—Lleva una máscara —musitó Temístocles.

Apolonia no alcanzaba a ver tanto, pero sí había notado un brillo extraño en el rostro del jinete, como si estuviera pintado de oro. El persa soltó la cuerda y el proyectil silbó en el aire. Apolonia y Arges se agazaparon tras la popa, mientras los demás tripulantes, incluido el piloto, se agachaban como podían. El único que no se movió fue Temístocles. Sólo cuando oyó el sordo impacto de la flecha en la madera, Apolonia dejó a Nesi en brazos de su esclavo y se atrevió a asomarse.

El ateniense seguía apoyado en el borde del codaste. Entre ambas manos se había clavado una flecha. La pluma negra de su astil aún vibraba.

—Nos volveremos a ver, persa —dijo Temístocles, con la vista fija en la orilla—. No a tiro de arco, sino de lanza.

En otra persona aquellas palabras le habrían parecido jactancia, pero Apolonia pensó que si Temístocles lo había dicho, su amenaza se cumpliría. *Con este hombre mi hija estará segura,* se dijo.

Lo siguiente no lo pensó, sino que lo sintió en el vientre, y se escandalizó de ello. Pues si su vientre hubiera podido hablar, le habría dicho algo así como: *Y los hijos que tendrás con él también estarán seguros.*

Atenas, 2 de septiembre

—Clístenes se está muriendo.

La noticia que le traía Mnesífilo planteó un dilema a Temístocles. Ya estaba listo para ir a la asamblea. Aunque no había amanecido todavía, le gustaba acudir de los primeros a la Pnix para enterarse del orden del día y también de los rumores y chismorreos que corrían entre los más madrugadores. Sabía que cuando se levantara el sol haría calor, pero se había puesto sobre la túnica un manto muy fino de lana de Alepo. Si tenía que tomar la palabra para explicar al pueblo ateniense lo que había visto en Eubea, quería estar elegante, y nada realzaba más las palabras de un orador que un manto bien recogido en el brazo izquierdo.

—No pasará de hoy —añadió su amigo, leyéndole las dudas en el semblante.

Temístocles sopesó sus opciones. La de hoy sería tal vez la asamblea con más asistentes de la historia de Atenas. Sin duda, Milcíades llevaría la voz cantante, pues conocía de sobra a los persas e incluso al Gran Rey, y su experiencia era imprescindible para afrontar la invasión. Pero también habría oportunidades para que otros oradores, como Temístocles, ganaran prestigio entre los ciudadanos.

Por otra parte, no podía dejar que Clístenes muriese en su retiro de Salamina sin ir a verlo. El viejo era el abuelo materno de su esposa Arquipa, pero el vínculo que los unía era más antiguo y más estrecho que el matrimonial. Cuando Temístocles era un efebo que aún no había empuñado las armas por vez primera, Clístenes empezó a cultivar su amistad, hasta tal punto que muchos creyeron que eran amantes. Sin embargo, no era la belleza de Temístocles lo que había atraído al gran estadista, pues en la palestra había muchachos más bellos y que lucían sin ningún pudor sus cuerpos atléticos y brillantes de aceite. Lo que le había llamado la atención era su inteligencia, sus dotes de observación y su talento para estudiar las situaciones y prever el futuro. Él mismo había confesado que veía en Temístocles un trasunto de sí mismo cuando era joven. Por eso decidió adiestrarlo en la política, para asegurarse de que, cuando él muriera, alguien continuara su labor y no dejase que Atenas volviera a caer en manos de una tiranía o se desangrara en las luchas fratricidas de las facciones aristocráticas.

—Iré a verlo —decidió Temístocles, quitándose el manto.

—¿Faltarás a la asamblea?

—Seguro que Milcíades se basta y se sobra para convencer al pueblo de que no se rinda a los persas.

Temístocles eligió un capotillo más cómodo, y después ordenó a un esclavo:

—Por favor, despierta a Sicino y dile que venga lo antes posible.

—¿Para qué quieres al persa? —le preguntó Mnesífilo—. Ya sé que Sicino resulta más difícil de matar que Sísifo, pero no creo que le pueda contagiar su suerte a Clístenes. Me han asegurado que está en las últimas.

—Esta vez no me interesa su suerte, sino sus puños —respondió Temístocles—. Me temo que el Pireo no va a ser precisamente una balsa de aceite.

Fobo había llegado a la ciudad casi al mismo tiempo que Temístocles. Y el Miedo, aquel hijo del dios de la guerra, siempre traía disturbios y violencia en su estela.

La víspera, cuando se acercaban a Atenas, habían empezado a encenderse hogueras en las cimas del monte Pentélico. Temístocles aún estaba descifrando el mensaje que transmitían las almenaras cuando un mensajero a caballo los adelantó con tanta prisa que tuvieron que salirse del camino para que no los arrollara.

Al preguntarle por su misión, el correo se volvió un instante a lomos del caballo para decir:

—¡Los persas han desembarcado en Maratón!

Luego, conforme avanzaba la tarde, su avance se había visto entorpecido por las columnas de caminantes que confluían hacia la ciudad desde todos los demos de la zona: Afidna, Decelia, Hécale, Pedonas, Icarión, y también los del propio Maratón y Ramnunte, ocupados por los persas. Todos los ciudadanos atenienses estaban convocados desde los rincones más apartados del Ática para una asamblea que se celebraría al amanecer siguiente en la colina de la Pnix, dentro de la ciudad. No era una *ekklesía* normal para tratar asuntos rutinarios, sino una movilización general. Todos llevaban sus armas, ya fuera en sus espaldas o en las de sus esclavos o a lomos de sus acémilas. Algunos venían acompañados por sus familias, mientras que otros las habían enviado a las alturas del Parnes o del propio Pentélico, más confiados en la protección que podían brindar los montes que en las vetustas y estrechas murallas de Atenas.

El humor que reinaba en el camino era lúgubre. Muchos andaban con los hombros caídos y la mirada perdida en algún punto del negro futuro. Las conversaciones eran en susurros, como si temiesen que el viento las pudiera arrastrar hasta Maratón, a oídos de los persas. Cuando los que acudían a la ciudad se enteraron de que la comitiva de mujeres, niños, ancianos y esclavos que acompañaban a Temístocles eran supervivientes de Eretria, los acosaron a preguntas, y las respuestas sólo contribuyeron a encoger más sus corazones.

Los ánimos se levantaron un poco cuando aparecieron en el camino los ciudadanos de Acarnas. En vez de dejar que cada uno fuese a su aire, su jefe de demo los había reunido a todos para dirigirse juntos a Atenas, y ahora desfilaban marciales blandiendo sus lanzas y entonando cantos bélicos y obscenos a partes iguales. Los acarnienses aportaban quinientos hoplitas que tenían fama de ser los más aguerridos del Ática, y también los más fanfarrones. Temístocles habría pagado un buen dinero por reclutarlos para las filas de su tribu. Pero tenían un buen jefe en

Milcíades, general de la tribu Enea, que si bien no era acarniense, se parecía a ellos en lo bravucón.

Temístocles, que guardaba un ábaco en su cabeza, sabía que los atenienses, sin recurrir a los reclutas bisoños ni a los veteranos de más de cincuenta años, podían movilizar a casi diez mil hoplitas. Para otras ciudades griegas, se trataba de una cifra impresionante. Ni siquiera los espartanos podían igualarla, a no ser que se unieran a ellos los periecos, los aliados forzosos que habitaban cerca de su ciudad.

Pero, por las noticias que le habían llegado y los comentarios de los refugiados, era indudable que los persas superaban con creces ese número. Algunos aseguraban que habían llegado con doscientos mil hombres. Temístocles sabía que esa cifra era imposible, pues ni el astuto Hermes, señor de los mercaderes, habría podido solucionar los problemas de logística de un contingente tan numeroso. Pero mucho se temía que los soldados persas duplicaran o incluso triplicaran a los hoplitas que Atenas podía oponerles en el campo de batalla.

Al acercarse a Atenas, se les habían juntado los que venían de los demos de Palene y de Colargo. Así, cuando el sol caía tras las cimas del monte Parnes y llegaron a la ciudad, formaban parte de una larga riada humana. En aquel momento, Temístocles había escrutado el gesto de Apolonia. La joven viuda de Jasón parecía decepcionada.

—¿Esperabas que Atenas fuera más grande? —le preguntó.

Ella sonrió tímidamente, pero no le rehuyó la mirada.

—Creí que sería cuatro o cinco veces mayor que Eretria, la verdad. Y... me la esperaba más limpia.

Seguramente Apolonia se había imaginado una capital más impresionante, sin sospechar que la mayoría de la población del Ática vivía dispersa en sus ciento cuarenta demos. Temístocles podía entender su decepción mientras recorrían aquellas calles tortuosas y polvorientas. En algunos puntos eran tan angostas que los vecinos tenían que avisar con unos golpes antes de salir de casa para no partirle la crisma al prójimo al abrir la puerta. Y eso que el tirano Pisístrato, en su afán por embellecer la capital, había dictado unas ordenanzas que prohibían construir las puertas hacia fuera, tender balcones por encima de las calles o poner canalones que vertieran el agua al exterior en vez de a los patios internos. Incluso había organizado una brigada de esclavos públicos para que recogieran los cuerpos de los mendigos que morían en la calle y los enterraran extramuros. Pero en los tiempos revueltos que habían seguido a la caída de su hijo Hipias, la gente parecía haberse olvidado de aquellas normas y la ciudad había vuelto a crecer de forma anárquica.

—Lo único que merece la pena que veas en el *asty* —dijo Temístocles, usando el término que los atenienses solían utilizar para la capital— es la Acrópolis. Ni siquiera el Ágora es gran cosa, fuera del monumento a los Diez Héroes de las tribus.

Al ver que en vez de cruzar la puerta de Acarnas se desviaban a la derecha para entrar en el barrio de Melite, donde tenía su casa Temístocles, la joven le había preguntado:

—¿No vamos a entrar en la muralla?

Aunque intentaba disimularlo, había cierta alarma en sus ojos. Acostumbrada como debía de estar a vivir tras la protección de las sólidas fortificaciones de Eretria, a Temístocles no le extrañó.

Él mismo pensaba que había que construir una muralla que abarcara todos los suburbios que se habían ido fundiendo al núcleo de la ciudad. Además, tenía que ser una muralla en condiciones, levantada con buenos sillares de roca labrada, y no con tierra y ladrillos cocidos al sol. La que tenían ahora apenas rodeaba el Ágora, la Acrópolis, el Areópago y las zonas aledañas. Además, algunos tramos llevaban décadas derruidos y los habían reparado de forma chapucera con empalizadas de troncos. Desde luego, no resistiría los embates de las máquinas persas. Por no añadir que, por más que las hacinaran, era imposible refugiar allí ni tan siquiera a la cuarta parte de las ciento cincuenta mil personas que habitaban el Ática.

Aun así, Temístocles había mirado a Apolonia a los ojos para asegurarle:

—Tranquila. No dejaré que los persas vuelvan a hacer daño a los tuyos.

Ahora, al día siguiente, mientras bajaba por el camino que llevaba al Pireo, Temístocles volvió la vista atrás y pensó de nuevo en la muralla y en la promesa que le había hecho a Apolonia. La Acrópolis, con sus farallones de roca caliza que se alzaban cincuenta metros sobre la llanura, parecía inexpugnable. Pero el resto de la ciudad se le antojaba tan vulnerable y débil como los castillos de arena que construía de niño en la playa de Falero.

—Sé lo que estás pensando —le dijo Mnesífilo—. Pero, por muy sólida que sea una muralla, siempre hay un traidor dispuesto a abrir sus puertas. Mira lo que les ha pasado a los eretrios.

—No es necesario que me lo recuerdes —contestó Temístocles.

—Aquí en Atenas tenemos traidores de sobra. Quién sabe cuánto oro persa se ocultará en las bodegas y en los sótanos de la ciudad.

Bajaban al Pireo en dos caballos del propio Temístocles y una mula que les había prestado un vecino. No era una caminata demasiado fatigosa, poco más de una hora a paso vivo. Temístocles era poco amigo de montar a caballo cuando podían verlo las gentes del pueblo llano, pues no quería que lo identificaran con los nobles. Pero había cogido las monturas por temor a retrasarse y no llegar a Salamina a tiempo de ver a Clístenes vivo.

En el camino se cruzaron con grupos de ciudadanos que subían a la ciudad para asistir a la asamblea, y que los miraban con gesto de extrañeza. Temístocles era bastante conocido y a la gente le sorprendía que fuera en dirección contraria a ellos, alejándose del lugar donde se jugaba el meollo de la política.

Pero había alguien más que seguía sus pasos. Al oír pisadas a su espalda, Temístocles se volvió. Un mensajero corría tras ellos. Aunque los caballos llevaban un trote ligero, no tardó en alcanzarlos. Temístocles le preguntó:

—¿Adónde vas tan de mañana, Fidípides?

Nunca había hablado con el hemeródromo, pero lo conocía de vista, había preguntado por él y se había quedado con su nombre y algunos datos personales, del mismo modo que había hecho con varios miles de ciudadanos. Tenía comprobado que el nombre era una de las posesiones más importantes de cada persona, hasta tal punto que pagaban una buena suma a los lapidarios para que lo inscribieran en sus estelas funerarias y se lo llevaban así más allá de la muerte. Para la memoria casi perfecta de Temístocles, un enorme almacén mental organizado en tinajas y anaqueles con sellos de cera, no era un gran esfuerzo grabar juntos nombres y rostros. Había comprobado que eso le ganaba muchos apoyos entre la gente. Sobre todo entre los miembros del pueblo, que deseaban sentirse tan importantes como los nobles.

—¡Voy a Esparta! —respondió el mensajero, que ya había llegado a la altura de Temístocles. Corría sin esfuerzo aparente, levantando bien las rodillas y posando los pies con tanta ligereza que apenas se oían sus pasos. Era un hombre muy flaco, con las piernas tan magras que al verlo daban ganas de ofrecerle una limosna.

—¿Y qué mensaje llevas a los espartanos, si te lo puedo preguntar?

—Que vengan a ayudarnos, como nos prometieron en su tratado.

—¿Piensas seguir con ese paso tan vivo, amigo? —preguntó Mnesífilo—. ¿No crees que te cansarás bastante antes de llegar a Mégara?

Por toda respuesta, el mensajero bufó y aceleró la marcha para dejarlos atrás. Temístocles soltó una carcajada. Fidípides tenía fama de ser hombre de pocos amigos, pero no había otro corredor con tanta resistencia como él. Habría podido ser campeón olímpico si no fuera porque la carrera más larga en los juegos era de veinte estadios y le quedaba muy corta.

El Pireo era un hervidero de rumores y de gente. Para colmo las moscas que lo infestaban parecían contagiadas por la llegada de Fobo y estaban más latosas que nunca. Con bastantes dificultades, lograron abrirse paso entre la gente que abarrotaba los accesos al puerto de Cántaro y llegar hasta la mesa de Jenocles, el cambista. Jenocles, aunque usaba ese nombre griego, era en realidad un hebreo que trabajaba como socio de Temístocles en algunos negocios y como testaferro en otros. Pues para las ambiciones políticas de Temístocles no era en absoluto conveniente que se le conociera abiertamente como banquero y fletador.

—Es la locura —le dijo Jenocles—. Todo el mundo quiere huir de la ciudad. Sólo se habla de empalamientos y orejas cortadas. —Hizo una pausa para aplastar una mosca sobre la mesa y sacudirse las manos. Después añadió en arameo, lengua en la que él mismo había instruido a Temístocles—: Pero eso no puede ser verdad. Los persas no son tan bárbaros como decís.

Jenocles hablaba así porque sentía una admiración apenas disimulada por los persas. Ciro, el fundador del imperio, había liberado a los judíos que llevaban cincuenta años deportados en Babilonia, lo que le había valido el agradecimiento eterno de su pueblo.

—Puede que normalmente no sean tan crueles —respondió Temístocles—, pero ahora están muy enfadados con nosotros.

—Sus razones tienen. No fue una idea muy brillante matar a sus embajadores.

Los emisarios de Darío habían recorrido las ciudades de Grecia pidiendo el agua y la tierra rituales, símbolos de sumisión al Gran Rey. Los atenienses los habían ejecutado con la excusa de que habían profanado la lengua griega al utilizarla para exigirles que renunciaran a su libertad. Los espartanos habían preguntado a los embajadores: *«¿Cómo, que queréis agua?»*, y los habían arrojado a un pozo.

Al parecer, los persas no sabían apreciar el humor negro de los laconios.

—¿Y tú, no piensas marcharte? —preguntó Mnesífilo.

El hebreo negó con la cabeza.

—Confío en que vuestros bravos soldados detengan a los invasores. Y si no los detienen —añadió con una sonrisa taimada—, los persas necesitarán gente con la que hacer negocios.

Por si las previsiones más pesimistas se cumplían, Temístocles dio instrucciones al cambista para que sacara una buena parte de sus fondos del Pireo y los llevara discretamente a Trecén. Después se dirigió a los muelles de Emporio, el puerto comercial.

Poco más de veinte metros separaban la mesa de Jenocles del embarcadero, pero había tanta gente empujando para llegar al muelle, que se les hicieron tan largos como la procesión en honor de Atenea. Temístocles ordenó a Sicino que se pusiera delante, y él y Mnesífilo aprovecharon el hueco que abrían los enormes hombros del persa a modo de rompeolas. Hacía tiempo que Temístocles había ordenado a su esclavo que se arreglara la barba al modo griego y que abandonara los pantalones y el caftán por la túnica sin mangas; si el gentío hubiera sabido que Sicino era del mismo pueblo que los invasores desembarcados en Maratón, lo habrían despedazado allí mismo a pesar de sus casi dos metros de estatura y sus músculos.

Llegaron por fin al borde de un muelle que pertenecía a Temístocles. Un cordón de soldados contenía a la multitud que se agolpaba y pisoteaba por conseguir pasaje en cualquier embarcación que abandonara aquella ciudad condenada. Sobre las tablas se veía una gran mancha de sangre unida a un rastro oscuro que llevaba hasta el borde del agua. Al parecer, alguien ya no tendría que temer la llegada de los persas.

Los soldados, que pertenecían a la tribu Leóntide, abrieron paso a su taxiarca. En el muelle había dos barcos de carga que ya estaban atestados, y también una pequeña falúa. El patrón de ésta le debía a Temístocles varios favores y también algo de dinero, así que, sin contemplaciones, echó fuera a unos macedonios a los que había prometido llevar a Egina y dejó embarcar a los dos atenienses y al esclavo persa.

Desatracaron entre insultos y juramentos en sirio, paflagonio, tracio, cario y veinte idiomas más. Una mujer de piel oscura con aspecto de egipcia les tiró una piedra por encima del cordón de hoplitas, con tanta puntería que Mnesífilo tuvo que agacharse bajo la borda para evitar que lo descalabrara. Asomando apenas la cabeza por si volvía a lloverle algún regalo, comentó:

—Parece que los extranjeros no apuestan a nuestro favor. Están muertos de miedo.

—Yo tampoco apostaría por Atenas si estuviera en su pellejo —repuso Temístocles, que seguía en pie, impertérrito ante los insultos—. Pero si Fidípides es tan rápido como cuentan y los espartanos llegan a tiempo, otro gallo cantará.

—¿Quién te dice que los espartanos querrán acudir en nuestra ayuda?

—Firmamos con ellos un tratado de defensa mutua. Tienen que honrarlo.

—Me sorprende que seas tú, precisamente tú, quien diga eso.

Temístocles se volvió hacia su amigo. La sangre le había afluido a las orejas; por suerte, sabía que su piel morena disimulaba el rubor.

—¿Por qué lo dices? —le preguntó en voz baja, mirando de reojo al patrón de la falúa y a los marineros que manejaban los aparejos y los remos.

—Nosotros no hemos ayudado a los eretrios —respondió Mnesífilo, encogiéndose de hombros—. ¿Podemos esperar que otras ciudades nos ayuden ahora a nosotros?

Temístocles sabía a qué se refería su amigo. Milcíades había convencido a los otros nueve generales de que era peligroso acudir en auxilio de Eretria, pues eso suponía que las fuerzas atenienses quedarían separadas de su ciudad, al otro lado del estrecho que separaba el Ática de Eubea. Ni siquiera habían accedido a la petición de los eretrios, que solicitaban al menos la ayuda de los colonos atenienses asentados en la isla. Y, así, Atenas había abandonado a su suerte a la aliada con la que unos años antes había compartido la aventura del asalto a Sardes.

Temístocles juraría ante quien fuese que el responsable de esa decisión era Milcíades. Pero, al principio, Milcíades no estaba tan decidido como había aparentado en la reunión. Había sido el propio Temístocles quien le sugirió que dejaran a los persas desgastarse intentando asaltar las sólidas murallas de Eretria. Ellos ganarían tiempo, y si Eretria caía, dejaría de ser una potencia competidora para el dominio del mar. Pues Temístocles estaba obsesionado con que debía ser Atenas quien ostentara la talasocracia de la que tan sólo unos años antes se enorgullecían los eretrios.

—Me han dicho que has acogido en tu casa a una mujer de Eretria y a su familia. ¿Sabe ella que fuiste tú quien...?

—No, y nunca debe saberlo —respondió Temístocles entre dientes. De pronto le vino la imagen de las Furias con sus antorchas, sus cabellos serpentinos y sus ojos como ascuas diciéndole: *«Has traicionado a tu propio huésped.»*

Que les dieran higas a las tres Furias. Bastante tenía con pensar en la amenaza de los persas.

—Por lo visto, es una mujer bastante guapa —siguió Mnesífilo—. ¿Qué le ha parecido a Arquipa que la metas en casa?

—¿Qué había de parecerle? La casa es muy grande. Tenemos sitio de sobra —respondió Temístocles. Y era cierto, porque tras nacer su cuarto hijo había comprado la finca colindante a la suya y había derribado parte del muro medianero.

—A ver si, como es tan grande, te extravías una noche y acabas en la alcoba que no es.

—Tal vez Arquipa me lo agradecería —contestó Temístocles con cierto cinismo—. Me ha dicho que éste es su último embarazo.

—Cuatro críos, y todos ellos cabezones —comentó Mnesífilo—. No te faltarán herederos, desde luego, pero ¿no te gustaría que el quinto fuera una niña?

Temístocles no contestó, convencido de que su mujer iba a alumbrar otro varón. Entonces se acordó de los grandes ojos de Nesi, la hija de Apolonia, de sus rizos dorados y de cómo le había rodeado el cuello con aquellos bracitos tibios y tan gordezuelos que tenían hoyuelos en los codos, y sintió algo que resultaba difícil de explicar.

O tal vez la sensación tenía más que ver con los hoyuelos que se le formaban a la madre en las mejillas cuando sonreía, aunque fuera pocas veces y con tristeza. Apolonia era una mujer hermosa. No tanto como Arquipa, pero había algo más cálido en ella. Por un momento, Temístocles fantaseó con la idea de tomarla como concubina. Había esposas que aceptaban aquel tipo de apaños, pues las libraban de cumplir con un débito que se les hacía enojoso o, pasada cierta edad y cierto número de partos, muy arriesgado.

Pero Arquipa, que por parte de su madre tenía sangre de los Alcmeónidas, no era de ésas. Temístocles ahuyentó aquella idea, pues no era hombre que perdiera el tiempo con pensamientos que no llevaban a ninguna parte, y se quedó mirando los muelles que dejaban a babor.

Se hallaban en Cántaro, uno de los tres puertos naturales que, junto con Zea y Muniquia, formaban el Pireo. Los atenienses llevaban desde tiempo inmemorial utilizando como puerto la alargada playa de Falero, más al este. Pero tres años atrás, Temístocles, que había sido elegido como magistrado epónimo, se empeñó en convencer al pueblo para acondicionar y fortificar el Pireo, pues sus ensenadas estaban más resguardadas del viento y, si cerraban las bocanas con espigones y cadenas, podían convertirlas en inexpugnables.

La mayoría de los arcontes epónimos se limitaban a ejercer de funcionarios a las órdenes del consejo y la asamblea; lo único que dejaban para la posteridad era el hecho de prestar su nombre al año. Pero Temístocles, que acababa de cumplir a la sazón la treintena, era demasiado inquieto y amante de novedades, lo que los atenienses llamaban *neochmós*, como para conformarse con que se dijera: «*Esto sucedió en el año del arcontado de Temístocles.*» De modo que presentó y defendió en persona ante el pueblo su programa de reformas. Por supuesto, los nobles se opusieron a él casi en bloque, pues su mentalidad de terratenientes aborrecía todo lo que tuviera que ver con el mar y el comercio naval.

Pero la fortuna sonrió a Temístocles por dos veces. En primer lugar, aquel año el invierno fue muy seco, y luego la primavera llegó con una serie de heladas y granizadas que machacaron los campos de trigo y los cebadales. La cosecha fue tan exigua que hubo que importar el triple de cereal de lo habitual, lo que reforzó a Temístocles en su defensa de una política volcada hacia el mar. De paso, dejó sin trabajo en el campo a un gran número de jornaleros. Éstos, sin otra cosa que hacer, votaron a favor de las obras del Pireo para participar en ellas y tener un salario que llevar a sus casas.

El propio Temístocles había hecho un buen negocio gracias a aquella carestía. La rebelión contra Darío había supuesto un momentáneo auge del comercio con las ciudades griegas de Asia

Menor, liberadas del yugo persa. Pero Temístocles, que tras la muerte de su padre llevaba casi diez años dirigiendo el negocio familiar, intuyó que el viento no tardaría en cambiar de dirección y empezó a tejer una red de contactos con Italia y Sicilia, lejos del Imperio Persa.

Así pues, el año de las heladas, cuanto más necesitaban los atenienses el grano que antes les llegaba de las vastas llanuras al norte del Ponto Euxino y de las tierras negras de Egipto, se encontraron privados de él. Los persas habían vuelto a controlar los estrechos que daban acceso al Ponto. Egipto tenía prohibido enviar ni un solo saco de trigo a Atenas. La flota fenicia había recibido orden de atacar a los mercantes griegos, a no ser que pertenecieran a ciudades que hubiesen entregado agua y tierra al Gran Rey.

Los barcos que, gracias a Temístocles, venían cargados de cereales de Italia y de Sicilia llegaron como una bendición de la diosa Deméter para Atenas. Temístocles se negó a especular con el grano e incluso denunció a los acaparadores que trataban de coaligarse para pactar una subida de precios. No obstante, aquel verano ganó unos cuantos talentos de plata.

El segundo golpe de fortuna había sido la aparición de Milcíades. El viejo león, que en tiempos trabajara para Darío, había llegado a Atenas huyendo de la ira de su antiguo señor. Nada más llegar, Jantipo el Pepino acusó a Milcíades ante el pueblo por haber actuado como tirano en las tierras que gobernaba en el estrecho de los Dardanelos. Temístocles se ofreció como defensor conjunto para hablar a favor de Milcíades y, de paso, sobornó a algunas personas clave repartidas por el jurado. Milcíades fue absuelto, y ahora Temístocles tenía un valedor en el clan de los Filaidas, uno de los más poderosos y antiguos de la nobleza ateniense.

A cambio, Jantipo había renovado su antigua enemistad contra Temístocles, que ya parecía olvidada. Y como el Pepino estaba emparentado por matrimonio con los Alcmeónidas, también había azuzado a la mayoría del clan contra él, salvo Euforión el Nervios, su viejo amigo de la escuela de Fénix. El juicio había llevado la discordia al propio hogar de Temístocles. Arquipa, que era prima e íntima amiga de la mujer de Jantipo, se enfureció tanto con su esposo por ayudar a Milcíades que llegó al extremo de cerrarle con llave la puerta de su alcoba durante un año.

Lo peor habían sido los reproches de la propia madre de Temístocles. No por defender a Milcíades, sino por no saber dominar a Arquipa. «*¿Cómo esperas gobernar una ciudad si no eres capaz de hacer que te obedezca tu propia esposa?*», le recriminaba. Lo cual tenía su punto de ironía, pues a Euterpe no la había gobernado nadie jamás, incluyendo su difunto marido.

—¿Qué tal se ha portado el cachorro del león en el viaje a Eubea? —le preguntó ahora Mnesífilo, como si hubiera leído en su mente que estaba pensando en Milcíades y su familia.

—¿Cimón? Bien. Para ser de origen terrateniente, al menos sabe que no hay que escupir a barlovento. Cuando deje de creerse la encarnación de Apolo, tal vez se convierta en un buen militar.

—En realidad, él y su padre te desprecian. ¿Sabes las cosas que andan diciendo de ti?

—Mi querido Mnesífilo, en toda el Ática no hay ni un ápice de información o rumor que no llegue a mis oídos antes de rozar tan siquiera los tuyos —repuso Temístocles—. Sé de sobra que Milcíades y su hijo creen que me están utilizando en su enfrentamiento contra las demás casas eupátridas.

—¿Y no lo hacen? Yo diría que padre e hijo están sacando de ti lo que quieren.

—Digamos que nos utilizamos mutuamente.

—¿Mutuamente? Tú le das consejos a Milcíades y él se lleva todo el mérito.

O la culpa, se dijo Temístocles, pensando en cómo habían abandonado a los eretrios a su suerte.

—Que Milcíades se quede con la gloria si quiere —respondió—. Para mí lo importante es el poder. Y el poder se ejerce mucho mejor desde las sombras.

—A otro perro con ese hueso, Temístocles, que yo te conozco desde niño. Tú ansías la gloria tanto o más que Milcíades.

Temístocles frunció el ceño. Mnesífilo tenía la virtud del

barrenillo, que poco a poco taladra la corteza del olmo hasta llegar a su corazón de madera. A veces lo habría mandado a los cuervos, pero era amigo de la familia desde hacía mucho tiempo. Como pertenecía a la tribu Leóntide, técnicamente estaba a sus órdenes, ya que Temístocles había sido designado taxiarca de la tribu, segundo al mando por detrás del general. Pero Mnesífilo había pasado de los cincuenta, y muy mal tendría que ponerse la situación para que embrazara el escudo de hoplita.

¿Mal?, se corrigió a sí mismo. *¿Es que puede ponerse peor?*

Miró de reojo a su amigo, tratando de imaginárselo con la panoplia. Mnesífilo había echado panza, más por flacidez de los músculos que por abuso de la comida, y tenía los hombros caídos y las canillas flacas y algo zambas. Para completar aquel cuadro tan poco marcial, vestía su viejo manto gris directamente sobre el cuerpo y llevaba unas sandalias tan raídas que mejor habría ido descalzo.

Aunque sus tierras le daban una renta de ochocientas dracmas anuales, más que de sobra para un viudo sin hijos, Mnesífilo despreciaba todo lujo y ornato. Sólo se permitía la vanidad de recordar que era bisnieto de Solón, el gran legislador de Atenas y uno de los siete sabios de Grecia. De hecho, Mnesífilo era el único descendiente vivo por línea masculina directa. De vez en cuando sorprendía a Temístocles contándole algo nuevo sobre su bisabuelo. La familia había conservado celosamente los relatos de Solón, un hombre que había viajado por medio mundo, conocido las fabulosas riquezas del rey Creso y remontado el Nilo hasta la primera catarata, y además había escuchado historias sobre la gloria y el poder de los antiguos atlantes.

—La gloria —repitió Temístocles, casi con aire soñador—. Sí, es verdad que la ansío. Pero no como esos eupátridas, que pretenden emborracharse con ella todos los días, como si fuera vino con agua. No, yo quiero la gloria sólo una vez, en el momento decisivo, por una acción definitiva. No deseo ganar la fama como Aquiles, masacrando enemigos como un matarife un día tras otro bajo las murallas de Troya. Prefiero la de Ulises, que con un solo golpe de astucia se las ingenió para tomar esas mismas murallas.

—Bonito discurso. Pero recuerda que Ulises también pagó un precio. Diez años vagando por los mares, lejos de su patria.

—Cuando llegue el momento, sabré pagar el precio que se me cobre.

Pasaban ahora por delante de los arsenales situados en la parte sur del puerto. Allí, en largos cobertizos techados por tejas rojas, se guardaban los trirremes fuera del agua, para que sus porosos cascos de madera de pino y de abeto escurrieran la humedad. Más allá, en el astillero, estaban construyendo tres naves de guerra; o más bien, las habían estado construyendo, pues ahora los ciudadanos libres que trabajaban en ellas se encontraban reunidos en la asamblea, y de los extranjeros y los esclavos no se veía ni rastro.

A Temístocles le desesperaba la desidia con que los atenienses recibían su política marítima. Los eupátridas no hacían más que boicotear sus propuestas de construir más naves. Las obras del Pireo, que con tanto entusiasmo se habían emprendido, ahora iban tan despacio como la mortaja que tejía Penélope para su suegro.

Pasaron junto a un carguero que olía a pez aún fresca. Recién embreado y todo, lo habían sacado a la mar. Desde su cubierta atestada, unos críos los saludaron entre carcajadas. Ahora que se creían a salvo del peligro, los rostros de los pasajeros se relajaban, muy distintos de las máscaras de miedo y odio que se veían en el muelle.

—Si tuviéramos una flota digna de tal nombre, esto no tendría por qué ocurrir —dijo Temístocles—. No habríamos consentido que los persas profanaran nuestro territorio. Los habríamos detenido mucho antes, cuando se dedicaban a arrasar las Cíclades. Ahora nos vamos a tener que jugar la supervivencia en nuestro propio territorio contra un ejército que nos supera en número.

—Cuando lleguen los refuerzos de Esparta la balanza se equilibrará. Tú mismo lo has dicho.

Sí. Yo mismo lo he dicho, pensó Temístocles. Pero si él estuviera en el lugar de los espartanos, ¿se apresuraría a acudir en rescate de la única ciudad que podía disputarles la hegemonía de Grecia?

Tras adelantar al carguero, pasaron junto a una escollera en construcción. Aquí, los esclavos públicos seguían trabajando. Unos grandes carretones traían los bloques de piedra, de tres metros de largo y dos toneladas y media de peso. Después los bajaban al agua con una grúa instalada en el extremo del espigón y provista de un gran torno que rechinaba por el esfuerzo, mientras desde unos botes unos obreros guiaban los bloques hasta su sitio exacto empujándolos con pértigas.

Salieron por fin a aguas abiertas, y, poco a poco, los olores del puerto —brea, pescado, madera podrida, multitud apiñada— quedaron atrás. Como Temístocles se esperaba por la calima y el bochorno del día anterior, se levantó un viento del sureste que hinchó la vela y los impulsó hacia el estrecho de Salamina. Las aguas se habían picado un poco, y Mnesífilo, que no era de natural marinero, se puso pálido y se llevó la mano a la boca. Temístocles sonrió con cierta crueldad. Al menos, su amigo estaría un rato callado.

Dejaron a babor Psitalea, una isla desnuda y alargada, y se acercaron al largo promontorio de Cinosura, que salía de Salamina como un aguzado espolón de este a oeste. A estribor, la costa del continente se hacía más escarpada y se levantaba en las alturas del Egáleo, una estribación del monte que encerraba Atenas por el oeste. Por fin, cuando viraron hacia la isla y entraron en la bahía de Silenia, las aguas se encalmaron bajo la protección del promontorio. Temístocles le dio una palmada a Mnesífilo, que había pasado de pálido a ceniciento.

—¡Ánimo! Como decía tu bisabuelo, *«Vayamos a Salamina a combatir por esa amada isla y a librarnos de esa lamentable vergüenza.»* —Efectivamente, era su antepasado Solón quien había exhortado a los atenienses a reconquistar Salamina casi cien años antes. Pues ¿cómo iba a consentir Atenas que esa isla que se veía perfectamente desde la Acrópolis estuviera en poder de la vecina ciudad de Mégara?

Desembarcaron en el fondo de la bahía, y Temístocles pidió al patrón que les esperase allí hasta que volvieran. En el puerto de

Salamina reinaba cierta calma comparado con el Pireo, pero ya empezaban a correr rumores sobre la llegada de los persas. Unos conocidos acudieron a Temístocles para pedirle noticias. Sin dejar de caminar, les explicó rápidamente cómo estaba la situación y les pidió que se lo contaran a los demás, pues él tenía mucha prisa. Cruzaron la pequeña Ágora, que estaba poco más allá del puerto, y emprendieron la subida a las alturas de Cinosura.

Clístenes vivía retirado en una casa cuya vista dominaba la bahía y alcanzaba hasta el Pireo y Atenas. Pero Temístocles no se entretuvo como otras veces en disfrutar del panorama, sino que pasó al interior.

La casa era humilde, más aún de lo habitual entre los atenienses, pero estaba limpia y no era demasiado ventosa. Allí esperaba Euforión el Nervios, sobrino de Clístenes.

—Me alegro de que estés con él —dijo Temístocles, dándole un abrazo a su viejo amigo.

—Mierda, ¿cómo coño crees que lo iba a dejar solo? —respondió Euforión, y la cabeza se le empezó a torcer al lado izquierdo. Para evitar que le diera una convulsión, juntó los dedos de la mano derecha y se golpeó con ellos primero en la frente, luego en ambas clavículas y por fin en el esternón. Desde niño había sido muy nervioso, pero con la edad sus tics se habían agravado, como si lo poseyera un *daimon* travieso que también se apoderaba de su boca y le hacía escupir términos escatológicos en los momentos más inoportunos.

Salvo Euforión, los otros miembros del linaje de los Alcmeónidas habían dado de lado a Clístenes cuando cayó enfermo. En realidad, habían aprovechado el momento de debilidad de quien, hasta entonces, había sido la cabeza visible del clan para cobrarle la factura por sus reformas políticas. Al principio, todo el mundo había pensado que Clístenes proponía esas medidas para atraerse al pueblo al bando de los Alcmeónidas y alejarlo de otros clanes rivales. Pero lo que había hecho iba mucho más allá de las luchas entre facciones. La concesión de plenos poderes a la asamblea de los ciudadanos y la extensión a todos los atenienses de la igualdad ante la ley ya no tenían vuelta atrás, y los nobles se quejaban de que desde entonces la soberbia del pueblo llano no conocía límites.

Sin embargo, la medida más revolucionaria de Clístenes era tan complicada que al principio había pasado desapercibida para todo el mundo. Había abolido las cuatro tribus tradicionales de todas las ciudades jonias y había creado otras diez, cada una nombrada a partir de un héroe tradicional. Pero esas tribus no poseían una base genealógica, ni siquiera geográfica, pues en cada una de ellas se mezclaban personas de lugares dispersos del Ática. Estas tribus de orígenes e intereses tan abigarrados constituían el núcleo del gobierno de Atenas: de ellas se elegían los jurados, los miembros del consejo y el colegio de los diez generales. Los viejos intereses comarcales y las rencillas entre los habitantes del monte, la costa y la llanura ya no tenían sentido, y el poder local que ejercían los clanes aristocráticos había quedado diluido como una gota de aceite en un gran cántaro de agua. Ahora, los nobles que quisieran destacar en política tenían que convencer a *todos* los ciudadanos, no sólo a los de una pequeña zona. Aquella mezcla organizada por Clístenes había conseguido que todos miraran ahora por el bien de una sola entidad: Atenas.

Pero su reforma le había granjeado el odio de los aristócratas que aún se creían héroes de la *Ilíada*, que competían con sus caballos en los Juegos Olímpicos y que tan sólo buscaban la gloria individual. Como el propio Clístenes le había confesado a Temístocles en una conversación, el régimen que se estaba instaurando en Atenas suponía el auténtico *kratos tou demou*, el poder del pueblo. Al oírlo, Temístocles había repetido aquellas palabras y había jugado con ellas hasta fundirlas en una sola.

Kratos tou demou. Demou kratos. Demokratía.

Democracia. Aquella nueva palabra le sonaba bien. Sobre todo, pensando en cuánto molestaría a alguien tan elitista como Arístides.

—¡Chssss! No digas eso en voz alta —le había dicho Clístenes—. Si los nobles lo oyen, comprenderán de verdad lo que está pasando y tomarán las armas. No, no utilices esa palabra hasta que toda la generación que ha conocido el gobierno de los aristócratas y el de los tiranos haya muerto.

De momento, pensó ahora Temístocles, uno de los testigos de esa época iba a morir.

Euforión llevó a Temístocles al dormitorio de su tío, pero antes de hacerlo pasar tuvo que tocar por cinco veces el dintel de la puerta con los nudillos, mascullando *«mierda»* en cada una de ellas. Sólo entonces, tras descargar la basura que el demonio ponía en su boca, entró al cubículo.

—Mira quién ha venido a verte, tío —dijo, controlando la voz.

Pese a que no hacía frío, en la alcoba ardía un brasero de cobre con madera de cedro y ramas de romero y tomillo. Con todo, el humo no lograba disimular el olor de la vejez y la enfermedad. Clístenes llevaba mucho tiempo tendido en la cama, y aunque la esclava que lo atendía lo cuidaba con dedicación, le lavaba el cuerpo y le cambiaba a menudo las sábanas, era imposible evitar las llagas y las escaras.

Clístenes tenía cerca de setenta años, pero se le veía mucho más envejecido. La misma primavera en que Temístocles se había casado con su nieta Arquipa, el estadista había sufrido un ataque de apoplejía. Como secuela, la parte izquierda del rostro se le quedó paralizada, apenas podía mover la mano de aquel lado y cojeaba de un modo lastimoso. Aunque con el tiempo había recobrado casi toda la lucidez de su mente, para alguien que hasta entonces había destacado entre los demás nobles por su apostura era humillante que lo vieran así, con un ojo inexpresivo y babeando por la comisura de la boca al hablar. Así que Clístenes había decidido retirarse de la política y comprarse aquella casa en Salamina, lejos de todo el mundo. Allí había aguantado mal que bien, recibiendo las visitas de Temístocles y regalándole sus consejos. Pero tres años antes, el mismo del arcontado de su pupilo, había sufrido otro ataque, y desde entonces ya no levantó cabeza.

Temístocles se sentó en un taburete, al lado de Clístenes, y le agarró la mano. Las palmas se notaban finas y resbaladizas como la piel de un pandero seco a punto de romperse. El viejo respiraba con un estridor que agobió a Temístocles, como si fuese él quien se estuviera asfixiando. Una mosca verde se empeñaba en posarse sobre el cráneo ralo y poblado de máculas de Clístenes, y Temístocles la aventó con una mano.

Al sentir el contacto de Temístocles, el viejo sonrió y le miró a la cara. Tenía los iris muy oscuros, casi negros, pero ahora se veían bordeados por un extraño ribete azul. Con todo, Temístocles se dio cuenta de que había en su mirada más lucidez que en cualquiera de sus últimas visitas, y pensó en lo que ocurre antes de una borrasca, cuando el aire se vuelve tan diáfano que pueden verse con claridad los detalles de las islas y las montañas más alejadas.

—Acércate más —le dijo Clístenes.

Temístocles se levantó del taburete y se sentó en la cama. El aire que salía silbando de los pulmones del viejo tenía un olor penetrante y dulzón, pero Temístocles no se apartó. Clístenes se volvió hacia su sobrino y le indicó con un gesto que los dejara solos. La esclava salió detrás de Euforión.

—Tengo algo importante que decirte, hijo. —La voz del anciano era débil, pero sonaba clara.

—Escucho tus palabras.

—Quiero que seas mi heredero, Temístocles —dijo Clístenes, apretándole con las escasas fuerzas que le quedaban en la mano derecha.

Temístocles retrocedió un poco, confuso, y se soltó de la débil presa del viejo. Pero enseguida se arrepintió y volvió a tomarle la mano.

—Sabes que tengo riquezas de sobra. ¿Por qué no les dejas tus...?

—Chsss. Tú sabes a qué me refiero. Ni mis fincas, ni mis rebaños, ni mis caballos me importan ya. Todo lo he ido soltando, y en cualquier caso a Caronte le basta con un mísero óbolo. No, la herencia que te dejo es otra.

Temístocles sintió la importancia de ese momento, y se le erizó el vello de la nuca.

—Sé que los persas están a las puertas, hijo. Esas puertas no son demasiado sólidas, y además hay quien quiere abrirlas desde dentro. Y hablo de algunos de mi propio linaje. Mucho más cerca de lo que tú te crees —añadió en tono misterioso.

«Siempre hay un traidor dispuesto a abrir las puertas», le había dicho Mnesífilo. Y, ciertamente, lo mejor que se podía decir de la política de los Alcmeónidas con respecto a los persas es que era ambigua.

De pronto, Temístocles se arrepintió de no haber acudido a la asamblea. ¿Se darían cuenta los ciudadanos de que no podían atrincherarse tras las murallas, de que debían salir a buscar al enemigo si no querían correr el mismo destino que los eretrios? ¿Tendría Milcíades suficiente visión para darse cuenta de ello y convencerlos?

—Los persas no son la única amenaza —continuó Clístenes—. Aunque salgamos de esta crisis, tendremos que sufrir la envidia de nuestros vecinos y el temor que en secreto alberga Esparta al ver cómo crecemos. Atenas sólo puede sobrevivir si se hace grande.

—Tú la has hecho grande, Clístenes.

—No del todo, hijo. El secreto de la verdadera grandeza descansa en dos cimientos: la unión y el número. Yo creé las diez tribus para unir a los habitantes de toda el Ática. Y para aumentar el número trampeé con las listas del censo e hice inscribir en los demos a todos los ciudadanos posibles, por muy dudosa que fuera su procedencia.

Temístocles enarcó una ceja, aunque no llegó a escandalizarse. El viejo esbozó una sonrisa de truhán que quebró su rostro en mil arrugas más.

—Por eso —prosiguió— ahora podemos movilizar más hoplitas que la propia Esparta. Que ellos se empeñen en sus leyes de pureza racial si quieren, y ya verás cómo cada vez hay menos escudos con lambdas en el campo de batalla.

Temístocles asintió. ¿Qué iba a contarle a él, que era hijo de una mujer caria, una bárbara a fin de cuentas?

—La raza y la sangre son una sandez —prosiguió Clístenes—. Te lo digo yo, que puedo recitarte mis ancestros hasta más de veinte generaciones. ¡Cuánta patraña! Mi abuelo Alcmeón, aparte de ser un avaricioso, llevaba unos cuernos más grandes que los del rey Minos, así que imagínate de qué sangre puedo descender yo. Lo mismo llevo en mis venas la de algún esclavo tracio.

Era la primera vez que Temístocles oía esa confesión. Se sintió violento, y además molesto, porque si por las venas del abuelo de su esposa corría sangre ilegítima, también debía de correr por las de sus cuatro hijos. ¿Para eso se había casado con una Alcmeónida, renunciando a la buena dote que habría podido conseguir por otro lado?

Entonces se dio cuenta de la estupidez que estaba pensando, él, que siempre había despreciado a los eupátridas, y soltó una carcajada. Clístenes llevaba razón, por supuesto. La sangre que debía contar en las venas de aquellos niños era la suya, la de Temístocles, hijo de sus obras. Las obras que ya había realizado y las que aún tenía que realizar.

—La sangre es engañosa —prosiguió Clístenes—. Los atenienses no deben serlo por raza, sino por convicción. Deben ser atenienses por cultura, por amor a los santuarios de su tierra y por devoción a nuestra diosa.

—Eso empieza a ocurrir ya. Y gracias a ti.

—Pero tienes que seguir adelante con mis reformas, hijo. Me daba miedo trastocar del todo las leyes de Solón, así que no tuve agallas para concederle a la cuarta clase los privilegios de las otras, y por eso los jornaleros no pueden ser magistrados ni generales. Pero ellos solos son más numerosos que las otras tres primeras clases juntas. Si Atenas quiere ser grande de verdad, necesita a todos esos ciudadanos, por humildes que sean. ¡Nos hacen falta todas las manos! La pobreza no debe ser un obstáculo para nadie si tiene algún beneficio que hacerle a la ciudad.

Temístocles asintió. Clístenes nunca se había sincerado tanto con él. Si en su momento hubiera manifestado aquellas ideas revolucionarias delante de los demás nobles, lo habrían echado a pedradas del Ática. Cuando los miembros de la cuarta clase pudieran acceder a todos los cargos, esa democracia cuyo nombre aún no se atrevían a pronunciar sería tan real y sólida como los grises bastiones de la Acrópolis.

De pronto, Temístocles tuvo una visión. Treinta mil corazones unidos en un mismo empeño. Sesenta mil manos. Una fuerza que en Grecia podía ser invencible, un poder que hasta podría plantar cara al gigante persa. Pero esas sesenta mil manos no empuñaban escudos de roble ni lanzas de fresno.

No. Eran remos lo que aferraban entre sus dedos.

Ya había pasado el mediodía cuando volvieron al Pireo. Temístocles no dejaba de mirar a los remeros de la falúa y pensar en su visión.

Doscientos trirremes nuevos, una flota como Grecia no había visto nunca, una ciudad flotante protegida por paredes de madera y armada con espolones de bronce. Pero ¿cómo convencer a los atenienses de las tres primeras clases para que renunciaran a la lanza y empuñaran el remo? Se miró las manos y tocó los callos de sus dedos y sus palmas. A él no le importaba, porque llevaba el mar en la sangre y le parecía más honroso remar de vez en cuando para mantenerse en forma que tirar de un arado. Los demás miembros de la clase hoplítica no eran como él, pero tendría que saber persuadirlos.

Recordó las últimas palabras con sentido que había pronunciado Clístenes antes de sumirse en un sopor del que ya no había despertado.

—La mayor posesión que tiene un hombre es su libertad. Los hombres deben ser libres. Deben tomar sus propias decisiones. Deben elegir por propia voluntad tomar las armas para luchar por la ciudad que ellos mismos gobiernan. ¿No estás de acuerdo, Temístocles?

—Sí —había asentido él, no demasiado convencido.

—Es como el padre que al defender a su mujer y a sus hijos se hace el doble de fuerte de lo que sería combatiendo por un amo. Haz libres a todos los atenienses, Temístocles, y los harás invencibles.

Libres, sí, se dijo ahora. *Que tomen sus propias decisiones. Pero que esas decisiones sean las mías.*

Los muelles del puerto estaban casi vacíos, y la única embarcación que entraba en vez de salir era la falúa que los transportaba. Cuando pusieron el pie en el embarcadero, uno de los soldados le dijo:

—Taxiarca, el general Melobio ordena que te presentes ante él.

Temístocles asintió, interpretando el significado oculto en aquellas palabras. *«El general te ruega que vayas a verlo.»* Melobio había sido elegido estratego de la tribu Leóntide gracias a los manejos y el dinero de Temístocles, que por el momento prefería seguir en segundo plano.

—¿Ha terminado ya la asamblea? —preguntó Mnesífilo.

—Sí —respondió el soldado.

—¿Y qué decisión se ha tomado?

—Salir al encuentro de los persas.

Bien por Milcíades, pensó Temístocles. Como taxiarca, era el encargado de confeccionar el catálogo de su tribu, así que preguntó al soldado:

—¿Cuántas quintas se van a alistar?

—Es una movilización general —contestó el soldado—. Todos los hoplitas de menos de cincuenta años deben cargar provisiones para tres días y acudir a Maratón.

Esparta, 3 de septiembre

A media mañana, Fidípides alcanzó a ver a lo lejos los tejados de Esparta. Incluso para él, hemeródromo profesional que llevaba diez años transportando correos entre Atenas y otras ciudades como Tebas, Corinto o Delfos, era una proeza. Había partido al amanecer del día anterior, y desde ese momento no había dejado de viajar ni en las horas más oscuras de la noche, alumbradas apenas por el cuarto creciente del mes de boedromión.

A su derecha se alzaban las cimas escarpadas y boscosas del Taigeto, donde se decía que los espartanos abandonaban a los niños que nacían con alguna tara. Al otro lado de la primera hilera de picos que se recortaban contra el cielo, en el centro de la sierra, había un paraje conocido como el Valle de las Sombras, porque las escasas aldeas dispersas entre la espesura de aquel lugar estaban cercadas por cumbres casi verticales y apenas recibían la luz del sol unas horas al día. Más allá de ese valle, al oeste, se alzaba el techo del Taigeto, una montaña en forma de pirámide que, según los lugareños, había tallado el propio Zeus con sus rayos cuando luchó contra los Gigantes.

Fidípides conocía aquella zona, pero ni aunque le hubiesen pagado diez veces más habría vuelto a internarse en ella. En su primera misión a Esparta había extraviado el camino al sur de Tegea y, en lugar de seguir bajando el curso del Eurotas, había penetrado en el corazón del Taigeto. En el siniestro Valle de las Sombras encontró jaurías de lobos y osos salvajes tan grandes como un buey; pero no era ésa la peor amenaza que acechaba en sus bosques. Allí lo interceptaron los miembros de la Criptía, una hermandad de jóvenes espartanos que se cubrían las cabezas con capuchas y se iniciaban como adultos en cacerías humanas donde la presa eran los ilotas. La mayoría de los encapuchados se empeñó en matarlo por haber hollado con sus pies un lugar vedado. Pero uno de ellos convenció a los demás de que asesinar a un heraldo protegido por Hermes era un sacrilegio por el que podían pagar caro en el futuro.

—No vuelvas a pisar estas tierras —le advirtió aquel joven, poniéndolo de vuelta en el camino a Laconia—. No son para los extranjeros, ni aunque lleven el caduceo.

Desde entonces, Fidípides había tenido buen cuidado de no salirse de la senda marcada. Cuando se trataba con espartanos, había que pisar con cuidado.

A Fidípides no le gustaban los espartanos; pero, para ser justos, sus compatriotas los atenienses tampoco le eran demasiado simpáticos. En realidad, a Fidípides no le caía bien nadie. Era un misántropo que apenas trataba con su familia y que a sus treinta años no se había molestado en buscar esposa ni tenía intención de hacerlo. Sólo se sentía moderadamente contento cuando estaba solo; por eso, y porque había nacido con unas piernas incansables y unos pulmones como fuelles, eligió aquella profesión de hemeródromo que le había valido el apodo. Pues el verdadero nombre con que su padre lo inscribió de niño en la fratría no era Fidípides, sino Filípides, con lambda, algo así como «el que ama los caballos».

Cuando unos años atrás se había pactado el acuerdo de defensa mutuo entre Esparta y Atenas en caso de agresión persa, el consejo se empeñó en enviar un mensajero montado a caballo para que transportara con la mayor urgencia posible los términos del tratado. El que aún era llamado Filípides aseguró a los buleutas que él podía llegar antes, y los consejeros, incrédulos, le desafiaron a que lo demostrase. Ambos correos partieron a la vez. El mensajero montado adelantó a Filípides en cuanto salieron de la ciudad, y antes incluso de tomar el camino de Eleusis, su caballo era tan sólo una mancha de polvo en la distancia. Los críos del Cerámico, testigos de aquel inicio tan poco prometedor, siguieron un rato al mensajero sin dejar de zaherirlo con epítetos como «tortuga capada» y «caracol cornudo»; pero él se lo tomó con calma y siguió a su ritmo hasta que los niños y sus chanzas quedaron atrás.

Filípides, que apenas necesitaba unas horas de sueño al día y que de noche veía como un búho, siguió trotando con su paso constante y, a la altura de la laguna Estinfálide, adelantó a su rival aprovechando que estaba dormido. El caballo llegó a Esparta medio día después que él, con los cascos en tan mal estado que tuvieron que sacrificarlo. Nadie dudó, desde entonces, que para llevar mensajes por las tierras escabrosas del Peloponeso no había otro como Filípides. Por ocurrencia del poeta Frínico, que para ser autor de tragedias era un poco zumbón, empezaron a llamarlo Fidípides, con delta, «el que se ahorra los caballos». Él había aceptado el mote como un pequeño homenaje, pero a cambio exigió que le pagaran la misma tarifa que a los mensajeros montados.

—Si los dos óbolos de la cebada me los gasto en otra cosa, es asunto mío —les había dicho a los buleutas.

Fidípides se detuvo un momento para acercarse a la orilla del río. Allí se lavó la cara para vencer el embotamiento y bebió en abundancia. En el zurrón colgado a su espalda llevaba un frasco de vino fuerte, casi vinagre, para purificar el agua de las fuentes y charcas del camino. Pero ahora no lo utilizó, pues sabía que las aguas del Eurotas eran puras y no le provocarían disentería. Cuando viajaba, bebía siempre que le surgía ocasión, aunque creyera no tener sed, pues sabía que de no hacerlo acabaría sufriendo fuertes calambres que no le dejarían continuar.

Se incorporó y estiró un poco los músculos. Después se volvió a atar el barbuquejo del sombrero; en vez del típico pétaso de caminante, cuyas anchas alas habrían opuesto demasiada resistencia al aire, usaba uno de estilo frigio. Se levantó la túnica y se apretó bien el *perizoma* que llevaba debajo. Los corredores olímpicos podían competir con las vergüenzas al aire si querían, pero él tenía que ceñírselas bien para evitar las rozaduras y otras inconveniencias. Después completó su rutina atándose de nuevo los cordones de las botas, que eran de la vitela más fina y habían sido cosidos con todo esmero para que las costuras no le hicieran llagas en los pies. Valían veinte dracmas, igual que el par de repuesto que llevaba en el zurrón. Un artesano especializado habría tenido que trabajar un mes para comprárselas, pero a él se las pagaba la ciudad.

Satisfecho con los arreglos, empuñó el caduceo. Aquella vara de fresno rematada por dos cabezas de serpiente lo señalaba como heraldo sagrado, protegido por Hermes, el dios de los mensajeros. Ningún griego en su sano juicio se habría atrevido a atentar contra él. Otra cosa eran los animales salvajes. A más de un perro hambriento había tenido que ahuyentarlo con la aguzada contera de cobre, y con bestias mayores, como osos, jabalíes o algún uro furioso, se había visto obligado a huir a la carrera o trepar a algún árbol providencial.

Siguió trotando, al paso constante que llevaba la mayor parte del tiempo. Cada diez kilómetros más o menos se paraba para respirar hondo un rato y después caminaba durante otros dos kilómetros antes de reemprender la carrera. La experiencia le había enseñado que de esa manera conservaba mejor las energías y sus articulaciones sufrían menos. También se frenaba al subir pendientes empinadas, e incluso al bajarlas, pues había comprobado que a veces, si corría demasiado rápido cuesta abajo, orinaba sangre.

Ya había pasado el Tórnax y el pequeño santuario de Apolo Píteo, y tenía a la vista los arrabales de Esparta. Por el camino iban y venían campesinos con cestas, carretones repletos arrastrados por bueyes y arrieros con acémilas bien cargadas de comida para la ciudad de Lacedemonia. Esparta era un estómago y una boca que lo absorbían todo y no daban nada a cambio, pues los lacedemonios no cultivaban los campos ni se dedicaban al comercio ni la artesanía, sino tan sólo a su siniestra labor: la guerra y la muerte.

—¿De dónde vienes, mensajero? —le decían al verle pasar.

—¡De Atenas! —respondía él.

—¿Qué noticias traes de allí? —preguntaba alguno, ya a sus espaldas, pues Fidípides no refrenaba su paso por ningún motivo.

—¡Han llegado los persas!

Cuando comunicaba la noticia por la Megáride y Corinto, la respuesta de los paisanos consistía en gritos de espanto y plegarias a los dioses. En las montañosas y atrasadas tierras de Arcadia, más de un pastor se encogió de hombros y le preguntó: *«¿Y quiénes son los persas?»,* mientras Fidípides seguía camino. Pero aquí en estas tierras la gente se limitaba a asentir con gesto grave, pues incluso a los periecos, habitantes de las tierras que rodeaban Lacedemonia, se les había contagiado el laconismo espartano.

Al ver las primeras casas de la ciudad, Fidípides apretó el paso casi sin darse cuenta. Los espartanos miraban por encima del hombro al resto de los griegos y se jactaban de ser los mejores atletas del mundo. *A ver si alguno de vosotros aguanta corriendo más que este ateniense,* se dijo él.

No había fortificaciones allí, ni siquiera rodeando la pequeña Acrópolis. Los espartanos aseguraban que la mejor muralla era el valor de sus ciudadanos; pero, por si acaso, tenían guarniciones apostadas en todo el valle. Fidípides sabía que, desde que había puesto los pies en Laconia, muchos ojos lo observaban agazapados entre las sombras. Si nadie lo había detenido para interrogarlo era porque llevaba el caduceo.

Las calles de Esparta eran muy distintas de las de Atenas. Había menos críos correteando o haciendo el gamberro, pues a los niños los sacaban de la ciudad a los siete años para internarlos en campamentos militares. Tampoco se veía a demasiados ciudadanos ociosos merodeando por el Ágora, como habría ocurrido en Atenas. Los espartanos eran soldados y, cuando no estaban en alguna campaña, preferían ejercitarse en el Dromos o en el parque de los Plátanos. Por supuesto, nada de bárbaros sirios, fenicios, frigios o egipcios como los que pululaban cada vez más por los suburbios del Pireo: en Esparta no los admitían. A cambio se veía a muchas mujeres, y no sólo esclavas, sino libres. Vestían peplos dóricos que en ocasiones dejaban entrever sus muslos, caminaban con la cabeza erguida y los cabellos descubiertos y, además, solían ser más guapas y tenían mejores formas que las atenienses.

Fídipides reparó en que esta vez había incluso menos varones de lo habitual. Se preguntó si estarían celebrando una de aquellas peculiares asambleas donde las decisiones se tomaban por aclamación y prevalecía la propuesta que más gritos de respaldo obtenía. O tal vez se encontraban en medio de una guerra contra los ilotas de Mesenia, uno de esos conflictos interminables que intentaban guardar en secreto ante los demás griegos.

En un extremo del Ágora se alzaba el eforión, un pequeño edificio de paredes de ladrillo gris, tan anodino como todos los demás que había en aquella plaza. Allí se reunían los cinco éforos, los magistrados que dirigían la política exterior de Esparta. En la puerta montaba guardia un grupo de soldados.

—Traigo un mensaje del consejo de Atenas —les dijo.

—Espera ahí —respondió uno de ellos, señalando con la punta de la lanza un pórtico cercano.

Fidípides se sentó a la sombra de un plátano, y él mismo se masajeó los muslos y las pantorrillas. Poco después llegó un criado con una jarra de agua, queso fresco de cabra y una oblea de pan regada con miel. Mientras Fidípides daba cuenta de todo, el esclavo le quitó las botas y le lavó los pies en una palangana de agua tibia perfumada con pétalos de rosas. El mensajero lo agradeció, pues sentía palpitar los dedos como si cada uno tuviera un diminuto corazón en su interior.

Apenas había terminado su colación cuando lo hicieron pasar al interior del edificio. En el interior hacía más frío y reinaban las sombras, pues las ventanas eran muy estrechas. Dos pebeteros quemaban perfume de espliego, y desde un rincón la enorme estatua de un joven desnudo observaba a Fidípides con una enigmática sonrisa.

Los éforos no sonreían. De los cinco sólo habían asistido tres, lo cual extrañó a Fidípides, pues otras veces había visto a todos reunidos. Los magistrados estaban sentados en un largo banco de piedra desnuda. No llevaban armas, al menos a la vista, y vestían el *tribon,* el típico manto lacedemonio. Los tres llevaban los cabellos largos y trenzados, una moda que en Atenas imitaban los jóvenes filoespartanos.

—Bienvenido a nuestra ciudad, mensajero —dijo el mayor

de ellos, cuyas trenzas eran ya guedejas blancas—. Soy Damatrio, hijo de Eudamo. ¿Qué recado nos traes?

Fidípides recitó su mensaje.

—Hace dos días un ejército persa ha desembarcado en nuestras costas, en la playa de Maratón. Honrando el tratado que ambas ciudades han firmado, los atenienses os piden que les enviéis ayuda y que no consintáis que una de las ciudades más antiguas de Grecia sea sometida bajo el yugo de los bárbaros. Eretria ya ha ardido y sus habitantes han sido esclavizados, y si vosotros no nos ayudáis, Atenas puede correr la misma suerte.

Los éforos le escucharon en silencio, con miradas graves.

—¿Cuándo partiste, mensajero? —preguntó otro éforo, el más joven del trío.

—Ayer al amanecer, señor.

—Y has llegado hoy antes de mediodía. Una hazaña impresionante que ni siquiera un lacedemonio podría igualar. Lo que me hace preguntarme si más que impresionante no es imposible.

—Para el gran Fidípides, el mejor corredor de toda Grecia, no es imposible.

Al oír aquella voz sonora y ronca como el rugido de un oso del Citerón, Fidípides se volvió. Acababa de entrar en el eforión un hombre de espaldas cuadradas y más bien bajo, con el rostro curtido por el sol. Alrededor de sus ojos y su boca se le dibujaban las arrugas de quien está acostumbrado a sonreír. En su barba y su cabello había más canas que pelos negros, pero aún se movía con el brío de un mozo.

—Saludos, Leónidas —dijo Damatrio.

Al oír el nombre, Fidípides comprendió que estaba ante uno de los dos reyes de Esparta, y le halagó que aquel hombre conociera su fama. También le sorprendió que los éforos no se dignaran levantarse en señal de respeto, pero ya se sabía que los espartanos tenían costumbres muy raras.

—Saludos, nobles magistrados —respondió Leónidas con cierta sorna. Después se acercó a los tres éforos, evitando así que Fidípides tuviera que volverse a cada momento para encarar al que hablaba—. ¿Tenéis ya una respuesta para la petición de los atenienses?

—Tú ya sabes cuál es nuestra respuesta —respondió Damatrio—. La única posible. La que demandan el honor de la palabra espartana y el respeto a los dioses.

A Fidípides le sonó bien lo primero, pero lo segundo, por alguna razón, le escamó. No debía andar descaminado, porque Leónidas también chasqueó la lengua.

—Ya.

—Lacedemonia honrará su tratado —prosiguió el éforo—. El día siguiente a la luna llena enviaremos un ejército de espartiatas para ayudar a nuestros aliados atenienses.

Fidípides calculó rápidamente. Estaban a 9 de boedromión por el calendario ateniense, lo que significaba que todavía quedaban seis días para el plenilunio. A ellos había que sumar otros tres como mínimo para que los espartanos llegaran a Atenas a marchas forzadas. Nueve días en total.

—En ese tiempo los persas habrán reducido a cenizas Atenas —dijo, mirando a Damatrio a la cara.

El éforo se removió en el asiento como si le hubiera picado una avispa.

—¿Es costumbre en tu patria que los mensajeros opinen por su cuenta?

—Parece mentira que no conozcas a los atenienses, Damatrio —intervino el rey Leónidas—. En Atenas no tienen dos reyes, como nosotros, sino treinta mil. Ahora, éforos, decidle a este mensajero si ésa es vuestra respuesta definitiva.

—Sabes que sí —respondió Damatrio.

—En ese caso, dejad que me lleve a Fidípides y le explique nuestras razones. No quiero que se lleve a Atenas la impresión de que los espartanos somos unos brutos irracionales.

—La impresión que puedan tener de nosotros los atenienses me trae sin cuidado.

—Ya, mi querido Damatrio —dijo Leónidas, curvando su enorme boca en una sonrisa irónica—. A ti te puede traer sin cuidado, porque cuando entre el nuevo año cesarás en tu cargo. Pero yo planeo ser rey algún tiempo más, y no quiero provocar una mala imagen entre mis aliados. —El rey rodeó el hombro de Fidípides con el brazo y tiró de él—. Acompáñame, amigo mío.

Siempre he sido muy aficionado a correr, y quiero que me cuentes algunas cosas.

Viendo la constitución de Leónidas, Fidípides lo dudaba mucho. La carrera del estadio tal vez, incluso la de dos. Pero para resistir trechos más largos, un físico tan musculoso como el del rey no servía. Con todo, Leónidas le hizo preguntas muy atinadas mientras lo sacaba del eforión. Allí los esperaban diez soldados de la guardia real, uno de ellos con el penacho atravesado de oreja a oreja que caracterizaba a los oficiales espartanos.

Leónidas lo llevó a pasear y le enseñó algunos edificios del Ágora, como el lugar de reunión del consejo de los ancianos y el templo de Zeus y Gea. Se veía más madera que piedra y más estuco que mármol, y las esculturas pintadas de los frontones eran bastante toscas. Contemplando las construcciones de Esparta, nadie habría creído que aquella ciudad era la primera potencia de Grecia. Pero tal vez lo era porque se concentraba en otras cosas más prosaicas que los goces estéticos.

Llegaron a un parque sembrado de plátanos altos y tupidos, rodeado por un rosal perfectamente podado y un canal con dos puentes. Sobre el primero se alzaba una estatua de Heracles, al que los espartanos veneraban como su antepasado, y sobre el segundo una de Licurgo, el legislador que había instituido la durísima disciplina espartana que convertía a toda la ciudad en un campamento guerrero. A Fidípides, que ya había visto antes ese lugar, le extrañó no ver a los jóvenes entrenando en él.

—Te he prometido que iba a explicarte nuestros motivos, y lo haré —dijo el rey, terminada la conversación de cortesía—. Nos encontramos en el mes carneo, y ahora mismo estamos celebrando las fiestas en honor de Apolo. Mientras duren, la ciudad debe mantenerse pura. No podemos participar en ninguna guerra si no queremos que un miasma caiga sobre Esparta.

Fidípides miró a los ojos a Leónidas, sin decir nada. Qué absurdo, pensó, que una ciudad tan belicosa como Esparta se sometiera a una prohibición así precisamente en verano, la mejor época para hacer la guerra.

Curiosamente, fue el rey, y no él, quien apartó la mirada. Como buen misántropo, Fidípides era poco ducho en interpretar los gestos de los demás. Pero supo que Leónidas le estaba mintiendo y que no se sentía cómodo con esa mentira.

—En cuanto la luna complete su círculo, yo mismo llevaré a la guerra a los espartanos —prosiguió el rey, volviendo a levantar la mirada—. Entretanto, di al consejo que adopte una posición defensiva y que aguarde nuestra llegada. Dicen que los persas tienen una excelente caballería.

—Eso he oído, señor.

—No os enfrentéis a ellos en campo abierto. Desplegaos en un terreno elevado y que esté sembrado de piedras y raíces duras donde los caballos se rompan los cascos y las patas. Y, sobre todo, no os lancéis al ataque contra los persas.

—Señor, me sorprende ese consejo viniendo de un espartano, con vuestra fama de valientes.

Leónidas soltó una carcajada.

—Veo que no tienes pelos en la lengua, ateniense. Pero no te equivoques. Existe un valor engañoso que hace que los hoplitas rompan sus filas y carguen contra el enemigo. Pero, en realidad, no es valor, sino la excitación del combate, y la produce más el Miedo que su padre Ares. El verdadero valor consiste en que cada uno clave bien los talones en su puesto y apriete los dientes hasta que llegue el momento en que sus generales le indiquen lo contrario. En la guerra es más difícil estarse quieto que moverse.

—Entiendo —dijo Fidípides, y pensó: *¿Por qué un rey se molesta en contarle todo esto a un simple mensajero?* Su sospecha de que Leónidas se sentía culpable se acrecentó. Saltaba a la vista que era un hombre honrado, algo poco habitual en alguien poderoso.

Recordó que Leónidas llevaba sólo un año siendo rey. Aquel hombre ya cincuentón no estaba destinado al trono, pero los espartanos habían tenido que recurrir a él cuando su hermanastro Cleómenes había muerto en oscuras circunstancias. En Atenas se contaba que el abuso del vino puro lo había enloquecido hasta tal punto que habían tenido que encerrarlo y encadenarlo. Sin embargo, Cleómenes se las había arreglado para conseguir un cuchillo con el que él mismo se dedicó a despedazarse metódicamente hasta la muerte.

Tal vez aquella historia tan truculenta fuera cierta, pensó Fidípides, pero con los lacedemonios era imposible saber nada con certeza. Esparta era como el enigma de la Esfinge envuelto en el velo brumoso de Afrodita y tapado por el yelmo de invisibilidad de Hades.

—Come y descansa hasta mañana, Fidípides. Te espera un largo camino de vuelta.

Fidípides levantó la barbilla.

—No puede ser, señor. Las buenas noticias han de llevarse pronto, pero las malas deben llegar incluso antes.

Leónidas le estrechó la mano con fuerza.

—Merecerías ser espartano, hijo de Hermes. Cuando llegues a Atenas, diles a tus generales que deben tener paciencia y aguardarnos. Dentro de nueve días veréis las lambdas de nuestros escudos.

Maratón, 5 de septiembre
Tierra de nadie entre las líneas griegas y persas

Mitranes, al que Temístocles había impuesto el nombre cario de Sicino para disimular su ascendencia persa, colocó un puñado de hojas y cardos secos sobre el pebetero que siempre llevaba en la bolsa de piel que colgaba de su cinturón. Después se agachó y acercó al quemador un pequeño tesoro que le había regalado su señor para que pudiera cumplir con sus obligaciones en cualquier lugar: un *hyalon*, un cristal de roca, tan redondo, pulido y transparente que parecía una gruesa gota de agua solidificada. Era media mañana y, aunque el verano se acercaba a su fin, el sol todavía apretaba con fuerza. Sus rayos atravesaron la piedra, se juntaron en un haz, obligados por la magia encerrada en el cristal, y se concentraron en un punto muy brillante y caliente del que enseguida brotó humo.

La yesca empezó a arder. Aunque diminuto, era un fuego, y a Sicino le servía. Sacó una bola de incienso, pulverizó apenas una pizca entre el pulgar y el índice y lo echó sobre las llamas. Ya que su señor era tan generoso de ofrecerle un perfume tan caro para que rindiera culto al único dios en la forma debida, Sicino procuraba economizarlo lo más posible.

Tras aspirar el aroma del incienso, Sicino se puso en pie delante del quemador y se desató el *kusti,* el cordel que le ceñía la túnica. Odiaba llevar ese quitón sin mangas y, sobre todo, no poderse tapar las piernas con pantalones como todo hombre que se preciara debía hacer. Pero su señor insistía en que vistiera lo más parecido posible a un griego, pues no corrían buenos tiempos para los persas en Atenas. Al menos, Sicino se dejaba caer la túnica por debajo de las rodillas y, por supuesto, se ponía un taparrabos de tela que se ceñía a conciencia. Había muchos griegos que no llevaban nada bajo la túnica, y se la recogían tanto en la cintura que cuando se sentaban o soplaba una racha de viento enseñaban con toda naturalidad los genitales, como si fueran un hermoso espectáculo que los demás tuviesen la obligación de disfrutar.

Una vez desatado el cordel, Sicino miró a las llamas y suplicó a Ahuramazda, el único dios, el señor de la sabiduría, que lo ayudara a mantenerse lo más puro posible y que lo perdonara si alguna vez cometía algún descuido. Pues no tenía más remedio que vivir entre los *yauna,* infieles de sucias costumbres, seguidores de la mentira que constantemente profanaban la tierra, el agua y el fuego, los sagrados elementos. Después volvió a enrollar el cordel a la cintura, cuidando bien de darle tres vueltas y practicar los nudos rituales.

No siempre había cumplido con tanto fervor. En su lejana patria, cuando aún lo conocían por Mitranes, su padre Bagabigna lo había instruido en las enseñanzas del profeta Zaratustra. Pero él era joven y despreocupado, y se tomaba esas cosas con tibieza, porque le importaba más disfrutar de los placeres de la vida. Cuando tenía dieciocho años...

La voz de su señor evitó que desovillara una vez más el hilo de sus recuerdos.

—¡Ven aquí, Sicino! Quiero qué me expliques qué estamos viendo.

Tras comprobar que su gigantesco esclavo se acercaba, Temístocles volvió de nuevo la vista hacia la llanura. Llevado por su habitual curiosidad, había dejado el campamento ateniense, se había arriesgado a salir a campo abierto y luego había torcido hacia la izquierda y trepado a la ladera del monte Crotón para gozar de mejor visión del enemigo. Ahora estaba sentado en una gran piedra desde la que se dominaba toda la bahía. Frente a él, a unos dos kilómetros, el mar lamía mansamente la larga playa de Maratón.

A su derecha, en la zona de piedemonte entre el llano y el monte Agrélico, que cerraba la llanura por la parte occidental, el ejército ateniense llevaba desplegado desde poco después del amanecer, mirando hacia el este y soportando la molestia del sol en los ojos. Su flanco más cercano, el izquierdo, que estaba a unos quinientos metros de Temístocles, quedaba protegido por las faldas del propio Crotón. Por delante del frente, en la zona de prados y sembrados que se extendía ante sus líneas, habían improvisado una empalizada. Para ello, los esclavos y ciudadanos pobres que acompañaban a los hoplitas habían talado pinos jóvenes de la ladera del monte, que luego habían repartido por el suelo con las copas apuntando hacia el frente formando una abatida. Si los jinetes persas intentaban atacar por ahí, sus monturas se encontrarían con una tupida barrera de ramas erizadas de agujas.

Más lejos, al final de la línea formada por los batallones de las diez tribus, el ala derecha ateniense lindaba con el bosque de Heracles, el olivar sagrado donde habían establecido la base, ya muy cerca del mar. En opinión de Temístocles, era una posición fuerte, siempre que no salieran de ella. El campamento griego cerraba el camino de Atenas, que pasaba entre la playa y el propio bosquecillo, giraba casi en ángulo recto y se dirigía hacia el sur, bajo el monte Agrélico. Por allí habían venido a marchas forzadas los nueve mil cuatrocientos hoplitas atenienses, acompañados por un número algo menor de asistentes entre esclavos y ciudadanos de la cuarta clase. Toda la flor del Ática estaba allí, a más de cuarenta kilómetros de la capital, mientras que los más bisoños y los veteranos habían quedado atrás para guarnecer la débil muralla.

Por supuesto, aquél no era el único sendero para llegar a Atenas. Los persas también podían internarse por el camino que pasaba entre ambos montes, el Agrélico y el Crotón, no muy lejos de donde ahora se encontraba Temístocles. Pero era una ruta agreste, impracticable para la caballería y expuesta a emboscadas.

Trató de ponerse en la piel del general enemigo. Estaba seguro de que Datis ni siquiera intentaría forzar la ruta alternativa.

Sin duda, lo que había pretendido con aquel desembarco era atraer al ejército ateniense al terreno que juzgaba mejor para derrotarlo en una batalla decisiva. Pues entre las líneas griegas y las persas se extendía la llanura de Maratón, cuyo suelo aluvial era de los más fértiles del Ática. La mayor parte se dedicaba a prados para el ganado, y en cuanto a los plantíos de trigo y cebada, estaban segados, pero no habían recibido ni el arado ni el abono. Todo ello dejaba despejado un amplio campo de maniobra por el que la caballería persa podría evolucionar a sus anchas si los griegos cometían la imprudencia de salir al llano. Los refugiados eretrios ya habían contado a los atenienses lo que podían esperar si caían en el error de enfrentarse a la combinación de las andanadas de los arqueros y la carga de las tropas montadas: ser aniquilados.

Los persas estaban a la izquierda de Temístocles, más allá de la tierra de nadie y a unos dos kilómetros de las líneas griegas. Pese al calor, también tenían desplegada a la mayoría de sus tropas, formando un amplio frente que iba prácticamente hasta la playa y dibujaba una línea recta y paralela a la del ejército ateniense. Por detrás de ellos se extendía su campamento, que llegaba hasta el gran pantano que cerraba el extremo oriental de la llanura. Su flota se hallaba repartida por toda la línea de costa, en la alargada playa de Esquenia. Los persas habían traído tantos barcos que resultaba imposible vararlos todos a la vez en la arena, y habían tenido que fondear más de la mitad en la bahía. Para desgracia de los griegos, las naves enemigas no corrían peligro, pues del otro extremo de la llanura salía la península de la Cola de Perro, que cerraba la gran rada como un espolón y protegía de los vientos sus aguas ya de por sí someras.

—Han elegido el lugar perfecto para desembarcar —comentó Cinégiro, como si le hubiera leído el pensamiento—. Parece mentira que hayan podido planearlo con tanta precisión desde Persia.

Cinégiro, que era taxiarca de la tribu Ayántide y hermano del poeta Esquilo, había decidido por su cuenta y riesgo acompañar a su amigo Temístocles en aquella pequeña exploración, y se había traído a un esclavo con él. También se había unido a ellos

Euforión el Nervios, quien, después de unos cuantos tics, contestó a Cinégiro:

—No lo creas. Éste es un sitio de mierda. Para ellos habría sido mejor Falero. Ahora ya tendríamos a esos hijoputas dentro de Atenas.

—En Falero habríamos llegado antes de que desembarcaran —respondió Cinégiro—. Créeme, mi querido Euforión, para un montón de gente apiñada en la cubierta de un barco estrecho no es tan fácil poner el pie en una playa cuando les espera un comité de recepción. Con la mitad de hombres de los que tenemos ahí abajo se lo podríamos haber impedido.

—Si han elegido tan bien el lugar, no es casualidad —dijo Temístocles—. Alguien les ha informado.

Mientras Euforión, poseído por la coprolalia de su *daimon,* recitaba unos cuantos sinónimos para la palabra «mierda», Cinégiro pronunció el nombre en el que estaban pensando:

—Hipias.

Temístocles asintió. Corrían rumores de que los persas venían acompañados por el tirano al que los atenienses habían expulsado de su patria veinte años antes. Cuando era mucho más joven, Hipias había desembarcado en esa misma playa con Pisístrato, su padre. Desde allí cabalgaron hasta Atenas reclutando tantos partidarios por el camino que al final consiguieron tomar la capital sin verse obligados a combatir.

—Quizá ha aconsejado a Datis elegir Maratón con la esperanza de repetir el éxito de su padre —dijo Temístocles.

—Pues si ha pensado que puede llegar hasta Atenas sin pelear, va listo —dijo Cinégiro—. Los tiempos han cambiado. A la gente le rechinan los dientes sólo con oír la palabra «tiranía». Los persas no encontrarán entre nosotros partidarios de Hipias.

Pero sí traidores que les abran las puertas como en Eretria, pensó Temístocles, y miró de reojo al Nervios. Entre los parientes de Euforión, los mismos Alcmeónidas que lo despreciaban por la debilidad que aquejaba su espíritu, había varios que llevaban manteniendo una actitud más bien turbia desde el principio del conflicto contra Persia. Por suerte, la mayoría de esos Alcmeónidas estaban allí abajo, mezclados con el resto del ejército, donde podían hacer mucho menos daño que emboscados tras la muralla de Atenas.

Los viejos que han quedado atrás no podrán empuñar una lanza, le advirtió otra vocecilla, *pero aún tienen fuerzas para levantar el pasador de una puerta y abrírsela a los persas.*

Desechó aquel pensamiento. No tenía sentido preocuparse por lo que no estaba en su mano solucionar. Ahora lo que importaba era evitar que los persas llegaran a la capital.

—Por favor, Sicino —dijo, volviéndose hacia su esclavo—, dame la dioptra.

El persa, que llevaba un rato callado tras ellos, abrió la bolsa de piel que llevaba a la cintura y sacó de ella un curioso artefacto que consistía en una larga caña hueca de silfio con un cristal de cuarzo tallado embutido en cada extremo. La dioptra poseía la maravillosa virtud de aproximar los objetos como si estuvieran diez o quince veces más cerca, pero a cambio ofrecía otra característica más fastidiosa: al mirar por ella, todo aparecía cabeza abajo, como si el mundo se hubiera vuelto del revés. Temístocles había observado que otras personas se mareaban al asomarse al tubo. Él, con mucha disciplina, se había acostumbrado a invertir en su mente la imagen para analizar lo que veía.

—¿De dónde has sacado eso? —le preguntó Cinégiro—. ¿Alguno de tus exóticos viajes al este?

El hermano de Esquilo sentía una peculiar fascinación por todo lo oriental, y más aún por lo persa. Era una actitud frecuente en muchos atenienses, que admiraban, temían y despreciaban a los persas, todo a la vez. En los banquetes que celebraba en su casa, el propio Cinégiro se adornaba a menudo al estilo asiático, se rizaba la barba y se ponía una túnica de vivos colores confeccionada en algodón traído de la lejana India.

Pero no corrían ya tiempos propicios para tales modas, y el quitón que llevaba Cinégiro ahora era de lana sencilla y sin estampados. Una prenda inequívocamente griega.

—Justo al contrario —respondió Temístocles—. Me lo vendió un capitán fenicio durante un viaje a Italia.

Cinégiro sonrió de medio lado.

—¿Que un fenicio te vendió eso? Vamos, como si los fenicios soltaran de buen grado esas cosas. ¿Cuánto dinero te sacó, si puede saberse?

—Le pagué quinientas cincuenta dracmas —contestó Temístocles, sin vacilar.

Por el brillo burlón de sus ojos, se dio cuenta de que Cinégiro sospechaba. Pero, aunque tenía una buena amistad con él, prefería no confesarle la verdad. Cuatro años antes, al este de Sicilia, se había topado con un barco que regresaba a las ciudades fenicias del este, probablemente a Tiro. Tenía las velas rotas y parecía evidente que alguna tormenta lo había apartado del resto de su flota. Temístocles, en cambio, viajaba en un pequeño convoy de tres transportes y una nave de guerra, y con tal superioridad numérica la tentación de saquear el mercante fenicio era demasiado jugosa para resistirse. Al fin y al cabo, los fenicios hacían lo mismo cuando la situación era la contraria.

En las bodegas de la nave encontraron más de una tonelada de lingotes de estaño, que luego vendieron a buen precio, amén de gruesas pieles de oso y castor, piezas de ámbar en bruto y un par de tinajas llenas de un aceite grisáceo, espeso y maloliente. Pero lo que de verdad codiciaba Temístocles se le había escapado. El capitán del mercante, al ver que lo abordaban, prendió fuego al cofre en el que guardaba sus documentos y se arrojó al agua atado por los pies a su propia ancla. Temístocles estaba convencido de que ese baúl escondía mapas y periplos de las costas de allende las Columnas de Heracles, tal vez la ruta a las remotas Casitérides o incluso la mítica Tule. Pero al menos había caído en sus manos aquella dioptra con la que ahora estudiaba el campamento enemigo y por la que habría pagado hasta diez veces lo que acababa de decirle a Cinégiro.

—Ten cuidado y no apuntes esa mierda al sol —le advirtió Euforión, estirando los dedos para toquetear la lente exterior. Temístocles, aunque solía ser tolerante con los jeribeques de su amigo, le apartó la dioptra, temiendo que le rompiera o manchara el cristal. Euforión, frustrado en su gesto, sacudió dos veces el cuello a la izquierda, volvió a mascullar «mierda» y añadió—: Te puede abrasar los ojos.

—Gracias por tu consejo no solicitado, Euforión —respondió Temístocles.

Acercó el ojo derecho al tubo y lo enfocó primero a la playa. Como sospechaba, los barcos embarrancados en la arena, que en la dioptra parecían colgar de ella, eran los trirremes. Puesto que el arma principal de aquellas naves era la maniobrabilidad, sus tripulantes, siempre que era posible, las sacaban a la orilla para que la madera de abeto o, en el caso de los barcos fenicios, de cedro se secara lo más posible y pesara menos. Temístocles calculó que en la playa debía de haber cerca de doscientos trirremes, y el doble de barcos de transporte anclados en la bahía. Seiscientos barcos en total. No tantos como los mil que habían llevado los aqueos para invadir Troya.

La diferencia estaba en que Homero hablaba de hechos remotos que podía exagerar todo lo que quisiera, mientras que aquellos seiscientos barcos estaban allí, delante de sus ojos. Y Temístocles, que había viajado más que la mayoría de los atenienses, tenía que reconocer que nunca había visto tantas naves juntas.

Se volvió hacia Sicino. El gigante había caído prisionero en la expedición fallida que el general Mardonio había dirigido contra el norte de Grecia tres años antes. Temístocles no ignoraba que su esclavo seguía siendo fiel al Gran Rey. Pero también sabía que, convencido y orgulloso de la abrumadora superioridad del ejército de Darío, no sentía ningún empacho en revelar información sobre él.

—¿Dónde han traído los caballos, Sicino?

El joven persa le respondió en su griego plagado de silbantes.

—Cuando viajé con Mardonio, lo que hicimos fue adaptar trirremes desmontando las dos filas inferiores de remeros para hacer hueco.

—¿Cuántos caballos se pueden cargar así? —preguntó Cinégiro—. ¿Quince, veinte?

—Treinta, señor —contestó Sicino.

Lo que me había imaginado, pensó Temístocles. Era difícil calcular de cuánta caballería disponía Datis, pues sus unidades se movían constantemente entre las de infantería, y algunas se adelantaban cabalgando por la tierra de nadie para acercarse a las posiciones de los hoplitas griegos y provocarlos con sus gritos. Pero Temístocles llevaba un par de horas siguiendo a los diversos escuadrones y ya los tenía localizados. Por lo que le había contado Sicino, los persas eran muy puntillosos y organizaban su ejército en múltiplos de diez, de cien y de mil. Apostaba a que ahora habían traído dos *hazarabam* de caballería.

—Dos mil caballos —tradujo en voz alta. Una fuerza como ésa no la poseía nadie en Grecia, ni siquiera los tesalios, tan afamados por sus caballos.

—Mierdamierda, estamos jodidos —murmuró Euforión, y llevó a cabo tres veces seguidas el consabido ritual de golpearse ambos hombros, el esternón y la frente.

Temístocles sabía que su amigo no tenía miedo. Para ser precisos, no más miedo que los demás. Si estuvieran hablando de mujeres, habría soltado los mismos tacos y sufrido los mismos visajes. O peores, pues el pobre Euforión poseía más razones para temer a las mujeres que a los guerreros enemigos. Temístocles había intentado casarlo con su hermana Nicómaca, pero ésta le contestó algo así como: «*Por muy tutor legal mío que seas, a mí no me casas con ese tarado.*» Nicómaca había heredado la mitad del carácter de su madre, lo cual ya era mucho, así que no hubo más que hablar.

—Bah, caballos, caballos —dijo Cinégiro—. ¿Qué son dos mil burros grandes contra los mejores hoplitas de Grecia?

—Nunca hemos sido los mejores hoplitas de Grecia —dijo Euforión. Señaló a la llanura con la mano (no pudo evitar llevársela antes a la oreja un par de veces) y añadió—: Y te olvidas de su infantería con la mierda de sus arcos. Estamos jodidos enmerdados sodomizados.

Temístocles volvió a apuntar la dioptra hacia la izquierda, pero esta vez la fijó en las filas de a pie que formaban en el llano. En el ala más cercana a ellos se veían tropas más abigarradas: jonios, carios, panfilios y otros súbditos del Gran Rey. Pero el grueso del ejército estaba formado por iranios uniformados con vivos colores. En la primera fila había soldados provistos de unos enormes escudos, casi tan altos como un hombre y que debían de tener puntales por detrás, pues aunque algunos de los persas los habían soltado seguían manteniéndose en pie. Tras esa muralla de escudos formaba una gran masa de arqueros, vestidos de rojo y repartidos en diez o doce filas de profundidad. No llevaban escudo ni lanza, tan sólo sus arcos compuestos y, por lo que parecía desde allí, espadas y cuchillos largos para el combate cuerpo a cuerpo.

Cuando Temístocles le describió a Sicino el armamento de aquellos hombres, su esclavo le explicó:

—Los que protegen a los arqueros son *sparabara*. —El joven vaciló y aventuró en griego—: ¿Llevaescudos? ¿Portaescudos?

—Algo así —respondió Temístocles.

Siguió recorriendo las filas persas con la dioptra. Las unidades estaban nítidamente separadas por amplios pasillos que servían a los escuadrones de caballería para moverse entre ellos. Gracias a esos huecos resultaba fácil contarlas. Cuando llegó al centro, Temístocles verificó que allí había cinco batallones uniformados de otra guisa. En la primera fila también se veían *sparabara* con sus grandes y vistosos escudos de colores, pero por detrás de ellos formaban lanceros tocados con caftanes y mitras azules y provistos de lanzas y escudos más ligeros.

Además de las lanzas, aquellos hombres también llevaban arcos y aljabas. Su viejo maestro Fénix no había exagerado cuando decía que lo primero que aprendían los persas era el manejo del arco. Temístocles se imaginó a todos aquellos guerreros disparando a la vez decenas de miles de flechas. El pensamiento hizo que se le erizara el vello de la nuca, y no precisamente de emoción.

—¿Quiénes son esos lanceros?

—Son los *arshtika* —respondió Sicino, y añadió con orgullo—: Yo era un *arshtika*.

Temístocles se imaginó a aquel gigante armado de lanza y escudo y tocado con la mitra, y pensó que ni el coloso Áyax bajo las murallas de Troya habría causado tanto pánico. Tal como estaba ahora, vestido con una simple túnica y con las manos desnudas, Sicino ya infundía temor. Sus rasgos eran correctos, e incluso se habría podido decir de él que era guapo. Pero el derrumbamiento de la mina le había roto el tabique de la nariz y la caída del rayo le había dejado en el lado derecho de la cara una siniestra marca violácea que le cruzaba desde la sien a la barbilla. Por si fuera poco, de su otro accidente, el del mar, también conservaba una fea mordedura en forma de media luna que adornaba su pantorrilla izquierda.

—Éramos las segundas mejores tropas del Gran Rey —prosiguió Sicino, contento de recordar su época de soldado—. Después de los *anushiya*.

—¿*Anusha?* ¿Quiénes son esos tipos? —preguntó Cinégiro.

—La guardia personal del Gran Rey —contestó Sicino—. Todos pertenecen a buenas familias y son grandes guerreros con la lanza y con el arco. —Se quedó pensando y añadió—: Y son diez mil.

Euforión silbó entre dientes y realizó su ritual. Clavículas, esternón y frente. Después estiró el brazo como para tocar los nudos del ceñidor de Sicino, pero Temístocles le dio un manotazo.

—Joderjoderjoder —masculló el *daimon* de Euforión—. Darío tiene más soldados como guardaespaldas que toda la mierda de infantería que hemos traído.

—¿Diez mil has dicho? ¿No habrás querido decir sólo mil? —preguntó Cinégiro.

—Diez mil, señor, ni uno menos. Cuando hay una baja la rellenan con alguien que está esperando en una lista, para que siempre sean diez *hazarabam*. Yo estaba en esa lista, y tenía el número dos mil cuatrocientos tres cuando salí de Babilonia.

Temístocles, que llevaba ya un tiempo aprendiendo persa con su esclavo, repitió para sí el nombre de la guardia personal de Darío. Pero sin darse cuenta, en vez de llamarlos «Compañeros reales» o *anushiya,* tal como había dicho Sicino, se dejó llevar por el error de pronunciación de Cinégiro y murmuró *anausha,* «Inmortales». Le gustó la metáfora: un gran regimiento cuyas partes individuales podían morir, pero que como conjunto era imperecedero.

—¿Habrá hombres de ese cuerpo ahí abajo, Sicino? —preguntó a su esclavo.

—No, señor. Ellos sólo van a la guerra acompañando al Gran Rey.

—Me alegro de oírlo —dijo Cinégiro.

Temístocles volvió a mirar por la dioptra. Ahora, en la parte norte de la llanura, una tropa de caballería de treinta o cuarenta jinetes se había destacado por delante de la pared de escudos. Los estudió con atención y se los describió a Sicino. Su esclavo le dijo que debían de ser guerreros sacas, un pueblo que moraba al norte de los persas, a orillas del Caspio. Hablaban una lengua emparentada con el propio persa y tenían costumbres parecidas.

—Pero son unos bárbaros y no siguen los preceptos de Ahuramazda.

¿Por qué será que siempre los vecinos que tenemos más cerca nos parecen los más bárbaros?, se preguntó Temístocles, sin dejar de mirar. Algunos de esos jinetes portaban pequeños escudos; otros no, pero el sol arrancaba destellos metálicos de su ropa, así que debían de ir protegidos por algún tipo de armadura.

Uno de los jinetes señaló hacia él con un dedo amenazante y empezó a dirigirse a sus compañeros entre aspavientos. Temístocles se sobresaltó y apartó a un lado la dioptra. Como por arte de magia, los sacas volvieron a estar cabeza arriba y a una distancia más tranquilizadora. Pero siguieron trotando hacia el Crotón, apartándose más de las líneas de su infantería. Temístocles pensó que tal vez el sol se había reflejado en el cristal de la dioptra y había delatado su presencia.

—Puede que no nos hayan visto —deseó en voz alta.

—Yo los estoy viendo —respondió Cinégiro—. ¿Qué te hace pensar que ellos no nos ven a nosotros?

—La madre de todas las mierdas —masculló Euforión—. ¿Por qué no volvemos ahora mismo?

—Creo que es una gran idea —dijo Temístocles.

Bajaron la ladera dando traspiés y resbalones entre las piedras y el cascajo suelto. Aún estaban a una buena distancia de aquel destacamento, y para llegar a la abatida de pinos no podían faltar mucho más de quinientos metros. Pero era evidente que los sacas los habían descubierto, pues arrearon a sus caballos y se dirigieron hacia ellos a galope tendido, atravesando una zona de pastizal.

—¡Corred! —gritó Cinégiro. Una orden innecesaria: los cinco hombres huían ya con toda la velocidad que podían imprimir a sus piernas.

A su espalda se oían ya los gritos de los jinetes y el golpeteo de los cascos sobre el suelo. Temístocles pensó que bastaban cuarenta animales al galope para producir un retumbar que ponía los pelos de punta, y se preguntó qué pasaría cuando embistiera contra ellos toda la caballería persa. Sería como si Poseidón clavara su tridente en el suelo y desatara a la vez un terremoto y la furia de un tornado.

Algo silbó junto a su oído, y Temístocles notó como si le hubiera picado una avispa. Durante un absurdo instante pensó que eso era lo que había pasado, pero enseguida vio una flecha que rebotaba en el suelo unos metros más allá. Se llevó la mano a la sien y al hacerlo se la manchó de sangre; al menos, la oreja seguía estando allí. Sin dejar de correr, se volvió para mirar. A menos de cincuenta metros había un grupito de jinetes, cinco o seis, que se habían destacado del resto.

—Mierdamierdamierda —recitaba Euforión, que aunque no se callaba se las arreglaba para ir el primero del grupo sin perder el aliento.

Los sacas sabían cabalgar y disparar a la vez con una facilidad diabólica. Las flechas pasaban sobre sus cabezas zumbando como moscardones gigantes. Temístocles volvió a mirar de reojo y vio que uno de sus perseguidores se había adelantado tanto que ya estaba casi encima de ellos.

—¡Cuidado! —gritó.

Una flecha se clavó en el muslo del asistente de Cinégiro, que profirió un grito de dolor, dio dos o tres zancadas más y cayó al suelo. Al ver que Cinégiro retrocedía para auxiliar a su esclavo, Temístocles ordenó a Sicino que le ayudara. El persa se detuvo un instante, levantó en vilo al herido, se lo echó al hombro y siguió adelante como un pastor cargado con un cordero descarriado.

Corrían en zigzag para esquivar las flechas. La abatida se

encontraba ya a menos de cien metros, pero a Temístocles le rechinaban los dientes, convencido de que en cualquier momento iba a notar una punzada gélida en la espalda. Los pulmones le silbaban y la boca le sabía a sangre. Aunque era un buen corredor, jamás en su vida había exigido tanto esfuerzo a sus piernas; estaba seguro de que con la velocidad que llevaba se habría superado a sí mismo en la carrera del estadio por más de veinte metros.

A su derecha oyó cascos de caballo aún más cercanos. Torció el cuello y vio que el jinete que se había adelantado a los demás se encontraba ya a su altura. Su caballo era más bien pequeño y tenía las patas cortas, pero las movía a una velocidad tan endiablada que apenas se le veían. El jinete se giró sobre la gualdrapa, apretando las rodillas para refrenar un poco el paso de su montura, y le apuntó con el arco medio tendido y una sonrisa burlona. Estaba tan cerca que Temístocles podía verle los dientes. Era evidente que el saca estaba jugando con él, como si le dijera: «*¿Ves? Puedo matarte en cualquier momento.*»

Temístocles no podía dejar de mirarlo. *Cuando vea la flecha venir me tiraré al suelo*, se dijo, a sabiendas de que a tan poca distancia no conseguiría reaccionar lo bastante rápido.

El saca gritó algo en su idioma y tensó la cuerda del arco hasta llevarla a su oreja. Cuando parecía que iba a soltarla, su sonrisa se congeló, y una saeta apareció en el lugar equivocado, traspasando su cuello de parte a parte. Temístocles, desconcertado, creyó durante un instante que se trataba de un disparo marrado por sus propios perseguidores, pero la pluma de la flecha apuntaba hacia el campamento ateniense. Los brazos del saca cayeron lacios y soltaron el arco. El jinete resbaló sobre la silla y se desplomó por el otro lado del caballo con los pies para arriba.

Temístocles, por fin, consiguió apartar los ojos del bárbaro y mirar adelante. Los suyos habían acudido a ayudarlos, trepando sobre los árboles derribados que formaban la abatida. Había más de cien hombres, entre peltastas de infantería ligera que arrojaban piedras y venablos y algunos hoplitas que enarbolaban sobre sus cabezas largas lanzas de fresno para amenazar con ellas a los sacas. Un hombre alto y corpulento con barbas de oso estaba encaramado al tronco de un pino, haciendo equilibrios para no caer mientras empulgaba otra flecha en su arco y chapurreaba insultos en persa. Era él quien le había salvado la vida.

Milcíades.

Ya se cobrará el favor, pensó Temístocles, que conocía bien al general.

Aunque el pecho le ardía y la boca le sabía a sangre, consiguió arrancar a sus piernas un último acelerón y llegó a la enramada unos pasos por detrás de Euforión. Se arañó las piernas con las agujas y el ramaje, pero no se detuvo y saltó por entre los huecos hasta poner una distancia prudencial. Sólo entonces se dio la vuelta, y vio que Cinégiro le pisaba los talones. Sicino, entorpecido por el peso del otro esclavo, se había quedado rezagado. Pero los sacas ya se habían detenido, y tras dedicar unos cuantos insultos a los defensores de la abatida volvieron grupas y se retiraron.

Cuando Sicino llegó al resguardo de la empalizada, comprobaron que el hombre al que había ayudado estaba muerto. Con su muerte, sin quererlo, había salvado la vida al persa. Sicino se lo había cargado al hombro de tal manera que el cuerpo del esclavo le cubría la espalda y le servía de escudo humano. El infortunado tenía tres saetas clavadas en el tronco y una en la cabeza.

Mientras Cinégiro se agachaba sobre el cadáver de su asistente y le arrancaba las flechas, Temístocles se encorvó con las manos apoyadas en las rodillas y trató de recuperar el resuello. El costado izquierdo le dolía como si le hubieran pegado una coz y parecía que le hubieran pasado una lija por la oreja. Pero estaba vivo, y de pronto sintió que le invadía una extraña euforia y empezó a reírse a carcajadas. Cinégiro le miró un instante con gesto grave. Enseguida debió comprender, al igual que Temístocles, que habían escapado de la muerte por los pelos, y se sentó en el suelo y se desternilló de risa con su amigo. Euforión los miró como si ambos se hubieran vuelto locos y desató sus nervios en un frenesí de tics.

—¿Cómo coño podéis reíros así? Esto es muy serio. Esos

persas de mierda han estado a punto de matarnos a todos con sus flechas de mierda.

—¿Qué tiene de serio la muerte? —le preguntó Cinégiro—. ¿No has visto cómo todas las calaveras se ríen?

A pesar de sus propias palabras, Cinégiro se calmó y dejó de reír. Después pidió a otros esclavos que se encargaran del cuerpo de su asistente y les dio unas monedas para los ritos funerarios.

Milcíades se acercó a ellos. Al verlo, Temístocles se enderezó.

—Gracias, Milcíades. No sabía que tuvieras tanta puntería con el arco.

—He estado muchos años cazando con esos cabrones en sus parques —contestó el general—. Es más difícil acertarle a una perdiz que a un persa. —Y añadió en tono hosco—: Te estaba buscando. ¿Dónde andabas? ¿Fornicando con una cabra detrás de un olivo?

Estaba subido a ese monte de ahí para contar soldados persas. Recuerda que tengo mentalidad de contable y no de ganadero. Lo de fornicar con las cabras y las ovejas os lo dejo a los nobles.

La réplica pasó entera por la mente de Temístocles, palabra por palabra, pero pensó que no ganaba nada con el sarcasmo y no la llegó a pronunciar.

Sin esperar respuesta, Milcíades ya había arrancado a caminar a grandes zancadas. Temístocles lo siguió como pudo mientras se enjugaba la sangre con una hoja. Milcíades, que se teñía la barba y el pelo para aparentar menos edad, tenía ya cerca de sesenta años y una panza considerable que contrastaba con sus piernas largas y flacas, pero eso no le impedía andar tan rápido como un mozo.

Los hombres que vigilaban la abatida se apartaban a su paso como si fuera el espolón broncíneo de un trirreme. Milcíades, que llevaba toda su vida acostumbrado a recibir obediencia ciega de sus subordinados, tenía la costumbre de pasar por encima de la gente y apabullarla. Ahora, en esta nueva Atenas, se veía obligado a dulcificar sus modales para hablar ante la asamblea. Lo hacía con tanto agrado como quien se purga todas las mañanas con una dosis de ricino, pues despreciaba al pueblo, al que en privado se refería siempre como *ókhlos,* «chusma».

Aunque el pueblo tampoco amaba a Milcíades, lo había elegido estratego dos años seguidos. No había otro en Atenas que conociera tan bien a los persas, pues no en vano había sido súbdito del Gran Rey.

Muchos años antes, en la primera campaña de los persas en Europa, Darío había construido un gran puente de barcas para cruzar con su ejército el Danubio. El puente había quedado bajo la custodia de sus súbditos jonios, entre ellos el propio Milcíades. Cuando se supo que Darío estaba en dificultades, Milcíades propuso a los otros jefes griegos cortar los gruesos cables de lino que mantenían juntas las barcas y dejar a los persas aislados en territorio enemigo. Así, aseguraba él, librarían a los griegos de muchos problemas en el futuro. Pero los demás se negaron a hacerlo, y Darío pudo volver a salvo.

Ésa era, al menos, la historia que había contado el propio Milcíades para defenderse de las imputaciones. Pues, entre otras cosas, se le achacaba ser partidario de los persas o *medizante,* con un término que había acuñado su acusador Jantipo. Aunque no había nadie para apoyar o contradecir la historia del puente —su hijo Cimón ni siquiera había nacido cuando ocurrió—, Milcíades la contó con tal vehemencia y tanta precisión en los detalles que los jueces lo creyeron.

—¿Y bien? —insistió ahora Milcíades—. ¿Dónde coño estabas?

Temístocles siguió la máxima que le había enseñado su madre —*Nunca digas lo que piensas hasta repetírtelo tres veces en tu propia cabeza*— y se mordió la lengua por segunda vez. No tenía miedo de discutir con Milcíades, pero sabía que era imposible convencerlo de nada y que si le contradecía sólo conseguiría ponerlo de peor humor. Así que fue directo al grano.

—Los persas tienen veinticinco mil hombres de infantería y dos mil de caballería.

Milcíades le miró por fin a la cara, entrecerrando los ojos.

—¿Estás seguro?

—Puedes fiarte de él —intervino Cinégiro, que no se había

despegado de ellos—. Es de los que sabe cuántos cominos entran en un puñado.

—Son el triple que nosotros —añadió Temístocles.

—En realidad, no. Tenemos cerca de ocho mil hombres auxiliares que nos...

—Tenemos chusma —completó Temístocles. No le gustaba usar esa palabra, pero sabía que así el elitista Milcíades le daría la razón. El general resopló como un caballo.

—Es cierto.

La infantería ligera que había acudido a Maratón con ellos no contaba, y los dos lo sabían. Las escaramuzas libradas durante el primer día lo habían demostrado. Los arcos persas tenían mucho más alcance que las jabalinas o las piedras de los griegos. Antes de que los peltastas pudieran acercarse a ellos lo suficiente como para pensar en disparar sus proyectiles, los persas los acribillaron con sus saetas, abatieron a muchos de ellos y pusieron en fuga a los demás.

Sólo las tropas blindadas podían enfrentarse a esa lluvia de flechas, y aun así, habría que ver cuántos hoplitas llegarían vivos al choque contra la pared de escudos de los *sparabara*. Teniendo en cuenta eso, el resumen era que había tres soldados enemigos por cada hoplita ateniense. Lo cual era peor que malo. Los griegos nunca habían derrotado en campo abierto a las tropas imperiales persas, y ahora, para colmo, tenían que enfrentarse a una superioridad numérica apabullante.

Cinégiro resumió la situación con unos viejos versos de Arquíloco:

Vinieron mil damascenos
y nos tundieron a palos,
porque Zeus va con los malos
cuando son más que los buenos.

Estaban llegando ya al olivar de Heracles cuando se les unió Cimón. Al verlo junto a Milcíades, con los mismos ojos grises, tan alto y con los hombros tan anchos como él, nadie podría negar que era su hijo. Pero los rasgos de Cimón eran más delicados, y sus piernas musculosas le daban unas proporciones más armónicas.

Al oír el informe de Temístocles, Cimón se encogió de hombros y dijo:

—No temas, padre. Cuando lleguen los espartanos, las tornas se igualarán.

El joven era un ferviente admirador de Esparta. Llevaba el cabello largo y recogido en trenzas, la barba corta y afilada y el bigote afeitado, todo al estilo lacedemonio. A Temístocles le constaba que incluso había comprado un cocinero de Laconia para que le preparara caldo negro, el repugnante guisote de sangre y vinagre que solían comer los espartanos.

—Son los mejores soldados que han existido nunca —dijo el joven—. Cuando vengan seremos casi veinte mil hombres, y ya veremos qué cara se les pone entonces a los persas.

—Pues mientras llegan, tenemos una reunión con el enemigo —dijo Milcíades, y mirando a Temístocles añadió—: Por eso te estaba buscando. Quiero que me acompañes y te fijes bien en todo lo que veas.

—¿Han enviado heraldos?

Milcíades asintió.

—Vamos a encontrarnos con ellos ahora mismo, en terreno neutral. Su jefe va a ofrecernos las condiciones para nuestra rendición.

—Entonces no deberíamos reunirnos con ellos, padre —dijo Cimón—. Se puede interpretar como traición.

—Nos reuniremos con ellos y, si hace falta, les haremos creer que nos lo estamos pensando —respondió Milcíades en tono impaciente—. Tú mismo lo has dicho. Estamos esperando a los espartanos. Mientras llegan esos cabrones de pelo largo —añadió, tirando de una de las trenzas de su hijo—, ganaremos tiempo aunque sea negociando con los perros de Hécate.

Temístocles asintió, sin decir nada. Si Datis quería parlamentar, era porque, pese a su superioridad, no debía de hacerle mucha gracia la idea de atacar la posición de los atenienses. Con un poco de suerte, lo entretendrían hoy, y mañana o, a más tardar, pasado mañana llegarían los espartanos. Y entonces la balanza estaría más nivelada.

Por supuesto, Temístocles no podía saber que Fidípides había llegado esa misma mañana a Atenas, donde se había detenido apenas una hora para informar a los miembros de guardia del consejo, ni que ahora sus incansables piernas lo llevaban a Maratón para dar las malas noticias.

Aún quedaban cuatro días para la luna llena. Y sólo entonces partirían los espartanos.

Maratón, mismo día
Campamento persa

A Artemisia no le importaba tanto estar casada con su tío Sangodo, tirano de Halicarnaso, ni que la doblara en edad. Lo que le molestaba era que lo primero que hacía al levantarse por las mañanas era pedirle a ella o a cualquier esclavo que anduviera cerca la jarra de vino y la copa de plata, y que ya no dejaba de empinar el codo en todo el día hasta que por fin la bebida lo derrotaba y se quedaba dormido. Lo que a Artemisia le dolía era que Sangodo, que había sido un hombre mucho más inteligente que la mayoría, llevase tantos años hablando con una voz y un razonamiento a cual más pastoso.

A que su tío y esposo fuera impotente desde todos los puntos de vista ya se había acostumbrado. Teniendo en cuenta que el aliento le olía siempre a vino revenido y que por culpa de la falta de ejercicio y de la edad sus músculos se habían convertido en colgajos lacios, Artemisia lo agradecía. Ahora, al contemplarlo despatarrado en el diván, enterrado en cojines, con la túnica arremangada por encima de las rodillas y roncando como un burro, Artemisia recordó que la última vez que hicieron el amor había sido hacía tres años. No era extraño que no hubiesen engendrado un heredero.

—Si viviéramos en los viejos tiempos —le decía su abuela Tique, allá en Halicarnaso—, no necesitarías ningún heredero. Tú serías la soberana por derecho propio y tu tío no sería más que un rey consorte.

Tique siempre tenía en la boca los viejos tiempos. Desde que

Artemisia era muy niña había tratado de imbuir en ella el espíritu de aquel remoto pasado. Por eso había instruido a su nieta en el antiguo idioma de la isla de Creta, donde había nacido; una lengua arcana y más antigua que el griego, que según la propia Tique sólo hablaban en secreto algunas mujeres. Incluso le había enseñado a leer sus enigmáticos signos.

—Nadie habla así ya, abuela —protestaba Artemisia, porque era niña y prefería salir a jugar al aire libre, correr y disparar el arco para gastar su infatigable energía, en vez de sentarse a la luz de una lámpara en un cubículo oscuro sobre tablillas de arcilla requemadas que parecían garabateadas por las patas de un gorrión.

—No hay que olvidar, Artemisia —le respondía ella—. Tu madre, la pobre, murió al darte a luz. Yo no duraré mucho —añadía, y se le llenaban los ojos de lágrimas, aunque tenía una salud de hierro—. Si no quieres aprender lo que te enseño, cuando yo muera, ¿quién recordará la época de oro de las mujeres, antes de que llegaran los griegos con sus armas de hierro y sus dioses celestes? ¿Quién se acordará de que hubo un tiempo en que gobernaba el mundo la Gran Diosa, la verdadera Ártemis fecunda por la que te puse el nombre?

Lo de que Ártemis fuese virgen era una fabulación de los varones, aseguraba Tique. Los hombres se inventaban diosas vírgenes porque temían al sexo de las mujeres y miraban con asco los ciclos de su naturaleza, regidos por la luna de la propia diosa. Se burlaban de los genitales femeninos llamándolos «cerdito» y cosas por el estilo, y trataban de encerrarlos y apartarlos de su vista hasta el breve momento en que les apetecía disfrutar de ellos.

Sí, la auténtica Ártemis era salvaje y cazadora, y corría desnuda por los bosques bajo la luz de la luna llena, tal como contaban los mitos. Pero también era madre, porque ninguna mujer, ni siquiera una diosa, renunciaría a ese privilegio de la maternidad que los hombres no podían compartir ni comprender.

—Has de tener hijas y transmitirles estos recuerdos, Artemisia —insistía Tique—. Algún día la rueda del gran tiempo girará, y la diosa, se llame Gea, Deméter, Ártemis o como le plazca que la adoremos en cada momento, volverá a gobernar el mundo. Ese día sólo habrá sacerdotisas, pues los sacrificios de los varones no son gratos a la Gran Diosa, y los reyes y los guerreros les consultarán sus decisiones. Ese día —añadía en susurros, mirando a los lados por si su yerno, el tirano de Halicarnaso, alcanzaba a oírla—, la herencia la transmitirá la sangre de las madres, que es la única que se puede demostrar. Ese día, Artemisia, *tú* serás reina.

Artemisia había crecido oyendo todo eso a su abuela, pero a veces dudaba de que alguna vez hubiera existido una época como la que le describía. No era que los hombres gobernasen por la fuerza, que también: comparada con las demás mujeres, la atlética Artemisia era una Amazona invencible, y sin embargo entre los soldados que habían venido a Maratón en su barco había varios guerreros mejores que ella.

Pero ésa no era la cuestión. Si existía una verdad universal, al menos por lo que Artemisia había comprobado en sus veinticuatro años de vida, era ésta: la necedad gobierna el mundo. Heráclito, un sabio místico de Éfeso que a veces visitaba la corte de Halicarnaso y desconcertaba a todos con sus oscuras palabras, sostenía que la guerra era el padre de todo. Si con ello se refería a Ares, ese dios tracio estúpido y violento, Artemisia estaba de acuerdo. Y por eso, porque la necedad dominaba el mundo y porque la violencia ciega era el principio de todo, estaba convencida de que las mujeres jamás podrían gobernar.

Por eso y porque, además, las mujeres se pasaban la mayor parte de su vida pariendo hijos para los hombres y cuidándolos. Para colmo, cuando los varones se hacían tan viejos e inútiles que ni su compañía ni su amistad les interesaban a los demás, eran las mujeres quienes se encargaban de atenderlos y limpiarles las babas y el trasero en sus últimos años.

Pero que no contaran para eso con Artemisia. Cuando tuviera un crío, ya serían otros quienes lo cuidarían, quienes se harían cargo de ese hijo que no deseaba en absoluto, pero que necesitaba para seguir siendo soberana de Halicarnaso cuando su esposo muriera.

Una eventualidad para la que, visto el ritmo al que bebía Sangodo, no podía faltar mucho tiempo.

—Datis quiere que te reúnas con él —le dijo ahora.

Al ver que no le hacía caso, trató de moverlo con la punta del pie. Sangodo, que se había quedado sin respiración por un momento, soltó un tremendo ronquido. La tienda estaba llena de pebeteros que quemaban incienso y serpol y calentaban aceite de rosas, pues a Artemisia le molestaba el olor a cieno y junco podrido que emanaba del marjal cercano al campamento persa. Aun así, su fina nariz captó en el regüeldo de su esposo una vaharada de vino a medio digerir que le revolvió el estómago.

Era inútil, obviamente. No se iba a despertar, y si se despertaba sería aún peor. Pero alguien de la casa de Halicarnaso tenía que ir; Datis no era hombre al que se desobedeciera a la ligera.

Artemisia chasqueó los dedos. Zósimo, que aguardaba de pie al otro lado de los visillos que separaban el reservado del resto de la tienda, acudió al momento. Artemisia había traído con ella cuatro esclavas, dos para limpiarla y lavarle la ropa, una para peinarla y otra para maquillarla y arreglarle las uñas. Pero ahora no pensaba vestirse para un banquete.

—Ya ves cómo está —le dijo al esclavo—. Iré yo por él.

Zósimo frunció el ceño un instante, pero ya se había resignado a las excentricidades de su ama y a los riesgos que corría.

—Muy bien, señora. Te ayudaré.

Artemisia se soltó los broches del vestido con toda naturalidad. La túnica de seda resbaló por su cuerpo con un cosquilleo que le enardeció la piel, y la joven se quedó desnuda salvo por el *perizoma* que le tapaba el sexo. Al levantar los brazos para que Zósimo le pusiera el quitón de hombre, comprobó que los ojos del esclavo se fijaban un instante en sus pechos y luego se apartaban nerviosos.

Puede que pronto te vuelva a hacer un regalo, mi querido Zósimo, se dijo Artemisia al notar cierto calor en el vientre y darse cuenta de que su cuerpo llevaba ya muchos días en ayunas. El esclavo jonio no sólo atendía personalmente a su señor Sangodo, sino que lo sustituía en el lecho cuando Artemisia así se lo ordenaba. Zósimo era guapo, tenía un cuerpo musculoso y unos dedos que sabían ser suaves para acariciar y fuertes para dar masaje. Además, era callado y obediente. ¿Qué más se podía pedir?

Algo distinto, se respondió ella misma. O, más bien, *alguien* distinto. Un hombre que no acudiera solícito porque ella chasqueaba los dedos, que no obedeciera todas sus órdenes y la besara y acariciara justo donde y cuando ella quería. No, Artemisia deseaba en su lecho algo inesperado, algo sorprendente.

Y tal vez no sólo en su lecho, sino también en su vida.

Aunque hacía calor, Zósimo le puso sobre la túnica una gruesa pelliza sin mangas. Sangodo era un hombre delgado —lo contrario era casi imposible, puesto que sólo bebía—, pero, aun así, su coraza le venía holgada a Artemisia, que necesitaba aquel jubón de piel de cordero para rellenarla. Zósimo cerró las dos piezas de bronce sobre el costado izquierdo de su ama con sendos pasadores, y después movió un poco la coraza para ajustarla mejor sobre sus hombros.

—Así está bien —dijo Artemisia.

El pectoral era de bronce repujado, imitando los músculos del pecho y el abdomen, y el espaldar mostraba una Victoria alada grabada con finos trazos de buril. La pieza pesaba casi quince kilos, pero Artemisia se sentía más poderosa al ponérsela, incluso más ligera, como si las diosas de la guerra infundieran doble vigor a sus piernas.

No tenía mucho sentido usar las incómodas grebas cuando tan sólo iba a una reunión con los atenienses y no a una batalla. Pero las pantorrillas de Artemisia, finas y depiladas, habrían llamado demasiado la atención, así que le dijo a Zósimo que se las pusiera. Luego tomó la barba postiza que le ofrecía el esclavo y se la ajustó con un cordel por detrás de las orejas. Se miró en el espejo de cobre para comprobar que se la había puesto bien y soltó una carcajada, como le pasaba siempre que se veía así. Pese a aquella barba, nadie habría podido creer que esos pómulos tan altos y esa nariz fina y respingona eran de un hombre. Lo único masculino en su rostro era la pequeña cicatriz rosada junto a la comisura del ojo izquierdo. Se la había hecho cinco años antes Fidón, capitán de las tropas de Halicarnaso, mientras le enseñaba a manejar la espada. Artemisia estaba tan orgullosa de ella como si fuera una auténtica herida de guerra.

La joven se recogió los cabellos en un apretado moño. Solía

atravesárselo con un pasador de bronce, un alfiler tan aguzado como un estilete que le servía también de arma. Pero debajo del casco era demasiado incómodo, y además iba a llevar espada, así que se limitó a atarse el moño con una cinta. Después se caló por fin el yelmo corintio con el alto penacho de plumas blancas y negras, y volvió a mirarse en el espejo. Ahora todo era diferente. De sus ojos índigo sólo se apreciaba el brillo salvaje, la nariz prácticamente desaparecía entre las sombras, y por debajo del casco asomaban los rizos negros de la barba. Ya podía pasar por un hombre.

Zósimo le ciñó sobre la coraza el tahalí del que colgaba la espada con empuñadura de marfil y le abrochó la clámide púrpura sobre los hombros.

—Ya estás lista, señora.

—*Señor* —recalcó ella—. Recuérdalo bien.

Artemisia se reunió con el resto de los oficiales persas junto a la tienda de Datis. Como correspondía a su autoridad y su prestigio, el pabellón del jefe persa era enorme, un palacio móvil de gruesas paredes de lona, pintadas de azul y amarillo, sobre el que ondeaba un estandarte con el símbolo alado de su única divinidad. Pues, al parecer, el Gran Rey se había empeñado en que todos los persas siguieran las creencias de un antiguo profeta, llamado Zoroastro o algo parecido, que sostenía que los que los hombres consideraban dioses eran en realidad demonios y que existía un solo dios verdadero, el señor de la luz celeste.

Y, como era de esperar, ese dios era varón.

Como oficial griego, y por tanto de una raza inferior a la élite persa, Artemisia procuró quedarse en segunda fila, detrás de los mandos iranios, mientras escuchaba las instrucciones de Datis. El general hablaba en persa a toda velocidad y apenas abría la boca para articular, por lo que a la joven le resultaba difícil entender qué decía. Pero expresiones como *avajantanaiy hamiçiyam,* «matar al enemigo», y *vimardatanaiy gasta yauna,* «aniquilar a los malvados griegos», se repetían constantemente.

Datis era un hombre flaco y más bien menudo, media cuarta

más bajo que la propia Artemisia. Tenía las mejillas chupadas, los ojos muy juntos y profundos y los labios finos como tiras de metal. Al parecer, por sus venas corría algo de sangre meda. Los medos estaban emparentados con los persas tanto como podrían estarlo dorios y jonios, hasta el punto de que muchos griegos confundían ambos pueblos. No así Artemisia, que había procurado informarse bien sobre la historia y las costumbres de la raza a la que no tenía más remedio que rendir pleitesía. Por eso sabía que antes del gran Ciro, los medos habían conquistado Mesopotamia, habían aniquilado el poder de los asirios y habían arrasado Nínive, su capital. Pero después Ciro los había sometido a su vez y los había relegado al segundo lugar de su imperio, por detrás de los persas de pura cepa.

Datis tenía detractores, pues aunque los persas solían ser más discretos que los griegos, también entre ellos corrían rumores y chismes de campamento. En opinión de muchos oficiales, sería mucho mejor que mandara la expedición Mardonio, un general más joven y más capacitado que él, y además persa por parte de sus cuatro abuelos. Pero Mardonio había fracasado tres años antes en su campaña contra el norte de Grecia, cuando las terribles tormentas del monte Atos echaron a pique la mitad de su flota. Él mismo había vuelto de la expedición con una grave herida y, sobre todo, había caído en desgracia ante Darío, que había resuelto conceder el mando supremo de la parte occidental de su imperio a Datis.

Ariabignes, el sátrapa de Jonia, había advertido al esposo de Artemisia contra Datis.

—Ten cuidado con él. No se te ocurra mostrarle ni la menor falta de respeto.

Ariabignes tenía buena relación con la familia que gobernaba Halicarnaso, a la que agradecía que no hubiese apoyado la revuelta jonia. Por eso había visitado a Sangodo antes de la campaña para regalarle unos cuantos consejos. Artemisia estaba presente en aquella conversación, y recordaba que de vez en cuando el sátrapa la miraba como diciéndole: *«Toma nota de lo que digo, porque el borracho de tu esposo se va a olvidar.»*

—Es un hombre extremadamente cruel —había añadido

Ariabignes—. Como general es timorato e indeciso, pero a la hora de aplicar castigos no le tiembla la mano. Yo creo que tiene algo de sangre asiria.

Artemisia lo había comprobado en persona. Ella misma había visto cómo, por orden de Datis, los verdugos ataban al cepo a unos prisioneros eretrios para inmovilizarlos y poderles así rebanar las orejas, la nariz y los labios, y cómo luego los habían castrado estrangulándoles los genitales con cordeles. A otros, los que no le interesaban vivos, los había torturado de formas más variadas. Lo que más había impresionado a Artemisia era ver cómo colgaban a dos hombres de un árbol, cabeza abajo, y les arrancaban la piel en grandes tiras. Sangodo, que lo observaba todo con una copa de vino y una sonrisa burlona, le explicó:

—Datis es un artista. Si los despellejara con la cabeza hacia arriba, perderían el conocimiento.

Algunos oficiales persas habían apartado el rostro con gesto demudado, pero Datis lo observaba todo con un brillo de placer en sus ojillos de fanático.

Ahora, esos mismos ojos se detuvieron un segundo en Artemisia. Pero Datis sentía un desprecio tan profundo por los griegos que desvió la mirada enseguida, y ni siquiera se molestó en saludar a los otros dos oficiales jonios que habían asistido a la reunión. El único griego por el que mostraba algo de respeto era Hipias.

El antiguo tirano de Atenas estaba allí también. Era un hombre muy anciano y de movimientos envarados, pero se mantenía erguido con una gran dignidad. Artemisia había hablado con él alguna vez. Poseía una vasta cultura y una conversación muy amena y, pese a sus dedos reumáticos, todavía sabía tañer hermosas melodías con la lira. Pero cuando se hablaba de Atenas, sus ojos casi lechosos se encendían de pasión. Estaba resuelto a gobernar de nuevo la ciudad, fuese como fuese. Un día, en la isla de Naxos, mientras Sangodo y Artemisia cenaban con Hipias, tras ver la devastación que estaba causando la flota persa en las Cíclades, Artemisia le preguntó si no se daba cuenta de que Datis había jurado arrasar Atenas y que tan sólo le iba a dejar reinar sobre un montón de cenizas.

—Mejor —dijo Hipias—. Así podré reconstruirla del todo, y levantar la ciudad de mármol y oro con la que soñaba mi padre.

En este momento, Hipias estaba muy callado. El día en que desembarcaron en Maratón, nada más pisar las playas de su patria, sufrió un ataque de tos tan violento que se le saltó uno de los incisivos superiores. El diente había caído en la arena, y por más que lo buscó no consiguió encontrarlo. El antiguo tirano se lo había tomado como un mal presagio. Además, a pesar de su edad, era tan coqueto que le mortificaba que alguien pudiera burlarse de su encía desdentada.

Datis terminó por fin con sus instrucciones. Los oficiales de la comitiva, doce hombres incluyendo a Artemisia y a Hipias, montaron a caballo y, acompañados por otros tantos espoliques, se dirigieron al punto donde debían reunirse con los griegos.

Las líneas de arqueros y portaescudos se abrieron para dejarles paso. Durante unos minutos recorrieron la tierra de nadie, entre herbazales y campos segados. Se había levantado algo de aire que traía olor a paja y a tomillo. Pero, por debajo, Artemisia captó los efluvios del gran pantano, la mezcla de la sal con el lodo, el olor pútrido y dulzón de la pecina y los juncos en descomposición. No era tan buen sitio como les había dicho Hipias. Sí, había pasto y agua para los caballos, pero si seguían muchos días allí, a la orilla de aquel marjal, no tardarían en empezar las enfermedades.

Mientras cabalgaban, Artemisia se rezagó un poco para mirar más a sus anchas, aunque fuera a través del estrecho visor del yelmo. Por delante de ella iba Artafernes, joven sátrapa de Lidia y sobrino de Darío, que mandaba la caballería. Artafernes era un hombre joven, de rasgos agradables, aunque por debajo de la barba le asomaba una incipiente papada, y por detrás se veía cómo la grasa de su cintura formaba una especie de cojín sobre sus nalgas.

Pero la persona a la que quería observar Artemisia no era Artafernes, sino el hombre que marchaba detrás de él, pues la tenía fascinada. Se llamaba, o lo llamaban, Patikara, y cabalgaba un enorme corcel negro. El tamaño de su caballo se correspondía con su estatura, pues Patikara medía casi un metro noventa y tenía el porte de un atleta. La mayoría de los persas se ponían una túnica por encima de la coraza, pero él lucía a la vista el peto de finas escamas doradas. Sobre sus hombros caía un largo manto azul, provisto de una capucha con la que se cubría la cabeza. Aunque ahora estaba de espaldas a ella, Artemisia sabía lo que había bajo esa capucha: una máscara de oro labrado que representaba los rasgos de un hombre con fina barba rizada y una sonrisa burlona. Por qué llevaba esa máscara, lo ignoraba. Entre las tropas griegas y carias que venían con la propia Artemisia corrían teorías diversas. Algunos aseguraban que lo hacía para ocultar la deformación producida en su rostro por la lepra, una horrible enfermedad desconocida en Persia y que él había contraído en la India. Otros se hacían eco de una historia escalofriante según la cual el padre de Patikara, dudando de que fuese en verdad hijo suyo, le había quemado el rostro en un brasero cuando aún era un niño. Los más burlones aventuraban que, simplemente, era tan feo que su rostro desmerecía de su cuerpo y por eso prefería tapárselo.

Patikara parecía subordinado a Artafernes, aunque éste lo trataba con gran deferencia, casi con temor. Artemisia no tenía muy claro qué mando desempeñaba, y se preguntaba si no sería uno esos temidos funcionarios que dependían directamente de Darío y a los que llamaban los Ojos del Rey. En cualquier caso, el enmascarado era hombre con el que había que andarse con cuidado. Por si su estatura no resultara lo bastante imponente, era un consumado arquero. En pleno asedio de Eretria, Artemisia le había visto derribar a dos soldados griegos con sendos disparos a más de cien metros de la muralla. Luego, tras recibir las felicitaciones de los jinetes que lo seguían, había guardado de nuevo el arco en la funda de cuero y había regresado a su tienda como si la guerra no fuese con él.

Era mediodía y el sol apretaba. El yelmo de Artemisia parecía recoger todos sus rayos. Con gusto se lo habría quitado, pues ya notaba el cabello convertido en una bola húmeda y apelmazada bajo la cofia. Se preguntó si Patikara sentiría el mismo calor bajo su máscara.

Llegaron por fin al punto de reunión, un olivo centenario y

solo junto a un chamizo de paredes de barro. Allí, junto a una bandera azul, los heraldos de ambos bandos aguardaban a la sombra. También habían llegado los oficiales griegos, siete hombres en total. Los persas habrían podido aplastarlos bajo los cascos de sus caballos, pero sería un sacrilegio. Aunque esa consideración no había impedido a atenienses y espartanos asesinar a los embajadores de Darío unos años antes.

Al comparar ambas legaciones, Artemisia no albergó dudas de quién iba a vencer en aquella guerra. Ellos habían llegado a caballo, en espléndidos corceles de Nisea. Los atenienses, en cambio, venían a pie.

—¿Es que no tienen caballos? —preguntó Zósimo, que iba a su lado como palafrenero.

Artemisia no contestó por no delatarse con la voz, aunque sospechaba por qué los atenienses habían acudido a pie a la reunión. No porque no tuvieran caballos, sino por no quedar en ridículo, pues al lado de los niseanos sus monturas habrían parecido poco más que asnos con las orejas recortadas.

Los atenienses venían armados, pero con los yelmos bajo el brazo. Artemisia supuso que eran los generales, aunque no debían de estar todos. Con lo difícil que era encontrar un buen general entre miles de hombres, los atenienses se las ingeniaban para elegir nada menos que diez cada año.

Uno de ellos se adelantó un par de pasos, levantó la mano derecha y saludó a los persas en griego. Aunque Halicarnaso había sido fundada por dorios, el dialecto que se usaba en la ciudad era un jonio muy parecido al de Atenas, de modo que Artemisia entendió al general sin ninguna dificultad.

—Saludos, noble Datis —dijo el hombre—. Soy Calímaco, polemarca de Atenas.

Mientras los otros generales se presentaban, Artemisia los examinó, valorativa. Había entre ellos dos especímenes magníficos. El propio Calímaco era un hombre de proporciones perfectas, probablemente un atleta que había competido en Olimpia. A su lado había otro de cabellos dorados que se presentó como Arístides, tan alto como Calímaco y que apenas le desmerecía en figura. Al verlos, Artemisia sintió un extraño orgullo. Se alegraba de que los atenienses hubieran enviado a aquellos dos hombres tan gallardos, aunque fuesen enemigos, para demostrar a Datis la valía de los griegos.

Datis presentó enseguida sus condiciones. Lo primero que exigió fue que los atenienses se retiraran de la posición que ocupaban y regresaran a su ciudad dejando el camino expedito a los persas.

—Una vez allí —dijo el intérprete, que intentaba suavizar algo el tono y las palabras más duras de Datis—, tendréis que entregar a todos los cabecillas que apoyaron la rebelión de los súbditos jonios de Darío para que sean ejecutados. Después, abriréis las puertas a una guarnición persa y aceptaréis como vuestro legítimo gobernante a Hipias, que actuará en nombre del Rey de Reyes.

Los atenienses cuchichearon entre ellos unos instantes. Después, el polemarca respondió:

—Por desgracia habría que entregarte a treinta mil ciudadanos. Los atenienses no tenemos cabecillas, reyes, ni tiranos. Eso contesta también a la segunda de vuestras exigencias.

Mientras el traductor se esforzaba por explicarle a Datis el propio concepto de «ciudadano», tan extraño para los persas, el general corpulento y de barba oscura que se había presentado como Milcíades se movió para decirle algo al polemarca. Al hacerlo, Artemisia vio a otro hombre que el corpachón de Milcíades le había ocultado hasta ese momento, un oficial con un dragón alado pintado en el escudo. Y al reconocerlo como Temístocles, hijo de Euterpe, el corazón le dio un vuelco y la sangre le subió de súbito a las mejillas.

Temístocles reparó en que uno de los enviados jonios que estaban detrás de los persas daba un respingo, pero no se le ocurrió relacionar esa reacción con su propia persona. Se encontraba muy ocupado estudiando de cerca las armaduras y el ropaje de los persas como para fijarse en un griego más. Su experto ojo de tasador se dedicaba a calcular cuántos cientos o miles de dracmas llevaba encima cada uno de ellos. Aparte del valor de sus armas, todos iban adornados con oro y electro en abundancia: anillos, pendientes, gruesas ajorcas y cadenas y collares que daban varias vueltas al cuello. Sus túnicas, largas y provistas de mangas, eran de color púrpura salvo por las bandas blancas o azules del centro. Temístocles conocía bien aquel tono oscuro y elegante, y sabía que no era la imitación barata de cochinilla o de raíz de rubia, sino púrpura auténtica de múrice fenicio, que podía durar cien años sin perder el color y costaba más de su peso en plata.

Cuando se movían, se oía un roce metálico más pesado que el tintinear de las joyas, lo que hacía suponer que debajo de los caftanes llevaban corazas de escamas o mallas. Temístocles pensó que era curioso que los persas, al contrario que los griegos, prefiriesen lucir esas prendas, por valiosas que fuesen, y ocultar sus armas debajo. El único de ellos que llevaba la armadura a la vista era el oficial de la máscara de oro. El mismo que le había disparado una flecha durante la evacuación de Eretria. Por si la máscara no hubiera bastado para reconocerlo, el soberbio caballo negro que montaba era inconfundible. Aunque no era excesivamente supersticioso, Temístocles sintió un escalofrío que le recorría el cuerpo, y por alguna razón se imaginó que el persa le sonreía desde debajo de la máscara, como diciéndole: *«Nuestros destinos están unidos.»*

Datis seguía desgranando exigencias. Temístocles no entendía todo lo que decía aquel hombrecillo cejijunto de mejillas chupadas, pues estaba furioso y hablaba muy rápido. Pero era evidente que no quería ningún arreglo y que su intención era provocar a los atenienses para que salieran de una vez a combatirle en la llanura donde se encontraban.

—Nuestro señor Darío, Rey de Reyes —estaba traduciendo el intérprete—, exige dos mil talentos de plata como indemnización por el incendio de Sardes.

—¡Eso es cinco veces más de lo que pagan todas las ciudades de Jonia juntas! —respondió Milcíades, que llevaba ya la voz cantante—. Explícale a tu amo lo siguiente: la culpa del incendio de Sardes no fue de los atenienses, ni siquiera de los jonios, sino de esos sodomitas de los lidios por construir los techos de sus casas con cañas secas y no con tejas como la gente sensata.

El intérprete tradujo las palabras de Milcíades, prescindiendo de la alusión a la supuesta sodomía de los lidios, del mismo modo que cuando transmitía las frases de Datis procuraba evitar los términos más ofensivos que Temístocles sí entendía, como «serpientes», «sabandijas mentirosas» o «repugnantes cucarachas». El general, como Sicino, debía de ser seguidor del dios Ahuramazda, pues sus fieles aborrecían a todos los bichos y criaturas que reptaban por el suelo.

—Dice mi señor —tradujo de nuevo el intérprete— que, dado que no aceptáis sus justos y moderados términos, os emplaza aquí mismo mañana después del amanecer, con todo vuestro ejército, para dirimir de una vez por todas esta contienda como hombres de verdad.

Calímaco agarró del brazo a Milcíades para decirle algo al oído, pero el viejo león estaba ya muy crecido y respondió como si él y sólo él fuese el portavoz de la voluntad de Atenas.

—Dile a tu amo que estamos muy cómodos en nuestro campamento, a la sombra, y que no nos gusta pelear al sol. Así que, si queréis, venid a visitarnos vosotros. Pero daos prisa, porque mañana mismo esperamos a otros huéspedes, y no sé si tendremos sitio para todos. Cuando lleguen los diez mil espartanos vamos a estar muy apretados en nuestro campamento.

Mientras el sirviente traducía, Datis apretó los labios tanto que su boca se convirtió en una ranura. Pero cuando escuchó *datha hazarabam,* «diez millares», los ojillos se le abrieron un instante. *Eso le ha sorprendido,* pensó Temístocles.

Datis volvió a hablar, pero esta vez ni siquiera se dirigió a los atenienses, sino que hizo un gesto para que se acercara un jinete que hasta entonces había permanecido tapado tras los demás. Temístocles lo había visto alguna vez cuando era niño, y más bien de lejos, pero lo recordaba pese a las arrugas que le cruzaban el rostro y a que tenía el pelo y la barba blancos como la espuma del mar. Era Hipias.

—Es inútil tratar con estos perros —le dijo Datis en persa, hablando despacio para que el anciano tirano lo entendiera—. Voy a matarlos a todos y a dejar que sus cadáveres se pudran aquí mismo, pues esta tierra es impura. Luego incendiaré Atenas y la arrasaré hasta los cimientos. Elige otra ciudad de Grecia para gobernarla, amigo, ya que de ésta no va a quedar piedra sobre piedra.

Hipias agachó la mirada y no dijo nada, aunque Temístocles vio, o quiso ver, que los ojos se le empañaban de lágrimas. Datis volvió a hablar con el intérprete, que se dirigió a los atenienses.

—Mi señor dice que esta absurda reunión se ha acabado y que es imposible razonar con bárbaros que no respetan la verdad. Mi señor dice también que es la última vez que ofrece una tregua sagrada y que a partir de ahora nada se tratará con heraldos, sino a punta de flecha y de lanza.

Sin esperar a que el intérprete terminara de hablar, Datis tiró de las riendas de su caballo para hacerle volver grupas y se marchó sin despedirse. Los demás lo siguieron. Tan sólo uno de los oficiales griegos, el único que no se había quitado el yelmo corintio a pesar del calor, se demoró un momento, como si quisiera decirles algo a los atenienses. Pero, finalmente, dio la vuelta con los demás y se alejó hacia el campamento enemigo.

—¿Qué le ha contado el persa a Hipias? —preguntó Arístides a Milcíades.

El general se quedó pensando unos instantes, bien fuera para intentar traducir en su mente lo que había oído o para inventárselo. Por fin, reacio a confesar que no lo sabía, sacudió la cabeza.

—Nada importante. Vámonos de aquí. Sólo a un persa se le ocurre convocar una reunión inútil cuando el sol está en todo lo alto.

Temístocles podría haberles repetido las palabras de Datis, pero no dijo nada. No le había confesado a nadie que sabía persa, ni pensaba hacerlo. Desde muy joven había comprobado que la mayoría de la gente quiere aparentar más poder del que tiene y más conocimiento del que posee. Una fórmula segura para el éxito a corto plazo y el fracaso a la larga. Era mucho mejor lo contrario, pues, como rezaba un viejo proverbio: *Las orejas son mejores maestras que la boca.*

Mientras regresaban al campamento, Artemisia no hacía más que pensar en Temístocles y en la impresión que le había vuelto a causar después de tantos años. Distraída, apenas se dio cuenta de que habían atravesado de nuevo las líneas de los escuderos. Poco después pasaron junto a un cercado donde unos pajes ejercitaban a los caballos entre voces, relinchos y carcajadas. En ese momento, el guerrero de la máscara se rezagó un poco hasta quedar a la altura de Artemisia y le dijo en un persa muy enfático y correcto, casi poético:

—Es duro llevar la cara bajo el metal ardiente cuando los rayos del sol caen desde las alturas.

Artemisia le hizo una seña a Zósimo para que se apartara de ellos. Después tragó saliva y carraspeó. Ya que un noble persa se había dirigido a ella abiertamente, no tenía más remedio que hablar. Su voz era bastante grave para ser mujer, pero aun así bajó todavía más el tono y afectó ronquera.

—Lo es, señor.

—Yo tengo mis motivos para ocultar el rostro a los demás. Sin duda, tú también.

—Así es, señor.

—Pero tus motivos no pueden ser los mismos que los míos. Pues un rostro tan hermoso como el tuyo es imposible que ofenda a nadie.

Artemisia se removió en el asiento, inquieta. Tal vez había llegado demasiado lejos con su juego. El enmascarado acercó la mano a su antebrazo, pero no llegó a tocarla. La manga del caftán se recogió con el movimiento, y la joven pudo observar que Patikara tenía las manos muy blancas y cuidadas.

—Tranquila. No seré yo quien te critique. Cuando los hombres se convierten en mujeres, las mujeres deben convertirse en hombres.

—No entiendo tus palabras, señor. Hablas en enigmas para mí.

El enmascarado soltó una carcajada.

—Sabes que no es así. Dime, hermosa Artemisia, ¿no te gustaría poder ir a la guerra sin esa barba postiza y a cara descubierta, y mandar a tus propios hombres para servir al Rey de Reyes?

Era inútil seguir negando su identidad delante de aquel hombre. Artemisia dejó de fingir carraspera y contestó:

—Me sentiría muy honrada si así fuese, señor. No encontrarás entre los griegos a ningún súbdito más leal al Gran Rey que yo.

—¿Confías en mí, Artemisia?

Es absurdo. Ni siquiera conozco a este hombre, pensó Artemisia, pero contestó:

—Confío en ti, señor.

El persa acercó su caballo tanto que las piernas de ambos se tocaron. El corcel negro era tan alto que la rodilla de Artemisia llegaba apenas a media pantorrilla del enmascarado. Bajando la voz, Patikara dijo:

—Cuando llegue el momento, harás algo por mí. Correrás peligro, pero la recompensa será grande, Artemisia. Muy grande. ¿Harás lo que te pida?

A Artemisia se le encogió el vientre, y le pareció escuchar el gélido aliento de las Keres soplando junto a su oído, pues estaba convencida de que Patikara tramaba algo a espaldas de Datis, y ya había visto cómo trataba el general persa a sus enemigos. Pero, al mismo tiempo, se vio a sí misma como le había dicho Patikara, sin barba, a rostro descubierto, mandando a sus soldados a la batalla sobre el puente del *Calisto*, la nave capitana de Halicarnaso. La visión le encendió la sangre.

—Lo haré, señor.

—Bien, Artemisia —respondió el enmascarado—. Alguien acudirá a verte y te dirá: *«Ha llegado la hora de caminar por el puente de Chinvat.»* Ese hombre será quien te dé mis instrucciones. Lo hará de viva voz, pues no debe quedar prueba alguna. ¿Lo entiendes?

—Lo entiendo, señor.

—Recuerda. No quedará prueba alguna de que tú y yo hayamos tenido el menor trato.

Sin añadir más, Patikara se apartó de ella. Zósimo acudió presto junto a Artemisia y sujetó la rienda de su caballo, con gesto preocupado, pero no dijo nada. *No creo que lo haya oído,* pensó la joven. Además, que a ella le constara, Zósimo no sabía persa.

Había alguien que sí conocía el persa, aunque lo disimulaba. Durante la reunión con los atenienses, Artemisia no le había quitado el ojo a Temístocles. Mientras Datis hablaba, los demás tenían la mirada opaca que adquiere alguien cuando no comprende lo que dice. Pero la suya brillaba, y tenía los oídos atentos. Era evidente que entendía lo que estaba escuchando.

Al acordarse de Temístocles, volvió a pensar en el riesgo que corría por haberse involucrado con Patikara en una conjura cuyo alcance desconocía. Y tomó una decisión. Si la muerte estaba cerca, antes de que llegara cogería en sus manos los frutos de la vida.

Maratón, atardecer del mismo día
Campamento griego

Una vez que Fidípides comunicó a los generales y taxiarcas reunidos en la tienda el mensaje de los espartanos, el polemarca Calímaco le dijo que podía sentarse y le indicó su propio asiento, un sillón de madera de ciprés con reposabrazos tallados. Un esclavo le trajo un escabel para que descansara los pies y se dispuso a desatarle las botas, pero Calímaco le dijo:

—Después. Ahora, déjanos solos.

Tras las palabras de Fidípides, se había hecho un silencio tan espeso que se oían claramente los ruidos del exterior: las voces de los soldados, los rebuznos de las acémilas, los balidos de las cabras y ovejas que habían traído para los sacrificios. Los diez generales formaban un círculo alrededor del mensajero, y detrás de ellos estaban sus subordinados, los taxiarcas. El único sentado era el propio Fidípides. Se sentía incómodo siendo el centro de todas las miradas, pero no tenía fuerzas para levantarse. Había recorrido doscientos cincuenta kilómetros hasta Esparta y doscientos cincuenta más de regreso a Atenas, y aún había tenido que hacer un último esfuerzo para llegar a Maratón y reunirse con el ejército. Aunque había venido por el camino corto, dejando el Pentélico a su derecha y bajando a la llanura por entre el Agrélico y el Crotón, aquellos treinta y cinco kilómetros se le habían hecho más largos que todos los demás juntos. ¿Cuántos días había tardado? ¿Cuatro, cinco? ¿Mil? Las noches y los días habían perdido todo significado para él.

—Lo has hecho en tres días y medio. Una proeza digna de Hermes.

Fidípides se sobresaltó al oír la voz del taxiarca Temístocles, que se había adelantado del círculo para ofrecerle una copa de vino con agua. Se había quedado medio dormido, y sin darse cuenta debía haber pensado en voz alta.

—Caballeros —dijo un taxiarca de cuyo nombre no se acordaba, pero que era hermano de ese joven poeta, Esquilo—. Creo que ya le hemos exigido demasiado a Fidípides. Deberíamos dejar que se vaya a descansar mientras deliberamos.

El general de la tribu Antióquide, Arístides, se opuso.

—Todos agradecemos y admiramos el esfuerzo sobrehumano que ha hecho Fidípides. Pero nadie debe salir de aquí mientras no decidamos qué se ha de decir al resto de los ciudadanos.

Si tanto me lo agradecéis y me admiráis, dejad que me acueste o matadme, musitó Fidípides. La mirada se le quedó clavada en el escabel, en sus botas gastadas y polvorientas y en sus espinillas y sus tobillos, que se veían más flacos que nunca. La poca carne que tenía se la había dejado en el camino.

Y sospechaba que también la cordura. Fidípides siempre había torcido la boca con escepticismo cuando alguien le hablaba de apariciones divinas, pero él mismo había experimentado una de esas teofanías. Había sido durante el regreso, cuando atravesaba la región limítrofe entre Arcadia y la Argólide, en la parte más solitaria y agreste de su viaje. Era ya de noche. Se había detenido junto a un fresno para evacuar las pocas y espesas gotas de orina que tenía en la vejiga, cuando oyó pronunciar su nombre:

—¡Fidíiiipides! ¡Fidíiiipides!

Fidípides se había vuelto sobresaltado. Entonces vio, encaramado sobre una roca, a un chivo negro con una barba blanca que parecía flotar delante de su cara como una luz fantasmal. El chivo saltó al suelo y se acercó correteando a Fidípides. Cuando estaba a unos cuatro o cinco pasos de él, se puso en pie, y de pronto tenía brazos en vez de patas y un rostro semihumano. El mensajero comprendió que se hallaba ante el dios Pan y cayó de rodillas.

—Fidíiiipides —le dijo el dios, a medias con voz articulada y a medias con balidos de cabra—, quiero que lleves un recado a los atenienses.

—Dime, señor. —El olor a macho en celo era tan intenso que Fidípides sintió una arcada, pero agachó la cabeza y se tapó la boca.

—Pregúntales por qué no me honran cuando les he ayudado tantas veces, y diles que si lo hacen como me merezco volveré a ayudarles. Haz como te digo, Fidíiiipides.

Cuando se atrevió a alzar de nuevo la mirada, el dios caprino había desaparecido, y Fidípides se levantó del suelo y se alejó lo más rápido que pudo de aquel paraje.

Ahora, sentado en la tienda de los generales, el mensajero se preguntaba si debería dar a los generales el recado de Pan, o si habría sido todo un delirio causado por la fatiga. Estaba casi convencido de lo segundo, pero el olor... Todavía tenía clavado en las fosas nasales ese hedor penetrante y almizcleño. Sabía que los ojos podían dejarse engañar, sobre todo de noche y en la soledad del monte, pero ¿también la nariz?

Se había dejado acunar por el recuerdo, pero las voces destempladas de los generales volvieron a espabilarlo.

—Estamos a día once —decía Jantipo, el general de la Acamántide. Tenía un tono muy agudo y un sonsonete irritante que crispaba los nervios—. Hasta el día quince no habrá luna llena. Aún faltan cuatro días, *cuatro días* —recalcó—, para que los espartanos salgan de su ciudad.

—Eso lo hemos oído todos, Jantipo —respondió Arístides.

—Lo que quiero decir es que, por muy espartanos que sean, no pueden correr tan rápido como Fidípides. —*Eso es cierto,* pensó el mensajero sin pizca de orgullo. Estaba demasiado cansado para sentirlo—. Aunque vengan a marchas forzadas, tardarán por lo menos tres días. Eso supone esperar siete.

—Si no hay más remedio, los esperaremos —respondió Arístides.

—¿Cómo vamos a aguantar tanto tiempo? —intervino el general Megacles, del clan Alcmeónida.

Justo frente al asiento de Fidípides estaba el general de la tribu Leóntide, un tal Melobio, de aspecto y voz anodinos. Detrás de él se encontraba Temístocles, que le susurró algo al oído. Melobio asintió y después tomó la palabra.

—Podemos aguantar todo el tiempo que sea mientras el camino a Atenas esté bajo nuestro control y no haya problema para recibir suministros.

—Los ciudadanos de la cuarta clase se quejan de que están perdiendo jornadas de trabajo y tienen que dar de comer a sus familias —respondió Jantipo—. ¿Cómo vamos a mantenerlos siete días más aquí?

—¿Cuánto cobra un jornalero o un artesano al día? —Aquella voz impaciente sonó detrás de su asiento, pero Fidípides no necesitaba volverse para reconocerla. Era Milcíades, el mismo que le había dictado el mensaje para los éforos—. ¿Tres óbolos, cuatro, una dracma? Esos hombres que dice Jantipo están sirviendo de asistentes a los hoplitas, ¿no? Pues, entonces, que les paguen los hoplitas. Nadie se va a arruinar por soltar siete dracmas.

—¡Ah! ¿Es que hay que pagar encima de arriesgar la vida? —protestó Jantipo, en un tono tan agudo que, más que escandalizado, sonó ridículo.

—Estás hablando de *tu* ciudad —le respondió Milcíades—. ¿Vas a escatimar unas monedas de plata cuando aquí todos estamos dispuestos a derramar hasta la última gota de sangre?

—¡Bien por Milcíades! —exclamó el hermano de Esquilo, y varios taxiarcas y generales lo jalearon.

Temístocles volvió a susurrar algo al oído de Melobio. Éste propuso:

—Podemos despedir a los ciudadanos libres y quedarnos tan sólo con los esclavos. Con que haya un asistente para cada dos hoplitas es más que suficiente. Si nos...

—¡Eso es una indignidad! —protestó Megacles—. ¡Yo no comparto mis esclavos con nadie! ¡Me niego!

Melobio, que iba a añadir algo más, cerró la boca, apabullado por el Alcmeónida. Pero Milcíades, que no se habría dejado acallar ni por un rayo de Zeus, dijo:

—No haces más que ponerle pegas a todo, Megacles. ¿Qué propones tú? ¿Hacer caso a las propuestas de Datis? ¿Es que te has ido por la pata abajo al oír sus amenazas, o acaso es cierto lo que se comenta por ahí de vosotros los Alcmeónidas?

Las palabras de Milcíades provocaron un guirigay. Todo el mundo, incluso Fidípides, que despreciaba los rumores del Ágora, llevaba años oyendo que los Alcmeónidas recibían oro de los persas.

—¡Desde luego, lo que no podemos hacer es negociar usando de mediador a un patán y un bocazas como tú! —gritó Jantipo, que era pariente político de Megacles—. Si ve que estamos dispuestos a tratar con él, Datis rebajará sus exigencias. ¡Yo sugiero que le enviemos otra embajada, pero que Milcíades no esté en ella!

Fidípides encogió las piernas por instinto al ver que Milcíades invadía el círculo central y pasaba por delante de su sillón para abalanzarse sobre Jantipo. El polemarca se interpuso y lo detuvo poniéndole las manos en el pecho, mientras que Arístides se acercó por detrás y le rodeó los hombros para aplacarlo. El general Melobio gritó con toda la fuerza de sus pulmones.

—¡Caballeros! ¡Caballeros! ¡Caballeros!

Al fin se hizo algo de silencio, y Milcíades retrocedió, no sin antes señalar a Jantipo con el dedo y hacer el gesto de rebanarle el cuello.

—¡Caballeros! —insistió Melobio, levantando la mano izquierda, a la que le faltaban dos dedos—. ¡Propongo que hagamos un juramento!

Aquello terminó de acallar a todos. El tono solemne de Melobio había interesado al propio Fidípides, que bajó los pies del escabel y se inclinó hacia delante para escuchar mejor.

—Nadie fuera de esta tienda debe saber que los espartanos no partirán de su ciudad hasta la luna llena —empezó Melobio—. Por eso, deberíamos comprometernos a no...

—¡Por favor, Temístocles! —intervino Arístides—. ¿Quieres dejar de cuchichear al oído de Melobio para dictarle su discurso? Si tienes algo que decir, puedes hacerlo tú mismo.

El aludido miró un instante a Melobio y después a Milcíades, quien asintió con la barbilla. Temístocles dio dos pasos al frente, entró en el círculo y se dirigió a todos.

—Ya sabéis cómo son las hablillas de campamento. Si cualquiera de nuestros oficiales o soldados se entera, si dejamos escapar delante de un esclavo tan sólo media frase de lo que se ha hablado aquí, enseguida lo sabrá todo el ejército. La moral de los hombres bajará cuando sepan que los refuerzos que esperamos tardarán en llegar. Pero además puede ocurrir algo todavía más grave, y es que la información se filtre a los persas y Datis decida atacar antes de...

—¡Qué tontería! ¿Cómo se va a filtrar nada? —le interrumpió Jantipo—. Estamos muy lejos de su campamento.

—Mi querido Jantipo —respondió Temístocles, sin alterarse—, sólo nos separan veinte estadios de los persas. Eso puede ser una distancia insalvable para una flecha, pero no para un rumor. En la guerra siempre hay desertores o gente que trapichea con el enemigo aprovechando las horas de oscuridad. Por eso, si no queremos que los persas sepan que los espartanos aún tardarán en llegar, debemos evitar como sea que esa información salga de esta tienda.

—¡Un juramento! —rugió Milcíades—. ¡Temístocles tiene razón! ¿Qué dices tú, Calímaco?

Como polemarca, Calímaco no tenía potestad para decidir por sí solo en cuestiones tácticas. Pero en lo relativo a votos, sacrificios y presagios poseía toda la autoridad.

—Yo digo que me parece bien —respondió.

Calímaco se asomó a la puerta de la tienda para pedir una víctima, y mientras se la traían, él mismo escanció vino en las copas de todos. No tardaron en llegar dos esclavos con un cabrito negro al que apenas le apuntaban los cuernos. Calímaco ordenó a los criados que salieran. Después arrastró al animal al centro del círculo, tiró hacia arriba de su barbilla y lo degolló con el filo de su espada. La sangre de la víctima empapó el suelo. Mientras el cabrito aún agitaba las patas traseras, el polemarca declamó con voz solemne:

—Por Zeus, Deméter y Poseidón, dioses del cielo, la tierra y el mar.

—¡Por Zeus, Deméter y Poseidón! —repitieron todos los

presentes, generales, taxiarcas e incluso Fidípides, que se había puesto de pie a duras penas.

—Los aquí presentes juramos que nadie revelará lo que se ha dicho en esta tienda. Y si alguien no respeta este juramento, que sus sesos se desparramen por el suelo como este vino.

Todos levantaron sus copas en alto y vertieron un poco de vino mientras repetían las palabras de Calímaco. Después, aprovechando que la solemnidad del voto había serenado un tanto los ánimos, el propio polemarca declaró disuelta la reunión.

Fidípides se retiró de la tienda arrastrando los pies. Sabía que debía levantar las rodillas y flexionar las piernas para que no se convirtieran en dos tablas rígidas que ya no podría mover, pero le daba igual. Tan sólo quería tumbarse, cerrar los ojos y olvidarse de todo durante un día o dos. O hasta que llegaran los espartanos, ¿por qué no?

—Espera un momento, Fidípides.

El mensajero se volvió, dispuesto a mandar a los cuervos a quien lo llamaba, por muy general o taxiarca que fuese. Pero Temístocles, sin darle tiempo a hablar, le puso una bolsita de piel en la mano y le cerró los dedos en torno a ella.

—Por mucho que te pague y te honre la ciudad, será poco para lo que has hecho. Por eso te ruego que aceptes esta muestra de mi gratitud personal.

Fidípides agitó la bolsa. Por el peso y el tintineo, calculó que habría unas veinte dracmas. Lo suficiente para comprarse unas botas nuevas. No, recordó: ésas se las pagaba la ciudad. En medio de la neblina de su mente, se le ocurrió algo mucho mejor. Con veinte dracmas podía ir hasta cinco veces a la casa de baños del Pireo y pedirle a la opulenta Fano que le frotara la espalda, las piernas y otras cosas.

Eso, si es que podía volver al Pireo. Si los persas no los mataban a todos en la llanura de Maratón.

—Gracias, Temístocles.

Se dio la vuelta e hizo ademán de irse, pero el taxiarca lo agarró por el codo.

—Deja que abuse un poco más de tu paciencia, Fidípides. Quiero preguntarte una cosa. Cuando has contado que los éforos te concedieron audiencia, tal vez se me ha pasado algo por alto. ¿Cuántos eran?

—¿No lo he dicho? —preguntó Fidípides, confuso. Tenía tanto sueño que la cabeza empezaba a dolerle más que los pies.

—No, creo que no.

—Eran tres.

—¿Seguro?

—Sé contar hasta tres —contestó Fidípides, de malas pulgas.

—Perdona, amigo. Sólo quería estar seguro. ¿Notaste algo más especial en Esparta?

—¿A qué te refieres? Me estás mareando.

—Las calles. Están celebrando las fiestas en honor de Apolo Carneo. Creo que organizan una carrera muy peculiar en la que persiguen a un joven vestido con cintas de lana. ¿Viste procesiones, guirnaldas en las fachadas, juegos, gente en las calles?

A pesar de su cansancio, el interés de Fidípides se despertó.

—Es curioso que me preguntes eso. No vi demasiado bullicio. Y había menos hombres que otras veces.

Temístocles le apretó el hombro.

—Gracias, amigo. Es todo lo que quería saber. Descansa el tiempo que quieras, que lo tienes bien merecido. Y si alguna vez necesitas algo de mí, no dudes en buscarme. Hombres cabales como tú, con los ojos abiertos, la boca cerrada y los pies ligeros, siempre son útiles a la ciudad.

¿Quién va a necesitar a quién?, se preguntó Fidípides. Pero al sacudir de nuevo la bolsa y oír el canto cristalino de la plata, pensó que si en algún momento tenía que servir a un jefe, mejor que fuese a uno inteligente como Temístocles.

—Tú no eres de los que dan puntada sin hilo. ¿Qué te ha contado el mensajero? —preguntó Milcíades.

El cielo se había teñido de color índigo. Los hombres que habían regresado de la línea del frente empezaban a encender los fuegos para cenar, mientras los piquetes de la tribu Ayántide, que estaba de guardia, patrullaban los límites del campamento y la abatida de pinos. Al ver pasar a Temístocles y Milcíades juntos, muchos se volvían hacia ellos con la curiosidad natural de los soldados, tratando de captar algún rumor. Pero Milcíades había agarrado al taxiarca del codo y ambos caminaban muy juntos, con las cabezas casi pegadas y hablando en susurros.

—El verano del año pasado visité Esparta tres días, invitado por el próxeno que tengo allí, Pausanias —respondió Temístocles.

—¿Y bien? —Milcíades parecía desconcertado por la respuesta.

—Recuerdo que en Atenas era el mes de metagitnión. Allí andaban celebrando las fiestas carneas.

Milcíades frunció el ceño. Temístocles dejó que pensara unos instantes por su cuenta. Tenía comprobado que a casi nadie le gustaba que guiaran sus pensamientos; si había algo de lo que casi todo el mundo creía haber salido bien parado en el reparto de Zeus, era de inteligencia. Por fin, los ojos del general se iluminaron.

—Entiendo. Ven conmigo a mi tienda. Está ahí mismo.

Milcíades disponía del pabellón más lujoso del campamento griego, aunque en el persa cualquier oficial de rango mediano habría tenido una tienda más espaciosa. El general abrió los faldones de la puerta y pasó al interior, sin molestarse en ceder el paso a su invitado. Cimón estaba dentro, sentado sobre una silla plegable y dedicado a reseguir el filo de su espada con una amoladera, mientras un esclavo acuclillado en el suelo limpiaba el repujado de sus grebas de bronce con aceite caliente. Ambos se levantaron al ver entrar a Milcíades. El general despachó al esclavo con un gesto, pero cuando se disponía a despedir también a su hijo, Temístocles le dijo:

—Déjalo. Cimón será algún día un estratego, como tú. Es bueno que quienes han de ser grandes aprendan a cargar con la responsabilidad desde jóvenes.

Milcíades se lo pensó un segundo y asintió, mientras que a Cimón se le iluminó el semblante. Temístocles se permitió una sonrisa interior y pensó que Mnesífilo tal vez llevara razón, que quizá fuese cierto que Milcíades y su hijo lo estaban utilizando. Pero mientras a aquellos dos eupátridas les perdiera la vanidad, seguirían funcionando en sus manos como el resorte de una cerradura. ¿No era el propio Mnesífilo quien le había enseñado aquel principio? *No temas los insultos de los enemigos. Debes precaverte mucho más de la adulación de los amigos.*

—Siéntate, Temístocles —le invitó Milcíades, señalándole la gruesa alfombra que cubría el suelo, mientras él se acomodaba en la silla, que crujió bajo su peso.

—No, gracias. No me entretendré mucho tiempo. No nos conviene que los demás piensen que estamos conspirando.

—¿Qué sucede, padre? —preguntó Cimón, haciendo ademán de guardar la espada en su vaina.

—Sigue afilando —respondió Milcíades—. Cuanto más ruido haya en la tienda, mejor. —Y añadió, bajando la voz—: Al parecer, el año pasado tus amigos los espartanos celebraron las carneas en el mes de metagitnión. Este año lo están haciendo un mes más tarde, en nuestro boedromión.

—No te entiendo, padre.

—Por culpa de esas carneas, no pueden venir a ayudarnos hasta la luna llena.

A Cimón se le demudó el rostro. Temístocles, por su parte, agachó la mirada y guardó silencio. Milcíades acababa de violar el juramento revelando aquella información a su hijo. Pero no sería él quien lo delatara. Al menos, de momento.

Dentro de la tienda, las sombras iban creciendo y se apoderaban de todos los rincones. Cimón dejó un momento la espada y usó el fuego de un pequeño brasero que quemaba hierbas aromáticas para encender las lámparas de aceite. Iluminado desde abajo por aquellas tenues llamas, su rostro parecía más maduro y anguloso, forjado en líneas de bronce.

—Seguro que tienen una buena razón para hacerlo —dijo mientras encendía la última lamparilla. No podía permitir que sus idolatrados espartanos quedaran en mal lugar—. Puede que su calendario vaya demasiado adelantado y hayan tenido que introducir otro mes.

Aquello no era tan raro. Los atenienses lo hacían de vez en cuando, porque era imposible mantener el año de doce meses lunares acompasado por mucho tiempo con el ciclo del sol y las estaciones. El propio Temístocles, en su año de arcontado, había decretado un mes intercalar. Sin embargo...

—Es una casualidad demasiado oportuna —dijo Milcíades, como si le hubiera leído la mente—. Y yo no creo en las casualidades. Tenemos un tratado con ellos —añadió, dirigiéndose a Temístocles—. ¿Por qué crees que esos bastardos arrogantes se niegan a venir?

—Fidípides me dijo que sólo vio a tres éforos de los cinco, y a uno de los dos reyes.

—¿Qué significa eso?

—Padre... —intervino Cimón.

—Habla.

—Cuando los lacedemonios hacen la guerra sólo acude a ella uno de los dos reyes, mientras que el otro se queda en la ciudad. Y al rey que acude a la guerra lo acompañan dos éforos para fiscalizar todos sus actos.

—Eso quiere decir que...

—Que Esparta está en guerra ahora mismo.

Temístocles asintió, aprobador. El cachorro de león era perspicaz.

—¿Contra quién, si puede saberse? —preguntó Milcíades—. ¿Otra rebelión de los ilotas? ¿Por qué no lo confiesan abiertamente y se dejan de pamplinas?

—A ellos les gusta mantener sus asuntos en secreto, padre. Tienen muchos enemigos y han de...

—¡Más enemigos tendrán si no cumplen sus compromisos! —Milcíades se apretó ambas manos hasta que le cascaron todos los nudillos—. ¡Cabrones! Ahora sí que estamos bien apañados. ¿Qué hacemos?

—Ganar tiempo —respondió Temístocles—. Si hay que esperar siete días, esperaremos siete días. ¿Que Jantipo y Megacles quieren parlamentar otra vez? Pues que parlamenten. Cualquier cosa con tal de que dejemos correr el tiempo.

—¿Qué más da? Si los espartanos están en guerra con los ilotas, no asomarán la jeta por aquí ni dentro de siete días ni de siete meses.

Cimón miró a Temístocles con las cejas levantadas en un gesto de súplica, como pidiéndole: *Defiéndelos tú, por favor.*

—No, eso no —dijo Temístocles—. El rey Leónidas le dio este recado a nuestro mensajero: «*Diles a tus generales que dentro de nueve días verán las lambdas de nuestros escudos.*» Y ya han pasado dos desde entonces.

Milcíades estiró el brazo para tomar una jarra de vino de un velador y bebió directamente de ella.

—¿Y qué? —gruñó, secándose la barba con el dorso de la mano y tendiéndole la jarra a Temístocles. Cimón carraspeó ante la falta de modales de su padre, pero no dijo nada—. Yo ya no me fío de esa gente que trastoca el calendario a su antojo.

Temístocles se mojó apenas los labios con el vino y le pasó la jarra a Cimón.

—Conozco a Leónidas. Es tío de Pausanias y un hombre de palabra. Vendrá.

Lo que no sé es cuántos hombres podrá traer con él. Antes de que decidiera si expresar su pensamiento en voz alta o no, se oyó un gran griterío en el exterior de la tienda. Milcíades y su hijo se levantaron y echaron mano a sus espadas, temiendo un ataque por sorpresa. Pero enseguida comprendieron que los gritos eran de alegría, y oyeron las trompetas y los cánticos de un ejército en marcha.

—¿Ves, padre? —A Cimón se le había transfigurado el semblante—. ¡Son los espartanos! ¡Nos han gastado una de sus bromas! ¡Ya están aquí!

Milcíades salió de la tienda mascullando algo sobre «esos melenudos mamones», y Cimón le siguió. Temístocles salió el último, meneando la cabeza. Por más que él también lo deseara, era imposible que los espartanos hubieran llegado a Maratón pisándole los talones al mejor corredor de Grecia.

Fuera, todo el mundo se había puesto de pie y, entre gritos de júbilo, corría hacia la parte norte del campamento, de donde procedía el metálico son de las trompetas. Por el camino que pasaba entre el Agrélico y el Crotón se veía una procesión de antorchas, como un río de luciérnagas que bajara del monte a la llanura. Temístocles siguió a Milcíades, que se abría paso entre la gente como un ariete. Pero no tardó en perderlo. Luego, sin saber cómo, se encontró con Cinégiro, que le dio un abrazo.

—¡Han venido refuerzos!

—¿Quiénes? No me digas que los espartanos...

—No, hombre, no. Son nuestros aliados de Platea. Han venido prácticamente todos, con nuestro amigo Arimnesto.

—¿Cuántos? —preguntó Temístocles.

—Seiscientos hoplitas.

Temístocles sonrió. Platea era una ciudad pequeña, pero demostraba ser muy valiente al enviar al grueso de sus tropas para ayudar a los atenienses.

—Con esos seiscientos ya somos diez mil —dijo—. Eso está bien. Me gustan los números redondos.

Maratón, 9 de septiembre
Campamento griego

Por fin había llegado el plenilunio.

Pese al voto de guardar el secreto, durante aquellos cuatro días habían corrido rumores por el campamento. Algunos eran fantasías infundadas, pero otros se acercaban más al blanco. Era muy posible que algún esclavo hubiese oído retazos de la conversación en la tienda, pero Temístocles sospechaba más bien de la indiscreción de los generales y taxiarcas que habían oído el mensaje de Fidípides. El caso era que, cuando aquella noche la luna llena se levantó sobre la Cola de Perro que cerraba la bahía y su faz rojiza se reflejó en el mar, por el campamento ateniense corrió un susurro que era casi un suspiro de alivio.

Pero los espartanos aún tardarán tres días en aparecer, se dijo Temístocles, tendido sobre su petate y contemplando la faz de la luna. Melobio dormía en su propia tienda, e incluso Euforión tenía una, pero él prefería compartir el suelo con sus soldados. Una decisión, como era habitual en él, no exenta de cálculo.

La mayoría de los fuegos se habían apagado y los hombres dormían, aunque todavía se escuchaban aquí y allá cuchicheos nerviosos. Los días de espera estaban deshaciendo los nervios de todo el mundo. Los soldados deseaban y temían la batalla que no acababa de llegar. Se habían producido algunas escaramuzas al borde de la abatida, pero habían quedado más en intercambio de insultos entre destacamentos de jinetes persas y patrullas de defensores atenienses que en otra cosa.

Los hoplitas ya habían empezado a criticar abiertamente a

sus jefes o, como decían en la jerga militar, a «rajar» de ellos. En cada ciudadano ateniense había un general o taxiarca en potencia. Algunos que ahora servían en las filas como simples soldados habían disfrutado de mando en años anteriores, y eran los que asaetaban a los jefes actuales con los reproches más duros. Todo el mundo parecía saber lo que había que hacer para salir del punto muerto en el que se habían estancado griegos y persas. El problema era que nadie coincidía en la solución: atacar de frente, dar un rodeo por los montes que cerraban el norte de la llanura y sorprender a los persas desde el pantano —lo que no explicaban era cómo pensaban cruzarlo sin hundirse en el lodo con treinta kilos de armas a cuestas—, o retirarse a la ciudad y atrincherarse tras la muralla. También estaban los derrotistas que proponían pactar con los persas pagándoles una indemnización y entregándoles a los políticos y generales si era preciso. Pero ésos se cuidaban mucho de comentarlo en voz alta, porque Milcíades ya se había ocupado de apalearle las costillas a todo el que sugiriese tan siquiera un sinónimo de rendición.

La incomodidad del campamento no contribuía a mejorar los ánimos. Algunos hombres tenían tiendas de campaña y otros se habían alojado en las casas del cercano demo de Maratón. Pero la mayoría llevaban varias noches durmiendo al raso, y se quejaban del relente, y también de las piedras y las raíces que se les clavaban en los riñones. Allí había hombres de hasta cincuenta años, y algunos más mayores, que cuando se levantaban por las mañanas daban a los demás un recital de toses, esputos, gruñidos y rechinar de articulaciones, y mientras lo hacían se acordaban de todos los ancestros de los generales. Para colmo, dos noches antes había caído un aguacero que los caló a todos, empapó la leña para cocinar y durante un día entero convirtió el campamento en un barrizal.

Los únicos que seguían manteniendo el humor del primer día eran los acarnienses. Cada vez que Temístocles se acercaba al batallón de la tribu Enea para hablar con Milcíades, solía entretenerse un rato en el sector de Acarnas, y ellos le invitaban a beber vino y a comer salchichas asadas, de las que tenían una provisión al parecer inagotable.

Aquella noche, al salir la luna, los más jóvenes de ellos habían tomado sus escudos y sus lanzas, se habían encasquetado los yelmos y habían bailado la danza pírrica en honor de Ártemis. Al ver cómo saltaban alanceando el aire, aporreaban los escudos y proferían sus gritos guturales de guerra, a Temístocles le subió un poco la moral. Aquellos muchachos no eran profesionales como los espartanos, pero sabían manejar las armas y disfrutaban haciéndolo.

—¿Por qué no atacamos ya a los persas? —le habían preguntado después, terminada ya su exhibición.

—Lo haremos cuando lleguen los espartanos —respondió él.

—¿Para qué? ¿Para que se lleven toda la gloria ellos, y los demás griegos piensen que somos unos gallinas que necesitan la ayuda de los lacedemonios para liberar su propia tierra? —dijo uno de ellos, un mozo rubio que durante la danza había saltado más alto que ningún otro.

Temístocles se quedó pensativo. En el sueño de la gran Atenas que había heredado de Clístenes no cabía compartir la gloria con Esparta. Mucho menos cedérsela del todo.

—En eso tienes razón, Mimnermo, pero no conviene apresurarse —respondió.

Uno de los compañeros del aludido le palmeó la espalda y susurró:

—¡Se sabe tu nombre!

—Si conseguimos llegar al cuerpo a cuerpo con ellos, podemos aplastarlos —insistió Mimnermo, despachurrando una salchicha entre sus dedos para demostrarlo.

—Estoy seguro de ello. Pero tú lo has dicho bien: *Si conseguimos llegar*. El problema son sus flechas. Por cada uno de nosotros hay tres persas. Todos, hasta los lanceros, tienen arcos, y saben dispararlos a tal velocidad que antes de que la primera flecha llegue a su blanco, la segunda ya vuela por el aire y la tercera está lista en la cuerda.

—Dicen que son capaces de acertarle a una manzana a un estadio de distancia —comentó otro soldado.

Algunos abuchearon tamaña exageración. Pero Mimnermo dijo muy serio:

—Entonces tendremos que correr durante un estadio. Es así de sencillo: si vamos el doble de rápido, nos caerán la mitad de flechas.

Temístocles puso un gesto escéptico. ¿Casi doscientos metros cargados con todas las armas?

—Todos hemos entrenado la carrera del hoplitódromo —insistió Mimnermo—. Y son dos estadios y no uno.

—Cierto, mi joven amigo —respondió Temístocles—. Pero el hoplitódromo sólo se corre cargado con el escudo, el yelmo y la lanza. Súmale a eso la coraza, las grebas y la espada. El doble de peso, si es que no me quedo corto.

Con otros soldados no se habría atrevido a expresar tantas pegas en voz alta; pero los acarnienses eran tan bravucones que pintarles la situación tan difícil sólo los enardecía más.

—¡Pues entonces está claro! —intervino otro soldado—. Es el doble de peso, pero la mitad de distancia, así que todo cuadra. Podemos hacerlo.

—Lo tendré en cuenta, Palamedes —respondió Temístocles, acariciándose la barbilla y concibiendo una imagen loca—. Lo tendré en cuenta. —Y mientras se alejaba de vuelta a su batallón, oyó cómo decían a su espalda: *«Pero ¿es que este tío nos conoce a todos?»*. Y ya que nadie lo veía, se permitió una breve sonrisa de vanidad.

En aquel momento, tumbado junto a los rescoldos de la hoguera, no dejaba de rumiar y darle vueltas a la conversación. Cuándo llegarían los espartanos, cuántos llegarían. ¿Se empeñarían en asumir el mando con su prepotencia habitual? Qué dirían en el resto de Grecia si conseguían derrotar a los persas con su ayuda. Qué mérito le otorgarían a Atenas tras una hipotética victoria. En el caso de los celosos vecinos de Tebas, Corinto, Mégara o Egina, seguro que ninguna.

Supongamos que luchamos solos. La valiente idea de los acarnienses le seducía, pero ¿qué posibilidades tenían de derrotar a los persas? Si corrían bajo aquella granizada de proyectiles, los que sobrevivieran a las flechas llegarían derrengados a la línea de combate, y aún tendrían que enfrentarse cuerpo a cuerpo con veinticinco mil hombres de infantería. Y mientras tanto, ¿qué haría la caballería persa? ¿Cómo podrían evitar que los jinetes los flanquearan, que los atacaran por la retaguardia, que se movieran a sus anchas por el campo de batalla para hostigarlos donde más le conviniera a Datis? En el momento en que sus filas se desordenaran y dejaran de ser una falange compacta, estarían perdidos.

—Deja de pensar tanto —dijo Mnesífilo, que estaba acostado a su lado, envuelto en el mismo manto que le servía para vestir.

—¿Tanto se me nota?

—Tu cerebro hace tanto ruido como los goznes de una puerta vieja. Casi no me dejas oír a los grillos.

Temístocles soltó una carcajada. La luna llena, que había salido casi al mismo tiempo que se ponía el sol, había recorrido ya un cuarto del firmamento y le miraba con su faz burlona. Orión y la brillante Sirio se alzaban en mitad del cielo: era la época en que el poeta Hesíodo recomendaba vendimiar los racimos.

—¿Te has fijado en la cara de la luna? —preguntó Temístocles a su amigo.

—¿La cara de la luna?

—Sí, esas manchas grises que se ven en ella.

Mnesífilo suspiró.

—Mis ojos dejaron de distinguirlas hace tiempo. Para mí, la luna es tan sólo un borrón blanco.

—Hay quien dice que la luna es un espejo, y que las manchas grises son el reflejo de las olas del mar en él.

—¿Por qué no la miras con tu dioptra para comprobarlo?

—En realidad ya lo he hecho —reconoció Temístocles—. Y te sorprendería saber qué impresión me dio.

—¿Y qué impresión te dio?

—Que esas manchas eran las sombras de montañas y de valles, y que había mares en la luna. Me pregunto si allá arriba no vivirá gente como nosotros que esté mirándonos ahora y cavilando en qué serán esas manchas que se ven en la cara de Gea.

—Si estuvieran arriba y mirándonos cabeza abajo, ¿no crees que se caerían encima de nosotros?

—Supongo —admitió Temístocles—. Pero si fueran...

—Déjalo ya. Es mejor que no comentes esas cosas en voz alta. A no ser que quieras que te acusen ante un tribunal por impiedad. Las cosas de Ártemis es mejor no tocarlas. ¿Por qué no te duermes de una vez?

Temístocles suspiró, y se puso las manos detrás de la nuca.

—Siempre me ha costado quedarme dormido. Y cuando lo consigo, duermo a saltos y me despierto varias veces por la noche.

—Pues, entonces, espera a tener mi edad. Yo dormía como un tronco cuando era joven. Recuerdo a veces cerrar los ojos y al momento escuchar el canto del gallo. Pero ahora... ¡Maldita vejez!

—Aún te queda para ser viejo. Como diría tu bisabuelo, estás en tu octavo periodo de siete años, cuando la inteligencia y la lengua todavía son sobresalientes.

—¡Ah, pero Solón no dijo nada del lumbago ni de las rodillas!

Mnesífilo no añadió nada más. Pasados unos segundos, Temístocles notó en la respiración de su amigo que había cerrado los ojos, y al cabo de un rato, le oyó roncar, sumándose al coro de los demás soldados que se habían dormido boca arriba o habían abusado del vino.

Él ni siquiera conseguía cerrar los párpados. Lo intentaba, pero tenía que hacer fuerza para mantenerlos pegados, y en cuanto se descuidaba, volvían a abrirse solos.

Pensó que era curioso que, durmiendo tan poco, soñara tanto. No había noche en que no se le presentaran tres o cuatro sueños, aunque la mayoría eran tan absurdos que los desechaba al día siguiente. Había llegado a pensar que se trataba de un don especial de los dioses, o tal vez una maldición. Luego, hablando con más gente, había concluido que simplemente recordaba los sueños de la mitad de la noche porque se despertaba varias veces, mientras que otras personas los olvidaban porque se hundían en las tinieblas de Morfeo hasta el amanecer.

Cerca de él sonó una ramita rota. No eran los rescoldos del fuego, sino una pisada. Se incorporó. Unos soldados venían caminando entre los durmientes, sorteando sus cuerpos con cuidado de no pisarlos y agachándose para examinarles el rostro a la luz de la luna.

—¿A quién buscáis? —susurró.

—Al taxiarca Temístocles —contestó uno de los soldados.

Temístocles se levantó, no sin antes recoger la espada del suelo.

—¿Quién pregunta por él?

—El general Arístides.

—Yo soy Temístocles.

Según el sorteo y el orden que habían establecido cuando llegaron a Maratón, ese día le tocaba el mando a la tribu Antióquide, por lo que Arístides era el general de guardia. Temístocles se ciñó la túnica y se calzó, preguntándose para qué lo querría su viejo rival. Miró a Sicino, tumbado al otro lado de la hoguera, y pensó en despertarlo. Pero el persa tenía el sueño muy profundo. Iba a tardar un buen rato en espabilarlo, y tenía prisa por saber qué quería Arístides.

—Os acompaño.

Los soldados lo guiaron hasta el bosquecillo de olivos, y de ahí a la playa. Temístocles agradeció alejarse de los olores del ejército. Llevaban allí demasiados días, rodeados de burros, cabras, ovejas y algún que otro cerdo, y no todos los soldados aprovechaban la cercanía del mar para lavarse, de modo que el campamento entero hedía como los establos de Augías.

Arístides estaba en la playa, con los brazos entrelazados a la espalda, un gesto muy típico de él, mirando al mar mientras dejaba que la espuma le acariciara los pies descalzos. Temístocles hizo crujir la arena bajo sus pies a propósito, pero Arístides no se molestó en darse la vuelta. Cuando llegó a su lado, imitó el gesto del eupátrida y contempló el reflejo de la luna llena sobre las aguas oscuras.

—Una noche espléndida.

Por fin, Arístides se dignó reparar en su presencia. Bajo el claro de luna, su cabello rubio parecía de plata. Seguía siendo más alto que Temístocles, pero con la edad sus estaturas se habían igualado un poco y ahora sólo le sacaba media cuarta; no tanto como para intimidarlo.

Qué tontería, se dijo Temístocles. No se había dejado intimidar por Arístides ni cuando estaban en la escuela de Fénix y le aventajaba en una cabeza. O eso quería creer.

—Estás aquí.

—Salta a la vista. No soy ninguna aparición. ¿Para qué me has llamado?

—Alguien ha venido a buscarte.

—Tus hombres. Eso es evidente.

—Alguien del campamento persa.

A su pesar, el interés de Temístocles se avivó.

—¿Quién?

—Espero que me lo digas tú.

—Será difícil, puesto que lo ignoro.

—¿Qué oscuro espionaje te traes entre manos, Temístocles?

—No seas ridículo, Arístides. ¿De qué espionaje hablas? No puedo decirles nada a los persas que no sepan ya. Nuestra organización es bien conocida, y nuestras tácticas también. De hecho, no tenemos más que una táctica —añadió en tono mordaz—. Ponernos todos en fila, abatir las lanzas, cantar el peán y embestir de frente contra los enemigos. ¿Temes que les revele eso?

Arístides chasqueó la lengua. Se jactaba de ser ecuánime, y a Temístocles le constaba que él mismo se había puesto el sobrenombre de Justo por el que era conocido. Pero no le gustaban las intrigas, porque no era hábil manejándolas. Cuando veía alguna maniobra complicada siempre sospechaba de traiciones y motivos inconfesables.

Te conozco como si te hubiera parido, pensó Temístocles al leer las dudas en su rostro. Pero tenía un problema con Arístides. Al discutir con otras personas sabía morderse la lengua, fingir amabilidad, incluso cargar las culpas sobre sí mismo, si eso le reportaba algún beneficio. En cambio, Arístides tenía algo, acaso su arrogancia casi olímpica, que le hacía perder su control habitual y abusar del sarcasmo.

—Sabes que hay cierta información que hemos jurado no revelar —dijo Arístides, mirando de reojo a los soldados que aguardaban a unos pasos de ellos.

—Y ese juramento sigue en pie. Mira —mintió Temístocles—, estaba durmiendo plácidamente cuando tus soldados me han despertado. No estoy tan impaciente como crees por acudir a una cita con el enemigo que bien podría ser una trampa. Pero piensa una cosa. ¿No crees que existe la posibilidad de que sea yo quien obtenga una información valiosa de los persas en vez de brindársela a ellos?

Arístides vaciló. Temístocles comprendía la lucha que libraba en su interior. Por una parte, él, su gran rival, había dicho: *«Que sea yo quien obtenga.»* Por otro, el Justo no podía desperdiciar la posibilidad de conseguir alguna información que pudiera favorecer a la causa griega.

—Está bien. Ve. —Temístocles se disponía a alejarse cuando Arístides lo tomó por el brazo. Sus dedos eran cálidos, casi amables, y su tono le sorprendió—. Ten cuidado, Temístocles.

Temístocles caminó por la playa, adentrándose en la tierra de nadie que empezaba al este del olivar de Heracles. A unos veinte metros lo aguardaba un hombre. En lugar de quedarse allí a esperar a Temístocles, le hizo una seña para que fuera tras él, se dio la vuelta y echó a andar a buen paso.

El ateniense lo siguió a cierta distancia, escoltado por los tres guardias que le había asignado Arístides. Al cabo de un rato distinguió una sombra en la orilla, que no tardó en convertirse en la silueta de una pequeña embarcación. Conforme se acercaron, Temístocles vio que se trataba de una falúa con la proa varada en la arena y la vela recogida sobre el mástil. Tenía ocho remos, y los remeros seguían a bordo. En la orilla sólo había un hombre. El guía que había llevado a Temístocles hasta allí se reunió con él y ambos conversaron unos segundos. Después, el hombre que había permanecido junto a la barca se adelantó hacia Temístocles, levantó los brazos y le enseñó las manos abiertas para mostrar que no llevaba armas.

—Quedaos aquí —les dijo Temístocles a los guardias—. No creo que haya peligro.

Temístocles levantó también las manos, aunque llevaba la espada colgada por detrás del cinturón, y se acercó con paso cauteloso. Quien fuera que lo había convocado a ese extraño encuentro, llevaba una larga capa y un casco de hoplita sin penacho. Sin saber muy bien por qué, Temístocles se sintió decepcionado al comprobar que no era un soldado persa, sino jonio.

Al acercarse a él, Temístocles captó un aroma agradable y muy intenso. Pero cuando aspiró para volver a olerlo y decidir qué era, el perfume había desaparecido, y pensó que su olfato tal vez lo había engañado.

—Ya estoy aquí. ¿Qué se supone...?

El hoplita le indicó que guardara silencio y le hizo una seña para que lo siguiera. Se alejaron de la orilla, atravesaron unos arbustos y subieron una cuestecilla de grava que llevaba a una pequeña arboleda, no más de diez pinos jóvenes aislados en el llano. Temístocles no dejaba de observar la espalda del otro hombre. Su forma de andar resultaba extrañamente felina y sus pies descalzos apenas hacían crujir la arena ni los guijarros del suelo. Por la soltura con que se movía no parecía llevar coraza, aunque sin duda escondía algún arma bajo la capa. Por si acaso, Temístocles aferró el pomo de su espada y calculó sus posibilidades en una lucha cuerpo a cuerpo. El otro era de su misma estatura, y no se le veía corpulento. Pero, en cualquier caso, no alcanzaba a sospechar por qué un griego del ejército de Datis querría sacarlo de su campamento y llevarlo hasta aquel minúsculo pinar para matarlo.

Por fin, al llegar a la arboleda, el hombre se detuvo. Después se volvió hacia Temístocles, se abrió el manto, le mostró de nuevo las palmas abiertas y le dijo que se acercara. Él lo hizo, intrigado, pensando que el otro querría saludarlo estrechándole la mano. Pero el jonio se aproximó aún más y le agarró por la cintura. De pronto, el olor de antes volvió a impregnar el aire.

—Mira, amigo —dijo Temístocles, apartándose un poco—. No soy de ésos.

Con una carcajada cristalina como el trino de un ruiseñor, el jonio retrocedió un paso y se quitó el yelmo. Al hacerlo, una cascada de cabellos negros cayó sobre sus hombros. Era una mujer. A la luz de la luna le pareció que sus rasgos le resultaban familiares.

—*Tínon ouk ei, Themistoklê?*[1] —preguntó, marcando la aspiración de su nombre con un leve jadeo.

Una luz se quiso prender en el cerebro de Temístocles. Pero la mujer agarró sus manos, las puso sobre sus caderas, le acercó el vientre primero y luego el rostro. Tenía unos labios llenos y unos dientes que relucían bajo la luna, y cuando le ofreció su boca, Temístocles no supo decir que no.

Cuando terminaron, Temístocles se giró sobre su espalda y se quedó mirando al cielo. Un pájaro, o tal vez un murciélago, pasó volando junto a las ramas del pino bajo el que habían copulado. No había sido cómodo: habían usado de lecho la capa de la mujer, que a duras penas amortiguaba los guijarros y la pinaza del suelo. Pero Temístocles se dio cuenta de que lo necesitaba, de que llevaba tiempo necesitándolo. Arquipa estaba ya en su séptimo mes, y desde que supo que estaba encinta no había querido volver a acostarse con él. No se trataba tan sólo de las molestias del embarazo como otras veces, sino de una frialdad nueva. Temístocles se temía que la llama que al principio de su matrimonio la alimentaba y la impulsaba a hacer el amor constantemente se había apagado ya. Por supuesto, él no se había resignado a pasar todos aquellos meses encallado en dique seco. Pero, aunque había recurrido tres o cuatro veces a la compañía de Criseida, la hermosa y casquivana hetaira de los rizos de oro, sus abrazos no acababan de llenarlo. Tras visitar su casa salía notando un extraño vacío, como si le hubieran dejado probar un delicado manjar para luego sacárselo de la boca.

En cambio, aquella desconocida le había contagiado su pasión, una lujuria húmeda y tibia, desenfrenada, casi violenta. No era extraño que vistiera ropa de hombre, pues tenía la fuerza de un guerrero. Había cabalgado sobre Temístocles como una amazona, y luego, cuando se dejó poseer boca arriba, sus piernas le apretaron los ijares tanto que casi le cortaron la respiración.

Se volvió hacia ella. Parecía joven, no debía tener mucho más de veinte años. Ahora había cerrado los ojos y sonreía con una

1. ¿De cuáles no eres, Temístocles?

deliciosa expresión de paz, así que Temístocles pudo contemplarla a placer. Su cuerpo poseía la suavidad de la piel femenina, pero era más atlético. Mientras ella se movía encima, él había recorrido su espalda con los dedos siguiendo el curso de la columna, fascinado por el surco que se marcaba en el centro al acercarse a los riñones y las nalgas. Se preguntó si no sería de Esparta, pues las espartanas tenían fama de hacer gimnasia desnudas al aire libre, como los hombres.

Abrió la palma de la mano y la pasó por encima de sus pechos, rozándolos apenas. Eran más bien pequeños y se veían algo separados, como si alguien hubiera rellenado de carne suave y tibia los pectorales de un efebo. Bajo su mano, los pezones se endurecieron como uvas agraces.

—Tienes callos en las palmas —dijo ella, sin abrir los ojos.

—¿Te molestan?

—Nooo... —respondió la mujer, con un ronroneo.

—Es el remo. Soy hombre de mar.

—Lo sé.

—¿Lo sabes?

Ella se volvió, se incorporó sobre un codo y le miró a los ojos.

—¿Sabes que de niña estaba enamorada de ti, primo?

Aquel aroma huidizo volvió a su nariz, y con él la lucecilla que quería encenderse. Temístocles le apartó los cabellos de la cara, la tomó de la barbilla y le giró la cabeza hacia arriba para verla de perfil.

Nunca olvidaba una cara ni un nombre. Pero los rostros cambian con la edad; eso era lo que lo había desorientado. Ahora la recordaba. Ella era Artemisia, hija de Ligdamis, difunto tirano de Halicarnaso, y esposa de Sangodo, el gobernante actual. Ligdamis y Sangodo eran hermanos de su madre Euterpe, así que ella decía la verdad. Eran primos.

Temístocles había estado en Halicarnaso hacía... ¿Cuántos años? ¿Catorce? Era el último viaje en el que había acompañado a su padre, que ya por entonces se hallaba enfermo del mal que le roía el estómago y que lo había llevado a la muerte. Aunque ya sufría pujos y vómitos de sangre, Neocles se había empeñado en cruzar el Egeo y llevar a Temístocles consigo para que conociera a Ligdamis, su cuñado, y entablara relaciones personales que anudaran bien las comerciales.

Artemisia era entonces una niña flaca, con las piernas largas y desgarbadas de un potro recién nacido. Atento como estaba a los tejemanejes políticos y comerciales que se traían entre manos su padre, el tirano de Halicarnaso y los principales magnates de la ciudad, Temístocles no se había fijado demasiado en ella. Pero, ahora que lo recordaba, parecía que esa niña era ubicua. Se la encontraba por doquier, al recorrer un pasillo del palacio, al atravesar un patio o al subir a las almenas de la azotea. Ella siempre le sonreía, bajaba la mirada y se alejaba corriendo.

En algo sí había reparado entonces. Tenía los dientes grandes, pero blancos y muy bien alineados, y unos ojos brillantes y expresivos, de un azul oscuro como las profundas aguas que azotaban el monte Atos.

—Me hacía la encontradiza —confesó Artemisia—. Pero luego me daba vergüenza hablar contigo. Era muy niña.

Pasado el ardor del sexo, empezaban a notar el fresco de la noche. La joven tiró de un extremo de la capa, que habría valido para envolver incluso a Sicino, y los arropó a ambos.

—Pues esa niña se ha convertido en una mujer muy audaz —dijo Temístocles.

—Que se disfraza de hombre —respondió ella con una risita—. ¿Recuerdas al jinete jonio que estaba al lado del persa de la máscara de oro? Era yo. ¿No notaste cómo te miraba?

—No —reconoció Temístocles, y entrecerró los ojos—. Pero... recuerdo que ese oficial llevaba barba. ¿Usas una barba postiza?

Ella volvió a reírse, se abrazó a él y le acarició la nariz con la punta de la barbilla.

—Sólo cuando voy a la guerra.

Hablaron de la guerra.

—¿Qué haces con los persas, en vez de quedarte en tu palacio? —le preguntó Temístocles—. No correrías ningún peligro.

—Me gusta el peligro —contestó Artemisia.

No quería estar encerrada, ni aunque fuera en la gran fortaleza de Halicarnaso y pudiera asomarse al mar. Lo que quería era oler la sal y la brea, sentir los rociones de espuma en su rostro, el crujir del casco del barco y de las jarcias al tensarse. Y, sobre todo, ansiaba la emoción del combate, lanzarse contra las líneas enemigas empuñando una lanza y cantando el peán.

Temístocles pensó en decirle que ella era demasiado joven para saber qué era la guerra. Por su mente pasaron todos los tópicos que contaban los veteranos a los novatos sobre heridas purulentas, miembros mutilados, intestinos desparramados por el campo de batalla. Pero se dio cuenta de que Artemisia pensaba igual que él, y por un momento se la imaginó a su lado. Los dos juntos sobre la proa de la nave capitana de aquella flota que había soñado tras hablar con Clístenes.

Artemisia, pensó. Sería un buen nombre para esa nave. Ágil, esbelta. De espolón certero como las flechas de la diosa.

—¿Por qué estás con los atenienses? —le preguntó ella de pronto.

Temístocles se apartó un poco para verle mejor la cara. La joven parecía hablar en serio.

—¿Qué quieres decir? Yo soy ateniense.

—Sólo la mitad de tu sangre. La otra mitad es caria y jonia, y los carios y los jonios están con Darío. Tú también deberías servir al Gran Rey. Sería lo mejor para ti.

—¿Por qué habría de estar yo con Darío?

—Porque es el rey más poderoso de la tierra y va a arrasar tu ciudad. ¿Te parece una buena razón?

—¿Es que has venido a comprarme, Artemisia? —preguntó él, en tono cauteloso.

En vez de contestar, la joven se dedicó a juguetear con los escasos pelos que crecían en el pecho de Temístocles. Él trató de apartarse un poco más, pero Artemisia enredó sus piernas con las de él, se pegó a su vientre y, cuando notó que su miembro respondía, soltó una carcajada.

Temístocles la abrazó y volvió a olerla. Su aroma iba y venía, y por fin comprendió la razón. Artemisia usaba fragancia de violeta. Un olor intenso que al cabo de unos segundos saturaba la nariz y se dejaba de percibir, para volver al cabo de un rato insinuándose de nuevo. No había perfume más seductor: huidizo e intangible como los rayos de la luna llena que ahora los bañaban.

—He venido a lo que he venido, primo —respondió ella, cuando Temístocles casi se había olvidado de la pregunta—. Y ya lo he conseguido.

—Entonces, si te he dado lo que querías, ¿por qué sigues aquí? —respondió Temístocles, abriendo los brazos como si soltara a un pájaro cautivo.

—Ya no estoy enamorada de ti —dijo ella, mirándole fijamente a los ojos.

Si mentía, pensó Temístocles, lo hacía tan bien como él. Tal vez ambos lo llevaban en la sangre.

—Entonces, ¿por qué te preocupa lo que pueda hacerme tu Gran Rey?

—Sé que eres inteligente. Me da pena que tu talento se desperdicie en una ciudad gobernada por la chusma.

—Gracias a que gobierna lo que tú llamas la chusma, personas como yo, que no son de la nobleza, pueden usar su inteligencia y su talento.

—¿Que tú, el hijo de Euterpe, no eres de la nobleza? ¿Y los soberanos de Halicarnaso qué somos entonces? —preguntó ella, picada.

—Para los atenienses, nada. Mis compatriotas creen que han nacido directamente de la tierra, al principio de los tiempos, y que nunca se han movido del Ática. Para ellos, Atenas es el centro del universo, y todos los que habitan en otros lugares son vulgares advenedizos.

—Atenas no es más que un sucio poblacho. No le llega ni a la suela de los zapatos a Halicarnaso.

Temístocles no se dejó provocar.

—En eso tienes razón. Pero es mi poblacho, y voy a defenderlo de cualquier invasor que me lo quiera arrebatar.

Ella volvió a acariciarle el pecho y sonrió.

—Vuelve a mi campamento conmigo, primo —dijo Artemisia con el tono melindroso de una niña. Temístocles se preguntó si sería verdad que ya no seguía enamorada de él—. Haré que te conviertan en un gran jefe. Al lado de Darío, puedes ser rico y poderoso.

—Soy bastante rico, al menos para las necesidades de un ateniense. Y en cuanto al poder, prefiero conquistarlo por mis propios medios y no subordinarme a otro, por muy Gran Rey que sea.

—¿Prefieres ser cabeza de ratón en vez de cola de león? Me decepcionas. Un primo mío debería ser un hombre con ambiciones de verdad.

—Tal vez el ratón de Atenas no sea tan insignificante. Tal vez pueda darle un buen bocado a la cola del león.

Temístocles se arrepintió al momento de haber dicho eso. Escocido por las palabras de Artemisia, había respondido en tono defensivo y jactancioso a la vez. No merecía la pena. Una de las normas que lo guiaban era que del poder no se alardea; el poder se ejerce, y a ser posible en silencio.

Se separó de la joven y se puso de pie, aunque le costó hacerlo, pues sus muslos y sus pantorrillas eran cálidos y suaves. Artemisia se sentó y se envolvió en el manto. Se había dejado el hombro derecho fuera, de tal manera que se le entreveía el seno, con la punta del pezón recortándose justo en el borde de la sombra. Si Temístocles hubiese poseído talento para la pintura, la habría retratado así, bajo aquella pálida luz. Artemisia, hija de Ártemis, la diosa de la luna. Sí, su luz le hacía justicia a la joven.

—Agradezco tu interés, prima —dijo, y se agachó para recoger su túnica.

—Pero te vas.

—¿Qué otra cosa puedo hacer? No querría que me quitaran mis derechos de ciudadano por desertar.

—¿Por qué tanto interés en ser ciudadano? Datis no lo entendía, y yo tampoco.

—Porque ser ciudadano significa no subordinarse a ningún otro hombre. ¿Es verdad que los súbditos de Darío tienen que prosternarse ante él?

—Claro. Es una muestra de respeto ante el Gran Rey.

—Yo soy ciudadano ateniense. Eso significa que soy libre y que jamás me arrodillaré ante nadie.

—Hay cosas que jamás se pueden asegurar.

Artemisia soltó el manto, se puso de rodillas, agarró las caderas de Temístocles y tomó en la boca lo que antes había acariciado con la mano. Él hizo un esfuerzo digno de un Titán y se apartó.

—A veces quien está de rodillas tiene más poder que quien está de pie —dijo Artemisia, riéndose.

—¿Crees que ésa es una forma de poder? Yo diría que más bien es una servidumbre —respondió Temístocles, mientras se ponía la túnica.

—¿Te he escandalizado, primo? Contéstame a esto. Si una persona puede darle a otra algo que ésta quiere, ¿cuál de las dos tiene más poder y cuál está más sometida a servidumbre?

Temístocles comprendió que ella tenía razón. Jamás había hablado así con Arquipa; y, desde luego, a su esposa nunca se le habría ocurrido utilizar su boca como una cortesana o una mujer de Lesbos. Se dio cuenta de que Artemisia cada vez lo excitaba más, y por eso mismo debía apartarse de ella.

—Adiós, prima —dijo, mientras se terminaba de atar el ceñidor y colocar el pliegue de la túnica—. Ha sido agradable reencontrarme contigo.

—Si te empeñas en que luchemos en bandos enfrentados, tal vez la próxima vez no sea tan agradable.

—¿De veras piensas vestirte de hoplita y salir al campo de batalla?

—Si es así, ¿me matarías como hizo Aquiles con Pentesilea?

Aunque lo dijo ronroneando y tapándose el pecho con el manto, Temístocles se estremeció. Pensó que si se daba la remota casualidad de que ambos se encontraran en combate y él vacilaba un instante, ella no dudaría en traspasarlo con su lanza.

—No soy Aquiles, prima. Nunca lo he admirado —dijo en tono sincero. Y usando ese mismo tono añadió una mentira—: Yo jamás te haría daño.

Por fin, se dio la vuelta y se dirigió hacia la playa. Por un instante sintió los ojos de Artemisia clavados en su nuca. Sin saber por qué, se imaginó que esos ojos se convertían en dardos, y se le puso la piel de gallina.

Susa, 10 de septiembre

Cuando en Esparta y en Atenas la aurora aún no teñía de gris el horizonte, en Susa, la capital invernal del Imperio Persa, ya era de día. La ciudad, con más de cuatro mil años de edad, era la más antigua del mundo. Al menos, así lo aseguraban sus habitantes, aunque los de Jericó y Damasco habrían tenido algo que opinar al respecto.

Los nativos de Susa hablaban elamita, un extraño idioma que no se parecía a ningún otro. Aquella lengua poseía un extraño prestigio para los persas, algo acomplejados por la antigüedad y la cultura del reino de Susa, que ya era viejo cuando el mítico Gilgamesh recorría el mundo buscando la planta de la inmortalidad. Quizá por ese motivo, los reyes Aqueménidas habían convertido el elamita en una de las lenguas oficiales de la cancillería persa.

La corte se acababa de trasladar a Susa, y el palacio era todavía un caos. Desde Ecbatana seguían llegando carromatos, mulas y camellos cargados con baúles y fardos reales. A la mayoría de los cortesanos les parecía demasiado pronto y protestaban entre dientes. Todavía no había llegado el equinoccio de otoño y, aunque las noches eran ya más largas y algo más frescas, durante el día el aire se encalmaba en la llanura y el sol azotaba inmisericorde las calles de la ciudad. Pero Darío estaba a punto de cumplir setenta años y tenía el cuerpo baqueteado en mil campañas, primero como general de Cambises, luego para derrotar a los usurpadores que pretendían disputarle el imperio —como él había vencido, su nombre no constaba en las listas de rebeldes ni usurpadores—, y más tarde para ampliar las fronteras de ese mismo imperio. Cuando cambiaba el tiempo le dolían las bridas de sus cicatrices, y sus articulaciones, cansadas de cabalgar, disparar el arco y cargar con el peso de la armadura, sufrían mucho con los fríos del invierno. El mismo calor de Susa, que tan agobiante le había resultado de joven, se le antojaba ahora una bendición.

La ciudad elamita gozaba de más privilegios. El agua del río Coaspes, que nacía en los montes Zagros y bañaba Susa antes de unirse al Tigris, era la única que bebía el Gran Rey. El aguador real la transportaba dondequiera viajase Darío, bien en inspección oficial o en campaña guerrera. Para que nadie pudiera envenenar al Rey de Reyes, la guardaba en vasijas de plata cerradas con una llave que colgaba de su propio cuello y de la que respondía con su vida. A los viajeros que visitaban Susa les sorprendía que Darío sólo bebiera de esa agua, pues el Coaspes, luego de atravesar las montañas en las que excavaba profundos cañones, bajaba turbio y pardo de lodo. Pero los hijos del aguador real subían constantemente a las fuentes del río, y era allí, en las alturas de los Zagros, donde recogían el agua que fluía transparente como cristal de roca. Y después de eso, se la entregaban a su padre, que todavía la hervía para purificarla de todo mal, con lo cual se perdía cualquier sabor especial que hubiera podido tener.

Hervida, pues, bebió aquella mañana Darío el agua escanciada por su sirviente. Después hizo una señal casi imperceptible para que hicieran pasar al mensajero que aguardaba al otro lado de la puerta. El Gran Rey aún estaba adormilado, porque la estangurria le había hecho pasar mala noche, pero tenía la costumbre de levantarse al rayar el alba y era un hombre muy metódico. Precisamente, ser metódico lo había convertido en grande, y él lo sabía.

Darío estaba sentado en la sala donde despachaba los asuntos cotidianos, una estancia mucho más modesta que la enorme *apadana* de audiencias. Aun así, el mensajero se quedó a cinco metros de él, se postró en la alfombra roja extendida ante el macizo sillón real y, sin levantar la mirada del suelo, extendió el brazo para entregarle la misiva al eunuco Artasiras. Éste arrancó la bula de barro con el sello Aqueménida, desató el cordel púrpura que cerraba el papiro y lo desenrolló. Como era correspondencia personal y no para los archivos, el chambelán no la dictó en voz alta para los escribas, sino que se acercó a Darío y se la leyó a media voz.

La carta venía de Babilonia, firmada por su gobernador Jerjes, hijo de Darío y Atosa y heredero del trono. En ella se disculpaba por no haberse presentado para visitar a su padre, como tenía por norma y costumbre cuando el Gran Rey volvía de su palacio de verano. Según alegaba Jerjes, estaba enfermo de unas fiebres, contraídas por culpa de los aires impuros que emanaban los pantanos que rodeaban la ciudad. Por ese motivo, pedía perdón a su padre y le aseguraba que, en cuanto se repusiera de su mal, viajaría a Susa para rendirle pleitesía.

—Hummm —murmuró Darío tras escuchar la carta—. Mi hijo es fuerte como un toro, y no ha estado enfermo en su vida. Me pregunto qué estará tramando.

Artasiras respondió:

—No se han producido maniobras inusuales en Babilonia, Gran Rey. La ciudad está tranquila. Los Egibi siguen amasando dinero en sus bancos, las prostitutas siguen dando placer a los hombres y los sacerdotes siguen haciendo sacrificios a sus falsos dioses en la torre de Etemenanki. Mis agentes me han dicho que no hay movimientos de tropas, y que tu hijo lleva todo el verano enfermo y encerrado en su palacio.

Darío sonrió con cierta malicia, la malicia del anciano que ya no ve demasiado lejos la muerte. Jerjes era un hombre joven, en la plenitud de la edad, tan apuesto como lo había sido el propio Darío en sus mejores tiempos, e incluso un palmo más alto que él. Y, sin embargo, por el capricho de Ahuramazda tal vez tuviera que cruzar el puente de Chinvat y someterse al juicio de Mitra antes que su propio padre.

—Es posible que tengamos que pensar en otro heredero —dijo Darío.

—¿Quieres hablar de ello hoy, Gran Rey?

—No, no. Tiempo habrá. Me encuentro perfectamente, y aún es posible que mi hijo se reponga.

Cuando Darío terminó de redactar la carta en que deseaba una pronta curación a su hijo y, de paso, le regalaba unos cuantos consejos para cuidar su salud, avisaron de la llegada de otro mensajero. El chambelán lo hizo pasar. El nuevo emisario pasó a la sala y se arrodilló sobre la alfombra, manchándola de polvo. Los mensajeros del servicio de correos del Camino Real debían presentarse directamente ante Darío, sin lavarse ni cambiarse de ropas, y se enorgullecían de traer el aspecto más desastrado posible para demostrar los trabajos que afrontaban por llevar las noticias al Gran Rey a la velocidad del viento. Pues el Camino Real estaba organizado de tal manera que los correos se relevaban a diario en las casas de postas repartidas por la ruta, y cada uno de ellos cabalgaba hasta seis caballos distintos en la misma jornada.

El chambelán rompió el sello del mensaje, que estaba fechado en Eretria once días antes. Darío cabeceó aprobador. Había dos mil setecientos kilómetros desde Susa a Sardes, donde terminaba el Camino Real, y a ésos había que sumarles los que separaban Sardes de la costa y los que suponían atravesar el Egeo. De dos cosas sobre todo estaba satisfecho Darío: de la rapidez con que recibía las noticias de los rincones más apartados de su imperio, y de la puntualidad con que llegaban a sus arcas las remesas de los tributos anuales.

Como esta misiva sí era oficial, el chambelán la leyó en voz alta. Los funcionarios sentados discretamente junto a una de las paredes, que ejercían a la vez de intérpretes y escribas, tradujeron el original persa al arameo y al elamita para guardarlo en los archivos de palacio.

—*A Darío, el Gran Rey, Rey de Reyes, Rey de las Tierras, hijo de Histaspes, el Aqueménida. Tu súbdito Datis, hijo de Artabanes, general de los ejércitos al oeste del río Halis, tiene el honor de comunicarte que hoy ha tomado, saqueado e incendiado la ciudad de los eretrios, culpables de la destrucción de Sardis. Sus habitantes han sido esclavizados en tu nombre y tu súbdito en persona los llevará a las tierras de Susa para que en ellas te sirvan, como tú has mandado. Tu súbdito ruega a Ahuramazda que le conceda que en su próximo mensaje pueda comunicarte la destrucción de la aborrecida ciudad de los atenienses.*

El rey asintió satisfecho y cruzó los dedos. Después de pensárselo un rato, dictó una respuesta. Él, Darío, el Gran Rey, Rey de Reyes, etcétera, felicitaba a Datis por haber cumplido la primera parte de su misión y esperaba que Ahuramazda le otorgara su favor para culminar la segunda. Tras añadir algunos parabienes y cumplidos más, no exentos de consejos, él mismo supervisó el texto y lo selló.

—El próximo año —le dijo en voz baja a su chambelán—, cuando se abran los mares a la navegación, viajaremos a Grecia, y sobre las ruinas de Atenas haremos construir un palacio para la capital de nuestra nueva satrapía.

—Mi señor, el viaje es largo y, por lo que dicen, en Grecia no hay más que olivares y cabreros harapientos.

—El mundo es grande —respondió Darío—. Al oeste de Grecia se extienden otros países más poblados y ricos.

El chambelán asintió. Y al observar la sonrisa casi imperceptible que se dibujaba en el rostro de Darío, comprendió que, al saber de la enfermedad de su hijo, el Gran Rey se había sentido de repente veinte años más joven.

Maratón, 10 de septiembre
Campamento persa

Por una vez, Artemisia se levantó aquella mañana después que su marido. Al despertar, se estiró como un gato y se dio cuenta de que, sin saber por qué, estaba sonriendo. Luego recordó que unas horas antes había hecho el amor con Temístocles bajo la luna llena, y se volvió a tumbar en el lecho y a arrebujarse bajo la sábana para recapitular los recuerdos de la noche y tratar de grabar en su piel las sensaciones que había experimentado.

Había sido como esperaba, y a la vez diferente. Pleno y frustrante, como si hubiese tenido al alcance de sus dedos un éxtasis más perfecto y se le hubiese escapado. Pero Artemisia supuso que siempre debía de ser así, incluso en los mejores momentos; que el sexo en cierto modo era como el suplicio que sufría Tántalo en el Hades, condenado a ver cómo el viento le arrebataba de las manos los frutos ansiados justo cuando ya rozaban sus labios.

Cerró los ojos y, mientras se cosquilleaba con la yema de los dedos su propio vientre y se frotaba un tobillo contra otro, trató de recordar cómo era el tacto del cuerpo de Temístocles. No tenía los músculos de Zósimo, que hacía ejercicio a diario para satisfacer a sus amos —Artemisia sabía que Sangodo también usaba de cuando en cuando a su esclavo—. Por supuesto, tampoco era flácido y pellejudo como el de su esposo. Era suave y a la vez de líneas austeras. ¿Cómo decirlo? Era un cuerpo abarcable para ella. Manejable.

Se le escapó una risita. Seguro que «manejable» era el adjetivo que peor cuadraba con la personalidad de Temístocles. Pero ahora prefería seguir evocando su cuerpo. Su belleza no era como la de esos dos espléndidos griegos que había visto en la reunión con Datis, el polemarca Calímaco y el general Arístides. A ambos los habría podido usar como modelo cualquier escultor, y seguro que en el gimnasio habían tenido muchos más admiradores que Temístocles. Pero Artemisia estaba convencida, con su instinto femenino, de que aunque la belleza de su primo no sedujera tanto a los hombres, gustaba más a las mujeres. Porque su gesto aparentemente frío ocultaba misterios, porque bajo su voz controlada se adivinaba una pasión contenida que podía incendiarse en cualquier momento. Y, sobre todo, porque cuando la miraba con aquellos ojos oscuros la hacía sentirse mujer.

Artemisia se lavaba a diario, bien fuera en un baño o pasándose una esponja por el cuerpo. Pero aquel día decidió no hacerlo. Si se pegaba la nariz a los brazos descubría que aún conservaba en ellos el olor de Temístocles, una mezcla de azafrán y mirra flotando sobre un fondo salado, como el mar que se intuye detrás de una montaña. *Ya no eres una niña,* se regañó a sí misma. No podía seguir enamorada de él.

Luego, conforme pasaron las horas y la luz del día disipó las fantasías brumosas de la noche, Artemisia se fue enojando cada vez más. Sí, había conseguido darse un revolcón junto a la playa con Temístocles, y cuando lo recordaba el vientre todavía se le estremecía. Pero él no había querido cambiar de bando, pese a que podía decirse que era tan halicarnasio como ateniense, y a que Halicarnaso llevaba mucho tiempo siendo leal súbdita del Gran Rey.

Mientras los remeros de la falúa bogaban en silencio para llevarla a su encuentro furtivo, Artemisia había fantaseado con la posibilidad de que su primo volviese con ella al campamento persa, y de ahí a Halicarnaso. No sólo por capricho ni enamoramiento, sino porque, desgraciadamente, necesitaba un hombre a su lado. Cuando murió su padre, ella, hija única, habría debido convertirse en heredera del tirano. Pero no, los hombres no podían admitir que una mujer los gobernara —cuánta razón tenía en eso su abuela—, y por eso había tenido que casarse con su propio tío. Del que, por desgracia, no había forma de engendrar un hijo. Si, al menos, pariera un maldito crío, Sangodo ya podría beber hasta reventar de una vez, que a ella le daría igual. Con un hijo varón, Artemisia podría gobernar en su nombre hasta que fuese mayor de edad.

Por eso había soñado con llevarse a Temístocles de vuelta a casa. Era alguien que llevaba su sangre, la sangre de su padre Ligdamis y de su tío Sangodo, y que por tanto podría preñarla con un hijo que se pareciese a la familia y no levantase habladurías.

¿Y casarse con él luego, cuando por fin enviudase? No, mejor no, decidió. Mejor tenerlo como amante. Si se casaba con Temístocles, éste querría ser el tirano de Halicarnaso, manejar la política de la ciudad y encerrarla a ella en el telar.

Pero ¿qué tonterías estaba pensando, si él se había vuelto al campamento ateniense y se hallaba fuera de su alcance? A no ser que se librara por fin la batalla. No todos los hombres de un ejército derrotado morían. Había prisioneros, y ella podría reclamar a Temístocles como deudo suyo. Todavía tenía sus opciones.

Durante buena parte del día, estuvo tan distraída con los recuerdos de la noche anterior y las cavilaciones sobre su futuro que apenas escuchó la conversación de Sangodo. Sólo a media tarde, cuando los sirvientes empezaron a guardar cosas en los arcones y a descolgar los visillos y cortinas que separaban la tienda en compartimentos, le preguntó a su esposo:

—¿Es que nos vamos?

Él sonrió, se acercó a ella y le acarició la barbilla. Ya estaba bebido, por supuesto; le bastaba la primera copa del día para recuperar su pastosa ebriedad habitual. Pero nunca dejaba de ser considerado con ella.

—Eso es lo que te he estado diciendo todo el rato.

—Pero... ¿todos? ¿Levantamos el campamento? ¿Tanto miedo le ha dado a Datis oír que vienen los espartanos?

Sangodo se encogió de hombros.

—Sé que nosotros, al menos, nos vamos. Ignoro qué órdenes habrán recibido los demás.

—¿De vuelta a casa? ¿Es que hemos cruzado el mar para no hacer nada? —murmuró Artemisia, frustrada. Sus hombres no habían llegado a participar en los combates al pie de la muralla de Eretria.

—A casa no, Artemisia. Justo antes de que amanezca, cuando la luna esté baja, zarparemos para Atenas.

—¡Atenas! ¿Es que acaso van a abrirnos las puertas de la ciudad?

Sangodo volvió a encogerse de hombros.

—¿Desde cuándo los persas nos cuentan por qué toman o dejan de tomar sus decisiones? Yo me limito a hacer lo que me dicen.

Artemisia salió de la tienda. Estaban acampados casi en el extremo oeste del campamento, y desde allí se podía ver la espalda de las tropas persas, formadas a poco más de trescientos metros, ofreciendo batalla como todos los días. Batalla que los atenienses, con atinado criterio, siempre rechazaban.

Pero aunque el frente estuviera desplegado, en el campamento se advertía una actividad más nerviosa que otros días. Había mensajeros que corrían de un sector a otro; esclavos acarreando bultos hacia los barcos; sirvientes barriendo los faldones de las tiendas, como se hacía siempre antes de recogerlas. Artemisia habló con Diógenes, el piloto de su nave capitana, y con Fidón, jefe de las tropas. Ambos eran hombres de su confianza, pues desde hacía ya algún tiempo comprendían que si querían que las cosas se hicieran bien y salieran adelante, era mejor consultar directamente con ella que acudir a su esposo.

—Por lo que sé —le dijo Fidón—, hay más jonios que han recibido la orden de recoger. Es posible que a los persas les hayan dicho lo mismo, no lo sé. Pero se nos ha dicho que lo hagamos «con discreción». No podemos desmontar las tiendas hasta que sea de noche. —Fidón miró a ambos lados y bajó la voz—. Hay algo más, señora.

—Cuéntame.

—Yo no lo he visto, pero dicen que esta mañana, no mucho después de salir el sol, se divisaron luces allí —dijo, señalando al suroeste, en dirección al monte que se levantaba sobre el campamento ateniense.

—¿Luces? ¿Por la mañana? ¿Te refieres a reflejos?

—Sí, señora. Al parecer, alguien del enemigo ha utilizado un escudo de señales para comunicarse con nosotros.

—¿Y qué se supone que nos ha comunicado?

—Lo ignoro, señora. Pero puede que tenga que ver con esta decisión tan precipitada.

Artemisia asintió, pensativa. Pidió a Fidón una pequeña escolta, y con ella recorrió el campamento. En torno al pabellón de Datis se había formado un círculo de lanceros que no dejaban pasar a nadie, así que decidió visitar a Hipias.

El antiguo tirano la recibió con amabilidad, como siempre. La invitó a una copa de vino y a comer unos pastelillos de miel, e incluso tocó la lira mientras ella cantaba una oda convival de Anacreonte. Pero cuando intentó sonsacarle sobre lo que estaba pasando, el viejo zorro sonrió, enseñando la mella del diente que había perdido en la playa, y le acarició el muslo. A Artemisia no le ofendió. Lo hacía sin atisbo de lujuria, como un escultor que palpa admirativo la obra de bronce de un colega.

—No sé nada de ninguna señal luminosa, mi hermosa Artemisia. Pero te digo esto: pronto me acompañarás a la Acrópolis. Será lo único que no arda de la ciudad, Datis me lo ha prometido. Después haré que la reconstruyan más bella que nunca, como habría deseado mi padre.

—Has dicho pronto. ¿Tan pronto como mañana?

—Tal vez.

Hipias se encogió de hombros. Artemisia sospechaba que sabía más. Pero el ex tirano no era hombre al que se pudiera manipular, así que renunció y, tras conversar unos minutos con él, se despidió.

Ya de noche, cubierta con un fino manto verde y cruzada de brazos, Artemisia observaba cómo los sirvientes desmontaban la tienda de campaña. Ya habían arrancado del suelo los grandes clavos de bronce y los estaban guardando en bolsas junto con los vientos, mientras otros enrollaban la lona y recogían los palos. Sangodo se había despertado para supervisar el trabajo, pero al cabo de un rato se había puesto de mal humor y había pedido vino para atemperarlo. En ese momento, como era de esperar, roncaba sobre una estera de palma, tapado con una manta, y era Artemisia quien daba las instrucciones para que se llevaran los arcones y los fardos a las naves.

La luna se había levantado sobre el mar horas antes, pero su luz quedaba velada de rato en rato por nubes altas que pasaban por delante de ella como jirones negros. Cuando eso ocurría se oían maldiciones, porque les habían prohibido encender fuegos. Era evidente que Datis no quería que los atenienses se enteraran de que estaban levantando el campamento.

Si es que lo estaban levantando de verdad, se dijo Artemisia. Porque si miraba más allá, hacia el gran pantano, en la parte que alcanzaba a ver del sector saca y persa no se advertían señales de actividad. ¿Cuáles eran las intenciones del general? ¿Enviar lejos a sus súbditos jonios, por si en algún momento se les ocurría pasarse al bando de los atenienses o simplemente desertar? Pero no: Hipias le había dicho con toda claridad que pronto estarían juntos en la Acrópolis de Atenas.

Ahora que se fijaba mejor, alguien venía andando desde la zona donde estaban acantonados los persas, cruzando el descampado que habían dejado las tiendas ya levantadas. Nadie le prestó mucha atención. Tanto los soldados de Artemisia como los de las otras ciudades jonias estaban muy atareados. El hombre siguió acercándose. Artemisia comprendió que venía a buscarlos a ellos y se preguntó si merecería la pena despertar a Sangodo.

El desconocido habló con dos soldados, y luego con Fidón, que tras escucharlo un rato lo dejó a cargo de sus hombres y se acercó a Artemisia.

—Señora, ese tipo dice que quiere darte un recado personalmente.

—¿Quién es?

—No lo conozco. Dice llamarse Córax.

Cuervo, se dijo ella. ¿Qué augurio traería aquel pajarraco? ¿Sería bueno o malo?

—Le he dicho que no te moleste, señora, pero él ha insistido —prosiguió Fidón—. Trae un mensaje sobre no sé qué puente que hay que cruzar.

El puente. El mensaje de Patikara. A Artemisia se le encogió el estómago, y pensó que lo mejor que podía hacer era ordenar a Fidón que echara de allí a ese tal Córax y olvidarse de la furtiva conversación con el enmascarado. Estaba a punto de pisar un terreno más resbaladizo que el pantano que se extendía al norte del campamento.

Pero si la curiosidad perdió a Pandora, ella no iba a ser menos.

—Dile que se acerque.

—Señora, no sé si...

—Tranquilo, Fidón. Sé defenderme —dijo ella, rozándose el moño con la mano derecha.

Fidón asintió. Artemisia se preguntó qué estaría pensando. El militar, un mercenario nacido de madre espartana, era un hombre tan hermético como correspondía a su ascendencia laconia. La noche previa había acompañado a Artemisia en la falúa, y aunque no había dicho nada cuando ella volvió de entre los pinos sacándose agujas del pelo, era evidente que sospechaba a qué se había dedicado. Pero el veterano capitán la conocía desde niña. Él mismo había enseñado a Artemisia a disparar el arco y a manejar la lanza y era lo bastante inteligente para saber que no le convenía juzgarla ni oponerse a su voluntad.

Fidón fue a buscar al tal Córax y lo trajo de nuevo. Era un hombre más bajo que Artemisia y de rasgos ahusados. No infundía demasiada confianza, tal vez porque su rostro recordaba demasiado al de una comadreja.

—Ha llegado la hora de caminar por el puente de Chinvat —dijo.

Por su acento, se notaba que el persa no era su lengua materna. Pero no cabía equívoco posible en el mensaje.

—¿Entiendes mi lengua? —le preguntó Artemisia.

El hombre respondió que sí. Su griego era fluido, aunque con un deje semita, tal vez babilonio. Artemisia le indicó que la siguiera y se apartó de las tiendas, hacia la playa. Fidón amagó con ir detrás de ellos, pero Artemisia le ordenó que se quedara allí. No parecía que aquel hombre tan menudo pudiera suponer una amenaza, y no quería que nadie, ni siquiera sus hombres de confianza, captara un solo retazo de su conversación.

Dejaron atrás las naves de la pequeña flota de Halicarnaso, cinco barcos de guerra y dos de transporte, que eran los últimos de la línea persa. Siguieron andando un trecho más, hasta llegar a unas pequeñas dunas sembradas de matas. Allí se detuvo Artemisia, y al volverse vio que, pese a sus instrucciones, Fidón y un par de hombres la habían seguido de lejos, y ahora se habían parado a unos cien metros de ellos.

Allí es imposible que oigan nada, pensó. El viento soplaba hacia el mar, arrastrando los turbios olores del pantano.

—Habla ahora.

—Creo que le dijiste a *alguien* que harías *algo* por él, señora —dijo Córax, con ínfulas de misterio—. Ahora ha llegado ese momento.

—Lo sospechaba. Sigue hablando —dijo Artemisia, en un tono cortante y autoritario que intentaba disimular sus propios nervios.

—Mi señor dice que cuando tu esposo muera, algo que no tiene por qué demorarse mucho tiempo, no estarás obligada a casarte con nadie si no es tu deseo. Tú misma serás la tirana de Halicarnaso y de las islas que gobierna tu marido, y podrás llamarte reina si quieres.

A Artemisia se le arreboló el rostro. No había nada que más deseara en el mundo que ser llamada «reina» por sí misma.

—¿Qué debo hacer a cambio? —preguntó.

El hombrecillo de cara de mustela se acercó más a ella, y prácticamente cuchicheó en su oído una serie de instrucciones. Artemisia escuchó atenta, sintiendo el cosquilleo de su aliento. Según iba oyendo, su corazón se aceleraba cada vez más.

Traición. Lo que le pedía Patikara por boca de aquel medianero era una simple y llana traición al Gran Rey. Sugerida por un persa a una griega, y mujer además. Qué fácil le sería al enmascarado, si algo iba mal, culpar de todo a Artemisia aduciendo la naturaleza falaz de los griegos y la traicionera de las hembras. ¿Qué harían con ella si la pillaban? ¿Torturaban también a las mujeres? ¿La empalaría Datis, la despellejaría colgándola de un árbol, mutilaría su rostro?

Si Patikara le podía garantizar el título de reina, sin duda era un hombre poderoso, muy poderoso. Pero le había dejado claro a Artemisia que, en caso de que la descubrieran, no saldría a defenderla.

«No quedará prueba alguna de que tú y yo hayamos tenido el menor trato.»

Al recordar la advertencia de Patikara, comprendió lo que tenía que hacer, y a quién debería recurrir para cumplir aquella misión. Alguien incondicional, atado a ella no sólo por la lealtad del sirviente sino también por el vínculo de la carne. Zósimo.

El corazón le palpitaba tan rápido que estaba casi segura de que Córax podía oírlo. Ya no estaba jugando, como había hecho hasta ahora durante toda su vida. No se trataba de vestirse de soldado para sustituir a su marido o de ir de cacería con otros hombres al coto del sátrapa. No, ahora tenía que tomar una decisión irrevocable que cambiaría su futuro. Debía actuar de verdad y hacerlo ella sola.

Y, además, rápido.

Córax la estaba mirando a los ojos, esperando algo. *Sino también por el vínculo de la carne,* se repitió Artemisia. El sexo no sólo era una buena manera de conseguir lealtades. También podía servir como maniobra de distracción.

—Has actuado bien. Tu señor me dijo que yo misma debería recompensarte.

—Así es, señora.

Artemisia dejó caer el manto. Córax abrió los ojos en un cómico gesto de incredulidad, y no parpadeó mientras la joven se soltaba un par de broches del hombro izquierdo, lo justo para abrirse la túnica y desnudar un seno. Debido al fresco de la noche, o tal vez a la excitación del miedo, el pezón se le endureció tanto que casi le dolía.

—La reina Artemisia sabe ser generosa en sus recompensas —dijo, y ella misma agarró la nuca de Córax con la mano izquierda y lo estrechó contra su pecho.

El babilonio se quedó un instante sin saber qué hacer. Pero

luego debió captar los desbocados latidos de Artemisia y malinterpretarlos como deseo, porque empezó a besuquearle el seno y lamerle el pezón como si le hubieran ofrecido un dulce de miel. Artemisia respiró hondo y se dejó hacer. La lengua del hombre era de lija, su saliva pegajosa y tibia, su aliento olía a vino barato y a caries, y ahora se había emocionado y con ambas manos se dedicaba a magrear los glúteos de la joven como si amasara un pan.

Bien, se dijo Artemisia. Ya sentía suficiente asco para hacer lo que tenía que hacer. Mientras con la mano izquierda seguía apretando la cabeza de Córax contra su pecho, con la derecha se sacó el pasador del cabello. Muy despacio, lo acercó a la oreja del hombre, y cuando calculó que la aguzada punta estaba en el orificio, respiró hondo una vez más. Luego empujó con todas sus fuerzas. Una breve resistencia, un empujón más y, con un seco crujido, el punzón penetró hasta la bola de marfil que lo remataba.

El muy cabrón, con el cerebro taladrado y todo, aún le dio un bocado antes de morir. Artemisia lo apartó de sí con asco y lo tiró al suelo. Se tocó el pezón y comprobó que no le había hecho sangre, aunque le dolía mucho el pecho. Levantó los brazos para llamar a Fidón. Al hacerlo, el dolor fue tan intenso que se mareó. Se dobló sobre sí misma y, sin previo aviso, vomitó sobre la arena.

Cuando Fidón llegó con sus hombres, la ayudó a incorporarse.

—¿Estás bien, señora?

Artemisia se limpió la boca con el borde del manto. Sólo entonces se dio cuenta de que no se había cerrado los broches y le estaba enseñando un pecho desnudo al militar. *No pasa nada,* se dijo mientras se lo tapaba. *Así mi historia será más creíble.*

—Enterrad a este bastardo en la arena. Ha intentado violarme.

Fidón la miró con una muda pregunta en los ojos. Artemisia sabía que nunca la formularía en voz alta. Después, mientras sus soldados se llevaban a rastras el cadáver, pensó que era la primera vez que mataba a alguien. Aquel pobre desgraciado era su primera víctima, el primer enemigo muerto por Artemisia, la amazona, la futura reina guerrera. Al pensarlo, sacudió la cabeza, disgustada. No era una proeza tan heroica como para presumir de ella en el futuro, pero no había tenido más remedio.

Ahora, para terminar lo que había empezado, necesitaba a Zósimo.

Y a Temístocles, claro.

Campamento griego

Cuando despertaron a Temístocles para que acudiera al mismo sitio de la noche anterior, se preguntó con cierto desapego si le esperaría otra sesión de sexo tan exigente como la de la víspera. Fuera por el ardor con que Artemisia y él se lo habían tomado o por la dureza del suelo, el caso era que le dolían los huesos de la cadera y tenía agujetas en los brazos y en las nalgas. Con casi treinta y cinco años no se podía fornicar como un adolescente, se dijo, mientras atravesaba el olivar y la barra de arena gruesa que llevaba a la playa.

Esta vez no lo aguardaba Arístides, sino Melobio, el general de su propia tribu. Hasta que amaneciera, la Leóntide estaba de guardia y Melobio al mando de todo el ejército. Lo cual, desde el punto de vista práctico, significaba que era Temístocles quien ejercía el control.

Junto con Melobio había un grupo de seis soldados rodeando a un hombre. Temístocles lo reconoció. Era el criado de Artemisia, el mismo que lo había llevado por la playa hasta el batel donde le esperaba ella. El esclavo venía descalzo, vestía tan sólo una túnica corta y, según le informó Melobio, la única arma que le habían encontrado era un puñal al cinto.

—Dice que es un desertor jonio —añadió el general—. Quiere hablar contigo. Asegura que trae un mensaje importante.

—¿Cuál?

—Lo ignoro. Ya te he dicho que sólo quiere hablar contigo.

Temístocles detectó un dejo de irritación en la voz del general. Le clavó los ojos sin parpadear hasta que Melobio no tuvo más remedio que apartar la vista. *Recuerda cuál es tu sitio,* le había dicho Temístocles con aquella mirada.

Melobio le debía mucho. Si había sido elegido como general era gracias a las influencias de Temístocles en la tribu Leóntide; en particular en los demos del sur, cerca del distrito minero, que prácticamente comían en su mano. Además, cuando concluyese su generalato, se había comprometido a pagarle a Melobio las deudas de juego: ocho mil trescientas dracmas de pérdidas que había acumulado apostando a los caballos y jugando a los dados en la mitad de los garitos del Pireo.

Temístocles procuraba no abusar de la situación, consciente de que un hombre que debe un favor es un hombre resentido. Delante de todo el mundo se mostraba respetuoso con él, como si de verdad fuese Melobio quien mandara el contingente de la tribu, y tenía la delicadeza de no mencionarle nunca la obligación que los unía.

No hacía falta recordarle a Melobio que si Temístocles le retiraba su protección, sus acreedores volverían a enviarle a los matones del Pireo. La primera vez le habían propinado tal paliza que le hundieron dos costillas, y para despedirse le cortaron los dedos meñique y anular de la mano izquierda, los mismos que Melobio aseguraba haber perdido aserrando un tablón en su casa. *«La próxima vez te tiraremos a un horno de carbonero»,* lo amenazaron cuando lo dejaron tirado en un callejón que daba a los cobertizos de Muniquia.

Lo que ignoraba Melobio, y mejor que siguiera ignorándolo, era que a esos matones los había contratado Temístocles. La amputación de los dos dedos era un exceso que había deplorado y por el que descontó a los sicarios cinco dracmas. Aunque, siendo ecuánimes, tampoco había que rasgarse la túnica por ello. Melobio todavía podía embrazar el escudo con los otros tres dedos y, por otra parte, era un noble rentista que no había trabajado con las manos en su vida.

Temístocles se encaró con el esclavo de Artemisia. Ahora que lo veía más de cerca, comprobó que era joven y bien parecido. Le miraba a los ojos sin agachar la cabeza, con el aplomo de quien sabe o cree que tiene una misión importante que cumplir.

No dio muestras de reconocerlo, y él decidió seguirle el juego.

—Yo soy Temístocles, hijo de Neocles, del demo de Frear. ¿Es a mí a quien buscas?

—Sí, señor.

—¿Cuál es esa información que traes y que sólo quieres revelarme a mí?

—Los persas están dividiendo sus fuerzas. Ahora mismo están embarcando ya a la tercera parte de la infantería y a casi toda la caballería.

—¿Qué pretenden con eso?

—Se han enterado de que los espartanos no llegarán al menos hasta dentro de dos o tres días. Por eso, han decidido atacar y destruir Atenas antes de que aparezcan.

Temístocles se acarició la barbilla. Hasta ahora, sobre los persas pendía la amenaza de que los espartanos pudieran llegar en cualquier momento. Probablemente, era esa amenaza la que impedía a Datis tomar ninguna decisión y la que había mantenido la situación estancada durante aquellos cinco días. Pero ahora, si el criado de Artemisia tenía razón, el general persa sabía que podía contar con un par de días de margen sin tener que enfrentarse a los espartanos. En cuanto a cómo había recibido esa información, para Temístocles resultaba obvio.

Esa misma mañana, mientras Arístides y Melobio efectuaban el relevo del mando, alguien había señalado al Agrélico. El sol se acababa de levantar, y en la ladera del monte, casi en su cima, su luz había arrancado un reflejo de algo que parecía metálico. Durante un instante Temístocles pensó que se trataba de un brillo aislado, un relumbre en el yelmo o la punta de la lanza de algún explorador. Pero el destello se repitió varias veces, y era evidente que seguía un patrón, aunque nadie de los que lo estaban viendo reconoció aquel código. Temístocles ordenó que alguien del batallón subiera al monte a investigar. Sus hombres aún no habían llegado al pie de la ladera cuando la secuencia de reflejos se interrumpió. Tal vez la persona que enviaba las señales había visto a los soldados que trepaban al Agrélico y se había asustado. O más bien, como se temía Temístocles, ya había terminado de transmitir su mensaje.

Como fuere, cincuenta hombres de la Leóntide habían estado media mañana rastreando el monte. Por fin, Euforión apareció ante Temístocles, jadeante y lleno de arañazos, y le enseñó lo que había encontrado boca abajo y escondido entre unas zarzas. Era un escudo votivo, de menor diámetro y más plano que uno de guerra, y su superficie de bronce, lisa y bruñida, reflejaba las imágenes casi como un espejo.

—Algún hijoputa ha utilizado esta mierda para hacer señales —dijo el Nervios, que con el esfuerzo de recuperar el resuello casi se había olvidado de sus tics.

En aquel momento, Temístocles había sospechado que el mensaje del espía tenía que ver con Esparta, las fiestas carneas y el plenilunio, pues era la única información realmente comprometida que se podía filtrar a los persas. Pero ahora, tras oír al esclavo de Artemisia, ya no sospechaba. Estaba seguro. Alguien en sus propias filas los había traicionado.

No tenía sentido lamentarse por ello. Lo importante ahora era ponerse bajo la piel de Datis. ¿Qué decisión tomaría él si fuera el general enemigo?

Datis ya sabía que durante un par de días sólo tendría que contar con los diez mil atenienses, a los que casi triplicaba en número, sin preocuparse por los espartanos. Aun así, seguiría sin querer atacarlos de frente en la zona de piedemonte, donde los atenienses estaban protegidos por la abatida de pinos y por las irregularidades del terreno. Aunque acabase venciendo, lo más probable era que perdiese muchos efectivos en el empeño.

¿Qué podía hacer para sacar a los atenienses de su guarida? Actuar como un cazador y buscar su verdadera madriguera, el lugar donde se escondían sus crías. Si no tenía que enfrentarse a la vez a atenienses y espartanos, Datis disponía de tropas de sobra para dejar una parte en Maratón y despachar otra con la flota para tomar Atenas.

Si fuéramos los dueños del mar, esto no ocurriría, se repitió una vez más Temístocles, rechinando los dientes. Pero eso era algo que se debería arreglar en el futuro. En ese instante, la cuestión era: ¿qué iban a hacer ellos?

Aquella situación superaba claramente a Melobio, y Temístocles no era general ni tenía el grado ni el ascendiente necesario para manejarla con los demás estrategos, así que ordenó a un soldado que fuera a despertar a Milcíades.

—Dile que se reúna con nosotros en el claro del olivar, junto al templete.

Milcíades llegó al claro poco después que ellos, acompañado de su hijo. Cimón se las había arreglado para perfumarse y peinarse sus largas trenzas en un periquete, mientras que Milcíades venía con cara de pocos amigos, el pelo revuelto y bolsas en los ojos. Pero cuando Temístocles le explicó lo que pasaba, el general se espabiló al instante y se encaró con el esclavo.

—¿Quién te envía?

—Los jonios, señor.

—¿Los jonios? Sé un poco más explícito. ¿Quién en particular?

—No puedo decir nada más, señor.

Milcíades se giró de medio lado y luego, sin previo aviso, le soltó un revés. Aunque el esclavo era alto y musculoso, Milcíades tenía tanta fuerza que lo hizo trastabillar y casi lo derribó. El joven se enderezó, se llevó la mano al labio partido y miró con rencor al general, pero no dijo nada. Temístocles tomó del brazo a Milcíades y le pidió que hiciera un aparte con él.

—Creo que su información es buena —le dijo, mirando de reojo al desertor, que seguía rodeado por los hombres de Melobio. Éste, con buen criterio, se mantenía a cierta distancia para dejar que Temístocles y Milcíades hablaran a solas.

—Preferiría algo más seguro que tu creencia.

—Hay que actuar rápido, Milcíades. Si los persas están enviando un tercio de su ejército y su flota a Atenas, llegarán allí antes del atardecer.

—¿Y por qué mandarían tan sólo una parte?

—Si los enviaran a todos y abandonaran su campamento en Maratón, nosotros volveríamos a marchas forzadas a Atenas. Ellos se encontrarían por delante con una singladura de casi ciento veinte kilómetros, primero navegando hacia el sur y luego hacia el noroeste. Nosotros tendríamos que recorrer cuarenta kilómetros a pie para alcanzar la ciudad antes que ellos e impedir su desembarco. Supongo que podríamos llegar a tiempo. Pero si ellos dejan la mitad de su ejército aquí...

—No podríamos marcharnos alegremente por el camino de Atenas dejando a todos esos persas a nuestra retaguardia —completó Milcíades, y sacudió la cabeza.

—Tenemos que decidir qué hacemos, y rápido —dijo Temístocles.

—Lo primero es que convenzas a tu amigo Melobio de que me ceda a mí el mando. Esto le viene demasiado grande.

Temístocles asintió.

—Cuenta con ello.

—Y lo segundo —prosiguió Milcíades— es comprobar que la información es buena. Si se trata de una trampa para hacernos salir de nuestras posiciones, vamos a estar bien jodidos. Así que voy a averiguar quién ha enviado a ese esclavo aunque tenga que arrancarle las uñas de cuajo.

Temístocles decidió alejarse de allí. Quería comprobar algo en persona y, además, prefería no estar delante cuando torturaran al esclavo. Al hacerlo, Milcíades no dejaba de seguir una costumbre ateniense. En los juicios contra ciudadanos, cuando un esclavo declaraba a favor o en contra de su amo, su testimonio no se aceptaba si no era bajo tormento. La idea era que, siendo los esclavos mendaces por naturaleza, sólo el dolor les podía arrancar la verdad.

Temístocles mismo se había visto en una de esas situaciones el año de su arcontado, cuando un sicofanta lo denunció por irregularidades en las minas de plata que tenía arrendadas en el Laurión. Grilo, su administrador, había testificado a su favor, pero sólo después de que lo azotaran con un haz de verdascas y le estrujaran los dedos con empulgueras. Por supuesto, Temístocles le había garantizado una sustanciosa recompensa y, un par de años más tarde, cuando el asunto ya estaba casi olvidado, le concedió a Grilo la libertad.

Ahora, mientras volvía al sector donde estaba acantonada su tribu, Temístocles se acordó de nuevo del juicio. En una visita a las minas, para cerciorarse de que las cuentas estaban en regla, fue cuando se produjo el derrumbamiento de aquella galería. Sacaron de entre los escombros quince cadáveres y a un hombre que, milagrosamente, seguía vivo. Sicino.

Desde entonces, Temístocles había liquidado los negocios de la familia en las minas, aun a costa de malvender y perder dinero. No quería más juicios y, sobre todo, no quería sufrir pesadillas pensando en aquellos hombres que trabajaban reptando por las entrañas de la tierra y se arriesgaban a una muerte tan espantosa.

—¡Espera, Temístocles! —le dijo Cimón, corriendo tras él—. ¿Adónde vas?

—Hay otras formas de verificar si la información que ha traído ese desertor es auténtica.

—Te acompaño.

Esta vez Temístocles sí despertó a Sicino, y también ordenó a diez soldados más que los escoltaran; el traidor que había hecho las señales con el escudo podía seguir emboscado entre la espesura. Treparon por la falda del monte. Cuando Temístocles decidió que había llegado a un buen punto de observación, a unos cien metros sobre la llanura, los demás estaban jadeando.

—Estás en buena forma, Temístocles —reconoció Cimón, que a pesar de ser un atleta también resollaba ligeramente.

Temístocles pensó un instante en ello, y se dio cuenta de que no eran sus piernas las que habían subido la ladera, sino su mente. Estaba preocupado, excitado, y a la vez, extrañamente vivo. *Es la ambrosía del poder,* se dijo. La misma que allí en las cumbres del Olimpo debía degustar el padre Zeus y que deshacía el cansancio de sus miembros.

—La dioptra, Sicino —pidió, extendiendo la mano.

A simple vista era difícil adivinar nada. El campamento persa, a casi cuatro kilómetros de allí, se veía como todas las noches, un enjambre de luces dispersas entre masas de oscuridad. Bajo la luz de la luna, las naves fondeadas eran manchas más oscuras sobre el gris plateado del mar.

Al mirar por la dioptra, sintió el habitual desconcierto por verlo todo cabeza abajo. Después, tras acostumbrarse, enfocó el tubo a los barcos anclados, ya que le había parecido intuir movimiento. Sí, había botes y lanchas maniobrando entre ellos. ¿A oscuras, y a esas horas? Volvió la dioptra hacia la playa. Había una zona de arena más blanca, donde las figuras se perfilaban mejor. Allí también se estaban produciendo movimientos.

En ese momento una nube tapó la luna. Su luz ya era lo bastante tenue como para además prescindir de ella.

—¡Maldita sea!

—Déjame mirar a mí —pidió Cimón.

Normalmente, los demás eran tan reacios a asomar el ojo a aquel artefacto como Temístocles a prestarlo. Aun así, se lo tendió. *Ten cuidado,* estuvo a punto de decir, pero pensó que era un consejo inútil y que seguramente irritaría al joven eupátrida.

—¡Por Hécate! —exclamó Cimón—. ¡El suelo está arriba y el cielo está abajo!

—Es cuestión de acostumbrarse.

—No. Mejor haré otra cosa.

Cimón le devolvió la dioptra. Luego, para sorpresa de Temístocles y de los demás, se acercó a un pino del que salía casi en ángulo recto una gruesa rama, dio un salto para colgarse de ella con las manos, se izó a pulso, se dio la vuelta en el aire sobre sí mismo, enganchó las corvas en la rama y se quedó colgando cabeza abajo.

—¡Pásame eso!

Ahora sí que Temístocles no pudo evitar pedirle que tuviera cuidado. En aquella postura acrobática, Cimón se llevó la dioptra al ojo. Por fortuna, en ese momento, la nube que había velado la luna pasó de largo.

—¡Esto es increíble, Temístocles! —exclamó el joven, en tono entusiasmado—. ¿Quién fabricó esta maravilla, el propio Hefesto?

—Mira a los barcos varados en la orilla y dime qué ves.

—Espera un momento. Qué mareo, esto se mueve muy rápido... ¡Sí, ya los veo!

Durante unos segundos, Cimón no dijo nada, mientras los demás miraban la extraña estampa que componía colgado boca abajo y con la túnica vuelta sobre la cintura. El joven no llevaba taparrabo. Para los griegos, que se desnudaban con tanta naturalidad como se rascaban, era una visión más que habitual. Pero Sicino apartó la mirada, y Temístocles sonrió al verlo. Había dos cosas a las que los bárbaros no se acostumbraban: a la libertad y a la contemplación de sus propios cuerpos.

Cimón le devolvió la dioptra a Temístocles, y después se descolgó girando sobre sus hombros.

—El esclavo está contando la verdad —dijo Cimón tras posarse en el suelo—. Los persas están embarcando los caballos.

—Pues vamos a decírselo a tu padre antes de que despelleje a ese pobre infeliz.

Cuando volvieron al olivar ya era demasiado tarde. Milcíades se había empeñado en averiguar quién estaba detrás del chivatazo, pero el desertor se negaba a confesarlo. Al principio, el general había dejado el interrogatorio en manos de los soldados, pero después se impacientó y golpeó al esclavo mientras sus hombres lo sujetaban. Alguno de sus puñetazos debió de ser tan fuerte que le había reventado una víscera. Ahora, el joven yacía exánime en el suelo, con la cara vuelta sobre un charco de su propia sangre.

Temístocles se preguntó qué tipo de lealtad inspiraba Artemisia en sus sirvientes para que prefiriesen morir a golpes antes que revelar su nombre, y pensó que, en verdad, sería mejor no encontrarse con ella en el campo de batalla.

—¿Quién demonios nos ha informado? —maldecía Milcíades, mientras se frotaba los nudillos doloridos.

Temístocles sopesó un segundo la posibilidad de hablarle de Artemisia. Pero nadie iba a ganar demasiado con esa revelación, mientras que él podía guardarse un dado trucado para el futuro si se lo callaba.

—Puede haber traidores entre ellos, como los hay entre nosotros —respondió—. Lo importante es que el informe de ese desertor era cierto. Los persas están cargando las naves y embarcando a la caballería.

Durante unos segundos, Milcíades paseó arriba y abajo del

claro, con las manos entrelazadas a la espalda. Después pareció darse cuenta de algo y, señalando al cadáver, ordenó:

—Sacad eso de aquí. Está contaminando el santuario. —Y dirigiéndose a Temístocles, preguntó—: ¿Y ahora qué hacemos?

Para sorpresa de Temístocles, Cimón se le adelantó.

—Está claro, padre. Tenemos que aprovechar para presentar batalla a los persas.

—¿A cuáles? ¿A los que se van o a los que se quedan? ¡Esperad! Lo que he dicho es absurdo. Por supuesto que a los que se quedan... —Milcíades se mordisqueó el bigote, y luego se volvió hacia Temístocles—. ¿A cuántos hombres nos enfrentaríamos?

Temístocles calculó rápidamente.

—Si la información de ese desertor era precisa, a quince o dieciséis mil.

—Aún hay un persa y medio por cada uno de nuestros hoplitas.

—Pero sin caballería. Eso sería una gran ventaja.

—Si es una trampa y salimos a la llanura, nos tendrán bien cogidos.

Temístocles meneó la cabeza.

—No es ninguna trampa. Creo entender lo que está pensando Datis. Al enviar los barcos contra Atenas, nos está ofreciendo una alternativa diabólica. Él supondrá que acudiremos en auxilio de nuestra ciudad, y usará el resto de sus tropas para atacarnos por la espalda.

—Brrrr —resopló Milcíades, mesándose el cabello—. Un ejército de hoplitas no está preparado para protegerse en columna de marcha, y menos si los enemigos tienen arqueros. Convertirían nuestro regreso en un infierno.

Temístocles asintió. Conocía a algunos supervivientes de la campaña de Sardes. Cuando arrasaron la ciudad, se las prometían muy felices. Pero después, durante la retirada, un ejército persa los persiguió, y sus soldados, más ligeros de impedimenta que los griegos, los estuvieron hostigando con sus flechas y sus emboscadas hasta el mar. Cuando llegaron a Éfeso, los aliados habían perdido en el camino a más de la mitad de sus hombres, muertos o esclavizados.

Un precedente poco halagüeño, sin duda.

—¡Por eso tenemos que atacar primero, padre! —insistió Cimón—. Salir de nuestra posición, embestir de frente a los persas y derrotarlos.

—Y luego, ¿qué? ¿Regresar corriendo a Atenas para llegar allí antes que el resto de los persas?

—Me temo que no nos queda otro remedio —dijo Temístocles.

—Cuarenta kilómetros a marchas forzadas después de una batalla que lo más probable es que perdamos. —El viejo león sonrió y enseñó sus dientes grandes y cuadrados—. Si lo conseguimos, estoy deseando ver qué cara ponen los espartanos.

Mientras los generales y el polemarca discutían en la tienda, Temístocles esperaba fuera. Por veto expreso de Jantipo, Arístides y otro par de estrategos, los taxiarcas no habían sido admitidos en la reunión.

—No te engañes, amigo, no es por nosotros —le dijo Cinégiro—. Los demás taxiarcas no les importamos. Es por ti. No quieren que estés presente y acabes manejándolos a todos.

—Espero que Milcíades se las arregle solo —dijo Temístocles, preocupado. Lo más probable era que el traidor responsable de las señales luminosas estuviese en esa tienda. Megacles, el Alcmeónida, era para él el candidato obvio. El propio Clístenes le había prevenido contra su clan.

—Puedes estar tranquilo. Si se empeñan en votar en su contra, se liará a puñetazos con todos juntos hasta que le den la razón.

Es muy capaz, pensó Temístocles, recordando el trazo de sangre que había dejado en el suelo el esclavo de Artemisia cuando lo sacaron a rastras del claro.

Las sombras fantasmales de los árboles apuntaban hacia el este. Temístocles levantó la mirada. La luna empezaba ya a bajar hacia el Agrélico, pero Arturo, que en aquellas fechas salía poco antes que el sol, aún no había asomado. Debían quedar dos horas para el amanecer. Era la hora más fresca de la noche y los perros del campamento aullaban como si intuyeran lo que se avecinaba. En el cielo seguía habiendo nubes que pasaban cada vez más rápidas, oscuras como una jauría de lobos a la caza. Temístocles se imaginó al gélido Bóreas rugiendo en las alturas, por encima de donde vuelan las águilas, esperando a que llegara el invierno y el padre Zeus le diera permiso para bajar a tierra y azotar la llanura.

Sobre la tienda de los generales, el estandarte de lino con la lechuza de Atenea, que durante el día había colgado mustio, ahora empezaba a flamear tímidamente. Cuando Temístocles espiaba el campamento persa, se había fijado en que sobre el pabellón azul de Datis ondeaba una enorme bandera, aunque apenas soplara brisa. Debía de ser de seda, aquel tejido tan ligero y sutil como un sueño y tan caro como si estuviera fabricado de hilos de plata.

—Concédenos la batalla y la victoria, ¡oh, Ártemis! —murmuró, mirando a la luna—, y te prometo que mi propia esposa te bordará en seda un estandarte digno de ti.

Al ver que la lechuza seguía formando ondas en el aire, Temístocles se chupó el dedo y lo puso en alto. Como se temía, se había levantado viento del norte, el etesio normal en aquella época del año. Aunque no soplara muy fuerte, ayudaría a que las naves persas llegaran antes al cabo del Sunión. Una vez doblado éste, probablemente se encontrarían con otro viento local de componente sur que los impulsaría hasta Atenas, o que al menos no los frenaría, pues el régimen de brisas y vientos en la parte occidental del Ática era muy peculiar.

Tenían que darse prisa.

—Haremos una cosa, Cinégiro —dijo, volviéndose a su amigo—. Vamos a despertar a los hombres ahora mismo. Que desayunen ligero, y que tengan todas las armas a mano.

—¿Y si los generales deciden no plantar batalla? —objetó otro taxiarca. Pero Cinégiro asintió.

—Haremos lo que dice Temístocles. En el peor de los casos, los soldados se acordarán de nuestras madres por despertarlos aún de noche. Y si todo va bien, estarán preparados a tiempo.

Mientras todo el campamento se despertaba con una mezcla

de aprensión, malhumor y excitación, los generales seguían debatiendo. Las voces eran ya tan destempladas que sus palabras se distinguían perfectamente; sobre todo cuando era Milcíades quien las pronunciaba.

—¡Vamos, barbilindo! —exclamó. Debía de referirse a Calímaco. El polemarco tenía la barba tan poco poblada que prefería rasurársela con una navaja—. ¡Tienes que decidirte ya! ¡Vota a favor o vota en contra!

—Ésa no es mi función —se oyó la débil protesta de Calímaco—. Yo estoy aquí para asegurar el favor de...

—¡Vota de una puta vez, maldita sea!

Algunos taxiarcas se miraron escandalizados, mientras Cinégiro se tapaba la boca con la mano para contener una carcajada. Las voces de los generales volvieron a convertirse en un difuso runrún, y luego se oyó un aullido de alegría.

El inconfundible rugido del león.

La puerta de la tienda se abrió a un lado, y el corpachón de Milcíades apareció en ella. Se fue derecho hacia Temístocles y su hijo y los estrechó a cada uno con un brazo, levantándolos del suelo en un apretón digno de un oso.

—¡Poneos las armas! ¡Vamos a la batalla!

Maratón, 11 de septiembre

Temístocles observó con ojo crítico el equipo de Fidípides. El corredor llevaba varios días comiendo como un lobo, a base de pingües costillas de vaca y chuletas de cordero, redondas hogazas de pan blanco y untuosos quesos de cabra. Sus canillas se habían rellenado con un poco de carne, igual que sus pómulos, que cuando llegó al campamento con el mensaje espartano estaban hundidos como cuévanos. Pero seguía siendo tan delgado que parecía como si detrás del escudo de roble, en vez de una lanza y un guerrero, hubiera dos lanzas juntas.

—No llevas grebas.

—Se me caen —contestó él.

Temístocles apartó un poco el escudo y examinó la coraza. Era de cuero hervido, con placas de metal del tamaño de media mano cosidas en la zona del abdomen. Le faltaban tres o cuatro de aquellas escamas. Temístocles metió los dedos entre la hombrera y la clavícula de Fidípides y movió el peto.

—Baila bastante. Te hará rozaduras.

—Estoy acostumbrado a las rozaduras —contestó Fidípides, terco.

—¿De dónde has sacado estas armas? —le preguntó Temístocles, observando ahora el escudo. No tenía refuerzo de chapa, tan sólo una bloca de bronce en el centro. También le faltaba el ribete, y en el borde de madera se advertían varios bocados. La Gorgona cabezuda pintada en negro sobre el fondo rojo estaba descascarillada.

—Me las han regalado por ser tan guapo.

Temístocles tomó la lanza. Al menos, era de madera de tejo, algo más gruesa que un pulgar, y la moharra de hierro no estaba oxidada. En el otro extremo, en lugar del regatón de bronce terminado en punta para clavar la lanza en el suelo, tenía un simple pincho embutido en la madera.

En campaña, siempre había hoplitas que necesitaban reponer un escudo desvencijado, una lanza rota o, incluso, un yelmo robado al ir a las letrinas —unos diestros martillazos y un penacho nuevo ayudaban a disfrazarlo para que su antiguo dueño no lo reconociera—. Por eso los armeros hacían un buen negocio siguiendo al ejército; pero había algunos que vendían armas de tan baja calidad que más bien merecían el nombre de chatarreros.

—Espero que no te hayas gastado en esto todo el dinero que te di —le dijo—. Te habrían timado.

El corredor torció el gesto, sin decir nada. Había aparecido en sus filas en el mismo momento en que el ejército ateniense atravesaba la abatida de pinos y formaba en la llanura abierta, cuando el cielo empezaba a grisear a oriente y Arturo anunciaba por fin la cercanía del sol. Fidípides se había empeñado en formar con los demás hoplitas, aunque como heraldo estaba exento de combatir.

—Ni siquiera eres de mi tribu —le dijo Temístocles, desesperado de hacerle entrar en razón—. Estás inscrito en la Cecrópide.

—¿Es que tienes un catálogo grabado debajo de la frente?

—Me temo que sí.

—Pues prefiero luchar al lado de alguien que tiene buena cabeza que a las órdenes del bocazas de Jantipo.

Temístocles ladeó la barbilla.

—Supongo que es un halago. ¿Por qué tanto empeño en combatir?

Fidípides se volvió, y con un gesto de la lanza abarcó la fila que se extendía a ambos lados, izquierda y derecha. Mil quinientos escudos de frente alineados en la llanura, extendiéndose desde la barra de grava que delimitaba la playa hasta casi las laderas del Crotón. Por delante, los taxiarcas y sus ayudantes pasaban revista y daban las últimas instrucciones, como estaba haciendo ahora Temístocles. En el centro, a menos de cincuenta metros de ellos, los diez generales y el polemarco ultimaban sus deliberaciones y se preparaban para el sacrificio previo al combate.

—Nunca ha habido una batalla como ésta —respondió el corredor—. Cuando sea viejo y me pregunten dónde estaba el día de la batalla de Maratón, no quiero contestar que mirando desde un cerro.

Lo mismo le había dicho Mnesífilo cuando apareció con su panoplia. Por lo menos era mejor que la de Fidípides. *«Tienes cincuenta y tres años. ¿Qué haces aquí?»*, le había dicho Temístocles. *«No me pierdo esta locura por nada del mundo. Quiero ver si a los dioses les gusta tu plan o si nos aniquilan a todos»*, le contestó Mnesífilo.

Y, en verdad, su plan era una locura. Lo había discutido con Milcíades una hora antes. Los soldados estaban desayunando en frío, a toda prisa. Los había que se atiborraban como si no fueran a comer nunca más en su vida; y tal vez tenían razón. Había cundido el rumor de que hoy no iban a formar como todos los días, para hacer plantón durante horas al sol detrás de la abatida, sino que esta vez habría batalla de verdad. Muchos corrían tras los pinos y los matorrales para aliviar el vientre, porque en las letrinas había que esperar cola y los taxiarcas y los jefes de fila apremiaban a formar cuanto antes. La mayoría bebían más que comían, y no le echaban demasiada agua al vino. Hasta entonces, no les había faltado el jugo de Dioniso, porque estaban cerca de casa y todos los días llegaban caravanas de acémilas con provisiones. Pero ahora necesitaban más para adquirir valor antes de la batalla, o simplemente para embotar la conciencia y no pensar demasiado en lo que les esperaba.

Temístocles no los culpaba, pero él sólo bebió agua hervida. Necesitaba la cabeza despejada. En su mente no dejaban de correr los números, saltando de un lado a otro como las cuentas coloreadas del ábaco. El mensaje del criado de Artemisia era muy concreto, y Temístocles, por lo poco que conocía a la joven de Halicarnaso, estaba seguro de que su fuente de información era precisa y fiable.

El esclavo había dicho que Datis estaba enviando a Atenas a un tercio de su infantería. La tercera parte de veinticinco mil eran casi ocho mil quinientos hombres. Redondeando, si era cierto que los mandos persas se mostraban tan puntillosos con el sistema decimal, nueve mil. Eso dejaba dieciséis mil en el campo de batalla. Como los persas formaban con un fondo de diez hombres, el resultado era un frente de mil seiscientos guerreros.

Los atenienses y sus aliados plateos, en su formación habitual de ocho en fondo, podían oponerles un frente de mil doscientos cincuenta escudos. Eso suponía que el frente persa superaba al suyo por trescientos cincuenta hombres. A un metro de espacio por cada uno, cada flanco del enemigo se extendía ciento setenta y cinco metros más lejos que las alas griegas. Eso era particularmente peligroso en la derecha, donde formaba el polemarca, pues los hombres de esa zona no tenían protegido el costado de la lanza. Una solución era desplazarse en oblicuo a la derecha al avanzar, maniobra que tendían a hacer todos los ejércitos de hoplitas, salvo los disciplinados espartanos. Pero eso dejaría el flanco izquierdo de los plateos completamente sobrepasado por el enemigo: quedaría un corredor enorme entre ellos y el monte, por donde podrían entrar varios batallones persas, rodear a los atenienses y atacarlos por la espalda. Si la falange se veía rodeada, sin posibilidades tan siquiera de retirarse en caso de sufrir un revés, su destino inevitable sería la aniquilación.

Temístocles tuvo la visión de las tres primeras clases de Atenas, toda su élite, tendida en el polvo, entre nubes de moscas y hediondos cuajarones de sangre negra. Vio a los persas pasando sobre sus cadáveres y entrando en una ciudad indefensa. Los templos incendiados, las tumbas profanadas, los restos de los antiguos héroes esparcidos al sol. Su casa, saqueada. Su madre, ya anciana e inservible, asesinada de un lanzazo. Arquipa y Apolonia, violadas junto con las criadas y luego convertidas en concubinas del harén de algún potentado persa. Sus hijos, vendidos como esclavos o convertidos en eunucos, y probablemente también violados...

Atenea, señora de la inteligencia, enséñame un camino, por angosto que sea, por descabellado que parezca, rogó.

Sólo se le ocurría una solución. Pero una cosa era dibujarla con un palo en la arena del suelo y otra cosa llevarla a la práctica con hombres de verdad y bajo un diluvio de flechas. A pesar de todo, no había otra opción, así que se acercó a hablar con Milcíades. El viejo león discutía acalorado con los demás generales. Sin duda, debatían precisamente sobre el despliegue de las tropas.

Cuando Temístocles le dijo que quería hablar con él, Milcíades se apartó del grupo y los dejó debatiendo entre sí.

—Cuando salga el sol, el mando le corresponderá a la Pandionisia, pero Euclides también me lo ha cedido a mí —le explicó a Temístocles—. No pueden tomar ninguna decisión mientras no esté yo delante.

—Me alegro.

—Al fin y al cabo, lo más cerca que esos pazguatos han visto a un persa es pintado en el fondo de una copa. No tienen más remedio que recurrir a mi experiencia.

Temístocles pensó en cómo enfocar la cuestión. Milcíades no se había abstenido del vino, como él. Nunca lo hacía, y hoy no iba a ser el principio de una nueva vida más virtuosa. Con aquel corpachón que tenía, era muy difícil que se emborrachara, pero el licor de Dioniso le calentaba más de lo debido tanto el ánimo como la boca.

Ésa era una buena posibilidad. Una boca caliente. Milcíades era de los que nunca contestaban que no a la pregunta: «*¿A que no tienes agallas para...?*»

—¿Dónde crees que estará el punto más fuerte del enemigo? —preguntó Temístocles, aunque conocía de sobra la respuesta, ya que lo había visto con sus propios ojos.

—Los persas siempre colocan a sus mejores hombres en el centro. De eso discutía con esos ineptos. —Milcíades se agachó y recogió del suelo una gruesa rama que se había caído de una pila de leña—. Vamos a reforzar nuestro centro para romperles el espinazo —*¡Chas!,* la rama se partió entre sus dedos como un mondadientes—, justo ahí, donde más fuertes se sienten.

Temístocles asintió, como si de veras estuviera considerando esa idea.

—Seguro que sorprenderá a Datis...

—¡Imagínate qué cara pondrá cuando vea a la flor de sus lanceros poniendo pies en polvorosa!

—... pero me preocupa un poco qué pueda pasar en las alas. Si consiguen flanquearnos por la derecha y la izquierda, nos envolverán, y entonces las filas de hoplitas que tengamos acumuladas en el centro no nos servirán de nada. Nos aplastarán por la pura fuerza de su número.

Milcíades entrecerró los ojos.

—Tú ya has pensado algo. Desembúchalo de una vez. ¿Qué me sugieres?

—Que seamos nosotros quienes los rodeemos a ellos.

Ahora Milcíades abrió unos ojos como platos y tragó aire. Durante un instante, Temístocles pensó que lo iba a colmar de improperios, pero el viejo león soltó una carcajada y le palmeó la espalda con tanta fuerza que casi lo derribó.

—¡Qué pelotas tienes! No había oído nada tan absurdo en mi vida. Pero, por si acaso, cuéntame cómo vamos a rodear a los persas siendo menos que ellos.

A Milcíades le había parecido bien el plan de Temístocles, y enseguida volvió con los generales para comunicarles lo que se le había ocurrido. *A él*, por supuesto. Para evitar que las alas del enemigo pudieran flanquearlos, explicó Milcíades, iban a estirar su propio frente. Por supuesto, lo primero que pensaron todos fue en «adelgazar» sus alas, pues ahí era donde los persas habían dispuesto a las tropas en las que confiaban menos, mientras que los propios iranios se aglomeraban en el centro. La propuesta de Milcíades los sorprendió. Pero, y Temístocles tenía que reconocerle ese mérito, la había defendido con tanta convicción como los charlatanes que pregonaban sus mercancías en el Ágora.

—No vamos a estirar las alas, sino el medio —concluyó, dibujando el despliegue sobre la arena. Ahora ambas líneas, la griega y la persa, medían lo mismo, pero la parte central de las tropas atenienses se veía lastimosamente frágil.

—¡Nos van a partir en dos si hacemos eso! —chilló Jantipo, escandalizado.

Milcíades se volvió hacia Arístides.

—Tu tribu estará en el centro. ¿Crees que podrán resistir?

Arístides, por supuesto, dio la única respuesta que se podía esperar de él.

—Si lo manda la ciudad, resistirán.

Ésa era la primera parte del plan de Temístocles. Las dos tribus que ocupaban el centro y se enfrentaban a la flor del Imperio Persa formaban con tan sólo cuatro filas de profundidad, en lugar de las ocho habituales.

El problema para Temístocles era que su tribu formaba allí junto a la de Arístides. El sorteo realizado al llegar a Maratón para decidir la colocación de las tribus y el orden de mando de sus generales había establecido que la Antióquide y la Leóntide fuesen la quinta y la sexta respectivamente. Así que ahora los hombres de los dos viejos rivales formaban codo con codo. El plan del propio Temístocles iba a poner en peligro a sus camaradas y a provocar entre ellos la mayor mortandad.

Y por eso, aunque Fidípides tuviera un equipo lastimoso, no podía colocarlo en la octava fila, lejos de las armas enemigas, sino como mucho en la cuarta.

—Está bien, no te perderás esta ocasión —le dijo ahora al corredor, y lo llevó a una fila situada en el centro del batallón, la misma donde iba a formar él.

Tras el hueco que aún no había ocupado Temístocles estaba su fiel Euforión. De momento, con el escudo apoyado en el suelo y en los muslos, la cabeza descubierta y la mano izquierda libre, el Nervios no hacía más que toquetearse el equipo, hacer gestos contra las maldiciones y el mal de ojo y, de paso, sacar de quicio a sus compañeros. Pero Temístocles sabía que, una vez empezara la acción, su amigo sabría empuñar las armas con tanta firmeza como el que más y olvidarse de los tics.

Detrás de Euforión formaba Mnesífilo, y el cuarto y último hombre de la fila era Jenófanes, un veterano de confianza que no protestó cuando Temístocles le ordenó que cambiara de sitio cerrando otra fila y le cediera el puesto a Fidípides.

Bonita fila tengo ahora, pensó con una sonrisa irónica. *Un manojo de nervios que es incapaz de dejar de decir «mierda», un cincuentón barrigudo y un corredor misántropo que pesa menos que las armas que lleva.*

Temístocles pasó revista al batallón, ya que Melobio seguía hablando con los demás generales. Tenía ochocientos ochenta hoplitas, y a todos los conocía por su nombre y el de su padre, y también por el de su demo. Mientras desfilaba ante ellos veía en sus caras la exaltación previa a la batalla, a la que no era ajena el vino, pero también el temor. Éste era comprensible. Los hoplitas de la primera fila, en la que había bastantes nobles y miembros de las dos clases más adineradas de Atenas, miraban hacia atrás y sólo veían a tres hombres. Una fila alargada a la espalda daba muchas veces más apoyo moral que material, pero era importante. Y en cuanto a los que estaban al final, los que no llevaban grebas y tenían petos de cuero, o ni tan siquiera eso, tan sólo escudo y casco, aquellos hombres que en una batalla normal ni siquiera habrían llegado a batir sus hierros, ahora se veían a poco más de la longitud de una pica de la línea de matanza y comprendían que tal vez no verían otro atardecer.

—Tienes buena cara, Epiménides. Debes de haber dormido bien. Se nota que has dejado a la mujer en Atenas —le decía a uno que siempre hacía bromas sobre lo mandona que era su esposa, y los demás, que estaban deseando reírse por cualquier motivo, se reían—. Y tú, Cindinófobo, demuestra que tu padre se equivocó con el nombre y que no te da miedo el peligro. —Más risas, y un grito de batalla del bravo Cindinófobo—. Calístenes, procura salir vivo de la batalla. Me prometiste invitarme a un cochinillo.

—¡Serán dos, Temístocles, uno por barba!

Temístocles caminaba con el yelmo bajo el brazo izquierdo. La lanza y el escudo se los sostenía Sicino, y así él podía ir estrechando brazos y repartiendo sonrisas, aunque sin exagerar. Ni gestos de preocupación ni de euforia desmedida. Tan sólo intentaba contagiarles serenidad antes de la tormenta. Incluso, en un gesto de relajo, no se había abrochado las hombreras de lino, que se levantaban rígidas y blancas como dos alas de gaviota.

En realidad, estaba lejos de sentirse tan sereno como aparentaba. Aunque procuraba respirar hondo y despacio, su corazón batía por dentro como los martillos de la fragua de Hefesto. No era la primera vez que participaba en una batalla, pero hasta entonces lo había hecho como un hoplita más. Ni siquiera había llegado a abollar la fina chapa de bronce que recubría el escudo de su padre o a estropear el dragón alado del blasón, pues los contrarios habían huido antes de recibir la carga final de su falange. Los combates más sangrientos los había librado en el mar, sobre la cubierta de un barco, y se trataba de empresas de piratería de las que prefería no presumir delante de sus hombres.

Esta batalla iba a ser muy distinta. Si miraba a lo largo de las filas atenienses, la vista se le perdía entre los escudos y las lanzas, cuyas puntas se agitaban innumerables como las espigas de un trigal al viento. Diez mil hoplitas juntos, un número que jamás la ciudad había puesto a la vez en el campo de batalla. La línea de hombres era tan alargada que habría llegado desde su casa hasta la Acrópolis y habría podido dar la vuelta. Y, aun así, iban a enfrentarse a muchos hombres más, extranjeros que, por la voluntad de un rey que se sentaba en un trono remoto, estaban dispuestos a enviarles una lluvia de hierro desde el cielo. Nunca, que Temístocles supiese, se había librado una batalla igual en suelo griego.

Su miedo también era diferente. No era el que hacía a los hombres encogerse para contener los retortijones de las tripas, dar tientos a las cantimploras colgadas a su espalda y que habían llenado de vino, o frotarse las manos contra las gamuzas y trapos enrollados en el centro de las lanzas para limpiarse el sudor. Él sólo tenía miedo a fracasar. Veía únicamente los ojos de esos ochocientos ochenta hombres que lo miraban buscando en su rostro confianza y fe en la victoria, y rogaba a Atenea, a la astuta y valiente Atenea, que le infundiera el coraje y la inteligencia necesarios para no fallarles.

Durante su revista, cuando llegó casi al extremo de su tribu, donde sus hombres se juntaban con los de la Antióquide, Temístocles observó algo extraño. La mayoría de los soldados esperaban hasta el último instante para terminar de ponerse el armamento. Los escudos descansaban en el suelo, había muchas corazas aún desabrochadas y casi nadie se había ajustado el yelmo. Estaban demasiado lejos de los persas para correr peligro inmediato, aunque con los primeros albores ya habían visto exploradores a caballo que volvían grupas, sin duda para informar a Datis de que el erizo griego se había decidido a salir de su madriguera.

Pero había un soldado en la primera fila que ya se había calado el casco. Temístocles lo reconoció por la pintura del escudo, un gallo blanco con el pico y la cresta de color bermellón. Era Arifrón, de la noble familia de los Códridas, descendientes de los antiguos reyes de Atenas. Al parecer había querido taparse el rostro, pero su yelmo era parecido al de Temístocles y dejaba ver los lagrimones que le rodaban por las mejillas. Sus ojos le miraban grandes y húmedos como los de un cordero lechal antes del sacrificio.

Temístocles le hizo una seña para que saliera de la formación y ambos se apartaron unos pasos. No muy lejos, Calímaco, reunido con el adivino Toante, esperaba a que le trajeran el carnero que sacrificaría antes de la batalla para impetrar la victoria.

—Quítate el casco, Arifrón. ¿Qué te pasa?

—Tengo miedo, taxiarca.

—Todos tenemos miedo, Arifrón.

El muchacho, que no podía tener mucho más de veinte años, llevaba el pavor pintado en la cara.

—Lo sé, señor. Pero el miedo de los demás es distinto. Ellos pueden resistirlo. Lo..., lo mío es pánico. —La voz se le quebró en un hilo—. Cuando vea a los persas sé que voy a caer de rodillas y a taparme la cabeza con el escudo. ¡Por favor, taxiarca, me van a matar!

Deilía. Cobardía. Una acusación que bastaba para perder los derechos cívicos. Pero al ver aquellos ojos tan oscuros y húmedos, Temístocles no pudo sentir desprecio, sólo compasión. Aquel muchacho estaba en la primera fila no porque hubiera demostrado su valor en la batalla, sino porque era un eupátrida y Antígenes, su padre, había luchado en ese puesto antes que él. El brocal de hierro que rodeaba su escudo mostraba mellas de espada, y en el yelmo se veían abolladuras mal reparadas. Temístocles sabía que su padre llevaba años paralizado en la cama precisamente por una herida en la cabeza. Al parecer, su hijo había heredado sus armas, pero no su valor.

Su primera intención fue poner a Arifrón en la cuarta fila. Tal como estaban las cosas, era lo más que podía hacer para protegerlo. Pero, visto el miedo que tenía, equivalía a invitarlo a que se diera la vuelta en mitad del combate y huyera. Eso podría salvarle la vida de momento, pero se la destruiría en el futuro. Para un eupátrida como él, la pérdida de todos sus derechos ciudadanos y la exclusión de la vida pública acabarían siendo peores que la muerte. Incluso su padre, aunque Arifrón era hijo único, lo desheredaría; de eso estaba seguro Temístocles.

Eso no podía ocurrirle a un hombre de la tribu Leóntide. No bajo su mando. Temístocles le rodeó los hombros con el brazo. El bronce del espaldar estaba frío, porque el sol todavía no había salido, como si quisiera demorarse para no presenciar la inminente carnicería. Cuando por fin se levantara, los hombres se cocerían dentro de sus corazas de metal.

—Mira ahí —le dijo, haciendo que se volviera hacia el frente. Sobre la línea de prados y trigales empezaba a vislumbrarse una masa oscura que avanzaba lentamente, como una gran bestia. Era el ejército persa.

—Lo peor que te puede ocurrir allí delante —prosiguió Temístocles— es la muerte. Un instante de dolor, menos que cuando el cirujano te quita una muela, y después nada. Una sepultura pública, elogios delante de todos los ciudadanos. Serás un héroe.

A Arifrón se le movió la nuez como si fuera a sollozar y respondió:

—Ojalá pudiera serlo, señor.

—Si abandonas las filas, en cambio, te enfrentarás a un mal mucho más cruel, mucho más insidioso. Estarás muerto en vida, todo el mundo te señalará con el dedo cuando cruces el Ágora y ninguna muchacha, ni de la familia más humilde, querrá casarse contigo.

—Señor, yo...

Temístocles le hizo un gesto para que se callara. Después tomó al joven eupátrida del brazo y lo llevó consigo, de vuelta al centro del batallón. Allí, a la derecha de su propio puesto, se encontraba Demetrio, un hombre de su confianza.

—Corre hacia la derecha —le dijo Temístocles—, hasta llegar casi a la tribu Antióquide. Allí encontrarás un hueco en la primera fila. Quiero que lo ocupes.

Demetrio frunció el ceño, desilusionado, pero fue sólo un segundo, y después embrazó el escudo y partió trotando a cumplir la orden. Temístocles se acercó todavía más a Arifrón y le habló al oído.

—Escúchame bien. Si te coloco en la última fila, todo el mundo lo verá, y se preguntará por qué el noble Arifrón, hijo de un guerrero como Antígenes, que tiene una panoplia que vale por lo menos el precio de diez bueyes, combate en la última fila. Así que éste será tu puesto, a mi derecha. —Temístocles le señaló el hueco—. ¿Sabes por qué lo hago?

—¿Por qué, señor?

—Te pongo ahí, cubriendo mi costado, para demostrarte que confío en ti, Arifrón, y que sé que bajo tu miedo se esconde el valor de un hombre capaz de grandes gestas. —Temístocles golpeó con los nudillos el gallo del broquel, arrancándole un tañido metálico—. Ésta va a ser mi protección durante la batalla. Mientras mi brazo derecho empuña la lanza para herir al enemigo, mi costado estará al descubierto, defendido tan sólo por tu escudo. Pero yo no voy a tener miedo, y te diré por qué. —Mirándole a los ojos sin parpadear, a un palmo de su cara, añadió—: Porque sé que Arifrón, mi compañero de fila, no me va a fallar. Porque sé que cuando la lanza del persa quiera herir mi pecho, ahí estará el escudo de mi amigo para detenerla.

Los ojos del joven se iluminaron con un nuevo brillo. Arifrón se mordió el labio inferior con fiereza, tal como el poeta Tirteo exhortaba a hacer a los espartanos, y dijo:

—Este escudo es bueno, señor. Lo ha demostrado en cien combates.

—Pues éste será el ciento uno. Ve a tu puesto, Arifrón.

Espero tener razón, se dijo. De lo contrario, no llegaría vivo a la noche.

En el centro de la formación, Calímaco se volvió hacia el oeste, donde la luna a punto de ocultarse rozaba ya la cima del Agrélico, y levantó los brazos al cielo. Los heraldos, repartidos delante de los batallones, repitieron sus palabras como un eco para que todo el mundo las oyera.

—¡Oh, Ártemis Agrotera, que te complaces cazando fieras en las montañas umbrías y en las cimas azotadas por el viento! Tú que tensas tu elástico arco y con certero ojo disparas tus saetas de plata, desvía hoy las flechas de nuestros enemigos y permite que lleguemos a ellos con nuestras lanzas. Te prometo que, a cambio, te sacrificaremos una cabra por cada bárbaro que matemos. Ahora te presento esta ofrenda como anticipo, hija de Zeus y de Leto.

Calímaco puso la rodilla sobre el lomo de un grueso carnero blanco para inmovilizarlo y con su propia espada lo degolló de un tajo. El adivino se agachó junto a él para examinar la forma en que fluía la sangre de su cuello, e incluso la probó con el dedo. Cuando asintió, satisfecho, Calímaco levantó el escudo sobre su cabeza, las trompetas de los diez batallones y de los plateos dieron la orden de cerrar filas y sus ecos estridentes reverberaron en la llanura.

Temístocles se abrochó por fin las hombreras de la coraza y dio un par de saltos en el sitio para comprobar que estaba bien ajustada. Se colocó después el yelmo, aunque aún no se lo caló hasta las cejas. Cuando Sicino le tendió el escudo, deslizó el codo por el brazal central y aferró con los dedos el asa de cuerda trenzada. Por último, su esclavo le pasó la lanza, dos metros y medio de madera de fresno con punta de hierro y regatón de bronce. Había quienes preferían el astil de tejo, pero en opinión de Temístocles no había material que combinara mejor la ligereza y la resistencia que la clara y flexible madera de un fresno talado en las montañas de Macedonia.

—Adiós, Temístocles —le dijo el gigante persa, y por un momento le rozó la mano que sujetaba la lanza—. Has sido un buen señor para mí.

—No estés tan seguro de que no siga siéndolo. Confías demasiado en tus compatriotas.

Sicino chasqueó la lengua y movió la cabeza a los lados.

—Rezaré por ti a Ahuramazda, señor, para que seas recordado como un héroe.

Todos los esclavos y asistentes se retiraron entre las filas y retrocedieron más allá de la abatida. Temístocles ocupó su puesto delante de Euforión y se volvió a su derecha para sonreír al joven Arifrón. La siguiente señal de la trompeta fue para avanzar.

Ya empieza, pensó Temístocles.

Poco antes del amanecer, los hombres de Halicarnaso aguardaban en la playa junto a sus naves, cargadas ya con las tiendas y la impedimenta. Sangodo, al que fastidiaban sobremanera los traslados y viajes, se les había adelantado y se había metido en la toldilla que, para su comodidad, había hecho montar en la popa de la *Calisto*. Estaría durmiendo otra vez, o bebiendo vino para que no se le espabilara la borrachera. A Artemisia ya le era indiferente. Si todo iba bien y Patikara cumplía su promesa, ella dejaría de depender de su esposo. Si las cosas se torcían —significara eso lo que significase, pues no estaba muy segura de qué pretendía el enmascarado con el informe que les había pasado a los atenienses—, si se descubría su traición y venían a prenderla, pensaba seccionarse la carótida con el filo de su espada antes que brindarle a Datis el placer de torturarla en público.

Las naves fondeadas ya estaban zarpando hacia mar abierto, y pronto les tocaría el turno a los trirremes varados en la arena. Estaba previsto que los dieciséis mil soldados que se quedaban en el campamento llegaran a Atenas por tierra. Por eso, la mayoría de los barcos iban mucho más sobrados de sitio que durante la travesía de las Cíclades, lo cual se notaba en la mayor altura de sus bordos. Las únicas naves que llevaban la línea de flotación tan baja como a la arribada eran los transportes de caballería, que al alejarse de la orilla rompían el agua con cierta parsimonia, pues tan sólo disponían de la tercera parte de los remeros para impulsar el mismo peso que un trirreme normal.

Artemisia iba embutida de nuevo en la panoplia. Esta vez había elegido sus propias armas y no de las de su esposo, puesto que no pretendía suplantar la personalidad de Sangodo delante de Datis, sino dirigir a sus hombres en las operaciones de desatraque. Tenía el pálpito, además, de que el mensaje enviado por medio de su esclavo iba a acarrear consecuencias y quería estar preparada para ellas. A falta de Zósimo, el propio Fidón la había ayudado a ponerse su coraza, un peto relativamente ligero de cuero blindado con láminas de bronce, y también las grebas. Llevaba el cabello recogido y el yelmo bajo el brazo; no era un casco corintio, sino beocio, tan abierto que revelaba a las claras sus rasgos de mujer. En cuanto a la barba, no sólo no se la había puesto, sino que le había prendido fuego y se la había ofrecido a Ártemis mientras le suplicaba no tener que disfrazarse nunca más de lo que no era.

A unos doscientos metros de donde se encontraban, el escuadrón de caballería de Patikara esperaba también su momento para embarcar. Los espoliques sujetaban de las riendas a los corceles, que relinchaban y piafaban nerviosos, recordando seguramente las incomodidades de la travesía del Egeo. El propio Patikara, en lugar de aguardar a pie como los demás, estaba montado a lomos de su enorme bestia negra, que con el petral, la testera y el penacho de plumas rojas que la coronaba, parecía más grande y amenazadora. Era difícil saberlo a la distancia y bajo aquella luz mortecina, pero Artemisia tenía la impresión de que el oficial persa no hacía más que mirar hacia donde estaba ella.

Va a pasar algo, se dijo. El corazón se le aceleró, pero no de miedo, sino alimentado por una extraña euforia. Con el cuerpo ceñido y apretado por el peso de la armadura, oliendo el cuero de las correas y del faldar que protegía sus ingles y oyendo el cascabeleo de las piezas metálicas que acompañaba todos sus movimientos, se sentía invulnerable, henchida de unas energías que, como los vientos del odre de Eolo, silbaban en su interior, pugnando por salir a la luz.

Cuando unos instantes después sonaron las trompetas y los gritos de alerta, no le sorprendió. Unos exploradores llegaban cabalgando a galope tendido desde la tierra de nadie, y todos ellos venían gritando lo mismo.

—¡Los griegos! ¡Los griegos!

Artemisia trepó por la escalerilla de embarque para gozar de un panorama algo más amplio y volvió la mirada hacia el oeste. Al principio le costó distinguir lo que veía. Pero no tardó en captar movimientos entre los árboles del olivar sagrado donde se habían refugiado los griegos, y también en la empalizada que habían improvisado derribando pinos. Los atenienses, diminutos como hormigas desde aquella distancia, salían por fin de su guarida para cerrar sus filas. Artemisia notó cómo se le erizaba la piel de los antebrazos. ¿Sería eso lo que pretendía Patikara, que los griegos se decidieran a combatir? ¿Y si era Datis quien estaba detrás de esa maniobra, si la habían utilizado a ella tan sólo para engañar a los atenienses? En ese caso, el general persa conseguiría su propósito, destruir a sus enemigos, pero también habría convertido a Artemisia en una traidora y podría tomar represalias contra ella.

—¡Diógenes!

—Sí, señora.

El piloto de la *Calisto* estaba dos pasos detrás de ella, observando lo que ocurría con gesto de preocupación.

—Quiero que las naves estén listas para que baste con darles un empujón para salir de aquí.

Diógenes entrecerró los ojos.

—Aunque el jefe de la flota no nos haya dado orden para zarpar...

—Y aunque no nos la llegue a dar. Cuando yo te lo diga, nos largaremos más rápido que la *Argos* perseguida por toda la flota de la Cólquide.

La posibilidad de degollarse a sí misma siempre estaba a mano, colgando del tahalí que llevaba en bandolera. Pero la huida era una opción preferible. El mar al oeste de Grecia era vasto y las naves de Darío no lo dominaban. Fantaseó con vivir como una proscrita. En cierto modo, lo llevaba en el nombre. Su diosa patrona había tenido que vagar por tierras y mares cuando sólo era un feto, hasta que su madre encontró una isla que la acogió y la pudo dar a luz.

Los soldados persas ya acudían a sus puestos, rápidos y disciplinados. Algunos terminaban de ajustarse los caftanes y atarse los pantalones por el camino, pero todos sabían cuál era su *hazarabam* y su fila exacta. En cuestión de minutos, los batallones se formaron, listos para la batalla.

Al comprobar una vez más la eficiencia del ejército imperial, Artemisia chasqueó la lengua. ¿Cómo se les ocurría a los atenienses salir al llano? ¿No dejaba bien claro el mensaje que Datis sólo había despachado a la tercera parte de sus tropas? Los que quedaban aún eran muchos más que los griegos. Además, las mortíferas descargas de sus arcos iban a infligir tales estragos entre las filas atenienses que, para cuando éstos llegasen al combate cuerpo a cuerpo, su formación sería tan sólo el remedo hecho jirones de una auténtica formación de hoplitas.

Me has decepcionado, primo, pensó, pues estaba convencida de que la maniobra ateniense era obra de Temístocles. Lo había imaginado más prudente y cerebral. Ahora comprobaba que era igual que todos, y dejaba que lo que le colgaba entre las piernas lo arrastrara a la acción sin cavilar en las consecuencias.

Artemisia bajó la escalerilla. Fidón esperaba sus órdenes.

—¿Qué vamos a hacer, señora? —le preguntó el capitán.

Sin caer en la cuenta de que su respuesta contradecía por completo su anterior pensamiento, que a la postre se debía al despecho, Artemisia se caló el yelmo, ordenó que le trajeran el escudo y dijo:

—Es evidente, Fidón. Ocupar nuestro puesto en el ala izquierda. ¡Por fin vamos a pelear!

Y, como la amazona que era, se dirigió llena de júbilo a la batalla.

Hecho el sacrificio y comprobados los presagios, Calímaco trotó hasta ocupar su lugar en el extremo derecho de la formación, en el límite entre la llanura y la playa, junto a Estesilao, el general de la Ayántide. Cinégiro, como segundo al mando de la tribu, formaba en el centro de las filas del batallón, a menos de cincuenta escudos del polemarca. Las trompetas tocaron la orden de silencio. Sobre los nerviosos susurros de los hombres, el rumor de las olas sonaba como un arrullo casi tranquilizador.

El hermano de Cinégiro estaba a su derecha. Esquilo tenía treinta y cuatro años, dos menos que él, pero su tez tan morena y su gesto grave y reconcentrado lo hacían parecer mayor. Ambos combatían hombro con hombro, con los escudos solapados. Antes de calarse el yelmo, Cinégiro se volvió hacia su hermano y ambos se besaron en la mejilla.

—Esperemos mostrarnos dignos de nuestros antepasados —dijo el joven poeta.

—Y esperemos que el plan de Temístocles funcione —respondió Cinégiro.

Esquilo enarcó una ceja, escéptico. Cuando eran efebos que empezaban a adiestrarse con las armas, los tres se llevaban muy bien y solían compartir cenas y jaranas por el Pireo. Pero luego Esquilo empezó a componer tragedias y a presentarlas a los certámenes teatrales de las fiestas de Dioniso. Como su familia, aunque de noble cuna, no era demasiado adinerada, buscó el patrocinio de Temístocles. Por desgracia, éste ya se encontraba comprometido con otro trágico ya consagrado, el veterano Frínico, que había sido amigo de su padre. *«Cuando no se presente Frínico, yo seré tu corego»*, le prometió Temístocles. Mas Frínico escribía las tres tragedias reglamentarias año tras año, sin faltar a una sola ocasión, y Esquilo se había ido resintiendo cada vez más con Temístocles. Además, era muy tradicionalista, y los coqueteos de Temístocles con el pueblo llano no le hacían ninguna gracia.

—Sólo es taxiarca, no general —dijo Esquilo—. ¿Qué tiene él que ver con esto? No posee autoridad suficiente.

—No te engañes, hermano. Nuestro despliegue ha sido idea suya. Incluso ha sugerido que llevemos las lanzas así.

Cinégiro se refería a la forma en que les habían ordenado empuñar la lanza cuando cargaran contra los persas. Normalmente, los soldados de una falange aferraban el astil con la palma de la mano hacia abajo y el pulgar apuntando a la parte posterior de la lanza, y levantaban el arma por encima del escudo para herir al enemigo golpeando de frente y hacia abajo. Hoy se les había instruido para empuñar la lanza al revés, por debajo del escudo y con el pulgar señalando hacia la punta. Así se llevaba en el hoplitódromo, pues era la única forma cómoda de cargar con ella a la carrera.

—Pues si la idea ha sido suya, me temo que nos encaminamos a un desastre —dijo Esquilo—. Lo único que siento es que moriré sin haber ganado el galardón de las Dionisias.

—Escucha, hermano. Tienes que dejar de ser tan mordaz con Temístocles. Si todo sale bien, espero que seas el primero que escriba una tragedia en la que cantes sus méritos. Es un hombre mucho más inteligente y valeroso de lo que la mayoría quiere reconocer.

Antes de que Esquilo pudiera responderle, la consigna para la batalla llegó por su derecha y ambos hermanos tuvieron que repetirla y transmitirla a su izquierda. *«Nacidos de la tierra y Atenea Nike.»* La contraseña aún andaba recorriendo las filas como la onda de una comba, cuando las trompetas volvieron a sonar y los oficiales dieron la orden de calarse los cascos. Cinégiro miró un momento a los lados para asegurarse de que los hombres que lo rodeaban cumplían la orden. De repente, los ciudadanos individuales de la tribu Ayántide, sus convecinos, los hombres con los que compartía los sacrificios ante el altar, los ejercicios en la palestra y las charlas en la barbería, las tabernas y los baños, se convirtieron en guerreros de bronce sin rostro a los que las plumas que adornaban los penachos les daban un aspecto todavía más imponente y terrible. Cinégiro los miró con orgullo durante unos segundos, y después se encajó su propio casco. Era un modelo similar al de Temístocles, un yelmo calcídico que dejaba parte de la cara al descubierto, provisto de unas carrilleras articuladas para proteger las mandíbulas. Esquilo, que usaba el tradicional yelmo corintio, le regañaba diciendo que estaba loco al ofrecer el rostro como una tentación para las lanzas enemigas; pero Cinégiro era de los que pensaban que ver y oír lo que lo rodeaba suponía mucho mejor protección que una delgada capa de bronce que lo convertía en medio ciego y casi sordo.

—¡Avanzad! —gritó la voz de Calímaco, a su derecha.

Cinégiro volvió la vista allá. Al borde de la llanura, el polemarca destacaba entre los hombres que lo rodeaban por su estatura, y el gran penacho de plumas rojas que se recortaba contra el horizonte del mar lo hacía parecer aún más alto. Nadie cubría su costado. Pero Calímaco, si bien no destacaba por su lucidez ni su capacidad de decisión, era un valiente, y Cinégiro estaba seguro de que caminaría en línea recta hacia los enemigos en vez de desviarse hacia la derecha para rehuir sus lanzas.

La orden se repitió por las filas, y los atenienses empezaron a avanzar al unísono. La clave estaba en llegar todos juntos y con los escudos trabados hasta el enemigo, que los aguardaba a mil quinientos metros. Por eso marchaban marcando el paso con un monótono grito de guerra: *E-le-léu,* pie izquierdo, pie derecho, pie izquierdo, respirar tras las tres sílabas, dar un fuerte pisotón con el derecho y volver a empezar.

—*E-le-léu!... E-le-léu!... E-le-léu!...*

Con cada grito, Cinégiro sentía cómo un icor divino fluía por sus venas, despertando en sus miembros el ardor del combate. Ya quedaban sólo unos minutos para que Ares y Eníalo desataran sobre la llanura de Maratón la locura de la batalla. De pronto, le pareció que su vista se reducía y sus otros sentidos se amplificaban. Notaba cada nudo en la madera del borde interior del escudo, pues lo llevaba encajado sobre el hombro izquierdo, esperando hasta el último momento para sostener en vilo sus siete kilos de peso. Bajo sus pies, la tierra del Ática, de la que los atenienses habían nacido en tiempo inmemorial, parecía palpitar con sus pisadas, y también con el ensordecedor *Eleléu,* con el estridor de las trompetas, con los agudos trinos de las flautas que seguían a la formación. Cinégiro venteó el aire y captó la mezcla del sudor de los hombres acalorados bajo sus armaduras, el aliento vinoso del camarada que marchaba detrás de él y el aromático de la almáciga que mascaba su hermano Esquilo. Pero también el tibio perfume del aceite con el que habían limpiado el bronce y el hierro de las armas para que su brillo impresionara aún más al enemigo, el penetrante y tranquilizador aroma del cuero de correajes, petos y tahalíes, el olor grasiento y algo nauseabundo de la lanolina con que los habían untado para que no se agrietaran. De pronto entendió a Temístocles, que siempre lo captaba todo, y pensó que si su amigo se hallaba tan alerta siempre era porque vivía como si a cada minuto estuviera a punto de entrar en combate.

—*E-le-léu!... E-le-léu!... E-le-léu!...*

La formación tuvo que abrirse un par de veces para sortear los escasos obstáculos que había en el camino, pues durante los días previos los persas se habían ocupado de allanar el terreno para su propia caballería talando árboles y derribando tapias. Pero una vez flanqueados los impedimentos, la larguísima línea se recomponía de nuevo, entre las voces de los oficiales y de los compañeros de filas que se llamaban unos a otros para no perder la posición.

Arturo brillaba ya por encima del promontorio que cerraba la bahía, y una franja anaranjada anunciaba la salida de Helios. Paralelas al horizonte se veían estrechas líneas de nubes cuyas panzas se habían teñido de un dorado fresco y limpio, casi acuoso, mientras que sus lomos plomizos todavía guardaban la pesada oscuridad de la noche. Pero por debajo del cielo había algo que reclamaba la atención de Cinégiro más que los colores de la aurora. La línea persa, tan larga como la suya, todavía se estaba formando. Al parecer, el madrugón de los griegos los había sorprendido, y por eso acudían a la carrera a cerrar huecos, levantando nubes de polvo que a la luz casi fantasmal del amanecer parecían jirones de bruma. Pero las tropas del Gran Rey debían de ser disciplinadas y su organización eficaz, porque ya estaban cerrando filas detrás de aquellos enormes escudos de colores brillantes.

—Son muchísimos —murmuró su hermano Esquilo, a su lado. Su voz temblaba más de sobrecogida admiración que de temor. Conociéndolo, Cinégiro pensó que su mente ya estaría componiendo trímetros yámbicos para cantar la abigarrada imagen que se ofrecía a sus ojos.

—A más tocaremos —respondió Cinégiro. Pero no pudo evitar preguntarse si la información era buena, si sería cierto que Datis había despachado a una parte considerable de sus tropas o si, por el contrario, el informe del desertor era un cebo que les habían tendido para sacarlos a la llanura a pelear en abrumadora inferioridad numérica.

Al menos, de momento, no se atisbaban señales de la caballería.

El avance proseguía. Las órdenes transmitidas de generales a taxiarcas y de taxiarcas a soldados habían sido estrictas. Nadie podía romper la disciplina de marcha, nadie podía embestir hasta que se diera la orden. Las piernas de todos estaban deseando arrancar a correr, porque el miedo tiende al apresuramiento. Pero los persas aún distaban trescientos metros de ellos, y si corrían antes de tiempo sólo conseguirían disgregar la formación y ser más vulnerables a las armas enemigas. *«¡Tenéis que avanzar al paso, como los espartanos!»,* los había arengado el propio Cinégiro unos minutos antes.

Algunas flechas sueltas brotaban de las líneas enemigas, trazaban arcos solitarios en el cielo y caían desde lo alto para clavarse en tierra de nadie. Pero, fuera de esas exhibiciones, los persas debían darse cuenta de que los griegos no habían entrado todavía en el campo de alcance de sus proyectiles y reservaban su munición para mejor momento.

Avanzaron cincuenta metros más. El borde de luz naranja sobre el promontorio se hizo más intenso, casi carmesí. Una bandada de ánades levantó el vuelo desde el pantano y pasó entre ambos ejércitos, huyendo hacia el mar entre graznidos.

—Han salido por nuestra izquierda. Mal presagio —murmuró alguien.

—¡Silencio! —ordenó Cinégiro, y entonó el *Eleléu* con más fuerza para que sus compañeros no perdieran el paso ni pensaran en aves de mal agüero.

Los persas estaban ya tan cerca que se distinguían los vivos colores que cruzaban en diagonales sus enormes escudos, y entre el borde superior de éstos y las tiaras y mitras que cubrían sus cabezas asomaban sus largas barbas. Cinégiro tragó saliva al ver que por detrás de los *sparabara,* los persas cargaban sus arcos y los apuntaban hacia arriba. A la izquierda de Cinégiro, la trompeta que acompañaba a Milcíades dio la orden de parar.

—*E-le-léu!* —gritaron los atenienses una última vez, y todos juntos clavaron el pie derecho para detenerse. Un único eco prolongado retembló por la llanura. Luego hubo unos segundos de silencio en los que Cinégiro pudo escuchar los latidos de su propio corazón. Estaban a unos doscientos metros de los bárbaros. A esa distancia, las flechas más certeras podrían alcanzar ya el blanco; pero los persas esperaban órdenes, como ellos, o simplemente acontecimientos.

En ese momento, se oyó el inconfundible rugido del vozarrón de Milcíades:

—¡Adelante, hijos de Atenas y Platea! ¡Por vuestra libertad!

La trompeta primera, una potente *salpinx* de bronce que medía más de metro y medio de longitud, entonó unas notas rápidas y vibrantes, y todas las demás respondieron exhortando a los hombres a la carga general. Un rugido brotó de diez mil gargantas a la vez: «*Íe, Paián!*», y nueve mil cuatrocientos atenienses y seiscientos bravos plateos corrieron hacia la lluvia de hierro y bronce que los aguardaba.

Los doscientos hoplitas de Artemisia estaban desplegados en el extremo izquierdo del ejército de Datis, no muy lejos de la playa. Se hallaban a menos de trescientos metros de sus propios barcos y, lo más importante para Artemisia, no había obstáculos en el camino por si urgía la retirada. Aunque, en teoría, las tropas de Halicarnaso debían haber evacuado ya el campamento, la infantería irania junto a la que formaban les agradeció su llegada en esa mezcla de griego, persa y arameo que usaban como lengua franca.

Fidón los repartió en veinticinco filas de ocho hombres, pegados a un batallón de arqueros vestidos con pantalones y caftanes rojos y protegidos por los grandes escudos de los *sparabara*. Allí, donde coincidían ambas unidades, pretendió colocarse Artemisia.

—Por favor, señora —le dijo Fidón—. Deja que me ponga yo ahí y proteja tu costado derecho.

—El puesto del jefe es éste, Fidón —respondió Artemisia.

—Me concederías un gran honor si me dejaras cubrirte con mi escudo, señora.

Artemisia miró a los demás hombres. La mayoría eran veteranos, hombres que ya habían pasado la treintena y que ahora la miraban fijamente. La joven se imaginó sus ceños fruncidos tras los estrechos visores de los yelmos y leyó lo que estaban pensando: «*Esa niña caprichosa nos va a poner en peligro a todos.*»

Irritada, se volvió hacia Fidón. Si hubiera encontrado en su mirada una sola muestra de condescendencia, se habría negado a seguir su consejo. Pero los ojos del capitán brillaban suplicantes y sinceramente preocupados. Artemisia recordó que ese hombre había jurado al difunto tirano Ligdamis defender la vida de su hija con su propia sangre.

—Hazlo entonces, Fidón —admitió con un suspiro—. Pero no creo que sea necesario. —Señaló con la lanza hacia el frente, donde la larga línea ateniense iba creciendo de tamaño conforme se acercaba por la llanura—. Los arqueros no les dejarán llegar hasta aquí.

El propio Datis pasó a caballo por delante de sus tropas, seguido por un signífero que portaba el estandarte del dios alado. Si estaba dando instrucciones o arengando a sus hombres, Artemisia no lo llegó a saber, porque antes de llegar al ala izquierda, el general se coló por un pasillo abierto entre dos batallones y desapareció de su vista.

Los griegos seguían avanzando. Artemisia, que formaba por primera vez en una falange para una batalla real y no para un ejercicio de instrucción, trató de escrutar los rostros de sus hombres, buscando en ellos señales de temor o preocupación. Pero bajo los yelmos sólo se veían mandíbulas apretadas. A su izquierda, a los persas se los notaba tranquilos, y en los rostros de algunos de ellos incluso brillaba una sonrisilla irónica. Sin duda debían de creer que se enfrentaban a una caterva de aficionados, y en parte tenían razón.

Haced un papel digno antes de morir, atenienses. Dejadnos a los demás griegos en buen lugar, rogó Artemisia.

—*Thanuvaniya!*

Al oír la orden, los arqueros descolgaron sus armas de los hombros y cada uno de ellos sacó una flecha de la aljaba y la colocó en el arco, aún sin tender. Había entre cada fila algo más de metro y medio, lo suficiente para que pudieran apuntar sus proyectiles a lo alto y disparar todos a la vez con comodidad.

Los atenienses se habían detenido. Artemisia calculó que no debían estar a mucho más de un estadio, y se dio cuenta de que tenía la boca seca. *No es miedo,* se repitió. Una vocecilla aguda le dijo en su interior que había cometido un error, pero que todavía podía resarcirlo retirándose a sus naves. La joven relegó esa voz a un telar imaginario y rogó a Ártemis que le concediera fuerza y valor. Recordó entonces las palabras del poeta Tirteo, cuyas elegías guerreras siempre había preferido a los epitalamios y los cantos de amor, y las recitó en voz alta.

—¡Ea, pues! ¡Que cada uno aguante en su puesto separando bien las piernas, clavando en el suelo ambos pies y mordiéndose el labio con los dientes! ¡Que se cubra las piernas, el pecho y los hombros con la concavidad del amplio escudo! ¡Que enarbole en la diestra la robusta lanza y agite sobre la cabeza el terrible penacho!

—*¡Íeee!* —contestaron sus hombres, y golpearon los escudos con el astil de las lanzas. Fidón miró a Artemisia y sonrió.

—Muy bien, señora.

—*Thanuvana abiy asmanam!*

Los persas levantaron sus armas hacia el cielo y empulgaron las cuerdas. Decenas de miles de arcos compuestos crujieron a la vez. El estremecedor chirrido del cuerno y la madera al doblarse le recordó a Artemisia cómo sonaban los cables maestros de la *Calisto* cuando los tensaban con el cabrestante para ajustar la tablazón de la nave y resistir una tormenta.

—No quisiera estar ahora en el pellejo de los atenienses —murmuró Fidón.

Una trompeta enemiga tocó la llamada para embestir, y las demás la contestaron. Los atenienses entonaron el peán, abatieron las lanzas y se lanzaron a la carga.

Artemisia ignoraba si viviría mucho tiempo, si sobreviviría a la batalla o a las intrigas de los persas, si se ahogaría en el mar o si algún día envejecería junto al fuego del hogar contando sus aventuras a sus nietos. Pero supo que, por breve o larga que fuese su vida, aquel momento jamás lo olvidaría.

Pues, justo en ese momento, el sol salió a la espalda de Artemisia y de los persas, y sus primeros rayos cayeron de frente sobre los atenienses. Fue como si de pronto un pincel tiñera de oro la línea griega: sus escudos bruñidos, sus yelmos, incluso las puntas de sus lanzas brillaban. Y aquella marea dorada y deslumbrante venía a la carrera contra las tropas de Datis. Artemisia miró los rostros de los persas que tenía a la derecha, y en muchos de ellos vio pintado un temor supersticioso. Oyó cómo murmuraban el nombre de Ahuramazda y de Hvar, el sol, como si temieran que sus divinidades se hubiesen vuelto contra ellos.

La orden de disparar corrió entre las filas, aunque quedó ensordecida por los trompetazos y el griterío de los atenienses. Miles de arcos restallaron a la vez y Artemisia contempló, admirada, la nube de flechas que vibraba en el aire como un inmenso enjambre de abejas, se levantaba hacia el cielo en un arco casi grácil y después se abatía sobre los atenienses. Y mientras las primeras saetas volaban hacia su objetivo, los guerreros persas ya habían cargado de nuevo sus arcos y volvían a dispararlos, cada uno al ritmo que marcaba su pericia.

—¡Ojalá tuviera yo también un arco! —dijo Artemisia al oído de Fidón, casi gritando para hacerse oír—. ¡Así tendría algo que hacer!

—¡Antes de que hayas respirado diez veces más, tendrás trabajo, señora! —contestó el capitán, y levantó la lanza sobre el brocal del escudo, preparándose para resistir la embestida.

Artemisia dejó de mirar las flechas y concentró la vista en el frente. Allí, al final de las líneas enemigas, entre la oscura lluvia de flechas que caía del cielo, reconoció el escudo y el penacho del polemarca Calímaco. Tal como ella misma había recitado, separó bien las piernas, apretó los dientes y agazapó el rostro tras el escudo de modo que sólo sus ojos quedaban por encima del ribete de hierro.

La primera parte del plan de Temístocles se había cumplido. Estaban ya a unos doscientos metros de los persas, poco más de un estadio, y la línea ateniense se mantenía tan recta como al principio. Ahora, al escuchar la señal de *Epitropé*, «Carga», tragó saliva, pues venía la segunda parte, el momento que había anticipado y temido desde que supo que los persas estaban cruzando el Egeo para atacar Atenas.

Enfrentarse a sus flechas.

Para recibir sus ráfagas el menor tiempo posible tenían que correr cargados con treinta kilos de armas, tal como había sugerido Mimnermo, el joven bravucón acarniense.

—*Íe, Paián!* —cantó con los demás, y arrancó a la carrera.

En ese momento, asomó el sol. Temístocles soltó una maldición. No había calculado que amaneciera justo en ese momento y que los rayos de Helios les dieran en los ojos.

—¡Apolo está con nosotros! —gritó Arifrón, a su derecha.

Temístocles no lo había considerado de esa manera, pero enseguida comprendió que el joven eupátrida tenía razón. Todo lo que se hallaba por debajo de aquel resplandor anaranjado cada vez más brillante se veía borroso, difuminado. No era ya tanto una horda de hombres dispuestos a matarlos como una simple meta adonde sus piernas debían llevarlos sin flaquear.

Miró a los lados sin dejar de correr para verificar que los hombres de la primera fila no se atrasaran ni se adelantasen, y entonces se dio cuenta de que estaba sucediendo algo no previsto en sus planes, pero maravilloso. Mientras cantaban el himno guerrero en honor de Apolo el Resplandeciente, el propio dios les sonrió. Pues los rayos del sol se reflejaron en sus yelmos y en la superficie bruñida de sus escudos y los bañaron a todos en una pátina dorada.

Sus pies retumbaban rítmicos en el suelo, marcando el rápido compás del peán, que sonaba como una mezcla de canto, jadeos y gruñidos guturales. Temístocles llevaba la lanza junto a la cadera, como los demás, la única manera práctica de cargarla en una carrera prolongada. Delante de ellos, sobre las cabezas de los persas, se levantó una nube oscura, como una bandada de pájaros. No, se corrigió. No eran pájaros, sino una lluvia sobrenatural que brotaba de la tierra y subía hacia las alturas.

Sabes de sobra lo que es, le dijo una voz interior.

Ese momento que le hacía sentir escalofríos había llegado.

—¡Escudos arriba! —gritó. Y con él gritaron otras mil gargantas, de generales y taxiarcas, de jefes de filas, de simples hoplitas, pues todos veían lo que se les venía encima.

Temístocles hizo un esfuerzo y levantó el peso del escudo sobre su cabeza. La bandada de pájaros empezó a zumbar, cada vez más fuerte. Lejos de amilanarse, Temístocles entonó los versos del peán con más potencia, y su ejemplo cundió entre sus camaradas, mientras Euforión, a su espalda, salmodiaba *hijoputas-hijoputas-hijoputas* al mismo ritmo que los demás cantaban.

El zumbido se convirtió en un repiqueteo sobre sus cabezas, como si miles de pequeños martillos aporrearan a la vez otros tantos yunques. Era un estrépito parecido al de un aguacero cayendo sobre mil cacerolas de cobre. Pero también era más violento, y los *tinggg* sonaban más prolongados cuando las puntas de las flechas golpeaban los escudos, y venían acompañados de crujidos y de impactos más sordos cuando las saetas se clavaban en la madera.

Curiosamente, en el momento que más había temido Temístocles notó una euforia como nunca antes había experimentado. Mientras recibían aquel diluvio de bronce y hierro, sintió que el espíritu de un dios, fuera Apolo, su hermana Ártemis o la propia Atenea, se apoderaba de su corazón y lo unía al de todos los demás en un solo espíritu. Las piernas a su derecha y a su izquierda corrían al mismo ritmo, los pechos respiraban al mismo compás, y eso que no se trataba de los legendarios espartanos de la raza superior doria, sino de atenienses, aficionados jonios que embestían al enemigo bajo un mar de flechas. La visión de sesenta mil manos empuñando los remos de su flota se había desvanecido, olvidada, y Temístocles se veía a sí mismo con el resto de los hoplitas, la clase superior de la ciudad, como parte de un inmenso organismo de bronce, carne y roble.

Yo quiero la gloria sólo una vez, en el momento decisivo, por una acción definitiva.

Cuando le dijo eso a Mnesífilo frente a Salamina, pensaba en un futuro lejano. Pero tal vez no tenía por qué aguardar tanto. Quizá, gracias a su plan, Temístocles el advenedizo estaba a punto de conseguir la gloria en este preciso momento y entre las mismas personas que lo habían despreciado.

Por debajo de su brocal veía ya de cerca los vivos colores de los escudos persas. Pensó que sus enemigos cometían un error guareciéndose detrás de ellos. Si las *sparas* de metro y medio de altura no hubiesen estado allí, los arqueros persas de la primera fila habrían podido disparar en trayectoria horizontal contra los atenienses y apuntar directamente a sus cuerpos y sus piernas mientras se cubrían la cabeza con el escudo.

Pero no era tiempo de pensar, y menos de ponerse en el lugar del enemigo, sino de actuar.

—¡Escudos abajo! —ordenó Temístocles. Aunque todavía corrían peligro, ya estaban tan cerca de los persas que necesitaban verles la cara para que cada hoplita pudiera dirigirse contra el contrincante que tenía enfrente.

Temístocles vio a su *sparabara*. Tras el gran escudo pintado con diagonales blancas y rojas había un hombre, un persa de verdad, un guerrero tan alto que entre la barba y el borde del escudo se veía más de un palmo de túnica azul. Estaba tan cerca ya que Temístocles distinguió sus ojos, maquillados de negro y abiertos en un gesto de pavor.

Entonces comprendió. Los persas no habían previsto la locura de sus enemigos, no se habían imaginado aquella carga suicida bajo la nube de flechas. Por primera vez en sus luchas contra los griegos, los soldados del Gran Rey no llevaban la iniciativa.

—¡Nos tienen miedo! —exclamó Arifrón.

Ahora los persas gritaban, dándose ánimos para resistir la carga, y los atenienses habían dejado de cantar y sólo proferían alaridos de guerra. Temístocles nada más tenía ojos para su *sparabara*. Si estuvieran combatiendo contra otros hoplitas, habría buscado sus piernas por debajo del escudo. Pero los *spara* persas eran tan grandes que formaban una pared sin resquicios, así que no tenía más remedio que golpear directamente con la lanza en el escudo.

Temístocles refrenó un poco el paso y apretó los dientes, preparándose para un impacto seco que podía dislocarle el hombro. Pero, para su sorpresa, la moharra de su lanza rasgó el escudo persa con un crujido seco que le era familiar.

—¡Son de mimbre! ¡Son de mimbre!

Por toda la línea se desató el infierno del choque, y la naturaleza de los ruidos cambió de súbito. Aunque algunas flechas seguían silbando sobre sus cabezas, mientras los atenienses luchaban contra la pared de escudos, sonaban golpes sordos y violentos acompañados de gritos y jadeos, como si una horda de leñadores frenéticos se afanase en talar un pinar.

Temístocles tiró de la punta de su lanza y, con cierta dificultad, logró desengancharla del agujero que él mismo había abierto. Durante un rato él y el *sparabara* pugnaron empujándose, uno con su broquel de bronce y roble, el otro con su escudo de cañas trenzadas y cuero rígido. Temístocles se percató de que, dado el tamaño del otro, así no conseguiría nada, y retrocedió dos pasos. A ambos lados, sus camaradas alanceaban los escudos persas, mientras otros más fogosos la emprendían a patadas con ellos para derribarlos, y más de uno recibió graves heridas cuando la pierna se le quedó enganchada entre las varas de mimbre.

Temístocles se dio cuenta de que el agarre de la lanza no era ya el más adecuado. Volvió a clavarla en el mimbre y aprovechó que quedaba enganchada para soltarla un segundo, girar la mano, arrancar la lanza de nuevo y levantarla sobre su cabeza. El persa le lanzó un tajo con su sable por encima del escudo, pero, a pesar de su envergadura, el golpe le quedó corto. Al ver que por detrás de él acudía en su ayuda un lancero, Temístocles comprendió que debía sacar partido cuanto antes de la diferencia de alcance de sus armas y tiró un lanzazo al rostro del *sparabara.* Éste hizo un esguince con el cuello, pero no fue lo bastante rápido y la punta de hierro le abrió una raja en la mejilla.

El persa retrocedió con un grito de dolor, y al hacerlo empujó al lancero que había acudido a ayudarlo. Temístocles aprovechó el momento para dar una patada en la parte inferior del *spara*, que se volcó y cayó boca abajo. A su alrededor, la lucha se libraba de forma parecida. Aquella pared de mimbre y piel, diseñada más para detener los proyectiles de otros arqueros que para el combate cuerpo a cuerpo, estaba cediendo ante el empuje de los hoplitas.

Pese a su estatura y su corpulencia, el *sparabara* no debía de ser ningún valiente, porque se dio la vuelta y se abrió paso a empujones entre las filas de lanceros para huir del frente. Ahora Temístocles se encontró de cara con uno de aquellos *arshtika*, ataviado con túnica y tiara azul y protegido con un escudo amarillo en forma de ocho. Era un rival muy rápido. Se agachó y tiró un lanzazo a las piernas de Temístocles, que logró detener el golpe con el borde del escudo, pero se desequilibró un poco. El persa, en cambio, se rehízo enseguida y le lanzó otro rejonazo, esta vez contra el cuerpo. Pero en el último segundo, cuando Temístocles esperaba ya el impacto contra su coraza de lino, otro broquel se interpuso en su camino.

—¡Estoy contigo, Temístocles! —gritó Arifrón.

Sin perder tiempo en mirar al lado, Temístocles asestó un lanzazo a su enemigo a la altura del pecho. Notó algo metálico por debajo de la túnica, pero aprovechando que el persa se había quedado momentáneamente aturdido, volvió a golpear, y esta vez pudo sentir cómo la punta de hierro vencía una breve resistencia y se hundía en carne blanda. Temístocles removió la lanza con todo su peso. El rostro de su enemigo se desencajó en un rictus de odio y dolor, y su arma cayó inútil al suelo. El lancero persa retrocedió como pudo entre los demás, y otro guerrero ocupó su puesto. Temístocles escupió saliva y tierra y se preparó para enfrentarse a su tercer adversario.

A la derecha de la tribu de Temístocles, los hombres de Arístides también estaban enzarzados en un encarnizado combate con los lanceros del centro persa. La línea del frente se había estancado en un sinfín de combates individuales, con avances y retrocesos que dibujaban los dientes de una sierra.

Pero aún más a la derecha combatía el batallón de la tribu Enea, que formaba con filas de ocho hombres y se estaba enfrentando a los *thanuvaniya,* arqueros vestidos de rojo, y no a los lanceros del centro enemigo. Allí combatían hombro con hombro Cimón y Milcíades. Éste, que conocía bien cómo eran los escudos persas, había embestido con todas sus fuerzas al final de la carga, y el tremendo lanzazo que asestó había atravesado de paso al hombre que estaba detrás de la pantalla de mimbre y cuero. Cuando intentó tirar de su arma para atrás, no hubo manera de sacarla. Milcíades rugió pidiendo otra lanza, y cuando se la pasaron desde una fila posterior, apartó a patadas el enorme escudo e irrumpió entre las filas persas, seguido por su hijo.

Era la primera vez que Cimón entraba en combate. Mientras cargaban contra los enemigos, había experimentado a la vez un miedo terrible y una excitación brutal. En algún momento debía de haberse orinado encima, porque notaba los muslos y el *perizoma* empapados, pero no se avergonzó de ello. Ahora, cuando derribó el escudo que tenía enfrente y lo pisoteó, se acuclilló un instante y movió la cabeza con un rugido de león, agitando el penacho de plumas ante los arqueros persas. Aquello sembró el pánico entre los enemigos, que retrocedieron. Cimón, sin pensárselo, se abalanzó sobre ellos.

Delante tenía un persa de barba rubia con una coraza de escamas doradas. Cimón le tiró un golpe, pensando que rebotaría. Como él no había cambiado el agarre de su lanza, la punta subió en una trayectoria ascendente y, tras resbalar un instante, penetró entre las escamas, que estaban cosidas por arriba y sueltas por abajo. Mientras, el persa trataba de golpearle con su espada, pero estaba tan lejos que ni siquiera logró rozarle el escudo. Pues a Cimón le sobraba metro y medio de lanza desde la mano, sumada a la longitud de su propio brazo.

El joven, acuclillándose un poco, hizo fuerza con su propio peso para hurgar con la punta de hierro en la carne de su enemigo. Éste cayó sobre sus compañeros, que lo apartaron a un lado para lanzarse contra Cimón. Pero sus armas, valiosas sin duda para saquear ciudades o para enfrentarse entre ellos, resultaban inútiles ante la larga lanza de fresno griega. Del mismo modo, las escamas y mallas que blindaban sus cuerpos, adecuadas para detener los tajos de sus propias espadas, eran una protección mediocre contra una punta bien aguzada, que acababa abriendo los anillos o penetrando entre las aberturas de las placas. Cuando el tercer persa cayó ante Cimón, los demás comprendieron que no tenían opciones de acercársele y empezaron a retroceder. Tal vez pretendían ganar distancia para utilizar de nuevo sus arcos, pero el joven no pensaba permitírselo.

—¡Seguidme! —gritó, saltando sobre un cadáver. Una mano de hierro le agarró por las trenzas y tiró de él hacia atrás. Cimón se volvió, furioso, para encontrarse con el rostro de su padre, aún más encolerizado que él.

—¡Serás tú quien me siga a mí! ¡Vamos!

Como lobos entre ovejas, padre e hijo penetraron entre los arqueros persas formando una cuña. Sus hombres los siguieron, alanceando a todo enemigo que se ponía a su alcance, mientras los de las filas posteriores clavaban los pinchos de sus regatones en los ojos y las gargantas de los enemigos caídos.

—No te emociones, hijo —gruñó Milcíades—. Recuerda que todavía tendremos que reagruparnos y girar a la izquierda.

Cimón asintió. El ardor del combate no lo había vuelto tan necio como para olvidar el plan de Temístocles.

En la parte central la situación no era tan halagüeña para los atenienses. Los *arshtika* de uniformes azules que luchaban contra la Leóntide y la Antióquide sí tenían escudos. Aunque eran también de mimbre y cuero y sus lanzas medían un palmo menos que las griegas, aquellos hombres combatían con denuedo, espoleados por el orgullo de ser la élite reclutada por el Gran Rey en el propio corazón de su imperio. Acumulaban, además, más del doble de efectivos que los atenienses en la misma longitud de frente y se podían permitir muchas más bajas que ellos.

Aprovechando un instante de descanso cuando ambas fuerzas se apartaron unos pasos para tomar aliento, Temístocles ordenó que la segunda fila relevara a la primera allá donde fuese posible, y él mismo se giró de lado para dejar que Euforión pasase al frente. El combate volvió a trabarse enseguida, más encarnizado que antes, pues la visión y el olor de la sangre ya vertida convertían a los hombres en una jauría de lobos. Si atenienses y persas se aborrecían antes del combate de una forma remota, casi abstracta, ahora el odio se había convertido en algo tan tangible y visceral como los intestinos que Temístocles había visto ensartados en la lanza de un compañero a modo de trofeo. Y eso que la verdadera matanza no había empezado, pues las piernas aún estaban frescas y las fuerzas parejas. Temístocles, que había herido a dos hombres y los había obligado a retroceder, comprobaba que matar a alguien no era tan fácil como en los relatos de taberna. Si uno creía las fanfarronadas de muchos soldados, cada uno de ellos acababa con la vida de diez o doce enemigos en cada batalla. Ya el poeta Arquíloco, que como mercenario entendía de eso, había dicho: *Han caído siete muertos que alcanzamos en la huida, ¡y somos mil sus matadores!*

Mientras Euforión combatía en la primera fila, Temístocles trató de apoyarlo agazapándose tras él y colando su arma por los huecos que se le abrían. Por fin, cuando vio que el guerrero persa bajaba el escudo para cubrirse las piernas, aprovechó para arrojar la lanza por encima del hombro de Euforión como si estuviera cazando jabalíes en el monte Himeto. La punta de hierro atravesó la espesa barba del enemigo y se clavó en su cuello. El persa retrocedió un solo paso y cayó fulminado. Otro enemigo ocupó su lugar, pero antes de hacerlo rompió la vara de la lanza de Temístocles. Éste echó mano a la espada, pensando que perder una lanza a cambio de matar a un enemigo no era tan mala inversión.

—¡No! ¡Coge la mía! —le dijo Mnesífilo, que estaba detrás de él.

Temístocles se volvió de medio lado y cogió la lanza de su amigo con mucho cuidado; en las apretadas líneas de la falange cada movimiento suponía chocar contra los escudos de los demás y el peligro de clavarse el pincho de algún regatón. Su mirada se cruzó con la de Arifrón, que también había retrocedido a la segunda fila. El muchacho tenía un corte en un antebrazo y sus armas, llenas de polvo, habían perdido todo su lustre. Pero el brillo febril de sus ojos ya no era de miedo, sino de algo distinto. Temístocles le sonrió con ferocidad.

Por detrás de las líneas enemigas sonó un agudo y penetrante clarín, tocando una cadencia extrañamente femenina que no pertenecía a ninguna escala griega que Temístocles conociera. Los lanceros empezaron a retroceder y abrieron un gran pasillo justo frente a su posición. Durante un instante, Temístocles pensó que habían conseguido ponerlos en fuga. *No puede ser,* se dijo enseguida. Los persas estaban manteniendo el terreno hasta ahora. Debía tratarse de alguna maniobra del enemigo.

Aprovechó para apartar a Euforión, volver a la primera fila y mirar a su alrededor. Miles de pies revolviendo el suelo habían levantado una polvareda tan densa que era difícil distinguir algo a más de veinte metros de distancia. Hasta donde le alcanzaba la vista había bastantes cuerpos en el suelo, cadáveres griegos y persas mezclados sobre los restos rotos de los grandes escudos.

La llamada del clarín se repitió, y junto a ella se oyó el relincho de un caballo. Temístocles miró hacia el frente. Los rayos de sol que se colaban oblicuos entre la nube de polvo le daban de refilón en los ojos y lo hacían todo más confuso. Por el ancho pasillo que habían abierto las filas persas apareció la enorme sombra de un caballo, y detrás otros, como fantasmas recortándose en la niebla.

Pero ¿no decían que la caballería había embarcado?, pensó, y un miedo casi supersticioso le detuvo el corazón durante un instante.

Fffzzzzuuu. Algo negro silbó en el aire y una fracción de segundo después Temístocles sintió un golpe en el pecho, por encima de la tetilla derecha. Retrocedió con un gruñido de dolor. Como por arte de magia, una flecha había aparecido clavada bajo su clavícula. *Ffzzuuu, ffzzuuu, ffzzuuu.* Las saetas volaban en horizontal, más mortíferas que las que habían recibido durante la carga. El hombre que estaba a la izquierda de Temístocles, Filodemo, hijo de Androción, soltó un grito y se llevó la mano a la cara. Al arrancarse la flecha que había penetrado en el visor del yelmo se sacó también el ojo, una bola blanca unida a un colgajo sanguinolento, y cayó de rodillas entre alaridos.

Las flechas seguían lloviendo sobre los hombres de la tribu Leóntide, y tras ellas venía la carga de los jinetes persas que las disparaban. Estaban a menos de quince metros, un escuadrón en cuña cuyo número no podía precisar Temístocles, pues los caballos que venían detrás quedaban tapados por la nube de polvo que levantaban los cascos de los primeros. Pero el hombre que dirigía la carga, a lomos de su corcel negro y con la máscara de oro, era inconfundible.

Tienes una flecha clavada en el pecho, se dijo.

Si fuera grave, ya estarías muerto, se respondió a sí mismo, y tiró de la flecha, que salió con facilidad. Había sangre en la punta, pero después de atravesar las capas de lino debía haber perdido fuerza y no había conseguido perforar la costilla.

A su alrededor se oyeron gritos de desánimo, y muchos hombres volvieron la espalda para huir de los caballos que los embestían. La percepción de Temístocles, que parecía haberse agudizado durante la batalla, ahora se ralentizó, como si la rueda del tiempo hubiera quedado atascada en un espeso río de miel. Vio a su izquierda un escudo que caía boca abajo y giraba sobre la bloca como una peonza unos instantes antes de detenerse. El hombre que lo había soltado daba media vuelta y huía, abriéndose paso a empujones entre otros hoplitas que retrocedían con gestos de pavor, muchos de ellos abandonando también los broqueles. Después oyó un relincho, poderoso y grave como el mugido de un toro, y se volvió hacia el frente. Vio la testera dorada del caballo negro y las plumas rojas que ondeaban sobre su cabeza como llamaradas del infierno. Al contemplar su aparición de entre el polvo, se imaginó lo que debió sentir la joven Perséfone cuando la tierra se abrió y de una nube de humo negra surgió el carro del dios Hades, tirado por corceles tan tenebrosos como el que montaba el hombre de la máscara de oro.

Miró a ambos lados y se vio solo entre el polvo. Él era una barca solitaria en la bruma, y el caballo del enmascarado un enorme escollo negro que las olas empujaban contra él. Temístocles no sabía qué estaba pasando en otros puntos del frente, e ignoraba si la tribu Antióquide también estaría sufriendo un asalto como aquél. Pero estaba seguro de que Arístides no iba a arrojar su escudo.

El pánico cerval a la caballería que impulsaba a huir a sus camaradas no significaba nada para él. Había otro miedo mucho más palpable, más cercano, el mismo miedo que no había dejado de sentir desde que Fénix lo azotó delante de sus compañeros. La tribu de Temístocles estaba retrocediendo ante el enemigo y la línea ateniense se iba a romper justo por el centro, demostrando que su plan tenía una debilidad fatal. Iban a señalarlo con el dedo, a burlarse de él y a compararlo con Arístides.

No pensaba sobrevivir para verlo.

Clavó la contera de su lanza en el suelo, proyectó la punta hacia delante y se arrodilló, protegiéndose bajo el escudo. El corcel negro rompió la nube de polvo y apareció a menos de cinco metros de él. El hombre de la máscara había colgado el arco junto a la silla y ahora blandía sobre su cabeza un enorme sable. Temístocles rechinó los dientes y entrecerró los ojos, aguardando la inevitable embestida. Pero, al ver la punta de hierro delante de su cara, el caballo se encabritó y rehusó seguir adelante. Su jinete lo hizo girar a la izquierda apretándole el lomo con la rodilla, y aprovechó el movimiento para descargar un tajo sobre la lanza de Temístocles y arrancarle la moharra.

—¡Aquí, a tu lado!

Temístocles miró de reojo a la derecha. Arifrón se había arrodillado junto a él, y ahora su pica también se proyectaba contra la cabeza del caballo.

Los demás jinetes llegaron junto al enmascarado, pero sus monturas se frenaron en seco, siguiendo el ejemplo del corcel negro. Temístocles, al detener la embestida del macho dominante, había logrado robarle el impulso de la carga a toda la manada.

—¡Aguanta, Temístocles!

Miró a la izquierda un instante. Allí estaba el enjuto Fidípides, hincando su lanza en el suelo y sonriéndole a través de una capa de polvo tan blanca y espesa que los bordes internos de sus párpados parecían heridas ensangrentadas. Más allá de Fidípides, Mnesífilo clavó la rodilla y levantó una lanza que debía de haber recogido del suelo.

Ah, qué hatajo de patéticos y magníficos compañeros con los que morir, pensó.

Por encima de su hombro apareció otra punta de lanza, y luego otra. Más hombres ocupaban sus puestos a derecha e izquierda, haciendo más tupida la barrera de hierro aguzado que amenazaba a los caballos de los persas.

Temístocles comprendió que a sus hoplitas les había podido más la vergüenza de ver morir a su taxiarca abandonado por ellos que el propio miedo. Había que aprovechar ese momento cuanto antes.

—¡Arriba! ¡Ahora! —gritó, y él mismo se puso en pie.

El caballo negro volvió a encabritarse y le tiró una coz con la pata delantera que casi arrancó el escudo de brazos de Temístocles. El dolor fue como si le hubieran dado un martillazo en el codo, y dejó de sentir todo el antebrazo izquierdo. Pero aguantó y tiró un golpe a la cara del caballo, al que, en ese momento, odiaba más de lo que había aborrecido nunca a ningún humano. El corcel, que había dado un paso adelante para arrollarlo y había abierto la boca con intención de morderlo, se tragó el palo quebrado de la lanza. Temístocles apretó con rabia y sintió que la punta astillada raspaba en algo duro y se hundía. El caballo negro soltó un agudo relincho de dolor y empezó a corcovear sin control. El enmascarado tuvo que sujetar las riendas con ambas manos y el sable se le cayó al suelo.

La cuña de caballería, frustrada su penetración, se había convertido en una línea que ahora peleaba contra el frente recompuesto de los hoplitas. Los jinetes golpeaban desde arriba con sus espadas curvas. Algunos de sus tajos arrancaban los yelmos de los atenienses o conseguían clavarse en la estrecha ranura entre la coraza y el casco y romper clavículas y segar arterias, mientras sus caballos, rabiosos, pateaban y mordían a diestra y siniestra. Perdido el impulso primitivo de la embestida, la situación era incierta. Aquellos jinetes, persas de noble cepa, cubrían sus cuerpos con lujosas armaduras, pero la forma en que tenían cosidas las escamas los hacía vulnerables a lanzazos recibidos de abajo arriba, y muchos de ellos caían al suelo y eran pisoteados por los cascos de sus propios corceles o rematados por los griegos, que buscaban sus caras descubiertas con las puntas de las picas.

El hombre de la máscara había retrocedido, pues su caballo no hacía más que sacudir la cabeza a ambos lados, loco de dolor. Ahora que Temístocles disponía de algo más de espacio delante de él, en medio de aquella polvareda tan espesa que el sol se había convertido en una mancha blanca y difusa, se sintió suspendido en un lugar fuera del tiempo, como debía pasarles a los héroes homéricos cuando los dioses los arrebataban del campo de batalla en una nube.

Lejos, a su izquierda, se oyó una trompeta, y varias más la contestaron por la derecha. Aunque sonaban amortiguadas por el fragor de la batalla, los gritos y los relinchos de los caballos, Temístocles reconoció su breve melodía, inconfundiblemente griega. Era la señal para la tercera parte de su plan.

El jinete enmascarado, intuyendo tal vez lo que se le venía encima, levantó la mano y gritó una orden, mientras su montura corcoveaba y se revolvía en círculos como un potro sin domar. Después se volvió y se perdió en la polvareda, seguido por sus jinetes. Temístocles jadeó, tosió y escupió polvo y granos de tierra, mientras veía las grupas de los caballos desaparecer de su vista, como si no hubieran existido, como si fueran imágenes de una pesadilla. Pero en el suelo había jinetes derribados, y también estaba el sable del enmascarado como prueba de que no habían combatido contra fantasmas. Temístocles pensó en apoderarse de la espada como botín, pero era demasiado larga y en aquel momento no se le ocurría de dónde colgársela sin que le estorbara.

—Vienen más —dijo Mnesífilo.

Temístocles se volvió hacia su amigo. En algún momento había perdido el yelmo; tenía toda la piel de la sien derecha levantada y la oreja partida en dos. No quería ni imaginarse cuánto debía dolerle, pero Mnesífilo no se quejaba. Temístocles se acordó de su propia herida y se miró el pecho. El agujero en el lino no se había manchado de sangre, y el dolor que aún sentía en el codo anulaba el del flechazo.

Las túnicas azules volvieron a aparecer entre el polvo, cerrando los huecos por donde habían dejado pasar a la caballería. Pero se quedaron allí, a unos metros de ellos, sin decidirse a atacarlos. Griegos y persas se miraron por encima de los cadáveres apilados entre ambos frentes.

—¿Cargamos, señor? —preguntó Arifrón.

—No, amigo mío —contestó Temístocles, agachándose ahora para recoger una lanza. Era persa y más corta que la suya, pero conservaba su punta de hierro y le serviría—. Vamos a aguantar la posición aquí. Pronto serán ellos quienes vengan a ensartarse en nuestras picas.

Los arqueros persas, comprendiendo por fin que en el combate cuerpo a cuerpo no tenían nada que hacer contra el blindaje y las largas lanzas de los hoplitas, huían por delante de la tribu

Enea, buscando las naves que pudiesen quedar varadas en la playa. Milcíades rugió, blasfemó y golpeó varias cabezas para evitar que sus hombres, borrachos de sangre y codiciosos del oro que veían en los cuellos, las orejas y las muñecas de los persas, los persiguieran. A su izquierda, en el centro del campo de batalla, se vislumbraban tras una gruesa cortina de polvo las túnicas azules de los lanceros persas. Como se había acordado en la reunión de generales, si los batallones que combatían en las alas lograban ahuyentar a los enemigos, debían acudir en auxilio de las tribus de Temístocles y Arístides para compensar la debilidad de su formación.

—¡Conversión a la izquierda! —ordenó al trompeta, que sopló hasta perder el aliento para transmitir la orden.

Tenían que pivotar sobre el extremo izquierdo del batallón para girar todo un frente de cien escudos hacia el centro del campo de batalla. Era una maniobra muy complicada. Cimón pensó que, en pleno combate, ni los propios espartanos, que entrenaban durante toda su vida, lo habrían conseguido. La línea griega, que ya se había quebrado por veinte sitios, se rompió aún más. Pero los quinientos acarnienses y el resto de sus conmilitones de la tribu Enea, aun incapaces de cumplir la orden al pie de la letra, habían captado al menos el espíritu que les dictaba la música: tenían que acudir en ayuda de sus compañeros del centro. Por grupos de treinta, de cincuenta, como mucho de cien, formaron pequeñas falanges y se internaron donde la polvareda era más espesa, buscando las casacas azules de los enemigos.

Cimón, que seguía hombro a hombro con su padre, tiró la lanza, que se le había vuelto a romper, y desenfundó la espada. Estaba tan excitado como un garañón ante un rebaño de yeguas, y la distancia que interponía la lanza entre los enemigos y él era demasiado frustrante para su sed de sangre.

—¡Estás loco! —gritó Milcíades—. ¡Coge una lanza!

—¡No me hace falta, padre!

Milcíades se volvió hacia él. Tenía las pestañas blancas de polvo y la barba pringada de saliva y de sangre, suya o de algún persa.

—No se trata de que te haga falta a ti, sino de lo que tenemos que hacer. ¡O coges una lanza o te vas a la fila de atrás!

Alguien le pasó una pica a Cimón. Tenía la punta limpia, pero la contera estaba ensangrentada. Su dueño debía haber rematado a un enemigo caído en el suelo mientras pasaba por encima de su cuerpo.

Una racha de aire desgarró el velo de polvo, y ante ellos, a unos cinco metros, apareció nítidamente una fila de lanceros persas que les ofrecían el costado izquierdo. Algunos de ellos vieron a los atenienses y se volvieron con gesto de asombro. Sin duda, no se esperaban ver enemigos por aquel lado.

—¿Ves, hijo, como te hacía falta una lanza? —dijo Milcíades—. No se pueden pescar atunes con espada.

El terral había dejado paso a la brisa del mar, que soplaba ahora con cierta fuerza y arrastraba las nubes de polvo hacia los montes que cerraban el valle por el norte. Temístocles tuvo una visión más clara de la situación, al menos en la zona donde se encontraba su tribu. Frente a ellos seguía habiendo un gran número de persas, pero ya no estaban tan organizados como antes. Algunos caftanes rojos de arqueros se mezclaban con los azules de los lanceros, y unos se empujaban a otros, cada grupo pugnando en una dirección diferente. Detrás, por encima de las cabezas de los enemigos, se alzaban puntas de lanzas, y también penachos que parecían griegos. Por si a Temístocles le cabía alguna duda más, desde allí, sobreponiéndose a los gritos y las voces de los persas, le llegó el inconfundible canto del peán.

Aquélla era la culminación de su plan, que Milcíades había tildado de locura y, sin embargo, había aceptado. Para evitar que el enemigo los rodeara, le había propuesto que fuesen ellos quienes lo rodearan a él. Si las cosas habían ido según lo previsto —o más bien lo deseado, porque en aquel fragor de gritos, polvo, sudor y sangre todo era caótico e imprevisible—, las alas atenienses habían conseguido derrotar a los adversarios formados frente a ellas y ponerlos en fuga, y ahora estaban cerrando una tenaza sobre el centro del ejército persa.

La brisa siguió despejando el polvo, y durante unos segundos Temístocles vio a miles de persas, más apelotonados que los ciudadanos en las asambleas de la Pnix. Los que estaban en primera fila ante ellos, viendo las largas lanzas que ya habían probado en sus carnes, clavaban los pies en el suelo para resistirse a la presión de los que tenían detrás. Pero era inútil, porque sus propios compañeros intentaban también huir de los atenienses que tenían a la espalda y no dejaban de empujarlos.

Esta vez eran los persas quienes venían hacia las puntas de sus lanzas, aunque no por propia voluntad, y muchos de ellos habían perdido sus escudos. Temístocles echó cuentas. Había matado a un enemigo y herido a otros dos, amén de clavarle el palo de la lanza al enorme corcel negro. De momento, había probado suficiente ración de sangre. Se ladeó y dejó pasar al hombre que tenía a su espalda, un tal Demódoco que al principio del combate formaba quince escudos a la derecha de él y en la tercera fila. Sólo Zeus sabía cómo habría ido a parar detrás de Temístocles; pero ahora Demódoco le dio las gracias, deseoso de matar enemigos.

Fuera de la formación, el mundo parecía distinto, más aireado y luminoso. Temístocles miró hacia el suroeste, en dirección al monte Agrélico. Había pequeños grupos de persas corriendo hacia el olivar de Heracles, e incluso algún que otro jinete. Debían de haber roto las filas de su tribu o la de Arístides. En cualquier caso, no podían suponer demasiada amenaza ni siquiera para la infantería ligera que se había quedado guardando el campamento ateniense.

—¿Qué hacemos ahora, general?

Temístocles se volvió. Quien le había preguntado era Cares, el corneta del batallón. En su coraza había salpicones de sangre, le habían arrancado el penacho y tenía una muesca de espada o de hacha en el yelmo, pero conservaba la trompeta. Temístocles estuvo a punto de contestarle que él no era el general de la tribu. Entonces comprendió.

—Melobio ha muerto, ¿verdad?

El trompeta asintió, con lágrimas en los ojos. Temístocles, algo aturdido por la batalla, recurrió a su memoria y recordó que aquel joven se llamaba Conón y era hijo de Melobio. Le puso la mano en el hombro y le dijo:

—Tu padre era un gran hombre. —Era mentira, por supuesto. Pero al menos Melobio había tenido la decencia de morir en una gran ocasión y no apuñalado en algún garito del Pireo. Luego, Temístocles captó algo más en la mirada de Conón y le tranquilizó—: Sólo te dejará honor, no deudas.

Sin duda se arrepentiría más tarde de su generosidad, pues le tocaba responder de casi un talento y medio ante los acreedores de Melobio. Pero ahora era incapaz de sentirse mezquino.

—¿Qué hacemos, general? —insistió Conón.

—Nada. Ya no es necesaria ninguna maniobra.

Se volvió y señaló hacia sus propias líneas. Entre las espaldas de los hombres, se veían las conteras de las picas adelantarse y retroceder conforme alanceaban a los enemigos. Ya no había apenas cantos, ni trompetas, las órdenes eran pocas y los alaridos muchos, y el entrechocar de metal contra metal había dejado paso a ruidos más ominosos. Los que se podrían oír cuando los matarifes degollaban y despiezaban cien bueyes en las hecatombes en honor de Atenea.

—Si quieres vengar a tu padre —le dijo a Conón—, ponte en la primera fila. Aunque no sé si tus propios compañeros te dejarán.

Cuando los enemigos cargaron contra ellos, Artemisia se había esperado un choque espantoso. Pero los atenienses se refrenaron unos pasos antes de llegar. Ya se lo había advertido Fidón: *«Frenarán, frenarán. Un choque de verdad entre dos falanges es demasiado duro.»*

Gracias al refuerzo de los soldados de Halicarnaso, el ala izquierda persa se solapaba un poco sobre la ateniense. Por eso, Calímaco y el general que estaba a su lado, ambos ocupando el puesto de honor de su formación, se abalanzaron contra el centro de la pequeña falange de Artemisia, dejando su flanco derecho descubierto.

—Mira a tu hombre, señora. Mira a tu hombre —le recordó

Fidón, al darse cuenta de que ella no hacía más que volver la vista a un lado.

Artemisia respiraba en bocanadas cortas y rápidas. Ella misma no sabía si lo que sentía ahora era miedo u otra cosa. Lo que fuera, le servía para infundir más fuerza a sus brazos y sus piernas, así que daba igual. El hombre que venía contra ella llevaba un yelmo corintio muy cerrado, pero por debajo se le veían los ojos, muy blancos sobre su piel morena. Y en el último momento, antes de golpear, el ateniense los cerró.

Nada podía haberla preparado para lo que vino después. Aunque Artemisia había entrenado durante años con Fidón y sus soldados, los golpes del adiestramiento siempre tenían un punto de contención, privados de la fuerza incontrolable que el miedo y la excitación de la batalla pueden prestar a un brazo. En ese momento, la lanza de su enemigo pegó en el centro de su escudo con tanta fuerza que el propio brocal golpeó a Artemisia en la cara y le partió un labio. Pero ella, que, al contrario que el ateniense, no había cerrado los ojos, adelantó la pierna derecha y estiró el hombro y el brazo para meter su arma por debajo del escudo enemigo. La hoja de hierro hirió la parte exterior del muslo del ateniense. Artemisia vio la sangre brotar y oyó el grito de su adversario.

—¡Bravo, señora! —gritó Fidón, que al parecer tenía tiempo para combatir por su cuenta y a la vez observar lo que hacía ella.

Así fue el inicio de la batalla para Artemisia. Su adversario siguió peleando con ella un rato, aunque cada vez más débil y trastabillando por culpa de la herida en el muslo. A su izquierda, los halicarnasios que sobrepasaban el flanco ateniense aprovecharon esta ventaja para concentrar sus golpes en el costado derecho de aquellos hombres. Calímaco fue de los primeros en caer, y uno de los halicarnasios levantó en alto su casco y su penacho entre gritos de triunfo. Pero los atenienses que peleaban en las últimas filas salieron de ellas para acudir a cerrar el hueco, y durante un rato el combate se trabó.

Todo era tan confuso que luego Artemisia no recordaría los detalles. Su primer adversario había desaparecido, sustituido por otro que le tiraba lanzazos contra las piernas con una rapidez endiablada y que llegó a arañarle las grebas dos veces, hasta que Fidón intervino y le clavó su arma en la cara. Estaba tan cerca de ella, a poco más de un metro, que Artemisia pudo ver perfectamente cómo la punta de hierro le reventaba un ojo, y de éste brotaba un repugnante líquido gris mezclado con sangre. Luego, el propio Fidón dijo:

—¡Retirada! ¡Retirada!

Ella no entendía por qué, pero Fidón la agarró por el faldar sin el menor reparo y tiró de ella para atrás. Los atenienses que combatían contra ellos se detuvieron donde estaban, agradecidos de tomarse un respiro, mientras los halicarnasios reculaban paso tras paso, mirando a la vez hacia delante para no perder la cara a los enemigos y hacia atrás para comprobar que sus propios compañeros también retrocedían.

Entonces comprendió Artemisia lo que pasaba. A su derecha, los atenienses habían penetrado entre las filas de los persas tras hacer astillas su barrera de escudos y ahora avanzaban pisoteando cadáveres y alanceando a los arqueros. Si los halicarnasios se hubieran quedado donde estaban, aunque hubiesen resistido a los hombres que tenían enfrente, no habrían tardado en verse flanqueados y atacados por la retaguardia.

—¡A las naves! —gritó Artemisia—. ¡A las naves, rápido!

Los hombres de las últimas filas dieron la vuelta y corrieron hacia los barcos. Artemisia, Fidón y los demás hombres de la vanguardia siguieron retrocediendo con cierta disciplina, casi de lado. Pero los atenienses, que se habían dado un respiro, ahora olieron sangre y se lanzaron a por ellos entre gritos. Artemisia miró hacia atrás. Sus barcos estaban a más de doscientos metros, y los enemigos a menos de veinte.

—¡Tira el escudo, Artemisia! —le dijo Fidón—. ¡Tíralo!

Aquello, según contaban, era la mayor deshonra para un guerrero, y para un espartano significaba prácticamente la muerte. Pero el veterano capitán siempre le había dicho que, llegado el caso, recordara las palabras de Arquíloco: *Algún enemigo disfruta del magnífico escudo que tuve que abandonar tras un arbusto. Pero salvé la vida. ¡Ya me compraré otro mejor!* La joven soltó el escudo, que cayó junto a los demás con un sonoro gong, se dio la vuelta y corrió, arrepintiéndose incluso de haberse puesto las grebas.

Huyeron hacia los barcos, perseguidos por los ruidos de la batalla. Mirando a la izquierda, tierra adentro, Artemisia podía ver que en las filas posteriores de los persas había muchos que seguían su ejemplo. Por detrás, los hoplitas del ala ateniense corrían en persecución de los halicarnasios. Pero iban lastrados por el peso de los escudos y el cansancio de la prolongada carga por la llanura, así que consiguieron sacarles cierta ventaja.

A diferencia de lo que pasaba con los persas, entre los hombres de Artemisia no había pánico. Al fin y al cabo, no habían sido derrotados en su zona del campo, y la mayoría estaban frescos porque no habían llegado a entrar en el combate. Al llegar a la playa, abrieron sus filas para no tropezar entre ellos. Cada uno se dirigió a su nave y empezaron a embarcar, unos por las escalas, otros izándose con las sogas que les tendían y otros escalando directamente sobre los remos. Las naves ya estaban en el agua, y desde la cubierta los tripulantes jaleaban a sus compañeros. Diógenes, el piloto, le tiró un cabo a Artemisia.

—¡Date prisa, señora!

La joven miró hacia atrás. Los primeros atenienses no podían estar a mucho más de veinte metros. Tiró la lanza, corrió hacia la popa de la *Calisto* y trepó por la soga, pues ya habían retirado la escalerilla.

Menos mal que los atenienses no tienen arqueros, pensó, pero aun así la nuca se le erizó al pensar que estaba dando la espalda a los enemigos.

Las filas persas se habían desmoronado ante Cinégiro y sus hombres. Al ver cómo, en cuestión de minutos, los griegos destrozaban tres o cuatro filas de soldados y se abrían paso pisoteando cadáveres, los demás sucumbieron al pánico, les dieron la espalda y huyeron.

A los primeros, que ahora se habían convertido en los últimos e intentaban empujar a sus propios compañeros para huir, los alancearon por la espalda sin misericordia. Cinégiro derribó a uno hincándole el arma en los riñones, pasó por encima de él y al pisarle un brazo comprobó que aún seguía vivo. El hoplita que venía detrás de él se ocupó de rematarlo. Luego, Cinégiro clavó la lanza en la espalda de otro, por debajo del omóplato. Como no llevaba ninguna protección bajo el caftán rojo, la moharra se hundió con tanta fuerza que se quedó enganchada entre las costillas, y Cinégiro ya no tuvo manera de sacarla. Allí quedó su lanza.

Ante ellos se abría un amplio espacio despejado. Por delante, los persas huían hacia las naves, y a su derecha un grupo de jonios corría por la playa. Cinégiro miró a los lados. Alguien se acercó a decirle algo a Esquilo, que asintió y se volvió hacia su hermano.

—El polemarca y el general han muerto. Tú estás al mando.

Cinégiro, ofuscado por el combate y la sangre, tardó unos segundos en asimilar lo que pasaba. Después recordó las órdenes. En la reunión previa a la batalla se había concertado que, si conseguían romper las líneas persas, el batallón Ayántide podía dedicarse a perseguir a los enemigos mientras las tribus que formaban a su izquierda acudían a socorrer a sus compañeros del centro.

—¡A por ellos! —exclamó ahora, apuntando con la espada hacia la playa—. ¡Hay que impedir que embarquen y vayan a Atenas!

Los ciudadanos de la Ayántide pidieron un esfuerzo más a sus piernas y avanzaron al paso ligero, cargados con toda la impedimenta. La formación se rompió, los más rápidos se adelantaron y se fueron escindiendo en grupos que corrían hacia los barcos alineados en la orilla. Cinégiro pensó que tal vez debería reorganizar a los hombres del batallón, pero enseguida desechó aquella idea. No era necesario volver a formar la falange: los persas estaban aterrorizados, lo había visto en sus ojos. Fobo se había apoderado de sus almas y ya no las soltaría de entre sus garras, al menos mientras durase la batalla.

Muchos barcos habían zarpado y se alejaban a toda prisa de la costa, pero no muy lejos de ellos unas naves griegas aún no habían terminado de desembarrancar. Los jonios que habían formado junto a los persas estaban embarcando en ellas. Eran los mismos que habían matado al polemarca y al general de su tribu, pensó Cinégiro, y el rencor lo acicateó todavía más.

Cinégiro era un atleta de gran resistencia que había ganado varias coronas de laurel en la carrera larga del *dólikhos*. Pronto él y los más rápidos de sus compañeros dejaron atrás a los demás. La primera nave estaba ya a su alcance. Era la mayor de todas, un trirreme pintado de ocre, con un estandarte que representaba a un oso bordado con hilos blancos sobre un fondo rojo, y vistosos adornos de oro en la proa y en la popa.

—¡Vamos a por ese barco! —animó a sus hombres.

Cuanto más corría, menos cansado se encontraba. Se sentía una reencarnación de Aquiles combatiendo junto a las murallas de Troya. El trirreme se bamboleaba ya en las olas someras de la playa. Cinégiro se metió en el agua, y los últimos jonios que aún no habían embarcado se dieron la vuelta para enfrentarse a él y a los hombres que lo seguían.

Se libró un breve combate al pie de la nave. Las aguas se tiñeron de sangre jonia: aquellos traidores a su raza habían arrojado sus escudos por el camino, y ahora se arrepentían. Cinégiro hirió a uno en el muslo y, cuando se agachó, le dio un tajo en el cuello. Sin esperar a ver qué era de su adversario, chapoteó hacia el barco, persiguiendo a los enemigos que trepaban por las sogas. Si se apoderaba de la primera nave, sin duda ganaría el premio al valor delante de todos los atenienses. Dejó caer el escudo, se colgó la espada al costado y pisó sobre el último remo, cerca de la popa. Aunque sus hombres lo siguieran, nadie le disputaría el honor de ser el primero en poner el pie sobre un barco enemigo.

Su mano derecha se aferró a la borda allí donde se curvaba hacia arriba para unirse con el codaste, y se izó a pulso hasta agarrarse con la otra. Pero cuando ya tenía la barbilla por encima de la regala, vio algo que lo detuvo un instante. Frente a él había un hoplita que se quitó el yelmo y lo miró.

—¡Atenea! —exclamó Cinégiro, porque era una mujer y no un hombre, lo que significaba que sólo podía tratarse de la diosa guerrera.

Obnubilado por la mirada de aquellos ojos azules y por lo extraño de la situación, apenas se dio cuenta de que la mujer empuñaba un hacha. De pronto notó algo duro, un fuerte golpe en la muñeca. Cinégiro pensó que debía apartar el brazo. Pero al hacerlo su mano derecha se quedó allí, aferrada a la borda. Vio su carne roja, sus huesos y sus tendones blancos, las venas que goteaban sangre, y siguió viéndolo todo mientras caía de espaldas al agua con un grito de dolor que salía de su propia boca.

Sus compañeros lo sacaron a la playa, renunciando a apoderarse del trirreme, que ya se alejaba de la orilla a fuerza de remos. Cinégiro apartó a los demás, se levantó y señaló a la nave con el muñón.

—¡Tenemos que tomarla! ¡No dejéis que se escape!

Pero mientras gritaba, la sangre le seguía brotando a borbotones de la muñeca. El dolor le empezó a subir por el brazo y llegó hasta su cabeza, como una coz. Cayó de rodillas en el agua y todo se volvió negro. Escuchó, muy lejos, a su hermano Esquilo, y notó que unos brazos lo agarraban.

—Hoy estarás conmigo en los Campos Elíseos.

Cinégiro levantó la cabeza al oír aquella dulce voz. Atenea, la misma que le había cercenado la mano, le miraba ahora con una dulce sonrisa. Cinégiro dejó que ella le acariciara los cabellos, mientras las olas de Maratón lo arrullaban.

Cinégiro nunca despertó. Los harapos de lino con los que intentaron taparle la herida no sirvieron de nada, y cuando alguien consiguió fuego para cauterizarle el muñón ya era demasiado tarde. Cuando Temístocles lo vio, su amigo estaba tendido en la arena con el rostro exangüe, tan blanco que, por contraste, su barba castaña parecía de carbón. Pero su gesto era plácido y tenía los ojos cerrados como si durmiera. Esquilo, arrodillado junto al cadáver, contemplaba a su hermano con mudo estupor.

—Tu dolor es mío —le dijo Temístocles, apretándole el hombro. Esquilo levantó la mirada. Sus ojos eran negros y duros como la obsidiana.

—No, Temístocles. Mi dolor es sólo mío. Tú disfruta de tu victoria.

A Temístocles le dolió aquella reacción. Había compartido mucho con Cinégiro, quien le contaba cosas que nunca le habría confesado a su propio hermano, cada vez más morigerado con los años. Pero se tragó sus lágrimas y se apartó de ellos sin decir nada.

Como autoridad más alta de la tribu Leóntide, tenía que deliberar con los demás generales. Mientras caminaba hacia el punto de reunión, Temístocles fue hablando con los ciudadanos que se encontraban para acopiar información. La magnitud del triunfo se hacía más asombrosa a cada momento que pasaba, y los propios atenienses la iban asimilando poco a poco.

—¡Milcíades es un genio! —comentaba alguien en un corrillo de hoplitas—. Sólo un loco como él podía llevarnos a la victoria.

Quítale ahora la gloria a Milcíades, si eres capaz, pensó Temístocles con amargura.

Antes de reunirse con los demás, Temístocles ya tenía un panorama bastante claro del resultado de la batalla. Frente al ala izquierda griega, los enemigos que se habían enfrentado a los plateos y a la tribu Egea habían sufrido bajas cuantiosas. Desde aquel punto, al pie del monte, los persas tenían muy lejos la retirada a las naves, así que muchos de ellos se habían visto obligados a entrar en el pantano. Hasta allí los habían perseguido los griegos, cazándolos como patos en el cañaveral. Algunos, por huir de sus lanzas, se habían adentrado en zonas del marjal más profundas; sólo para ahogarse en sus aguas, pues la mayoría de los iranios no sabían nadar.

Pero la mayor mortandad se había producido en el centro. Las tropas elegidas de Datis, que al principio de la batalla habían resistido bien el embate ateniense e incluso en varios puntos del frente llegaron a llevar la mejor parte, habían perecido, paradójicamente, por su propio éxito. En lugar de huir a los pocos minutos del choque, como habían hecho sus conmilitones de ambas alas, los lanceros habían mantenido la posición, y fue en ella donde los casi cuatro mil hoplitas de las tribus Erectea, Cecropia, Hipotóntide y Enea los rodearon en una maniobra envolvente. Como Milcíades le había predicho a su hijo, aquello más que una batalla fue una almadraba en la que se dedicaron a arponear a los persas como si fueran atunes boqueando en las redes. Los que no murieron alanceados, perecieron asfixiados por la aglomeración de cuerpos, heridos por las armas de sus propios compañeros o pisoteados por sus botas. Allí habían caído cinco batallones casi enteros, salvo los escasos lanceros que lograron romper el cerco ateniense y huir. Milcíades había dado órdenes de no coger prisioneros.

El botín parecía menor del que se podría esperar tras aquella apabullante victoria. Datis había hecho recoger las tiendas más lujosas durante la noche, y las demás las habían incendiado los propios persas antes de huir. En cuanto a las naves, los atenienses se habían apoderado de siete, tres jonias y cuatro fenicias. Las de Artemisia habían conseguido escapar. No obstante, en la montonera de cadáveres apilados en el centro del campo de batalla había oro y joyas en abundancia y armas muy valiosas.

No disponían de tiempo para repartir el botín, erigir un trofeo ni ocuparse de los muertos. Los generales supervivientes se reunieron en un rápido conciliábulo. De ellos, habían caído cuatro, a los que sustituyeron sus taxiarcas, salvo en el caso de la tribu Ayántide, que había perdido tanto a su general Estesilao como a su taxiarca Cinégiro.

Mientras deliberaban, las velas de las naves persas se perdían en el horizonte. Unos exploradores que habían despachado para que fueran al extremo de la Cola del Perro y otearan el mar informaron de que la flota se había dividido. La mayor parte de ella estaba costeando el Ática hacia el sur, pero una porción se había desviado hacia el este, a Eubea.

—Irán a recoger a los eretrios —dijo Milcíades.

Temístocles, pasada la euforia del combate, recordó de nuevo su proyecto de flota. De haber tenido suficientes barcos de guerra podrían haber rescatado a los eretrios. Tal vez el abatimiento posterior a la batalla y la tristeza por la muerte de Cinégiro lo hacían más propenso a los remordimientos. Lo cierto era que se sentía atormentado pensando en el destino de los cautivos eretrios, hacinados en el islote de Egilia. De nada les serviría la victoria de sus antiguos aliados los atenienses cuando a ellos los deportaran como esclavos a Asia.

No pienses en eso, se dijo. *Es una pérdida de tiempo.*

—¿Qué ha pasado con los jefes persas? —preguntó Milcíades—. ¿Tenemos a Datis?

Entre los cadáveres había algunos que, por la riqueza de sus atuendos, debían de pertenecer a la más alta nobleza persa. Pero, según todos los indicios, tanto Datis como Artafernes habían conseguido escapar. Al enterarse, Milcíades escupió con desprecio.

—¡Cobardes! Nuestro polemarca fue de los primeros en morir, mientras que ellos han sido de los primeros en huir. ¿Algún rastro de Hipias?

Megacles el Alcméonida soltó una carcajada.

—Ése debió de ser el primero en embarcarse anoche. Ya no tiene edad para estos trotes.

—Bueno. Eso da igual ya —dijo Milcíades—. Ahora hay que ponerse en marcha. Tenemos que regresar a Atenas cuanto antes. Ya veis por dónde están sus barcos —añadió, señalando hacia el sur.

—¿Cuántos persas pueden quedar? —preguntó Euclides.

—Que nos eche las cuentas Temístocles —respondió Milcíades.

El aludido se acarició la barbilla antes de responder.

—Si los batallones del centro han sido aniquilados, como parece, puede haber cinco mil muertos. Sumadles los que hayan caído en otros lugares del campo de batalla. No sé, tal vez mil quinientos más.

—¿Por qué no te dejas de rodeos y nos dices de una vez cuántos quedan? —dijo Jantipo.

Temístocles cerró los ojos y contó hasta diez, no por calcular el contingente persa, sino por no mandar a los cuervos a Jantipo. Aunque todos estaban muy cansados e irritables, la insolencia y el soniquete agudo del Pepino sacaban de quicio a cualquiera.

—Aún pueden quedar unos veinte mil —dijo por fin—. Siendo optimistas, tal vez diecisiete mil. Pero creo que ser optimistas es lo último que conviene.

—¿Por qué? Hemos obtenido una gran victoria —dijo Megacles, con una sonrisa radiante. Al parecer, olvidaba que él se había opuesto en todo momento a plantar cara a los persas.

—Hemos obtenido *parte* de una victoria —gruñó Milcíades—. Pero si queremos tener hogares donde celebrarlo y familias con las que festejarlo, debemos regresar a Atenas ahora mismo.

—Los hombres están derrengados —dijo Euclides—. No podemos exigirles eso.

Milcíades soltó un bufido.

—Escúchame. Tengo sesenta y dos años. —Temístocles enarcó una ceja. Era la primera vez que oía a Milcíades reconocer su verdadera edad—. Acabo de batirme contra los persas al lado de hombres a los que sacaba veinte, treinta y hasta cuarenta años. Si el carromato y los bueyes que llevan en procesión a la sacerdotisa de Argos me hubieran pasado por encima del cuerpo, no me dolería más. Por mí, me bebería ahora mismo una tinaja de vino y me dormiría hasta las Apaturias. ¡Así que no me digas lo que puedo o no puedo exigirles a mis soldados!

—Milcíades tiene razón —intervino Arístides. El viejo rival de Temístocles mostraba un aparatoso vendaje en la cabeza y había recibido una herida en el muslo izquierdo, pero se negaba a sentarse y permanecía de pie como los demás, apoyado en su lanza—. Hay que hacer lo que hay que hacer.

La decisión fue rápida. Los hombres volvieron a formar para la marcha. Pese a la mezcla de agotamiento y euforia, nadie protestó, pues sabían cuál era su deber: defender a los suyos. Los asistentes de los hoplitas, que durante el combate sólo habían salido de la abatida para dar caza a fugitivos persas, cargaron con el peso de los escudos y las corazas para dar un respiro a los hombres que acababan de combatir. Los heridos se quedaron allí, junto con la tribu de Arístides. La Antióquide había sufrido muchas bajas durante el combate contra los lanceros de Datis y, además, la única persona en la que confiaban los ciudadanos para custodiar el botín hasta que se procediera al reparto era Arístides el Justo.

Así, apenas dos horas después de cargar a la carrera contra dieciséis mil persas bajo una lluvia de flechas, los ciudadanos de las tres primeras clases de Atenas se dispusieron a recorrer cuarenta kilómetros a marchas forzadas para salvar su ciudad.

Atenas, 11 de septiembre, al atardecer

—Oh, hija de Zeus, portadora de la égida, hermosa diosa de los ojos glaucos, te ruego que mantengas alejados a los persas de tu ciudad y que protejas a tu suplicante Apolonia y a su hija Mnesiptólema.

Apolonia miró de reojo a Euterpe, la madre de Temístocles. Su gesto era tan hierático como el de la estatua de madera, pero sin su sonrisa. La joven se apresuró a añadir, mientras pulverizaba incienso sobre el pebetero:

—Y también te ruego que protejas a tus hijos los atenienses, que han salido al encuentro del bárbaro para evitar que profane tu ciudad. Por favor, diosa guerrera, tú que hiciste volver a Ulises a los brazos de su esposa Penélope, cuida a Temístocles, hijo del noble Neocles, que te consagró este tesoro, y permite que regrese sano y salvo al hogar de los suyos.

Ese hogar al que ahora pertenezco, añadió para sí, aunque ella misma no sabía hasta qué punto era cierto.

No resultaba fácil pasar de ser la señora de la casa a convertirse en una invitada, la protegida de Temístocles. En teoría, la condición de Apolonia estaba por encima de las esclavas de la casa, pero en la práctica pintaba mucho menos que ellas. No sabía aún cuáles eran las costumbres y los horarios, ignoraba dónde se guardaban los objetos del ajuar y qué criterios seguían para organizarlos. En cualquier caso, no tenía autoridad para cambiar nada de sitio. Así que se sentía un estorbo, un mueble que siempre se las arreglaba para estar en medio. Para colmo su hija, con sus dos años apenas cumplidos, no hacía más que reír y gritar, corretear por todas partes, tropezar y darse coscorrones con todo objeto picudo que hubiera en su camino.

Por suerte, a Arquipa, la esposa de Temístocles, no parecía molestarle que Nesi fuera un torbellino.

—Deja que tus esclavas se encarguen de ella —le aconsejaba con toda cachaza—. Para eso están.

Eso era, al menos, lo que hacía ella con sus hijos. Su pedagogo era un esclavo enjuto y nervioso que se movía como el azogue y tenía la mano muy rápida, pero aun así no daba abasto para controlar a los cuatro niños. El mayor, Neocles, acababa de cumplir seis años y todavía no había empezado a ir al gramatista para aprender letras y cuentas. Aunque por su edad debería estar un poco más asentado que los demás, era un rabo de lagartija —su abuela lo llamaba «rabo de salamanquesa» en una broma privada que al parecer no hacía mucha gracia a Temístocles—. Los demás, Diocles, Polieucto y Cleofanto, se dedicaban a echar carreras por la casa, volcar taburetes y pegarse a todas horas mientras su madre chasqueaba la lengua y se limitaba a decir: *«Niiiiños...»*

En realidad, en esa casa Arquipa era un estorbo mayor que la propia Apolonia. Como gobernanta de un hogar, no valía ni media moneda de cobre. Que no cogiera una escoba ni se agrietara los nudillos refregando las tablas del suelo con el cepillo de cerdas o frotando la ropa era comprensible. En cambio, hilar era una actividad tan noble que hasta la propia reina Penélope se dedicaba a ella, pero ¡había que ver a Arquipa cuando se juntaba a tejer con las esclavas y con su suegra! Euterpe, que pese a que había perdido vista con los años tejía y bordaba con tanta habilidad como Aracne, no hacía más que levantar los ojos de su labor y contemplar con desesperación la desmaña de Arquipa. La esposa de Temístocles estaba confeccionando para el bebé que esperaba una mantita de lana cuadrada y lisa, sin tan siquiera una triste greca. Al paso que iba, era obvio que la criatura iba a nacer y la dichosa manta todavía no estaría lista.

Cuando se refería a su nuera, Euterpe solía utilizar la palabra «yegua» con bastante retintín. Apolonia no entendía la alusión, pues Arquipa no poseía rasgos ni miembros caballunos. Su esclavo Arges, que conocía todo tipo de poemas misóginos, le había explicado que se trataba de una referencia a un yambo de Semónides, y a continuación se lo había recitado.

A cierto tipo de mujer hizo la divinidad
que naciera de la hermosa yegua de largas crines.
Esa mujer evita los trabajos duros y serviles
y es incapaz de tocar la muela ni el cedazo.
No saca la basura de casa ni se sienta junto al horno,
¡no sea que se manche de hollín!
Pero la seducción de esa mujer es irresistible.
Cada día se baña dos veces y hasta tres,
y siempre se unge con perfumes.
Cada día peina su abundante melena
y con flores la decora.

Arges había tomado carrerilla y había seguido con una enumeración de mujeres nacidas del mono, la comadreja o el asno de las que se afirmaban lindezas similares o peores, hasta que Apolonia le ordenó que se callara. Al parecer, sólo la estirpe de la abeja se salvaba.

Pero aunque el cáustico Semónides se habría merecido que todas las mujeres del mundo se juntaran para sacarle los ojos con los alfileres de sus túnicas, en el caso de la yegua había que reconocer que había dado en el clavo. La esposa de Temístocles no podía tener tiempo material para trabajar en la casa ni atender a sus hijos, porque lo empleaba todo en bañarse, perfumarse con aceites, pastas y plumas untadas en talco aromatizado, cepillarse el pelo y maquillarse con todo tipo de polvos: malaquita o cobalto para los párpados, almagre para los labios, antimonio para parecer aún más pálida. ¿Qué habría visto en ella Temístocles? Cierto que con su piel blanca, sus ojos azules y sus cabellos rubios era una mujer muy bella. Incluso, se decía Apolonia con pérfido placer, debía de haber sido mucho más bella antes de que la preñez le hinchara los tobillos como sendas columnas dóricas y le abotargara el rostro. Por no hablar de que si seguía abusando de la camomila, esa mujer iba a conseguir que la mula del establo le mordiera la cabeza confundiendo sus cabellos con la paja del pesebre.

A ratos, Apolonia se arrepentía de pensar tan mal de Arquipa, porque era amable con ella y le hacía más carantoñas a Nesi que a sus propios hijos. «*¡Ojalá esta vez sea una niña!*», decía acariciándose la tripa. Pero cuando se enteró de que el padre y el esposo de Apolonia habían sido artesano y mercader respectivamente, levantó su delicada nariz y dijo tan sólo:

—Ah.

Ese único «ah» expresaba generaciones y generaciones de superioridad innata. Arquipa se enorgullecía tanto de su linaje que limitaba su conversación a los parentescos, bodas, alianzas y rencillas de las familias eupátridas. Se jactaba de pertenecer al clan de los Alcmeónidas, aunque sólo descendía de ellos por parte de madre. Su padre, Lisandro, era un noble empobrecido de una casa menor que había accedido gustoso a casar a su única hija con Temístocles a cambio de no tener que dotarla.

Si Temístocles había elegido a Arquipa para emparentar con la nobleza ateniense y medrar en política, mucho se temía Apolonia que se había equivocado de medio a medio. Era evidente que Arquipa despreciaba la clase social de su marido y que le importaban un comino sus actividades. En cambio, siempre tenía una alabanza presta en la boca para un tal Arístides y, de paso, para su esposa.

—Timandra es muy afortunada de estar casada con él —había dicho esa misma mañana mientras Euterpe y Apolonia tejían y ella fingía ocuparse en algo parecido—. Yo me sentiría orgullosa de tener como marido a alguien a quien toda la ciudad llama el Justo.

—Hummm —se había limitado a decir Euterpe, sin mirarla.

—Arístides es un gran hombre —prosiguió Arquipa—. Temístocles debe comprender que si quiere hacer algo de provecho en la ciudad, no tiene más remedio que llevarse bien con él. Pero es demasiado testarudo para reconocer cuándo alguien proviene de una familia mejor.

Apolonia vio cómo las ventanillas de la nariz de Euterpe se dilataban. Sin levantar los ojos de su labor, la madre de Temístocles dijo:

—Mi hijo será grande en esta ciudad por sí solo. Mucho más que todos los Arístides, Milcíades y Jantipos juntos. Lo que pasa es que aún no ha llegado su momento. —Sólo entonces se dignó levantar la cabeza y mirar a su nuera—. Y, por cierto, *su* familia, que es la mía, gobierna en Halicarnaso. ¿Dónde gobierna la tuya, querida?

Apolonia pensó que si en ese momento hubiera deslizado un cuchillo por el aire que corría entre ambas, se habría quedado tan atascado como si cortara manteca fría. Por suerte, Nesi irrumpió justo entonces para enseñarles su muñeca nueva, y con eso había roto la tensión. Al menos, Arquipa no había vuelto a abrir la boca en un rato.

En realidad, Apolonia tenía la impresión de que a la madre de Temístocles le venía bien que su nuera fuese una inútil, porque así seguía siendo ella quien lo manejaba todo. Era Euterpe quien llevaba las cuentas y guardaba las llaves de la bodega, las alacenas y los cofres, e incluso la llave del gineceo. Aunque Temístocles nunca cerraba los aposentos de las mujeres, entre otras cosas porque debía confiar en que el control de su madre era el mejor candado.

—Y bendice también a Euterpe, la madre de Temístocles —dijo ahora Apolonia, echando una pizca más de incienso—, porque nos ha acogido a mí y a mi hija en su casa con una bondad que no nos merecemos.

Volvió la mirada a Euterpe y le sonrió. Ella también tenía sus poderes; sabía que si quería hacerse valer en casa de Temístocles, debía llevarse bien con su madre. Aunque no fuera tan guapa como Arquipa, tenía los dientes más blancos y la sonrisa más cálida y sincera, así que procuraba regalársela a menudo a la severa Euterpe. Y cuando ésta le daba consejos innecesarios, en vez de poner los ojos en blanco como su nuera, agachaba la cabeza humildemente, daba las gracias y obedecía, o al menos fingía hacerlo.

—Gracias, hija —contestó Euterpe—. Vámonos ya, que se hace tarde.

Ambas estaban arrodilladas delante del *xóanon* de Atenea, una estatua de madera pintada de poco más de un metro de altura. La diosa las miraba con una enigmática sonrisa. Sus ojos eran grandes, aunque un tanto rasgados, no tan redondos como los de la verdadera Atenea. Apolonia podía decirlo, porque conocía el auténtico rostro de la diosa.

Se incorporó y le tendió el brazo a Euterpe. La madre de Temístocles se puso de pie sin apenas apoyar su peso en ella. Era una mujer alta, más de lo que Apolonia se habría esperado observando la estatura de su hijo, que no pasaba de mediana. Tenía sesenta años y lo reconocía sin el menor pudor. Podría haber pasado por más joven, porque tenía la mirada vivaz y los ademanes enérgicos, y caminaba tiesa como una lanza. Pero el cabello le había encanecido muchos años antes, a raíz de la enfermedad de su marido. Ahora lo tenía blanco y se negaba a teñírselo pese a los consejos de su nuera.

Estaban en el interior del tesoro de Neocles, un pequeño templete cuadrado de apenas dos metros de lado. La escasa luz entraba por la puerta, una celosía reforzada con barrotes de bronce. En el interior había diversos objetos de cierto valor, todos consagrados a Atenea por Temístocles y, antes que él, por su padre. Se veían allí trípodes de bronce, calderos de cobre con un fino repujado, exvotos de terracota pintados, un viejo escudo con chapa de auricalco y un hoplita de plata de un palmo de alto, con una desproporcionada cimera que abultaba más que todo el resto del cuerpo.

Apolonia llevaba varios días seguidos subiendo allí para agradecer a la diosa el mensaje en sueños que la había salvado, para rogarle que intercediera ante los dioses infernales de modo que fuesen amables con el espíritu de su marido y, sobre todo, para suplicar que Atenas no corriera el mismo destino que Eretria. El día en que llegó a la ciudad le había preguntado a Temístocles dónde podría rezarle a la diosa.

—En la Acrópolis —contestó él—. Está casi entera consagrada a Atenea. Además, allí tenemos un pequeño tesoro familiar. Mi esposa nunca va y a mí apenas me queda tiempo últimamente. Estará bien que alguien vaya a agasajar a la diosa.

Apolonia procuraba subir por las tardes, pues por la mañana hilaba y tejía con las demás mujeres para que no pensaran que se había instalado en su casa como un parásito. Hoy, cuando se disponía a rendir la visita a la diosa, Euterpe la había sorprendido perfumándose, echándose sobre la cabeza y los hombros un fino manto verde y diciendo que la acompañaba.

—Tengo el presentimiento de que va a ser un día importante —fue toda su explicación.

Por eso habían ofrecido juntas el incienso a Atenea, aunque Euterpe fue tan amable de permitir que Apolonia, que había gozado del privilegio de recibir la visita de la diosa, hablara en nombre de las dos.

Ambas mujeres salieron juntas del tesoro. Fuera las esperaban Ticlo, un esclavo de confianza de Temístocles, y el tuerto Arges. Apolonia parpadeó un poco, deslumbrada por la luz, pues el interior del templete era bastante oscuro. El viento soplaba con fuerza, agitando la ropa. Venía del sur y arrastraba el olor salobre del mar, aunque Apolonia, acostumbrada, apenas reparaba en él. Se sujetó el manto para que no se le salieran los cabellos, pues no era decoroso que una mujer recién enviudada los mostrara en público, y observó cómo Ticlo, que siempre la acompañaba a la Acrópolis, cerraba el tesoro con llave y después se la entregaba a Euterpe.

El día en que me dejen esa llave significará que confían en mí.

Apolonia ya se dirigía hacia la escalera oeste, la única entrada y salida de la Acrópolis, donde se levantaba un santuario de Ártemis. Pero Euterpe la agarró del brazo y le dijo:

—Espera, hija. Hacía días que no subía aquí. Déjame que vea el mar.

Caminaron hacia el bastión sur de la Acrópolis, que dominaba el barrio de Colito y el camino que conducía a la bahía de Falero. A Apolonia no le importó demorarse un poco más. Nesi estaba atendida. Sus esclavas la cuidaban bien y ayudaban a controlar a esos cuatro trastos que eran los hijos de Temístocles.

Aunque Atenas la había decepcionado, la Acrópolis le gustaba mucho. Era más grande que la de Eretria y resultaba mucho más agradable caminar por ella, porque desde tiempos inmemoriales sus moradores habían convertido la parte superior en una explanada con apenas una suave pendiente hacia el este. Estaba plagada de tesoros como el de Neocles, donde los ciudadanos pudientes consagraban sus ofrendas a Atenea, mientras proclamaban su riqueza. También había un sinfín de columnas y pedestales con todo tipo de estatuas y exvotos. Había caballos y perros de bronce y de mármol, jóvenes jinetes, aurigas con ojos de lapislázuli sujetando riendas doradas, esfinges, sátiros y otras criaturas fabulosas de terracota, caliza y maderas variadas. Las que más le gustaban a Apolonia eran las *korai*, doncellas esculpidas en piedra a tamaño casi natural. Lucían peinados de gran refinamiento y túnicas y mantos drapeados de vivos colores, y ofrecían una sonrisa melancólica y remota a todo aquel que pasaba ante ellas.

Las dos mujeres pasaron junto a la fachada este del Hecatompedón, un templo en honor de Atenea al que llamaban así porque su lado más largo medía cien pies. Apolonia volvió a levantar la cabeza para admirarlo, como todas las tardes. En la acrótera, coronando el templo, una enorme Gorgona con serpientes enroscadas en la cintura sonreía con una mueca sangrienta. Bajo ella, en el frontón triangular, Atenea combatía contra el gigante Encélado, al que acababa de derribar. La estatua era más moderna que otras de la Acrópolis y su autor, con mayor audacia, se había atrevido a representar a la diosa en movimiento, inclinada sobre el gigante y extendiendo hacia él el brazo que sostenía el escudo mientras con el derecho se aprestaba a hincarle la lanza de bronce.

Al parecer, el Hecatompedón tenía los días contados. La asamblea había votado construir un templo el doble de grande si conseguían rechazar la invasión persa.

—A estos atenienses les encantan las novedades —comentó Euterpe cuando Apolonia sacó el tema—. Siempre quieren derribar cosas para construir encima otras nuevas. Mi hijo es igual.

A Apolonia le resultaba curioso que la madre de Temístocles, que llevaba ya cuarenta años en la ciudad, no se sintiera ateniense. Por otra parte, aunque la joven se guardó muy bien de decir nada, el esclavo Ticlo le había dicho que si iban a derribar el Hecatompedón no era sólo por afán de novedades, sino porque se estaba derrumbando. Justo bajo la figura de Atenea había dos puntales de madera sosteniendo el arquitrabe en sustitución de una columna que se había resquebrajado. Al parecer, dos años antes se había producido un terremoto que había descuadernado toda la estructura del edificio.

Llegaron a la pared meridional y se apoyaron en el pretil de piedra. El aire que soplaba desde el mar era agradable, casi fresco para ser verano. Apolonia cerró los ojos y respiró hondo. Luego volvió a abrirlos y admiró el panorama. Atenas estaba en un valle triangular que se abría hacia el mar, delimitado al oeste por el Egáleo y al este por el Himeto, célebre por su miel. Según le habían dicho, en plena canícula el aire se encalmaba entre los dos montes y el calor resultaba tan insoportable que hasta las lagartijas sudaban. Pero ahora la temperatura era suave. El sol empezaba a declinar más allá de Salamina y su reflejo en el mar difuminaba los contornos de la isla.

—¡Mirad! —dijo Arges.

Apolonia se volvió a su izquierda. Por allí, rebasando el promontorio del Zóster, donde el Himeto bajaba hasta el mar, había aparecido un barco. La joven pensó que debía de tratarse de un mercante despistado cuya tripulación ignoraba lo peligrosas que se habían vuelto aquellas aguas. Pero el corazón se le vino a los pies cuando comprobó que detrás de esa nave venían más, formadas en hileras. Arges, que con su único ojo veía casi tan bien como el mítico Linceo, dijo:

—Es una flota desplegada en tres columnas.

Apolonia no se habría atrevido a precisar tanto, pero sí se dio cuenta de que cada vez había más naves, decenas de ellas. Era obvio que no iban a la isla de Egina, pues la vanguardia de la flota viró hacia el norte, en dirección a la bahía de Falero, y los demás barcos la siguieron.

—¿Son los persas? —preguntó una voz cascada.

Apolonia se volvió. El que había preguntado era un anciano que venía del brazo de una joven, acaso su nieta. Tenía los ojos lechosos de cataratas y una cicatriz que le cruzaba la cara y lo señalaba como un antiguo hoplita.

—Tienen que serlo, señor —respondió Arges—. Nadie en estos mares posee una flota tan grande.

Se quedaron allí congelados, viendo cómo seguían surgiendo más y más barcos en el horizonte. El pretil se había llenado de gente que miraba hacia el sur con incredulidad. Hasta ahora, la amenaza de los persas sólo había sido un eco abstracto, una conseja inventada por los políticos para dar miedo al pueblo. Pero ahora, frente a sus ojos, los atenienses tenían cientos de barcos. La misma visión de pesadilla que Apolonia había contemplado veinte días antes, un tiempo que se le antojaba una eternidad, cuando la flota de Datis varó frente a Eretria y todo su mundo cambió para siempre.

Por lo visto, su mundo iba a volver a cambiar. La joven se volvió hacia el Hecatompedón. *Qué crueles sois los dioses. ¡Cómo os burláis de los mortales!* Atenea las había traído allí sólo para que se hicieran ilusiones, pero su destino iba a ser el mismo que habrían sufrido de quedarse en Eretria, o aún peor.

Entre los concurrentes se oían llantos y gemidos de desaliento. Los sacerdotes y sacerdotisas habían salido a las gradas de los templos y señalaban hacia Falero entre gritos, y había quienes se desgarraban las vestiduras y se mesaban los cabellos impetrando protección a los dioses de la Acrópolis. Muchos acudían al altar que se erigía entre el Hecatompedón y el templo de Atenea Políade y que servía a la vez para ambos santuarios. Mientras los fieles se postraban ante el ara, se echaban cenizas en la cabeza y agitaban ramas de olivo para suplicar a la diosa que los salvara, Apolonia no podía apartar la mirada del sur. Debía faltar una hora para que los primeros barcos arribaran a la playa de Falero. De allí a las puertas de Atenas no tardarían mucho más de otra hora.

Al pie de la Acrópolis, los veteranos que no habían acudido a Maratón y los efebos que aún no habían completado su adiestramiento corrían a proteger la parte sur de la muralla. Apolonia pensó que esa patética guarnición no aguantaría ni la primera noche de asedio.

—No viene sólo la flota —dijo Arges, en tono lúgubre.

Siguiendo la dirección que les marcaba el dedo del esclavo,

Apolonia y Euterpe miraron hacia el este. Por allí se levantaban varias columnas de humo muy seguidas. No, se corrigió enseguida Apolonia. No podían serlo, no se trataba de las hogueras de la ciudad, pues estaban en el campo, entre los árboles que rodeaban el camino de Maratón. La joven recordó su huida de Eretria, y se dio cuenta de que eran nubes de polvo.

—¿Es la caballería persa? —preguntó.

—No —respondió Arges—. Mira qué alargada y espesa es la polvareda. Se trata de infantería. Todo un ejército.

Atenea bendita, no, por favor. Lo único que quería Apolonia ahora era bajar de la Acrópolis, ir a la casa de Temístocles y recoger a su hija. Pero ¿dónde se esconderían luego? Tal vez la ciudadela donde se hallaban podría aguantar, pues las paredes naturales del cerro estaban reforzadas con una muralla erigida siglos atrás. Pero si bajaba a por la niña, para cuando quisiera volver la Acrópolis ya estaría atestada de refugiados y sería imposible entrar en ella.

Aun así, no tenía otro remedio. No iba a dejar a Nesi sola.

—¡Espera, señora! —dijo Arges, agarrándola del brazo al ver que hacía ademán de irse—. Quiero comprobar una cosa.

El esclavo prácticamente la arrastró hasta el rincón oriental de la Acrópolis, el más alto de la ciudadela. Desde allí, junto al recinto sagrado de Pandión, abuelo del héroe Teseo, se dominaba mejor el camino que venía de Maratón por la margen norte del río. La nube de polvo era larga, como la que dejaría una caravana de varios kilómetros de longitud. Los primeros hombres de esa comitiva aparecieron a la altura del Cinosarges, un gimnasio consagrado a Heracles. Aquel lugar estaba a casi mil metros de la Acrópolis, tan lejos que a Apolonia le resultaba imposible distinguir qué armas y qué uniformes llevaban.

—¿Qué ves, Arges, qué ves? ¿Son los persas?

En el claro que rodeaba el santuario de Heracles había cada vez más tropas, aunque por el camino se seguían divisando pequeñas tolvaneras que el viento arrastraba hacia el norte.

—No lo sé, señora —dijo Arges—. Que me arranquen el otro ojo si me equivoco, pero... No, no me atrevo a decirlo.

Una trompeta sonó en el Cinosarges, entonando cinco notas.

Después no fue una sola trompeta, sino muchas más, que repetían una y otra vez la misma melodía tersa y vibrante, mientras desde la muralla les respondían con una llamada similar.

—¿Qué significan? —preguntó Apolonia. El corazón le saltaba en el pecho. Pero no quería creer, se negaba a que los dioses volvieran a engañarla.

—¿Que qué significan? —dijo el anciano ciego, que se había acercado a ellas—. Ese toque es inconfundible, hija mía. Es el sonido más dulce que puede cantar el bronce de una trompeta guerrera. Cinco notas para cinco sílabas. —El anciano sonrió, rememorando viejos tiempos—. Significa: «*Hemos vencido.*»[2]

2. *Nenikékamen* en griego.

Maratón, 13 de septiembre

Los espartanos habían llegado a Atenas el día después de la batalla, al anochecer. Para entonces la flota persa era sólo un recuerdo. Al ver a miles de hombres desplegados entre la playa de Falero y la ciudad, los enemigos, que desde sus barcos no podían saber hasta qué punto estaban agotados los hoplitas atenienses, habían decidido volver las proas de sus barcos hacia el este, de regreso a Asia.

Las sospechas de Temístocles sobre la situación de Esparta se confirmaron cuando vio el contingente que traía consigo el rey Leónidas. Sin duda estaban librando una guerra contra los ilotas de Mesenia, pues sólo se presentó un ejército de dos mil hoplitas. De ellos, quinientos eran espartiatas de pura cepa, y los demás, aliados periecos. Cualquiera podía comprender que dos mil hombres no habrían supuesto un refuerzo decisivo para enfrentarse al ejército persa si éste hubiera combatido con todos sus contingentes y si la caballería al completo hubiese participado en la batalla.

A pesar de todo, los atenienses recibieron bien a los espartanos, permitieron que acamparan en el Cinosarges y los agasajaron esa noche sacrificando abundantes ovejas y cabritos, e incluso veinte terneros. La euforia era grande en Atenas. Sólo ahora empezaban a captar en toda su magnitud el auténtico peligro que habían corrido, y comprendían que su ciudad había estado en un tris de ser arrasada hasta los cimientos y que, a estas alturas, ellos podrían haber sido esclavos camino de Asia. Estaban tan contentos de haber sobrevivido a aquella terrible prueba que no les echaron en cara a los espartanos su retraso ni lo menguado de las tropas que habían enviado.

Al día siguiente, el rey Leónidas y muchos de sus hombres quisieron visitar el campo de batalla. Sentían curiosidad por ver a esos bárbaros a los que hasta entonces sólo conocían de oídas. Temístocles se sintió obligado a marchar con los espartanos, pues entre ellos estaba Pausanias, que era su próxeno en Lacedemonia y, además, sobrino de Leónidas.

Esta vez recorrieron el camino más corto. A mediodía Temístocles se hallaba de nuevo en la llanura de Maratón. Allí seguía habiendo mucha gente, pues aún quedaban abundantes cadáveres persas que recoger y expoliar. Los enemigos muertos eran tantos que los atenienses habían decidido repartir a plazos el sacrificio prometido por el difunto Calímaco y ofrecer cada año cien cabras a Ártemis. Aun así, Temístocles calculaba que mucho después de que él estuviese muerto todavía seguirían sacrificando cabras a la diosa en honor de Maratón.

Aunque aquel día la brisa del mar soplaba con cierta fuerza y se llevaba los hedores tierra adentro, olía a sangre coagulada, a intestinos abiertos y a carne que ya empezaba a corromperse bajo el sol. Unos cuantos buitres sobrevolaban en círculo el campo, temerosos de la presencia de los atenienses que rondaban entre los muertos. Los cuervos, menos tímidos, picoteaban los cuerpos, buscando las partes más apetitosas hasta que alguien se acercaba a espantarlos con un palo o les lanzaba una piedra certera. La alegre algarabía de sus graznidos tenía al menos la virtud de acallar un poco el incesante zumbido de los insectos. Con tanta carne muerta, las moscardas revolaban de un lado a otro, indecisas de cuál sería el mejor lugar para depositar sus larvas.

Temístocles examinó el lugar donde había combatido su tribu. Lo recordaba perfectamente. Hasta pudo señalar el punto donde habían detenido la carga del escuadrón de caballería. Unos metros más adelante se levantaba una gran pila de cadáveres. Allí estaban los *arshtika,* de los que tanto se enorgullecía Sicino. Yacían en el polvo con sus caftanes y sus pantalones azules, abrazados unos a otros en las indignas posturas del azar y la muerte, entre los restos de sus escudos astillados y agujereados.

También había entre ellos cadáveres vestidos de rojo, arqueros de los flancos que habían llegado al centro del campo de batalla huyendo de la maniobra envolvente griega.

En algunos lugares los muertos se apilaban en montones de tres y hasta cuatro cuerpos de altura. Mientras Temístocles, Leónidas y Pausanias recorrían el lugar, vieron cómo unos ciudadanos pobres derrumbaban a patadas uno de esos montones, buscando oro. Debajo de los demás cuerpos había un lancero muy joven, casi imberbe, que movió débilmente un brazo y quiso decir algo. Temístocles hizo ademán de acercarse a él, pero uno de los saqueadores fue más rápido y rebanó la garganta del persa con un cuchillo. Después le arrancó los pendientes de oro de sendos tirones, rasgándole los lóbulos, mientras el persa aún gorgoteaba.

—Como no te los metas en el culo —dijo uno de sus compañeros—, Arístides te los va a encontrar.

—Y aunque te los metas en el culo —contestó otro—. ¡Seguro que es donde más le gusta mirar!

Luego se dieron cuenta de que Temístocles estaba cerca con dos espartanos y se callaron. El que había rematado al persa, con gesto culpable, metió los pendientes en la cesta de mimbre donde estaban guardando todos los despojos.

—No es *themis* —dijo Temístocles, meneando la cabeza y utilizando la primera palabra que componía su nombre, «justicia divina»—. Si alguien resiste dos días aplastado por los cadáveres de otros hombres, es porque los dioses quieren que viva —añadió, pensando en cómo Sicino había sobrevivido al hundimiento de la mina de plata.

Algunos persas se habían asfixiado entre la aglomeración de cuerpos y ni siquiera habían tenido espacio para caer al suelo, por lo que sus cadáveres aguantaban de pie como postes hasta que los esclavos retiraban los cuerpos que los apuntalaban.

Aunque los caídos hubiesen tenido deudos en aquel campo donde reinaba la muerte, les habría resultado difícil reconocerlos, pues la mayoría presentaban horribles heridas en la cara. Y era allí, además, donde los cuervos y los perros vagabundos que se colaban entre los cadáveres concentraban sus picotazos y sus bocados.

—Esta matanza no es normal —comentó Leónidas.

Llevaba agarrado a Temístocles del brazo, en un gesto familiar, pues los dos habían simpatizado desde que se conocieron en Esparta un par de años antes. El rey le recordaba un poco a Milcíades por lo espeso de su barba y lo acusado de sus rasgos. No era tan alto como él, pero a cambio tenía los hombros más cuadrados. También sonreía más, y con una sonrisa cordial, no feroz como la de Milcíades.

—¿Qué quieres decir?

—He visto ya muchas batallas. Cuando derrotamos al enemigo —Temístocles tradujo mentalmente: *O sea, siempre*—, éste suele perder diez hombres de cada cien; quince. A veces veinte si no consigue huir lo bastante rápido. Pero aquí habéis exterminado batallones enteros.

—Es porque no les dejamos escapatoria —respondió Temístocles.

—Explícame.

Temístocles le describió con frialdad y concisión cómo había sido la batalla. Cuando terminó, Leónidas entrecerró los ojos y frunció los labios.

—Vaya. Así que el plan fue tuyo, hijo de Neocles.

—Yo no he dicho eso.

Pausanias soltó una carcajada. Era más alto que Leónidas, y también un poco más que Temístocles. Tenía unos treinta años y no se parecía en nada a su tío. Su piel era más clara y sus ojos muy azules, y tenía unas largas trenzas pajizas y hebras casi rojas en la barba.

—Sólo el padre de una táctica puede hablar de ella con tanta precisión —dijo Pausanias—. Te felicito por tu audacia. Sin duda, los generales te habrán otorgado el premio al valor.

Temístocles sonrió con amargura.

—Los eupátridas sólo se galardonan entre ellos. Han concedido una corona a Milcíades por su inteligencia y otra a Arístides por su valor al aguantar lo más duro de la ofensiva enemiga. —Se encogió de hombros—. Y eso que él no tuvo que resistir una carga de caballería.

—¿Por qué no cuentas la verdad? —dijo Pausanias.

—Ahora ya es inútil. Todos pensarían que es jactancia.

—Tienes razón —intervino Leónidas—. Todo el mundo en tu ciudad canta las alabanzas de Milcíades y es tarde para hacerlos cambiar de opinión. Pero consuélate pensando que los dioses saben la verdad.

—¿A ti te consolaría?

El rey se lo pensó un instante, se encogió de hombros y contestó:

—Sí.

—Entonces somos muy distintos. —Temístocles se mordió los labios, y luego decidió hablar. Prefería desahogarse delante de ese hombre al que acababa de conocer, y callarse delante de sus compatriotas—. Yo siempre he querido hacer algo grande y dejar mi fama para la posteridad, aunque muera en el empeño. Es mi naturaleza, Leónidas. Nací así, y no puedo evitarlo.

—Tienes razón. Somos distintos. —El rey espartano sonrió—. Mi intención, si puedo, es morir en mi parcela, cavando mis viñas, criando perros de caza y rodeado de mis nietos.

—Ah, pero ¿tienes viñas?

Leónidas soltó una carcajada y apretó el hombro de Temístocles. Tenía los dedos duros como ramas de tejo.

—¿Qué creías, que los espartanos sólo nos dedicamos a la guerra? Tiempo hay para todo, mi querido Temístocles. —Leónidas suspiró—. Con gusto los dejaría toda la gloria a aquellos que la ambicionan, como mi difunto hermano Cleómenes. O aquí mi sobrino —añadió, señalando a Pausanias—. Pero... En fin, las Moiras han querido que la carga me correspondiera a mí.

Temístocles pensó que ese hombre era sincero, mas no del todo. Lo que le faltaba de ambición le sobraba de autoridad. Había observado cómo mandaba a los dos mil lacedemonios que venían con él. Bastaba con que pronunciara un monosílabo a media voz para que sus órdenes se cumplieran sin rechistar. Pensó que si Zeus se hiciera hombre, se parecería a Leónidas.

Y no olvidaba que, aunque hablara de nietos y de cultivar viñedos, era un espartano. Un hombre que se había iniciado de adulto matando a otra persona a sangre fría.

—Mirad aquí —dijo Pausanias, agachándose.

Bajo el cuerpo de un persa asomaba un pomo adornado con un grueso topacio. Pausanias tiró del arma con cuidado para sacarla de debajo del cadáver. Era un sable de casi un metro de largo. Mientras lo examinaba, al espartano se le dilataron las pupilas como si fuera un escultor contemplando los frisos del Hecatompedón.

—Tiene una mella muy pequeña aquí —comentó, acercándose el filo a los ojos.

—Se la hizo al arrancar la punta de una lanza —dijo Temístocles, que había reconocido la espada.

—¿Por qué lo sabes?

—Porque esa lanza era mía.

—Vaya —se interesó Leónidas—. ¿Qué sucedió luego?

—Logré hincarle las astillas de la lanza al caballo, y el jinete tuvo que retirarse. —Temístocles resopló—. Fue un momento bastante delicado.

—Es lo malo de la caballería —dijo Leónidas—. Montura y jinete son dos criaturas a las que se puede herir y matar. Con inutilizar a una de las dos basta. Yo prefiero a un hoplita con los pies bien clavados en el suelo.

—Por lo que cuentas, esta arma te pertenece —dijo Pausanias, pasándole el sable a Temístocles.

—Gracias —respondió Temístocles.

Examinó el arma. La empuñadura era de madera, decorada con un fino labrado que representaba escenas de caza. Aparte de la mella, la hoja estaba muy afilada, y cuando le limpiara el polvo con aceite brillaría como un espejo.

Pausanias recogió ahora una flecha persa.

—Es muy ligera —dijo, sopesándola. La punta de hierro de tres filos no medía mucho más que la falange de un pulgar, y la varilla era de caña, no de madera—. No me extraña que lleguen más lejos incluso que los arqueros cretenses. Pero no creo que estas flechas puedan perforar un buen escudo de roble. No son para tanto.

—No subestimes la victoria de los atenienses, sobrino —dijo Leónidas—. Hay que felicitarlos. Nunca antes un ejército griego había derrotado a otro persa.

—Nunca hasta ahora los persas se han enfrentado a los espartanos.

Leónidas sonrió por la fanfarronería de su sobrino y se volvió hacia Temístocles.

—De todos modos, lo que habéis conseguido es increíble. Resulta curioso que mientras os gobernaron nobles y tiranos nunca hicisteis nada de relumbre, y ahora que el pueblo tiene tanto poder, habéis alcanzado la victoria más grande de todas. No sé —añadió, acariciándose la barba—. Es como para pensárselo.

¿Un rey espartano... democrático?, se dijo Temístocles, pero no se atrevió a expresar su pensamiento en voz alta.

—Por supuesto, habéis tenido suerte. Mucha suerte. Sin ella nunca se puede vencer. Os las habéis arreglado para llegar hasta ellos cuerpo a cuerpo, la única manera en que una falange de hoplitas podría derrotarlos. —Leónidas chasqueó la lengua—. Pero tengo la impresión de que, cuando llegue el momento de la verdad, se necesitarán más armas que la infantería pesada para vencerlos.

—¿Tú también crees que los persas volverán?

—No lo creo. Lo *sé*, mi querido Temístocles.

—¿Por qué?

—Si lo que le habéis hecho al rey de Persia me lo hubierais hecho a mí, yo no descansaría hasta arrasar vuestra ciudad. No por odio. Admiro el valor. Pero no podría dejar que siguiera existiendo en el mundo una ciudad que me hubiera humillado. Si yo fuese Darío, ¿sabes lo que haría?

—No.

—Le ordenaría a un secretario que cada mañana, al despertar, lo primero que me dijera fuese: «*Majestad, no te olvides de los atenienses.*» Después me tomaría mi tiempo para preparar una expedición contra vosotros y traería el doble de hombres. Así no volveríais a rodearme.

Leónidas apretó ambas manos a Temístocles y añadió:

—Mi buen amigo, aún tendrás ocasión de hacer algo grande. Ahora bien, si el Gran Rey es la persona que sospecho que es, tendrás que hacer algo *mucho* más grande que lo de Maratón para salvar a tu ciudad.

Mar Egeo, 13 de septiembre

Acodado en la borda del navío fenicio que lo llevaba de vuelta a las costas de Asia, Patikara pensaba en volver a Grecia no con el doble de guerreros, sino con cinco o seis veces más.

El ambiente que reinaba en la flota era sombrío. Aunque en privado muchos oficiales persas se alegraban de que Datis no hubiera alcanzado sus propósitos, y culpaban del fracaso a su soberbia y su crueldad, la moral de las tropas había sufrido una profunda herida. Hasta ahora los soldados de la *Spada*, el ejército del Gran Rey, se consideraban invencibles. En sus enfrentamientos con los hoplitas griegos siempre habían conseguido mantenerlos a distancia, los habían hostigado a lomos de sus caballos y los habían abatido con sus flechas, igual que presas ojeadas en una cacería. Pero, esta vez, los cazadores habían dejado que el jabalí se acercara demasiado a ellos y los destrozara con sus colmillos.

Para defenderse de las críticas, Datis alegaba que había logrado casi todos los objetivos de la expedición. Había sometido las Cíclades, obtenido botín y destruido Eretria, y además traía a sus habitantes hacinados en las bodegas de sus naves para ofrecérselos a Darío. Pero la presa principal había escapado indemne. Y no sólo eso, sino que, de un solo bocado, el enemigo les había arrebatado más de seis mil hombres. Cuando se echaran las cuentas de lo que había costado la expedición, quedaría claro que se trataba de un fracaso sin paliativos. La carrera de Datis estaba acabada. Ya no volvería a hacer sombra a Mardonio.

Su amistad personal con Mardonio era tan sólo una de las razones menores para lo que había hecho Patikara. Alguien como él, nacido entre púrpura, valoraba la dignidad por encima de todo. Seguramente los atenienses se sentían orgullosos de haber derrotado a Datis en inferioridad numérica valiéndose de una táctica inteligente. Para Patikara eso no significaba nada. En su opinión, igual que un anfitrión real tiene que apabullar y superar a sus huéspedes con el valor y la cantidad de sus regalos, así el Imperio Persa debía asombrar al mundo movilizando ejércitos tan numerosos y excelentes que rindieran a sus enemigos por puro pavor y los arrojaran a sus pies. Las tácticas demuestran astucia, y la astucia es el recurso de los débiles. En cambio, el número es la expresión de poder, y Patikara quería que todos comprendieran que en las siete regiones del mundo no había otro poder como el del trono Aqueménida.

Por eso había utilizado a Artemisia para revelar a los atenienses la táctica de Datis. El medo había decidido dividir sus fuerzas para apoderarse del nido indefenso de los atenienses, como una zorra que entra en un gallinero sin perro que lo vigile. Eso era robar la victoria, y los persas no debían actuar como ladrones en la noche.

Gracias a la información, los griegos habían decidido plantar batalla. Patikara les reconocía su coraje, y lo había premiado participando en la refriega con cincuenta hombres, la mitad de su *satabam* de caballería, cuando ya estaba a punto de embarcarse y a sabiendas de que corría peligro. Precisamente, una de las razones por las que se había ocultado tras una máscara y había acudido a aquella campaña era que nunca había tomado parte en una batalla de verdad. Quería ver una con sus propios ojos y palparla con sus propias manos. Él, gran jinete, bueno con la lanza y mejor aún con el arco, se había tenido que conformar con simulacros por culpa de su padre, que no le permitía ir a la guerra. ¡A sus treinta años!

Y ésa, más que la amistad con Mardonio o el desprecio por Datis, era la verdadera razón de lo que había hecho Patikara. Ciro era llamado el Grande porque había fundado un imperio y convertido a unos nómadas en señores del mundo. Su hijo Cambises había añadido a sus conquistas las ricas tierras de Egipto. El tercer monarca, Darío, había sujetado con puño de hierro el imperio cuando estaba a punto de desmoronarse, lo había convertido en un mecanismo perfecto, alimentado por sus tributos y engrasado por sus caminos reales, y además había sometido la Tracia.

¿Qué quedaba para los demás? ¿Qué iba a dejar Darío a sus sucesores? Las regiones al norte del Cáucaso y del Caspio eran tierra de nadie que bastaba con vigilar para evitar las correrías de las tribus nómadas. Más allá de Egipto sólo había vastas y yermas extensiones de dunas, capaces de tragarse ejércitos enteros. De la India, con su clima insalubre, bastaba con que siguiera enviando elefantes y oro en polvo. Pero Grecia...

Grecia significaba cerrar el Egeo y todo el Mediterráneo Oriental bajo la tenaza persa, y la puerta a las riquezas del oeste. Italia, Sicilia, y luego la soberbia Cartago.

Por eso Patikara se había esforzado en hacer fracasar esta expedición. Cuando Darío muriera, su sucesor volvería a Grecia en persona, con un ejército digno de un rey Aqueménida. Unciría el mar con su yugo, abriría la tierra con su espada si era necesario, para que las generaciones venideras recordaran por siempre la gloria del Gran Rey.

Poniendo a Ahuramazda por testigo, así lo juró bajo su máscara Patikara. Así lo juró Jerjes, hijo de Darío y príncipe coronado del Imperio Persa.

El destino de los eretrios

Cuando Datis y Artafernes llegaron con sus barcos a Asia, llevaron a Susa a los eretrios que habían apresado. Al ver Darío que los habían traído a su presencia y estaban en su poder, no les causó ningún daño y tan sólo los instaló en Arderica, a doscientos diez estadios de Susa y a cuarenta de un pozo que produce tres tipos de sustancias.

De este pozo se extraen asfalto, sal y aceite. Su contenido se saca con un cigoñal que en lugar de un cubo tiene atada la mitad de un odre. Con este recipiente remueven el producto, lo extraen y lo vuelcan en una cisterna. Aún líquido, lo trasvasan a otro depósito de donde salen tres conductos. La sal y el asfalto se solidifican enseguida. En cuanto al aceite que obtienen, es un líquido negro que despide un fuerte olor y al que los persas denominan radinake.

Fue en este lugar donde el rey Darío deportó a los eretrios, que en mi época todavía seguían habitando este lugar y conservaban su antigua lengua.

Heródoto, *Historias,* VI, 119

El fin de Milcíades

Tras la derrota de los persas en Maratón, Milcíades, que ya antes tenía una gran reputación en Atenas, la vio muy acrecentada. Pidió a los atenienses barcos, un ejército y dinero sin revelarles cuál era el destino de su expedición. Simplemente alegó que si le hacían caso obtendrían grandes beneficios, pues iba a llevarlos contra un país tan rico que podrían traer de allí una ingente cantidad de oro. Tras hacerse cargo de las tropas, zarpó para atacar Paros con la excusa de que sus habitantes habían apoyado con un trirreme a los persas en el ataque contra Maratón.

Cuando Milcíades llegó con la flota, asedió a los parios y mediante un heraldo les exigió cien talentos, diciéndoles que si no se los entregaban, no retiraría sus tropas hasta destruirlos. Pero a los parios ni se les pasó por la cabeza entregarle a Milcíades el dinero que les pedía, sino que aseguraron las defensas de su ciudad doblando la altura de la muralla en los lugares más desguarnecidos.

Los parios dan esta versión de los hechos:

Cuando Milcíades no sabía qué hacer, una cautiva de guerra paria, llamada Timo y que trabajaba en el templo de las diosas infernales, acudió a él recomendándole que siguiera sus consejos para tomar Paros. Tras escucharlos, Milcíades fue a una colina situada frente a la ciudad. Como no conseguía abrir las puertas, saltó la cerca del santuario de Deméter Tesmófora y se dirigió al templo para llevar a cabo una acción determinada, bien fuera mover un objeto sagrado de los que no se debían tocar o cualquier otra cosa. Cuando estaba ya en el umbral, un estremecimiento de terror se apoderó de él, por lo que volvió corriendo por el mismo camino. Pero, al saltar de nuevo el muro, se hizo una herida en el muslo.

Debido a su mal estado de salud, Milcíades regresó con su flota sin conseguir el dinero para los atenienses y sin haber conquistado Paros. Muchos empezaron a criticar a Milcíades, y sobre todo Jantipo, que lo denunció ante el pueblo y pidió para él la pena de muerte por engañar a los atenienses. Milcíades se presentó en el juicio, pero no se defendió en persona, ya que, debido a la gangrena que le corroía la pierna, no podía. Fueron sus amigos quienes, mientras él estaba tendido en una camilla ante el tribunal, lo defendieron con abundantes menciones a la batalla de Maratón. El pueblo lo absolvió de la pena capital, pero le impuso una multa de cincuenta talentos por el delito que había cometido. Poco después, Milcíades murió a causa de la gangrena, y su hijo Cimón tuvo que pagar los cincuenta talentos.

Heródoto, *Historias,* VI, 132-136

Temístocles prevé una nueva guerra

Se cuenta que la obsesión de Temístocles por conseguir fama era tal y que su anhelo de gloria lo hacía tan amante de las grandes empresas que cuando los atenienses libraron contra los bárbaros la batalla de Maratón, y todo el mundo alababa las virtudes de Milcíades como general, podía verse a Temístocles la mayor parte del tiempo entregado a sus pensamientos. Además pasaba las noches en vela y rechazaba las invitaciones a los banquetes a los que antes solía acudir.

Si alguien le preguntaba intrigado por este cambio en su forma de vida, le respondía que el triunfo de Milcíades no le dejaba dormir. Aunque la mayoría de la gente creía que la derrota de los bárbaros en Maratón había sido el final de la guerra, para Temístocles no era más que el preludio de pruebas aún mayores. Por ello, previendo el futuro con mucha antelación, a la vez que intentaba preparar a los atenienses, se ungía a sí mismo para estas pruebas como campeón de toda Grecia.

Plutarco, *Vida de Temístocles*, III

La muerte de Darío

Un año después de la revuelta de Egipto, a Darío le sobrevino la muerte mientras hacía preparativos para entrar en campaña, después de haber reinado durante treinta y seis años. Por ello le fue imposible tanto aplastar la sublevación de los egipcios como vengarse de los atenienses.

Al morir Darío, el trono pasó a su hijo Jerjes.

Heródoto, *Historias,* VII, 4

Subida al trono de Jerjes

Jerjes el rey dice: Mi padre fue Darío. El padre de Darío se llamaba Histaspes, y el padre de Histaspes se llamaba Arsames. Tan-

to Histaspes como Arsames seguían vivos en la época en que Ahuramazda hizo rey de esta tierra a mi padre Darío, pues así era su deseo. Cuando Darío se convirtió en rey, construyó muchos y magníficos palacios.

Jerjes el rey dice: Otros hijos tenía Darío. Pero mi padre Darío me nombró a mí el más grande por detrás de él, pues así lo quiso Ahuramazda. Cuando mi padre Darío dejó vacante el trono, por voluntad de Ahuramazda yo me convertí en rey sobre el trono de mi padre. Cuando me convertí en rey, construí muchos y magníficos palacios. Los que había construido mi padre, ésos los conservé, y aún construí otros edificios. Lo que yo construí y lo que mi padre construyó, todo eso lo hicimos gracias al favor de Ahuramazda.

Xpf 15-43. Inscripción grabada por Jerjes en Persépolis

Entreacto

483 a. C.

Babilonia, 18 de enero

—Has elegido un momento interesante para visitar Babilonia —dijo Izacar—. Pero también complicado.

Temístocles asintió y bebió un trago de cerveza. Habría preferido el vino de Lesbos que él mismo había traído a Babilonia y del que había regalado dos cántaros al banquero judío. Pero no quería desairar a su anfitrión, ya que allí la cerveza era la bebida del país. El auténtico vino se pagaba cinco y hasta diez veces más caro que en Grecia y era un lujo que sólo se encontraba en las mesas de los nobles. En una taberna le habían servido a Temístocles un extraño sucedáneo de palmera que le habían querido hacer pasar por caldo de uva y cuyo sabor dulzarrón prefería olvidar. En cambio, la cerveza de cebada germinada que le había ofrecido la hija de Izacar no estaba mal. Dejaba en la boca un curioso regusto amargo que, combinado con el sabor salado de las almendras, resultaba satisfactorio y abría el apetito.

Los dos hombres estaban sentados en el terrado de la casa que era a la vez hogar y banco de Izacar. Empezaba a caer la tarde y los rayos del sol arrancaban destellos rojos y dorados a los ladrillos esmaltados de Etemenanki. La gran torre escalonada donde los babilonios adoraban a su propio Zeus, al que llamaban Marduk, se alzaba a un kilómetro de allí, pero incluso a esa distancia su altura empequeñecía la de todos los demás edificios.

Los esclavos habían recogido el toldo azul y blanco, pues se hallaban en el mes babilonio de tebetu, aún quedaba bastante para que llegara la primavera y se agradecía que el sol caldeara la piel. Aunque en aquella enorme ciudad el invierno era suave si se comparaba con las terribles heladas que había sufrido Temístocles en las tierras altas de Armenia y Capadocia, y mucho más seco.

En realidad, allí todas las estaciones eran secas. Resultaba sorprendente que, con las pocas lluvias que recibía, Babilonia fuese una auténtica despensa de cereales y hortalizas para el Gran Rey Jerjes. La clave estaba en aprovechar las aguas que alimentaban las fuentes de los dos grandes ríos en las montañas del norte, y los babilonios lo hacían a conciencia. Temístocles, al bajar por el Éufrates, había observado cómo los campesinos trabajaban sin cesar con espuertas y cigoñales para dragar el lodo de la red de canales que irrigaban los campos y mantener así constante el flujo de agua.

Su esclavo Sicino opinaba que los babilonios eran gente blanda, como el barro que utilizaban para construirlo todo. El joven persa defendía la teoría de que los hombres son como el país que habitan. Por eso les tenía cierto respeto a los griegos, que vivían entre montes y pedregales. Pero, claro, en su visión no dejaban de ser muy inferiores a los persas, ya que las montañas a cuyo pie moraban, los Parnasos, Himetos y Taigetos, eran vulgares colinas comparadas con los altísimos picos del Elburz o los Zagros.

Temístocles escuchaba con paciencia los discursos patrióticos de Sicino, sin molestarse en recordarle que, para ser tan superiores a los griegos, los persas se habían llevado un buen correctivo en Maratón. En cuanto a los babilonios, Temístocles pensaba que la molicie que aparentaban era engañosa. Nadie blando podría convertir en un vergel un país donde apenas llovía y, de hecho, había visto carnes fibrosas y músculos abultados entre los agricultores que trabajaban semidesnudos de sol a sol. Mientras descendían por el Éufrates, Temístocles se había dado cuenta de que aquél era un mundo artificial, una tierra conquistada al desierto a fuerza de brazos. En el momento en que los babilonios dejaran de drenar sus canales y permitieran que el lodo colmatase las acequias, estaba seguro de que el país de los dos ríos no tardaría ni diez años en convertirse en un erial.

Sí, Mesopotamia era un país extraño, al menos para un ateniense como él. No podía haber nada más diferente de Grecia. Junto al río el paisaje era verde, por las palmeras, álamos y tamariscos que sombreaban las orillas. Un poco más allá, se veía oscuro, casi negro, en los campos que dormían su sueño invernal esperando a que el trigo y la cebada brotaran en primavera. Pero más allá, donde el río dejaba de dominar el paisaje, la tierra se convertía en una llanura ocre, parda y gris, sin montes que quebraran la monótona línea del horizonte. Muchos días, incluso sin horizonte, pues el aire poseía una peculiar turbidez que ofuscaba la mente tanto como los ojos. Y, según el guía que los había llevado en la balsa de cuero, era mucho peor en verano, cuando el suelo se calentaba tanto que parecía hervir en charcas inexistentes y hacía rielar el aire sobre el llano.

La primitiva intención de Temístocles había sido llegar hasta Susa por el Camino Real, saliendo de Sardes. Como campeón que pretendía ser de toda Grecia para la guerra que se cernía en el horizonte, tenía que conocer bien el poder y las maneras del adversario, y no se fiaba de más ojos ni oídos que los suyos. De paso, le venía bien alejarse por unos meses de la asfixiante política ateniense y dejar que el pueblo, que últimamente lo había visto muy a menudo encaramado a la tribuna de oradores, se aburriese de la adusta honradez de Arístides y lo añorase a él un poco.

También le convenía alejarse de su hogar. O, mejor dicho, de sus hogares. Cuando Apolonia y él empezaron a acostarse, lo hacían con tanta discreción que Arquipa no se enteró o fingió no enterarse. Pero una vez que Apolonia quedó embarazada, su esposa se lo tomó mucho peor de lo que Temístocles se esperaba, sobre todo teniendo en cuenta que llevaban seis años sin yacer juntos. Cuando amenazó con sacarles los ojos a ella y a la criatura que naciera, Temístocles no tuvo más remedio que trasladar a Apolonia a sus oficinas del Pireo y convertir éstas en una casa.

La situación era todavía demasiado reciente, pero Temístocles confiaba en que cuando regresara a Atenas ya se habría calmado un poco. No temía los arrebatos de Arquipa, pero resultaba difícil convivir con ella en la casa de Melite. Su esposa se pasaba los días sin decir nada, con el ceño y los labios fruncidos, excepto los días en que el ciclo lunar le empeoraba aún más el humor. Entonces rompía a llorar y le reprochaba que había sacrificado su juventud y su belleza por él sin obtener nada a cambio. En la casa del Pireo disfrutaba de algo más de paz, pero a veces Apolonia lo miraba como si hubiera hecho algo malo o le debiese algo, aunque ni a ella ni a su hija Nesi, a la que Temístocles había adoptado, les faltaba nada. Y mucho menos le iba a faltar a la pequeña Italia.

De modo que, entre las ganas de respirar aire fresco lejos de Atenas y el deseo de emular a Ulises y ver tierras nuevas, Temístocles se había lanzado a una aventura de la que, si lo pensaba con una dracma de sensatez, ignoraba si volvería. Viajaba bajo el nombre de Pisindalis, mercader de Halicarnaso. Para disimular, se había dejado la barba más larga y redonda y vestía ropas carias. Igual que Sicino. Pese a sus protestas, no le había permitido que se pusiera pantalones. Temístocles estaba convencido de que era mejor hacerlo pasar por cario, porque ¿cómo explicar en tierras persas que tenía como esclavo, precisamente, a un cautivo de guerra persa?

—Sé que es difícil pedir a un hombre que se acerque a su hogar y no lo visite, y más duro incluso pedirle que después vuelva a alejarse de él —le había dicho Temístocles cuando todavía estaban en Grecia—. Pero si me acompañas en el viaje de ida y vuelta a Susa, te prometo que en cuanto regresemos a Atenas te concederé la manumisión. Después, además del peculio que hayas ahorrado, te daré un viático de mil dracmas para que vuelvas a tu casa.

Era una oferta más que generosa, por la que muchos ciudadanos libres habrían hecho cola en la puerta de su casa durante toda la noche. Pero Temístocles necesitaba a Sicino tanto por su conocimiento del terreno como por sus puños, que lo convertían en un ejército de una persona. Con él no le hacía falta nadie más, y era mucho más sencillo pasar desapercibidos y moverse con libertad y soltura siendo dos viajeros que diez.

Cuando Temístocles le pidió que le jurara por su divinidad

alada que no lo abandonaría en tierras de Persia, Sicino le contestó:

—Un *Mazdayasna* no puede jurar, señor. No hay peor pecado para los creyentes que la mentira. Si te juro por Ahuramazda que no te voy a abandonar, él pensará que mi fe está flaqueando y me castigará.

Temístocles aceptó. Creía conocer al joven persa y confiaba en que, una vez dada una palabra, no la quebrantaría, no sólo porque su religión le prohibía mentir, sino también por su natural falta de doblez. Durante el camino, sin embargo, más de una vez se preguntó si no estaba cometiendo un error. Invirtiendo la situación, era como si un agente persa pretendiera infiltrarse en Atenas acompañado por un prisionero de guerra ateniense. Una imprudencia del tamaño del Hecatompedón. Sicino podía denunciarlo a las autoridades, cobrar una recompensa por entregar a un espía y reunirse con su familia. Todo de un solo golpe.

Al menos, Temístocles tenía una ventaja. Atenas era pequeña, tanto que él prácticamente conocía a todos los ciudadanos. En cambio, el Imperio Persa era enorme. Parecía improbable que Sicino se encontrara con algún conocido, ya que su familia moraba al sur del Caspio, una región a la que Temístocles no pensaba acercarse.

Era precisamente la vastedad de los dominios del Gran Rey lo que más había impresionado a Temístocles. Una cosa era oír hablar de la extensión del imperio o utilizarla como recurso retórico para inculcar el miedo en los atenienses. Otra bien distinta suponía viajar día tras día por el Camino Real, atravesar valles, ríos, montañas nevadas y desiertos de sal y, sin embargo, saber que apenas se habían acercado a su destino. Cuando por fin llegaron al Éufrates habían recorrido ya mil doscientos kilómetros, cinco veces la distancia que separaba Atenas de Esparta. Y les quedaba un trayecto aún más largo para llegar a Susa.

A Temístocles le desesperaba la lentitud de la caravana en la que viajaban. Por si el paso no fuera parsimonioso de por sí, tenían que salirse de la calzada cada vez que se cruzaban con viandantes provistos de salvoconductos reales, con tropas de la *Spada*, el ejército imperial, o con los mensajeros que pasaban como exhalaciones en sus caballos. Por eso, cuando se enteró de que podían llegar hasta Babilonia en barca, no se lo pensó dos veces. Además, por el río no había apenas control. Aunque Temístocles se había agenciado un salvonducto para recorrer el Camino Real, cada vez que los soldados o los funcionarios de las postas imperiales inspeccionaban las tablillas de su documentación se le encogía el estómago pensando que podían descubrirlo o que Sicino era capaz de cometer alguna indiscreción.

Los naturales de las tierras altas de Armenia viajaban a Babilonia en unas embarcaciones redondas construidas con cuadernas de sauce y casco de cuero impermeabilizado con brea. Muchos de esos coracles eran individuales, pero los había tan grandes que transportaban incluso burros. Los armenios bajaban por el río aprovechando la corriente y, una vez llegados a Babilonia, vendían no sólo la carga con la que querían comerciar, sino hasta la madera de las cuadernas y, si se terciaba, el cuero. Luego regresaban río arriba a pie o a lomos de sus acémilas en un viaje mucho más lento y penoso, pero con la alegría de la ganancia y de haber pasado unos días disfrutando de los placeres que ofrecía Babilonia.

Así pues, Temístocles y Sicino habían emprendido la travesía por el río acompañando a un convoy de veinte barcas. Una vez que aprendieron a manejar los remos del coracle, viajaron con bastante comodidad, pues el Éufrates, al contrario que su hermano el Tigris, era relativamente tranquilo. En sólo diez días habían llegado a Babilonia con las tinajas de vino que habían comprado en Lesbos como mercancía y a la vez excusa para el viaje.

Ahora, al presentarse ante Izacar para venderle el vino y, de paso, entregarle un mensaje de su primo Jenocles, el banquero del Pireo, Temístocles se había enterado de que el propio Jerjes entraría en la ciudad ese mismo día. Un golpe de suerte; podría ver al Gran Rey, aunque fuese de lejos. Y aprovecharía para averiguar si era cierto que Jerjes seguía adelante con los preparativos de la nueva campaña contra Grecia que su padre estaba organizando cuando murió dos años y medio antes.

—Sí, es un momento complicado —repitió Izacar—. Ya has visto que la ciudad está tomada por la *Spada*.

Mientras remaba Éufrates abajo, Temístocles había oído hablar de una revuelta en Babilonia. No se la había tomado muy en serio, porque en las tierras del imperio, como correspondía a su extensión, los rumores eran aún más abundantes, diversos y disparatados que en Atenas. Pero al llegar supo que esta vez no andaban descaminados. Aprovechando que Jerjes estaba sofocando una rebelión en Egipto —los egipcios parecían tener la costumbre de sublevarse una vez por reinado—, un tal Belshimanni se había proclamado «Rey de Babilonia y Rey de las Tierras».

—Esta revuelta no ha sido más que una parodia. Los babilonios ya no somos un pueblo de soldados —dijo Izacar. Aunque de sangre judía, también se consideraba babilonio. Cuando Ciro liberó a los hebreos y les dio permiso para regresar a su país, el abuelo de Izacar había preferido los refinamientos y las oportunidades de negocio que ofrecía Babilonia en lugar de volver a las asperezas de su tierra natal.

Aquel Belshimanni, siguió explicándole Izacar, era un funcionario al servicio de los persas al que ya no le bastaba con el oro que se le quedaba entre los dedos y había decidido que quería más dinero. Los sacerdotes del templo de Marduk, el más importante y poderoso de Babilonia, lo habían apoyado porque les preocupaba el puritanismo religioso de Jerjes. El nuevo rey profesaba la religión de Ahuramazda con mucho más fervor que su padre y parecía dispuesto a combatir como paladín de Arta, la verdad, y erradicar del mundo a las que denominaba «las fuerzas de la mentira».

Los rebeldes estaban convencidos de que las murallas de Babilonia podían resistir cualquier asedio, y que Jerjes, mareado con el asunto de Egipto y pensando en la futura campaña de Grecia, se avendría a negociar con ellos para no complicarse la vida y devolvería sus privilegios al clero babilónico. Pero lo que hizo el Gran Rey fue enviar a su cuñado, el general Megabizo, con abundantes tropas y equipo de asedio. El pueblo babilonio, con buen criterio, decidió abrir las puertas de la ciudad antes de que la *Spada* las echase abajo y entregar a Belshimanni y a otros cuantos cabecillas más, que ahora esperaban en las mazmorras del palacio de Nabucodonosor a que el propio Jerjes hiciera justicia.

—Jerjes fue gobernador de Babilonia antes de coronarse rey, así que me temo que se va a tomar este asunto de una forma muy personal —dijo Izacar—. La plebe se va a divertir en los próximos días presenciando unos cuantos empalamientos y descuartizamientos.

—No me los perderé —dijo Temístocles, sin la menor intención de verlos—. Pero, ya sabes, me interesan más los planes, digamos, a largo plazo del Gran Rey.

—¿Quién puede entrar en la mente de alguien que se sienta sólo un escalón por debajo del dios? —respondió Izacar.

—Es difícil penetrar en la mente de una persona —respondió Temístocles—. Pero, a veces, el tintineo del dinero que guarda en su bolsa puede ser revelador. Eso lo sé yo, pero tú lo sabes aún mejor, astuto Izacar.

El banquero se cruzó las manos sobre el abultado vientre. Era un hombre próspero, y le gustaba demostrarlo para que sus clientes le confiaran sus depósitos. Por eso comía y bebía bien, se hacía arreglar la barba por un peluquero y se untaba el cuello y las manos con aceite de nardos. En su casa no faltaban tapices, gruesas alfombras, visillos de vivos colores y muebles de maderas nobles que importaba de Fenicia, y también lucía vajillas de plata y electro, jarras de vidrio de Sidón e incluso copas de cerámica ateniense decoradas con delicadas figuras rojas.

—La bolsa del Gran Rey es insaciable —dijo, mirando a los lados. En el terrado sólo estaba su propia hija, una joven guapa y regordeta, de ojos vivos. Izacar parecía confiar mucho en ella, pero ahora le hizo un gesto para que bajara al piso inferior.

Conversaban en arameo. Desde que entraron en Mesopotamia, Temístocles no había tenido problemas para comunicarse, pues en toda esa parte del imperio el arameo era la lengua franca.

—Supongo que no te refieres sólo a los impuestos —aventuró Temístocles.

—Los impuestos sirven para mantener la corte imperial, construir y ampliar palacios y sufragar a las tropas regulares del ejército —dijo Izacar—. Sólo eso supone miles y miles de talentos. Pero ahora las arcas reales se están empeñando con todos los bancos. Los Murashu de Nippur, los Egibi de Babilonia, los Asmodeos de Tiro. Incluso este humilde servidor ha firmado un empréstito cuya suma, por discreción, me callaré.

—Discreción que alabo, por supuesto. Pero, si prescindimos de detallar la contribución de tu banco, ¿de qué cifras estamos hablando?

—De quince mil talentos. El equivalente al tributo anual de todo el imperio. —Izacar añadió en tono dramático—: Una suma suficiente para reclutar un ejército de más de ciento veinte mil hombres con sus criados y acompañantes y organizar dos flotas imperiales.

Por fin Temístocles empezaba a oír números claros, y no sólo vagos rumores. Una flota imperial constaba de seiscientos barcos. ¿Cuántos de ellos serían trirremes? Casi la mitad, si los persas mantenían la misma proporción que en la flota que atacó Maratón. Con dos flotas, eso suponía cerca de seiscientas naves de guerra. A ellas, pese a los esfuerzos de Temístocles en todos esos años, Atenas sólo podía oponer cien barcos, y muchos de ellos eran desvencijadas bañeras que flotaban a duras penas.

—Tal vez —dijo Temístocles con tono cauteloso— el Gran Rey piensa utilizar ese dinero para construir otro palacio tan fabuloso como el de Persépolis.

—Tal vez. Los Aqueménidas son grandes constructores. Pero si yo fuera griego, y sobre todo ateniense, estaría *muy* preocupado —dijo Izacar, con una sonrisa de complicidad.

Temístocles no le había revelado su verdadera identidad. Pero sabía que, por su relación con su primo Jenocles, el banquero judío sospechaba que era ateniense.

—¿Crees que proyecta una campaña punitiva contra Grecia?

—En cuestiones militares soy un ignorante. Pero si yo hubiera contratado empréstitos por valor de quince mil talentos de plata a cinco años, y teniendo en cuenta que los intereses suman cuatro mil talentos más, usaría esa suma para algo más grande que una simple expedición punitiva. «Invasión» quizá sería una palabra más adecuada. —Izacar dio un sorbo a su cerveza, frunció el ceño como si se le acabara de ocurrir algo y añadió—: ¿Qué tenéis los griegos que justifique una inversión tan grande para conquistaros? Tengo entendido que en Delfos hay un templo que alberga grandes riquezas, pero no sé si llegarán a cubrir los gastos.

—Yo no soy griego, Izacar —le recordó Temístocles.

—¡Ah, cómo se me puede haber olvidado! Eres cario. Cario de Halicarnaso —recalcó Izacar, dejando claro que no lo creía—. ¿Sabes una cosa, Pisindalis? Tu reina podría informarte mejor que yo de la campaña que se avecina. Ella tiene mucho ascendiente sobre Jerjes. De hecho, va a entrar con él en Babilonia.

A Temístocles se le aceleró el pulso, pero sólo manifestó su turbación con un parpadeo más lento de lo habitual.

—Lo ignoraba. De todos modos, llevo más de un año fuera de Halicarnaso. Ya sabes cómo es la vida errante de los mercaderes. ¿Qué hace Artemisia en Babilonia?

El banquero se encogió de hombros.

—Sólo me han llegado rumores. Dicen que es amante de Jerjes. No sería extraño. —Izacar bajó la voz y se adelantó en el asiento para acercarse más a Temístocles—. A nuestro Gran Rey le vuelven loco las mujeres. ¿Sabes lo primero que hizo al coronarse? Derribar las salas donde su padre guardaba el tesoro en Persépolis y construir en su lugar un harén.

Por alguna razón, a Temístocles le molestó que su prima pudiera ser concubina de Jerjes. Se dijo a sí mismo que era por patriotismo helénico, no por celos, pero ni siquiera así se dejó engañar. Le parecía una mancilla que el rey persa pudiera poseer algo que una vez, por poco tiempo que fuese, había sido suyo.

—Dime, Izacar —comentó aparentando indiferencia—. ¿Cuándo piensa entrar Jerjes en la ciudad?

—Esta misma tarde. Si te das prisa, todavía llegarás a tiempo para ver la comitiva.

Alrededor de los soberanos los rumores y las hablillas crecen y se adhieren como el liquen a la corteza del roble. Pero, por esta vez, los maliciosos comentarios de Izacar tenían su parte de razón. Aunque Artemisia no era amante de Jerjes, y ni siquiera había llegado a verlo en persona, sí había formado parte de su harén de forma accidental. Dos meses antes, a finales de otoño, había llegado a Susa obedeciendo una invitación real. Era ella, en realidad, quien había escrito a la corte de Jerjes para solicitar una audiencia, pues su esposo había muerto por fin y algunos nobles carios pretendían disputarle el poder pretextando que era una mujer. La burocracia había sido lenta como un carromato tirado por bueyes y a Artemisia no le llegó la respuesta hasta un año después. Al recibirla se había puesto en camino, llevándose consigo a su hijo Pisindalis, pues si lo dejaba en Halicarnaso, no confiaba en encontrarlo vivo a la vuelta.

Al llegar a Susa, Artasiras, el viejo eunuco que, desde tiempos de Darío, ejercía de jefe de protocolo, visir y factótum de la corte, la había instalado en el harén, pese a sus protestas. Al menos, le había asignado unos aposentos propios, ahorrándole la humillación de compartir la gran sala común del harén con las demás concubinas reales, a las que sólo podía ver a través de una celosía. Cuando Artemisia se asomaba a aquella estancia sembrada de plantas y fuentes rumorosas, le parecía estar viendo un parque de caza poblado por panteras tan bellas y flexibles como perezosas. Las mujeres del harén, concubinas adiestradas en las artes del amor y el encanto al modo de las hetairas griegas, se maquillaban y peinaban a diario y se ataviaban siempre con todas sus galas. No lo hacían por impresionar a Jerjes, que elegía a sus compañeras nocturnas enviando a un eunuco, sino a las demás mujeres, pues así se establecía la compleja red de poder, rivalidad y alianzas que gobernaba el serrallo.

El error se había subsanado unos días después, y el visir había alojado a Artemisia fuera del palacio, en casa de un noble griego. Se trataba de un tal Esquines, natural de Eretria, que había recibido esa mansión y algunas otras posesiones por sus servicios al rey. Esquines era un hombre apuesto y pagado de sí mismo que desde el primer momento se había empeñado en seducirla. Pero al menos tenía el buen criterio de no forzar la situación, consciente de que Artemisia sabía defenderse por sí sola. Ella, sin otra cosa que hacer, se divertía a ratos con las maniobras del eretrio.

Pasó el primer mes. Jerjes siempre estaba demasiado ocupado para recibirla, o al menos eso aseguraba Artasiras. Artemisia había escuchado relatos sobre súbditos griegos a los que el Gran Rey retenía indefinidamente a su lado, como había hecho con Histieo, uno de los promotores de la revuelta jonia. Se temía que eso le pudiera pasar a ella y que jamás le permitieran volver a Halicarnaso; y pensando en su ciudad y, sobre todo, en el mar, se desesperaba y languidecía.

Una tarde, un mensajero le trajo una invitación para ir a palacio, sin más explicaciones, y Artemisia pensó que por fin el rey iba a recibirla. Para su sorpresa, una vez allí la condujeron a los aposentos de la esposa de Jerjes. Amestris disponía para ella de un ala entera del palacio de Susa, bien alejada del harén. Mientras que Darío había tenido varias esposas, Jerjes se había limitado a casarse con una, al menos de momento. Según Esquines, que parecía gozar de buenas fuentes de información, Jerjes, nacido ya de sangre real y nieto de Ciro el fundador, se consideraba más seguro en su posición que su padre y por tanto no necesitaba demostrar nada. En cambio, Darío había buscado alianzas matrimoniales para afianzar su reinado. Al fin y al cabo, añadía Esquines casi en susurros, Darío no era más que una especie de usurpador.

—Eso sí, legitimado por el triunfo. No hay nada que dé tanta legitimidad como el éxito.

Como fuere, Amestris recibió a Artemisia en una pequeña sala. Aunque era la esposa real, Artemisia, como soberana de Halicarnaso, no tuvo que arrodillarse sobre la alfombra, sino que bastó con que hiciera una reverencia y soplara un beso hacia ella. Ambas mujeres cenaron solas, sentadas sobre mullidos cojines y junto a una mesa de una madera negra y dura que Artemisia no conocía y que la dejó fascinada.

—Está tallada en *karmara*, un árbol de la India —le explicó Amestris—. Es una madera tan pesada que si construyeran un barco sólo de ella, se hundiría en el agua.

Amestris interrogó a Artemisia sobre las costumbres griegas, y en particular sobre la situación de las mujeres, que parecía llamarle mucho la atención. Por sus comentarios, Artemisia dedujo que su interlocutora poseía grandes fincas en diversos lugares, y no a nombre de su esposo, como habría pasado en Grecia, sino a título personal. Podía viajar a sus propiedades cuando le pluguiera, cobraba sus rentas y era ella quien organizaba y gobernaba su propia hacienda. Por eso, cada comentario sobre el dominio que ejercían los maridos griegos sobre sus mujeres le arrancaba una sonrisilla de desdén que a Artemisia le resultaba irritante.

—Por supuesto, mi situación no es la misma —se apresuró a explicar Artemisia, y añadió que ella nunca había estado confinada en el gineceo, que su sello bastaba para disponer de todos sus bienes y que salía a cazar o navegar cuando le apetecía.

—Te creo, querida —contestaba la reina en tono de suficiencia, dejando bien claro que la consideraba una bárbara sometida más.

Amestris debía de tener unos treinta y cinco años bien conservados y sus rasgos eran correctos, pero había algo en ella que la afeaba, una sequedad interior que le asomaba a los ojos y le robaba expresión. Aunque fue correcta y educada en todo momento, Artemisia no dejó de sentirse incómoda. Los catorce platos que les sirvieron las criadas le habrían parecido exquisitos en otra compañía, pero apenas los saboreó. Además, el aroma del gomoso bálsamo de Siria que se quemaba en los pebeteros era tan empalagoso que empezó a revolverle el estómago. El ambiente de la sala sólo se relajó un poco cuando un aya trajo a la hija de Amestris antes de acostarla.

—Dale un beso a nuestra invitada, Ratashah.

La niña, que tendría cuatro años como mucho, vestía y caminaba como una auténtica señorita. Pero cuando fue a saludar a Artemisia no se limitó a poner sus labios sobre su mejilla, sino que le rodeó el cuello con sus manitas y le dio un abrazo. Olía a fruta fresca, y tenía unos ojos enormes y oscuros y una frente tan redondeada que a Artemisia, que nunca había destacado por sus instintos maternales, le entraron ganas de darle un mordisco en ella. Pero se conformó con besarla.

—Eres una niña muy guapa, Ratashah, ¿lo sabes? —le dijo en persa. Ella sonrió y apartó un poco la mirada, con una timidez no exenta de coquetería. Viendo lo poco que se parecía a su madre, Artemisia pensó que Jerjes debía ser un hombre muy apuesto para haber engendrado una hija así.

Cuando la niña se marchó, Artemisia pensó que, pese a la frialdad del encuentro, tenía que aprovechar su ocasión.

—Mi señora, ¿crees que tu esposo me recibirá algún día? He dejado mi ciudad en manos de hombres y temo que, si sigo mucho tiempo fuera de ella, con su torpeza la echen a perder y Halicarnaso no sirva al Gran Rey como debe.

—Algún día te recibirá, querida, sin duda. Algún día. Un buen súbdito lo demuestra no sólo con su devoción, sino con su paciencia —respondió Amestris, en tono enigmático.

Pocos días después, le había llegado la orden de trasladarse con el resto de la corte a Babilonia. Esta vez no trataron con ella Amestris ni el visir, sino el propio general Mardonio, el militar más poderoso del imperio y amigo personal de Jerjes, que acudió a visitarla y le dijo:

—Formarás en la cabalgata triunfal. Una vez allí, lejos del harén —añadió en voz baja—, Jerjes te recibirá.

En ese momento, mientras Temístocles se entrevistaba con Izacar, la comitiva real se acercaba a Babilonia. Artemisia no había visto la ciudad en el viaje de ida, pues el Camino Real pasaba lejos de ella, al este del Tigris. Ahora, al contemplar los reflejos que el sol arrancaba a los ladrillos esmaltados de las murallas y de los templos que se alzaban al otro lado, comprendió por qué el Gran Rey había elegido una hora tan tardía para entrar en la ciudad, pues la luz del ocaso la embellecía todavía más.

Babilonia era tan grande como le habían contado, mucho más que Susa y, por supuesto, que cualquier ciudad griega. Las murallas de la parte norte medían al menos tres kilómetros de esquina a esquina. Pero incluso antes de llegar a ellas había que atravesar otra Babilonia aún más extensa y populosa que la de intramuros, aunque también más mísera y sucia. Salvo en la vía de las Procesiones, que era la que seguía la comitiva, las casas se apelotonaban unas contra otras, y sobre las estrechas callejuelas colgaban balcones de madera y cuerdas de ropa tendida que apenas dejaban entrar la luz del sol. Las paredes sin ventanas eran de adobe y tierra aglomerada, únicos materiales con los que construían los babilonios, salvo la madera de tamarisco de puertas y tejados. Había muy pocas casas pintadas, y todo el conjunto ofrecía un color terroso, como si aquellas casas fueran excrecencias brotadas del suelo.

Artemisia iba de pie en un carro llevado por un joven auriga. Vestía como un guerrero, con su mejor panoplia: una coraza de bronce muy fino con ataujías de oro y un yelmo que dejaba al descubierto su rostro. Ella y los soldados que la habían acompañado desde Halicarnaso iban en la cabecera de la comitiva, por detrás de otros súbditos de Jerjes y seguida directamente por los diez mil lanceros que formaban la guardia real.

Cruzaron la muralla por la puerta de Afrodita, a la que allí llamaban Ishtar. La puerta estaba situada en un entrante rectangular, de forma que los enemigos que intentaran tomarla al asalto tuvieran que pasar antes entre dos muros coronados por almenas. Pero hoy en ellas no había tropas babilonias, sino lanceros persas a las órdenes de Megabizo, el general que había tomado la ciudad para Jerjes.

Los grandes batientes de cedro estaban abiertos de par en par. Artemisia pasó bajo un arco tan alto como diez hombres, rodeado de ladrillos azules y figuras doradas que representaban leones, esfinges y otras criaturas fabulosas. Su carro atravesó una larga bóveda alumbrada por antorchas y vigilada por dos hileras de lanceros, y por fin entró en las calles de la Babilonia oficial.

Considerando que acababa de sublevarse, la ciudad del Éufrates recibía con mucho entusiasmo al rey. La gente había salido a las márgenes de la calle de las Procesiones para saludar al cortejo de Jerjes con palmas en la mano y arrojar pétalos de rosas a su paso. Las casas estaban engalanadas con telas de colores y guirnaldas de flores y, conforme oscurecía, se iban encendiendo hogueras en las terrazas de los templos y bajo las imágenes de los dioses que jalonaban ambos lados de la calle. La luna casi llena y el cielo despejado colaboraban al esplendor de la noche. Miles de pebeteros quemaban resinas y maderas aromáticas. Artemisia lo agradeció, porque al acercarse a la ciudad el olor de los pantanos que la rodeaban le había recordado a la fetidez de la marisma de Maratón.

Pero la razón de tanto entusiasmo y boato era comprensible. El pueblo quería demostrarle a Jerjes que le seguía siendo leal y que la rebelión había sido cosa de unos cuantos lunáticos, nobles y sacerdotes sediciosos que los propios babilonios se habían apresurado a entregar en manos de la justicia real.

De todo eso la había puesto en antecedentes Esquines, que, empeñado en llevársela a la cama, le daba conversación a todas horas. Artemisia se dejaba halagar, pues así recopilaba información, y por lo que veía, las fuentes del eretrio eran fiables.

—Jerjes tomará represalias —le había dicho Esquines—, pero sin apretar las clavijas demasiado a los babilonios. No se lo puede permitir.

—¿Por qué?

—Hay mucho dinero en Babilonia, pero no puede tomarlo por las buenas. Bajo la ciudad corren mil túneles secretos, y todo ese oro y esa plata se esconderían si el rey intentara tomarlos por la fuerza. Así que se contentará con ejecutar a los rebeldes, que además es un espectáculo que agradece la plebe. Las medidas más impopulares las ha tomado ya Megabizo antes de que llegue Jerjes, para que sea él quien cargue con las antipatías y no el Gran Rey.

Entre esas medidas, el general persa había hecho arrancar los azulejos del último piso de la gran torre de Marduk, había derribado sus altares y había hecho fundir la estatua de oro del propio dios. Eran trescientos kilos de oro macizo, el equivalente a mil doscientos talentos de plata. Al oírlo, Artemisia silbó entre dientes: esa estatua habría pagado el tributo de la satrapía de Jonia durante tres años. Así que era una represalia algo más que moderada.

La procesión se prolongó casi una hora. Recorrieron con paso lento la calle de las Procesiones hasta llegar al templo de

Marduk, y una vez allí, giraron a la derecha para rodearlo y llegaron al Éufrates. De allí volvieron a torcer a la derecha y esta vez siguieron río arriba, dejando Etemenanki a un lado. Desde abajo, los desperfectos del séptimo piso, a casi cien metros de altura, apenas se apreciaban. Artemisia trató de imaginarse cómo se divisaría la ciudad desde allí arriba, pero no lo consiguió. Jamás había visto un edificio tan alto en su vida, aunque decían que en Egipto había inmensas tumbas de piedra que empequeñecían a Etemenanki.

En ese momento, notó una mirada tan intensa que casi parecía rozar su piel. Apartó la vista de la torre y la bajó al suelo. Allí, entre la calle y la hilera de árboles que rodeaba el templo, había un hombre muy alto que sacaba una cabeza a todos los que lo rodeaban. Pero Artemisia supo que no era ese hombre al que buscaba, sino alguien que debía andar cerca de él. Aun así, volvió a mirar al frente. Aunque la ciudad era un espectáculo digno de estar contemplándolo un año entero, procuraba no girar demasiado la cabeza. No quería dar la impresión a los babilonios de que era tan sólo una provinciana, una griega palurda que, en vez de dejarse contemplar por los espectadores del desfile, se los quedaba mirando a ellos.

Sintió los ojos clavados en ella otra vez. Se volvió un instante y vio que alguien se escabullía detrás del cuerpo del gigantón. Apenas había sido un segundo, pero Artemisia lo reconoció y el pulso se le aceleró.

Por los perros de Hécate, ¿qué hacía Temístocles en Babilonia?

Esa noche tampoco llegó a ver a Jerjes. Si hubo audiencia, a ella no la invitaron. El visir volvió a asignar habitaciones, y a ella le tocó alojarse en el rincón más recóndito del palacio de Nabucodonosor. Cuando le dijeron que su presencia no sería requerida hasta el día siguiente, Artemisia dejó que sus criadas la despojaran de la armadura y se quedó vestida tan sólo con la túnica interior.

En ese instante, oyó que la llamaba su hijo. Artemisia deslizó a un lado el panel de cedro que separaba su alcoba de la de Pisindalis.

—¡Mira lo que se ve por el balcón, mamá! —le dijo el niño, emocionado.

Al asomarse, Artemisia comprendió su excitación. Bajo ellos se abría un gran patio, mayor incluso que los tres que habían atravesado antes, y en su centro se alzaba una pequeña Etemenanki. Tenía cinco niveles, el último de los cuales se levantaba sobre los tejados del propio palacio, a más de veinte metros de altura. Cada terraza estaba sembrada de árboles y plantas tan variados que, al menos desde el balcón, resultaba difícil encontrar dos iguales. Algunos de los árboles estaban pelados, esperando aún la primavera, pero otros lucían todas sus hojas, y las había verdes y amarillas, pero también rojas e incluso violetas. De cada terraza colgaban hiedras, parras, enredaderas y lianas que apenas dejaban ver los ladrillos de las paredes, y entre ellas bajaban chorros de agua, como pequeños arroyos de montaña que caían desde la última terraza. Había antorchas encendidas cada pocos pasos, y sus llamas y la oscuridad de la noche creaban misteriosos dibujos de sombras y luces entre la vegetación.

—Quiero jugar ahí, mamá.

—Mañana preguntaremos si puedes, hijo —contestó ella.

—¡Yo quiero jugar ya!

—Tenemos que ser educados. No estamos en nuestra casa.

El burbujeo del agua y el canto de los pájaros que anidaban entre los árboles llenaban de sonido el patio. Artemisia pensó que no le importaría convertirse en niña de nuevo y perderse en esas selvas en miniatura, y se le antojó que entre aquel lujuriante follaje una podía toparse con las propias Musas. Pero Pisindalis, prosaico como correspondía a sus cinco años y medio, al oír el murmullo del agua empezó a frotarse una rodilla contra otra y dijo que se estaba haciendo pis.

Artemisia le revolvió el pelo y, tras desearle buenas noches, regresó a su propio cuarto. *No le he dado un beso*, se dijo mientras cerraba la puerta corredera. Era algo que solía olvidar. Se prometió ser más cariñosa mañana para compensarlo.

En su alcoba había otra ventana más pequeña, pero con la

misma vista. Artemisia volvió a asomarse. Aparte de sus propias esclavas, le habían asignado una criada babilonia muy espabilada y pizpireta que hablaba griego.

—¿Qué es eso? —le preguntó Artemisia—. ¿Un templo?

—No, señora. Es un jardín. Lo construyó el rey Nabucodonosor para hacer feliz a su amante. —La criada, que se llamaba Humusi, suspiró—. Ella añoraba los árboles de su país natal.

¿De su país natal?, pensó Artemisia. Allí debían estar todos los árboles y las plantas del mundo, así que cualquier amante del rey se sentiría a la vez en casa por lo que le era familiar y extranjera por lo que desconocía.

—Es muy hermoso.

—Y ahora lo es mucho más gracias al Gran Rey, señora. Su padre los tenía más descuidados, pero nuestro buen rey ama tanto las plantas que ha hecho repoblar todas las terrazas y ha reparado el sistema de riego.

Las noches en Babilonia no eran frías. Artemisia dejó entreabierta la celosía. Justo antes de quedarse dormida con el arrullo de las fuentes, se preguntó cómo hacían para subir el agua a lo alto de aquellos jardines, y se imaginó a un ejército de esclavos en el interior de la torre pasándose cubos unos a otros por una estrecha escalera.

Babilonia, 19 de enero

Su amo Temístocles, que desde que se alejaron del mar se empeñaba en llamarse Pisindalis, le había concedido unas horas de asueto a Sicino, recomendándole que se diera un paseo por los jardines que rodeaban el templo de Ishtar. «*Así te desfogas un poco, que te veo muy inquieto*», le había dicho. Cuando llegó a los jardines y vio que junto a cada fuente y detrás de cada macizo de rosas acechaba una muchacha, a cual más bonita y con las ropas más abiertas y transparentes, comprendió a qué se refería Temístocles y para qué le había dado esas monedas. En Persia se decía de las babilonias que eran todas unas putas, que iban por la calle con un pecho fuera y que antes de casarse se prostituían por lo menos una vez con un desconocido. Sicino no estaba tan seguro de ello, porque por el camino se había cruzado con muchas mujeres y había observado que vestían largas túnicas de lana y que la mayoría se recogía el cabello. Pero una persona que de Babilonia conociera tan sólo esos jardines sin duda se llevaría otra impresión.

Una joven más decidida que las demás lo enganchó de la ropa y lo arrastró hasta un cenador de hierro rodeado de parras. Allí hicieron el amor con cierta intimidad, aunque no demasiada, pues en una ocasión Sicino creyó ver un par de ojos indiscretos espiando tras las hojas. La muchacha era dulce, gemía de una forma muy excitante y era tan menuda que Sicino la levantó en el aire agarrándola de las nalgas y la poseyó de pie.

Luego, al volver a casa de Izacar, se preguntó si no habría cometido un pecado contra Ahuramazda fornicando tan cerca del altar de una falsa diosa, pues esa Ishtar no era más que otra *daeva* impura, como la Afrodita griega o la Atenea a la que tanto veneraba su amo. Intentó disculparse diciéndose que en aquel cenador no había ninguna imagen demoníaca, aunque la verdad era que no se había fijado bien, porque sólo tenía ojos para la forma en que se bamboleaban los pechos de la muchacha al menearla contra sus caderas.

La ciudad era muy grande y resultaba fácil desorientarse, así que Sicino preguntó por la avenida de Marduk y el distrito de Kullab para volver con su señor. Los babilonios debían de tener hambre a todas horas, porque las calles estaban llenas de puestos y mostradores donde vendían roscas, obleas de miel, tortas de pan ácimo con puré de garbanzos y quesos de cabra y de oveja. También había parrillas donde asaban gorriones y ranas ensartados en espetones, e incluso langostas y cigarras. A Sicino, después del fornicio, se le habían despertado otros apetitos y, por si luego se demoraba la cena, compró un pincho de cordero. El tendero, que tenía que devolverle tres cobres, sólo le dio dos. Sicino discutió en arameo, aunque no lo dominaba del todo, porque Temístocles le había dicho que si hablaba en persa se metería en un lío. La verdad era que un persa que recorriera solo aquella ciudad podía verse en apuros. Cuando se cruzaban con un grupo de soldados del Gran Rey, los nativos les hacían mil zalemas. Pero Sicino se había dado cuenta de que, una vez que pasaban de largo, los babilonios les dedicaban gestos obscenos con los dedos y mascullaban insultos y maldiciones contra ellos.

—Tres cobres. No, dos no. Tres —insistió Sicino.

El tendero agitó una mano, haciéndole la cuenta con los dedos para demostrar que era él quien llevaba razón. Sicino era consciente de que no tenía tanta sesera como Temístocles, pero entre dos y tres sí que sabía diferenciar, así que agarró la mano del tendero y la apretó hasta que los nudillos le crujieron como una carraca. El babilonio se puso pálido y accedió por fin a soltar la minúscula moneda de cobre que le quería estafar.

Sicino se la guardó en la bolsa de cuero que llevaba atada al cordel de su cintura y se dispuso a comerse el pincho. Primero lo olfateó. Olía a comino y tomillo, y dejaba chorrear por sus dedos una grasa oscura y suculenta.

—¡Una limosna, señor!

Sicino se volvió a la derecha, pero tuvo que agachar la mirada para ver quién le hablaba. Un rapaz que no levantaba tres cuartas del suelo, con la nariz llena de mocos y los ojos muy grandes y oscuros, le tendía una mano llena de roña con una quemadura mal curada. Sicino apartó la vista de él y siguió calle arriba.

—¡Por favor, señor! —insistió el crío, correteando detrás de él y tirándole del faldón de la túnica.

—Déjame en paz.

—Es que tengo mucha hambre, señor. Me duele la barriga.

Sicino se detuvo, miró hacia el cielo, cerró los ojos y estuvo a punto de soltar una maldición. Era muy mirado con el dinero, aunque se tratase tan sólo de monedas de cobre, porque estaba ahorrando su peculio para comprar algún día su libertad. Pero el reclamo del hambre le llegaba al alma, ya que siempre había sido muy comilón. Se despidió de su pincho de cordero intacto y se lo dio al niño. A éste se le pusieron los ojos como platos y del primer mordisco arrancó del palo los dos primeros trozos, aunque casi no le cabían en la boca. Después, sin dar las gracias, porque si lo hacía se le habría caído la carne, salió corriendo. Sicino había estado a punto de decirle: *Ten cuidado que no te lo quiten*, pero por lo visto no era necesario.

Mientras se alejaba, Sicino pensó que el tendero y el crío habían tenido mucha suerte de dar con él ahora que se había vuelto virtuoso y pacífico. Cuando era más joven, al primero le habría roto todos los dedos, y al segundo lo habría estampado contra un árbol de una patada en el trasero. Y al pensar en su transformación rememoró por orden, como hacía siempre, las circunstancias que lo habían llevado a cambiar.

Cuando tenía dieciocho años —de eso hacía diez—, aún era un hombre libre que se llamaba Mitranes y no se tomaba demasiado en serio las enseñanzas de Zaratustra que le había inculcado

Bagabigna, su padre. A decir verdad, no les hacía ningún caso. A esa edad había dado el estirón definitivo, y aunque su padre y sus hermanos eran muy altos, él se había convertido en un gigante de casi dos metros y una fuerza descomunal, capaz de tumbar a un caballo agarrándolo de las orejas. Vivían en una fortaleza a cuyo señor servía Bagabigna como vasallo, y bajo el castillo había una aldea, y no muy lejos un parque de caza. Sicino usaba el castillo para meterse en peleas de las que sus rivales siempre salían con algún hueso roto, la aldea para fornicar con todas las muchachas que se ponían a tiro y de las cuales preñó a más de una, y el parque para alancear fieras, pues era tan fuerte que prefería matarlas de cerca que dispararles con el arco. Pero el día en que cumplió veinte años, su padre, harto de sus desmanes, lo obligó a alistarse en las fuerzas del príncipe Mardonio, que iban a combatir en la lejana Jonia para aplastar a los rebeldes.

Como militar, Sicino aún había descuidado más las enseñanzas del profeta. En el ejército había súbditos de todo el imperio y cada uno traía consigo sus dioses y sus demonios. Incluso entre los soldados persas eran minoría los que seguían la verdadera fe de Ahuramazda. Arrastrado por las malas compañías, Sicino se había olvidado de las escasas normas que todavía seguía, había cometido todo tipo de impurezas y se había olvidado de rezar las cinco veces preceptivas delante del fuego sagrado.

Su primer castigo había venido precisamente del fuego. La revuelta de los jonios ya había sido aplastada, y ahora el ejército de Mardonio estaba remontando la costa de Asia Menor para cruzar a Europa, subyugar el norte de Grecia y, si era posible, llegar hasta Atenas y castigarla por el incendio de Sardes. Se hallaban a la altura de la isla de Lesbos cuando Sicino y sus nueve compañeros de *dathabam* cenaban en la playa, alrededor de una hoguera, poco antes de oscurecer. El cielo estaba encapotado, pero no llovía ni se había escuchado ningún trueno que sirviera de advertencia. De pronto, un gran destello cegó a Sicino, y después todo se sumió en la negrura.

Cuando abrió los ojos, se encontró rodeado por soldados de su misma compañía que lo miraban con asombro. Sicino se levantó aturdido y descubrió que había caído un rayo sobre el grupo. Los otros miembros de su decuria yacían muertos, algunos con quemaduras que les cruzaban el cuerpo de arriba abajo y que habían desgarrado y ennegrecido sus ropas; otros, simplemente fulminados por el fuego celeste, con los ojos todavía abiertos en un último gesto de estupor.

Era tan sorprendente que hubiera sobrevivido, que lo llevaron a presencia de Mardonio, jefe de la expedición. Éste interrogó a Sicino, le palpó los músculos como quien examina a un caballo y le miró la quemadura violácea que le había dejado el rayo en la cara. Después ordenó que lo asignaran como infante de marina a un trirreme fenicio.

—Es más duro que un ariete —comentó Mardonio—. Cuando salte al abordaje, veréis cómo todos esos griegos se tiran solos al agua de puro miedo.

Los persas no poseían flota propia, pues las costas de su país eran inhóspitas, una línea quebrada de acantilados abruptos que no invitaban a volverse hacia el mar. Darío confiaba para su armada en otros pueblos de tradición marinera, como los fenicios, los egipcios o los chipriotas. Pero, para garantizarse la lealtad de sus tripulaciones, los treinta soldados armados que servían en cubierta eran siempre iranios, bien fuesen persas, medos o sacas. Muchos de aquellos soldados se mareaban en cuanto se levantaba algo de oleaje y la mayoría ni siquiera sabían nadar. Sicino pagó a un jonio para que le enseñara mientras recorrían la costa de Tracia, pues la idea de ahogarse le horrorizaba.

El barco al que le destinaron era una nave más ancha y con el bordo más alto que los trirremes griegos, y tenía una cubierta completa, provista de una balaustrada que, cuando iban a entrar en combate, protegían con escudos. Pero, pese a que las naves fenicias eran más altas y pesadas, cuando sorprendían en las aguas a algún barco griego casi siempre se las arreglaban para capturarlo. Los marineros semitas sabían bogar con tal destreza que las palas de sus remos hendían el agua todas a la vez, sin levantar apenas espuma, y cuando el mar estaba tranquilo conseguían que el barco se deslizara silencioso y recto como un cuchillo.

Aunque ahora, diez años después, le parecía mentira haber sido tan obtuso, en aquel momento Sicino no se había tomado la caída del rayo como un aviso del cielo, sino como una buena señal de la fortuna. ¿Para qué iba a cambiar de vida? Así que mientras sirvió en la marina siguió dedicándose a fornicar cada vez que le surgía la ocasión, a beber como un pez, a jugar a los dados y a ser tan matón como antes.

El segundo castigo, por tanto, le vino de las aguas. La flota de Mardonio, que constaba de trescientas naves de guerra y otros tantos barcos de transporte, estaba doblando el monte Atos, un sobrecogedor promontorio sin playas ni radas que se levantaba a dos mil metros sobre el Egeo. Su señor Temístocles, más entendido en las cosas del mar, le había dicho que aquella roca inmensa creaba su propio régimen de vientos y corrientes, y que allí las aguas eran tan profundas que resultaba imposible alcanzar el fondo con una plomada, por larga que fuese la soga.

Fue entonces cuando la furia de los elementos se desencadenó sobre ellos. En pleno día, el cielo se volvió negro, el viento empezó a mugir y las olas se levantaron como una manada de caballos encabritados. Sicino vio cómo a su alrededor la tormenta empujaba otras naves contra la mole del monte Atos y las desguazaba como cascarones. Su propio trirreme se precipitaba contra el acantilado. Las velas eran inútiles y los remos azotaban el aire más veces que el agua. El piloto se desgañitaba, gritando a la tripulación que tensara los cables que ceñían el casco de la nave, cuando un golpe de mar hizo que uno de los remos maestros le golpeara en la boca y le saltara todos los dientes. El pánico se desató en el barco, los remeros aporreaban abajo por salir de la bodega y en la cubierta los soldados se aferraban a las jarcias y los balaustres para no caer por la borda. Sicino, comprendiendo que si seguía en el trirreme estaba perdido, se quitó el caftán y la coraza de escamas y se arrojó al agua. Después nadó todo lo que pudo para alejarse de allí, y no tardó en oír por encima del bramido de la tempestad un crujido prolongado y doliente cuando el barco fenicio se descuajaringó contra las rocas.

Sicino logró llegar hasta un tablón suelto, un resto del codaste de otro barco, y se aferró a él. Durante un largo rato luchó por mantenerse a flote y tragó tanta agua como para llenar un barril. Pero, por fin, la tormenta amainó de forma casi tan repentina como había estallado, y el pálido creciente de la luna brilló sobre el mar.

Pero aquella noche infernal no había terminado. Poco antes de que saliera el sol aparecieron los monstruos marinos. Sicino aún tenía clavados los gritos de los otros hombres que se mantenían a flote no muy lejos de él y que en vano se pedían auxilio unos a otros mientras las mandíbulas de las bestias los devoraban. *«¡Mi pierna!»,* gritaba uno, y otro respondía *«¡Mi brazo!»* o emitía algún gorgoteo inarticulado antes de hundirse. Sicino trató de salir del agua encaramándose al tablón, pero su corpachón era demasiado grande para él y bastante tenía con no hundirlo. Una piel áspera como lija le rozó la pierna, y al sentir el contacto del monstruo Sicino gritó como los demás. Después, unas mandíbulas de hierro se cerraron sobre su espinilla y le clavaron la tela de los pantalones en la propia carne. La bestia tiró, y de haber dado con un hombre menos fuerte que él tal vez le habría arrancado de cuajo media pierna. Sicino metió las manos en el agua y aporreó una cabeza afilada; tanteando en su piel rugosa encontró un ojo y clavó los dedos en él. La criatura sacudió la cabeza y apretó las mandíbulas. La desesperación multiplicó incluso más las enormes fuerzas de Sicino, que hundió los dedos hasta notar que algo tibio y viscoso reventaba bajo ellos, y entonces tiró y arrancó el ojo aplastado del monstruo, que por fin abrió las mandíbulas, lo soltó y se alejó de él.

Cuando por fin amaneció, Sicino comprobó que la corriente lo había llevado hacia el este, y que la masa del Atos quedaba ya lejos, a su derecha. Había pecios dispersos hasta donde le alcanzaba la vista. Luego supo que en aquella tormenta se había perdido la mitad de la flota persa y que Mardonio había tenido que renunciar a su invasión. Aquello le costó el favor de Darío; aunque, por lo que contaban, ahora había vuelto a recuperarlo con Jerjes.

Unas horas después, cuando creía que ya moriría de agotamiento y de sed, lo recogió una nave griega. Al darse cuenta de que Sicino era persa, la primera idea que tuvieron fue matarlo. Pero al ver su tamaño y su musculatura, el capitán del barco dijo que de ningún modo iba a perder el dinero que podía sacar por un espécimen como ése. Luego descubriría Sicino que el fletador de aquella nave era el propio Temístocles.

Sicino podría haber ido a parar a muchos sitios, pero el destino, o el sabio señor Ahuramazda, le deparó el peor de todos: las minas del Laurión, en el Ática. Allí los hombres profanaban a la vez todos los elementos. La tierra, que taladraban con túneles y pozos para arrancarle sus frutos. El agua, que ensuciaban usándola para lavar el mineral en grandes mesas de piedra provistas de embudos. El fuego, con el que calentaban los grandes hornos de piedra y arcilla donde vertían el mineral y lo fundían para separar la escoria del plomo y, sobre todo, de la plata, el metal que en realidad buscaban.

De aquellos hornos brotaba un humo mefítico y negro. Sicino había visto cómo los esclavos que llevaban un tiempo trabajando allí respiraban con silbidos tan agudos como los de los propios fuelles que manejaban. Una noche, cenando, vio cómo uno de ellos se desplomaba vomitando sangre por la boca y las narices y moría a sus pies. Pero él habría preferido trabajar en los hornos mejor que en las galerías. En ellas el fuego de las antorchas enrarecía el aire y su resina no conseguía disimular el olor a excrementos y orines, pues los esclavos trabajaban en turnos agotadores y no les dejaban salir ni siquiera a hacer sus necesidades. El polvo se incrustaba en los pulmones día tras día y por mucho que uno tosiera era imposible sacarlo de allí. Pero lo peor era la sensación de ahogo y opresión constantes.

Si la primera vez lo había atacado el fuego del cielo y la segunda el agua del mar, ahora el tercer castigo le llegaba de la tierra, que se estaba convirtiendo en su tumba en vida. Eso hizo pensar a Sicino que debía haber cometido pecados terribles, y se prometió que si alguna vez salía de allí, adoraría al Sabio Señor como le había enseñado su padre y se convertiría en buen creyente y mejor persona.

Pero aún tendría que sufrir la última prueba.

Había pasado casi un año allí, aunque él había perdido la cuenta del tiempo, cuando se produjo un pequeño seísmo, el mismo que había deteriorado la estructura del Hecatompedón. Sicino estaba encorvado en una galería, acarreando un enorme canasto con casi cien kilos de mineral para llevarlo hasta la polea que lo subiría a la superficie. Entonces sintió cómo el suelo se movía bajo sus pies, oyó gritos de terror junto a él y vio cómo un puntal de madera se partía a su lado.

Luego recordaba haber estado en un extraño limbo, rodeado de oscuridad. Pasado un tiempo indeterminado, una luz brillante apareció ante él, y un rostro barbudo lo miró con gesto severo.

—No has sido fiel al Sabio Señor —le dijo aquella presencia borrosa. Entonces supo Sicino que se hallaba en Chinvat, el puente que daba paso a la otra vida, y que aquel rostro era el del juez Mitra. Y sintió que la superficie del puente se estrechaba bajo sus pies, como les sucedía a las almas impuras—. Has profanado los elementos, has creído en la mentira y tú mismo la has esparcido.

—Perdóname, por favor —gimió Sicino—. ¡No dejes que mi cuerpo se pudra en la tierra!

El puente se había encogido ya tanto que Sicino tenía que poner un pie delante de otro para no precipitarse en las tinieblas eternas que lo esperaban abajo. Pero la expresión de Mitra se dulcificó un instante.

—Está bien, Sicino. Tienes otra oportunidad. Aprovéchala para purificar tu espíritu y compórtate a partir de ahora como un auténtico *Mazdayasna.* Sé humilde y sirve con rectitud a tu nuevo señor. Y no mientas más.

Luego el rostro dejó de sonreír y le miró con preocupación, y gritó algo que Sicino apenas entendió, porque todavía no chapurreaba más que algunas palabras griegas que había aprendido tratando con los jonios de la flota. La cara de Mitra se había transformado en la de un hombre de ojos oscuros que decía todo el rato: *«¡Está vivo, está vivo!»*

Ese hombre era Temístocles, que, por aquel entonces, poseía una concesión en el Laurión. Temístocles lo sacó de la mina para llevárselo a su propio hogar en Atenas, pues decía que el hecho de que hubiera sobrevivido a un derrumbamiento que había costado la vida a quince hombres era una señal del cielo. Desde entonces, Sicino trataba de servirle con la humildad y rectitud que le había ordenado el juez Mitra.

A veces servir a Temístocles le suponía un conflicto, porque su señor no era seguidor de Ahuramazda ni respetaba siempre la verdad. Ahora, por ejemplo, viajaba con nombre falso y decía que no era ateniense. Pero el propio Temístocles le había dado una solución.

—Tú, cuando te pregunten, no entiendes nada. Sacudes la cabeza y te llevas una mano al oído, hasta que se aburran de repetirte las cosas y te dejen en paz.

En cierto modo era una trampa, porque fingir que no entendía algo cuando sí lo había entendido era mentir. Pero Temístocles le insistía en que no.

—Mentir es decir lo contrario de lo que se piensa o se sabe. ¿Te das cuenta? La palabra «decir» es fundamental en la definición de mentira. Si no dices nada, no puedes mentir.

Así que, ahora que estaban en Babilonia, lo mejor que podía hacer era hablar poco, y de ese modo no delataría a su señor. A él le parecía una locura que un ateniense, después de lo que había pasado en Maratón, se atreviese a viajar por el Camino Real y por el Éufrates y visitar una de las capitales del Gran Rey. Pero su señor era un hombre muy inquieto y curioso, al que le gustaba saber siempre cosas que los demás ignoraban. Eso casi les había costado la vida a él y al propio Sicino en Maratón aquel día que se empeñó en espiar al ejército de Datis por aquel tubo que acercaba los objetos y que le hacía llevar a todas partes.

Temístocles lo estaba esperando junto a la puerta del banco. A Sicino no le gustaba la profesión de Izacar. Que la gente prestara dinero le parecía bien, siempre que fuera a sus amigos, pero no que cobrara intereses por ello. Ignoraba que su señor también lo hacía, sólo que no a su nombre, sino usando a Jenocles y a su antiguo esclavo Grilo para cubrir sus operaciones.

—Éste es Dumuzi, criado de Izacar —dijo Temístocles, señalando a un babilonio calvo y de mejillas afeitadas que casi parecía un egipcio—. Va a llevarnos a una taberna donde se reúnen algunos griegos. Tomaremos una cerveza y veremos qué nos cuentan.

Ya se estaba haciendo de noche. Pero en Babilonia la gente decente no se retiraba a sus casas al caer el sol, sino que había muchas calles iluminadas. Pasaron por una avenida sembrada de palmeras que se alternaban con cuerpos ensartados en aguzadas estacas. Algunos se retorcían, pero la mayoría estaban ya muertos, lo que significaba que no los habían empalado con la maestría de los asirios. Jerjes, al parecer, no compartía la crueldad de éstos y tan sólo pretendía escarmentar a los rebeldes babilonios, no disfrutar de la tortura.

Por el camino encontraron solares derruidos. En ellos había personas que dormían sobre esterillas, envueltas en mantas. Dumuzi les explicó que las paredes de tierra aglomerada resistían bien, eran baratas y aislaban de la temperatura, sobre todo cuando llegaba el insoportable calor del verano. Pero cuando empezaban a agrietarse resultaba inútil intentar repararlas. Era mejor derribarlas y levantarlas de nuevo.

Entraron en un distrito sembrado de templos y tabernas que, en ocasiones, estaban adosados. También se veían sobre las puertas carteles con dibujos obscenos que hacían de reclamo de los lupanares. Según les dijo Dumuzi, en Babilonia a veces era difícil distinguir unos locales de otros.

Llegaron a la cervecería de la que Izacar le había hablado a Temístocles. Éste le dijo a Dumuzi que podía volver a casa, ya que había memorizado el camino.

—Pero eso es muy difícil, señor. Nadie puede aprenderse este camino con una sola vez.

Ese babilonio no conocía a su amo, pensó Sicino. Seguro que si ahora los soltaban a ambos, Temístocles llegaría a casa de Izacar antes que el propio Dumuzi, incluso improvisando algún atajo.

—Vete tranquilo. No pasa nada —dijo Temístocles, en ese tono amable que usaba cuando quería que lo obedecieran. Dumuzi se fue, y Sicino pensó que a lo mejor Temístocles no quería que su anfitrión el banquero se enterase de sus tejemanejes.

Entraron a la taberna. Era un local pequeño. Sicino tuvo que agacharse para pasar por la puerta, y después la cabeza le siguió rozando con las tablas del techo. Los clientes se volvieron un momento para mirarlo de arriba abajo, o en su caso más bien de abajo arriba, y continuaron con sus conversaciones y sus partidas de dados. Había bastantes griegos allí, hablando en dialectos que a Sicino le costaba entender. Las mesas también eran de ladrillo, aunque éste debía ser más caro que el adobe de las casas, porque se veía que lo habían cocido al horno, y los taburetes eran de mimbre. No había ni uno libre.

—Ve al mostrador y pídete una cerveza, Sicino. Yo quiero hablar con uno de esos hombres —dijo Temístocles, señalando a dos tipos sentados en un rincón.

A Sicino le pareció bien. Si no escuchaba ninguna conversación, no tendría que mentir luego. Temístocles se acercó a la mesa, y uno de los dos hombres se levantó sorprendido al verlo y lo abrazó. Después le dijo algo a su compañero, que dejó la silla a Temístocles y se fue de la taberna.

Sicino, por su parte, se apoyó en el mostrador, que, por supuesto, era de ladrillo, pues allí la madera parecía casi un lujo. Sin preguntarle, el tabernero le llenó un cuenco de cerveza. Aprovechando su altura, Sicino se fijó en cómo la preparaban. Tenían unas tinas en las que echaban unos grandes panes de cebada germinada y levadura sobre los que vertían agua para que la mezcla fermentara. A Sicino le habían servido de una tina que ya había madurado, retirando una tapa que tenía en la parte inferior. A pesar del filtro, se colaban bastantes grumos. Pero el sabor era agradable, aunque Sicino ya se había dado cuenta de que no convenía abusar de la cerveza, porque le provocaba un extraño dolor entre las cejas y se le iba un poco la cabeza.

Una moza se acercó a él. Era más alta y rolliza que la del bosquecillo de Ishtar. Le sonrió y se empezó a frotar contra su costado. Vestía una túnica de lino, con los hilos tan separados que se veía todo lo que había debajo. Llevaba los pezones pintados de púrpura. Sicino se dio cuenta de que el deseo le despertaba de nuevo. Al fin y al cabo, todavía no había cumplido los treinta, que es cuando, según le había dicho su amo, la sangre se empieza a calmar.

La moza le ofreció un pastel con una figura amasada en relieve.

—¿Quién es? —preguntó Sicino con su escaso arameo.

—Enlil —contestó ella, sonriendo de nuevo. Tenía los dientes torcidos, pero limpios.

—¿Un dios?

—Sí.

Aunque tenía mucha hambre, Sicino meneó la cabeza y apartó el pastel para no faltar contra Ahuramazda. Pero a la muchacha no la apartó. Ella volvió a rozarse contra él, restregándole los pechos por el brazo, y señaló hacia una cortina que daba a una escalera por donde subían y bajaban parejas improvisadas.

—¿Cuánto?

—Medio siclo.

A Sicino se le antojó muy caro. Le habían dicho que medio siclo equivalía más o menos a una dracma, el sueldo de un operario especializado en Atenas. Su señor le pagaba media dracma al día para que fuera ahorrando su propio peculio. ¿Y esa muchacha quería cobrarle por un rato lo que él ganaba en dos días?

A Temístocles y a su compañero de mesa les llevó la jarra de cerveza otra moza con las nalgas aún más carnosas y respingonas que la que estaba enverracando a Sicino. Pero Temístocles se limitó a mirarla un segundo y sonreír, sin pensar tan siquiera en el sexo. El azar le había deparado un encuentro inesperado. El hombre al que había saludado era Esquines. La última vez que se vieron fue la víspera de la caída de Eretria. Pero antes de eso habían tratado a menudo e incluso habían compartido alguna borrachera en casa de Milcíades. Al reencontrarse se abrazaron efusivamente, aunque ambos sabían que el otro no era en realidad un amigo.

—He pasado cuatro años en Arderica con los demás cautivos de la ciudad —le explicó Esquines cuando Temístocles le preguntó—. No nos torturaron ni nos mutilaron, como nos habíamos temido, pero nos hicieron trabajar como esclavos. Por eso, cuando murió Darío, me traje a mi familia a Babilonia.

—¿Los persas te lo permitieron?

—Desde que está Jerjes, han relajado mucho la vigilancia

sobre nosotros. —Esquines se encogió de hombros y añadió—: Al fin y al cabo, ¿qué podemos hacer unos cuantos griegos contra el poder de un imperio tan inmenso?

—Eso es cierto. Pero lo que me pregunto yo es qué puede hacer ese imperio tan inmenso contra nosotros —dijo Temístocles, bajando un poco la voz, aunque con la algarabía que reinaba en la taberna y los restallidos de los cubiletes de dados en las mesas era difícil que alguien distinguiera sus palabras.

—Así que os han llegado rumores.

—Sí. Dicen que Jerjes está preparando una invasión de tal magnitud que a su lado la de Datis parecerá la procesión de las Tesmoforias.

Esquines bajó la mirada a su cuenco de cerveza y sacó un poso de cebada con la punta del dedo.

—Es posible. Ahora hay muchas tropas en la ciudad. Ya habrás oído lo de la revuelta.

—Sí. La cuestión es si va a licenciar esas tropas o si van a seguir movilizadas.

—La *Spada* siempre está movilizada, Temístocles —dijo Esquines, mirándolo de nuevo a los ojos—. Pero, si lo que dicen es verdad, Jerjes quiere decretar nuevas levas para conquistar Grecia.

—He oído hablar de más de cien mil soldados y dos flotas imperiales. ¿Es eso cierto?

—Puede. Pero aún tardará. La burocracia de palacio es lenta. Muchos preparativos, instrucciones a los sátrapas, mensajes que tienen que ir y volver... No creo que Grecia deba preocuparse hasta dentro de cinco o seis años, así que ¿por qué no hablamos de otras cosas más agradables? La guerra me hastía.

—¿A quién no le hastía? En la paz los hijos entierran a los padres, mientras que en la guerra los padres sepultan a los hijos —dijo Temístocles, mencionando un lugar común—. Tienes razón, dejemos de hablar de ella. Tú eras próxeno de Milcíades, ¿me equivoco?

—No te equivocas.

—No sé si sabrás que murió.

—Lo ignoraba. ¿Cómo fue?

—Sufrió una herida muy fea en Paros y se le engangrenó la pierna. No fue el final que alguien como él se merecía.

—Eso es cierto. Me apena mucho lo que me cuentas.

A Temístocles le pusieron sobre aviso dos cosas. En primer lugar, las pupilas de Esquines no se dilataron cuando se enteró de la muerte del viejo león. No esperaba una explosión de llanto o ayes lastimeros, pero sí alguna pequeña muestra de sorpresa. Esquines sabía perfectamente lo que le había pasado a Milcíades. Eso significaba que, para ser un cautivo deportado, estaba bien informado de lo que pasaba en Grecia.

En segundo lugar, su propia memoria. En una conversación que había tenido con Apolonia en la época de Maratón, ella le había contado que, la noche en que los persas entraron en la ciudad, Esquines se había presentado en su casa para ver a su marido Jasón. ¿De qué habían hablado? Trató de acordarse. No había vuelto a pensar en Esquines en muchos años. Todo lo relacionado con Eretria lo tenía guardado en un ánfora sellada con pez y arrinconada en el fondo de la bodega más recóndita de su mente. Cuando la culpa quería salir de esa tinaja, Temístocles le cerraba la tapa. Pero ahora, delante de aquel eretrio, no tenía más remedio que recordar.

Sí. Le había dicho a Jasón que él, Temístocles, le había informado personalmente de que los colonos atenienses iban a evacuar la isla sin ayudar a los eretrios. Lo cual era cierto.

Pero Esquines también había dicho que iba a reunirse con los oligarcas de la ciudad para intentar un arreglo con los persas. Apolonia estaba convencida de que Esquines era uno de los traidores que habían abierto las puertas a Datis. En ese caso, era comprensible que estuviese en Babilonia. Seguramente los persas lo habían recompensado por su felonía.

Esquines, que se suponía iba a hablar de asuntos más agradables, se estaba explayando sobre las condiciones infrahumanas de la vida en Arderica.

—Habría preferido arrancar plata con las uñas en las minas del Laurión que trabajar junto a esos hediondos pozos negros, te lo juro. ¡Era espantoso! Nos pasábamos el día encorvados junto a esos malditos cigoñales, removiendo el asfalto y el aceite de piedra con enormes cucharones de hierro para meterlos en las espuertas. Esos vapores olían peor que los establos de Augías. No hacíamos más que toser, y escupíamos una baba más negra y espesa que la propia brea. Dormíamos al lado de los pozos, en cobertizos de paja. Para comer nos daban gachas de cebada sin triturar, y bebíamos agua turbia del río, porque el asfalto contaminaba las fuentes.

Conforme Esquines seguía describiendo los horrores del lugar, Temístocles sentía detrás de su cuello el aliento de las Furias, que lo acariciaban con sus cabellos de serpiente y le susurraban: *«Tú traicionaste a los eretrios. Tú los llevaste a ese infierno.»* ¿Por qué tenía que haberse encontrado precisamente a ese hombre allí, para recordarle su crimen?

Pero su mente inquisitiva y práctica le aconsejó que ignorara a las Furias y observara a Esquines con más atención. El eretrio tenía las uñas limpias y sin astillar y las cutículas sin padrastros ni sabañones. Podía habérselas limpiado a conciencia, aunque el corte impecable y redondo del borde de la uña hacía pensar en el trabajo de un esclavo experto en manicura, algo que no salía barato. Los dedos no mostraban callos ni arañazos. ¿A qué se dedicaba Esquines para ganarse la vida? ¿Acaso los persas le daban de comer por su cara bonita? La túnica estaba raída, sí, pero parecía más un disfraz prestado que su auténtica ropa. No pegaba nada con su corte de pelo, y menos con los bucles de la barba, que delataban que ese mismo día se la había rizado con hierros calientes.

Ese hombre no había pisado Arderica ni los pozos de asfalto en su vida, de eso estaba seguro. Lo cual, quiso creer, significaba que las desgracias y penurias que describía eran fruto de su imaginación.

Y también significaba que Temístocles corría peligro en Babilonia.

Esquines había hecho una pausa para beber cerveza, y Temístocles aprovechó para decir:

—Es curioso que después de tantos años volvamos a vernos aquí, en la otra punta del mundo. Una gran coincidencia.

—Sí, es curioso, mi querido Te...

—Pisindalis. Me llamo Pisindalis.

—Perdona, amigo. Qué nombre más curioso. ¿Cómo se te ha ocurrido? No parece griego.

—Es bastante normal en Caria. Bien, Esquines, ha sido un placer verte de nuevo. Espero que tu vida aquí en Babilonia sea próspera y larga —dijo Temístocles, haciendo ademán de levantarse de la mesa. El eretrio le agarró con la mano izquierda, mientras con la otra le echaba más cerveza en el cuenco.

—Pero ¿qué prisa tienes, amigo? Claro, he estado hablando yo todo el rato, lo entiendo. Hace mucho que no recibo noticias de Grecia. ¿Qué ha sido de Eretria? ¿La han reconstruido?

Mientras Sicino seguía pensándose si merecía la pena pagar la tarifa de la joven rolliza, miró a Temístocles y se dio cuenta de que el otro hombre lo había retenido. Su señor estaba inquieto, era evidente. Ahora miró a Sicino y le hizo una seña con las cejas, como diciendo: *«Quítamelo de encima.»*

Pero cuando Sicino se disponía a sacar de allí a Temístocles y librarlo de la compañía del otro por las buenas o por las malas, aparecieron en la puerta unos soldados persas. Sicino retrocedió de nuevo al mostrador, del que la muchacha había desaparecido con la presteza de quien huele problemas.

No tienes que hablar con ellos, se recordó Sicino, aunque le habría apetecido preguntarles a qué *hazarabam* pertenecían. Al pronto pensó que los soldados venían a beber y a jugar a los dados, pero entraron en la taberna en columna de a dos y se abrieron en abanico, cubriendo la pared del fondo. Todo el local enmudeció, salvo un cubilete solitario que se estrelló por última vez contra la mesa. Los parroquianos concentraron la mirada en sus copas, como si trataran de adivinar el futuro en los posos de la cerveza. Sicino pensó que debía tratarse de una redada. Tal vez buscaban a más rebeldes.

El hombre que hablaba con Temístocles se apartó de la mesa y lo señaló. Dos de los soldados avanzaron hacia él con sus espadas desenvainadas. Temístocles se levantó muy despacio, entrelazando las manos por detrás de la nuca, se volvió hacia Sicino y le dijo en griego:

—¡Tranquilo! ¡No hagas nada!

Una orden fácil de obedecer. En Atenas, sobre todo en las tabernas del Pireo, donde iba mucha escoria, Sicino había aporreado más de una cabeza para defender a su señor. Pero no estaba tan loco como para enfrentarse a las tropas de la *Spada*. Allí había diez hombres, y al otro lado de la puerta esperaban aún más. Dos de ellos estaban apuntando a Sicino con sus arcos a medio tensar, así que él también levantó las manos.

Tal vez iba a volver al ejército persa antes de lo que se imaginaba. Aunque luego, al darse cuenta de cómo iba vestido y de que acompañaba a Temístocles, pensó qué podría pasarle si lo consideraban un desertor.

Babilonia, 20 de enero

Tras dos días encerrada en sus aposentos, Artemisia se sentía como una comadreja entre barrotes. Además, Pisindalis daba cada vez más guerra y, como no le dejaban salir y se aburría con las esclavas, se empeñaba en que su madre jugara con él y con su pequeño ejército de hoplitas de madera. A Artemisia le hacía tanta gracia seguir los juegos repetitivos de un niño de cinco años como ponerse a bordar cortinas o frotar túnicas sucias, así que había decidido olvidarse de los soldaditos de mentira y adiestrar a su hijo en la lucha para que se convirtiera en un guerrero de verdad. Lo malo era que ella no sabía hacer nada a medias, y cuando inmovilizaba a Pisindalis en el suelo, le estiraba el brazo y le plantaba el pie en la cara, le costaba mucho controlar su fuerza.

—Eres una bruta, mamá —le dijo el niño, frotándose la mejilla donde ella le había dejado la huella del pie—. Ya no quiero jugar a esto.

—No es un juego, Pisindalis. Pronto tendrás que gobernar a otros hombres, y debes estar preparado. Tienes que ser el mejor guerrero de todo Halicarnaso para que nadie te pueda vencer. —Artemisia doblaba el brazo y le enseñaba su bíceps, que aunque no abultaba demasiado estaba duro como una piedra—. ¿No quieres ponerte así de fuerte?

—De mayor voy a ser rey. ¿Para qué quiero estar fuerte?

Artemisia resoplaba, frustrada. Era inútil explicarle a Pisindalis que gobernar consistía más en responsabilidades y deberes que en derechos y privilegios. Pensó que tal vez no era bueno nacer en el seno de una familia reinante. Su padre, Ligdamis, que había conquistado la tiranía con una banda de mercenarios, era un hombre duro y vigilante, sabedor de que en cualquier momento podía surgir alguien que le arrebatara el poder tal como él había hecho con otros. En cambio Sangodo, acostumbrado a que su hermano tomara las decisiones por él, había sido mucho más negligente y se había dedicado más a disfrutar de los placeres del poder que a ejercerlo con autoridad.

La misma Artemisia, nacida en un palacio, reconocía que de joven había sido una cría consentida. Por fortuna, su principal capricho era el de entrenar y combatir con los hombres. Así, casi por azar, como un juego, entre madrugones, marchas de cuarenta kilómetros al sol, largas cabalgatas, horas de sujetar pesadas armas de bronce y roble que no estaban diseñadas para los brazos de una mujer, tormentas lejos de la costa y pernoctadas al aire libre, había endurecido su cuerpo y adquirido la disciplina necesaria para gobernar.

—No me hace falta estar fuerte —se empeñó el niño—, porque cuando quiera matar a alguien, ordenaré a mis soldados que lo hagan.

A Artemisia le preocupaba además la facilidad con que Pisindalis usaba la expresión «matar» cada vez que algo le contrariaba, y escuchaba con inquietud los diálogos que mantenía con sus soldados cuando jugaba junto al balcón.

—Fidón —le decía a un hoplita pintado de rojo que había elegido como jefe de su reducida tropa—, te ordeno que le arranques a este rebelde las orejas y la lengua y se las des de comer a los cerdos. Y a este otro vas a quemarlo vivo.

Artemisia se preguntaba si era tan sólo la crueldad típica de los niños o si en el caso de Pisindalis se trataba de algo más oscuro que anidaba en el fondo de su alma. En realidad, no sabía qué pensar de su propio hijo, y no se sentía preparada para criarlo. Con gusto lo habría dejado en Halicarnaso con su abuela, pero Tique era ya muy mayor y estaba casi ciega. Artemisia no confiaba en que pudiera proteger a su hijo de extraños accidentes domésticos o envenenamientos, y no había tenido más remedio que traerlo consigo.

El nombre que le había puesto al niño, Pisindalis, era muy frecuente en la familia de Artemisia. Así se llamaba su abuelo, que también lo era de Temístocles. Por supuesto, Artemisia ni se podía imaginar que Temístocles había elegido ese nombre como camuflaje para su viaje al corazón del Imperio Persa. Ahora, por un retorcido capricho del azar, padre e hijo coincidían en Babilonia con el mismo nombre sin saberlo, ni tan siquiera conocer qué relación los unía.

Porque Artemisia no tenía ninguna duda de quién era el padre. Cuando se acostaba con su esclavo Zósimo, del que no había vuelto a saber nada, y veía que estaba a punto de eyacular, le obligaba a apartarse de ella y derramar su simiente en el suelo. No había obrado así con Temístocles y, tres semanas después de aquella noche de sexo bajo la luna, había notado la primera falta. En cuanto se dio cuenta de lo que pasaba, Artemisia asaltó el lecho de Sangodo. Lo único que tuvo que hacer fue abrazarlo, anudarse a él con las piernas y moverse mucho, hasta que él, que estaba muy bebido, se mareó tanto que casi le vomitó encima. Luego dijo algo así como: «*¿Lo hemos hecho?*», y se puso muy contento cuando ella contestó que sí y le aseguró además que hacía mucho tiempo que no disfrutaba de un coito tan placentero. Al día siguiente, Sangodo tan sólo recordaba vagamente la supuesta cópula. Artemisia tuvo la astucia de recordársela nada más despertar, y estuvo melosa y solícita con él todo el día, hasta el punto de que su tío intentó repetir en vano esa noche lo que, en realidad, no había culminado ni siquiera la víspera.

Pero Artemisia había conseguido lo que quería. Cuando nueve meses después del desastre de Maratón nació el niño, Sangodo se alegró tanto de haber engendrado un heredero que lo celebró con una borrachera aún mayor de lo habitual. De resultas de los tres días de festejo sufrió una apoplejía que lo mantuvo los cinco años restantes de vida entre la cama y una silla con vistas al mar. Y Artemisia se convirtió de hecho en la soberana de Halicarnaso.

Nadie había puesto nunca en duda la paternidad del niño. Con sus ojos azules y sus piernas largas, se parecía más a Artemisia que a ningún otro miembro de la familia. Pero ella también veía algo de su verdadero padre en sus ademanes y en el óvalo de la cara, o al menos quería verlo. Al fin y al cabo, los rasgos de Temístocles no eran tan diferentes de los de Sangodo, sólo que éstos se habían ido descolgando como velas sin jarcias por culpa de la disipación y la bebida.

Al pensar en Temístocles, Artemisia volvió a recordar que lo había visto dos noches antes. No se podía sacar de la cabeza aquel encuentro. Era imposible. ¿Qué podía pintar Temístocles en Babilonia, tan lejos de su ciudad, en pleno corazón de un imperio cuyo soberano había decretado que Atenas debía ser destruida? Si quería espiar, ¿por qué no enviar a otra persona?

Para ella también había sido un viaje larguísimo, de más de dos mil quinientos kilómetros, pero tenía un motivo: conseguir que Jerjes la confirmara como soberana vitalicia de Halicarnaso. Lo que Artemisia había hecho por Patikara debía obtener su recompensa. Estaba convencida de que el enmascarado había actuado en Maratón como agente de Darío. Ignoraba el motivo que pudiera tener para obrar de una forma tan extraña, revelando a los griegos los planes de Datis. Pero sospechaba que el Gran Rey trataba de evitar que Datis adquiriese demasiado prestigio y poder y pudiera sublevarse contra él, como habían hecho en el pasado otros generales y sátrapas.

Mas el problema era cómo mencionarle el nombre de Patikara al monarca actual, que tal vez no sabía nada de la maniobra de su padre, sin parecer una traidora. Le extrañaba mucho no haber vuelto a saber nada del enmascarado. En Susa había preguntado por él con la mayor discreción posible. Algunas personas lo recordaban de la campaña de Maratón, aunque nadie sabía dar cuenta de quién era exactamente. Otros sacaron a colación el nombre de Masistio, un oficial de la guarnición de Babilonia aficionado a lucir armadura dorada como él; aunque, añadían con cierta sorna, no era tan feo como para tener que taparse la cara con una máscara. Lo cierto era que, después de Maratón, nadie había vuelto a saber nada de Patikara, aunque habían corrido todo tipo de relatos, pues los persas eran muy aficionados a las historias caballerescas y fantasiosas.

Al menos, lujos no le faltaban en sus aposentos. La cocina

babilonia tenía justa fama, y los esclavos le traían bandejas con todo tipo de manjares que ella compartía con su hijo, a quien la mayoría de los sabores exóticos le hacían arrugar la boca. Aquella misma noche, furiosa por el encierro, Artemisia le había dado un bofetón. Había sido a destiempo, y lo sabía. ¡Mierda, prefería dar órdenes a sus guerreros que a ese dichoso crío! Por lo menos, podía entender la manera de pensar de los soldados, pero los melindres de su hijo la sacaban de quicio.

En cuanto crezca un poco más, voy a ponerlo en manos de Fidón, se dijo. *Él lo espabilará.*

Si regresaba a Halicarnaso, claro. Porque cada vez sospechaba más que iba a correr el destino de esos suplicantes que aguardaban años y años a las puertas del Gran Rey, sufriendo los caprichos del visir a quien nadie se podía saltar.

La noche cayó mientras Artemisia rumiaba pensamientos lóbregos asomada a la celosía que daba a los jardines colgantes del patio. Humusi, la esclava babilonia, se acercó a ella y le dijo que habían venido a traerle un recado, aunque Artemisia no había oído que nadie llamara a la puerta.

—Vendrán a buscarte en una hora, señora. Alguien quiere verte.

—¿Quién?

—No me lo han dicho, señora. Pero —añadió en tono misterioso— debe de ser alguien muy importante. Yo creo que de la familia real.

Amestris otra vez, pensó. Hizo que sus criadas la bañaran en la gran tina de ladrillos esmaltados que había junto a la alcoba, y para que la reina se diera cuenta de que no todas las mujeres griegas eran unas bárbaras, hizo que le masajearan el cuerpo con una generosa dosis de aceite de mirra y perfume de violetas. Después se puso su mejor túnica, un quitón de color azafrán bordado con flores y ruiseñores, y un elegante manto azul.

Para cuando hubo terminado, en la puerta de sus aposentos la aguardaban un esclavo de palacio y dos soldados. A Artemisia le dio un vuelco el corazón al darse cuenta de que eran hombres de la guardia real de Jerjes. Se los distinguía de los demás miembros de la *Spada* por los ricos bordados de sus túnicas y, sobre todo, por sus lanzas, provistas de manzanas de oro en la contera.

—Noble señora —le dijo el esclavo, en griego—. Te ruego que me acompañes, por favor.

Caminando con los soldados a su espalda, Artemisia no las tenía todas consigo. Se habría sentido mucho más segura ataviada de hoplita, pero, al menos, llevaba el pasador atravesado en el pelo. No era el mismo que le había servido en Maratón para eliminar al enviado de Patikara, ya que aquél lo había tirado al mar, sino otro aún más largo y aguzado.

El paseo fue breve. No hicieron más que bajar una escalera y atravesar un pasillo, y después aparecieron en el patio que se veía desde su ventana. La luna era llena y acababa de asomar sobre las paredes del patio. Por alguna razón, Artemisia se acordó de otra noche parecida a las orillas del Egeo. Allí se escuchaba el rumor de las olas, y aquí el de las pequeñas cascadas que se precipitaban por las paredes del zigurat de jardines.

El esclavo le indicó una escalera que subía a la primera terraza.

—Te espera arriba del todo —le dijo—. Debes ir sola.

¿Quién?, se preguntó Artemisia. Estaba cada vez más escamada por ese encuentro secreto. En aquella otra noche de plenilunio era ella quien controlaba la situación, pero ahora iba a ciegas. No creía que nadie quisiera matarla allí, en Babilonia, pues por muy intrigantes que fueran en la corte real, Artemisia no tenía ningún poder ni influencia en ella. Pero recordó lo sucedido en Maratón y cuánto se parecía a una traición. ¿Había llegado el momento de pagar por ella? Artemisia suspiró. Tenía mucha práctica sacando el punzón de su moño. Si era necesario, se lo clavaría en su propio corazón.

Subió a solas por la escalera y atravesó un pequeño sendero pavimentado con piedras de colores que recorría la primera terraza, entre árboles frutales y plantas exóticas de hojas enormes que se abrían como abanicos. Los aromas eran tantos que confundían sus sentidos, pues incluso las antorchas olían a resinas y gomas balsámicas. El sendero la llevó a otra escalera y a un segundo camino empedrado que rodeaba en círculo la terraza.

Así fue subiendo, tan nerviosa que apenas era capaz de disfrutar de la belleza de aquellos jardines.

Cuando llegó a la cuarta terraza, vio que el quinto y último nivel del zigurat formaba una especie de templete rodeado por arcos. Bajo uno de ellos se veía luz, y allí terminaba el sendero empedrado. Artemisia suspiró, se retocó los cabellos para aflojar un poco el pasador y cruzó bajo el arco.

Pasó a un pequeño vestíbulo con suelo de mármol, rodeado por jardineras en las que crecían flores de vivos colores. A su izquierda había una celosía entreabierta. Artemisia se acercó y la empujó.

Al otro lado había una pequeña estancia. Artemisia contuvo el aliento al darse cuenta de que era un dormitorio. Un dosel de cedro con visillos anaranjados cubría una cama muy alta, llena de almohadones y tapada con un brillante cobertor de hilos dorados. Junto al lecho se veía un velador con una jarra, varias copas y una bandeja con dátiles, higos y uvas pasas. Unos pebeteros caldeaban y perfumaban a la vez la estancia, y unas lámparas de aceite creaban juegos de sombras en las paredes, que eran de madera taraceada con incrustaciones de nácar y piedras brillantes.

Todo eso lo observó de un vistazo, cuando su mirada barrió la alcoba buscando posibles amenazas. Un hombre la esperaba allí. Era un joven muy bello, con el rostro maquillado, el cabello largo y negro y los rasgos lampiños de un eunuco. Sin decir nada, el joven le hizo una seña para que se acercara a él. Artemisia, conteniendo el aliento, lo hizo.

El eunuco puso las manos en los hombros de Artemisia e hizo que se volviera. Estaba tan cerca de ella que pudo oler su perfume de nardos y también su sudor. No era tan salado como el de la mayoría de los hombres, sino más suave y algo dulce. Lo primero que hizo el eunuco fue quitarle el pasador del pelo. Tal vez lo había hecho por soltarle la cabellera, pero Artemisia tuvo la impresión de que obraba de forma muy consciente, sabedor de que con ese gesto la desarmaba.

¿Qué está pasando aquí? ¿Voy a tener que fornicar con un eunuco? El joven era muy hermoso, sin duda. Artemisia había

oído que a ciertos eunucos no los emasculaban del todo, sino que sólo les cortaban los testículos de manera que no podían tener hijos, pero sí dar placer a las mujeres.

La celosía se abrió y apareció otro eunuco, tan joven y hermoso como el primero. Pero detrás de él entró otro hombre de presencia mucho más imponente. Era muy alto, más de un metro ochenta y cinco, y tenía una barba larga y rizada a escalas que le recordó a Artemisia las cascadas que bajaban por las terrazas de los jardines. Vestía una casaca púrpura, bordada con festones azules y blancos.

Artemisia comprendió de repente. Nadie la había preparado para ese momento que tanto esperaba. Pero había oído lo que se hacía delante del Gran Rey, así que se inclinó hasta rozar con la rodilla derecha la moqueta roja que cubría el suelo y bajó la mirada.

—Levanta —le susurró el eunuco al oído.

Artemisia se enderezó. No había visto nunca a Jerjes, ni siquiera en la cabalgata de entrada a Babilonia, pero estaba segura de que era él. Había algo a su alrededor que electrizaba el aire, un aura de poder que sólo emanan los dioses. El Gran Rey la miraba casi sin parpadear. Sus ojos eran grandes y oscuros, como los de su hija Ratashah, y con las rayas de antimonio que los perfilaban parecían aún más negros. Por debajo de aquella barba tan majestuosa era un hombre muy guapo, con la nariz larga y algo aguileña, los pómulos altos y la frente amplia. Artemisia había oído que no se debía mirar directamente al Gran Rey, pero no se le ocurría qué otra cosa podía hacer en esa situación.

Sin decir nada, Jerjes levantó ligeramente los brazos, y el eunuco que lo acompañaba le desató la faja de seda que ceñía su caftán. Lo hizo con ademanes fluidos, rodeando a su señor sin apenas tocarlo, y luego dobló la faja con tres diestros movimientos y la depositó sobre un arcón de madera junto a la celosía.

Artemisia contuvo el aliento. El eunuco que la atendía a ella le había puesto las manos sobre los hombros para retirarle el manto. Jamás había tenido más miedo en su vida, ni cuando los atenienses embistieron contra ellos en Maratón entonando el salvaje peán. Respiraba en pequeñas bocanadas, tratando de no hacer ruido, pues cualquier gesto de más se le antojaba un sacrilegio. El criado del rey había despojado ya a Jerjes de la casaca. Debajo llevaba una túnica blanca cerrada por una larga hilera de botones de oro. El eunuco los fue desabrochando con rapidez, pero sin dar sensación de apresuramiento. Lo que más asustaba y fascinaba a Artemisia era que Jerjes apenas se movía.

Mientras el segundo eunuco desnudaba el torso del rey, el primero soltaba los broches que cerraban el quitón de Artemisia. Cuando la túnica resbaló al suelo y sintió su suave roce desde los hombros hasta los tobillos, Artemisia encogió el estómago. Quería taparse los pechos, darse la vuelta, hacer algo, pero no se atrevía casi ni a respirar.

El eunuco empezó a desatarle el *perizoma*. Al hacerlo, tuvo que introducir sus dedos entre la tela y la carne, y le rozó las caderas y las nalgas. Era un contacto suave, casi femenino, discreto pero no tímido. A Artemisia se le erizó la piel de los brazos y la espalda. Aunque no se atrevía a mirarse a sí misma, porque tenía los ojos clavados en Jerjes, notó cómo los pezones se le endurecían. El criado le retiró por fin el *perizoma* y ella quedó desnuda en el mismo momento en que los pantalones de Jerjes caían al suelo. Sólo entonces el monarca se movió, levantando primero un pie y luego el otro, y salió de su propia ropa como si brotara del mar. Jerjes, Rey de Reyes, estaba ante ella tal como había venido al mundo, cuando Artemisia había oído que los persas no se desnudaban nunca delante de otras personas, ni siquiera en el lecho.

Jerjes era majestuoso incluso sin ropa. Su cuerpo estaba depilado, salvo en el pubis, y no se advertía en él cicatriz alguna. Tenía los músculos de una estatua, separados por nítidas líneas rectas, y unos hombros cuadrados en los que se marcaban las anchas clavículas.

El Gran Rey dio un paso hacia Artemisia, y luego otro. Al verlo avanzar, a ella se le antojó un *kouros*, una de esas grandes esculturas de piedra que representaban a jóvenes semidioses desnudos con los brazos pegados a los costados. Pero la leve sonrisa que iluminaba los rostros de los *kouroi* estaba ausente del rostro de Jerjes. Sus movimientos eran rígidos y a la vez naturales, y Artemisia pensó que si las montañas caminaran, lo harían así.

Jerjes se detuvo junto al lecho, a poco más de dos pasos de Artemisia. Era tan alto que los ojos de ella le quedaban a la altura de los pectorales. El silencio era cada vez más espeso e innatural. Jamás en su vida se había sentido tan desnuda.

El primer eunuco apartó el visillo del lecho y tomó de la mano a Artemisia para llevarla a él. El joven la hizo sentarse y luego, con delicadeza, le levantó las piernas para ponerlas en la cama, le giró el cuerpo y, casi sin ejercer fuerza, la tumbó y le entreabrió los muslos. Después se retiró junto al otro eunuco. Ambos se quedaron junto a la puerta, mientras Artemisia se sentía como una oveja tendida en el altar y esperando el hacha del sacerdote.

Jerjes subió a la cama y se puso sobre Artemisia sin tocarla, sosteniéndose a pulso sobre las manos. Ella comprobó con un estremecimiento que el Gran Rey ya estaba preparado, y se preguntó si pensaba penetrarla así, sin más preámbulos. Aquel cuerpo descendió sobre ella, grande y broncíneo, como Urano debió bajar al principio de los tiempos para cubrir a su esposa Gea. Artemisia vio los brazos del rey a ambos lados de su cabeza, sus músculos palpitando ligeramente al cargar su peso. ¿Acaso no pensaba tocarla? Le llegó el perfume del rey. Él sí olía a sal, y también a un aceite impregnado de un aroma frutal que a Artemisia le resultó extrañamente infantil. Pero lo que se acercaba a sus muslos no era nada infantil. Apretó los dientes, preparándose para el dolor.

Por culpa del miedo, no se había dado cuenta de que su cuerpo ya había respondido por ella. Estaba húmeda, mucho más de lo que se imaginaba, y cuando el Gran Rey entró en su cuerpo, su miembro se deslizó con la facilidad con que el espolón de la *Calisto* hendía las olas.

Fue un acto extraño, preñado de raras sensaciones que Artemisia nunca había experimentado. Por encima de los hombros del rey veía el dosel y los visillos, las luces que se reflejaban bailando en la pedrería de las paredes como espíritus juguetones, y también los rostros de los eunucos, que seguían junto a la puerta sin perder ripio de lo que pasaba en la cama. Artemisia seguía inmóvil, con los brazos pegados a los costados y los muslos abiertos mientras ese cuerpo de roca se movía sobre el suyo. No se atrevía a tocarlo, por temor a profanar algo. ¿Y si le caía un rayo del cielo, como le ocurrió a la infortunada Sémele cuando yació con Zeus? Su cuerpo se rozaba con el de Jerjes sólo donde el movimiento lo hacía inevitable, de tal modo que todas sus sensaciones se concentraban en el vientre. En cierto modo, no había tenido un amante peor ni más desatento en su vida. Y, sin embargo, de pronto le subió un intenso calor por dentro y comprendió lo que le iba a pasar. Quiso detenerlo, pero era inevitable. Su vientre y sus glúteos se contrajeron a la vez, y luego su estómago, en oleadas de placer que eran casi dolorosas. Al aguantar la respiración para no emitir ningún ruido se le aceleraron aún más los latidos del corazón, se sintió asfixiar y, al final, no pudo evitar que se le escapara un gemido ahogado. Pensó que había quebrantado algún protocolo y que la iban a matar por ello; pero no debía de ser así, porque los dos eunucos sonrieron mientras cuchicheaban entre ellos.

En el mismo momento en que Artemisia se esforzaba por no gritar, Temístocles intentaba también reprimir sus gritos con menos fortuna.

La noche anterior lo habían traído al palacio de Nabucodonosor, aunque entraron por una poterna lateral que desembocaba en el primer patio. Le habían hecho bajar a las bodegas del edificio, y después descendieron por otras escaleras más angostas y resbaladizas hasta llegar a unas mazmorras excavadas ya en la roca viva. Lo encerraron en una celda a solas, mientras que a Sicino se lo llevaban a otra. Era una estancia fría, de paredes y suelo desnudos, sin tan siquiera una estera de esparto para tumbarse. Había un agujero hediondo en un rincón que hacía las veces de letrina, y nada más.

Allí pasó toda esa noche y también el día siguiente, aunque como no había luz alguna que le sirviera de referencia, pues la puerta ni siquiera tenía una rejilla y no le trajeron alimento ni bebida, perdió la noción del tiempo. Cuando vinieron a buscarlo de nuevo, acababa de anochecer, pero él lo ignoraba y creía que era, como mucho, mediodía.

Sin salir de las mazmorras, lo llevaron a otra sala alumbrada con hachones, más grande y alargada que el calabozo donde lo habían tenido encerrado. Gracias a las llamas no hacía tanto frío, aunque el olor a humedad rancia y a sangre de res destazada le dio mala espina. Había tres mesas de madera. Dos de ellas tenían grilletes y abrazaderas remachadas sobre las tablas, y en la tercera se veían diversas herramientas de bronce y de hierro: leznas, tenazas, mazos, clavos y hierros retorcidos. Junto a una de las paredes montaban guardia cuatro lanceros. En el centro de la sala había dos esclavos babilonios vestidos con faldas de esparto que les llegaban hasta los pies y dejaban al descubierto sus torsos mantecosos. A uno de ellos le faltaban la nariz y las orejas y tenía el cráneo y la barba afeitados, lo que hacía parecer su cabeza una siniestra y gordezuela calavera.

Sicino estaba allí también, sentado en un taburete y cargado de cadenas. Era evidente que el tamaño y la corpulencia de su esclavo amedrentaban a sus captores. Con Temístocles no se habían molestado en tomar tantas precauciones.

Poco después entró un hombre que vestía un caftán turquesa y llevaba un sable atravesado en el fajín amarillo. Temístocles lo había visto desfilar al frente de mil jinetes el día en que las tropas de Jerjes entraron en Babilonia. El esclavo de Izacar le había dicho que se trataba de Mardonio, el primero entre los generales de Jerjes. Debía tener unos treinta y cinco años, era un hombre corpulento y de mediana estatura, y llevaba el cráneo rasurado, bien fuera porque se le caía el pelo o por capricho personal. Tenía la barba rizada y teñida de rojo. Debía habérsela untado con algún tipo de grasa que la mantenía tan rígida como si estuviera esculpida en piedra.

Por un lado, le preocupó que hubiera acudido a interrogarle un personaje tan elevado como Mardonio. Por otro, le tranquilizaba algo comprobar que los persas le concedían cierta importancia. El mayor temor que lo había atormentado durante su encierro en la celda era pensar que se olvidaran de él y lo dejaran morir allí de hambre y sed, o que le taparan la cabeza con una capucha, lo estrangularan con un dogal y después lo enterraran en una zanja o lo arrojaran al río. No le daba miedo morir, pero sí hacerlo de forma anónima y desaparecer del mundo a oscuras, sin dejar huella, como si nunca hubiera existido.

—¿Quién eres? —le preguntó Mardonio por medio del intérprete que lo acompañaba.

—Entiendo el griego, pero no es mi idioma —respondió Temístocles en arameo—. Me llamo Pisindalis y soy de Caria, señor.

—Me han dicho que ése no es tu nombre —dijo Mardonio, recurriendo él también al arameo. Lo hablaba con un acento muy fuerte y omitía la mitad de los ásperos sonidos laringales propios de esa lengua—. Me han dicho que te llamas Temístocles y que eres ateniense.

—No sé quién te ha podido contar eso, señor, pero está confundido. Mi nombre es Pisindalis, y nunca he estado en Atenas. —Temístocles quebró la voz para parecer aún más asustado de lo que estaba—. Soy un humilde vinatero que ha venido a Babilonia a vender unas ánforas de vino de Lesbos.

Mardonio le escuchó sin decir nada, con las manos entrelazadas tras la espalda. Después se apartó de él, se acercó a Sicino y le tiró de la barbilla hacia abajo para verle mejor la cara a la luz de un hachón.

—Yo te conozco —dijo Mardonio, ahora en persa—. Recuerdo esa cicatriz. Fue... Fue en la campaña de Tracia, hace mucho tiempo. ¿Cómo te llamas?

Sicino miró un instante a Temístocles, como diciendo: *No tengo más remedio.*

—Mitranes, hijo de Bagabigna, señor.

—Recuerdo que te había caído un rayo, y fuiste el único que se salvó de tu pelotón. Después te destiné a la flota. Pensaba que habías muerto con los demás.

—Estuve a punto de ahogarme, señor —dijo Sicino, y añadió de forma más bien superflua—: Pero no me ahogué.

—¿Qué haces acompañando a ese hombre, Mitranes? ¿Por qué ya no vistes como un persa?

La nuez de Sicino se movió arriba y abajo, tragando saliva. *Se acabó*, pensó Temístocles. Mientras pensaran que era cario y que se trataba de un malentendido, todavía albergaba esperanzas de salir vivo de aquel lugar. Pero en cuanto Sicino abriera la boca y revelara su identidad, estaba perdido.

—He jurado por Ahuramazda no decirlo, señor. No puedo faltar a la palabra que le di a Mitra si no quiero sufrir la perdición eterna.

Mardonio se quedó mirando el cordel que ceñía la túnica de Sicino con tres vueltas, y tocó sus nudos con los dedos.

—Veo que llevas el *kusti*. ¿Eres un verdadero *Mazdayasna*?

—Intento serlo, señor. Cuando llegue al puente de Chinvat, no quiero caer al infierno por culpa de las mentiras.

Mardonio se volvió hacia los lanceros.

—Llevaos a este hombre de aquí y quitadle las cadenas. Es hijo de un persa valiente y noble y un fiel seguidor del Sabio Señor. Éste no es lugar para él. Ya iré a verlo luego.

Dos de los soldados escoltaron a Sicino fuera de la sala. El esclavo, antes de irse, dirigió una última mirada a Temístocles. Tenía los ojos empañados.

—Suerte, señor —le dijo.

Cree que no va a volver a verme. Y puede que no le falte razón.

Pensó con tristeza en cómo mudaban las costumbres y situaciones según el país. Muchos años atrás, cuando denunciaron a Temístocles por el asunto de las minas, los verdugos habían torturado a su esclavo Grilo y no a él para arrancarle la verdad, puesto que como ciudadano ateniense no se le podía someter a tormento. Pero aquí, en el corazón del imperio, era su siervo Sicino quien tenía privilegios de ciudadano, mientras que la vida y la persona de Temístocles no valían nada.

—Bien, Temístocles —dijo Mardonio, volviendo al arameo—. Quiero que me digas ahora el verdadero motivo por el que has venido a Babilonia.

—Ojalá pudiera decírtelo, gran señor. Nada me gustaría más que complacerte. Pero no sé quién es ese hombre del que me hablas. ¡Ni siquiera sé pronunciar su nombre!

—Como tú quieras.

Los dos babilonios rasgaron la túnica de Temístocles por los hombros y se la arremangaron sobre la cintura. Al menos, pensó, el puritanismo persa le evitaba la humillación de que lo azotaran en las nalgas como en la escuela de Fénix.

En lugar de una sola vara, aquellos verdugos utilizaban varias, anudadas en un manojo muy prieto, y pegaban con mucha más saña y contundencia que el viejo maestro. El dolor fue molesto en el primer azote, terrible en el segundo e insoportable a partir del quinto. Temístocles apretaba los dientes y gruñía cada vez que recibía un golpe, pero consiguió no gritar. Mientras lo fustigaban, Mardonio se sentó delante de él, estudiando sus gestos sin alterar él mismo el ademán. No daba la impresión de que le molestase ver cómo martirizaban a otro hombre, pero tampoco que le causara placer. Pasado un rato, levantó la mano y los esclavos dejaron de golpear.

—¿A qué has venido aquí, ateniense? —volvió a preguntar.

—No soy ateniense, señor, ya te lo he dicho —contestó Temístocles. La espalda le ardía, y cada vez le costaba menos fingir un hilo de voz—. Me llamo Pisindalis.

Mardonio hizo un gesto con la barbilla y los verdugos volvieron a aplicarse. Los golpes en los hombros y la espalda eran muy dolorosos, pero aún resultaba peor cuando los haces de varas flagelaban sus riñones. Le dieron una tanda de veinte azotes, que Temístocles contó uno a uno con roncos gruñidos. Después, Mardonio insistió.

—Si pretendieras algo en nombre de tu ciudad, habríais enviado una petición de embajada. No creo que trames nada honrado en Babilonia, ateniense. ¿De qué se trata?

—Te digo que no soy ateniense, señor. Soy de Halicarnaso. ¡Tienes que creerme! ¿Por qué dios quieres que te lo jure?

—El juramento de un griego me vale tanto como una copa de vino mezclada con meados de burra.

Mardonio hizo una señal al desnarigado y le susurró algo al oído. El verdugo asintió. Entre él y su compañero sentaron a Temístocles en una silla y le aherrojaron ambos brazos a los grilletes que había en la mesa. El desnarigado cogió unas tenazas mientras el otro agarraba la mano de Temístocles, estrujándola con fuerza para que no pudiera moverla. Al ver que las tenazas se acercaban a su dedo corazón, Temístocles miró a la cara del desnarigado, pensando que si clavaba los ojos en él tal vez le haría más difícil su trabajo. Pero el verdugo le sonrió y dijo algo que sonó como el gorgoteo de una alcantarilla, y Temístocles se dio cuenta de que tampoco tenía lengua. Después, cerró las tenazas sobre su uña, dio un tirón salvaje y la arrancó de cuajo.

Fue entonces cuando Temístocles empezó a gritar de verdad.

—Halicarnaso es tuya, Artemisia. El sátrapa de Jonia ha recibido órdenes. Cuando llegues a tu ciudad, los nobles que disputaban contigo ya no te molestarán más.

Artemisia comprendió que, para cuando ella regresara, esos nobles ya no estarían vivos. Pensó que ésa era una de las ventajas de compartir el lecho con un dios.

—Gracias, mi señor.

Jerjes estaba sentado en la cama, apoyado en dos gruesos almohadones, con las piernas estiradas y tapado hasta la cintura con el cobertor. Ella se mantenía un poco apartada, con las rodillas encogidas y abrazada a un cojín. El rey hizo un gesto a los eunucos y señaló hacia la mesita. Uno de ellos, el que había desnudado a Artemisia, sirvió vino en las dos copas de oro. Pero antes de entregárselo al rey, él mismo probó un buen trago. Los reyes Aqueménidas eran muy cautelosos con todo lo que bebían. Cuando Artemisia visitó a Amestris en el palacio de Susa, en el patio le habían enseñado una gran piedra plana cubierta de manchas de sangre. El criado que la guiaba le explicó que cuando alguien cometía un envenenamiento en la corte o se sospechaba que lo había intentado, le hacían colocar la cabeza allí, apoyaban encima otra gran losa y sobre ésta iban cargando piedras más pequeñas hasta que los huesos del cráneo no podían resistir más el peso y la cabeza reventaba como un melón maduro.

El eunuco le tendió la copa a Jerjes. Luego le ofreció otra a Artemisia, un precioso ritón de oro que representaba un grifo de corvo pico y ojos de rubí, pegado a un vaso en forma de campana. Tras admirar la pieza, Artemisia probó el vino. Era muy dulce, casi arrope, y olía un poco a canela, pero le gustó.

Jerjes hizo otro gesto a los eunucos, que abandonaron la alcoba. A Artemisia le sorprendió. Al parecer, resultaba indiscreto que los criados escucharan la conversación, pero no que contemplaran las nalgas desnudas de su rey mientras éste las apretaba para empujar entre los muslos de una mujer. Aquel pensamiento casi la hizo soltar una carcajada, pero se contuvo. Según la habían instruido, una de las cosas prohibidas por el protocolo áulico era reír delante del Gran Rey, así como estornudar.

—Ese vino lo reservo para mis amigos —dijo Jerjes cuando se quedaron a solas.

Había usado el término persa *bandaka,* que indicaba un lazo de amistad y vasallaje a la vez. Artemisia comprendió lo que sus palabras implicaban.

—Es un honor para mí, majestad —dijo—. Te serviré con mi brazo y con mi corazón.

—Pronto cruzaré el mar para someter Grecia. Los templos de Atenas arderán y las afrentas quedarán vengadas. Cuando llegue el momento, vendrás conmigo. ¿Harás lo que te pida?

Artemisia se quedó tan turbada al oír estas palabras que tuvo que llevarse la copa a la boca para ocultar sus labios y su mirada. Habían pasado más de seis años, pero recordó unas palabras casi iguales pronunciadas detrás de una máscara de oro.

«Cuando llegue el momento, harás algo por mí. Correrás peligro, pero la recompensa será grande, Artemisia. Muy grande. ¿Harás lo que te pida?»

Sí, la voz era la misma, aunque ahora no sonara amortiguada por la máscara. La estatura y el porte se correspondían, y también el tono inconfundible de quien había nacido en el seno de una familia infinitamente más poderosa que la de Artemisia y estaba acostumbrado a que, sin necesidad de dar órdenes, cada una de sus frases se convirtiera en un hecho cumplido.

¿Habría repetido a propósito aquellas palabras para revelar a Artemisia quién era, o se le habían escapado accidentalmente? ¿Quería Jerjes que ella conociera la identidad de Patikara, o no?

Artemisia intuyó que jamás hablarían de ello, y que si se lo mencionaba a alguien, su vida valdría menos que cualquiera de las borlas púrpura que festoneaban los almohadones del lecho.

—Lo haré, señor —dijo, apartando la copa y mirando al rey.

Él vació su ritón de un trago y lo dejó caer al lado de la cama, sobre la alfombra. Artemisia comprendió que debía hacer lo mismo. Luego, Jerjes apartó la sábana de seda y tiró de Artemisia hasta sentarla encima de su regazo. Su miembro volvía a estar rampante. O tal vez no había dejado de estarlo. El rey se había apartado sin derramar su simiente, como si de momento se hubiese conformado con el orgasmo de Artemisia.

Pero ya no parecía bastarle. Cuando ella quiso darse cuenta, ya lo tenía dentro otra vez. Ahora estaban de frente, con los rostros algo separados, pero Jerjes tenía los brazos tan largos que sin necesidad de pegarse más a ella podía aferrarla por los glúteos. Empezó a moverla en un suave vaivén y, para su sorpresa, le preguntó:

—¿Son veloces tus barcos, Artemisia?

Ella no acostumbraba hablar en tales circunstancias, pero todo lo que le estaba sucediendo aquella noche era tan extravagante y onírico como una alucinación contemplada a través de las brumas de la isla de los sueños. Ya nada la sorprendía.

—Oh, sí, mi señor. Sobre todo mi nave capitana. La *Calisto* es un trirreme con más... —Artemisia titubeó, buscando en su memoria la palabra persa para «eslora», y al no encontrarla decidió simplificar—. Es más larga que otras naves griegas, y tiene doscientos veinte remeros.

—Soy un ario y un Aqueménida, un hombre del altiplano más acostumbrado a cabalgar por la estepa que a surcar las olas. Háblame de la guerra en el mar.

Artemisia hizo lo que pudo por explicarse. O bien ella ignoraba los términos iranios para la mayoría de los objetos y tácticas relacionados con los barcos, o simplemente no existían. Lo segundo no la habría extrañado puesto que, como acababa de reconocer Jerjes, los persas eran hombres de tierra adentro. Tuvo que utilizar muchas palabras griegas, aunque comprobó que él conocía mejor esa lengua de lo que aparentaba.

Le habló de la maniobra del *periplous,* en la que una flota más numerosa flanqueaba a la otra como si se tratara de un ejército de infantería y usaba su superioridad para derrotarla. También del *diekplous,* una especialidad de los fenicios, que se lanzaban en columna contra la escuadra enemiga para atravesarla, sembrar el desorden en ella y luego atacarla a la vez por popa y por proa. También le dijo que había dos formas básicas de combatir en el mar. Una, la más tradicional, consistía en acercarse al barco enemigo, arrojarle garfios, abarloarse a él y luego saltar al abordaje y luchar sobre su cubierta como si se tratara de una batalla campal. La otra, que exigía más habilidad marinera, se basaba en embestir de frente contra el costado o la popa del adversario, clavarle el espolón de bronce de proa para abrir en su casco una vía de agua y luego remar hacia atrás para retirarse. De ese modo, el trirreme enemigo quedaba inutilizado y, aunque no llegaba a hundirse, porque normalmente estaba construido en maderas ligeras de abeto o de cedro, sus bodegas se inundaban y los tripulantes y remeros que no se ahogaban quedaban flotando agarrados al pecio y a merced de las lanzas y flechas de los atacantes.

Mientras Artemisia le explicaba todo eso, Jerjes seguía moviéndola sobre sus muslos. Sus dedos le recorrían la espalda, los hombros y las nalgas, a veces acariciándola y a veces clavándose en sus músculos con fuerza y provocando un dolor que resultaba al mismo tiempo placentero. De nuevo volvió a pensar en Zeus, y se le antojó que el rey de los dioses había descendido del Olimpo para darle placer a ella, una simple mujer. Eso a los mortales nunca les salía gratis. ¿Qué revés le depararía el destino? Pero era difícil pensar en ello ahora.

Artemisia sentía curiosidad por algo, pero sabía que a una persona tan entronizada como Jerjes no se le podían hacer preguntas directas. En un momento en que él no la miraba porque le estaba besando los pechos —era la primera vez que sus labios tocaban la piel de Artemisia, y su barba le hacía cosquillas en la tripa—, aprovechó para pensar en la forma de abordar la cuestión.

—Mi señor, hay algo que tu *bandaka* debería saber para servirte mejor en tu gloriosa campaña —le dijo por fin.

Él apartó la boca de sus pezones.

—Habla.

—Mi señor. Grecia es un país pobre desde que tenemos recuerdo. Es tan mísero que sus hijos han tenido que abandonar el país cada pocas generaciones e instalarse en otras tierras, como hicieron los dorios que fundaron Halicarnaso. Y la tierra ateniense es la más áspera y seca de todas. Lo único que se puede sacar de allí que merezca la pena es su aceite de oliva.

Jerjes dobló un poco las rodillas. Al hacerlo, el cuerpo de Artemisia subió, y la penetración fue aún más profunda. Ella gimió a medias de dolor y a medias de placer, esta vez sin contenerse, y apretó los pétreos hombros del rey. Que los dioses la perdonaran por el sacrilegio de tocar al soberano del mundo, pero tenía que hacerlo.

—No pretendo las riquezas de Grecia —contestó Jerjes, mirando a un lado como si buscara entre las sombras de los rincones sus verdaderos motivos—. Sé que es pobre, salvo ese oráculo que tienen en las montañas. Recuérdame su nombre, Artemisia.

—Delfos, mi señor.

—En Delfos hay tesoros que el rey Creso envió al oráculo antes de entrar en guerra contra mi abuelo Ciro. Esas riquezas pertenecen a Lidia, y Lidia me pertenece a mí, así que las recuperaré. Pero no es eso lo que busco.

Jerjes había hecho una pausa, y Artemisia comprendió que ahora sí le estaba permitido preguntar, aunque sólo fuera para puntear el ritmo de las palabras del rey como una citarista.

—¿Y qué es lo que buscas, mi señor?

—Los griegos derrotaron a Datis, y Datis llevaba con él excelentes tropas. Son buenos enemigos. Mejores que los sacas de allende el Danubio. Ellos huían ante mi padre, quemaban la tierra y se negaban a presentar combate de forma honorable. En cambio los griegos aceptan librar batallas decisivas en campo abierto. Por eso, darán lustre a mi imperio cuando grabe mis propios relieves en la roca de Bagastana, la morada de los dioses, al lado de los de Darío.

La mirada de Jerjes se había enturbiado, soñadora. Artemisia comprendió cuán importante era para aquel hombre todavía joven, pero que empezaba a acercarse a los cuarenta años, superar los logros de los reyes anteriores.

—En esa roca —prosiguió— tallaré a los caudillos de los griegos, desfilando ante mí atados del cuello por una larga soga. El rey de los espartanos, que presume de ser el primero entre ellos, estará tumbado en el suelo. Yo usaré su pecho como escabel para mis pies, mientras el alado Ahuramazda me ofrecerá el anillo del mundo.

Los espartanos no tienen un rey, sino dos, pensó Artemisia. Pero, por supuesto, se cuidó mucho de decirlo.

La visión de aquellos relieves que pensaba esculpir en su propio honor debió excitar más a Jerjes, que hasta ahora se había contenido, porque apretó el trasero y los muslos de Artemisia y la empezó a mover sobre sus ijares con más brío. Ella era una mujer fuerte, capaz de derribar a muchos hombres en la arena de la palestra, pero entre los brazos del rey se sentía ligera y débil como una pluma.

De alguna manera, se revolvieron y él volvió a terminar encima de ella. Ambos sudaban pese a que no hacía calor, y esta vez Artemisia se dio cuenta de que el rey sí había llegado hasta el final. Ahora que el cuerpo de Jerjes estaba relajado, casi desmadejado, su peso empezaba a agobiar a Artemisia. Pero no se atrevió a moverse.

—Mi señor...

Artemisia torció el cuello y miró hacia arriba. El eunuco de Jerjes había vuelto a entrar en la alcoba, ignoraba cuándo.

—Dime, Mitradates —dijo Jerjes, sin que pareciera incomodarle la intromisión de su sirviente.

El eunuco escondió las manos en las mangas y agachó la cabeza. Jerjes se separó por fin de Artemisia y se sentó en la cama. Mitradates tomó una copa nueva de la bandeja, la llenó esta vez de una jarra de plata que contenía agua y, tras probarla, se la ofreció. Mientras Jerjes saciaba su sed, el eunuco le cuchicheó algo al oído. Estuvo un rato hablándole, en voz tan baja que la única palabra que captó Artemisia fue *Mardoniya*. A mitad del recado, el rey empezó a mirar fijamente a Artemisia. Ella volvió a cubrirse con un cojín, sintiéndose indefensa. ¿Qué había hecho sin saberlo?

Por fin, Jerjes asintió. Mitradates se enderezó y, volviéndose hacia Artemisia, preguntó:

—¿Conoces a Temístocles el ateniense?

No cabía decir más que la verdad.

—Sí, lo conozco. ¿Por qué...?

—No eres tú quien debe hacer preguntas, mujer —la interrumpió el eunuco.

—Ella es mi *bandaka,* Mitradates.

Jerjes no había levantado la voz, pero su criado agachó la cabeza como si le hubieran dado un pescozón, cerró los ojos y guardó silencio. Pasado un rato, Mitradates volvió a levantar la barbilla y dijo:

—Noble Artemisia, te ruego que me acompañes.

Temístocles estaba en un zaguán anejo al patio de los jardines. Lo habían traído prácticamente a rastras y se sostenía en pie tan sólo porque dos soldados lo agarraban por las axilas. Tenía los ojos cerrados, el semblante gris y la barba pegajosa por la sangre que le había goteado de sus propios labios. Por las huellas que se veían en ellos, se los había mordido él mismo. Pero lo peor eran sus manos. Sus dedos, los mismos que habían acariciado a Artemisia bajo la luna de Maratón, colgaban lacios como títeres abandonados por su dueño. Las uñas se veían negras como si se las hubiera pintado con carbón. Luego se dio cuenta de que no era pintura, sino el color de la sangre sobre la carne viva. No tenía uñas. Se las habían arrancado todas de raíz. Artemisia se tapó la boca y sofocó un gemido de horror.

—Este hombre es un espía —le dijo Mardonio. Artemisia lo conocía desde hacía años, pues había pasado por Halicarnaso con la flota que pretendía invadir el norte de Grecia—. Según nos han informado, se trata de Temístocles, un hombre poderoso en Atenas. Pero él insiste en que es cario y se llama Pisindalis, y nos ha dicho que tú podías testificar a su favor. ¿Dice la verdad o miente?

De pronto, Artemisia dudó. Se acercó al prisionero y le levantó el mentón. Llevaba la barba más larga y espesa, igual que el pelo, y el dolor le había deformado los rasgos. Pero cuando abrió los párpados y le sonrió débilmente, ya no le cupo duda alguna. Eran los ojos de Temístocles.

Artemisia se apresuró a inventar su propia mentira, una que no la comprometiera demasiado y a la vez pudiera ayudar a Temístocles.

—No os ha engañado.

—¿No? —Mardonio enarcó una ceja, escéptico.

—No del todo, al menos. Tú tienes razón en lo que dices, noble Mardonio. Este hombre es Temístocles, hijo de Neocles el ateniense. Pero también es hijo de mi tía Euterpe, y por tanto cario de Halicarnaso.

—¿Y el nombre que dice tener?

—En mi familia muchos hombres reciben dos nombres, uno griego y otro cario. Pisindalis es un nombre muy típico entre los míos. De hecho —añadió, mirando fijamente a los ojos a Temístocles—, mi hijo, que tiene cinco años y medio, se llama así.

A pesar del dolor, las pupilas de Temístocles bailaron un instante calculando fechas, y enarcó las cejas en un gesto de interrogación. Artemisia asintió con la barbilla de forma casi imperceptible.

—¿Quién es este hombre entonces?

Artemisia se volvió, sobresaltada. Jerjes había aparecido detrás de ella, acompañado por los dos eunucos y por cuatro guardias que no se sabía de dónde habían salido. El rey volvía a vestir su caftán y sus pantalones púrpura, y llevaba la cabeza cubierta por una mitra azul.

Los guardias que sujetaban a Temístocles lo obligaron a arrodillarse, y uno de ellos le agarró del pelo y le hizo besar el suelo delante de los pies de Jerjes. En el estado en que se hallaba no debía haber supuesto un gran esfuerzo doblegarlo. *Me dijiste que jamás te arrodillarías ante nadie, y te contesté que hay cosas que nunca se pueden asegurar. ¿Ves cómo yo tenía razón, primo?,* pensó Artemisia con tristeza.

—Temístocles el ateniense, mi señor —contestó Mardonio—.

En su ciudad es un hombre importante que dirige tropas e incita a la chusma contra tu legítima soberanía.

Jerjes indicó con un gesto que lo enderezaran. Pero Temístocles todavía encontró algo de fuerzas en su cuerpo para levantar primero una pierna y luego la otra e incorporarse por sí solo. Artemisia se dijo que había dado por derrotado al ateniense antes de tiempo. Tal vez no había que medir a un hombre por cómo se arrodillaba, sino por cómo se levantaba después.

—¿Es verdad eso? —dijo Jerjes—. Tradúcele la pregunta, Artemisia.

—No es necesario, mi señor —contestó ella—. Sospecho que sabe persa.

—Pues responde tú mismo, ateniense. ¿Es verdad eso?

Temístocles le aguantó la mirada y dijo con voz ronca:

—Sí. Soy Temístocles, hijo de Neocles el ateniense y Euterpe la caria.

—¿Qué hace alguien como tú espiando en vez de enviar a sus criados? Eso no es propio de un noble. ¿O es que también te lavas y planchas la ropa tú mismo?

Mardonio y los soldados se rieron. Al parecer encontraban muy gracioso el comentario de su rey. Pero Temístocles contestó:

—El blasón de mi escudo es un dragón negro con alas.

Artemisia no comprendió aquella absurda respuesta y la atribuyó a un delirio causado por el dolor. Pero los ojos de Jerjes se abrieron un instante, lo que para quien controlaba tanto su voz y sus ademanes equivalía casi a un gesto de estupor. Algo le había sorprendido en las palabras del ateniense.

Artemisia lo comprendió de pronto. Temístocles había necesitado aún menos que ella para descubrir que Jerjes era el guerrero de la máscara de oro. Los dos hombres se conocían. ¿Qué contacto podía haber existido entre ambos, aparte de la entrevista entre las legaciones persa y ateniense antes de la batalla? En aquella breve reunión, ninguno de los dos había pronunciado palabra.

Otra cosa era lo que pudiese haber ocurrido entre ellos en el campo de batalla.

Artemisia pensó que Temístocles se acababa de condenar a sí

mismo al insinuar al rey que conocía su secreto. Pero Jerjes la sorprendió.

—Mardonio —dijo el rey—, no es éste un hombre al que se deba torturar como a un vulgar esclavo. Me desagrada ver lo que han hecho con sus manos.

El general agachó la cabeza, y su barba roja y tiesa se dobló sobre el pecho de su casaca con un crujido.

—Mi señor, lamento mi error. —Era evidente que no lo lamentaba en absoluto, pero acataba la reconvención de Jerjes por disciplina—. Se hará todo lo posible para que este hombre se restablezca.

—No es necesario torturar a los espías, mi buen Mardonio. Eso lo hace quien tiene algo que esconder, no nosotros. Lo que queremos no es ocultar nuestro poder, sino que todos lo pregonen por las siete regiones para que comprendan que no tienen más remedio que someterse a él.

—Sí, mi señor.

Los soldados habían soltado a Temístocles. Artemisia temió que se desplomara, pero su primo consiguió aguantar en pie, con los brazos caídos y las manos pegadas a los muslos. No quería ni pensar en qué dolor debía estar sufriendo. De imaginárselo, le daban ganas de gritar y morderse sus propios dedos.

—Mírame y escucha, ateniense —dijo Jerjes.

—Sí —contestó él, y tras vacilar unos segundos añadió—: Mi señor.

—Cuando mis médicos te curen las manos, te daré una escolta para que regreses a tu ciudad. Allí podrás hablar con los atenienses y decirles que deben estar preparados. Cuando llegue esta primavera, contad tres años más. Entonces, cuando la golondrina anuncie la cuarta primavera, disponeos a ver a Jerjes en Atenas acompañado de los hijos de los persas.

—En ese caso, señor, permíteme que vuelva cuanto antes a Atenas, aunque mis manos no hayan sanado, para que podamos hacer unos preparativos dignos de tu grandeza.

Dicho de otra manera podría haber parecido jactancia o insolencia, pero Temístocles imitaba muy bien el acento enfático del rey. El persa, con su potente sonoridad, sus sílabas abiertas y sembradas de *aes* y rotundas *emes,* era aún más apropiado que el griego para el tono solemne y épico. Jerjes asintió, aparentemente complacido con las palabras del ateniense.

—Cuando llegue el momento, mis enviados volverán a Grecia para pediros el agua y la tierra. Esta vez no osaréis cometer ninguna impiedad con ellos.

—No, mi señor.

—Pero Ahuramazda hará que vuestro corazón se endurezca y rechazaréis someteros a mi autoridad.

¿Estaba sugiriendo lo que quería o simplemente describiendo lo que iba a pasar? Artemisia no salía de su asombro. Era como si escuchase al oráculo de Dídima hablar por la boca de Jerjes.

—Ocurrirá como tú dices, mi señor —dijo Temístocles, que al contestar así estaba obedeciendo la voluntad de Jerjes y al mismo tiempo oponiéndose a ella.

—Debe haber un solo señor bajo el sol de Ahuramazda. Debe reinar la armonía en las siete regiones hasta que llegue el día de la Separación. Pero antes de que se alcance la paz Aqueménida, ha de librarse una gran guerra, la mayor que el mundo haya visto, para que los valientes prueben en ella su valía.

La mayor guerra que el mundo haya visto.

Artemisia comprendía ahora lo que había hecho Patikara en Maratón, y también lo que pretendía hacer en Grecia. Aquel hombre alto y fuerte y de luenga barba no era más que un niño en cuyas manos había recaído un gran poder. Un crío grande que, como su hijo Pisindalis, jugaba con innumerables soldaditos de madera y los sacrificaba en una partida que en realidad no libraba contra los griegos, sino contra la sombra gigantesca de su padre.

Un niño, pero también un dios. Poderoso, noble y caprichoso a la vez, como Zeus.

—Llevaos al ateniense de aquí y atendedlo bien. No le privéis de nada de lo que quiera saber. Cuanto más conozcan nuestros enemigos de nosotros, más nos temerán —dijo Jerjes, y escondió las manos en las mangas de su caftán indicando que daba por terminada aquella improvisada audiencia.

Los soldados volvieron a agarrar por los codos a Temístocles, que hizo un rictus y se mordió los labios. Artemisia pensó que debía bastar con que le tocaran cualquier parte de los brazos para que el dolor de las uñas arrancadas le subiera hasta la nuca y le hiciera chillar. Los ojos de Temístocles estaban secos, pero los de Artemisia se llenaron de lágrimas por él.

Antes de que se lo llevaran, su primo hizo un último esfuerzo.

—Mi señor, te prometo que Atenas estará preparada para ofrecerte la guerra que tú quieres y mereces. Yo mismo me encargaré de ello..., y volveré a detenerte.

—¡Insolente! —exclamó Mardonio—. Nadie ha detenido nunca a mi señor.

Jerjes hizo un ademán para que se llevaran al ateniense de una vez, como si no diera importancia a sus palabras. Pero Artemisia se dio cuenta, por un leve gesto de sus ojos, de que lo que había dicho Temístocles significaba para él algo muy concreto y personal. Cada vez estaba más convencida de que algo había ocurrido entre ellos durante la batalla de Maratón, pero sospechaba que nunca llegaría a saberlo.

Cuando los soldados arrastraron a Temístocles fuera de aquel atrio, Artemisia vio que tenía la espalda surcada de profundos verdugones rojos y le sorprendió todavía más que no se hubiera derrumbado ante Jerjes. Pensó que acababa de yacer con un dios entre los mortales, un guerrero de imponente figura, un rey que gobernaba las vidas de millones de súbditos. Pero de los dos hombres que se habían enfrentado allí esa noche, no tenía dudas de cuál era el más grande.

Babilonia, 26 de enero

A pesar de su empeño por salir de Babilonia cuanto antes, Temístocles tuvo que guardar cama varios días, alojado en unos aposentos contiguos al primer patio del palacio real. Uno de los médicos de la familia imperial, el griego Jenófanes, le estaba curando las heridas de la espalda y los dedos. Era hijo del célebre Demócedes de Crotona, que había servido durante muchos años a Darío y salvado la vida a la madre de Jerjes.

Mientras Temístocles convalecía, Sicino recibió orden de presentarse ante Mardonio. Los soldados que le trajeron la citación lo guiaron a las afueras de la ciudad, a una explanada junto al Éufrates que servía de pastizal y de campo de adiestramiento para los jinetes. Mardonio y otros nobles del ejército estaban practicando el tiro con arco. Habían clavado en el suelo tres dianas seguidas, cada una más pequeña que la anterior. La primera tenía casi el tamaño de un hombre, la segunda era como un escudo griego y la tercera no medía más que una cabeza. Cada participante en el juego pasaba cabalgando por delante de ellas y tenía que disparar sobre la marcha y acertar en las tres. Eran buenos jinetes y grandes arqueros, y al principio, todos conseguían clavar sus flechas en las dianas. Pero después tenían que avivar el ritmo, siguiendo el compás que les marcaban los demás jaleándolos a la voz de *Ió, ió, ió, ió* y batiendo las palmas cada vez más rápido. Conforme los caballos aceleraban, apenas les daba tiempo a sacar la flecha de la aljaba y empulgar, así que acababan disparando al mundo más que a las dianas y marraban el blanco. Quien fallaba quedaba eliminado y se sumaba al alegre coro que marcaba el ritmo de los supervivientes en el juego.

Al final, sólo quedaban Mardonio y otro noble al que Sicino no conocía.

—Es Aquémenes, hermano de Jerjes —le dijo uno de los soldados que lo habían traído.

Sicino siguió disfrutando del espectáculo. Aquél era un deporte noble de verdad, y no los que practicaban los griegos desnudándose, untándose de aceite el cuerpo y rebozándose por el polvo como cerdos. Y eso cuando no corrían con las vergüenzas botándoles arriba y abajo.

Estaba contento, porque volvía a vestir como un hombre. Llevaba botas de piel, unos pantalones bien ajustados a las piernas y una larga casaca azul con mangas, y le complacía darse cuenta de cómo los demás lo contemplaban con admiración por su estatura y sus enormes hombros.

Al final, el hermano de Jerjes ganó, y Mardonio y él se abrazaron entre carcajadas. Había sido una gran exhibición que todos aplaudieron. Sicino los envidió un poco. Había aprendido a disparar el arco y a montar a caballo desde niño, como cualquier persa que se preciara, pero no se le daba muy bien. Era difícil encontrar un corcel lo bastante robusto para acomodar bien sus ciento veinte kilos de peso, y los que encontraba solían ser torpes y más bien lentos. En cuanto al arco, no tenía mal tino si le dejaban tomarse su tiempo para cargar, tensar y apuntar, pero en el ejército solían ser impacientes. Siempre se le había dado mejor la lanza, y no era malo con la espada.

Tras descabalgar, Mardonio se acercó a él, enjugándose el sudor de la calva con una toalla. Aunque a Sicino siempre le había parecido un hombre muy severo, ahora se le veía de buen humor.

—Mis saludos, señor —dijo Sicino, haciendo una profunda reverencia y enviando un beso con la mano a su superior. Él le agarró por el codo y le dijo:

—Ven, Mitranes. Quiero hablar contigo.

Caminaron hasta la orilla del río, apartándose de las voces y, sobre todo, de los oídos ajenos. Se detuvieron junto a un cañaveral. Una garza gris los miró un instante, pero lejos de asustarse por el arco que llevaba al hombro Mardonio, se dedicó a atusarse el plumaje con la larga uña central de su garra izquierda.

—Nuestro señor Jerjes es tan grande y noble que no concibe la doblez —dijo Mardonio.

—No te entiendo, señor —dijo Sicino.

—Porque a ti te pasa lo mismo. A tu manera, claro. Lo que quiero decir es que no todos los hombres son devotos de Ahuramazda. Ni siquiera entre los persas, Mitranes. Aún hay quienes se empeñan en adorar a dioses falsos, en idolatrar la mentira y en profanar la tierra sepultando bajo ella los cuerpos de sus muertos en lugar de exponerlos a los buitres como manda el profeta. ¿No conoces gente así entre los nuestros?

—Sí, señor. Hay muchos que mienten y que siguen creyendo en los *daevas*. Yo mismo era así hace unos años. Pero entonces...

—Imagínate qué se puede esperar de esos traicioneros griegos, a los que la luz del Sabio Señor ni siquiera ha llegado a alumbrar. Todos sabemos que son todavía más mentirosos que los egipcios e incluso que los arteros fenicios. Nunca traman nada bueno, sólo inventan falsedades y encima se enorgullecen de sus patrañas.

Sicino asintió. Temístocles solía hablarle de su héroe Ulises, pero por lo que contaba de él, no era más que un tramposo y un pirata. En opinión de Sicino, si ese truhán había estado diez años merodeando por los mares era para no volver a casa con su esposa.

Qué casualidad, diez años: los mismos que llevaba él cautivo entre los griegos. *Cuánto tiempo,* pensó. Ahora que estaba lejos de Atenas, no sentía ningún deseo de retornar a ella. Salvo, tal vez, por ver a la pequeña Nesi, que se montaba a caballo sobre sus hombros y fingía que desde allí arriba podía ver Eretria, la ciudad donde había nacido. Bueno, y quizá a su madre Apolonia, que le sonreía mucho y le hablaba despacio y con dulzura. No como la esposa de su amo. A ésta nunca la había soportado, porque le soltaba frases a toda velocidad y luego lo llamaba «bárbaro torpe» por no entender lo que le decía. Esos griegos se creían que todo el mundo tenía que nacer sabiendo su idioma, cuando ellos, salvo Temístocles, eran prácticamente incapaces de aprender ningún otro.

No, no quería volver a Atenas. Cierto que, antes de partir, le había prometido a Temístocles regresar con él. Pero no era suya la culpa si ahora alguien tan poderoso como Mardonio, que compartía la mesa con el Gran Rey y tenía el privilegio de besarle en los labios, le prohibía marchar. ¿Qué iba a hacer él?

Fantaseó con volver a su casa, presentarse ante su padre y decirle: «*¿Ves? Me he convertido en un hombre de bien.*»

Pero ¿y si él le preguntaba?: «*¿De veras? ¿Has sido fiel a tu palabra? ¿Siempre fiel?*» ¿Qué le contestaría entonces? ¿Le hablaría de Mitra, que se le había aparecido en la mina justo antes de que Temístocles lo sacara de entre los escombros y le había dicho: «*Sé humilde y sirve con rectitud a tu nuevo señor*»? Mitra no había precisado por cuánto tiempo debía hacerlo. ¿Era un servicio de por vida, o se consideraba ya zanjado con esos diez años?

A veces es muy difícil cumplir la palabra, se dijo, rascándose la cicatriz de la cara, porque le empezaba a doler la cabeza.

—Mitranes, ¿quieres cerrar la boca y escucharme? —le dijo Mardonio.

—Perdona, señor. Estaba pensando. A veces me pasa.

El general le apretó el hombro, para lo cual tuvo que levantar el brazo.

—Si a mí me hubiera caído un rayo como a ti, también me quedaría boquiabierto de vez en cuando. Te acabo de decir que ahora eres un decurión de la *Spada*, Mitranes.

—¡Gracias, señor! —dijo Sicino, poniéndose firme como si estuviera en formación—. ¡Es un honor que no me merezco!

—Te merecerás eso y mucho más. Voy a pedirte un gran sacrificio.

—Cualquier cosa, señor.

—Vas a volver a Grecia.

Sicino agachó la cabeza. En el mismo momento en que contestaba «cualquier cosa», se dio cuenta de que se había precipitado. Pero tampoco tenía otra opción. ¿Qué se le podía responder al general más poderoso del imperio?

—Te lo explicaré bien, Mitranes. Quiero que sigas estando al lado de Temístocles como su criado.

—Sí, señor.

—Todos sabemos que no está en el orden querido por Ahuramazda que un persa de noble cepa sirva a un bárbaro griego, pero se trata de una misión. Una misión, Sicino, ¿lo entiendes?

—Lo entiendo, señor.

—En breve, nuestro señor Jerjes llevará la guerra contra los griegos para castigar su arrogancia. Él está seguro de derrotarlos en noble lid. Pero yo no me fío de esos tipos traicioneros y mendaces. Como buen soldado, sabrás que nunca hay que menospreciar al enemigo, sobre todo si conoce el terreno que pisa mejor que nosotros.

—Sí, señor —respondió Sicino, aunque nunca había pensado en ello. Las tácticas se las dejaba a su amo.

—Temístocles es un hombre inquisitivo y astuto, ¿verdad? Habla con libertad, Mitranes. Aunque sea griego, ¿qué opinas de él?

—Es el hombre más inteligente que he conocido en mi vida, señor. Lo recuerda todo, y nunca duerme. Siempre está pensando, pensando, pensando —dijo Sicino, trazando círculos con el dedo sobre su propia cicatriz. Después, impulsivamente, añadió algo de lo que su amo le había prohibido hablar en Atenas—: Fue él quien inventó la forma de derrotarnos en Maratón, no Milcíades.

—Nadie nos derrotó en Maratón, Sicino. Datis sufrió un pequeño revés por su torpeza. —Mardonio esbozó una sonrisa maliciosa—. Revés del que se debe estar acordando en la fortaleza del Oxus donde lo destinó Darío. Dicen que los piojos de allí son los más gordos y voraces del mundo.

Sicino había oído que Mardonio odiaba a Datis, y ahora lo confirmaba. Por lo que sabía, el río Oxus estaba al borde de las estepas salvajes, y no debía de ser el mejor lugar del mundo para vivir.

—Bien, Mitranes —prosiguió Mardonio, tomándolo del brazo para llevarlo de vuelta al prado, lo que le hizo sospechar que la conversación estaba a punto de terminar—. No te voy a pedir que hagas daño a Temístocles, porque eso no sería digno de ti. Sírvele con nobleza. Pero escucha todo lo que puedas y fíjate bien en todo lo que veas. Tú siempre estás a su lado, ¿verdad?

—Bueno, señor, no siempre. Cuando se mete en la cama con...

Mardonio cortó el aire con la mano y Sicino comprendió que debía callarse.

—En su momento, un momento que puede tardar años, alguien se acercará a ti y te dirá: *«Ha llegado la hora de caminar por el puente de Chinvat.»*

Sicino se estremeció. No le hacía gracia que utilizaran esa contraseña. Seguro que Mardonio no se había visto cara a cara con el juez Mitra en ese puente. Si no, no lo mencionaría con tanta ligereza.

—Cuando ese hombre acuda a ti, le contarás todo lo que hayas oído, todo lo que hayas visto, y responderás a sus preguntas. ¿Me has entendido, Mitranes?

—Sí, señor. Haré lo que me dices. ¿Cuándo crees que podré volver a casa?

Mardonio le palmeó la espalda.

—No te preocupes, Mitranes. Seremos nosotros quienes vayamos a buscarte. Ten paciencia. El Rey de Reyes sabrá recompensarte en esta vida, y el sabio señor Ahuramazda en la otra.

Sicino no estaba tan seguro. La misión que le había encomendado Mardonio era muy complicada, y suponía tener que mentir o, al menos, callar la verdad. Un seguidor del profeta no debería pedirle eso a otro, pero él no era quién para contradecir a Mardonio, hijo de Gobrias y general del imperio.

El Pireo, mayo

Al contemplar la bahía de Falero y, tras ella, la silueta de la ciudad de Atenas, Temístocles se sintió como debió de sentirse Ulises al avistar las costas de Ítaca.

Aunque una mente tan organizada como la suya no podía dejar de reparar en las diferencias entre ambos. A Ulises lo habían traído los marineros feacios de noche, dormido, mientras que él llegaba en un espléndido día de primavera. No habían transcurrido diez años desde que abandonara su hogar. A decir verdad, había sido menos de un año de ausencia. Pero, sin duda, en ese tiempo había recorrido aún más distancia y había visto más pueblos que el astuto rey de Ítaca: lidios, misios, frigios, capadocios, carducos, asirios, babilonios, judíos, nabateos, sirios, fenicios, chipriotas, cilicios, pisidios. Y, por supuesto, persas.

Ulises había dejado a dos diosas en el camino, Circe y Calipso, para volver con su fiel Penélope. Temístocles había dejado atrás a alguien que, tras compartir el lecho imperial, podía considerarse también una deidad, Artemisia, la madre de un hijo al que no había llegado a conocer. Ahora regresaba junto a sus dos esposas, la legal y la extraoficial. ¿Qué panorama le aguardaría en sus dos hogares?

Como Ulises, Temístocles volvía ligero de equipaje y se había dejado cosas por el camino. El destructor de Troya había ido perdiendo a sus compañeros, unos devorados por los caníbales lestrigones, otros por el cruel Polifemo o la salvaje Escila, los últimos fulminados por el rayo de Zeus. Pero al menos había llegado físicamente intacto a Ítaca.

Temístocles se miró los dedos, apoyados sobre la borda. Las uñas le habían empezado a crecer, aunque lo hacían con curvas y estrías extrañas. Dos de ellas se le habían encarnado y un médico de Chipre había tenido que sajarle para curarle los uñeros, renovando con su lanceta la tortura. Todavía le dolían los dedos cada vez que apoyaba las yemas sobre una superficie dura o apretaba algo. Tenía que cogerlo todo con sumo cuidado, no había podido remar como habría sido su deseo para mantenerse en forma y se preguntaba si alguna vez recobraría toda la habilidad de sus manos.

Pero el dolor físico no era nada comparado con las pesadillas. Para alguien que se despertaba cuatro y cinco veces por noche y recordaba todos sus sueños, era un tormento aún más cruel regresar en sus visiones a esa celda y sufrir, una y otra vez, cómo aquel espantoso verdugo sin orejas ni nariz le sonreía mientras con las tenazas le arrancaba las uñas. Y Temístocles, que siempre había conseguido mantener cierto control de sus sueños e interrumpirlos cuando le convenía, no se despertaba ahora hasta que el verdugo le desgajaba la última uña. *«Y ésta por vender a los eretrios»,* le decía.

Todo por culpa de su insaciable curiosidad. *La curiosidad perdió a Pandora,* se dijo. Y, de paso, a toda la humanidad. Pero Temístocles esperaba que la suya le reportara algún beneficio a Atenas.

Sicino y él no habían regresado al Mediterráneo por el Camino Real, sino que habían tomado la ruta de las caravanas, atravesando el oasis de Palmira y los pedregales de Siria hasta llegar a la ciudad fenicia de Biblos, de donde embarcaron hasta Chipre en un trirreme gracias al salvoconducto imperial. De ahí siguieron al oeste costeando la anfractuosa costa del sur de Asia Menor. Ese litoral siempre había sido un nido de piratas, pues estaba quebrado por promontorios y acantilados que ocultaban mil ensenadas y calas secretas. Pero ahora la flota a las órdenes del rey estaba limpiando el mar, como podían atestiguar los pecios que encontraron durante la travesía.

Eso hizo pensar a Temístocles en lo que había visto, en las ventajas, los refinamientos y la civilización del imperio. *«La paz Aqueménida»,* la había llamado Jerjes. Tenía que reconocer que era un concepto grandioso, admirable. Lástima que para alcanzar esa meta los griegos tuvieran que sacrificar su libertad.

—¡No! ¡Eso no pasará! —exclamó Temístocles, clavando los dedos de la mano derecha en la borda. El dolor que le subió hasta el hombro y la nuca fue tan intenso que le recordó lo que nunca debía olvidar. Lo que él era. *Eléutheros.* Libre. En nada inferior a nadie, salvo a los dioses. Así era como ciudadano ateniense, y así debía seguir siendo.

El barco viró hacia el norte, dejando a babor Salamina para entrar al puerto del Cántaro. El día era muy claro. Debía haber llovido hacía poco y quedaban en el cielo unas nubes blancas y esponjosas, pero el agua había lavado el aire, y los perfiles y colores del paisaje se dibujaban con la nitidez de un fresco recién pintado. Desde allí se alcanzaba a distinguir el camino que subía a Atenas y la silueta de las murallas y los edificios. De haber tenido su dioptra, la habría enfocado para ver más de cerca la ciudad. Pero, cuando lo detuvieron, los hombres de la *Spada* habían requisado sus posesiones, y aunque otras se las habían devuelto, ésa debía de haber ido a parar a manos de Mardonio o del propio Jerjes.

Yo tengo su sable, se dijo, pero aquello no lo consoló

No le hacía falta la dioptra para distinguir la mole gris de la Acrópolis. Allí, tras derribar el Hecatompedón, estaban erigiendo un Partenón, un nuevo templo en mármol del Pentélico, una ofrenda para Atenea en agradecimiento por la victoria de Maratón. ¡Cuánto mejor no honrarían a la diosa construyendo una flota que se enfrentara a la del Gran Rey! Temístocles seguía pensando que Atenas podía equipar hasta doscientos trirremes, tal vez más si incorporaba a los extranjeros que vivían en la ciudad y en el Pireo, y también a los esclavos.

Y aun así, seguiría siendo una cifra ridícula para enfrentarse a Jerjes. ¿Cómo convencer a los atenienses de la amenaza, cómo describirles la magnitud del poder que había conocido sin que lo tildaran de embustero? ¿Qué decirles del ejército que había visto entrar desfilando en Babilonia? Cincuenta mil hombres de infantería, el doble que en Maratón, y diez mil de caballería. Y Jerjes seguía haciendo levas.

No se trataba sólo del número, sino de una organización que los griegos no podían comprender. Lo único que hacían unidos era participar en las Olimpiadas, y eso cada cuatro años, atravesando senderos de cabras para cruzar el Peloponeso. En cambio, gracias al Camino Real y las demás calzadas de la red imperial, el poder Aqueménida extendía sus tentáculos con facilidad a través de miles de kilómetros. Esas extensiones eran inconcebibles para sus compatriotas; la mayoría no se habían alejado en su vida a más de un día de camino del lugar donde habían nacido.

Volvió a pensar en la cantidad de barcos que se estaban construyendo para la campaña contra Grecia. En Biblos los había visto de lejos, pues los fenicios eran muy celosos de sus secretos, pero calculó que había por lo menos treinta navíos a punto de ser botados en los arsenales. ¿Cuántos no se estarían fabricando en las atarazanas de Tiro y Sidón, que eran más grandes todavía? Tampoco descansaban los astilleros de Chipre, y era de suponer que lo mismo pasaba con los de Egipto, pues los daricos del Gran Rey estaban inundando de oro toda la costa este del Mediterráneo.

Mientras su barco sobrepasaba el malecón que cerraba el puerto, la mente de Temístocles seguía haciendo planes y números. Si Jerjes se decidía a enviar dos flotas imperiales, cada una con trescientos barcos de guerra, los griegos deberían oponerle otros seiscientos trirremes para luchar en igualdad de condiciones. Pero eso suponía equiparlos con más de ciento veinte mil hombres entre remeros, tripulantes y hoplitas de cubierta. Conocía al resto de los griegos. Jamás lo conseguirían. Como mucho, reunirían la mitad, y eso incluyendo a ciudades como Corinto, Calcis o Mégara. Los espartanos le tenían más alergia al mar que los persas y sería difícil contar con ellos.

Ya había llegado la primera primavera. Jerjes había dicho que en tres más estaría en Atenas. Parecía un largo plazo, pero Temístocles, que acababa de cumplir los cuarenta años, sabía lo rápido que vuela el tiempo cuando uno lo quiere detener. Por eso no dejaba de cavilar sobre la guerra que se avecinaba. Seiscientos barcos eran imposibles, tenía que renunciar a esa idea. Pero si al menos dispusiera de trescientos... En ese caso tendría que atraer a Jerjes a alguna trampa, buscar aguas estrechas donde la superioridad numérica no contase. *Siempre hay que proteger los flancos,* se dijo, recordando Maratón.

¿Qué sentido tenía pensar en todo eso? No había dinero. Atenas poseía ahora poco más de setenta naves, pero la mitad de ellas llevaban tantos años navegando que muchas piezas tenían holgura y otras estaban podridas y perforadas por la broma. No había forma de que los cascos se secaran del todo, y muchos barcos de guerra se estaban volviendo lentos como gabarras. Para construir doscientos trirremes más, necesitaría un presupuesto de otros tantos talentos. Eso suponía más de cinco toneladas de plata. Las minas del Laurión no producirían tanto ni en quince años.

Con lo fácil que era para Jerjes disponer de dinero. Qué diferencia entre las riquezas que había visto en el Imperio Persa y la modestia de Atenas, donde una simple copa de plata era un objeto que se pasaba de padres a hijos con veneración. Y además estaba la cuestión de la autoridad, de esa voluntad única que lo movía todo y agitaba los hilos. Cuando Jerjes levantaba un dedo en Susa, sus hombres se ponían a trabajar en Sardes, en Tiro o en Menfis sin rechistar.

No caigas en la trampa. Eso es tiranía. Clístenes no te nombró heredero de su legado para que lo echaras a perder. Tendrás que hacer el milagro de convencer a los atenienses.

Un milagro. Eso era lo que hacía falta si su ciudad tenía que sobrevivir al sueño megalómano de Jerjes.

Al desembarcar, lo primero que hicieron él y Sicino fue visitar la mesa donde Jenocles seguía ejerciendo de cambista. El judío le dio un abrazo y le dijo que se alegraba mucho de verlo de vuelta. Temístocles estudió sus gestos y el tono de su voz con atención. Sus efusiones parecían sinceras. Tal vez fuese inocente de la traición que le habían preparado entre su primo Izacar y

Esquines. Al fin y al cabo, con la muerte de Temístocles podría haber ganado algún dinero, pero no habría heredado su negocio. Tenía más dinero a nombre de Grilo que de Jenocles, y tesoros consagrados en otros lugares, como Delfos, a los que sólo podían acceder miembros de su familia.

Descartó la idea. Jenocles no lo había traicionado. El judío parecía de un humor excelente.

—Tenemos buenas noticias. ¡Qué digo buenas! ¡Magníficas! Poco después de irte tú, se descubrió una nueva veta de plata en las minas de Maronea. Ya ha dado más de cincuenta talentos, y aún saldrá mucho más.

No era extraño que el banquero estuviese contento, pues precisamente tenía un contrato de arrendatario en Maronea, uno de los distritos del Laurión. Temístocles también podría haber ganado una buena suma, pero había vendido sus participaciones tras el derrumbamiento del que sólo se salvó Sicino.

—Pasado mañana la asamblea se va a reunir para aprobar un decreto de Epicides —continuó Jenocles.

—¿Qué se le ha ocurrido? —preguntó Temístocles, enarcando una ceja. Epicides era uno de sus títeres en la asamblea, un batanero que había progresado en política gracias a que seguía sus dictados. Al parecer, ahora pretendía tener iniciativa propia. *Cuando el amo no está, los esclavos bailan,* se dijo Temístocles.

—Va a proponer que todos los ciudadanos se repartan el dinero que corresponde al erario público, a razón de diez dracmas por cabeza al año.

—Eso es una miseria.

—Para ti puede serlo, Temístocles. Pero para muchos ciudadanos de la cuarta clase, equivale al salario de quince o veinte días. Así que imagínate lo contentos que se van a poner.

—Sigue siendo una miseria. Hace falta tener las miras cortas para proponer algo así. Ya le diré yo cuatro palabras a Epicides.

De repente, el ábaco de la cabeza de Temístocles empezó a funcionar. Aquello era una señal de los dioses, el milagro que estaba pidiendo un momento antes, cuando el barco entraba al Pireo. Allí, en esas nuevas vetas del Laurión, estaba su flota. Pero ¿cómo persuadir a los atenienses, ciudadanos humildes que sólo probaban la carne cuando había sacrificios, que comían más pan negro que blanco y estrenaban un manto nuevo cada cinco años, para que renunciaran a esas monedas de plata contante y sonante? Y aún más, para que lo hicieran ante la amenaza de un rey al que creían derrotado y que moraba a más de tres meses de viaje de Atenas.

Haz libres a todos los atenienses y los harás invencibles, le había dicho Clístenes antes de morir.

Pero si quería hacerlos libres y evitar que cayeran en la esclavitud del Gran Rey, antes tendría que manipularlos. Por suerte, él no era seguidor de Ahuramazda como Sicino, porque iba a tener que mentir bastante.

El decreto naval de Temístocles

... Otro consejo de Temístocles había prevalecido antes. Los atenienses, al ver que el tesoro público disponía de una gran cantidad de dinero procedente de las minas del Laurión, estaban a punto de repartírselas a razón de diez dracmas por cada ciudadano. Pero Temístocles los convenció para que renunciaran a ese reparto y, con el dinero, procediesen a construir doscientas naves para la guerra que los enfrentaba entonces contra la isla de Egina.

Heródoto, *Historias,* VII, 144

Si bien existía la costumbre de repartir entre todos los atenienses los ingresos de las minas de plata del Laurión, se atrevió a dirigirse él solo al pueblo para decirle que no había más remedio que olvidarse del reparto y, con este dinero, equipar trirremes para la guerra contra los eginetas. En aquel entonces, este conflicto era el más virulento de los que había en Grecia. Los eginetas, gracias al gran número de naves que poseían, eran dueños del mar.

De esta forma le fue más fácil a Temístocles persuadir a los atenienses. Para hacer sus preparativos, en vez de enarbolar el argumento del Gran Rey ni de los persas —estando tan lejos, no temían que fuesen a volver—, manipuló de forma oportuna la irritación y la enemistad que sentían los ciudadanos contra los eginetas. [...] En poco tiempo convenció y forzó a la ciudad para que se volviera hacia el mar con el argumento de que si a pie no eran capaces de enfrentarse siquiera con los vecinos, en cambio con la fuerza que iban a obtener gracias a los barcos podrían defenderse de los bárbaros y conseguir la hegemonía de Grecia.

Plutarco, *Vida de Temístocles,* IV

Preparativos de Jerjes

Jerjes empezó a ordenar que se construyeran barcos en todas las tierras costeras que le estaban sometidas: Egipto, Fenicia, Chipre, Cilicia, Panfilia y Pisidia, y además de éstas, también Licia, Caria, Misia, la Tróade, las ciudades del Helesponto, Bitinia y el Ponto. En los tres años que duraron sus preparativos consiguió tener listas más de mil doscientas naves. En esto le ayudó su padre Darío, que antes de su muerte había hecho grandes preparativos; pues Darío, tras la derrota de las tropas de Datis en Maratón, estaba furioso con los atenienses que lo habían vencido. Pero la muerte había interrumpido sus planes.

Cuando todo estuvo listo para la campaña, Jerjes ordenó a sus almirantes que reunieran la flota en Cime y en Focea, y él mismo, tras reunir a todas las fuerzas de infantería y caballería de sus satrapías, partió desde Susa. Cuando llegó a Sardes, envió heraldos a Grecia con la orden de recorrer todas las ciudades y exigir a los griegos que le ofrecieran agua y tierra. Después, tras dividir su ejército, envió en vanguardia el número de hombres suficientes para construir un puente sobre el Helesponto y para excavar un canal al pie del monte Atos. Pretendía con ello no sólo que el paso de sus tropas fuera menos largo y más seguro, sino también aterrorizar a los griegos con la increíble magnitud de sus preparativos.

Diodoro Sículo, *Biblioteca histórica,* XI, 2

Segundo acto

La invasión

Atenas, 29 de julio de 480 a. C.

El día en que Cimón cumplía treinta años empezó con una agradable sorpresa. Aún estaba dormido cuando notó que algo cálido y suave se colaba bajo las sábanas de su cama. Al reconocer la piel desnuda de Elpinice sobre la suya, se hizo el dormido. Ella le besó suavemente las mejillas y los párpados, y le olisqueó el cuello. Después se subió a horcajadas sobre él y se dedicó a acariciarle el pecho y el vientre con las puntas de sus largos cabellos negros. El cosquilleo era tan exquisito que resultaba casi insoportable, y Cimón tuvo que hacer un esfuerzo para no abrir los ojos y renunciar al juego de fingirse dormido. Ella siguió bajando y sus cabellos le rozaron las ingles y los muslos. Luego, para su sorpresa, Elpinice tomó su miembro en su boca y se dedicó a hacerle unas diabluras con los labios y la lengua a las que jamás antes se había atrevido. Cuando Cimón le agarró la cabeza para que lo dejara, pues quería poseerla de una vez, ella le apartó las manos y siguió lamiendo y besando hasta que él no pudo aguantar más.

—Feliz cumpleaños —le dijo luego, apoyando la barbilla en su pecho.

Estaban casi a oscuras. La alcoba no tenía ventanas y Elpinice había cerrado la puerta al entrar. La única luz provenía de una lamparilla de aceite. A su tenue resplandor, Cimón estudió las sombras y los perfiles del rostro que adoraba y que a veces odiaba. Se miró en aquellos ojos verdes, tan rasgados que parecían pérfidos incluso cuando no lo pretendían, y acarició con el pulgar los carnosos labios que se habían atrevido a impudicias impropias de una dama ateniense. Elpinice tenía veintitrés años, seis menos que él, pero su piel era tan blanca y lisa que parecía más joven.

Se corrigió. No eran seis años menos. Desde hoy eran siete.

—¿Te ha gustado?

—¿Dónde has aprendido eso? —preguntó Cimón, algo escandalizado. Elpinice nunca dejaba de sorprenderlo.

—Dicen que es una especialidad de las mujeres lesbias. Hoy quería darte placer sólo a ti.

—Muy bien, pero ahora me toca corresponderte —dijo Cimón, aventurando una mano entre los muslos de ella. Elpinice le agarró la muñeca y le detuvo. Para ser una mujer, tenía mucha fuerza. Debía de haberla heredado de su padre.

—Oh, oh. No es buen día para eso. Hoy no toca.

Cimón comprendió. Ella estaba en esos días del mes en que el deseo le producía más dolor que placer. Sin embargo, se había metido en su cama desnuda y le había hecho algo que, sin duda, tenía que haberla excitado, y por tanto le habría dolido. Al pensar en el pequeño sacrificio que había hecho ella, la quiso incluso un poco más y se lo demostró besándola y mordisqueando con suavidad sus gruesos labios.

Entonces se le ocurrió un pensamiento travieso.

—¿Sabes una cosa? Eso no sólo lo saben hacer las mujeres lesbias.

—¿Ah, no? ¿Es que alguien más te lo ha hecho a ti?

—Me temo que sí.

—¿Y quién ha sido esa zorra?

—Hummm... Déjame pensar. Una jonia.

—¿Qué jonia?

—Creo que se llamaba Targelia.

—¡No! ¡Ésa no! —dijo Elpinice, arañándole el pecho con la uña y abriendo mucho los ojos con fingida furia.

A los dos les gustaba y excitaba ese juego. Ella, por supuesto, no pretendía que Cimón dejara de acostarse con otras mujeres, del mismo modo que tampoco podía impedir que, de vez en cuando, acariciara los muslos de algún bello efebo. Pero Cimón también permitía que ella se concediera sus propios escarceos y placeres, y eso resultaba más inusitado. Prefería que Elpinice fuera tan libre y sensual como una espartana, no una mujer timorata y sumisa al estilo de las esposas atenienses.

—¿De verdad que te lo hizo Targelia? —insistió Elpinice—. ¡Qué casualidad!

Targelia, la cortesana jonia de la que se decía que era la mujer más bella del Egeo, había causado sensación al visitar Atenas el verano anterior. Tenía un cuerpo tan hermoso y tan poco pudor para lucirlo que Pasicles, el mejor pintor de cerámica roja de la ciudad, le había pedido que posara para ella y había dibujado una serie entera de copas muy subidas de tono. La colección la había comprado luego Calias, amigo de Cimón, y a muy buen precio.

Targelia había alquilado una casa cerca del Ágora. Allí celebraba banquetes que a veces se convertían en refinados simposios en los que, al compás de las cítaras, se escuchaban las poesías más recientes de Simónides o los densos y oscuros versos de Esquilo. Otras veces, las fiestas degeneraban en orgías que se prolongaban hasta que cantaba el gallo, e incluso más tarde. Fue en una de esas ocasiones cuando Cimón había descubierto que las habilidades bucales de Targelia no se limitaban a cantar o recitar. Aquella noche lo había tomado de la mano y se lo había llevado del comedor. Mientras sus invitados se revolcaban sobre los divanes y las esterillas del suelo con las flautistas y las cortesanas, Targelia condujo a Cimón a su propio dormitorio, en el segundo piso, y en una cama cubierta por sábanas de seda le hizo lo mismo que Elpinice. Sin pedirle nada a cambio. Por suerte, ya que Cimón, empobrecido desde el juicio contra su padre, no habría podido hacerle ningún regalo digno de ella.

Targelia no sólo era bella, sino también generosa. Aceptaba obsequios, por supuesto, pero regalaba sus favores a hombres como Cimón siempre que le agradaran físicamente.

—No seas ingenuo —le había dicho Temístocles cuando Cimón alardeó ante él de haber disfrutado del cuerpo de Targelia—. También ha fornicado con tipos calvos y panzudos de sesenta años.

—¿Gratis?

—Sin cobrarles directamente, pero gratis no. Ella no concede sus favores por las buenas.

—¿Qué quieres decir?

—Que es una agente persa. De Mardonio, en concreto. Jerjes no se rebajaría a usar espías.

Cimón no sabía por qué estaba tan seguro de esta última afirmación. Pero Temístocles se negaba a compartir con él la información que poseía sobre los persas y se la dosificaba como un avaro. Cosa que molestaba profundamente a Cimón.

Temístocles, que parecía inmune a los encantos de Targelia, había recurrido a su autoridad como general para expulsar a la joven de Atenas y, de paso, había conseguido que dos de sus «clientes» fueran juzgados y condenados por conspirar a favor de los persas.

Hacía dos meses que Cimón había vuelto a ver a la hetaira en Tesalia, donde se había convertido en amante de Antíoco el Alévada, uno de los hombres más poderosos de la región. Había acudido allí con un pequeño ejército mandado por Temístocles y un general espartano. El plan consistía en estudiar el terreno y comprobar si podían establecer una posición defensiva entre el mar y las escarpadas laderas del Olimpo. Pero, bien fuera por los manejos de Targelia o por temor a la cercanía de Jerjes, que estaba a punto de cruzar de Asia a Europa con su inmenso ejército, la facción tesalia que prefería enviar agua y tierra al Gran Rey prevaleció sobre la que estaba dispuesta a resistir. Los aliados tuvieron que retirarse al sur y estudiar otros lugares posibles para frenar el avance persa.

De ello habían tratado en la reunión de la Liga Helénica, tan sólo doce días antes. Como resultado, la flota ateniense tenía que reunirse con la aliada y zarpar al norte en breve. Con ella viajaría Cimón, aunque Temístocles le había ofrecido actuar de enlace con el ejército de tierra al mando de Leónidas. Todavía no sabía si tomárselo como un favor o como una limosna.

—¿Sabes por qué he dicho que era una casualidad? —dijo Elpinice, apartándole de aquellos graves pensamientos—. Fue Targelia quien me enseñó a usar la lengua como las lesbias.

—¿Qué? No hablarás en serio.

—Estuve en su casa antes de que se fuera —dijo Elpinice mientras jugueteaba con su dedo en el pecho depilado de Cimón—. Quería ver si era tan hermosa como decían, y aún me lo pareció más.

—No tanto como tú.

Ella le pellizcó una tetilla.

—Sabes que no me gustan los halagos fáciles. Por supuesto que es más bella que yo. Pero también es simpática, y me ha enseñado muchas cosas. Ésta la reservaba para una ocasión especial.

Cimón no supo si creerla. A Elpinice le gustaba tanto escandalizar que a veces se inventaba historias sobre cosas que en realidad sólo había llegado a imaginar. Pero era verosímil que hubiese estado en casa de Targelia. Solía hacerle muchas preguntas sobre la cortesana, y en una ocasión le había saltado con la ocurrencia de posar también desnuda para Pasicles, o incluso para algún escultor.

—¿Por qué ahora que soy joven y tengo buen cuerpo no puedo hacer de modelo para una diosa desnuda?

—¡Una diosa desnuda! —se había horrorizado Cimón—. ¡Qué ocurrencias tienes!

—¿Pues no están llenas la Acrópolis y el Ágora de dioses desnudos? ¿Por qué las diosas tienen que estar cubiertas de túnicas y mantos de la cabeza a los pies?

—No es lo mismo.

—¿Por qué?

—Porque... No es lo mismo.

—¿Y si representara a Afrodita? ¿Tú crees que a ella le importaría que la vieran desnuda?

Tal vez, se dijo ahora Cimón, si lo que tenía previsto hoy mismo le salía bien, podría contratar a un buen escultor para darle a Elpinice ese capricho. Eso sí, la estatua no saldría jamás de su propia casa. No quería acabar en un tribunal acusado de impiedad.

Al acordarse de la reunión con Calias, frunció el ceño. Por un instante se le pasó por la cabeza la idea de decirle algo a Elpinice, pero decidió que no tenía por qué hacerlo. Al fin y al cabo, era un ciudadano ateniense, un noble, y además ya se le podía considerar un hombre adulto. No tenía por qué rendir cuentas a nadie de sus actos.

Después de levantarse se bañó en la tina de terracota de su casa y se puso una túnica limpia. A media mañana, a la hora en que se llenaba el Ágora, recibió la visita de Calias.

Calias era mayor que él, un hombre alto pero desgarbado, de hombros estrechos y panza blanda. Pertenecía a una familia de los eupátridas que desde los tiempos de Pisístrato había ido perdiendo poder e influencia. Pero en los últimos diez años las tierras de Calias habían vuelto a producir pingües rentas, o eso decía él. Lo que resultaba evidente era que había prosperado mucho, y por eso no había ahora mismo mansión en Atenas más lujosa que la suya.

Sobre él corría una fábula que explicaba su repentina riqueza. Según contaban, en la batalla de Maratón un fugitivo persa le suplicó que le perdonara la vida. A cambio le ofreció un cofre lleno de oro que había enterrado entre los cañaverales del gran pantano al darse cuenta de que no le daría tiempo a huir en los barcos. Calias, tras ver dónde estaba escondido el cofre, había matado al persa, y no había vuelto a buscar el tesoro hasta pasados dos meses desde la batalla.

Cimón podía creer aquella historia sin problemas. Calias no destacaba por sus virtudes marciales ni su valor físico. Pero cuando se trataba de dinero, ni Aquiles defendiendo a Patroclo habría sido más fiero.

Y ahora se trataba de dinero, precisamente. Calias y él iban a pactar la *engye*, los esponsales de la hermana de Cimón. Para ser un hombre tan práctico, Calias se había enamorado perdidamente de ella, y estaba dispuesto no sólo a casarse sin dote, sino incluso a sufragar las deudas de Cimón.

Casi diez años antes, cuando Cimón tuvo que pagar la multa de cincuenta talentos que le habían impuesto a su padre por el fiasco de la expedición de Paros, se vio obligado a vender varias propiedades. Aun así sólo consiguió quince talentos contantes y sonantes, pues Milcíades había dejado atrás buena parte de las riquezas familiares cuando la familia abandonó precipitadamente los Dardanelos huyendo de los persas.

Los otros treinta y cinco se los había prestado Temístocles.

—Sin intereses —le había dicho—. Tú me los irás devolviendo cuando puedas.

Hasta entonces no se había dado cuenta Cimón realmente del dinero que poseía Temístocles, pues no era hombre proclive a ostentaciones ni oropeles: no había enviado jamás una cuadriga a competir a los Juegos de Olimpia, nunca celebraba banquetes multitudinarios en su casa y el único lujo que se permitía era costear con generosidad las tragedias de su amigo Frínico.

Cimón se había jurado devolverle el dinero cuanto antes, pero no resultaba un empeño nada fácil. Temístocles no sentía la menor vergüenza por hacer fortuna comerciando y gestionando sus propios negocios. Cimón sospechaba que además, bajo mano, prestaba dinero a varias personas fuera del círculo de sus amigos, y que a ellas sí que les cobraba intereses. De esa manera, cualquiera podía enriquecerse.

Pero cuando uno quería vivir de acuerdo con los ideales aristocráticos, y más aún, con los de sus idolatrados espartanos, que veían el trabajo como una deshonra y una condición servil, resultaba mucho más difícil acrecentar la hacienda. Cimón había comprobado que cuando uno empieza a empobrecerse, el poco dinero que tiene parece huir por las ventanas. Si quería mantener un nivel de vida apropiado a un eupátrida como él, necesitaba gastar al menos un talento al año, y eso sin grandes dispendios; lo cual le consumía buena parte de las rentas que ingresaba por las fincas que todavía conservaba.

El caso es que habían pasado diez años desde el juicio contra su padre y todavía tenía que devolverle otros tantos talentos a Temístocles. Él jamás le insinuaba nada, pero no hacía falta. Cimón estaba atado a Temístocles, y aquel vínculo hacía que se sintiera incapaz de oponerse a su política, aunque cada vez estaba menos de acuerdo con ella.

Sus prevenciones no eran nada comparadas con las que sentía Calias.

—Estamos viviendo el final de una época —le dijo ahora, mientras compartían una copa de vino bajo el olmo del patio—. Por culpa de ese hombre todos nuestros viejos valores se tambalean. ¿Dónde está el respeto a la honradez, a la verdad y a la nobleza? La gente se burla ya hasta de los ancianos y los sabios.

—No te alteres, Calias. Los tiempos cambian.

—Eso lo podías decir antes porque eras joven, Cimón. Ahora te corresponde pensar con más responsabilidad. Hay que detener a Temístocles antes de que convierta nuestra ciudad en un estercolero moral donde todo dé igual, donde un jornalero sea igual que un eupátrida y un esclavo igual que un amo. Por culpa de ese hombre, en Atenas reina el libertinaje.

Cimón se llevó la copa a los labios para ocultar una sonrisa. Ya quisieran los jornaleros de la cuarta clase dedicarse al libertinaje con tanto entusiasmo y tantos medios como Calias y sus congéneres.

—Temístocles es el enemigo —insistió Calias—. Sin él, la chusma no sería ni la mitad de audaz de lo que es ahora. Y, para colmo, nos quiere quitar la lanza y el escudo y rebajarnos al remo y al cojín. ¡A nosotros, los vencedores de Maratón!

Cimón asintió, aunque sin comprometerse a decir nada. No sólo comprendía las ventajas de la política naval de Temístocles, sino que en cierta medida las aceptaba. Había vivido las sensaciones de la guerra en el mar en varias campañas. Incluso en la última batalla librada contra Egina antes de la tregua general, Temístocles le había entregado el mando de una nave, la *Dínamis*. Para Cimón, cabalgar la proa de un trirreme sobre las olas y embestir a una nave enemiga con el espolón de bronce había sido una emoción incomparable, como la de domeñar un corcel gigantesco.

No había arma más letal, elegante y refinada en el mundo que el trirreme. Corintios, egipcios y fenicios discutían quién lo había inventado. Cimón sospechaba que todos podían tener razón, pues era lógico que los arquitectos navales de varios lugares hubieran pensado simultáneamente en la forma de perfeccionar el poder ofensivo de las viejas penteconteras, las naves largas de cincuenta remeros. ¿Cómo mejorar la propulsión sin aumentar demasiado el peso? Una posibilidad era triplicar el número de remos manteniendo invariable la longitud de la nave. Eso convertiría a un barco provisto de espolón en una especie de lanza gigantesca, un ariete flotante.

La solución había sido montar tres bancadas de remeros situadas en otros tantos niveles, desde la sentina donde bogaban los infortunados talamitas hasta la postiza de arriba donde lo hacían los tranitas. Para encajar esas tres bancadas en un ancho de, a lo sumo, cinco metros, los arquitectos se habían visto obligados a hacer auténticas filigranas. El resultado era que en las entrañas de un trirreme podían remar hasta ciento setenta hombres, pero con tales apreturas que maniobras como embarcar o, simplemente, bogar tenían que coordinarse a la perfección para que codos, rodillas o pies no chocaran con cabezas ajenas.

El propio Cimón, animado por Temístocles, había probado a remar en el pescante como un tranita más. Allí arriba el aire corría un poco más que en la bodega y, sin embargo, el hedor de tantos cuerpos transpirando a la vez le había hecho sufrir arcadas. No quería imaginarse cómo sería el trabajo de los talamitas, a los que les chorreaba encima el sudor de las dos bancadas superiores, por no hablar de otros fluidos.

Su breve experiencia le hacía comprender que los miembros de las clases superiores, como Calias, se escandalizaran ante la mera idea de empuñar un remo en tales condiciones. Pero los hoplitas aún podían servir en la marina de otra forma más honrosa, como infantes de cubierta, las tropas que, una vez llegado el abordaje o la embestida, usaban sus lanzas para combatir contra los enemigos.

El peligro para los aristócratas no era tanto que se vieran obligados a bogar en los nuevos trirremes. El verdadero problema estribaba en que Temístocles estaba convenciendo al pueblo llano, a la cuarta clase, de que su función como remeros en la flota era vital para defender la ciudad, y tan importante como la de los propios hoplitas que habían derrotado a los persas en Maratón. De eso a convencerlos de que exigieran la igualdad total y pudieran acceder a todos los cargos, incluso los de arconte y general, tan sólo había un paso.

Calias expresó ahora esos temores de una forma muy concreta.

—El pueblo cada vez es más insolente. Viniendo aquí me he cruzado por un callejón estrecho con un jornalero que llevaba un cesto de anchoas. ¿Y quién te crees que ha tenido que meterse en el hueco de una puerta para dejarle pasar? ¡Yo, por supuesto!

—Yo no le habría cedido el paso —respondió Cimón.

—¿Y qué habrías hecho? ¿Darle un puñetazo?

—Puedes estar bien seguro.

—¿Para qué? Te llevaría a juicio, y te encontrarías defendiéndote delante de cien jurados. ¿Cuántos de entre ellos serían eupátridas, o al menos de la clase de los hoplitas? Ya te lo diré yo: bastantes menos de la mitad. Así que esos jornaleros —Calias pronunció la aspiración de la palabra *thetai* casi escupiendo— votarían en masa contra ti por el único delito de haber nacido de mejor sangre que ellos y te condenarían a pagar por lo menos treinta dracmas.

—Cosa que haría gustoso con tal de no ceder el paso a un inferior.

—Mi querido Cimón, la manera de mantener un cofre lleno de oro es evitar que por las ranuras escape la plata.

Cimón soltó una risa amarga.

—No tengo más remedio que darte la razón. No sé apreciar bien el valor del dinero. Por eso soy yo quien tiene que recurrir a tu fortuna y no al contrario.

—No pretendía ofenderte —dijo Calias, mostrándole las palmas de las manos.

—Por supuesto, por supuesto —respondió Cimón, apartando la mirada y regodeándose en su propia humillación. Para librarse de la tutela política de Temístocles, tenía que vender a su propia hermana. Sí, en lugar de colmarla de regalos, de entregarle una dote de la que pudiera enorgullecerse como hija de Milcíades, iba a *venderla* como si fuera una vulgar ternera.

Al parecer, no era el amor el único motivo que movía a Calias a ese matrimonio tan oneroso para él. Tras frotarse las manos pensativo durante un rato, le dijo:

—Hay algo más de lo que quiero hablar, Cimón. Sé que hoy es tu cumpleaños. Felicidades. Treinta años son una edad importante.

Lo eran. Al cumplir los treinta, Cimón se convertía oficialmente en un hombre maduro, un ciudadano que podía hablar en público sin que los abucheos lo obligaran a bajar de la tribuna y también presentarse para la elección a cualquier cargo. Incluido el de general.

—Gracias, Calias.

—Nunca has hablado ante la asamblea, pero a partir de ahora ya podrás hacerlo, ¿verdad?

Cimón se enderezó en el asiento, cauteloso.

—Si lo deseo, sí. Es cierto.

—Mañana hay sesión de la asamblea. Sé que Temístocles va a presentar el oráculo que ha traído de Delfos junto con una propuesta muy drástica para afrontar la guerra contra los persas. ¿Tienes idea de en qué puede consistir?

—Temístocles sólo comunica sus planes a los demás cuando cree que le conviene a él, nunca por confianza. No sabe lo que es confiar en nadie.

—Hay mucha gente que está preocupada.

—¿Qué gente?

—Ya sabes. Nobles como tú y yo, incluso gente de la segunda y la tercera clase que no ve con buenos ojos la soberbia con que se comporta el pueblo últimamente. Gente que cree que es indigno volcar todos los esfuerzos de Atenas en la flota, como si fuéramos una vulgar ciudad de mercaderes y pescadores.

—No veo que esa gente hable para oponerse a Temístocles.

—¿Cómo va a hacerlo? ¿Dónde están los oradores que se oponían a él? ¿Dónde están Megacles, Jantipo o Arístides?

—Por mí, Jantipo puede reventar allá donde esté.

—Te entiendo —dijo Calias, conciliador—. El Pepino no le caía bien a nadie.

—No se trata de caer bien o mal. ¡Por su culpa llevo diez años viviendo de la compasión de otros!

—Es cierto, es cierto, pero ésa no es la cuestión. Los nobles tenemos un defecto muy grave: sólo estamos felices cuando competimos entre nosotros. Temístocles se aprovecha de nuestra desunión y nos está liquidando uno por uno. Desde que se sacó el ostracismo de debajo del manto, ya nadie se atreve a abrir la boca por temor a que lo destierren.

—Esa culpa no se la deberíamos achacar a él —respondió Cimón, que siempre procuraba ser ecuánime—. Fue un eupátrida, uno de nosotros, quien inventó el ostracismo.

—¿Tú también te crees esa patraña de que fue Clístenes? Si así fuera, ¿por qué una medida como ésa iba a permanecer escondida durante veinte años? Ya sé que llevas mucho tiempo aguantando que Temístocles te vierta su veneno en los oídos, pero no seas ingenuo.

En la época de Clístenes, cuando Cimón era muy niño y ni siquiera vivía en Atenas, se habían aprobado muchas leyes y decretos, y las estelas y tablas donde se habían escrito estaban dispersas por toda la ciudad, desde el Ágora al Areópago, la colina de la Pnix y la propia Acrópolis. Había sido una época muy revuelta, con peleas callejeras, facciones desterradas y hasta la invasión de un pequeño ejército espartano que al final quedó asediado en la Acrópolis y tuvo que salir de Atenas de forma vergonzante. Muchos de los que vivían entonces ya estaban muertos, otros guardaban recuerdos confusos de aquella época y otros...

Y otros, la mayoría de ellos, ahora lo comprendía Cimón, bien podían haberse dejado convencer por los manejos y artimañas de Temístocles para falsear sus propios recuerdos. Pues el ostracismo no era una medida que se hubiera creado contra el pueblo llano, sino contra los aristócratas. Hacía siete años que el orador Epicides, un batanero que triunfaba en la asamblea soliviantando los peores instintos de la plebe, había asistido al traslado de una estela de mármol cercana al monumento de los Diez Héroes. En el anverso tenía grabado un decreto de movilización militar que había perdido su vigencia, y por eso iban a sacar la estela del Ágora. Pero Epicides, *casualmente* Epicides, había visto algo escrito por detrás en lo que hasta entonces nadie había reparado. Un texto que empezaba: *El consejo y la asamblea han decidido, a propuesta de Clístenes, hijo de Megacles...*, y continuaba explicando los pormenores de una ley que ya nadie recordaba y que llevaba veinte años durmiendo.

La ley del ostracismo.

Las letras parecían auténticas, con aquella caligrafía de finales de la tiranía que ya se había pasado de moda, y los bordes se veían desgastados por el tiempo. Pero ¿quién habría impedido a Temístocles, la mano que movía los hilos de Epicides, contratar a un buen lapidario que imitase una inscripción arcaica y luego repasase las letras una y otra vez con una escofina hasta que pareciesen más viejas de lo que eran? Eso habría sido muy propio de él.

Ese mismo año, tres después de Maratón, se recurrió por primera vez al ostracismo, que entonces aún se llamaba «destierro sin deshonra». Cimón lo recordaba perfectamente. En el octavo mes del calendario administrativo de la ciudad, los ciudadanos se reunieron en el Ágora, donde se les repartieron *óstraka,* fragmentos de cerámica rotos, algo que nunca faltaba en Atenas y que era el material más barato para escribir. Sobre su superficie esmaltada en negro, cada ateniense rascó las letras del nombre elegido para que destacaran en el color rojo de la arcilla original. Luego se recogieron por tribus todos los *óstraka* y se hizo el recuento. Aparecían los nombres de los personajes más conocidos de la ciudad, incluso Temístocles, y hasta Milcíades, aunque ya llevaba más de dos años muerto. Pero la persona cuyo nombre se repetía más veces era Hiparco, un pariente del tirano Hipias del que todo el mundo sospechaba que era medizante, partidario de los persas. Así que nadie salió en su defensa y el infortunado Hiparco tuvo que hacer el hatillo y marcharse de la ciudad antes de diez días.

Porque la peculiaridad de aquella medida, a la que enseguida empezaron a llamar «ostracismo» por los *óstraka* que utilizaban para escribir los votos, era que no se necesitaba ofrecer ni prueba ni razón alguna contra el ciudadano elegido. Bastaba con que su nombre apareciese las suficientes veces para que se le desterrase del Ática durante diez años sin mayor argumento. No se le privaba de su ciudadanía, no se confiscaban sus bienes, no se obligaba a su familia a que lo acompañara al destierro.

Pero, obviamente, cualquier influencia que el individuo ostraquizado pudiera tener en la política ateniense desaparecía.

—¿Por qué crees que Clístenes creó esa ley? —le había preguntado Cimón a Temístocles el año en que el desterrado fue Jantipo.

Él se encogió de hombros.

—No lo sé. Creo recordar que una vez me habló de ello, pero yo era muy joven. Supongo que quería impedir que las rivalidades entre los cabecillas políticos degeneraran en guerras civiles. Siempre decía que los nobles son como garañones peleando por una manada de yeguas. El ostracismo es una forma de quitar de en medio al semental que es menos popular entre las jacas y evitar así peleas.

¿Era posible que Temístocles fuese tan cínico y ni siquiera a él, a quien se suponía que estaba adiestrando como su sucesor político, le confesara la verdad?

Sí, claro que es posible, se contestó ahora.

Desde entonces, apenas había pasado un año sin que el pueblo ostraquizara a alguien. Todos los desterrados eran nobles, y aunque algunos mantenían rivalidades entre sí, siempre tenían algo en común: su presencia en Atenas era un estorbo para Temístocles. Cuando cayó Jantipo, Cimón no se opuso, por supuesto. Luego habían ostraquizado a Arístides, a quien sí le tenía simpatía. Pero Temístocles lo odiaba desde niño, y esta vez se había involucrado personalmente en la campaña contra él. Incluso su sobrenombre de Justo le había valido miles de votos en contra. Epicides y el propio Temístocles habían argumentado ante el pueblo: *«¿Quién es ese eupátrida para llevar ese apodo? ¿Es que se considera superior a los demás?»* Y, sobre todo: *«¿Qué ha hecho por vosotros ese hombre?»*

Calias tiene razón, pensó Cimón. En el fondo, él sabía que aquella ley era un invento de Temístocles. Pero, como pasaba con tantas otras de sus maniobras, le era más cómodo fingir que no se enteraba y no morder la mano que le daba de comer.

Hasta ahora.

—¿Por qué me has recordado que ya puedo hablar en la asamblea, Calias? —dijo Cimón—. Ve al grano.

—Eres popular en la ciudad. Muy popular, de hecho.

—¿Ah, sí?

—Eres joven y apuesto, Cimón. Ya sabes cuán voluble es el pueblo ateniense. Los mismos que condenaron a tu padre con esa multa tan desproporcionada se compadecen ahora de ti por la penuria en que vives, y te admiran por la dignidad con la que sobrellevas tu situación.

—Sigue —dijo Cimón. A su pesar, las palabras de Calias le halagaban.

—Incluso han perdonado a tu padre. Ahora nadie se acuerda de Milcíades por su supuesta tiranía, ni por lo de Paros. No, todos lo recuerdan como el glorioso vencedor de Maratón, el mismo que se atrevió a cargar contra los persas.

Ésa fue idea de Temístocles, le dijo una vocecilla interior. Pero Cimón la acalló sin problemas.

—Están deseando escuchar qué tiene que contarles el hijo de Milcíades —prosiguió Calias—. Tienes que aprovechar eso para tomar la palabra.

—¿Y decir qué?

— La gente de la que te he hablado antes ha preparado esto.

Calias le tendió un rollo de lienzo. Cimón lo desenrolló y leyó a media voz las líneas de tinta escritas en él.

—Ése es sólo el esquema —le dijo Cimón—. Adórnalo tú, déjate llevar por la inspiración del momento.

—Esto significa volverme directamente contra Temístocles.

—Lo sabemos.

Cimón se quedó pensativo un rato.

—De modo que el hecho de que pagues mi deuda con Temístocles no se debe sólo al amor que sientes por mi hermana —dijo por fin.

—Cimón, sabes que estoy enamorado de ella. Tanto que podría haber aceptado este matrimonio sin recibir dote. Pero pagarte además diez talentos... ¿No pensarías que no te iba a pedir nada a cambio?

Cuando se trataba de dinero, los modos de Calias eran aún más toscos que los de los mercaderes a los que tanto criticaba.

—Entiendo. En ese caso, yo también quiero poner algunas condiciones.

—Adelante.

—Mi hermana podrá venir a esta casa cada vez que a ella le plazca, sin pedirte permiso.

—Sé que es un espíritu libre. No habrá problema por mi parte.

—Algo más. Quiero los diez talentos ahora.

—¿Ahora? ¿Qué quieres decir?

—Esta misma tarde tienen que estar aquí. —Cimón acalló la protesta de su futuro cuñado con un gesto—. No es una muestra de desconfianza, no me malinterpretes. Si mañana voy a hablar en contra de Temístocles, no quiero deberle nada. Tengo que zanjar mi deuda con él hoy mismo.

—Diez talentos no crecen debajo de las piedras...

Si lo que cuentan de ti es cierto, no sólo diez talentos, sino bastantes más, pensó Cimón, recordando la historia del cofre enterrado.

—¿Puedes hacerlo?

—Lo haré. Espérame aquí —dijo Calias, levantándose del asiento tras apurar la copa de vino. Con una sonrisa irónica, añadió—: Y ve practicando tu oratoria. Mañana debes estar convincente, para que se note que eres el hijo del gran Milcíades.

Antes de media tarde, Calias ya había aparecido, acompañado por su hermano Hipólito y varios esclavos que cargaban con dos baúles. Uno era bastante grande, pero el otro no. Cimón no pensó que allí pudiera haber en total los doscientos sesenta kilos de plata que necesitaba. Pero al abrir el cofre pequeño, vio que estaba lleno de objetos de oro, incluyendo un montón de monedas con la efigie de Darío disparando su arco rodilla en tierra. O los rumores sobre el tesoro de Maratón eran ciertos, o Calias andaba en tratos con los persas. De momento, prefirió no comentar nada y cerró la tapa del arcón. Después, aprovechando que Hipólito se hallaba presente como testigo, Cimón estrechó la mano de Calias y pronunció la fórmula ritual:

—Yo, Cimón hijo de Milcíades, te entrego a mi hermana Elpinice para que siembres en ella hijos legítimos.

Fue más difícil convencerla a ella. Cuando se lo intentó explicar, Elpinice rompió la crátera favorita de Cimón volcándola de una patada, y luego se encerró llorando en el gineceo. Cimón abrió el cerrojo con la copia de la llave y ordenó a las dos esclavas que salieran.

Al verle entrar, Elpinice se incorporó de la cama.

—¿Cómo puedes hacerme esto? ¡Sabes que yo sólo te amo a ti! No quiero vivir como esposa de nadie.

—La gente ya habla de nosotros, Elpinice. Es mucho mejor así.

—Si dices eso, es que tú no me amas.

Cimón la agarró por los hombros, la atrajo hacia sí pese a que ella se resistía y la besó con pasión.

—Claro que te amo, más de lo que podría amar nunca a otra mujer —le dijo después. Era sincero, y sabía que su hermana podía verlo en sus ojos, porque su expresión se amansó un poco.

—Pero me has vendido a Calias.

—Es un buen amigo, y de sangre noble. Tú sabes que es por el bien de la familia. No podemos estar siempre a la sombra de Temístocles. ¡Somos los hijos de Milcíades, el vencedor de Maratón! No debemos depender del hijo de un mercader.

Elpinice se sentó en la cama y se enjugó las lágrimas. Cimón se arrodilló ante ella y le tomó las manos.

—Eres una mujer muy inteligente. Por eso te quiero. Tú puedes entenderlo. Si tú me ayudas, puedo ser grande. Aún más grande que nuestro padre.

A ella se le iluminó el rostro. Cimón sabía que era ambiciosa, tanto como él.

—Calias conoce tu forma de ser. Te dejará seguir siendo la indómita Elpinice.

—Pero tú estarás en deuda con él, igual que ahora lo estás con Temístocles. ¿En qué cambiará nuestra situación?

—No será lo mismo, hermana. Si mañana todo va bien y convenzo a la asamblea, estaremos en paz. Además —añadió con una sonrisa maliciosa—, para eso te tendré a ti en su casa y en su lecho, para que seas tú quien lo maneje a él en nuestro beneficio. Calias me ha prometido que podrás venir aquí cada vez que quieras sin rendirle cuentas.

—¿Calias sabe lo..., lo nuestro?

—Lo intuye. Pero, aun así, te desea. ¿Serás capaz de darle lo que quieren los hombres, al menos de vez en cuando? Sé que no es Adonis, pero...

—Cerraré los ojos y me imaginaré que eres tú. O, por lo menos, alguien más guapo. —Sus ojos brillaron con picardía. Cimón la conocía bien, y sabía que en su cabeza ya estaba buscándole las ventajas posibles a su nueva situación—. Dime una cosa. Si no soporto vivir con él y quiero volver contigo, ¿tendrás que devolverle ese dinero?

—No. Pero preferiría que no te divorciaras de él, al menos durante un tiempo.

—Si no intenta gobernar mi vida, lo soportaré. —Sin previo aviso, Elpinice se soltó los broches de la túnica y se desnudó los pechos—. Yo no tengo dueño más que tú, Cimón. Tú eres mi único señor.

Aunque sabía que eso no era del todo cierto, Cimón se arrojó en sus brazos. Pese a lo que le había dicho esa mañana sobre sus dolores menstruales, su hermana se entregó a él con más pasión que nunca.

Istmo de Corinto, 12 días antes
(17 de julio)

~~Macedonia: 6.000 hoplitas y 1.500 de caballería~~
~~Tesalia: 4.000 hoplitas y 3.000 de caballería~~
Corcira: 1.000 hoplitas y 60 barcos
Sicilia: 20.000 hoplitas y 200 barcos
Argos: 6.000 hoplitas y 10 barcos
Creta: 3.000 arqueros y 40 barcos
Tebas: 7.000 hoplitas

Temístocles volvió a mirar con tristeza los nombres que había tachado de aquella lista que amenazaba con reducirse cada vez más, la de los estados griegos que habían jurado defender su libertad contra el invasor.

Dos años antes había llegado a Grecia la noticia de que los ingenieros de Jerjes estaban excavando la península del monte Atos para atravesarla con su flota sin tener que afrontar sus tormentas y sus traicioneras corrientes. Un canal de más de dos kilómetros de longitud y treinta metros de anchura por el que podrían pasar dos y hasta tres trirremes a la vez. Se trataba de una obra de tal audacia y magnitud que hasta los más escépticos se convencieron por fin de que el Gran Rey, pese al fracaso anterior de su padre, estaba decidido a invadir Grecia con todos sus recursos.

El miedo a los persas había surtido efecto. Gracias sobre todo a las gestiones del propio Temístocles y del rey Leónidas, se había pactado una tregua general entre todas las ciudades griegas y constituido la Alianza Helénica.

En aquel momento, Temístocles enumeró una lista con todos los estados griegos que podrían participar en la Alianza. Al principio llegó a sentirse optimista, porque las fuerzas que muchos de ellos prometían eran sustanciales. Pero el rey Alejandro de Macedonia fue el primero en borrarse de su catálogo. Su embajador se había reunido con Temístocles y, hecho un mar de lágrimas, le dijo:

—Debes comprendernos. Tenemos a los persas prácticamente en nuestras fronteras. El nuestro es el primer país que arrasarán si no cedemos.

Temístocles no se sintió demasiado decepcionado, porque se lo esperaba. Alejandro, si bien resultaba un hombre culto y un anfitrión encantador y se llamaba a sí mismo «filoateniense», era también un intrigante y un ventajista que tenía muy claro cuál era el caballo favorito en aquella carrera. Y, aunque ante los griegos lo negaba, llevaba años siendo prácticamente un vasallo de Darío, primero, y luego de su hijo Jerjes.

La siguiente en hacer defección de la causa común había sido la vasta región de Tesalia, cuna de caballos. Unos meses antes, al principio de la primavera, la Alianza había decidido enviar una expedición a la frontera entre Tesalia y Macedonia para comprobar si se podía frenar el avance de Jerjes en el valle del Tempe, un estrecho paso entre el mar y el Olimpo donde una fuerza reducida podría detener a otra muy superior. Pero los tesalios también les habían fallado, el pequeño ejército de avanzada se había tenido que retirar y el prestigio de Temístocles había sufrido cierto menoscabo. Lo que era peor, había tenido que tachar de su lista a los tres mil jinetes tesalios, la única caballería digna de tal nombre que existía en Grecia y que probablemente se uniría a las fuerzas del invasor.

Y ahora, viendo los gestos culpables de algunos embajadores, mucho se temía que iba a tachar más nombres y cifras de su lista.

Se habían reunido a pocos kilómetros de Corinto, junto al templo de Poseidón. Al fundar la Alianza, se había decidido que aquél era el lugar más apropiado para celebrar los consejos. Se trataba de un santuario panhelénico en el que atletas de toda Grecia se reunían cada dos años para competir en los Juegos Ístmicos, y además estaba bien situado, en el cruce entre el Peloponeso y la Grecia central. Allí, en un edificio circular aledaño al gran templo, se encontraban ahora los representantes de las ciudades que se habían juramentado para no rendirse ante los persas.

Aparte de Atenas y los remisos tebanos, la mayoría de los miembros de la Alianza eran ciudades del Peloponeso, al sur del Istmo. Eso explicaba que fueran reacios a alejarse de su tierra para enfrentarse a los persas en el norte de Grecia. Precisamente la táctica que Temístocles había sugerido desde el principio para mantener a los persas lo más apartados posible de Atenas y salvar su ciudad.

Ahora que la opción de Tesalia había fracasado, sólo se le ocurría otra que ya había debatido en privado con Leónidas. Sin embargo, aún no era momento de discutir de estrategia con los consejeros de la Alianza. Primero debían saber si todos los que estaban allí seguían siendo fieles a ella o si sus ánimos flaqueaban. El Gran Rey ya estaba en Europa, acercándose a Macedonia, si es que no había entrado en ella. Su presencia se cernía sobre la Hélade como una enorme nube, un ominoso yunque negro que flotaba sobre el horizonte norte, y el Espanto y el Terror, los hijos del dios de la guerra, eran los heraldos de su llegada. Un terror que encogía los corazones y hacía temblar las piernas y soltar los escudos.

Muchos pesimistas recordaban el destino de Mileto, la ciudad más próspera de Jonia, la ciudad del gran sabio Tales y su discípulo Anaximandro, que había sido arrasada y esclavizada. Lo mismo que le había sucedido a Eretria, como podía atestiguar su representante en la Alianza. Los escasos supervivientes se habían refugiado en las montañas para reinstalarse después entre las ruinas, y ahora tan sólo podían aportar a la Alianza un puñado de barcos destartalados y poco más de doscientos hoplitas.

Otros traían a colación la drástica decisión que habían tomado los habitantes de la ciudad jonia de Focea cuando los persas iban a conquistarla. Antes de que asaltaran su muralla, tomaron a sus mujeres y a sus hijos, cargaron en sus naves todos los bienes que podían transportar, evacuaron la ciudad y se dirigieron al oeste. Tras un épico viaje de miles de kilómetros, se habían instalado en la boscosa isla de Córcega. *«Los focenses fueron sabios»*, decían esos agoreros. *«No hay victoria posible contra el Rey de Reyes.»*

Tal vez no había que olvidar el ejemplo de Focea, pensó Temístocles. Si la situación se torcía mucho, quizá la gran flota que se estaba terminando de construir en los arsenales del Pireo acabase siendo no de combate, sino de evacuación. Él mismo conocía buenos lugares en Italia y sus islas donde los atenienses podrían sembrar colonias.

No, se dijo cerrando los puños y clavándose en las palmas las mismas uñas que los persas le habían arrancado. Le había dicho a Jerjes a la cara que iba a detenerlo. Ni la rendición ni la huida eran opciones posibles. Él, el hijo de Neocles, no iba a consentir que los persas incendiaran Atenas como habían hecho con Eretria.

Mientras se hacía el propósito de no dar un paso atrás, el enviado de los cretenses tomó la palabra.

—El oráculo de Delfos nos ha dicho que no debemos participar —dijo.

La primera rata en abandonar la sentina, pensó Temístocles.

La reunión la presidía Leónidas. En los diez años que habían pasado desde Maratón no había cambiado demasiado. Tal vez tenía los hombros algo más caídos, aunque no menos macizos, y se veían más hebras blancas en su cabello y en su barba. Si había alguien, aparte de Temístocles, que había dejado bien claro que jamás se rendiría a los persas ni se arrodillaría ante Jerjes, ése era Leónidas.

El problema era que en Esparta había otro rey, y un colegio de cinco éforos que los controlaba a ambos. Aunque llevase corona, Leónidas no tenía el poder de decisión de Jerjes.

—¿Puedo preguntarte la razón? —preguntó Leónidas al cretense, levantándose de la grada donde estaba sentado y acercándose a él.

El embajador retrocedió un paso, pero no se dejó intimidar.

—El oráculo se nos ha otorgado sólo a nosotros, pero, a pesar de todo, te diré el motivo que nos ha dado el dios. Ya os apoyamos en el pasado, cuando vuestro rey Menelao nos pidió que le ayudáramos a recuperar a su esposa Helena, y ¿qué provecho sacamos nosotros de la guerra contra Troya? ¡Ninguno! Así que Apolo nos recomienda que nos metamos en los asuntos de nuestra isla y nos abstengamos de participar en más campañas con los demás griegos. Os deseo buena suerte en vuestra guerra —añadió dirigiéndose a todos—. Pero, si seguís mi consejo, entregad el agua y la tierra. El yugo persa puede ser duro, pero es preferible a la muerte.

El cretense se marchó sin esperar respuesta. Tal vez a él mismo le resultaba tan poco convincente el argumento de una guerra librada setecientos años antes, que le daba vergüenza defenderlo.

Temístocles tachó con pena los cuarenta barcos y los tres mil arqueros. Éstos, los más afamados de Grecia, habrían sido muy útiles para contrarrestar a los persas. Pero el miedo era libre, y los cretenses no hacían más que seguir el dictado de una cancioncilla que corría por todas las ciudades griegas y que atribuían a Teognis: *Bebamos y propiciemos a los dioses con nuestras libaciones, hagamos chistes y no pensemos en la guerra de los persas. Es mejor vivir en el placer, con corazón alegre y sin temor a las funestas Keres.*

—Antes de seguir —dijo Leónidas, poniendo los brazos en jarras—, quiero saber si alguien más va a echarse atrás.

Nadie contestó todavía.

Había allí cerca de cien personas entre embajadores, magistrados diversos, asistentes y escribas que debían tomar nota de las decisiones adoptadas. Aquel aledaño del templo era pequeño y de techo bajo, y aunque acababa de amanecer y tenían las puertas abiertas ya empezaba a hacer calor ahí dentro. Temístocles, sentado en primera fila, apoyó las palmas de las manos en las rodillas y procuró no moverse para no romper a sudar.

A su izquierda estaba Cimón, invitado por ser el hijo de Milcíades, a quien todo el mundo consideraba oficialmente el vencedor de Maratón. A su derecha se sentaban otros dos generales, Leócrates y Andrónico. Se había acordado que no intervinieran: ya que Atenas contaba con un solo voto en el consejo de la Alianza, debía hablar también con una sola voz. Por ese motivo, la asamblea del pueblo había aprobado un decreto extraordinario mediante el cual se nombraba a Temístocles general autocrátor durante lo que quedaba de año. Eso le daba derecho a presidir la junta de generales, a tomar la palabra el primero ante la asamblea y el consejo, y a hablar y negociar en nombre de Atenas ante la Alianza Helénica.

Por supuesto, Temístocles no había cometido la torpeza de presentar él mismo la moción. En su lugar lo había hecho Arifrón, el joven eupátrida que se había acobardado antes de la batalla de Maratón y luego, durante ella, se había comportado con extraordinaria bravura. Desde entonces, era un ferviente partidario de Temístocles, y bastó una sugerencia de éste para que presentara el decreto como si fuera iniciativa suya. Eso le había ganado a Temístocles unos cuantos votos más entre los nobles, lo que, sumado a los que de por sí tenía entre el pueblo, lo había convertido, no sólo de hecho, sino también por ley, en el primer ciudadano. Su voz era ahora la voz de Atenas, y en su mano estaba su voto.

Leónidas se volvió hacia el enviado de Siracusa, la ciudad más importante de Sicilia. Como para demostrar a los demás que la reputación de prosperidad de la isla no era inmerecida, el embajador traía una túnica de finísimo lino, un manto de la mejor lana con ribetes de púrpura, gruesas ajorcas y collares de oro, y anillos con gemas de colores en todos sus dedos.

—¿Qué nos dicen los siracusanos? —dijo Leónidas—. ¿Vosotros también nos traéis malas noticias?

—No tienen por qué serlas si eres razonable, rey Leónidas —contestó el embajador, en un dialecto dorio muy similar al del espartano—. La oferta de mi señor el rey Gelón sigue en pie.

—El *tirano* Gelón —susurró Cimón.

—Fingiremos creer que es un rey legítimo —respondió Temístocles.

Mientras, Leónidas estaba respondiendo al siciliano.

—La Alianza no le va a entregar el mando de las operaciones a Gelón, si es a lo que te refieres. Aquí no hemos venido a hacer cambalaches, sino a deliberar la mejor forma de vencer a Jerjes.

—Teniendo en cuenta que mi rey os enviaría tantas naves como Atenas asegura tener y el doble de hoplitas que tiene vuestra ciudad, es justo que...

—*Esparta* jamás le dará el mando a Gelón. ¿Está lo bastante claro así?

En privado, Leónidas podía ser un hombre amistoso y paciente. Pero cuando le salía la vena lacedemonia podía mostrarse cortante y tosco como un machete, y si alguien lo sacaba de quicio con argumentos enrevesados acababa citando el refrán espartano: *¿Para qué vamos a discutirlo cuando lo podemos arreglar a puñetazos?*

Temístocles suspiró. Él tampoco tenía ningún interés en estar a las órdenes del tirano siciliano. Según lo que contaban de Gelón, era un personaje no mucho menos megalómano que Jerjes. Pero tachar de su lista doscientos barcos y veinte mil hoplitas no resultaba demasiado alentador.

Entre los demás asistentes debían pensar lo mismo que él, a juzgar por las miradas preocupadas que cruzaron entre ellos. Pero la mayoría representaban a pueblos del Peloponeso que, voluntariamente o por la fuerza, estaban aliados con Esparta desde hacía generaciones y no se atrevían a contradecirla.

Sólo había una ciudad en el Peloponeso que mantenía su independencia de Esparta, y era fácil apreciarlo comprobando la actitud de su embajador. El representante de Argos estaba cruzado de brazos, con la barbilla levantada y el labio superior casi enterrado bajo el inferior. Tras escuchar las palabras de Leónidas, se levantó y abrió los brazos y la boca, pero no por ello bajó la barbilla.

—El orgullo de Esparta os perderá a todos —dijo—. Su empeño en mandar ellos y sólo ellos sobre las tropas de la Alianza es absurdo. Es mucho mejor para todos que haya un mando compartido.

Hubo algunas voces, tímidas y escasas, de apoyo al embajador argivo.

—En la guerra debe haber una sola cabeza. Es mejor el error de uno solo que el posible acierto de muchos —respondió Leónidas—. Los espartanos lo sabemos bien, y por eso mi colega Latíquidas se ha quedado en la ciudad dejando en mis manos el gobierno de esta guerra.

Si luego respaldara las decisiones que tomes aquí, estaría bien, pensó Temístocles. Pero no confiaba en ello. Por lo poco que conocía a Latíquidas, estaba claro que tenía más experiencia en los tejemanejes políticos que Leónidas. Seguro que ahora mismo estaba llevando a cabo sus propias maniobras en Esparta. Sólo había que pensar en cómo había intrigado para que el oráculo de Delfos dictaminase que su antecesor en el cargo, Damarato, era hijo ilegítimo y, por tanto, no podía seguir siendo rey. Ahora Damarato, como tantos otros desterrados y resentidos, formaba parte de la corte de Jerjes. El escándalo se había descubierto un tiempo después y la Pitia implicada había sido expulsada del santuario de Delfos.

Pero el caso era que Latíquidas se había convertido en rey. Cosa que a Temístocles no le hacía la menor gracia. Por su amigo Pausanias, sabía que Latíquidas había dicho durante un banquete: *«En el fondo, la guerra contra Persia nos viene bien. Lo mejor que nos puede pasar es que Jerjes destruya Atenas, que es un cáncer para toda Grecia. Seguro que después se aburre y vuelve a su país. ¿Para qué le interesa el Peloponeso?»*

—Ya que a Leónidas le gusta hablar claro, yo también lo haré —dijo el embajador argivo—. Si queréis la ayuda del poderoso ejército de Argos, tendréis que concedernos la mitad del mando del ejército de tierra.

El representante de Corinto, Adimanto, un hombre calvo, de mejillas chupadas, mirada de zorro y lengua de víbora, soltó una carcajada.

—¡El poderoso ejército de Argos! ¿Cómo podéis pedir el mando cuando aún no os habéis recuperado de la paliza que os dieron los espartanos hace doce años? Dad gracias de que os hayamos pedido que participéis en esta empresa con los demás. ¡El poderoso ejército de Argos! ¡Ja!

—¡No consentiré que se ofenda a la legítima soberana de

todo el Peloponeso! —exclamó el argivo, señalando a Adimanto con un gesto tan brusco que se le resbaló el manto al suelo.

—Los tiempos de Agamenón han pasado, amigo —respondió el corintio—. ¡Ya no asustáis ni a las cabras que os tiráis en el campo!

Algunos reprocharon a Adimanto su grosería, pero fueron más los que soltaron la carcajada. Rojo de furia, el embajador de Argos recogió su manto con un floreo, lanzó una maldición con el pulgar contra el corintio y se retiró, seguido de sus dos acompañantes. El representante de Sicilia aprovechó ese momento para marcharse también.

El siguiente tachón de su lista fue Corcira. La isla, situada frente a las costas de Italia, había prometido contribuir con una flota de sesenta trirremes, un contingente nada despreciable. Pero ahora Leónidas informó a la Alianza de lo que les había revelado un mensajero:

—La flota de Corcira está anclada al sur del Peloponeso y no tiene la menor intención de pasar de allí.

—¿A qué están esperando, si puede saberse? —preguntó Adimanto, con voz llena de rencor. Corcira era una colonia de Corinto que había crecido mucho y se negaba a aceptar las órdenes de su antigua metrópolis.

—Según ellos, a que amainen los etesios —respondió Leónidas, refiriéndose a los vientos que soplaban del norte durante casi todo el verano.

—¡Valiente excusa! Ni que habláramos del Bóreas. ¿Es que sus naves no tienen remos para navegar contra esa brizna de aire?

—De todas formas, daría igual —dijo Leónidas, encogiéndose de hombros—. Por lo que informó ese mensajero, allí no había sesenta naves ancladas, sino diez como mucho. No —añadió, volviéndose a Temístocles—. Estamos prácticamente solos en esto. Atenas y nosotros, la Liga del Peloponeso.

—¿Es que nosotros no contamos? —preguntó el representante de Tebas, un anciano de largos cabellos blancos.

—Perdóname, ilustre Eurímaco. —Leónidas agachó la barbilla pidiendo disculpas, pero fue un gesto de apenas medio segundo.

Temístocles repasó mentalmente su lista. Ya eran trescientos veinte barcos y cuarenta mil hoplitas menos de los que había previsto en sus cálculos más optimistas. Sospechaba, además, que no tardarían en producirse nuevas defecciones conforme el ejército de Jerjes se acercase a la Grecia central. Sí, ahora el embajador de Tebas estaba allí haciendo el papel de virgen ofendida, pero todos se temían que los oligarcas que dominaban su ciudad se pasarían al otro bando en cuanto vieran asomar por el horizonte la primera mitra persa.

Si se descuida, pensó Temístocles, *Jerjes va a ganar esta guerra sin tener que librar una sola batalla.* En todo ello sospechaba más la mano de Mardonio, un militar realista que prefería recurrir a la diplomacia y al dinero cuando era posible, que del propio Jerjes. Agentes más o menos encubiertos recorrían Grecia desde hacía años, sembrando a la vez el temor y la esperanza. Lo primero lo conseguían gracias a truculentas historias sobre torturas orientales —que el propio Temístocles habría podido atestiguar— y a las informaciones sobre la magnitud de un ejército que secaba ríos y agostaba campos a su paso. En cuanto a la esperanza, tal vez más insidiosa, la propagaban diciendo que aquellos que se sometían a Jerjes no vivían tan mal; que, por las buenas, los persas eran unos amos tolerantes; que su gobierno traería más beneficios que perjuicios y que gracias a él Grecia estaría por fin unida, aunque fuera bajo el estandarte alado del Gran Rey.

—Qué decepción se llevaría Jerjes si viera esto —susurró.

—¿Por qué lo dices? —le preguntó Cimón.

—Por nada.

Temístocles se arrepintió de haber hablado. Nadie aparte de Sicino sabía que había estado en presencia del Gran Rey, y prefería que siguiera siendo así. El joven puso gesto ofendido, como hacía siempre que no conseguía una respuesta suya, y se calló. *Aún no es tiempo de que lo sepas todo, cachorro de león,* pensó Temístocles. *El día en que sepas tanto como yo me querrás jubilar.*

Una vez que aquellos que ya no creían en la Alianza la abandonaron, había llegado el momento de renovar el pacto. Tras sacrificar un cabrito negro y verter su sangre en el suelo, todos los presentes juraron por los poderes del cielo, la tierra y las aguas y derramaron unas gotas de vino en el suelo.

—¡No rendiremos jamás nuestra libertad a Jerjes! —rugió Leónidas.

—¡Jamás! —contestaron los demás.

—¡Le haremos pagar con sangre cada palmo de tierra que conquiste!

—¡Con sangre!

—¡Todos aquellos pueblos que se han rendido a los persas serán nuestros enemigos, y cuando los derrotemos consagraremos al dios de Delfos la décima parte de todos sus bienes!

—¡Así lo juramos!

Después de tan recias palabras, los miembros de la Alianza apuraron el vino de sus cálices. Temístocles pensó que todo aquello no dejaba de ser una baladronada. Él se conformaba con derrotar a los persas, y a cambio de eso, les perdonaría gustoso aquel diezmo a los entreguistas. Pero cuando uno se enfrentaba a un enemigo tan superior, hacían falta baladronadas como aquéllas para encender la sangre.

Dejando aparte que le parecía una promesa demasiado generosa para el oráculo de Delfos, que no hacía más que desmoralizar a todas las ciudades de Grecia con sus agoreras predicciones. En ese mismo momento, los enviados atenienses debían de estar de regreso con la respuesta del oráculo, y Temístocles no esperaba que fuese demasiado optimista.

Después de tratar ciertos asuntos organizativos, Leónidas anunció un breve descanso. Temístocles salió aliviado del edificio y respiró el aire del exterior. Hacía calor y ya empezaba a sonar el metálico canto de la chicharra, pero, al menos, soplaba la brisa del mar. El templo de Poseidón se hallaba en la parte oriental del Istmo, la que se asomaba al Egeo, a poco más de un kilómetro de la explanada del santuario. Había amanecido un día calinoso, y el horizonte del mar se fundía con el cielo en una vaga y sucia línea blanquecina en la que no se llegaba a distinguir la lejana silueta de la isla de Egina.

—No estés tan preocupado, amigo.

Temístocles se volvió. Era Leónidas.

—¿Por qué dices eso?

—He visto cómo sacabas esa tablilla de cera donde llevas tu lista y te dedicabas a borrar.

—Cada vez somos menos, Leónidas. Y no son tropas ni barcos lo que nos sobra.

—Yo prefiero tener a los enemigos enfrente que a mi espalda. Por lo menos, por delante tengo mi escudo.

Temístocles observó que Cimón se había acercado unos pasos a ellos, con gesto encontradizo. Decidió hacerle un favor y le indicó con un gesto que se aproximara.

—Leónidas, te presento a Cimón, hijo de Milcíades.

El rey de Esparta sonrió al ver las trenzas y la barba de Cimón. Después le apretó el bíceps, y el joven lo contrajo por reflejo. Podía lucir un brazo más que respetable, con músculos más torneados que los de su padre, aunque Temístocles dudaba que tuviera tanta fuerza como él.

—Serías un buen espartano, Cimón. No sólo las aguas del Eurotas abrevan buenos guerreros, por lo que veo.

—Agradezco tus palabras, Leónidas, pero no creo merecerlas.

—No conocí a tu padre, pero sé que era un gran hombre. Ahora estás con otro —añadió, apretando el hombro de Temístocles—. Aprovecha y procura aprender de él.

Cimón agachó la cabeza con modestia, como habría hecho un joven espartano, y no dijo nada.

—Hay algo más que debo decirte, Temístocles —añadió Leónidas.

Cimón hizo ademán de irse, pero Temístocles lo retuvo agarrándolo del brazo. Pensó que con ese gesto hacía una apuesta para el futuro, ignorando los quebraderos de cabeza que le iba a traer en el presente más inmediato.

—Cimón es de confianza, Leónidas. Puedes hablar delante de él.

El rey de Esparta carraspeó.

—Como verás, se ha discutido mucho sobre el mando supremo, y eso nos ha costado dos posibles aliados. Aunque yo jamás habría contado con Argos. —El odio entre Esparta y Argos venía de siglos, así que era comprensible. Temístocles asintió y animó a Leónidas a seguir—. ¿Ves a ese hombre de ahí, el que está al lado de los dos éforos?

Temístocles siguió la dirección que le marcaba la barbilla del rey. Los magistrados espartanos estaban conversando con un hombre alto y delgado al que le faltaba la mano izquierda, pero que gesticulaba de forma muy expresiva con el muñón. Debía tener cincuenta años, tal vez más.

—Es Euribíades, un primo de Latíquidas. De una de las familias más ilustres de Esparta. Sus ancestros se remontan a Jasón, y dice que lleva la sal del mar en la sangre.

—Sigue —dijo Temístocles, que empezaba a sospechar.

—Por eso el consejo de ancianos de Esparta ha decidido que es el más adecuado para mandar la flota de la Alianza.

Temístocles enarcó una ceja.

—¿Cuántos barcos pone Esparta?

—Diez. Lo sabes mejor que yo.

—Diez trirremes, mi querido Leónidas. Por cada barco vuestro, nosotros tenemos veinte. ¿No te parece que la pretensión de vuestro consejo es poco razonable, aunque sólo sea por aritmética?

—Lo sé, lo sé. —Leónidas hizo un gesto apaciguador con ambas manos—. Sólo quería avisarte. Lo mejor es obviar de momento el asunto de quién debe gobernar la flota. Sólo se hablará del mando supremo de Esparta, sin especificar más.

—Eso me parece bien —dijo Temístocles, volviéndose un momento hacia Cimón. La cara del joven era una esfinge.

—Lo que importa ahora es convencer a los aliados de nuestra estrategia —prosiguió Leónidas—. Luego, cuando tú partas al norte con la flota y yo con la infantería, Euribíades tendrá pocos apoyos y aún menos argumentos para disputarte el mando. Pero procura no sacar a colación el asunto ahora.

—De acuerdo.

—Y otra cosa —añadió Leónidas, apretando el hombro de Temístocles—. Es mejor que me dejes a mí el protagonismo, amigo. Cuanto menos llames la atención sobre ti, menos se acordarán mis compatriotas de la cuestión del mando.

Con estas palabras, el rey dio por terminada la conversación y se dirigió al santuario para reanudar la sesión. Temístocles soltó una carcajada y se volvió hacia Cimón.

—¡Y yo que pensaba que Leónidas era poco político! ¿Qué te ha parecido, Cimón?

—Un hombre interesante. —Cimón se quedó unos segundos pensativo. Después sonrió, un gesto que le rejuvenecía mucho—. No te ofendas, Temístocles, pero me encantaría acompañarlo a la guerra en vez de ir con la flota.

—Es posible que puedas hacerlo. Necesitaré un hombre de enlace entre los dos escenarios. Tal vez veas a tus amados espartanos en acción. Venga —añadió, rodeando los hombros de Cimón—. La reunión no ha terminado.

Quedaba hablar de estrategia. Temístocles tenía previsto exponer los planes, pero después de la conversación con Leónidas prefirió limitarse a presentar los hechos y cederle luego la palabra. Sicino, de quien nadie allí salvo Cimón sabía su verdadero origen, entró al santuario cargado con una especie de escudo gigante, tan grande que incluso a él le costaba abarcarlo con ambos brazos. El persa lo depositó en el suelo con un sonoro gong y lo apoyó en una pilastra de modo que todos pudieran verlo. Después retiró el lienzo que lo cubría y salió del recinto.

Para Temístocles estaba claro lo que representaban las sinuosas líneas grabadas en aquel gran disco de bronce. Pero muchos de los asistentes se adelantaron en sus asientos para ver mejor, con gestos de no entender lo que tenían ante sus ojos. Se trataba de un *períodos*, un contorno de las costas de Grecia y Asia Menor. Era copia de un original en papiro de Hecateo de Mileto, el mismo geógrafo que había dibujado muchos años antes un mapa de toda la tierra. Temístocles poseía otra copia de éste, pero no se le habría ocurrido traerlo a la reunión, pues en ese mapa universal resultaba lastimosamente evidente la pequeñez de Grecia comparada con el Imperio Persa.

—Esta línea quebrada es la costa —explicó ahora Temístocles, señalando con el dedo el litoral de Tesalia—. Lo que está a la izquierda es Grecia, y lo que está a la derecha, el mar —añadió, aunque había ordenado al broncista que grabara peces y delfines en aquella zona para dejar claro que se trataba de agua.

Hubo murmullos de asentimiento, aunque los más ancianos, fuera por la edad o por miopía, no parecían tan convencidos. Temístocles señaló ahora el estrecho de los Dardanelos, entre Asia y Europa.

—Aquí, entre Sesto y Abido, es donde Jerjes hizo tender el puente de barcos. Según informes que parecen veraces, lo atravesó ya hace un mes.

—¿Es verdad que sus tropas estuvieron cruzándolo siete días? —preguntó el representante de Epidauro.

—Me temo que sí.

Ahora el rumor fue de consternación. Temístocles dejó que los consejeros hicieran sus cálculos. Por supuesto, los demás estaban presuponiendo que el ejército de Jerjes había estado cruzando el puente esos siete días con sus noches, como un interminable río humano. Pero eso era imposible. Aunque no había vuelto a visitarla desde hacía muchos años, Temístocles conocía bien aquella zona. Dada la escasez de agua potable y la estrechez de los caminos, era imposible que toda la *Spada* marchase a la vez. Por lo que le habían contado los mercaderes de trigo que viajaban a Egina y a los que habían permitido pasar bajo las secciones desmontables del puente, Jerjes había dividido su ejército en siete cuerpos. Cada uno de ellos había cruzado el puente por separado, en turnos de ocho horas al día, para dejar agua y espacio material al siguiente grupo. Esos siete cuerpos, calculaba Temístocles, formaban en marcha una inmensa serpiente de ciento cincuenta kilómetros de longitud, pero con grandes huecos entre sus secciones. El dato de los siete días y las siete columnas de marcha corroboraba sus cálculos: Jerjes traía entre ciento veinte y ciento cuarenta mil soldados, más todo el séquito de acompañantes. Y la flota aparte, claro.

Era una cifra como para poner los pelos de punta, pero los consejeros de la Alianza ya estaban hablando de millones. Al fin y al cabo, pensó Temístocles, los griegos no acostumbraban manejar grandes cifras, y no era casualidad que para ellos *myrioi,* el número diez mil, significara también «innumerables».

No se molestó en sacarlos de su error. Cuanto más invencible creyeran que era el ejército de Jerjes, más fácil sería que se decantaran por una estrategia de contención en tierra y ofensiva en el mar.

—Ahora —dijo—, le cedo la palabra a Leónidas, nuestro jefe supremo.

Se retiró tras saludar con una inclinación de cabeza al rey espartano y volvió a sentarse junto a Cimón. En una reunión anterior, Temístocles había dibujado una versión en miniatura de ese mapa sobre una tabla de arcilla para enseñársela a Leónidas, así que esperaba que ahora se las arreglase. El rey, en efecto, señaló directamente el triángulo que representaba el monte Olimpo.

—La primera idea fue contener a los persas aquí, entre la montaña y el mar. Pero no era un buen lugar por razones políticas y porque no ofrecía un buen campo de batalla para nuestra flota.

—¡Qué obsesión con la flota! ¡Somos hoplitas! —exclamó el representante de Tegea. Temístocles pensó que probablemente no había visto el mar en su vida, o al menos hasta esa reunión. Hubo varios representantes de ciudades del interior que jalearon sus palabras, pero Leónidas los acalló levantando la mano.

—Jerjes ha decidido una invasión por tierra y por mar. Nuestra defensa también debe ser anfibia. Si detenemos a los persas al pie del Olimpo, pero ellos desembarcan cincuenta mil hombres más al sur y nos atacan por la espalda, no nos servirá de nada —argumentó Leónidas, señalando todas las maniobras en el mapa.

Nuevos murmullos de asentimiento.

—Ha sido buena idea traer el escudo de bronce —dijo Cimón al oído de Temístocles—. Así todos lo entienden mejor.

—¿Qué te creías, que alguna vez doy puntada sin hilo?

Al ver un gesto fugaz de desagrado en el rostro de Cimón, Temístocles se arrepintió al momento de sus palabras. Jactancia, vanidad. ¿Por qué?

Tú lo sabes de sobra, se dijo. *Estás resentido porque te gustaría estar ahí, explicando a todos los griegos la estrategia que has diseñado. Pero no tienes más remedio que permitir que lo haga otro y dejar que te vuelvan a robar el mérito, como en Maratón.*

—Por eso —continuó Leónidas—, después de mucho pensar hemos decidido proponeros esto.

Su dedo señaló el extremo noroeste de la isla de Eubea, que parecía clavarse como un espolón en el continente. Allí, en el recodo del golfo de Malea, había un nombre grabado. *Thermopylai,* las Puertas Calientes.

—Para quienes no habéis estado ahí nunca, como es mi propio caso, os diré lo que me explicó el general Evéneto. Las Termópilas son un paso muy estrecho, con quince metros en su punto más angosto, y, además, están guarnecidos por un viejo muro. A la derecha está el mar y a la izquierda se levanta una montaña de mil metros. Es un cuello de jarrón en el que a los persas no les servirá de nada su número y se quedarán atrancados contra nuestros escudos. —Ahora su dedo señaló un poco más a la derecha, en la propia costa de Eubea, donde un aspa marcaba la posición del cabo Artemisio—. La flota de la Alianza anclará aquí. De ese modo, interceptarán a las naves persas. Da igual que quieran dirigirse al oeste y reunirse con su ejército de tierra como que se les ocurra rodear la isla de Eubea por el este. No pasarán.

Lo segundo era poco recomendable, pensó Temístocles. La costa oriental de Eubea era muy escarpada, sin apenas puertos naturales, y se veía azotada por un viento constante que empujaba a los barcos contra los acantilados. Sin duda quien mandara la flota de Jerjes preferiría evitarla y virar hacia el oeste para seguir en contacto con las tropas de tierra. Además, a esas alturas, los persas se encontrarían ya en territorio enemigo. Por ahora, podían confiar en los depósitos de víveres que habían instalado meses antes en Tracia y en Macedonia. Pero al entrar en Grecia tendrían que vivir del terreno, y para un ejército tan numeroso eso no sería suficiente. Necesitarían los barcos de transporte de la flota como convoy permanente para traerles provisiones desde el norte.

Mientras Leónidas seguía dando razones y contestando preguntas, Temístocles albergaba cada vez más dudas, aunque el plan lo había concebido él.

Sí, las Termópilas eran una gran posición defensiva. Él mismo había pasado por allí dos veces, al ir a Tesalia y al volver, y las alturas del Calídromo le habían parecido una posición inexpugnable para defender el ala izquierda. Seguramente existían otros pasos por la montaña que harían posible flanquear al ejército defensor y aparecer por su retaguardia, pero, por lo que le habían contado los naturales del lugar, era posible defenderlos con contingentes relativamente pequeños. Un ejército de entre quince y veinte mil hombres podía hacerse fuerte allí durante mucho tiempo, y Jerjes empezaría pronto a tener problemas si su flota no podía llevarle suministros.

El problema estaba en Artemisio, donde tenían que detener a esa flota. A Temístocles no le salían las cuentas. Si conseguían terminar a tiempo los cincuenta trirremes que había en los astilleros del Pireo, podrían enfrentarse a los persas con unas trescientas cincuenta naves. Pero, según los informes, el Gran Rey tenía al menos seiscientos trirremes de primera, naves fenicias, egipcias, chipriotas y jonias con tripulaciones veteranas. Con toda seguridad, mejor adiestradas que las suyas. ¿Cómo iban a detener a una flota que gozaba de superioridad numérica y técnica, cuando, además, en Artemisio había cerca de catorce kilómetros de mar abierto?

Ah, cuánto hubiera dado por tener allí al norte unos estrechos como los de Salamina, que conocía como la palma de su mano. El problema era que el ejército y la flota de Jerjes eran tan numerosos que si dejaban pasar tan sólo a uno de ellos, podía rodearlos y atacarlos desde el sur. Tenían que detenerlos a la vez. La única zona donde coincidían cerca dos cuellos de jarrón, como los había llamado Leónidas, era Termópilas y Artemisio.

Y allí tendrían que combatir, pues ésa fue la decisión de la Alianza. Temístocles estudió los rostros que lo rodeaban. La mayoría de los representantes del Peloponeso habían manifestado desde hacía tiempo que preferían fortificar el Istmo, donde se hallaban reunidos en aquel momento, y aguardar a los persas allí con la esperanza de que Jerjes se contentara con arrasar Atenas. Pero cuando Leónidas les pidió el voto, levantaron las manos obedeciendo a Esparta, aunque fuese de mala gana.

—Hemos logrado salvar Atenas —dijo Cimón.

—De momento —respondió Temístocles.

Habían decidido dónde establecer su posición defensiva. Pero si ésta caía, ¿adónde se retirarían? Temístocles sabía que necesitaban un segundo plan por si fallaba el primero. El problema era que casi ni se atrevía a pensarlo. Recurrir a un segundo plan significaría que Jerjes tenía libre el camino hasta Atenas, y la destrucción de la ciudad.

Mégara y Delfos, 18-22 de julio

Cuando Fidípides les salió al paso para contarles el oráculo que Apolo había ofrecido a la ciudad, la comitiva ateniense se acercaba ya a Mégara y tenía a la vista la costa occidental de Salamina. Como llevaban haciendo desde varios días atrás, Epicides y Mnesífilo, que habían acompañado a la legación, discutían acalorados en la carreta que los llevaba a ambos. Lo curioso era que, pese a que acababan maldiciendo y renegando el uno del otro, pasado un rato volvían a buscarse para discutir de nuevo.

A Epicides le gustaba la polémica, y siempre la encontraba. La única persona con la que siempre estaba de acuerdo era él mismo. Temístocles llevaba años utilizándolo como ariete contra la nobleza, pues con sus iracundas soflamas conseguía incendiar los corazones del pueblo. Mnesífilo, menos fino en sus metáforas, decía:

—¿Epicides, tu ariete? No me seas tan sublime, Temístocles. Ese hombre es un vulgar mamporrero.

Ariete o mamporrero, lo cierto era que Epicides había resucitado de forma muy oportuna el decreto del ostracismo gracias al que Temístocles había conseguido despejar la palestra política de rivales. También era el promotor del decreto para que se recortaran aún más los poderes de los arcontes, que desde hacía unos años ya no se elegían por votación, sino por sorteo.

Pero, a veces, había que pararle los pies. Por ejemplo, cuando propuso repartir los ingresos del Laurión entre todos los ciudadanos. Temístocles tuvo que hablar durante más de una hora para convencer a la asamblea de que era mejor gastar ese superávit en una flota. Su última ocurrencia, la más descabellada, la había tenido apenas unos meses antes. Convencido de que, en contra de lo que opinaban los nobles, cualquier ciudadano era apto para desempeñar cualquier puesto, Epicides quería presentar una moción para que incluso los diez generales se seleccionaran recurriendo a las habas que utilizaban para los sorteos. A tan peregrina propuesta añadía la de que quien hubiese desempeñado el generalato un año no pudiese repetir nunca más.

Temístocles había tenido que llamarlo a su casa del Pireo, donde le dijo:

—Epicides, Epicides. Con las cosas de comer no se juega.

—Pero ¿no habíamos quedado en que hay que darle el poder al pueblo? —respondió él—. No existe otro cargo más importante que el de general, ¿y tú pretendes que siga estando para siempre en manos de los nobles?

—Por ahora, pretendo que siga estando en *mis* manos. Y cuando yo no esté, mi intención es que los atenienses sigan eligiendo a los mejores para ese puesto.

—No existen mejores ni peores. ¡Ésa es una idea aristocrática que debe ser erradicada!

—Ésa es la puñetera verdad, Epicides —respondió Temístocles, a punto de perder la paciencia—. No estamos hablando de presidir reuniones, proteger a viudas y húerfanas, cobrar multas en el Ágora o dar el nombre al año. Estamos hablando de mandar a miles de hombres y de combatir por la supervivencia de la ciudad. Y ahí no queremos ineptos. ¡Bastante malo es que elijamos diez generales en lugar de uno solo!

—Me decepcionas, Temístocles. Estás anclado en el pasado.

—Tal vez. Pero mientras los persas estén en Europa, te ruego que dejes tu revolución para más tarde.

—¡Te aseguro que cuando llegue ese día, cortaré las cabezas de todos los nobles corruptos y devoradores de sobornos!

Era una cita casi textual de Hesíodo. A Epicides le encantaba citarlo, pues lo consideraba el autor antiaristocrático por excelencia.

En cambio, si había un personaje de la historia de Atenas al que odiaba era Solón. Ahora, mientras se bamboleaban sobre la carreta, Mnesífilo le preguntó la razón de tanta inquina.

—Sus normas evitaron una guerra civil en Atenas —respondió Epicides.

—Pues precisamente ése es su mérito —alegó Mnesífilo.

—¿Eso crees tú? Un buen baño de sangre es lo que habría hecho falta en aquel tiempo, y nos habríamos ahorrado muchos males. Pero Solón intentó templar flautas entre unos y otros y no contentó a nadie. Por culpa de sus leyes, el pueblo se cree que tiene alguna mano en el gobierno y se conforma con las migajas que les tiran los de siempre.

—Solón abolió la esclavitud por deudas, y además compró la libertad de los ciudadanos pobres a los que ya habían vendido fuera de la ciudad. ¿Es que también te parece mal eso, pedazo de adobe? —preguntó Mnesífilo, levantando la voz. Era un hombre tranquilo hasta que le mentaban a su bisabuelo.

—¡Peor que mal! Lo único que hizo fue poner paños calientes. Lo mejor cuando hay un forúnculo es dejar que empeore y que engorde hasta que al fin revienta y sale todo el pus. Eso es lo que tenía que haber pasado con Atenas.

—Me imagino que, según tu clarividente metáfora, los aristócratas son el pus.

—¡Exactamente!

Temístocles, que iba a caballo, se volvió a un lado para mirar cómo ambos discutían sobre la carreta.

—Epicides, te recuerdo que aunque Mnesífilo vista siempre el mismo manto, también es un eupátrida. —Disfrutaba azuzando a aquellos dos. Ya que Mnesífilo se comportaba con él como un tábano, no le venía mal tener su propia avispa pinchándole el trasero.

—¡Viene alguien! —avisó Cimón.

Era Fidípides, inconfundible por el estilo de su trote, con los codos pegados al cuerpo y levantando bien las flacas rodillas. Venía en dirección contraria a ellos, y no tardó en llegar a su altura. A Temístocles no le sorprendió su aparición. Al mismo tiempo que él acudía a la reunión de la Alianza, una comitiva oficial había partido hacia Delfos para consultar qué se debía hacer ante la invasión. En ella iban el polemarca Eumolpo y otro general, amén de varios magistrados más. Temístocles había ordenado a Fidípides que los acompañase y que, en cuanto la Pitia les entregase el oráculo, se dirigiera a Corinto a toda prisa para revelárselo.

El corredor llegó a su altura cuando pasaban junto a un pequeño pinar, de modo que aprovecharon para hacer un alto y refrescarse. Era el mismo paraje donde Teseo había acabado con el célebre forajido Sinis. Éste tenía la costumbre de atar a los viajeros a dos pinos flexibles doblados hasta el suelo. Después cortaba las sogas que sujetaban los árboles y observaba cómo al enderezarse dislocaban los miembros de los infortunados. Y siguió actuando así hasta que Teseo, como había hecho con tantos otros bandidos en su largo viaje de Trecén a Atenas, le hizo probar su propia medicina.

Al ver a Fidípides sentado contra un pino, con sus piernas de grulla dobladas hasta la barbilla, Temístocles se imaginó qué habría pasado si Sinis lo hubiera sometido a su tortura. El mensajero estaba tan flaco que seguramente se habría partido en dos.

—¿Y bien? ¿Cuál es el oráculo? —preguntó a Fidípides cuando vio que había calmado su sed. Habría preferido escuchar la profecía a solas. Pero la autoridad de Temístocles no era tanta como para ocultar a los otros dos generales las palabras de Apolo.

—No creo que os guste.

Por la expresión del mensajero, Temístocles sospechó que tenía razón. A pesar de todo, lo animó con un gesto. Fidípides se puso en pie y recitó de memoria:

¡Infelices! ¿A qué estáis esperando? Huid al fin del mundo,
y abandonad los baluartes circulares de vuestra ciudad.
Todo lo arrasarán el fuego y el furioso dios Ares
conduciendo un carro sirio. Otras fortalezas destruirá
y no sólo la vuestra. ¡Abandonad vuestra ciudad sagrada
y afrontad con resignación la adversidad!

Como buen heraldo, Fidípides sabía impostar la voz y recitaba casi como un rapsoda profesional. Todos se quedaron tan sobrecogidos al escuchar la profecía inspirada por Apolo que durante un rato nadie habló. Por fin, el general Leócrates dijo:

—Esto no va a mejorar demasiado la moral de la ciudad.

—¿Bromeas? ¡Es horrible! —dijo Epicides. En su pensamiento revolucionario no entraba aún derrocar a los dioses del Olimpo, pues era muy supersticioso.

—¿No querías sangre y destrucción? —dijo Mnesífilo—. Porque en la profecía las hay de sobra.

—Dime, Fidípides —intervino Temístocles—. ¿No se le ocurrió al polemarca ni a nadie más solicitar otro oráculo que fuera más favorable?

—No. Se quedaron de piedra, como vosotros, y decidieron volver a Atenas cuanto antes para llevar las malas noticias.

Temístocles se sentó a pensar unos minutos. El oráculo de Delfos solía ser ambiguo. Así había ocurrido cuando Creso, uno de sus benefactores más importantes, le preguntó qué pasaría si le declaraba la guerra a Ciro el persa. «*Destruirás un gran imperio*», contestó la Pitia. Por supuesto, Creso interpretó el oráculo como mejor le convino, partió a la guerra y el imperio que destruyó fue el suyo. Como en el fondo la profecía se había cumplido, nunca pudo reclamar la devolución de sus tesoros.

Pero ahora los oráculos estaban siendo cualquier cosa menos ambiguos. Delfos había dicho a los cretenses que no se les ocurriera participar en la guerra. La misma respuesta había dado a la ciudad de Argos. En cuanto a la profecía recibida por los espartanos, tampoco era alentadora. Tras hacerle jurar que no la revelaría, Leónidas se la había recitado a Temístocles:

¡Oh, moradores de la extensa Esparta!
O vuestra poderosa y excelsa ciudad es destruida por los persas
o bien Lacedemonia llorará la muerte de un rey.
Pues el invasor tiene el poder de Zeus, y no se detendrá
hasta que devore a la ciudad o al rey hasta los huesos.

—Sospecho que no moriré cultivando mis viñas —había concluido Leónidas encogiéndose de hombros.

O bien Apolo veía muy claro cuál iba a ser el desenlace de la guerra o Mardonio estaba inundando de oro el santuario. Aunque todavía cabía una tercera respuesta, más sencilla: que los administradores de Delfos fuesen unos cobardes. Los persas tenían fama de respetar los santuarios de otros pueblos y, sobre todo, los oráculos. Aún más si eran de Apolo, como había pasado con el de Dídima, en Caria, que seguía funcionando bajo dominio Aqueménida. Sus sacerdotes habían sido lo bastante espabilados para identificar los rasgos solares de Apolo con los de Ahuramazda y convencer a los persas de que en el fondo se trataba del mismo dios.

Como había dicho Léocrates, la moral en Atenas no andaba muy alta. Los ciudadanos de la cuarta clase estaban algo más animados. Aunque tenían tanto miedo como todos a Jerjes, llevaban meses trabajando en la construcción y el mantenimiento de la flota, en la que iban a participar como remeros a cambio de una paga. Pero los miembros de las tres primeras clases, los hoplitas que habían derrotado a los persas en Maratón, no se sentían ni mucho menos tan contentos. No sólo veían sobre ellos la amenaza de la guerra, sino que además temían perder su dignidad y los pocos privilegios que todavía les quedaban. Un oráculo derrotista como aquél no contribuiría a que embarcaran de buen grado para Artemisio.

«Huid al fin del mundo». ¿Y por qué no más lejos?, se preguntó Temístocles.

Levantó la mirada al cielo. El sol empezaba a caer, pero quedaban unas cuantas horas de luz que se podían aprovechar. Se acercó a su caballo, apoyó las manos en su lomo y montó sin ayuda de Sicino. A sus cuarenta y tres años aún se conservaba en forma.

—¿Adónde vas? —le preguntó Cimón.

—Vosotros seguid a Atenas. Yo voy a Delfos.

—¿A qué?

—¡A conseguir otro oráculo!

Temístocles ni siquiera pensó en pedir compañía. Tan sólo dijo a Sicino que viniera con él. A Cimón le encargó que se ocupara del valioso mapa de bronce y que, a la llegada a Atenas, supervisara las últimas fases de la construcción de los barcos que esperaban en el Pireo. El hijo de Milcíades lo miró con cara de desconfianza.

—Estás tramando algo.

—No. Pero si fuera así, mejor que no sepas nada.

Mnesífilo también quería ir a Delfos, ya que nunca lo había visitado. Pero Temístocles, que había elegido los caballos más veloces con la intención de viajar a marchas forzadas, respondió a su viejo amigo:

—En otra ocasión. Te prometo que cuando todo esto acabe, yo mismo te acompañaré a ver el oráculo.

De los dos generales, Leócrates no tenía el menor deseo de ir con él y añadir otro viaje al que ya llevaba sobre las espaldas. Pero Andrónico se empeñó en acompañarlo, y en llevar consigo a su esclavo Telo, un tipo de rostro patibulario que se dedicaba al pancracio, el más brutal de los estilos de lucha.

Era un trayecto de más de ciento cincuenta kilómetros. Aunque la ruta entre Atenas y Delfos solía estar transitada, no dejaba de ser un sendero polvoriento que, cuando llegaran las lluvias invernales, se volvería casi impracticable. Durante los tres días que tardaron en recorrerlo, Temístocles no dejó de pensar con envidia en el Camino Real, ancho y pavimentado, y con albergues y casas de postas cada pocos kilómetros. En cierto modo, la mediocridad de los caminos griegos podía jugar a favor de la Alianza, frenando el avance de la invasión. Cuando Jerjes entrara en Grecia y tuviera que conducir a su enorme ejército por esos senderos de cabras seguramente iba a maldecir en persa y arameo.

Durmieron al raso las tres noches. La última lo hicieron en Esquiste, la bifurcación del camino donde Edipo se había topado sin saberlo con su padre Layo y lo había matado en una pelea. A Andrónico le daba mala espina el lugar. Pero se les había echado encima la oscuridad y estaban rodeados de espesura, así que no tuvieron más remedio que encender una hoguera allí mismo, cerca de un montón de piedras. Según los lugareños, tapaban la tumba del rey Layo. Temístocles prefirió no decírselo a Andrónico para no alimentar sus recelos. Sicino no conocía la historia de Edipo y le pidió a Temístocles que se la contara. Le encantó; tal vez por el papel que jugaban en ella el destino y el azar, como había ocurrido en su propia vida.

Desde Esquiste tuvieron que seguir a pie, pues el camino se hacía más accidentado conforme se acercaban al monte Parnaso, cuyas cumbres protegían el santuario. Ahora se veía la piedra desnuda y rojiza, pero en invierno Temístocles la había encontrado cubierta de nieve.

Llegaron a la aldea de Delfos poco después de mediodía. No estaba tan abarrotada como otras veces que la había visitado Temístocles. Pero siempre había acudido al oráculo el día séptimo del mes, la fecha establecida para los peregrinos, mientras que ahora tendrían que pedir una consulta extraordinaria como un favor especial. El próxeno de la ciudad de Atenas, que unos días antes había alojado a la legación oficial, pudo ofrecer cubículos a ambos generales, mientras que a Sicino y el esclavo de Andrónico los instaló en el patio de la casa.

Temístocles no estaba dispuesto a dejar nada al azar, y en cuanto llegó empezó a hacer gestiones. El próxeno le recomendó que hablara con Timón, uno de los dos sacerdotes que dirigía el oráculo.

—Es más asequible. Tú ya me entiendes —dijo haciendo un gesto universal entre el dedo índice y el pulgar.

Temístocles envió a un recadero para que le dijera a Timón que lo invitaba a cenar en la posada de Minias. Era la que tenía mejor cocina de Delfos, y también la más cara. Por lo que el próxeno le había contado, estaba seguro de que el sacerdote aceptaría. Cuando recibió la confirmación y se disponía a salir a la calle con Sicino, se llevó una sorpresa.

—Voy contigo —le dijo su colega Andrónico.

No podía decirse de él que fuera una compañía agradable. Durante el camino apenas habían hablado. Andrónico era un eupátrida de pura cepa, significara eso lo que significase. Como bien decía Clístenes, habría que ver cuántos de esos aristócratas de sangre pura eran descendientes de esclavos que habían fornicado con sus madres, sus abuelas o sus bisabuelas.

De joven, Andrónico había lanzado el disco y participado en

los Juegos Nemeos. A sus cincuenta años no tenía mala planta, aunque había engordado y la papada le restaba energía a su antaño afilada barbilla. Era de esos nobles que se dedicaban a la caza y a la equitación, vivían de las rentas de sus tierras y miraban con desprecio a los que, como Temístocles, trabajaban. Un desprecio que no podían disimular.

Ésa era una lección que le había enseñado su madre.

—Cuidado con despreciar a nadie, hijo. El desprecio se nota demasiado. Si odias a una persona o incluso la ofendes llevado por la ira, puede llegar a perdonarte el día de mañana. En cambio, si la desprecias y la miras por encima del hombro, siempre te guardará rencor.

Podía parecer curioso que le dijera eso una mujer con una mirada tan altiva como Euterpe. Pero Temístocles había aprendido bien pronto a distinguir el orgullo del desdén. En Andrónico, éste se mostraba en cada gesto, en el odioso mohín con que levantaba el labio superior, en el lánguido parpadeo con que recibía las palabras de Temístocles dejándole bien claro que no las escuchaba por muy autocrátor que fuera.

Por eso le extrañó tanto que quisiera venir con él. Pero no encontró forma de librarse de su compañía ni de la su corpulento esclavo.

Cuando llegaron a la posada de Minias, les dijeron que Timón ya estaba esperando en un reservado del piso de arriba. Al parecer, no era de los que llegaban tarde a una buena cena. Cuando Temístocles se disponía a subir, Andrónico lo agarró por el codo.

—Espera. Quiero hablar contigo.

—Y yo con Timón.

—¿Por qué tanta prisa? Cuanta más hambre tenga, más agradecerá tu invitación.

Andrónico se empeñó en que ocuparan una mesita en la calle, bajo un toldo blanco que a esas horas ya no hacía falta, pues la sombra de la montaña había caído sobre la aldea. Sicino y Telo se sentaron aparte, sin apenas hablar; ambos eran hombres de pocas palabras, y parecía habérseles contagiado la antipatía que reinaba entre sus jefes.

El posadero, que conocía a Temístocles y sabía que era hombre importante y buen pagador, les trajo una jarra de vino y una bandeja con trozos de queso de cabra aderezados con aceite, albahaca y romero. Cuando los dejó solos, Andrónico sorprendió a Temístocles por su franqueza casi brutal.

—¿Cuánto?

—¿Cuánto qué? —preguntó Temístocles.

—¿Cuánto quieres por que me calle?

Temístocles parpadeó despacio. En caso de necesidad, él también sabía mostrarse rudo con los demás, pero le ofendía la grosería del eupátrida. ¿Qué se había pensado para tratarlo como si fuera un vulgar cambista sentado en su mesa? Sin embargo, decidió que le traía más cuenta controlar su ira y descubrir con qué dados jugaba Andrónico.

—No sé a qué te refieres.

—Has venido aquí para conseguir otro oráculo más favorable. Conociéndote —dijo Andrónico, con una desagradable carcajada—, eso sólo puede significar que tramas algún trapicheo.

—Ignoro qué motivos tienes para pensar eso, pero me estás insultando. Quiero un oráculo mejor para Atenas, no para mí. Y tú deberías apoyarme.

—Vamos, vamos, no te hagas el ofendido, general *autocrátor*. Puede que por ahora te mantengas en lo más alto gracias a la chusma, pero eso no va a seguir siempre así. Conozco bien a la gente como tú. Por más que os queráis limpiar, siempre oléis a estiércol, y acabáis volviendo al estiércol.

A estiércol podrás oler tú, que vives del campo, no yo, pensó Temístocles, con el pulso acelerado de ira. Pero se estaba jugando cosas más importantes que su amor propio.

—Está bien —dijo con voz gélida—. Imaginemos que tus especulaciones tuvieran algo de razón y yo pretendiera amañar el oráculo. Dime cuánto querrías por tu silencio.

—Sé que tienes el riñón bien cubierto, Temístocles, y mis rentas últimamente no son las que eran. No puedo permitir que piojos puestos en limpio como tú vistan mejor que yo ni vivan en casas más lujosas. Quiero que me pagues tres mil dracmas al año.

Temístocles miró de reojo a Sicino. La imagen de Andrónico

estrangulado en un callejón o despeñado en el camino de vuelta pasó fugazmente por su cabeza.

—Oh, oh. —El eupátrida debía de haberle leído la mente—. Tu criado puede ser tan grande como un oso, pero te aseguro que no le duraría ni un minuto a Telo.

Temístocles se fijó una vez más en el esclavo de Andrónico. Era un matón con la nariz aplastada y las orejas rotas como dos coliflores. No había competido nunca en juegos oficiales, puesto que no era un ciudadano libre, sino en peleas nocturnas de pancracio en las que los espectadores cruzaban apuestas. Temístocles lo había visto luchar en un par de ocasiones, en el Pireo y en el Cerámico, y tenía que reconocer que era un hombre que daba miedo. Medía poco más que él, pero de haber tenido cuello le habría sacado más de media cabeza. Su cuerpo era voluminoso y estaba plagado de músculos tan abultados como los nudos de las maromas con las que amarraban los cargueros al muelle. Pero lo que más asustaba al verlo combatir era la terrible violencia, la ciega agresividad con que machacaba a sus adversarios, como si fuera el salvaje dios Ares encarnado. Sus rivales siempre mostraban un punto de contención, pero no así Telo, que había matado ya a varios luchadores. Las dos veces que lo vio Temístocles, el juez del combate había tenido que frenarlo con la ayuda de otros hombres para que no acabara destrozando a patadas al adversario tendido en el suelo.

Eso, en cierto modo, le convenía. Cuando regresaran a Atenas, sería más fácil que la gente pensara que él no había presionado a Andrónico, conocido por tener el guardaespaldas más duro de la ciudad.

Como si de nuevo hubiera adivinado sus pensamientos, Andrónico dijo:

—Te viene bien que yo te haya acompañado. Seremos dos los testigos del oráculo, y así la gente no desconfiará de ti. Todo el mundo sabe que yo soy incorruptible.

Aunque pareciese mentira, las últimas palabras las había pronunciado con plena convicción.

—Está bien —dijo Temístocles—. Será como tú dices. Ahora, sube conmigo. No quiero hacer esperar más a Timón.

—¡No, no! Prefiero no ensuciarme con tus manejos sacrílegos. No quiero saber cómo te las arreglas para torcer la voluntad de los dioses.

Pero con mi dinero no te importa ensuciarte, ¿verdad?, pensó Temístocles.

Andrónico se levantó del taburete.

—Para empezar, te dejo que me invites a esta jarra de vino —dijo con una sonrisa sarcástica—. Así te irás acostumbrando. ¡Ah! Quiero las tres mil dracmas en mi casa la misma noche en que lleguemos a Atenas. Procura mandar a otro esclavo que no llame tanto la atención como ese buey —dijo, señalando a Sicino—. Ya me encargaré de que entre por la puerta de atrás. No quiero que me relacionen contigo más de lo necesario.

Devoradores de regalos. Temístocles recordó el epíteto de Hesíodo para los nobles. Pero ya tendría tiempo de tratar con esa sanguijuela y con su matón. De momento, los asuntos proféticos eran más urgentes.

Cenaron carne de lechal con hierbas aromáticas, tan tierna que se deshacía en la boca, y pescado a la brasa. Temístocles, que se moderó con la comida y el vino para mantener la cabeza despejada, procuró que el sacerdote bebiera en abundancia. Pero Timón se trasegó una jarra entera con sólo media parte de agua sin que ni tan siquiera empezara a trabársele la lengua. Al terminar, Temístocles pagó al músico que amenizaba la cena con su doble flauta y lo despidió. Después le dio otra moneda al hijo del posadero, que estaba retirando los cuencos.

—Dile a mi criado que se quede junto a la puerta y no deje pasar a nadie. No quiero que nos molesten.

Apartados los temas triviales de la cena, Temístocles sacó a colación la guerra inminente. La conversación con Andrónico le había dejado de mal humor, lo que le hizo ser más directo y cortante de lo habitual en él.

—Vuestro oráculo está acobardando a todos los griegos. A los que directamente no les dice que se rindan o se abstengan de participar, los amenaza con desgracias terribles.

—No es «nuestro» oráculo, mi querido Temístocles. Es del dios. Muéstrale un poco de respeto a Febo Apolo.

Timón era un corpulento sesentón, de cabellos ralos y blancos como la nieve que coronaba el Parnaso. Sus ojos, de tan azules, resultaban inquietantes.

—Apolo es un dios griego —dijo Temístocles—. Nació en Delos, en el corazón de las Cíclades, y tiene su santuario aquí, en el centro de Grecia. ¿Por qué iba a favorecer la causa de unos bárbaros? ¿Por qué se niega a ayudar a los griegos?

—A su manera, Jerjes también cree en Apolo, aunque sea bajo otro nombre. Pues al dios le complace muchas veces ocultar su verdadero rostro bajo aspectos y nombres distintos.

—¿Reconoces entonces a Jerjes como tu señor?

—¡Mi único señor es Apolo! —respondió Timón, enderezándose en el diván—. Si vuelves a insinuar algo así, me marcho.

Ahora que te has llenado bien la panza, claro. Temístocles siguió reclinado. La experiencia le decía que si fingía una postura de relajamiento y control, acababa por sentirlos de verdad y podía dominar situaciones complicadas. Él mismo estiró el brazo para llenar la copa de Timón. Pero el sacerdote no se dignó tocar el vino.

—Sólo era curiosidad. Me ha sorprendido que defiendas tanto a Jerjes, siendo un monarca extranjero. Por cierto, ¿qué te hace creer que el Gran Rey respetará el oráculo y sus posesiones?

—Estamos bajo la protección de Apolo. Él jamás permitirá que Jerjes ni nadie más profane su santuario.

Temístocles se contuvo. Decirle abiertamente a Timón que él y los demás funcionarios del oráculo eran unos corruptos comprados por el oro persa no conseguiría nada. Además, sólo lo sospechaba, no tenía constancia de ello. Tal vez el oráculo, igual que tantas ciudades de Grecia, se limitaba a doblarse como un junco ante el vendaval y esperaba alguna gratificación en el futuro. Decidió que convenía ilustrar al sacerdote.

—En Babilonia, Jerjes se atrevió a destruir un templo de Zeus mayor que todo este santuario. Después derribó y fundió su estatua, que era de oro macizo y pesaba más de quinientos kilos.

—En realidad, Jerjes sólo había causado destrozos en la séptima terraza de Etemenanki, y la estatua de Marduk pesaba la mitad de lo que había dicho. Pero si exageraba era por una buena causa—. El Gran Rey cree que todos los dioses que no sean su alado Ahuramazda son demonios y deben ser destruidos.

—¡Eso es imposible! Se nos ha prometido que...

El sacerdote se cortó en seco y cerró los ojos un instante, sin duda maldiciéndose a sí mismo por hablar más de la cuenta. Temístocles decidió abandonar los tapujos.

—Se os ha prometido que si mináis la moral de los griegos para que se rindan, respetarán el oráculo, ¿verdad? Y ése ha sido un mensaje personal del general Mardonio, comandante en jefe del ejército de Jerjes.

Era una apuesta a ciegas, basándose en lo que había visto en Babilonia. Probablemente, Mardonio habría utilizado a un intermediario. Pero al parecer Temístocles dio en el clavo, y el sacerdote se sorprendió lo bastante como para delatarse.

—¿Cómo lo sabes?

—No soy como vuestro oráculo, que conoce el número de los granos de arena de la playa y las gotas de agua del mar. Pero también poseo mis fuentes de información.

El sacerdote tomó la copa y la vació de un solo trago. Después tiró los posos al suelo y se la volvió a llenar. Ya no hacía ademán de irse.

—Niego todo lo que dices. Y lo negaré delante de quien sea.

—Da igual. Toda Grecia sospecha ya. Si no temiera ofender al dios, diría que vuestra conducta empieza a parecer escandalosa.

—No eres quién para juzgar al oráculo, general.

—En eso tienes razón. Pero tal vez un consejo sí me lo admitirías, ¿no, Timón?

—Somos nosotros quienes ofrecemos consejo, no quienes lo recibimos.

—Sin embargo, pasáis algo por alto. En este oráculo no sólo se guardan tesoros de toda Grecia. También los hay de ciudades jonias de Asia. Y, además, están las ofrendas que consagró Creso. Son las más valiosas del santuario, según tengo entendido.

—Recibimos esas ofrendas porque nuestro prestigio llega a todos los rincones del mundo. Precisamente por eso, pase lo que pase, sabemos que los persas no se atreverán a profanar este santuario. Ellos mismos respetan y veneran Delfos.

—No me he explicado bien. Lo que quiero decir es que Creso sacó todo ese oro de su país. Lidia es ahora una satrapía de Persia, así que el Gran Rey opina que ese oro le pertenece. Y tal vez no le falte algo de razón —recalcó para mortificar al sacerdote.

—No sé adónde quieres ir a parar. Todos los tesoros que están aquí son depósitos legítimos, voluntariamente ofrecidos por sus dueños.

Temístocles, que tenía su propio depósito allí enterrado, lo sabía de sobra. Pero, sin decir nada de su oro por el momento, prosiguió.

—Me refiero a que cuando sus hombres caigan sobre Grecia como una inmensa manada de lobos hambrientos no sólo saquearán las ciudades, sino que vendrán aquí, a tu amado santuario, a llevarse lo que es suyo. Y una vez que abran el tesoro de Creso y el oro les encienda la codicia, ¿crees que el respeto a Apolo será suficiente para impedir que despojen todo lo demás?

—Me niego a aceptar tus palabras. ¿Qué sabes tú de lo que piensan los persas o de los propósitos del Gran Rey?

Temístocles se enderezó por fin.

—*Thatiy Xshayarsha xshayáthiya: Auramazda níkatuv duruxtah dáivahcha uta duruxtam daivádanam!*

El sacerdote escuchó sin parpadear, muy pálido. Temístocles no sabía si había entendido sus palabras, pero era evidente que Timón reconocía el idioma como persa y que no era la primera vez que escuchaba su sonoro ritmo.

—«*Dice Jerjes el rey: ¡Ojalá Ahuramazda destruya a los falsos dioses extranjeros junto con su falso santuario!*» Esas palabras las he escuchado con mis propios oídos en Babilonia. ¡De labios de Jerjes!

En realidad, las había visto grabadas en una pared y se las había traducido el escriba de Izacar, pues ni siquiera Sicino sabía leer los caracteres cuneiformes de las inscripciones oficiales. Pero por el gesto de Timón, era obvio que le resultaban tan convincentes como si acabara de escuchar un oráculo de su propia Pitia, o incluso más. No era la primera vez que Temístocles comprobaba el poder casi mágico de unas palabras pronunciadas en una lengua extranjera.

—¿Qué es lo que quieres, Temístocles? Deja de atormentarme y dímelo de una vez.

Si vamos a ser claros, seámoslo de verdad, pensó Temístocles.

—Quiero un oráculo que no sea derrotista. Quiero un oráculo que no sea cobarde.

—¿Cómo te atreves a insultar al...?

Temístocles se levantó, derribó la mesa de una patada y señaló al sacerdote con el dedo.

—¡Quiero un oráculo que no sea traidor! ¡Quiero un oráculo que no haya sido dictado por el oro persa!

Temístocles solía hablar con voz suave, pero también sabía hacerse oír en la asamblea y gritar órdenes en el puente de su nave mientras rugía la tormenta. El sacerdote se sentó en el diván y pareció achicarse ante sus ojos. Ya lo había acobardado. Ahora había llegado el momento de sentarse él también, suavizar la voz y empezar a negociar.

Acababa de amanecer cuando entraron en el recinto del santuario y emprendieron el ascenso por la vía Sagrada. A ambos lados del camino empedrado se levantaban tesoros consagrados por ciudades de toda Grecia, y tras ellos, en segunda y tercera fila, podían verse también ofrendas y templetes de ciudadanos particulares. Las estatuas policromadas, las vivas pinturas y relieves que decoraban los edificios, el jaspeado del mármol y el estuco y el brillo de los metales brindaban al conjunto un aspecto aún más abigarrado y vistoso que la Acrópolis de Atenas.

Temístocles subía acompañado por Andrónico y por el próxeno de los atenienses. Tras ellos caminaban Telo y Sicino, cargado este último con el cabrito que sacrificarían a Apolo y que a ratos se quejaba con un débil balido. Aunque era temprano, ya empezaba a hacer calor.

—Hoy hasta las lagartijas van a buscar la sombra —comentó el próxeno. Andrónico, despectivo como siempre, se limitó a hacer una mueca.

Para los fieles griegos, Delfos era el ombligo del mundo, el lugar sagrado donde Apolo se dignaba compartir con ellos su conocimiento del porvenir. En opinión de Temístocles, se trataba más bien de un centro de inteligencia y espionaje que extendía sus tentáculos hasta más allá del Egeo. Resultaba paradójico que llegase allí tanta información, tratándose de un rincón apartado al que sólo se accedía por caminos tortuosos. Aunque Temístocles comprendía por qué Apolo había elegido aquel lugar para instalarse; en sus viajes había conocido pocos parajes más hermosos. Bastaba con trazar un círculo sobre los talones para contemplar a la vez las maravillas del santuario, el verde de los frondosos bosques que lo rodeaban, y las cimas peladas y majestuosas del Parnaso. Y al completar aquella vuelta, incluso podía verse el mar. Al sur, las aguas del golfo de Corinto brillaban como un espejo bajo el sol de la mañana.

Fuese el verdadero ombligo geográfico del mundo o no, no se podía negar que Delfos era el centro espiritual de Grecia. No había guerra o campaña importante que no se emprendiese sin consultarlo. Su fama había cruzado el Egeo, y por eso el rey Creso le había enviado ofrendas suntuosas. Los versos de propaganda con que le contestó la Pitia eran ya célebres:

Conozco el número de granos de arena de la playa
y las dimensiones del mar sé medir,
entiendo al sordomudo y escucho al que no habla.

Temístocles sospechaba que Creso había enviado ofrendas a Delfos no sólo por conocer el futuro, sino también por si los persas lo derrotaban y se veía obligado a huir de su reino: el tesoro que guardaba en Delfos le habría garantizado un retiro dorado en Grecia. Para su desgracia, no sólo perdió la guerra, sino que cayó prisionero de Ciro y ya no pudo cruzar el mar para disfrutar de sus riquezas.

Como otros griegos acaudalados, Temístocles guardaba una buena suma en el santuario, escondida en un pequeño templete detrás del tesoro de los atenienses. Era un edificio muy humilde, de paredes de ladrillo y sin columnas, aunque protegido por una sólida puerta de bronce. En su interior había bandejas y candelabros de plata, una estatua de Apolo y unas cuantas armas persas que le habían correspondido en el reparto del botín de Maratón. Pero bajo aquellas ofrendas, enterrado en el suelo y bajo una pesada losa de granito, se escondía un cofre con dos talentos de oro entre orfebrería, lingotes y monedas persas. Como normalmente el oro se cotizaba a diez veces el valor de la plata, era una fortuna más que considerable.

Fortuna que iba a verse muy mermada por la avaricia de los sacerdotes. Para conseguir que la Pitia recitase una segunda profecía, había tenido que prometerle a Timón la mitad del oro. Como prueba del trato, ahora el sacerdote guardaba consigo la llave del cofre.

Temístocles dirigió una mirada de reojo al otro general. Era indignante que ese eupátrida lo acusara de corrupto, cuando se estaba gastando sus propias riquezas por el bien de la ciudad. Un bien que, a su pesar, alcanzaría al mismo Andrónico.

Mientras le permita seguir vivo, se dijo. Si no tenía más remedio, le pagaría las tres mil primeras dracmas. Pero no habría más entregas.

La pequeña comitiva llegó ante la gran terraza donde se alzaba el templo de Apolo. El edificio había sustituido a otro anterior, destruido en un gran incendio setenta años antes. En el frontón, el Apolo esculpido por Antenor llegaba a Delfos en un carro, acompañado por su madre y su hermana. Sus ojos miraban a todos los que llegaban al templo con serena condescendencia.

Al pie de la escalinata se levantaba un altar, y ante él se arrodillaron los peregrinos agitando las ramas de olivo que llevaban en las manos. Así se lo había recomendado Timón. No era día oficial de consulta, y además su ciudad ya había recibido el consejo solicitado. Pero si se presentaban como suplicantes sagrados, Apolo no tendría más remedio que recibirlos, pues ni siquiera los dioses pueden desatender los ruegos de quienes se arrodillan ante ellos.

Timón bajó por la escalinata del templo acompañado por Acérato, el otro sacerdote que gobernaba el santuario. Ambos llevaban sendos mantos blancos cuyos pliegues les cubrían la cabeza. Temístocles intercambió una mirada de inteligencia con Timón. Después, se volvió hacia Sicino, que le entregó el cabritillo negro con las patas atadas. Habían comprado uno flaco y pequeño para que se comportara según los requisitos, y además le habían recortado el pelo. Cuando el sacerdote que acompañaba a Timón le arrojó encima un balde de agua fría, el cabrito se estremeció. De no haber temblado, tendrían que haber esperado a otro día más propicio para consultar a la Pitia.

El próxeno, en representación de los atenienses, degolló al animal y lo ofreció en el altar. Después, Timón rajó el cuerpo y sacó el hígado de la víctima. Temístocles observó que la víscera era perfecta, tan lisa y brillante que reflejaba el rostro del sacerdote como un espejo.

—Las señales son buenas —dijo Timón—. Podéis pasar conmigo.

Los esclavos se quedaron fuera, junto al altar, mientras Temístocles, Andrónico y el próxeno subían los escalones tras los dos sacerdotes.

Dentro del templo reinaba una fresca penumbra. Atravesaron una galería rodeada por columnatas, levantando ecos con sus pasos sobre las losas grises. Era la primera vez que Temístocles trasponía la puerta del templo, así que examinó con curiosidad su interior. Junto a las paredes se apilaban incontables ofrendas. Destacaba entre ellas una enorme crátera de plata en la que podrían haberse bañado dos hombres. Al ver su interés, Timón le informó de que la había dedicado Creso. El rey lidio, entre muchas otras donaciones, había consagrado también otra crátera de oro que pesaba más de doscientos kilos; pero tras el incendio del templo antiguo la habían trasladado al tesoro de la ciudad de Clazómenas.

—Las ofrendas de Creso están repartidas por todo el santuario —añadió Timón. Tras la discusión de la noche anterior y, sobre todo, la promesa de recibir los fondos de Temístocles, se lo veía relajado, casi simpático. Temístocles comprendió lo que le quería decir: si el Gran Rey entraba en Delfos y quería apoderarse de las riquezas de Creso, no las encontraría todas juntas.

Como si eso fuese un problema para Jerjes, pensó.

Había exvotos colgados incluso de las vigas del techo: tapices, brazaletes, coronas olímpicas, escudos, yelmos, e incluso dos carros de guerra de madera labrada con adornos de marfil. Una extraña criatura de piel escamosa, con una enorme boca plagada de aguzados colmillos, colgaba de varias correas atadas a su cabeza y su larga cola. Medía por lo menos cinco metros, y Temístocles se preguntó si no sería Pitón, el dragón que custodiaba el oráculo original de la Tierra y al que Apolo había matado con sus flechas.

—Es un cocodrilo del Nilo —explicó el otro sacerdote al ver que los dos atenienses levantaban la mirada.

En el centro del pronaos se levantaba un altar circular en el que ardían ramas de abeto y laurel. Estaba consagrado a Hestia, la diosa virginal del fuego imperecedero, y según Timón eran también vírgenes quienes lo atendían para que nunca se apagara. Un poco más allá había una mesa, donde Timón depositó el hígado del cabrito, que ya había empezado a oscurecerse.

—Ya estamos en el áditon —susurró.

Hacía bien en avisarlo, porque en otros lugares la cella, el rincón más recóndito del santuario, era una nave separada de la principal por una pared. Pero allí consistía en un pequeño templete construido dentro del edificio mayor.

Unos escalones bajaban a una salita cubierta por un techo de madera donde debían esperar los consultantes. Timón prácticamente los empujó para que entraran a la pequeña estancia, tapada por una cortina. Pero Temístocles tuvo tiempo de barrer el resto del áditon con la mirada. Luego, mientras se sentaba en el banco de madera junto con los otros dos hombres, cerró los ojos y estudió la imagen que había grabado en su mente.

Había observado que la cella estaba más baja que el resto del templo, y su suelo no era de losas, sino de roca viva. Allí debía encontrarse el *khasma*, la grieta de la que emanaban los vapores proféticos de Gea, y por eso habían respetado el suelo original sin nivelarlo ni cubrirlo de losas de piedra. Según se contaba, cuando aún no existía ningún templo en el lugar, unas cabras se habían acercado a la grieta. Al aspirar los gases que brotaban de la sima empezaron a dar unos brincos portentosos y a balar en tonos casi humanos, como si estuvieran poseídas y quisieran hablar en nombre de los dioses. Ahora, sobre esa misma fisura se levantaba un trípode de bronce, el asiento de la Pitia, que de momento estaba vacío.

El trípode quedaba casi oculto de su vista por un frondoso laurel, pero Temístocles había advertido bajo él un resplandor rojizo del que brotaban vapores blancos. ¿Sería el *khasma*? Mnesífilo le había dicho que, según su bisabuelo Solón, no existía tal grieta. Tan sólo era un agujero excavado en el suelo por los propios sacerdotes de Delfos, en el que quemaban plantas que inducían al trance profético, como beleño o adormidera. Sin abrir los ojos, Temístocles olfateó el aire. Podía captar el olor a laurel quemado y también a harina de cebada, junto con otros vapores más dulces que se subían un poco a la cabeza. Y, por debajo de todo ello, flotaba el inconfundible hedor a huevo podrido del azufre.

Huevo. Sí, había otra cosa que le había llamado la atención, junto a la estatua de Apolo. Sobre un pedestal de mármol se apoyaba una piedra en forma de huevo partido y con la superficie tallada para imitar la red que lo envolvía.

Aquél debía ser el Ónfalo, el ombligo de la tierra. La piedra arrojada por las águilas de Zeus para señalar dónde se encontraba el centro del mundo. O, según otra versión, la roca que la diosa Rea había entregado a su esposo Cronos en sustitución del recién nacido Zeus, para evitar que lo devorara como había hecho ya con sus cinco hermanos.

Aunque Temístocles pensó que, en realidad, debía tratarse del Huevo Primordial, uno de los misterios que le había revelado el purificador órfico. Un secreto del que no podía hablar con sus compañeros de peregrinación, ni con nadie que no fuera un iniciado como él.

Sintió un estremecimiento involuntario y abrió los ojos. Había entrado en el templo con una actitud escéptica, incluso cínica, esperando recibir el oráculo que él mismo prácticamente había dictado a Timón. Sin embargo, ahora que estaba allí sentado, tan silencioso como sus dos compañeros de legación —Andrónico parecía tan sobrecogido como él por la solemnidad del lugar—, notaba la presencia de una gran fuerza. No sólo eran los mareantes vahos de la grieta, fuera falsa o no. Había algo más, un aura que le erizaba el vello de la nuca, y también una vibración sorda, casi imperceptible, que se transmitía a su esternón, como si bajo sus pies latiese, lento y poderoso, el corazón de la tierra. Por un momento podía creer que estaba realmente en el centro del mundo, un lugar por el que fluían vórtices y corrientes de energía mística procedentes de la gran Gea, madre de dioses y hombres, fuente de todas las profecías, la presencia oscura que lo regía todo.

No pienses en eso, se dijo. No debía dejarse llevar por la superstición. Eso estaba bien para los hombres del vulgo, los que no sabían ver tras las sombras para descubrir los hilos del poder. Pero no para Temístocles el racional.

Claro que si él fuera del todo racional no llevaría colgada del cuello esa fina chapa de oro grabada con instrucciones para el más allá.

—Lleva esto encima siempre —le dijo el hombre que se la dio—. Así, cuando mueras, podrás leerlo y recordar.

Se llamaba Zeuxis y era un anciano nacido en Síbaris, la próspera ciudad borrada de la faz de la tierra por el odio de sus vecinos. Ahora, sin patria, recorría el sur de Italia oficiando de curandero e iniciando a algunas personas selectas en los misterios de Orfeo, el héroe que había descendido a los infiernos y regresado de ellos. El hombre que había derrotado a la muerte y al olvido.

Era el olvido, más que la muerte, lo que temía Temístocles. Por eso llevaba encima la lámina de oro. La palpó ahora con los dedos bajo la túnica, aunque no necesitaba desenrollarla para recordar lo que tenía grabado.

Zeuxis lo había purificado durante tres días y tres noches, invocando a Dioniso y Orfeo con sangre y fuego. Ahora, cuando Temístocles llegara al más allá ya no tendría que pagar por sus pecados, o al menos eso le había prometido el viejo. Sobre todo, por el peor de todos, haber traicionado a los eretrios. Después del viaje a Babilonia y la conversación con Esquines se había obsesionado con ellos, y de noche se le aparecían lamentándose de su suerte y vomitando bilis negra junto a los pozos de asfalto.

Pero, gracias a aquel anciano, casi había dejado de soñar con los cautivos eretrios. Bastante tenía con contemplar todas las noches el rostro del verdugo desnarigado que le arrancaba las uñas. No necesitaba más tormentos.

Ahora, cuando las Keres se lo llevaran y se presentara ante los jueces de ultratumba, sólo tendría que decirles:

Vengo puro de entre los puros,
pues pertenezco a vuestra estirpe bienaventurada.
He pagado castigo por mis impíos hechos,
y acudo suplicante ante la casta Perséfone
para rogarle que me envíe a la morada de los limpios.
Sálvame, Brimó, ¡oh gran Brimó!
Andricepedotirso, Andricepedotirso, ¡oh gran Brimó!

Temístocles había memorizado los versos, incluso las contraseñas del final, que no tenían ningún sentido para él, pero que según Zeuxis le servirían para franquear la puerta del Elíseo, el rincón del infierno donde moraban los bienaventurados. Mas, por si acaso, en la lámina de oro llevaba unas instrucciones, en letras tan diminutas que el purificador las había grabado aumentándolas con cristal de roca:

Cuando llegues a la morada de Hades, hallarás a la derecha una fuente, y junto a ella un blanco ciprés. Allí se refrescan las almas de los muertos, ¡pero no se te ocurra beber de ella, pues son las aguas del Olvido! Más adelante encontrarás la laguna de la Memoria. Di a sus guardianes: «Hijo de Gea soy y de Urano estrellado. Seco estoy y de sed me muero. Dadme a beber las frescas aguas de la Memoria.»

Las aguas que había junto al ciprés blanco eran las del Leteo, el río del Olvido. No bebería de él por nada del mundo. Si ni siquiera su espíritu recordaba lo que había hecho en vida, ¿qué sentido habría tenido su propia existencia?

Pero Temístocles temía que pudiera caer víctima del mismo mal que aquejaba a su madre desde hacía unos años. ¿Qué ocurriría si, al igual que Euterpe, empezaba a olvidar primero lo que había comido el día anterior, después los nombres de sus hijos, sus caras, los sucesos de sus últimos años y, por fin, su existencia entera? Si moría en esas condiciones, con la mente convertida en una tablilla de cera derretida y borrada, cuando llegara al Infierno ni siquiera se acordaría de consultar la lámina de oro. Se olvidaría de la contraseña y de que gracias al purificador órfico había limpiado el crimen de Eretria, y sufriría tormento al igual que otros grandes pecadores como Sísifo, Tántalo o Ixión.

No, no llegaría a ese momento. Se había prometido a sí mismo que, al primer síntoma de que el mal del Leteo empezaba a infectarlo, se daría muerte. Iría a la tumba tal como había vivido, lúcido y con su prodigiosa memoria intacta.

—¿Te ocurre algo, Temístocles?

El próxeno le había tomado la mano y lo miraba preocupado en la penumbra de la cella. Temístocles se dio cuenta de que estaba sudando, aunque no hacía calor allí dentro. Se pasó los dedos por la frente. Era un sudor frío, pegajoso como la culpa. *Estoy purificado,* insistió. No pagaría por lo de Eretria.

Entonces, ¿por qué no dejas de pensar en ello?

Porque no le valía el perdón de aquel anciano chiflado. Porque sólo le servía el perdón de una persona a la que jamás se lo pediría.

Apolonia.

Todo era por culpa del maldito Ónfalo. Al verlo había pensado en la historia del origen del Cosmos, tal como se la había contado el anciano de Síbaris. Pues esa piedra no podía ser otra cosa que la representación del Huevo Primordial que había incubado la Noche, que Cronos había partido en dos mitades y del que había brotado Eros, causa y principio de todo lo que tiene vida.

Andrónico se inclinó sobre él y le susurró al oído:

—¿Acaso te remuerde la conciencia?

—Cállate —respondió Temístocles.

El general había acertado, aunque no por las razones que él creía. Temístocles no se sentía en absoluto culpable por haberle dictado el oráculo a Timón. Cualquiera que fuese el poder que latía bajo sus pies, estaba convencido de que la Pitia no podía adivinar el porvenir. Pues el futuro no estaba escrito en ningún libro. Cada hombre era hijo y a la vez dueño de sus obras. ¿Cómo predecir la intrincada red que formaban los actos y decisiones de millones de personas, fruto muchas veces de la improvisación y el azar?

El oráculo que iban a escuchar ahora no era más que el resumen de la estrategia que él y Leónidas habían diseñado para la guerra, aunque en términos algo más enigmáticos, como correspondía a una profecía. Temístocles la había estado rumiando durante todo el camino a Delfos. Diría algo así como:

> *Oh, hijos de Atenas, embarcad hacia donde sopla el Bóreas y, allí donde la isla de los buenos bueyes mira al septentrión* —o sea, en el cabo Artemisio—, *detened con vuestros espolones de bronce al invasor, mientras los hijos de Lacedemonia clavan sus lanzas de fresno en el desfiladero donde manan ardientes las aguas de la tierra.* —Ni el más necio dudaría de que sólo podían ser las Termópilas—. *Igual que hace diez veranos rechazasteis a los persas de aguzados yelmos y escudos de mimbre, así volveréis a rechazarlos ahora si alejáis los pies de la arenosa tierra y confiáis vuestra suerte a los vientos y las aguas.*

—Ésos no son hexámetros —había protestado el sacerdote.

—Entre mis talentos nunca han estado la música ni la poesía —le respondió Temístocles—. Sin duda, mi donación *voluntaria* —recalcó— despertará vuestras dotes poéticas y sabréis plasmar mi oráculo en una forma más convincente.

—Ya viene —susurró el próxeno.

Al otro lado de la cortina había aparecido una silueta, perfilada sobre el difuso resplandor que emanaba de la grieta. Era una mujer de anchas caderas que caminaba apoyándose en un bastón. Timón, que se había quedado junto a la estatua de Apolo, le acercó una gradilla y la ayudó, agarrándola por el codo, para que pudiera subirse al trípode. Una vez arriba, tras encajar su voluminoso trasero con ciertas dificultades en el fondo del caldero de bronce, la mujer se agarró a las asas laterales y durante un rato guardó silencio.

Los vapores, alimentados por Gea o por algún fuelle oculto, se hicieron más espesos. Temístocles notó cómo se le secaba la boca, y la lengua parecía engordarle, mientras que Andrónico ahogó una tos. La Pitia empezó a mover la cabeza a los lados, primero con suavidad, y luego en bamboleos tan exagerados que Temístocles temió que se cayera del trípode. Creyó oír una música de lira detrás de él, pero sonaba tan baja que tal vez fuese producto de su imaginación.

De pronto, la Pitia dejó de balancearse y levantó los brazos hacia el techo. Con una voz tan grave que apenas parecía humana, y que desde luego no habría podido brotar de una garganta femenina, empezó a recitar.

Veamos cómo ha cambiado mis palabras, se dijo Temístocles, mordiéndose los labios.

No puede Atenea aplacar a Zeus Olímpico
por mucho que le suplique con astuta inteligencia.
Mas te daré una nueva respuesta de inflexible cumplimiento.
Cuando hayan caído las tierras entre la colina
de Cécrope y el valle del divino Citerón,
Zeus que todo lo ve concederá a Atenea una muralla de madera,
único baluarte inexpugnable que os salvará a ti y a tus hijos.
Mas no se te ocurra esperar indolente a la caballería
ni al vasto ejército de tierra que de otro continente viene.
Vuelve la espalda y huye, que día llegará de hacerles frente.
¡Oh, divinal Salamina! Tú aniquilarás a los hijos de las mujeres,
bien sea cuando se siembra Deméter, bien cuando se cosecha.

Tras pronunciar la última palabra, los brazos de la Pitia cayeron inertes a sus costados. La cintura se le dobló como si sus huesos se hubieran licuado, resbaló y cayó del trípode. Temístocles se levantó y apartó la cortina. La Pitia se había golpeado con la cabeza en el suelo y se había partido una ceja. Tuvo tiempo de ver que era una mujer de unos cuarenta años, con el cabello negro atravesado por un grueso mechón blanco. Pero Timón, que se había agachado para atenderla, extendió las manos y se apresuró a cerrar la cortina.

—¡Fuera de aquí! —les ordenó.

No hizo falta que insistiera mucho. Cuando salieron al exterior, Temístocles observó que tanto el próxeno como Andrónico estaban temblando. Él mismo levantó el brazo y extendió los dedos. A duras penas conseguía mantenerlos firmes.

—Nunca había oído hablar así a Aristonice —dijo el próxeno—. Y os juro que la he visto profetizar muchas veces. ¡Ésa no era su voz!

Andrónico se quedó mirando a Temístocles. Éste meneó la cabeza. *Yo no he tenido nada que ver,* le dijo con su gesto. Y era cierto. ¿Dónde estaban las alusiones a Artemisio y las Termópilas?

«Cuando hayan caído las tierras entre la colina de Cécrope y el valle del divino Citerón.» Así que toda el Ática, según el oráculo, estaba condenada. ¿Cómo podía presentarse ante el pueblo ateniense y decirle que embarcara hacia Artemisio cuando el dios les había dicho: *«Vuelve la espalda y huye»*?

Timón apareció poco después en la escalinata. Temístocles se abalanzó hacia él, lo agarró de la túnica y se lo llevó detrás de una gruesa columna.

—Esto no es lo que habíamos pactado —masculló.

El sacerdote estaba sudando, y sus ojos azules se veían tan abiertos por el pavor que a la luz del sol parecían transparentes.

—Te juro por el trípode de Apolo que no tengo nada que ver con lo que ha pasado. ¡Ha sido la inspiración divina!

—¡Y un cuerno!

—Aristonice ha estado a punto de matarse —respondió Timón, sacudiéndose la presa de Temístocles—. ¿Tú crees que fingiría algo así?

Temístocles se miró las manos. Se las había manchado de sangre al tocar la túnica del sacerdote. Debía de ser de la Pitia.

No, no lo creo, pensó Temístocles, aunque se abstuvo de decirlo en voz alta.

—Sea como sea, no has cumplido tu trato —le dijo, tratando de calmarse—. Devuélveme la llave de mi pabellón.

Timón apretó los labios. Incluso asustado como estaba, la avaricia era más fuerte.

—Ya no hay vuelta atrás. Las ofrendas al santuario no se pueden retirar.

—No juegues conmigo, te lo advierto.

—Has sido tú quien ha intentado jugar con el oráculo, Temístocles —respondió el sacerdote, retrocediendo unos pasos—. Has recibido ya la respuesta del dios. Intenta aprovecharla.

Antes de que pudiera impedirlo, Timón ya estaba de nuevo en el interior del templo. *Un talento de oro tirado al estercolero,* pensó Temístocles. Eso si el sacerdote respetaba mínimamente el pacto y no trataba de quedarse con todo el tesoro.

Cuando bajó la escalinata, fue Andrónico quien le hizo reparar en algo que, obnubilado como estaba, había pasado por alto.

—Muy astuto, Temístocles —le dijo. Ya no temblaba, y había recuperado su cinismo habitual a la par que el color del rostro—. Cuando hables a la chusma de esa «muralla de madera», les convencerás de que son tus dichosos barcos y todos te alabarán por tu clarividencia, ¿verdad?

Temístocles no le respondió, ni siquiera cuando Andrónico le recordó que quería sus tres mil dracmas en cuanto llegaran a la ciudad. Una muralla de madera, sí. Apolo le daba la razón.

Pero también profetizaba la caída de Atenas. Lo que significaba que su plan de detener a Jerjes en Artemisio y las Termópilas estaba condenado al fracaso.

No, se repitió, tozudo, jugueteando de nuevo con la lámina de oro. El libro del futuro se escribía palabra por palabra en cada momento. Y él y Leónidas aún tenían que añadir unas cuantas líneas, por más que se opusieran los dioses.

Terma, Macedonia, 24 de julio

La tienda de Jerjes, grande como un templo, ya estaba a la vista, aunque aún les faltaba casi un kilómetro para llegar a ella. Mientras caminaban entre las tiendas y vivaques de las diversas compañías y batallones que componían aquella división de la *Spada*, todo el mundo se quedaba contemplándolos. No por los diez guerreros halicarnasios ataviados al estilo griego, pues en aquel ejército que conglomeraba a pueblos tan variados se veían panoplias mucho más llamativas. Era Artemisia la que atraía las miradas. Todos habían oído hablar de la reina guerrera de ojos azules y cabellos negros, la única mujer que combatía para el Gran Rey. Ella se dejaba admirar, consciente de su atractivo. A sus treinta y cuatro años, gracias al ejercicio físico y la dieta frugal, conservaba la silueta esbelta de un efebo. Incluso ahora que estaba en campaña, hacía que sus esclavas le dieran un masaje de pies a cabeza todos los días y la ungieran con los mejores cosméticos, por lo que su piel seguía siendo tan suave como la de una adolescente. Su rostro mostraba algunas arrugas más; pero, al menos de momento, la expresividad que le añadían compensaba lo que restaban de perfección a su cutis.

Sobre todo, se percibía algo distinto en ella, una cualidad que la hacía mucho más fascinante que la muchacha que diez años atrás desembarcara en la playa de Maratón con su tío y esposo. El poder. Desde que Artemisia regresó de Babilonia con la bula imperial que la convertía en soberana, a nadie más se le ocurrió volver a disputar su autoridad. Su abuela Tique había muerto con la satisfacción de oír cómo los ciudadanos de Halicarnaso y las islas de Nisiro, Cos y Calidna llamaban a su nieta «reina» y dejaban de referirse a ella como «tirana» o, aún peor, como «la mujer del tirano».

Ahora, ataviada con su armadura de gala, Artemisia caminaba entre aquellos hombres de cien pueblos distintos con el aplomo de un general. Mientras la admiraban, ella observaba a su vez la abigarrada mezcla de ropajes, pieles, tatuajes, peinados y armas, y escuchaba la algarabía de lenguas que hablaba la soldadesca. Más de la mitad del ejército estaba compuesto por iranios, las tropas en las que más confiaba el Gran Rey. Pero en sus siete divisiones formaban también contingentes llegados de más de veinte satrapías. Jerjes quería demostrar que aquélla era una verdadera expedición imperial, una empresa a la que contribuían todos sus súbditos. Pero no era su única intención. En las tropas que habían acudido desde todos los rincones del imperio servían los primogénitos de las élites gobernantes. Aquellos jóvenes guerreros no eran sólo aliados o vasallos, sino también rehenes cuyas familias sabían que Jerjes los ejecutaría sin piedad si osaban rebelarse mientras él estaba en Europa.

De camino a la tienda real se toparon con asirios armados con cascos de bronce, corazas de lino y grandes mazas erizadas de púas de metal. Seguían alardeando de su proverbial crueldad y hablaban con orgullo de los viejos tiempos en que su rey Asurbanipal había sido el amo de medio mundo. También vieron una compañía de bactrios, que no se quitaban sus apestosas pellizas ni en verano, armados con largos arcos de caña. Los negros etíopes, por su parte, se cubrían con pieles de león y leopardo, y al combatir o al pasar revista se pintaban medio cuerpo de blanco y el otro medio de bermellón. Sus arcos de ramas de palmera, más altos que ellos mismos, disparaban flechas con punta de pedernal de las que Artemisia sospechaba que no serían muy eficaces contra los escudos griegos.

Se veían además sacas de diversas tribus, unos tocados con mitras, otros con turbantes; todos ellos eran grandes jinetes y arqueros. Los paricanios, también conocidos como «etíopes del este», se cubrían la cabeza con piel de cráneo de caballo, usaban crines a modo de penachos y se protegían con escudos confeccionados con pellejo de grulla. Los moscos y los hombres de la Cólquide llevaban yelmos de madera y aguzados venablos con larguísimas puntas de hierro. Los pisidios portaban escudos de piel sin adobar, cascos de bronce adornados con cuernos de toro, vendas rojas en las piernas y jabalinas loberas. Había libios de la boca del Nilo, cubiertos de cuero y armados con lanzas de madera endurecidas al fuego. Frigios, paflagonios y armenios, vestidos con altas botas de badana. Bitinios, con casquetes de piel de zorro, botas de ciervo y mantos de brillantes colores. Árabes envueltos en apretados mantos. Y griegos, muchos griegos, por supuesto, de la costa de Asia Menor, con la panoplia típica de los hoplitas.

Pero los más espléndidos entre todos los guerreros de la *Spada* seguían siendo los propios persas con sus tiaras y mitras de fieltro, sus largos caftanes rojos y azules, sus armaduras de escamas, sus arcos compuestos, sus lujosas aljabas de cuero repujado y las pequeñas fortunas en oro y joyas que cada uno de ellos llevaba encima. Entre ellos destacaban los Diez Mil, y dentro de los Diez Mil el batallón de mil guardias conocidos por los griegos como «melóforos» por las bolas de oro en forma de manzanas que decoraban las conteras de sus lanzas.

—¿Crees que nos costará tanto llegar a Esparta como nos está costando llegar a la tienda de Jerjes, señora? —preguntó Alexias, hijo de Fidón y jefe de los soldados de Halicarnaso. El joven oficial había salido tan parlanchín como lacónico era su padre.

—¿Hasta Esparta nada menos pretendes llegar, Alexias? —respondió Artemisia.

—Mi padre era medio espartano. Me gustaría saber de dónde proceden mis ancestros.

El veterano Fidón, demasiado mayor para la campaña, se había quedado en Halicarnaso, gobernándola en nombre de Artemisia, y también tratando de enderezar al joven y díscolo Pisindalis. Ella había salido de Caria a principios de la primavera para unirse a la expedición. Aportaba a la flota imperial cinco trirremes, amén de cuatro naves de transporte; pero también quería contribuir al ejército de tierra, por lo que ella misma se había dirigido a Sardes con trescientos hoplitas.

Al llegar a Sardes y ver el campamento que se extendía a lo largo de kilómetros y kilómetros por el valle del río Meandro, Artemisia había comprendido que los hombres que traía con ella eran sólo un grano de arena en la inmensidad de la playa. Se congregaban allí seis divisiones de unos veinte mil hombres entre infantería y caballería. Cada una estaba bajo el mando de un general emparentado con el Gran Rey: habían acudido, entre otros, su suegro Otanes, sus hermanos Histaspes y Aquémenes y su hermanastro Ariabignes. Una séptima división de plana mayor acompañaba a Jerjes en todo momento, al mando del *hazarapatish* Hidarnes. Estaba formada por los Diez Mil, los guerreros de élite a los que los griegos llamaban Inmortales, más una buena suma de camelleros árabes, carros libios e indios que cargaban y protegían su bagaje.

A todos esos soldados, más de ciento treinta mil, había que sumar casi otras tantas personas entre sirvientes, vivanderos, camareros, cocineras, pasteleros, arrieros, talabarteros, mozos, palafreneros, herreros, prostitutas baratas, cortesanas finas, sacerdotes, adivinos, médicos y parásitos diversos, más las esposas, concubinas e hijos de los nobles que acudían a la guerra con media casa a cuestas. El campamento formaba una inmensa ciudad, una nueva Babilonia que, a mediados de abril, se puso en marcha hacia el Helesponto reptando como una serpiente multicolor que se extendía más de ciento cincuenta kilómetros de norte a sur.

Mas aún había que contar con la flota que, a la vez que el ejército partía de Sardes, zarpaba de los puertos de Jonia, Caria y Cilicia. Eran dos flotas imperiales, en realidad. Entre ambas contaban con más de seiscientos trirremes, casi todos ellos construidos en la última década, de modo que sus cascos todavía eran ligeros, no habían empezado a pudrirse ni sufrían los males de la carcoma ni el teredón. Los acompañaba un número similar de naves de transporte. Cuando se alejaran de las fronteras de Macedonia, territorio en el que se habían instalado con antelación grandes depósitos de víveres, esos barcos garantizarían el abastecimiento de la *Spada*. El plan de Jerjes y Mardonio era entrar en Grecia en la época de la recolección, pero era previsible que los griegos segaran el grano aunque todavía no estuviese maduro, o incluso que lo quemaran para evitar que cayese en poder de los persas.

La marina era de por sí otra ciudad, en este caso flotante, que albergaba a unas doscientas mil personas. Sumadas al ejército de tierra, las cifras totales de la expedición se acercaban al medio millón. No era extraño que resultara tan difícil encontrar lugar donde alojarlos. De hecho, la flota y las siete divisiones del ejército viajaban y acampaban por separado. Sólo se habían reunido en Dorisco, donde Jerjes llevó a cabo una revista general, y un mes más tarde en la amplia bahía de Terma, que les brindaba más de sesenta kilómetros de costa y marisma entre las desembocaduras de los dos ríos que bañaban la región.

Más allá de Sardes ya no había calzadas como el Camino Real; aunque Jerjes aseguraba que, una vez conquistada Grecia, iba a prolongarlo hasta Atenas. De momento, los exploradores del Gran Rey habían buscado los mejores senderos y atajos posibles y, donde no existían, los habían fabricado.

Así, para cruzar de Asia a Europa, Jerjes había ordenado construir dos puentes de barcos entre Sesto y Abido, similares a los que su padre utilizó para atravesar el Danubio. Pero en vez de usar barcazas, él hizo que lo tendieran con trirremes y penteconteras que, con sus líneas más afiladas, cortaban mejor la corriente del estrecho. Cuando Artemisia había llegado a Sardes y oído hablar de los dos puentes, pensó que era una muestra más de la megalomanía de Jerjes, y también un intento de impresionar a los griegos. En su opinión, era mucho más sencillo ir transbordando a los hombres en sucesivos embarques.

Luego, al examinar con más detalle la región, Artemisia comprendió que Jerjes sabía bien lo que hacía. Las costas de los Dardanelos eran más escarpadas de lo que se había imaginado. Para pasar al otro lado a los casi veinte mil hombres que componían cada división, habrían hecho falta doscientos barcos de cada vez. No existían puntos de embarco y desembarco apropiados en ambas orillas, ni playas lo bastante extensas para acoger una flota tan numerosa, por lo que con ese procedimiento habrían tardado cerca de un mes en atravesar el Helesponto.

La solución de los puentes era mucho más práctica, pues permitía que el flujo de hombres entre ambos lados del estrecho fuera casi constante. Además, no había que embarcar a la caballería ni las bestias de transporte, lo que ahorraba infinitos problemas.

Entre ambos puentes se habían utilizado casi setecientas naves. Muchas eran penteconteras ya vetustas, pero también se emplearon trirremes que luego ocuparían su lugar en la flota. La construcción de los puentes no había estado exenta de dificultades. Una tempestad había roto los cables y dispersado las naves. Cuando la noticia le llegó a Jerjes, que ya estaba en camino desde Sardes, rodaron unas cuantas cabezas. Esto sirvió de acicate para que los ingenieros fenicios y egipcios redoblaran sus esfuerzos, trabajaran en turnos agotadores incluso de noche y aumentaran las precauciones.

Artemisia, que a la altura de Esmirna había abandonado el séquito real para incorporarse a la flota, llegó al estrecho de los Dardanelos días antes que el ejército de tierra y pudo contemplar cómo se reconstruían los puentes. Ella misma aportó dos barcos al pontón situado más al norte. Los ingenieros lo tendieron abarloando juntas trescientas sesenta naves que cruzaban una extensión de agua de más de tres kilómetros. Para que se mantuvieran en su sitio, después del fracaso del primer puente, las sujetaron con grandes anclas. Después las unieron con seis cables, cuatro de lino y dos de esparto, tan gruesos que a Artemisia le resultaba difícil abarcarlos con los brazos. Esas maromas se fijaron en ambas orillas mediante enormes cabrestantes que unos bueyes hacían girar para mantener la tensión en todo momento.

Una vez amarrados los barcos, los ingenieros extendieron sobre ellos una pasarela de maderos de casi diez metros de ancho, asegurados entre sí por traviesas. Por encima echaron abundante ramaje y luego una capa de tierra que mojaron y apisonaron a conciencia, hasta convertir la pasarela en una auténtica carretera. Artemisia pensaba que a esas alturas el puente ya estaba preparado, pues ella misma lo recorrió y comprobó que era seguro. Pero cierto grado de balanceo resultaba inevitable. Para evitar que ese movimiento combinado con la visión del mar provocara el pánico en las bestias y en muchos de los hombres de tierra adentro, se levantaron a ambos lados de la pasarela unas altas empalizadas de ramas entrelazadas, cubiertas de paja y hojarasca.

Los puentes estuvieron terminados justo a tiempo. Al día siguiente de cerrar las empalizadas, apareció Mardonio con la primera de las siete divisiones. Sus hombres atravesaron el puente durante ocho horas seguidas sin que se produjera ningún incidente. En jornadas sucesivas fueron cruzando los demás cuerpos del ejército, siempre dejando un espacio de un día entre ellos para no provocar atascos en los angostos caminos del país que atravesaban y, de paso, permitir que los ríos y arroyos se recuperaran, pues en aquellos parajes no había corrientes lo bastante caudalosas para abastecer de agua potable a todo el cuerpo expedicionario a la vez.

Ver aquellos contingentes multicolores que cruzaban sobre el mar como si las aguas se hubieran convertido en tierra firme era un gran espectáculo. La exhibición llegó a su clímax el día en que apareció el propio Jerjes. En el mismo momento en que el sol aparecía sobre el horizonte, el rey hizo una libación en honor de Ahuramazda. Después arrojó al mar la copa de la que había bebido, la crátera y un sable; objetos todos de oro, porque otro metal habría impurificado las aguas. Tras coronar todo el puente con ramas de mirto y quemar a lo largo del trayecto arbustos y maderas aromáticas, empezó el paso de la comitiva real. Primero desfilaron mil jinetes escogidos, y después otros tantos *arshtika* con las puntas de las lanzas vueltas al suelo en muestra de respeto a su señor. Detrás de los lanceros marchaban diez espléndidos caballos de Nisea consagrados a Mitra y conducidos por palafreneros. Los seguía el carro de Ahuramazda, de oro y marfil y ocupado por un altar en el que ardía incienso en su honor. De él tiraban ocho corceles blancos junto a los cuales marchaba el auriga, pues ningún humano podía ocupar el carruaje del dios.

Y, por fin, venía Jerjes, de pie en su carro de guerra, un vehículo de dos ruedas tirado también por caballos niseos y conducido por el hijo de uno de sus generales. Al verlo escoltado por los Diez Mil, cuyas lanzas refulgían al sol, a Artemisia, que lo observaba todo desde un otero, se le erizó la piel de los antebrazos. La campaña de Maratón había sido toda una aventura. Pero ahora estaba involucrada en algo mucho más grande, una gesta que pasaría a la posteridad y empequeñecería las hazañas de los griegos en la guerra de Troya.

Después de ocho días, cuando todas las tropas estuvieron ya en Europa, se procedió al desmontaje de los puentes. Mardonio había aconsejado dejarlos instalados, pero Jerjes se opuso. Muchos de los barcos que componían los pontones eran necesarios para la flota. Bastaba con dejar los cables y las estructuras guardados a buen recaudo en ambas orillas.

—Mi señor —le había dicho Mardonio—, recuerda que cuando tu padre cruzó el Danubio, dejó el puente de barcas montado y custodiado por sus súbditos.

Artemisia, que estaba presente en aquella reunión, comprendió lo que Mardonio daba a entender. A Darío le había venido muy bien ese puente cuando se vio obligado a escapar de los escitas.

—Si quieres sugerirme que dejemos la huida expedita, mi buen Mardonio —dijo Jerjes—, olvídalo.

—La retirada siempre es una opción que hay que tener en cuenta.

—En esta campaña, no.

Si los puentes eran una maravilla de la ingeniería, del canal que horadaba la península del Atos sólo podía decirse que suponía una proeza de la voluntad. La flota lo había atravesado dejando el gran monte a babor, ahorrándose con ello un par de días de navegación y, probablemente, muchos disgustos. Los ingenieros y zapadores no habían escatimado esfuerzos. Podrían haberse limitado a excavar una zanja de poco más de diez metros de ancho para que las naves la atravesaran de una en una. Pero, como siempre, las instrucciones de Jerjes eran precisas: debía hacerse a lo grande. Finalmente, el canal medía casi treinta metros de ancho, de modo que dos y hasta tres trirremes podían recorrerlo en paralelo sin que se tocaran sus remos, y estaba protegido por grandes malecones en las embocaduras para impedir que la corriente y las olas lo colmataran con las arenas del fondo marino.

Mas, a pesar de puentes y canales, era imposible mover el ejército al ritmo que los oficiales de logística, presionados por la impaciencia de Jerjes, habían previsto. Artemisia llevaba ya más de diez días esperando en Terma cuando apareció Mardonio, que viajaba en la división de vanguardia. El general estaba furioso por el retraso que llevaban sobre el calendario que habían previsto en Sardes; un retraso que no hacía más que acumularse.

—El trigo de los campos griegos ya no lo vamos a segar nosotros —le dijo a Artemisia.

En realidad, si seguían a ese paso ni siquiera llegarían a tiempo de vendimiar las uvas o recolectar las aceitunas. Las últimas divisiones del ejército de tierra no se reagruparon en Terma hasta finales de julio. Les quedaba tanta distancia para llegar a Atenas como la que habían recorrido desde que pisaron Europa. Y a partir de Tesalia era previsible que los griegos empezaran a hostigarlos, mientras que hasta ahora no habían sufrido ninguna agresión. Al menos humana: algunos camellos que viajaban en la retaguardia de la división real, cargados con la impedimenta, habían sido atacados por leones que bajaban de noche desde las montañas donde tenían sus guaridas. Esos leones, según aseguraban los macedonios con orgullo, eran los únicos que habitaban en Europa. En sus frondosos bosques se encontraban también uros, unos toros salvajes cuyos enormes cuernos se lucían como trofeos de caza en los salones de las familias nobles. Pues no había nada más apreciado que una piel de león y, sobre todo, una melena de macho como la que lucía en su casco el propio rey Alejandro. Entre los macedonios de las tierras altas, no se consideraba que un joven se convertía en hombre de verdad hasta que no mataba un león armado tan sólo con su lanza.

Por fin, cuatro días después de Mardonio, había llegado el séquito de Jerjes. Aún quedaban tres divisiones más por aparecer, pero Alejandro insistió en que la llegada del Gran Rey debía celebrarse cuanto antes. Artemisia comprendía sus razones. Bastante costoso era hospedar a los persas que tenía ya acampados en sus tierras como para aguardar a los demás. Ella misma lo había comprobado por el camino. La flota siempre pasaba antes por las ciudades que luego debía atravesar la *Spada,* y las encontraba sumidas en preparativos frenéticos para agasajar a Jerjes. Antípatro, un gobernante de Estrime, se había quejado a Artemisia:

—Recibir a Jerjes nos va a costar cuatrocientos talentos. ¿De qué vamos a vivir después?

A Artemisia le había parecido la típica exageración quejumbrosa de todos los pueblos que se ven obligados a recibir a un ejército, y le respondió con sarcasmo:

—Puedes estar contento de que el Gran Rey es frugal y se conforma con cenar una sola vez al día.

Pero ahora, tras atravesar un solo sector del campamento y llegar por fin a la explanada donde se erigía el pabellón real, empezó a pensar que tal vez Antípatro no había exagerado tanto al hablar de los gastos.

La tarde, que empezaba a declinar, era de por sí calurosa, pero los innumerables fuegos encendidos alrededor de la gran tienda la hacían aún más sofocante. En las parrillas y espetones se asaban cientos de terneros y cerdos, miles de corderos y cabritos, y sólo Zeus sabía cuántos patos, pollos y pichones. El humo de la grasa quemada se levantaba en blancas espirales mezclado con el de las hogueras. Al oler los aromas de la piel crujiente y la carne churruscada, a Artemisia se le hizo la boca agua.

Tienes que comer lo justo, se recordó. No era imposible que aquella noche acabase en el lecho del rey. Si Jerjes la estrechaba entre sus brazos con toda su fuerza, que era mucha, no quería vomitarle encima un trozo de carne. De la bebida no se preocupó. Con los años, el vino cada vez le sentaba peor, así que lo bebía muy diluido en agua y con suma moderación. Le bastaba con recordar el triste final de Sangodo para cultivar la virtud de la sobriedad.

Artemisia no había vuelto a ver a Jerjes en privado desde Babilonia. No sabía si sentir alivio o decepción por ello, pues los recuerdos de su relación sexual con el Gran Rey eran contradictorios. Por un lado tenía miedo de dejarse poseer de nuevo por él, mas por otra parte sentía una morbosa anticipación que le encogía la boca del estómago. *Tu amor por las emociones fuertes te acabará matando, Artemisia,* se decía a sí misma. Lo cierto era que aunque no le faltaban compañeros de lecho y podía elegirlos casi a placer, cuando se acostaba con ellos tendía a cerrar los ojos e imaginarse que estaba abrazando a los dos únicos amantes que le habían dejado huella de verdad, Temístocles y Jerjes.

Ante el pabellón se extendía una larguísima alfombra púrpura, flanqueada a ambos lados por melóforos que montaban guardia, inmóviles como relieves tallados. Los oficiales dejaron paso a Artemisia sin pedirle salvoconducto, pues la amazona griega era de sobra conocida.

Aquella tienda era conocida como «la amarilla» por el color de su lona. El trabajo de desmontarla y volverla a montar llevaba prácticamente un día entero, lo que hacía imposible trasladarla a tiempo al lugar donde se pernoctaba. Pero Jerjes debía alojarse siempre en un lugar acorde con su dignidad, por lo que utilizaba dos pabellones más, uno rojo y otro azul, no tan lujosos ni grandes como el amarillo. De ese modo, cuando el rey partía por la mañana, en el lugar donde iba a pasar la noche ya estaban terminando de montar una tienda para él. Mientras, otros sirvientes limpiaban el pabellón que acababa de utilizar, lo desmontaban y plegaban, y enviaban los más de cien fardos a lomos de veloces caballos para que adelantaran a la comitiva real y llegaran con la antelación suficiente a un nuevo emplazamiento.

Artemisia y sus hombres pasaron bajo un enorme toldo decorado con guirnaldas de flores y borlas doradas, y entraron directamente en la gran sala. Aquella estancia era una auténtica *apadana,* un bosque de postes de cedro tallados que sustentaban la carpa a más de cinco metros sobre sus cabezas. Al pie del mástil central y por delante del cortinón que separaba la sala del resto de la tienda, estaba la mesa donde se sentaría el Gran Rey cuando entrara, junto a sus favoritos. A partir de ahí, las mesas de los invitados formaban semicírculos concéntricos en anillos decrecientes de influencia y poder. En cuanto Artemisia entró, un sirviente le salió al encuentro para indicar dónde debían acomodarse sus hombres, junto a la lona. Pero a ella, a la que el criado saludó con una profunda reverencia, le correspondía la propia mesa real, algo que la halagó sobremanera.

Había cientos de invitados, sentados sobre gruesos cojines hombro con hombro, y también reclinados en divanes al estilo griego. La tienda estaba iluminada por lámparas y candelabros que colgaban del techo; aunque aún no había anochecido, la lona era gruesa y apenas dejaba pasar la luz del exterior. Por toda la sala se veían pebeteros que ardían sin apenas llama, pues no era cuestión de elevar más la temperatura de la tienda. Dos esclavas vestidas de verde pasaban entre ellos y quemaban un incienso diferente cada cierto rato, jugando con los aromas del mismo modo que un cocinero experimenta con los sabores de sus platos. Los postes de la tienda exhalaban la suave fragancia propia del cedro, que servía además para repeler los insectos. También contribuían a reducir el número de moscas y mosquitos los ruiseñores que revoloteaban por la tienda y de paso alegraban a los comensales con sus trinos. Antes de soltarlos de sus jaulas, los criados los habían espolvoreado con flores trituradas y rociado con aromas diversos, de modo que cuando un pájaro cruzaba volando a su lado, Artemisia casi podía ver en el aire la estela de perfume que dejaba a su paso.

Su fina nariz captó más olores conforme fue atravesando la tienda y sorteando mesas, triclinios y almohadones. Los invitados se habían perfumado con mil esencias florales, y también con algalia, almizcle y resinas diversas. Pero mezclada con esa nube de aromas se podía oler la transpiración colectiva. El calor hacía sudar a todos bajo sus lujosas ropas, pese a que un ejército de esclavos abanicaba a los comensales con flabelos de piel y grandes plumas de avestruz. Al menos era un sudor reciente, entre dulzón y salado; igual que ella, los invitados se habían bañado para acudir a la fiesta. Era mucho peor el hedor, entre rancio y agrio, del sudor ya revenido que se palpaba en la flota. Paradójicamente, los marineros, aunque tenían el agua más cerca que los soldados, eran más reacios a la higiene personal, y algunos podían pasar meses enteros sin acercar un poco de agua a sus peludas axilas.

—¡Artemisia!

Miró a su derecha. Allí, sentados en cojines alrededor de unas mesitas, había unos marineros licios, ataviados con pieles de cabra y gorros de fieltro con plumas. Con ellos estaba un griego al que recordaba de sobra, aunque no se alegró demasiado de encontrarlo de nuevo. Era Esquines de Eretria. Al verla, se levantó para saludarla y le tomó ambas manos.

—¡Estás más bella que nunca! —le dijo—. Si tu diosa patrona me perdona por decirlo, deberías llamarte Afrodisia y no Artemisia.

Esa broma ya se la había gastado antes, cuando era su anfitrión en Susa. En aquellos días de espera y aburrimiento, Artemisia incluso sopesó acostarse con él, pero al final se había resistido a sus insinuaciones. Aunque Esquines era alto y delgado, conservaba todo el pelo y tenía los rasgos rectos y proporcionados, había algo en él que le repelía.

—Permite que te presente a mi amigo —dijo Esquines—. Damasitimo, hijo de Candaules y rey de Calinda.

El licio, un hombre obeso que sudaba profusamente bajo su túnica amarilla, la saludó desde el cojín. Artemisia no lo conocía, aunque viajaba en la flota. Pero con casi mil trescientos barcos, no resultaba extraño.

—Alguien me ha contado que resolviste por fin tus pequeñas dificultades domésticas —dijo Esquines. Ahora que recordaba Artemisia, eso era lo que más le desagradaba de él. Siempre presumía de estar enterado de todo y sembraba su conversación de insinuaciones—. Al parecer, tú y el gran Jerjes habéis desarrollado una relación muy fructífera. ¿La compartirás con tus amigos?

—Por supuesto —dijo Artemisia, regalándole la más falsa de sus sonrisas—. En cuanto nuestro rey dé su merecido a los atenienses y a los demás rebeldes, espero que vengas a Halicarnaso a gozar de mi hospitalidad.

—Será un placer indecible, mi señora, pero ¿tanto tiempo tendré que esperar para disfrutar bajo tu techo?

—Señora, si me permites... —les interrumpió el criado que

debía conducirla a la mesa real y que llevaba un rato haciendo ostensibles gestos de impaciencia.

Artemisia agradeció aquella interrupción y se alejó de Esquines, quien antes de irse se la comió con los ojos sin el menor disimulo.

Por fin, el criado la puso en manos de Mitradates, que se había convertido en chambelán tras la muerte, natural o no, de su predecesor Artasiras. El eunuco seguía tan guapo como antes, aunque había engordado un poco. Saludó obsequioso a Artemisia, que no pudo evitar acordarse de que aquel hombre la había visto fornicar con el Gran Rey y tan desnuda como vino al mundo.

El propio Mitradates la acomodó en la mesa real. En el centro había un sitial vacío, un lujoso sillón de cedro tallado con incrustaciones de marfil y lapislázuli. Pero el resto de los comensales se sentaba en mullidos almohadones con las piernas cruzadas. El cojín de Artemisia estaba seis puestos a la izquierda del trono, algo que consideró un gran honor, pues todos esos asientos intermedios estaban ocupados por parientes de Jerjes, ilustres miembros del linaje Aqueménida.

El hombre que se sentaba a la izquierda de Artemisia, en cambio, era griego. Llevaba las trenzas largas y la barba recortada típicas de los espartanos. Artemisia le calculó cerca de sesenta años. En el ceño y bajo los pómulos tenía arrugas rectas y profundas como cuchilladas, y el gesto triste.

—Mi señora —dijo el chambelán—, permite que te presente a Damarato, legítimo rey de Esparta y fiel vasallo de nuestro señor Jerjes.

Artemisia había oído algo de la historia. Al parecer, uno de los dos soberanos que reinaban ahora en Esparta había conseguido el puesto expulsando a Damarato con la ayuda del oráculo de Delfos. Como tantos otros tiranos o políticos desterrados de Grecia, Damarato se había refugiado en la corte de Jerjes. Eso explicaba en parte la melancolía de su mirada, aunque Artemisia estaba convencida de que en Esparta no habría vestido una túnica con franjas de púrpura de Tiro ni habría llevado una torques de oro macizo al cuello.

Por fin, las cortinas que daban al interior de la tienda se abrieron y tras ellas apareció el heraldo real. Cuando golpeó el suelo para llamar la atención, las gruesas alfombras absorbieron el impacto de la contera de oro. Aun así, los súbditos de Jerjes se levantaron para dar la bienvenida a su señor.

—¡Jerjes el Gran Rey, Rey de Reyes, Rey de las Tierras, hijo de Darío, el Aqueménida!

Jerjes, ataviado con una túnica cargada de pedrería que, por su aspecto, no debía de pesar menos de diez kilos, se acercó con paso solemne al sitial. Los invitados que estaban más lejos de él, y por lo tanto más distantes en la escala social, clavaron las rodillas en el suelo, y algunos de ellos incluso tocaron con la frente las alfombras. Los súbditos nobles, en cambio, lo saludaron con una profunda reverencia enviándole besos silenciosos con la mano derecha.

Para sorpresa de Artemisia, Jerjes había entrado acompañado por su esposa Amestris. Ella se sentó en un cojín, un poco por detrás del rey, mientras éste ocupaba el sitial. Un criado cuya única función era ésa se apresuró a poner bajo sus pies un escabel dorado y tapizado de terciopelo, el mismo que utilizaba cuando descendía del carro real.

En el fondo de su corazón, siguen siendo nómadas, pensó Artemisia al ver a Amestris. Por eso lucían tanto oro encima y se hacían acompañar de sus esposas y concubinas. Preferían llevar encima sus bienes que confiarlos a la supuesta seguridad de sus casas y palacios.

Por orden, los comensales que se sentaban en la mesa real pasaron a rendirle sus respetos. El primero, como anfitrión, fue Alejandro, y después desfiló Mardonio. Todos ellos besaron los labios del Gran Rey, pues tal era el privilegio de los *bandaka.*

—Es tu turno, noble Artemisia —le susurró Mitradates.

Artemisia se acercó al sitial de Jerjes y se inclinó sobre él para alcanzar su rostro. Él sonrió con amabilidad, como había hecho con sus demás nobles, y se dejó besar. Fue un roce muy rápido en los labios que apenas podría llamarse beso. Sin embargo, a Artemisia le pareció ver de reojo que Amestris le dirigía una mirada de odio. A ella, por su parte, se le aceleró el corazón.

Ignoraba si se debía al miedo, la atracción morbosa por el Gran Rey, la solemnidad del momento o todas esas razones juntas.

El banquete empezó por fin. Criados de ambos sexos, seleccionados por su belleza, trajeron bandejas, fuentes, escudillas y copas de vidrio y metales preciosos. No sólo había carne asada en abundancia, tanta como para alimentar al triple de los invitados allí reunidos, sino también platos más refinados, propios de la cocina babilonia. A los aromas que ya flotaban en la enorme tienda se sumaron los de la comida humeante, las salsas y las especias. Algunas de ellas eran tan picantes que los comensales macedonios o griegos que las probaban se ponían rojos como la púrpura y rompían a toser y a sudar, entre grandes carcajadas de los demás.

Alejandro y Mardonio estaban sentados a la derecha de Jerjes, aunque, por supuesto, en una posición inferior. En realidad, el Gran Rey no compartía la mesa con los demás, pues le hubiera sido imposible alcanzar las bandejas desde su trono. Los camareros le iban ofreciendo platos, y él picaba siempre algo de ellos: una loncha de pato con dátiles, un trozo de cordero especiado en salsa de menta, una pizca de pastel de queso, miel y cebolla, un bocado de tenca a la brasa. Después de degustar el plato, le indicaba al camarero en cuestión a cuál de sus invitados debía llevárselo, y la persona que recibía tal atención se levantaba, hacía una reverencia y en ocasiones pronunciaba algunas palabras de agradecimiento retóricas y pomposas.

Era la primera vez que Artemisia asistía a un banquete del Gran Rey. El protocolo la tenía fascinada. Los invitados favorecidos por Jerjes comían del manjar con que les honraba Jerjes, no sin darlo a probar también a sus comensales más cercanos. Pero después se quedaban con el recipiente, que siempre era muy valioso. La primera bandeja que entregó Jerjes era de oro macizo, y su destinatario fue el rey Alejandro. Se trataba de una pequeña muestra de justicia: varias de las piezas que pasaron por delante de Artemisia eran macedonias, pues entre las obligaciones de los anfitriones no sólo estaba proveer de alimentos a la *Spada,* sino también suministrar el menaje necesario para las fiestas del Gran Rey. Que, evidentemente, nunca lo devolvía.

Jerjes se servía de esa dadivosidad para mostrar su favor y

dejar claro cuál era el escalafón en la corte. Además, comprendió Artemisia, era una forma de pagar a los nobles que le habían seguido a la guerra, pues ellos también debían afrontar grandes dispendios. Bien lo sabía ella, que llevaba gastados cuarenta talentos en su pequeña flota, más las pagas de los soldados de infantería, que ascendían a casi diez mil dracmas al mes.

Al cabo de un rato, sintió la mirada de Jerjes, que cuchicheaba con Mitradates. El eunuco en persona, y no un simple camarero, se acercó a Artemisia con una escudilla de electro decorada con la imagen del rey, que se repetía no menos de veinte veces en finas láminas de oro. Aún más valiosa era la copa que también le ofreció, el mismo ritón con la cabeza de grifo del que había bebido la noche que compartió el lecho con Jerjes.

Artemisia hizo una reverencia y agradeció el favor del rey con unas palabras en persa, lo que le ganó muchos aplausos, pues era raro encontrar griegos que se defendieran bien en la lengua irania. Por tal motivo, entre los camareros no hacían más que desfilar intérpretes para terciar en las conversaciones de los invitados.

La escudilla contenía una ensalada de lonchas de lomo de ternera casi transparentes sobre verduras crujientes y pétalos de flores, acompañada por una salsa muy suave. Jerjes, o quien hubiera elegido el plato, había tenido la delicadeza de escoger uno ligero y poco abundante, de modo que para Artemisia no fue ningún problema vaciar la escudilla. Cuando terminó, una camarera vino a recogerla.

—Mañana lo tendrás todo limpio, señora —le dijo.

Aparte de músicos que se sucedían pieza tras pieza, amenizaban el banquete volatineros, acróbatas y tragafuegos. Cuando ya casi todo el mundo estaba ahíto, salvo los voraces tracios, Mitradates dio unas palmadas. Delante de la mesa real los criados apartaron unas mesas, entre las protestas de sus ocupantes, para despejar un amplio espacio sobre las alfombras.

—¡Majestad! ¡Nobles invitados del Gran Rey Jerjes! —anunció el eunuco—. ¡Permitid que os presente a los bravos espartanos, los guerreros más afamados de Grecia!

Entre el jolgorio general, aparecieron en la tienda diez hombres de aspecto atlético y alturas parejas. Venían envueltos en mantos rojos, los yelmos corintios que llevaban apenas dejaban ver sus rostros y sus brazos sostenían relucientes escudos con la letra lambda grabada. Artemisia se quedó sorprendida. ¿De veras eran guerreros de Lacedemonia? Pero a su lado Damarato soltó un bufido y susurró:

—Bonita farsa.

Por el otro lado se presentaron diez lanceros persas de la guardia real, melóforos ataviados con caftanes púrpura de amplias mangas, tan largos y ceñidos a las piernas que apenas dejaban ver sus pantalones. Aunque los miembros de ese cuerpo iban a la batalla con arcos, en esta ocasión tan sólo traían lanzas y escudos en forma de ocho.

Los espartanos dejaron caer las capas al suelo. Para asombro de Artemisia, no llevaban coraza. Tan sólo vestían unos sucintos taparrabos de cuero tan apretados que apenas dejaban lugar a la imaginación. Los diez eran especímenes soberbios, con los pectorales y abdominales tallados a cincel y untados de aceite para que su relieve resaltara más bajo la luz. Artemisia se descubrió imaginando que acariciaba aquellos músculos brillantes y, sin saber muy bien por qué, miró a la reina. Amestris también había puesto unos ojos como platos.

Cuando la música dio la señal para empezar, los diez hoplitas trabaron sus escudos, levantaron las lanzas por encima de los brocales y desafiaron a los melóforos al unísono con un gruñido gutural.

Los persas atacaron primero. Artemisia comprendió al instante que esos supuestos espartanos no debían de ser tan siquiera griegos, pues la pequeña falange que habían improvisado se deshizo enseguida. El combate se libró en duelos singulares, entre las aclamaciones y rugidos de los comensales. Por la forma en que las lanzas persas resonaban en los escudos, Artemisia se dio cuenta de que no eran de madera, sino de bronce macizo. Debían de pesar el doble o el triple que un escudo normal, por lo que los espartanos los movían con torpeza y no podían evitar que las puntas romas de las armas persas golpearan una y otra vez sus cuerpos aceitados, ante el júbilo de los invitados.

La pelea estaba coreografiada con la perfección de una danza ritual. Cada ataque, cada finta y cada defensa se habían ensayado con precisión, y los combatientes se dejaban caer muertos cuando recibían cierto número de golpes o un lanzazo alcanzaba un órgano vital. Al final sólo quedó en pie un espartano contra siete persas. Cuando éstos hicieron ademán de abalanzarse sobre él, el superviviente arrojó el escudo y huyó. El arma era tan pesada que, a pesar de la alfombra, su caída resonó con estrépito.

Los comensales aplaudieron a rabiar y vitorearon a los lanceros, que formaron ante el rey Jerjes y le presentaron armas. A una señal del rey, diez hermosas jóvenes ofrecieron otras tantas torques de oro a los guerreros victoriosos.

—¿Te ha gustado la representación, Damarato? —preguntó el rey a su invitado cuando los lanceros y los espartanos abandonaron la tienda.

—Ha sido espectacular sin duda, majestad.

—Más espectacular será cuando los Diez Mil pongan en fuga a todos los espartanos —intervino Hidarnes, el jefe de aquel cuerpo.

—Tengo la impresión de que Damarato no está de acuerdo —dijo Jerjes—. Quizá quiera explicarnos por qué.

—¿Puedo hablar con sinceridad, majestad?

—Es lo menos que espero de un buen amigo como tú —respondió el monarca, en tono relajado.

—Esos hombres que han representado a los espartanos eran sin duda grandes guerreros. Pero no han combatido a la manera lacedemonia. De lo contrario, no habrían sido derrotados con tanta facilidad.

Al decir eso estaba siendo bastante cortés. Era evidente que si los supuestos espartanos habían perdido el simulacro de batalla era porque les correspondía ese papel en la pantomima. Aun así, Artemisia entendió lo que quería decir.

—Parece que te escuece la derrota de los tuyos, Damarato —volvió a intervenir Hidarnes. El jefe de los Diez Mil era un hombre jovial y algo zumbón, y además saltaba a la vista que había bebido ya unas cuantas copas de vino.

—Ya podéis imaginar cuánto aprecio siento por los espartanos. Me arrebataron el trono, me quitaron los privilegios que todos mis antepasados habían disfrutado y me convirtieron en un apátrida. Por suerte —añadió, dirigiéndose a Jerjes—, tu padre me acogió en su reino y en su generosidad me facilitó una hacienda de la que ahora vivo. Por eso mismo podéis confiar en que, cuando hablo de mis antiguos compatriotas, lo hago con objetividad. Os aseguro que en combate singular no son inferiores a nadie. Pero cuando cierran escudos en la falange, son los mejores guerreros que existen sobre la Tierra.

Aquella afirmación, cuando la tradujo el intérprete, provocó protestas y abucheos entre los comensales de la mesa real. Pero Jerjes levantó una mano, y todas las voces callaron.

—La razón para ello —prosiguió Damarato— es que combaten por la libertad de la que disfrutan y que les ha costado tanto conquistar. Y, sin embargo, aunque parezca paradójico, no son libres por completo. Pues todo su destino está supeditado a un dueño supremo.

—¿Y cuál es ese dueño? —preguntó Jerjes. Las palabras de Damarato habían despertado su interés.

—La ley. Una ley que ellos mismos se han otorgado desde hace generaciones, que todos aceptan libremente y a la que, en sus corazones, temen aún más de lo que tus súbditos te temen a ti.

Damarato se había enardecido hablando. Artemisia comprendió el porqué de su anterior gesto de amargura. En el fondo de su alma, por más que hubiera prosperado en Persia, seguía siendo un espartano que añoraba su patria.

—Por eso siempre cumplen lo que les manda la ley, y sobre todo este precepto, el más importante: no pueden huir jamás del campo de batalla, por fuertes y numerosos que sean los enemigos, sino que han de permanecer en sus puestos hasta vencer o morir. ¿Me permites ilustrar lo que digo con una breve historia, majestad?

—Será un gran placer, amigo —dijo Jerjes. A los persas les gustaba oír un buen relato tanto o más que a los griegos.

Lo que ahora iba a contar, explicó Damarato, sucedió muchos años antes, cuando él no había nacido. Pero era una historia de heroísmo que se narraba en los campamentos donde los niños espartanos empezaban a entrenarse a los siete años bajo la brutal disciplina instituida por Licurgo. Él incluso la había oído a una edad más tierna, de labios de su madre. Pues las espartanas no educaban a sus niños con cuentos de terror sobre criaturas espantosas como Gorgo o Lamia, la mujer serpiente que chupa la sangre de sus víctimas. Ellas preferían inculcarles la disciplina narrándoles al calor del hogar ejemplos verdaderos de virtud y valor.

Esparta y Argos disputaban desde hacía tiempo por Tirea, un lugar de la comarca cerealística de Cinuria, vital para la subsistencia de las dos ciudades. Para evitar más muertes —por aquel entonces, Argos era una ciudad casi tan poderosa como Esparta—, se pactó que dirimirían el litigio haciendo combatir por cada bando a trescientos campeones escogidos. Además, lo harían lejos de ambas ciudades, en un paraje solitario; con ello impedirían que cualquiera de los dos ejércitos cayera en la tentación de auxiliar a los suyos si los veía derrotados.

Así pues, los paladines espartanos y argivos formaron frente a frente el día estipulado, y ambas falanges cargaron la una contra la otra. Cuando chocaron, el terrible momento del *othismós* en que, trabados los escudos, los hoplitas se alanceaban sobre los brocales mientras sus compañeros los empujaban desde atrás, se alargó durante horas sin que ningún bando cediera un palmo de terreno. Los hombres morían en el sitio, los supervivientes pasaban por encima de sus cadáveres y, rotas las lanzas, acuchillaban a sus enemigos con las espadas, los golpeaban con piedras o les daban dentelladas cuando se quedaban sin armas.

—Por fin —prosiguió Damarato—, cuando cayó la noche, sólo quedaban en pie dos hombres, los argivos Alcenor y Cromio. Al verse dueños del campo, se retiraron de entre los cadáveres y marcharon a su ciudad a proclamar la victoria. Al día siguiente se presentaron los ejércitos de ambos bandos para conocer el resultado del duelo. Los argivos venían muy ufanos con sus dos supervivientes. Pero cuando llegaron, descubrieron que en el centro del campo de batalla se erigía un trofeo construido durante la noche con las corazas y los yelmos de sus hombres. Delante de él había una losa blanca, y uno de nuestros hoplitas aguardaba sentado y con la espalda recostada en ella. Cuando los heraldos se acercaron, comprobaron que el soldado estaba muerto. Había recibido múltiples heridas en las piernas y en el cuerpo; mas, pese a ellas, aún había tenido fuerzas para despojar varios cadáveres enemigos y levantar un trofeo que proclamaba la victoria de Esparta.

—Después de muerto —continuó Damarato—, el hoplita espartano seguía embrazando el escudo y conservaba la lanza, apoyada en las rodillas. Tenía la mano derecha empapada en sangre, su propia sangre, con la que había escrito en la losa:

> *Otríadas, hijo de Alcidas, dice a sus camaradas lacedemonios: Obedeciendo vuestra ley, sin abandonar mi puesto ni arrojar mi escudo, erijo este trofeo con las armas despojadas a los enemigos muertos y se lo consagro a Ártemis y a Heracles victorioso.*

Los de Argos sostenían que ellos eran los vencedores, puesto que habían sobrevivido dos de sus guerreros, mientras que los espartanos alegaban que Otríadas, aun malherido, había quedado dueño del campo de batalla y despojado de sus armas a los cadáveres argivos. Como no se pusieron de acuerdo, ambos ejércitos se enzarzaron en una segunda batalla, ahora general.

—Los dioses, como era de esperar, nos concedieron la victoria, pues nuestra causa era justa. Aquel día cayeron más de tres mil argivos. Y, gracias al ejemplo de valor y disciplina de Otríadas, Argos jamás volvió a derrotar a Esparta. Por eso, majestad —añadió Damarato, señalando al broquel que el último superviviente de la pelea fingida había dejado caer sobre la alfombra—, nunca verás un escudo espartano en el suelo si no es al lado del cadáver de su dueño.

El rey aplaudió, sin asomo de ironía.

—¡Bravo, Damarato! Ojalá tus espartanos sean como los pintas, porque así resultarán unos enemigos dignos de mis hombres.

—No te decepcionarán, majestad.

—No dudo de que tus compatriotas combatirán con valor

—intervino Mardonio—. Pero me temo que, cuando termine la batalla, no quedará ninguno para levantar un trofeo con nuestras armas.

—Puede que tengas razón, Mardonio. Pero eso, como todo, lo decidirán los dioses —respondió Damarato, y no añadió nada más.

Tras esta conversación, el rey se retiró, seguido por su esposa. El banquete continuó con una nueva tanda de manjares, aunque los estómagos estaban ya repletos y los paladares ahítos. Unas danzarinas ligeras de ropa empezaron a cimbrearse en el espacio que antes había servido de palestra y luego, sin dejar de bailar, se repartieron entre las mesas al son de flautas, crótalos y panderetas.

Ahora que ya no estaban ni Jerjes ni Amestris, Artemisia decidió que era un buen momento para retirarse. No estaba muy segura de en qué podía degenerar un festín persa, pero por la forma en que movían las caderas las bailarinas imaginaba que no sería muy distinto a un simposio griego. Además, por debajo de la coraza tenía la túnica empapada de sudor. Una gota le acababa de resbalar, había llegado a sus riñones y estaba a punto de colarse justo entre sus nalgas. Por tarde que fuera, estaba deseando llegar a su propia tienda para desnudarse y darse un baño.

Cuando salió de la tienda, sus soldados la siguieron a regañadientes. Pensando que se merecían un poco de holganza, le dijo a Alexias:

—Elige a tres soldados para que vengan conmigo. Los demás pueden quedarse.

El joven tenía las mejillas coloradas y los ojos brillantes, pero conocía bien cuál era su deber. Señaló a dos hombres, los que menos habían bebido, y se escogió a sí mismo como el tercero.

Fuera ya era de noche. Artemisia se volvió y miró hacia la tienda. Las luces del interior se traslucían a través de la gruesa lona y la hacían parecer una inmensa jaula llena de luciérnagas.

En ese momento, vio que Esquines salía por la puerta, casi corriendo.

—¡Espera, Artemisia!

Artemisia suspiró y dijo a sus hombres:

—Alejaos un poco.

—¿Cuánto es un poco, señora? —preguntó Alexias.

¡Ah, cuánto tienes que aprender de tu padre!, pensó Artemisia.

—Lo suficiente para que no oigáis lo que hablo.

—¡Entendido, señora!

Cuando Esquines llegó a su altura, se compuso con cuidado los pliegues de la túnica y dijo:

—¿Por qué te marchas tan pronto, hermosa Artemisia? La parte más interesante del banquete está a punto de empezar.

—¿De veras? En ese caso deberías entrar de nuevo cuanto antes, para no perderte nada.

—Por placentera que sea la fiesta, prefiero disfrutar de tu compañía.

—Pues siento que va a ser por poco tiempo. Tengo sueño y me duele la cabeza. —No mentía del todo. El poco vino que había bebido le estaba levantando algo de jaqueca.

Esquines se acercó más a ella. Olía a esencia de rosas y estaba masticando almáciga que no acababa de disimular su aliento a vino.

—¿Por qué te empeñas en rehuir mi compañía, Artemisia? Estás soltera, y sólo tienes un hijo. Te vendría bien un marido como yo, del que engendrar hermosos niños que se parezcan a los dos y nos acompañen en nuestra vejez.

—La compañía de los niños me aturulla. Con uno solo tengo más que de sobra. Y una cosa puedo asegurarte, Esquines: Artemisia de Halicarnaso jamás se volverá a casar. Ahora, si me disculpas...

Cuando se dio la vuelta para retirarse, él la agarró del codo. La primera tentación de Artemisia fue revolverse y darle un puñetazo, pero se contuvo.

—Escúchame un momento, Artemisia. Tengo una historia que contarte. Es breve, no tardaré mucho.

—Dime.

—Sabes que tengo buenas fuentes de información. Siempre me entero de todo lo que pasa a ambos lados del Egeo.

—¿De todo? —preguntó ella, enarcando una ceja.

—Bueno, tal vez de todo no, pero sí de lo más importante. Por ejemplo, a través de conductos bastante sinuosos ha llegado a mis oídos que, la noche anterior a la batalla de Maratón, los atenienses recibieron la visita de un desertor jonio que les avisó de que la caballería ya no estaba en el campo. Eso les decidió a atacar a nuestros amigos los persas. Todos sabemos con qué resultados.

A pesar del calor, Artemisia empezó a notar los pies fríos.

—No sé por qué me...

—Ten paciencia, Artemisia. Al parecer, según mis informantes, una o dos noches antes ese mismo desertor había visitado ya el campamento ateniense. Pero esta vez no lo hizo como espía, sino como alcahuete, para concertar una cita sexual entre su jefe y, pásmate, nada menos que un general ateniense.

Taxiarca, corrigió mentalmente Artemisia. Por supuesto, no dijo nada.

—Sodomía entre enemigos en plena guerra. ¡Qué escándalo! Porque digo yo que sería sodomía, ¿no crees?

—Sinceramente, no me interesa —dijo Artemisia, con poca convicción.

—Me pregunto si esa persona que se revolcó con el general no sería la misma que luego envió al desertor para informar a los atenienses. Si fuera así, la persona de la que te hablo sería la causante de la derrota de Maratón. ¿Te imaginas a qué torturas la sometería el Gran Rey si se enterara?

—No tengo imaginación para esas cosas.

—Pero, claro, al Gran Rey no tienen por qué llegarle todos los rumores. Es demasiado importante para tales menudencias. Esa persona de la que hablo puede confiar en que quien conoce su secreto se lo callará..., aunque no gratis.

Esquines se acercaba cada vez más, aprovechando que Artemisia se había quedado helada.

—Nada es gratis en esta vida —añadió.

—No te entiendo.

—Cuando vivía en Eretria tenía que hablar ante la asamblea para convencer al pueblo de lo que debía hacerse en la ciudad. Me repugnaba. A la chusma no hay que convencerla, hay que hacerla obedecer.

—Tus ideas políticas no me interesan.

Esquines le puso las manos sobre los hombros.

—Rey consorte de Halicarnaso. No te preocupes, a ti te dejaría hacer la guerra. Yo me limitaría a gobernar en la ciudad.

Artemisia iba a contestar que antes se casaría con un sapo, pero Esquines tiró de ella y la besó con lujuria. Sus manos se metieron bajo el faldar de Artemisia, apartaron las gruesas tiras de cuero y le sobaron los glúteos. Ella se dejó hacer un instante, desconcertada. Pero enseguida reaccionó y le propinó un rodillazo en los genitales con todas sus fuerzas.

Esquines cayó al suelo, doblado sobre sí mismo. Alexias y los dos soldados hicieron ademán de acercarse a ellos, pero Artemisia los contuvo con un gesto. Prefería que no supieran nada.

—¡Escúchame, puta! —jadeó Esquines—. ¡Te vas a arrepentir de esto! ¡Cuando Jerjes sepa lo de Maratón hará que te empalen!

—Puedes ir a contárselo cuando quieras.

Artemisia se dio la vuelta para irse, pero en el último momento no pudo resistir la tentación y le dio una patada en la cara al eretrio. Después regresó con sus hombres.

—Se ve que a algunos les ponen calientes las armaduras —fue toda la explicación que les dio cuando llegó junto a ellos.

A pesar de lo que le había dicho a Esquines, Artemisia no las tenía todas consigo. Aún le cabía una minúscula duda sobre la verdadera identidad de Patikara.

Es él, es él, se repitió a sí misma. Si Jerjes no fuese el enmascarado, no la habría recompensado convirtiéndola en su *bandaka,* no la habría invitado a la mesa real ni la habría honrado con regalos.

Pero, aunque Jerjes y Patikara fuesen la misma persona, tal vez al Gran Rey no le haría mucha gracia saber que la historia del espía de Maratón se estaba propalando. Artemisia estaba convencida de que si Esquines acudía con el cuento a Jerjes esperando una recompensa, se iba a llevar una sorpresa. De lo que no estaba tan segura era de que el rey no decidiera matarla a ella también para eliminar testigos de lo que había sido una auténtica traición contra su propio padre.

Un reguero húmedo volvió a chorrear por la espalda de Artemisia. Pero esta vez el sudor era frío.

El Pireo, noche del 29 de julio

Habían terminado de cenar y estaban conversando con Mnesífilo mientras picaban dulces y frutos secos, cuando el portero pidió permiso para entrar al comedor e informó a Temístocles de que por la cuesta que subía del puerto se acercaba gente con antorchas. Apolonia se sobresaltó. Desde la caída de Eretria, de la que pronto se cumplirían diez años, cualquier visita o aparición por la noche hacía que el corazón le diera un vuelco en el pecho, como si los persas estuvieran de nuevo a las puertas. La casa se hallaba bien defendida, pero todo el mundo sabía que guardaban en ella mucho dinero y objetos valiosos. Y si bien los enemigos políticos de Temístocles estaban cada vez más acobardados, no había que descartar que intentaran algo contra él.

—Voy a ver quién es —dijo Temístocles.

—Te acompaño.

Temístocles le dijo que no hacía falta, pero Apolonia se empeñó. Subieron al terrado que Temístocles había construido al estilo de las casas orientales, porque le gustaba contemplar el puerto desde allí y ver cómo avanzaban los trabajos. *Sus* trabajos, se corrigió Apolonia. Según él, los últimos cincuenta trirremes que estaban terminando de construir con las maderas traídas de Italia e incluso de la lejana y selvática Córcega serían los más rápidos del mundo, más veloces incluso que las naves fenicias. A veces, Apolonia pensaba que Temístocles quería más a aquellos barcos que a sus propios hijos.

No, eso no, se dijo. Estaba siendo injusta con él. Tan sólo hacía año y medio que Neocles, el mayor, había muerto por la infección que le había provocado en un brazo la mordedura de un caballo. Temístocles no había tenido más remedio que sobreponerse a su infortunio, pues los asuntos de la ciudad así lo reclamaban, y ni siquiera pudo guardar luto por él. Pero siempre que subía a la ciudad presentaba ofrendas ante la estela de su hijo y Apolonia lo había sorprendido llorando más de una vez cuando creía que nadie lo miraba. Aunque era un hombre cerebral y menos efusivo de lo que ella a veces habría deseado, quería a todos sus hijos.

Y a sus hijas. Lo cual era más importante para Apolonia, pues todas habían nacido de su vientre.

Desde el terrado vieron que por la calle subían varios hombres con una mula y un caballo, alumbrados por gruesas antorchas.

—Es Cimón —dijo Temístocles—. ¿Qué querrá a estas horas?

No era raro que el hijo de Milcíades se reuniese con Temístocles, tanto en la casa del *asty,* la ciudad alta, como aquí en la del puerto. Pero normalmente aparecía de día, a no ser que estuviese invitado a cenar.

A Apolonia no le extrañó demasiado aquella visita intempestiva. Seguro que no era de cortesía. Desde que habían nombrado a Temístocles general autocrátor, casi todos los asuntos relativos al gobierno de Atenas pasaban por sus manos. Y corrían tiempos difíciles para la ciudad, con la amenaza de los persas de nuevo en el horizonte. Según Temístocles, que en materia de números nunca exageraba —a no ser que fuera con fines manipuladores, claro—, Jerjes traía con él un ejército cinco veces más numeroso que el que destruyó Eretria, acompañado por una flota de seiscientos barcos de guerra y otros tantos transportes.

Y esta vez Apolonia no tenía una sola hija por la que temer, sino tres.

Bajaron de nuevo al patio, y Temístocles le dijo que volviera al comedor y atendiera a Mnesífilo mientras él averiguaba qué recado traía Cimón. Pero Apolonia se quedó esperando en un rincón para comprobar si pasaba algo grave. Se decía que los persas aún estaban muy lejos, más allá del monte Olimpo. Pero ella les tenía un miedo sobrenatural, y cada mañana, cuando se asomaba al terrado y veía el mar, temía encontrarse con el horizonte entero ocupado por sus barcos.

La puerta que daba a la calle, una hoja de sólido roble reforzada con planchas de bronce, se abrió entre chirridos de pestillos y goznes. Cimón entró y abrazó a Temístocles; un abrazo que a Apolonia le pareció algo frío. Después, reparó en que ella estaba allí, en segundo plano, y la saludó de lejos inclinando la barbilla, a lo que Apolonia contestó con un gesto de la mano.

No habían empezado con muy buen pie cuando se conocieron en aquella playa de Eubea. Desde entonces, se habían visto a menudo, pues Temístocles no era de los que obligaban a sus mujeres a esconderse en el último rincón de la casa cada vez que venía un hombre. El hijo de Milcíades siempre le echaba miraditas a medias entre la seducción y la superioridad, como si le dijera: *«Sí, ya sé que soy Adonis resucitado de los infiernos, pero no me tocarás.»* Cuando lo último que se le habría ocurrido a Apolonia sería acostarse con él.

Dos esclavos de Cimón pasaron al patio cargando entre ambos con un gran baúl y resoplando por el esfuerzo. Sicino salió para descargar un cofre más pequeño de lomos del caballo; por la forma en que el hercúleo esclavo lo cogió, no debía ser ligero.

No es un esclavo, se recordó Apolonia una vez más, que no se acostumbraba a que Sicino se había convertido en un meteco, un extranjero libre. Temístocles no era ya su amo, sino su patrono, al menos mientras el persa siguiera en Atenas. Cuando llegaron de su largo viaje por Asia, Temístocles había cumplido con su palabra de manumitirlo, y además le entregó tanto los ahorros de su peculio como una generosa suma para que volviese a su hogar. Pero Sicino se abrazó a sus rodillas y, con los ojos llenos de lágrimas, le suplicó que no lo arrojase de su lado. Era la primera y única vez que Apolonia lo había visto mostrando una actitud tan servil.

—¡Si vuelvo a Persia me matarán, señor!

—¿Por qué? —se había extrañado Temístocles.

—El general Mardonio me desterró, señor. Dijo que yo era un traidor a los míos por haberte servido a ti y por haberte acompañado para espiar al Gran Rey, y que si volvía a pisar territorio persa durante el resto de mi vida haría que me arrancaran la piel.

Todo eso lo había pronunciado de corrido y casi sin respirar, como un discurso ensayado. Y no había levantado la vista del suelo, aunque era un hombre orgulloso que solía mirar a los ojos.

—Está mintiendo —le había dicho Apolonia a Temístocles a solas, más tarde.

—¿Por qué iba a mentir? ¿Qué beneficio obtendría con ello?

Temístocles siempre lo veía todo de forma racional, sopesando pros y contras, algo que a veces desesperaba a Apolonia. Si en su mente lógica no encontraba una razón convincente para que Sicino mintiera, su conclusión era que no podía estar mintiendo, y no había más que argumentar. Pero ella, que veía las cosas de otro modo, había hablado con el persa a solas.

—Me alegra mucho que te quedes con nosotros, Sicino. Para mí eres como un hermano. Pero también me apena que no puedas regresar a tu hogar. Yo te comprendo mejor que nadie, porque soy una exiliada —añadió, tomándole la mano con gesto compungido—. ¿De verdad te han amenazado con una muerte tan espantosa si vuelves a Persia?

—Sí, señora.

Ella le estaba mirando a los ojos, de modo que él no podía girar la cabeza sin delatarse. Pero las pupilas se le movieron a un lado y retiró la mano como si el contacto de Apolonia le quemara. Estuvo a punto de taparse la boca con los dedos, pero se contuvo y se rascó la comisura de los labios. Apolonia, que estaba acostumbrada a detectar las mentirijillas de sus hijas y sabía que Sicino en el fondo era un niño grande —exageradamente grande—, se terminó de convencer de que les estaba ocultando algo.

Pero Temístocles se había negado a escucharla.

—Respeto tus opiniones, Apolonia. Pero si hay algo de lo que me precio es de conocer a mis hombres. Sicino no puede mentir porque si lo hiciera atentaría contra el mandato más sagrado de su dios.

Sus hombres. ¡Ah, qué petulancia! Cuando se ponía tan pretencioso, Apolonia lo odiaba.

Ahora, Temístocles le hizo un gesto para que volviera junto a Mnesífilo, mientras él entraba en su despacho con Cimón. Apolonia suspiró y pasó de nuevo al comedor.

Una esclava sentada en un rincón tocaba un suave arpegio con la lira. Era una mujer joven, más bien huesuda y feúcha, aunque tenía unos dedos blancos y finos y la música que tocaba era muy dulce. Sin duda, Temístocles no la tenía allí para que alegrara la vista ni el cuerpo, sino el espíritu.

Apolonia se sentó en un taburete frente a Mnesífilo. Éste, por deferencia a ella, también se enderezó sobre el diván, y los pies le quedaron colgando sobre el suelo. El amigo de Temístocles ya había pasado de largo los sesenta años. Pero desde que Apolonia lo conocía no había cambiado demasiado —cuando Temístocles se lo presentó ya tenía la oreja rajada por la herida de Maratón—. Tal vez las mejillas se veían algo más hundidas; pero los ojos seguían siendo igual de vivos. Mnesífilo decía que el secreto estaba en ser moderado con el vino y aún más con la comida. De hecho, cuando entró Apolonia, las bandejas de dulces seguían tan llenas como antes.

—Pensé que al menos tendríamos una cena tranquila —se disculpó Apolonia—. Pero me equivoqué.

—No te preocupes, Apolonia. Corren tiempos difíciles. Y más para un hombre que quiere abarcar toda la ciudad en su cabeza.

—Si sólo fuera toda la ciudad... A veces pienso que lo que quiere es abarcar todo el mundo.

—Dime una cosa. ¿Sigue durmiendo menos que un gallo?

Viniendo de otro hombre, habría considerado una desfachatez esa pregunta de alcoba. Pero Apolonia tenía mucha confianza con Mnesífilo, que, a falta de progenie propia, la trataba casi como a una hija. Además, a diferencia de lo que pasaba con otros hombres, no había la menor pizca de deseo sexual que enturbiara su relación. Era bien sabido que a Mnesífilo le gustaban los efebos; y a su edad ya se conformaba sólo con verlos en la palestra. Al menos, eso aseguraba él.

—Menos que nunca. Cuando nos acostamos en el mismo lecho, la última imagen que tengo de él antes de dormirme es ésta. —Apolonia cruzó las manos sobre el pecho, abrió los ojos como un búho y se quedó mirando a la nada durante unos segundos. Mnesífilo soltó una carcajada—. Y cuando me despierto, siempre se ha levantado ya.

—Ah, él cree que tiene que velar por todos. Pero una sola persona no puede cargar con el peso del mundo.

—Y para colmo, cuando por fin se duerme, sufre pesadillas. No sé qué le pasa en ellas, pero a veces empieza a gemir en sueños. Cuando le miro está sudando y aprieta los dientes como si tuviera fiebre. Me cuesta mucho despertarlo, y eso que tiene el sueño ligero. Es como si las pesadillas se apoderaran de él y no lo soltaran.

—¿Qué pesadillas son? Una vieja sacerdotisa me enseñó a interpretar sueños. A lo mejor puedo ayudarte.

—Nunca me las quiere contar. Yo sospecho que tiene que ver con lo que le pasó en su viaje. —Sólo podían hablar de ese asunto cuando Temístocles no estaba presente—. ¿Te acuerdas de cómo traía los dedos? Una infección, nos dijo.

—Desde luego, no conozco ninguna infección que haga perder sólo las uñas de las manos —reconoció Mnesífilo—. Aunque un marinero me contó que en la India existe una enfermedad que hace que a la gente se le caigan los dedos a trozos y luego el resto de las manos.

Apolonia negó con la cabeza.

—No fue ninguna enfermedad. Estoy convencida de que lo torturaron.

El mismo Mnesífilo le rellenó la copa con una jarra que tenían a mano, porque Temístocles había despedido un rato antes al camarero.

—Hablemos de cosas más agradables. Cuando la sombra de la guerra se acerca, es el mejor momento para disfrutar de la vida. ¡Muchacha! —exclamó, dirigiéndose a la citarista—. Toca algo más alegre.

La joven interpretó un canto convival de Simónides, el anciano poeta jonio que de vez en cuando venía a visitarlos. Mientras cantaba, les llegó el sonido de la discusión desde el despacho. Para evitar parecer indiscreto, Mnesífilo carraspeó, subió el volumen de la voz y preguntó a Apolonia por la madre de Temístocles.

—Se durmió antes de que llegaras —contestó Apolonia—. Lleva unos horarios muy raros. Es posible que dentro de un rato se despierte creyendo que es de día y pida a las esclavas el desayuno.

Hacía dos años que Euterpe vivía con ellos. La pobre mujer había empezado a dar síntomas de demencia senil poco después del regreso de Temístocles. Lo confundía con su padre Neocles, se olvidaba de los nombres de sus nietos, que bajaban a menudo a verla desde la ciudad, y también se equivocaba con sus nietas Italia y Síbaris, o simplemente no las reconocía.

Tenían que mantenerla vigilada, porque si se descuidaban se escapaba y se ponía a deambular por las calles vestida tan sólo con una túnica de estar en casa y los blancos cabellos sueltos hasta la cintura. Si alguien le preguntaba, le contaba una historia sobre su hermano Sangodo, pues se creía que volvía a ser una joven doncella y estaba en Halicarnaso de nuevo. Arquipa había aprovechado la decadencia de Euterpe para vengarse de ella, y no perdonaba ocasión de demostrarle que chocheaba. Además, cuando Temístocles no estaba en casa, daba orden a las esclavas de que no la peinaran ni la lavaran, y de que la dejaran siempre con la misma ropa. Hasta que Apolonia se hartó y le dijo a Temístocles que se trajera a su madre al Pireo, que ella la cuidaría.

Por suerte, Nesi, que ya había cumplido doce años y era una mujercita, ayudaba mucho a Apolonia. Aunque Euterpe no fuese su abuela carnal, era ella quien más la atendía, y se pasaba largos ratos cantándole mientras le cepillaba el pelo. A cambio, obtenía su recompensa: curiosamente, Euterpe siempre reconocía a Nesi, y no sólo eso, sino que la llamaba por su nombre completo, Mnesiptólema, sin ahorrarse una sola consonante.

—Es duro el olvido —comentó Mnesífilo, sacudiendo la cabeza. Después preguntó—: ¿Puedo ser indiscreto, Apolonia?

—Siempre que quieras —respondió ella. Recibía pocas visitas femeninas con las que sincerarse de verdad, así que agradecía las conversaciones con Mnesífilo.

—Le he dicho más de una vez a Temístocles que por qué no

se divorcia de Arquipa y se casa contigo. Pero siempre contesta que la situación de la ciudad es muy complicada, los persas por un lado, los espartanos por otro, los eupátridas a todas horas, y que ya arreglará lo vuestro algún día. ¿Qué piensas tú? ¿Estás contenta con la situación?

—¿Es que eso tiene alguna importancia?

—Para mí sí. Y te aseguro que para él también. Otra cosa es que lo demuestre.

Apolonia tomó la copa y dio un breve sorbo. Después se quedó con los labios apoyados en el borde del cáliz, pensativa. ¿Estaba contenta? La verdad, y pese a los tiempos sombríos que corrían, es que no era tan infeliz. Si lo fuese no tendría tanto miedo de perderlo todo otra vez. En realidad, aunque ahora no era la esposa legal de nadie, tenía mucho más que perder que cuando vivía en Eretria.

De vez en cuando presionaba a Temístocles, fingía celos a costa de Arquipa y le pedía más atención. Pero cuando él se volvía más solícito, Apolonia procuraba distanciarse un poco, y a menudo le decía: «*¿No crees que va siendo hora de que pases unos días con tus hijos en la ciudad?*» Había comprobado que ésa era la mejor manera de manejarlo. Estaba enamorada de él, y lo había estado desde que lo conoció en aquel barco, el mismo día en que, ¡que la perdonaran los dioses!, murió su marido. Pero, aunque a veces le apetecía decirle a todas horas cuánto lo amaba, se guardaba mucho de hacerlo. Cuando se trataba de los asuntos de Afrodita, Temístocles era como un ciervo asustadizo que se asoma fuera del bosque y al que no hay que mirar directamente si uno quiere atraerlo para que acabe comiendo en su mano.

En cuanto al matrimonio, ni ella misma sabía qué opinar. Había comprobado que, siendo eretria y concubina en lugar de ateniense y esposa legal, obtenía menos respeto de los demás, empezando por personas como Cimón, que la miraban como si en cualquier momento pudiera estar disponible para ellos. Pero, a cambio, gozaba de más libertad. Cuando le apetecía salía a comprar con las esclavas, o simplemente a pasear por el puerto, o se llevaba a las niñas a la playa de Falero, siempre con la protección de Sicino. Nunca le había pedido permiso a Temístocles para nada de eso. ¿Continuaría todo igual si se casaban? ¿Podría quedarse sentada con un amigo de Temístocles en el comedor sin que él estuviera presente, como ahora? ¿Seguirían compartiendo el lecho con la misma sensación emocionante y furtiva de aquella primera noche en que Temístocles se coló en su alcoba?

Mientras pensaba eso, se oyeron voces en el patio de nuevo. Al parecer, Temístocles y Cimón ya habían terminado de discutir lo que tuvieran que tratar. Apolonia estaba deseando salir del comedor, y por las miradas que dirigía a la puerta, Mnesífilo también. Pero se limitaron a escuchar cómo Cimón y Temístocles se despedían.

Oyeron cómo se cerraba la puerta de la calle y Temístocles daba permiso a Sicino para retirarse. Poco después entró en el comedor. Pero en lugar de recostarse en el diván al lado de su amigo, acercó otro taburete y se sentó en él, con las piernas algo separadas y las manos apoyadas en las rodillas.

—Esto no me lo esperaba.

—¿Qué ha ocurrido? —preguntó Mnesífilo.

—Cimón me ha devuelto de golpe todo el dinero que me debía.

—Eso siempre es buena noticia. ¿Cuánto?

—Diez talentos.

—¡Eso es aún mejor noticia! ¿Por qué estás tan serio? Si te molestan tanto esos talentos, dámelos a mí.

—Me ha dicho antes de irse: *«Con esto, nuestra deuda queda saldada. Ya no te debo nada.»*

—Y bien, ¿acaso es mentira?

—Tú no has oído su tono. Le he preguntado si le había hecho algún mal, si alguna vez le había echado en cara ese dinero. ¿Tú sabías que se lo había prestado, Mnesífilo?

—Tenía alguna sospecha, pero...

—¿Te lo había comentado yo alguna vez?

—No, es cierto.

—¡Nunca he hecho ostentación de ello! Se lo presté en secreto, y así lo he mantenido siempre, para que no tuviera que avergonzarse. —Apolonia extendió el brazo para agarrar la mano de Temístocles. Él se dejó hacer, distraído. Sabía disimular sus emociones, pero ahora estaba dolido de veras—. Le ha faltado poco para arrojármelo en la cara.

—¿Ni siquiera te ha dado las gracias? —dijo Apolonia.

—Sí de palabra, pero no de corazón. —Temístocles meneó la cabeza y, como sin darse cuenta, se soltó de la mano de Apolonia. Ella no se molestó. Ya lo conocía—. No lo entiendo. ¡No puedo entenderlo! Desde que murió Milcíades, casi he sido un padre para él.

—Un padre que él no había elegido. Ese hombre es muy orgulloso —dijo Apolonia—. En el momento en que te convertiste en su acreedor, también pasaste a ser su enemigo.

—Eso es verdad —dijo Mnesífilo—. Los Milcíades y los Cimones no aceptan estar en deuda con nadie.

—¡Decidme ahora que obré mal! ¿Qué iba a hacer, dejar que le confiscaran todo y lo desahuciaran como a un perro? ¡Ésta es la recompensa que obtengo por mi desinterés!

Apolonia pensó que Temístocles se estaba comportando como una cortesana ofendida porque alguien pusiera en duda su doncellez. Ella, que sí conocía la existencia y las condiciones de ese préstamo, sabía que, por supuesto, no había obrado de forma desinteresada ni altruista al salir como fiador de Cimón; lo que quería era que el hijo del gran Milcíades tuviese una deuda moral para mantener su tutela sobre él y evitar que llegara a convertirse en un nuevo Arístides. Otra cosa era su generosidad al no cobrarle intereses. Pero Temístocles cambiaba gustoso dinero por poder.

—Estás enfadado y no piensas con claridad —dijo Mnesífilo—. Usa tu inteligencia para averiguar qué ha pasado. ¿Cómo ha podido devolverte diez talentos de golpe?

Temístocles se quedó pensando unos instantes. De pronto, sus pupilas se dilataron, la indignación que sentía por el injusto trato de Cimón pareció desvanecerse de golpe, y cuando volvió a hablar, lo hizo en su tono habitual, grave y sereno.

—Se los ha prestado Calias.

—Si se los ha prestado, sigue estando en deuda con alguien.

—Pues entonces es que se los ha regalado. Pero no sin más. No son tan amigos. Calias no es un despilfarrador. Algo le ha pedido. —Temístocles se levantó de golpe—. Tengo que preparar un buen discurso para mañana si quiero convencer a la asamblea. Mnesífilo, tu habitación está lista, como siempre, pero no tengas prisa por retirarte si no te apetece. Hasta mañana.

Sin más, salió del comedor. Si hubieran estado solos, le habría dado un beso a Apolonia, pero sentía pudor de hacerlo delante de otra gente. A ella no le importó demasiado; estaba más desconcertada que molesta.

—Algo no he captado, Mnesífilo, pero no sé qué es.

—A veces se le olvida explicar a los demás los pasos que da su mente cuando piensa. Él cree que Calias le ha entregado ese dinero a Cimón a cambio de que mañana hable contra él en la asamblea.

—¿Tan grave es que lo haga?

Mnesífilo asintió.

—Temístocles es ahora el amo de la ciudad. Ha barrido del camino a sus rivales más importantes. Pero la gente se aburre de todo, y también ha empezado a aburrirse de él. Cimón es joven, nunca ha hablado en público y todos quieren saber qué puede decir el hijo de Milcíades y qué puede aportar para llevar adelante esta guerra. Sobre todo los que tienen su edad o son incluso más jóvenes. Ésos no hablan en la asamblea, Apolonia, pero sí levantan la mano para votar.

—Entonces es como para que Temístocles esté preocupado.

—Supongo que sí. —Mnesífilo bebió de su copa, pensativo—. Aunque no sé exactamente en qué puede oponerse Cimón a él. El cachorro del león les tiene tantas ganas a los persas como el propio Temístocles, y es muy belicoso. No creo que de pronto empiece a defender que Atenas negocie la paz con Jerjes. ¿Qué otra cosa puede hacer para molestar a Temístocles?

—Yo lo sé —dijo Apolonia—. Quitarle el poder.

Atenas, 30 de julio

—¿Alguien quiere tomar la palabra?

Eran las palabras rituales del heraldo. El sacerdote ya había sacrificado un cerdo, examinado las vísceras y dictaminado que los presagios eran favorables y se podía proceder.

La asamblea no se estaba celebrando en aquella ocasión en la colina de la Pnix, sino en el Ágora, dentro del recinto amurallado de la ciudad. Habían levantado una tribuna de madera para los oradores junto al monumento de los héroes epónimos. Bajo las diez estatuas de éstos se veían otros tantos tablones. En ellos aparecían los miembros de las tribus ordenados por grupos, cada uno de ellos asignado a un barco de guerra como remero, marinero, infante de cubierta o arquero.

Nunca se habían inscrito tantos nombres en los catálogos. Por primera vez, todo el pueblo ateniense acudía a la guerra. Y aún faltaban manos para empuñar los remos, de suerte que habían recurrido a los extranjeros domiciliados en la ciudad e incluso a esclavos. También habían contratado a trescientos mercenarios escitas para disparar el arco desde las cubiertas de las naves más rápidas, las mismas que debían botarse al día siguiente.

Los ciudadanos se habían repartido en el Ágora por tribus, separadas entre sí por amplios pasillos. Delante de cada tribu estaban sus cincuenta consejeros. Eran ellos quienes se encargaban de contar los votos a mano alzada de los demás, y el procedimiento estaba ya tan perfeccionado que en cuestión de minutos podían reunir sus números y saber con precisión cuántos ciudadanos votaban a favor y cuántos en contra de cada propuesta.

También había heraldos repartidos entre el pueblo que repetían en alto las palabras de los oradores, pues por potentes que fuesen sus voces, era difícil que alcanzasen hasta los últimos rincones del Ágora. Y más en una asamblea como ésta, todavía más multitudinaria que la celebrada antes de Maratón. Temístocles calculaba que podía haber allí casi veinte mil personas. No era para menos, pues se estaban jugando de nuevo la supervivencia de su ciudad.

En el aire flotaba la misma sensación de amenaza y urgencia que diez años antes. Ahora el invasor no estaba tan cerca. Pero a cambio los atenienses ya sabían a qué hombres se enfrentaban y, aún peor, a cuántos.

Y esta vez venía con ellos el Gran Rey en persona.

—¿Alguien quiere tomar la palabra? —repitió el heraldo.

Todas las miradas convergieron sobre Temístocles, que aguardaba al pie del estrado junto a los arcontes y los otros nueve generales. Decidió que no era cuestión de hacerse más de rogar y subió a la tribuna.

Durante unos segundos no dijo nada, mientras miles de ojos seguían clavados en él. El silencio de una multitud como aquélla resultaba más sobrecogedor que el griterío de una batalla. Era una sensación embriagadora, y que también podía resultar peligrosa. Cuando sentía sobre sí miles de ojos y miles de oídos, en ocasiones se encontraba fuera de sí mismo y perdía el hilo de las palabras. Hoy no permitiría que le pasara.

¿Dónde está Cimón? Su mirada recorrió las primeras filas de la tribu Enea. Allí no se le veía. O estaba escondido al final, algo impropio del joven aristócrata, o no había venido.

No confíes en ello. Te la va a jugar, seguro. Volvió los ojos ahora hacia la tribu Antióquide. Allí, por detrás de los consejeros, se encontraba Calias. Y Temístocles habría jurado que al darse cuenta de que lo estaba mirando sonreía.

Si quería hablar con convicción, tenía que olvidarse de la amenaza que pendía sobre él. Tragó saliva, respiró hondo y proyectó la voz empujando el aire con el diafragma y ahuecándolo en el paladar.

—No es momento de largos discursos, sino de obras contundentes, ¡oh, atenienses! Vuestros consejeros os han informado ya de las deliberaciones de la Alianza en la reunión que se mantuvo en el templo de Poseidón. Os han revelado además el primer oráculo que nos concedió el dios.

»Sabéis que esa primera profecía nos ha sido adversa, pues nos recomienda huir de la ciudad y retirarnos al fin del mundo. Ni a mí ni a mi colega y buen amigo Andrónico nos pareció bien rendirnos sin más a la desesperación —dijo, señalando al general, que levantó la mano para saludar al pueblo al que tanto despreciaba—. Por eso nos presentamos como suplicantes ante Apolo y le rogamos que nos diera más esperanzas y, sobre todo, que no permitiera que esta tierra que habitamos desde el principio de los tiempos cayera en manos de los bárbaros.

»A estas alturas conocéis también el segundo oráculo que nos brindó la Pitia. Me resulta imposible expresaros el sobrecogimiento que sentí al escuchar en persona sus palabras inspiradas por el dios. Pero debo confesaros que cuando la Pitia mencionó una muralla de madera, me sentí desconcertado.

—¡Farsante! —exclamó alguien en el sector de la tribu Antióquide. Su grito provocó un abucheo general. Cuando se calmó, Temístocles, que ya estaba acostumbrado a aquellas interrupciones, prosiguió.

—¿Qué quiere decir Apolo al ofrecernos una muralla de madera como último baluarte? Algunos sabios ancianos señalan que, en el pasado, la Acrópolis estuvo rodeada por una cerca de madera y de cañas. Quizá el dios se refería a eso. Pero recordad lo que pasó con Eretria, cuyas murallas de piedra eran más sólidas que nuestros bastiones, y cómo fue arrasada por los persas. ¿Cómo vamos a resistir al invasor en la Acrópolis, que no puede cobijar a más de dos mil o tres mil personas?

Hizo una pausa para dejar que los ciudadanos consideraran sus palabras, pues sabía que había entre ellos unos cuantos aristócratas tozudos que insistían en que el muro de madera estaba en la ciudadela. Después prosiguió:

—No, atenienses. No encontraremos la salvación en la Acrópolis. Creo que es evidente qué quiere decirnos el dios con sus palabras. La muralla a la que debemos encomendarnos es nuestra flota. ¡Un baluarte inexpugnable de madera, erizado de espolones de bronce, que nos salvará a nosotros y a nuestros hijos!

—¿Y qué pasa con el primer oráculo? ¿Vas a decirnos que es falso? —gritó otro hombre, un noble llamado Estéfano que nunca subía a la tribuna, pero que solía interpelar a los oradores desde abajo.

—¡Jamás afirmaré eso de las palabras de un dios! Yo creo, ciudadanos, que ambos oráculos son compatibles. Pero no ofrecen un único camino, recto e inmutable. Lo que hacen es mostrar lo que *puede* suceder, y sugerirnos lo que debemos hacer si las cosas se tuercen, como sabéis que a veces ocurre en la guerra, la más imprevisible de las actividades humanas.

»Yo confío en que la flota griega, de la que nuestra ciudad es el corazón y el nervio, detenga a la del Gran Rey en Artemisio. También confío en que los espartanos, con la ayuda del resto del ejército de tierra, frenen a los batallones de Jerjes en las Termópilas. Son los lugares más apropiados para combatir contra las hordas persas.

»Pero si sufriéramos algún revés, ¿qué pasaría? Tenemos que estar prevenidos. ¿Qué ocurrirá si las tropas de Jerjes vencen nuestra resistencia y logran abrirse paso por el centro de Grecia? Si eso sucede, el primer oráculo nos recomienda abandonar nuestra ciudad sagrada y huir al fin del mundo. Hay quien ha obrado así en el pasado, como los focenses. Tal vez ellos no sentían tanto amor por su tierra como nosotros, pero no seré yo quien los critique. Sólo digo que los atenienses no somos así.

Sabía que, al hablar de ese modo, tocaba una fibra sensible. Sus conciudadanos estaban convencidos de haber nacido directamente del suelo que habitaban y se jactaban de que, al contrario que otros pueblos, nunca lo habían abandonado.

—El segundo oráculo es una esperanza para los valientes. Nos dice que, aunque el Ática caiga en manos del invasor, no tenemos por qué huir a los confines de la tierra, sino refugiarnos en nuestra flota y esperar el momento de golpear a Jerjes donde y cuando más nos convenga. Por eso os propongo lo siguiente. Partamos ahora hacia la victoria. Pero, por si acaso el azar nos resulta esquivo, tengamos preparada la evacuación general de la ciudad.

Hubo gritos de desaliento, y se suscitaron innumerables discusiones entre los asistentes a la asamblea. Cuando los heraldos consiguieron imponer el silencio, Temístocles añadió:

—¡He dicho evacuación, no huida! No renunciaremos a lo que es nuestro como hicieron los focenses. Si Jerjes baja hacia el Ática, nos llevaremos todo el grano y los rebaños, le privaremos de todo aquello que pueda alimentar a sus huestes, y nos retiraremos para luego volver.

—¡Pero cuando volvamos, Atenas será un montón de cenizas! —gritó alguien en las primeras filas—. ¡Ya no tendremos ciudad!

—No será Atenas la que arda —respondió Temístocles—. Arderán las casas y los templos, arderán los olivos. Las casas se pueden construir de nuevo. Los olivos crecen, pues son duros como esta misma tierra. Y los templos que consagraremos a nuestros dioses serán más ricos y espléndidos que los que ahora poseemos, pues los levantaremos con el botín tomado a los persas.

»¡No, compatriotas! ¡No será Atenas la que arda, pues Atenas sois vosotros! Y a quien se atreva a llamaros desterrados y apátridas, enseñadles cuál es vuestra patria. ¡Esas doscientas naves que esperan en el Pireo a que embarquéis para combatir al bárbaro, al invasor de vuestra tierra, al enemigo de vuestra libertad y de la de todos los griegos!

Aquello despertó una ovación, que por supuesto arrancó en el sector de la tribu Leóntide. Después volvió a hacerse el silencio. Temístocles, con precisión, explicó cuáles eran las medidas que había que tomar. Si en Artemisio no conseguían detener a la flota persa, las mujeres y los niños serían evacuados lejos del conflicto, a Trecén. Esta ciudad, unida por antiguos vínculos de amistad a Atenas, ya había ofrecido alojamientos, fondos y alimentos para los refugiados. Para esa evacuación, tenía la intención de dejar cincuenta naves, las más lentas, en las cercanías del Ática. En cuanto a los ciudadanos más veteranos, Temístocles propuso trasladarlos a Salamina junto con los bienes de la ciudad, ya que el dios la había mencionado en el oráculo.

—¡Pero la profecía dice que Salamina aniquilará a los hijos de las mujeres! —exclamó otro ciudadano, en las filas de la tribu Ayántide. En este caso no era ningún espontáneo. Había recibido instrucciones de Temístocles para intervenir.

—¿Y qué son los persas, amigos míos? ¿Es que creéis que nacen de la tierra, de los árboles? ¿O que son hijos de los dioses? No, hermanos. Son hijos de mujer, como nosotros, y se les puede matar, como ya comprobasteis en Maratón. Yo escuché bien la profecía, y la Pitia no dijo «funesta Salamina», sino «divinal Salamina». Eso es señal de buena fortuna para nosotros. Así que no temáis. No será en Salamina donde perezca el pueblo ateniense.

Hubo un nuevo runrún de murmullos mientras cada uno discutía con su vecino la interpretación del oráculo; la hermenéutica sagrada era una pasión de todos los griegos, y aún más de los atenienses. Temístocles les dejó un rato. Su propio argumento no lo convencía demasiado. De sobra sabía que epítetos como ese «divinal» se utilizaban desde tiempos de Homero para rellenar los hexámetros. Por ejemplo, el poeta llamaba «irreprochable» a Egisto en el mismo pasaje de la *Odisea* en que se lo tildaba de adúltero y asesino, tan sólo porque estaba al final del verso y necesitaba cuadrar el número de sílabas.

Pero si ese «divinal» servía para que no cundiera la desesperación en Atenas, bienvenido fuese.

Antes de proceder a la votación, el heraldo preguntó si alguien más quería opinar sobre la propuesta de Temístocles. Éste, que se disponía a bajar de la tribuna, se detuvo un instante al advertir movimiento en la otra esquina del Ágora. Allí, por la calle de las Panateneas, venía un grupo de unos veinte hombres que marchaban en formación y llevaban lanzas al hombro. Pero no podía ser. Estaba prohibido llevar armas a la asamblea; al menos, a la vista. En cualquier caso, eran demasiado largas para ser lanzas.

Al llegar al centro del Ágora, aquellos hombres torcieron sus pasos a la izquierda y se encaminaron hacia la tribuna. La gente les abrió paso, entre murmullos de curiosidad e interés. Temístocles se dio cuenta entonces de que aquellas pértigas no eran lanzas, sino remos. Y, sobre todo, reparó en quién encabezaba esa pequeña procesión.

—¿Alguien quiere tomar la palabra? —repitió por segunda vez el heraldo.

—¡Yo! —respondió el hombre del remo.

—¿Y quién eres tú?

—¡Un ciudadano ateniense! ¡Soy Cimón, hijo de Milcíades, del demo de Lacíadas!

Debido a la aglomeración, muchos de los asistentes no habían podido ver la cara del recién llegado. Pero cuando corrió la voz de que se trataba del hijo de Milcíades, los murmullos se desataron más fuertes que antes. Temístocles, al bajar de la tribuna para ocupar su puesto entre los generales, se cruzó con Cimón.

—Una entrada dramática —le dijo—. Te felicito.

Él le miró un instante, pero no dijo nada.

Cimón se plantó en el estrado con el remo en la mano izquierda. Temístocles no podía evitar una gran curiosidad por saber qué iba a decir y para qué se había encaramado a la tribuna con aquel aparatoso remo de abeto.

—¡Disculpad mi retraso, atenienses! —empezó Cimón—. Ni mis amigos ni yo hemos llegado tarde por falta de respeto a esta asamblea, os lo aseguro. Lo que sucede es que venimos de la Acrópolis, donde acabamos de hacer una ofrenda a la diosa. ¿Queréis saber cuál?

Se oyeron varios síes entre la gente. Temístocles se hallaba favorablemente sorprendido. La voz de Cimón era tan poderosa como la de su padre. Resultaba imposible triunfar en la tribuna sin un buen chorro de voz que llegara lo más lejos posible. Además, el tono de Cimón sonaba limpio y puro, sin la áspera ronquera de Milcíades.

—Esos compañeros que veis ahí abajo, miembros de las familias más ilustres de la ciudad, han tenido la gentileza y el valor de acompañarme al viejo templo de Atenea. Si subís después de la asamblea, ciudadanos, podréis ver cuál ha sido nuestra ofrenda. Allí encontraréis las bridas de nuestros caballos. Los mismos caballos con los que hace apenas unos días nos visteis escoltar el peplo de la diosa en la cabalgata de las Panateneas.

»¿Por qué hemos consagrado las bridas? Para demostrar que

renunciamos a nuestras monturas. Sí, atenienses. Nosotros, pese a nuestros recursos, renunciamos a servir en la caballería hasta que el peligro sobre nuestra ciudad se desvanezca, hasta que acabemos con la amenaza persa.

Era manipulación pura. Ni Cimón ni sus amigos, por muy jinetes de las Panateneas que fuesen, podrían haber formado en una caballería que no existía como tal fuerza militar. Pero Temístocles estudió los gestos de los asistentes y comprobó que el inicio del discurso estaba causando efecto.

Cimón golpeó con el remo en las tablas de la tarima e hizo una breve pausa.

—Por eso, ¡oh, ciudadanos, compañeros, hermanos atenienses!, yo, Cimón, hijo de Milcíades, empuño este remo ahora y juro que mi destino está unido al vuestro hasta la muerte o hasta la victoria.

Sus palabras desataron una ola de rugidos. Al mismo Temístocles se le había erizado el vello de los antebrazos. Cimón había sabido modular bien la voz y combinar aquellas dos palabras, muerte y victoria, que despertaban pulsiones intensas y contradictorias.

¿Cuándo me la va a jugar?

—Por eso, como uno más de vosotros, os pido que cuando votéis, aprobéis con una sola voz el decreto que os ha propuesto nuestro general Temístocles. Debemos confiar en él, puesto que es el verdadero padre de nuestra flota, el creador del poder con el que vamos a hacer que la espuma del mar se convierta en el polvo que morderá Jerjes.

Cimón señaló a Temístocles con la diestra, y se escuchó una gran ovación. Temístocles no supo qué pensar, si los aplausos iban destinados a él o a Cimón. Pero no le gustaba nada lo que estaba pasando.

—Aunque soy joven —prosiguió Cimón—, tanto que es la primera vez que me atrevo a tomar la palabra en público delante de vosotros, ¿me permitiréis la osadía de brindaros un consejo? En realidad no es mío, sino algo que he aprendido al lado de nuestro general Temístocles.

La gente respondió que sí, que le permitían el consejo.

—Os he pedido que votéis con una sola voz porque el mayor peligro que nos acecha es la desunión. Los que acudíamos a la reunión de la Alianza en representación de vuestra ciudad hemos visto cómo, uno tras otro, nos abandonaban estados muy poderosos. Y casi todos lo hacían por motivos mezquinos. Egoísmo, vanidad, afán de poder o de notoriedad. ¡Qué triste fue ver cómo Gelón de Siracusa nos negaba sus grandes recursos en hombres y barcos, y todo porque los demás griegos no accedíamos a que nos gobernara en la guerra a su antojo y capricho! Pero ¿qué se puede esperar de un tirano?

Esta última palabra provocó gritos de ira entre los atenienses, en una reacción automática. Ahora, cualquiera que se opusiera a lo que fuese a decir Cimón podría ser tachado de amigo de la tiranía. Aunque, no muy lejos de Temístocles, un anciano dijo:

—¿Qué se atreve a decir el mozalbete este? Su padre era un vulgar tirano a sueldo de los persas.

Pero los demás lo hicieron callar.

—¡Debemos estar unidos como un solo hombre, atenienses! —prosiguió Cimón—. Por eso, para demostrar que somos un solo cuerpo animado por un solo corazón, aquellos a quienes la fortuna nos ha sonreído con más medios hemos empuñado estos remos.

La fortuna, se repitió Temístocles con amargura. Como si Cimón no alardeara ante sus amigos de que él era mejor que los demás no por azar, sino por la naturaleza y por la sangre que recorría sus venas.

—Por eso, atenienses, voy a proponeros algo que podría salir por la boca de nuestro general Temístocles, pues conozco bien a ese hombre y cuál es su infinita generosidad. Os diré una cosa que tal vez a otras personas les daría vergüenza reconocer. Pero a mí no, ciudadanos. Porque no hay nada peor que un corazón desagradecido, y mi padre se revolvería en su tumba si yo demostrara ser un ingrato.

»Ese hombre que veis ahí, al que algunos señalan como enemigo de los eupátridas, fue el que evitó que yo cayera en la ruina y la pobreza. Recordad que condenasteis a mi padre a una multa mayor que ninguna que se le haya impuesto jamás a un ateniense, y de la que luego vosotros mismos os arrepentisteis, recordando los servicios que había prestado Milcíades a vuestra patria y considerando que compensaban de sobra sus errores. Pues bien, cuando lo hicisteis, sin contarle nada a nadie, Temístocles acudió a mí y respondió con sus bienes. Pues, aunque no le guste alardear de su riqueza y en su corazón es un hombre del pueblo, no deja de ser uno de los miembros más preclaros de la primera clase, un pentacosiomedimno.

Le he enseñado demasiado, pensó Temístocles, que no podía evitar sentirse orgulloso de su discípulo. Ahora le estaba diciendo con toda claridad al pueblo llano: *«Él tampoco es de los vuestros.»*

—Temístocles no ha dicho nada, ni lo dirá. Pero yo os confieso que ahora, por fin, he logrado saldar mi deuda con él, ciudadanos. Sin un solo óbolo de intereses. Porque, por supuesto, Temístocles no es ningún usurero de esos que se sientan a contar monedas en sus mesas del Pireo.

»Pero si la deuda de plata ha quedado saldada, la de agradecimiento jamás lo estará. Por eso insisto, ¡oh, atenienses!, en que votéis a favor de la propuesta de Temístocles. Os pido que embarquéis en la muralla de madera que este hombre ha construido para la ciudad, y que arrostréis con valor los peligros. Y si sufrimos algún revés, os exhorto a que no por eso os rindáis. Si hemos de abandonar nuestras casas y verlas quemadas, suframoslo con ánimo viril y confiemos en las palabras del oráculo.

Bien, pensó Temístocles. *Ahora, mientras sujeta sobre mi cabeza la corona de laurel, es cuando me va a apuñalar con la mano izquierda.*

—Pero permitid que abuse un instante más de vuestra paciencia, atenienses, conciudadanos míos. Os recordaba hace un momento los peligros de la desunión. Debe reinar la armonía entre todos nosotros si queremos prevalecer contra enemigos tan numerosos como los granos de arena de la playa.

»Deseo someter dos propuestas a vuestra votación, ciudadanos, ya que es en vuestras manos donde reside la soberanía de la ciudad. Ya os he dicho cómo vimos con tristeza los abandonos y disensiones en la reunión de la Alianza. No quisiera que, cuando la mayor armada que se ha reunido nunca en Grecia navegue hacia Artemisio, surjan desconfianzas con nuestros aliados. Ya sabéis cómo son esos hombres del Peloponeso, honrados y valientes, pero también recelosos y, todo hay que decirlo, menos inteligentes y sutiles que vosotros.

»Nuestros aliados son reacios a seguir otra jefatura que no sea la espartana. Tiene su lógica, puesto que no hay otros soldados como ellos en Grecia. Aunque nosotros, que derrotamos a los persas en Maratón, no les vamos a la zaga. —Por la zona de los acarnienses sonaron gritos bravucones—. Por eso quiero adelantarme a lo que, sin duda, nuestro general Temístocles iba a proponer en su gran generosidad. Para demostrar que anteponemos la salvación de Grecia a nuestro propio interés, propongo que cedamos de buen grado el mando general de la flota a Esparta, en la persona de su almirante Euribíades.

Aquí se produjo un silencio ominoso. A la gente no le convencía demasiado. Pero enseguida hubo un grupo que levantó la voz para apoyar la propuesta de Cimón. Temístocles miró para allá. Eran de la tribu de Calias. No podía creerlo. Con tal de jugarle una mala pasada a él, eran capaces de quitarle poder a la propia ciudad de Atenas.

—¡No temáis, ciudadanos! Temístocles seguirá siendo el navarca supremo de nuestra flota. Todos lo conocéis y sabéis que se las ingeniará para que Euribíades atienda sus consejos. Lo que os pido es un sacrificio, lo sé. Pero os aseguro que si conseguimos derrotar al persa, será recompensado, y los demás griegos nos mirarán con admiración por nuestra generosidad.

Había tensión en el ambiente. Pero Cimón, sin arredrarse, levantó el remo sobre su cabeza.

—¡Os hablo de sacrificio, atenienses! Yo he consagrado las bridas de mi caballo a Atenea, pero no es lo único a lo que pienso renunciar por nuestro bien común. En una crisis como ésta, todos los brazos y los corazones son necesarios. Por eso voy a deciros cuál es mi segunda propuesta. Todos sabéis quién fue el que acusó a mi padre ante los jueces y provocó nuestra ruina. Mi enemistad personal con Jantipo es de sobra conocida.

»Pues bien, yo os pido que perdonéis a Jantipo y a todos los demás desterrados. Incluso Jantipo, al que elegisteis como general en Maratón y otras ocasiones, tiene algo que aportar. ¿Y qué debo deciros de Arístides, a quien le otorgasteis el premio al valor tras aquella batalla? Mostrad vuestra grandeza de ánimo y permitid que vuelva. Tenemos a Temístocles para ganar esta guerra —dijo, señalándolo con la mano izquierda, ya que la diestra seguía sujetando el remo—. Pero también necesitamos a Arístides el Justo. ¿Qué me decís, atenienses? ¿Lucharemos todos unidos contra el persa, o dejaremos que nos derrote por separado?

—¡Que vuelva Arístides! —exclamó alguien. Tal vez, pensó Temístocles, era uno de los mismos ciudadanos que habían escrito su nombre para ostraquizarlo.

Pero aquel grito pronto se convirtió en un clamor general. Cimón sugirió añadir sus dos medidas, la cesión del mando naval a Esparta y el retorno de los desterrados, a la propuesta de Temístocles. Éste, por supuesto, votó a favor, con casi todos los demás ciudadanos. Era inútil que subiera de nuevo a la tribuna. Notaba cómo la marea se volvía contra él cuando aún no había llegado a cosechar los frutos de la victoria. Lo irónico fue que la decisión de la asamblea se inscribió como «decreto de Temístocles».

Que Jantipo y Arístides volviesen a aparecer en la palestra política era una contrariedad sobre todo para Temístocles. Pero no podía entender que los atenienses entregaran voluntariamente el mando de la flota. Sí, el prestigio de Esparta era enorme. El problema, pensó con tristeza, estribaba en que los atenienses todavía no eran conscientes de su propio poder. Parecían olvidar que ellos solos, sin los espartanos, se las habían arreglado para derrotar a Datis. Que poseían la mejor flota de Grecia. Seguían viendo a los espartanos como una especie de padres, como un recurso mágico que podía salvarlos, igual que los dioses que aparecían al final de las tragedias para resolverlo todo.

Y eso que Temístocles ignoraba que, en ese mismo momento, en el consejo de ancianos de Esparta también se estaba votando sobre la guerra contra los persas. Leónidas se desgañitó en vano oponiéndose a los demás y, sobre todo, a su colega el rey Latíquidas. Éste se empeñaba en que era una locura enviar el grueso del ejército espartano tan al norte, lejos de su hogar, pues en cualquier momento podía estallar una nueva revuelta de los ilotas, y además dejaban a su espalda a los odiados argivos.

—¡Si no vamos, condenamos a Atenas a ser destruida! —dijo Leónidas.

—¡Ése no es nuestro problema! —respondió Latíquidas—. ¡Ni siquiera son dorios! Por mí, su ciudad puede arder por los cuatro costados. ¡Lo que me preocupa es el destino de Esparta!

Al final, Leónidas no tuvo más remedio que rendirse. Estaba prácticamente solo en el consejo. Algunos votaron por pura cobardía, temerosos de la amenaza que planteaba Latíquidas, y otros por recelo del creciente poder de Atenas, a la que preferían ver destruida o al menos mutilada. Por supuesto, nadie confesaría al resto de la Alianza cuáles eran las verdaderas razones para no enviar hombres a las Termópilas. De nuevo, como en Maratón, el pretexto serían las Carneas.

Leónidas habló con voz triste. Se había quedado ronco de tanto gritar.

—Hemos traicionado la causa común. Pero no permitiré que se diga que un rey de la casa de los Agíadas vendió la libertad de los demás griegos. Yo acudiré a las Termópilas, y me acompañarán los trescientos hombres de mi guardia personal.

—¡No puedes hacer eso! —exclamó Latíquidas—. Las Carneas nos obligan a todos.

—No añadas el sacrilegio a la mentira. El oráculo de Delfos ha profetizado que un rey debe morir para salvar esta ciudad. Y no creo que Apolo acepte el sacrificio de alguien como tú, con quien me avergüenzo de gobernar.

Con una última mirada de desprecio a Latíquidas y a los demás consejeros, Leónidas salió de la sala y se dirigió a su casa. Ya tenía preparada la despedida para su esposa, Gorgo. *«Busca a un buen hombre y cásate con él.»* Sabía que tenía que morir. No ya por la profecía, sino porque sólo un sacrificio señalado podría desviar la atención de lo que acababa de decidir su ciudad y evitar que un baldón de infamia y cobardía cayera para siempre sobre Esparta.

El Pireo, noche del 30 de julio

Como se temía Apolonia, la maniobra de Cimón en la asamblea le había robado poder a Temístocles. Se lo explicó Mnesífilo, que vino a media tarde para visitarla y contarle lo sucedido.

—La propia asamblea ha propuesto que se entregue el mando supremo de la flota a un espartano. Ya no está en manos de Temístocles decidir dónde, cuándo ni cómo luchar.

—Eso no es bueno para nosotros —aventuró Apolonia.

—Me temo que no. Para llevar adelante esta guerra, confío en Temístocles cien veces más que en cualquier otro general ateniense. ¡Y mil veces más que en ese Euribíades! Nombrar almirante a un lacedemonio es como organizar un escuadrón de caballería montados en cerdos y cabras. Los espartanos no tienen ni idea de las cosas del mar.

Por otra parte, el regreso de Jantipo y Arístides amenazaba el monopolio del poder de Temístocles en la ciudad. De momento, no regresarían como generales, pero Mnesífilo estaba convencido de que se presentarían a la elección para el año siguiente, y ya no permitirían que Temístocles siguiera siendo autocrátor.

—¿Crees que esta guerra durará hasta el año que viene? —se alarmó Apolonia.

—Si seguimos vivos para entonces, me temo que sí. Un ejército como el que ha traído Jerjes a Grecia no se retira tan fácilmente. Esto no va a ser como la campaña de Maratón. Tenemos persas para rato.

Que nos protejan los dioses, pensó Apolonia.

Mnesífilo se fue antes de oscurecer. *«No quiero ser inoportuno»,* le dijo a Apolonia cuando ella se empeñó en que se quedara. Poco después llegó Temístocles, que casi debió cruzarse por el camino con su amigo. Su gesto era grave, y sólo contestó con monosílabos a las preguntas de Apolonia. Como hacía todas las noches, pasó a besar a Italia y Síbaris, que compartían la misma alcoba y ya se habían dormido. Después entró en los aposentos de su madre.

Nesi estaba dando de cenar a Euterpe mientras le cantaba una oda de Safo. Apolonia frunció un poco el ceño al oírla, porque le parecía una canción demasiado atrevida para una niña de doce años. Olvidaba, tal vez, que ella misma a su edad ya conocía esos epitalamios y otros más subidos de tono.

—Tienes mala cara, hijo —dijo Euterpe, en un súbito arrebato de lucidez, que enseguida estropeó añadiendo—: ¿Te ha vuelto a azotar el maestro?

—Tranquila, madre. Estoy bien.

Los ojos de Euterpe se humedecieron. Desde hacía un tiempo, lloraba con mucha facilidad; ella, que siempre se había jactado de ser como el mármol.

—Siento haberte pegado. No te lo merecías.

Temístocles cerró los ojos, y durante un instante, Apolonia creyó que se iba a emocionar. Pero consiguió dominarse, besó la frente de su madre y, tras despedirse de Nesi y darle las gracias, salió de la sala.

Apolonia lo siguió. Temístocles le dijo que no pensaba cenar, pues no tenía apetito.

—Es mejor que me retire a dormir. Mañana tengo que probar la *Artemisia*.

—Si tienes que dormir, conozco el mejor sedante —le dijo Apolonia, tomándolo de la mano.

Él se dejó conducir a la alcoba. En vez de llamar a las esclavas para que la ayudaran a desvestirse, Apolonia se lo pidió a él. Temístocles lo hizo con aire ausente, y luego, cuando ella se tumbó sobre él, desnuda, su cuerpo no reaccionó. Era la primera vez que le pasaba algo así.

—Me estoy haciendo viejo —dijo él. Era evidente que se estaba regodeando en su propia desgracia, pero a Apolonia no se le ocurría cómo podía ayudarle.

Temístocles se quedó mirando al techo, en la misma posición que la víspera había parodiado Apolonia hablando con Mnesífilo. El reflejo de la luz de la lamparilla parecía bailar en sus grandes ojos negros. Estuvo así durante un rato, hasta que Apolonia empezó a adormilarse. Luego, de repente, notó que el colchón se movía y abrió los ojos, sobresaltada. Temístocles se había levantado y se estaba anudando el ceñidor de la túnica.

—¿Adónde vas?

—Lo siento, no quería despertarte. Voy a bajar a los muelles. Quiero ver mis barcos. Con tantos líos, no he podido inspeccionarlos desde que me fui a Corinto.

Sus barcos. Esos que iba a tener que entregar en manos de un espartano. De pronto, a Apolonia se le ocurrió cómo podía animarlo.

—Voy contigo —dijo, levantándose.

—¿A estas horas?

—Yo tampoco tengo sueño. —Apolonia, todavía desnuda, se acercó a él, lo abrazó y le sonrió. Sabedora del poder de su sonrisa, se cuidaba mucho los dientes. Aún los conservaba todos, y seguían casi tan blancos como cuando conoció a Temístocles—. Llévame contigo, por favor. Quiero ver cómo es el barco que va a llevar mi estandarte.

Antes de Maratón, Temístocles había prometido a la diosa Ártemis una bandera de seda bordada por su propia esposa. No había podido cumplir su voto de forma literal. Las manos de Arquipa no eran lo bastante habilidosas y, además, la relación entre ambos se había deteriorado tanto que ella se negaba a hacer nada por su marido. De modo que fue Apolonia quien tuvo que coser el estandarte y Nesi, que tenía buena mano para dibujar, la ayudó a confeccionarlo. Ambas estaban muy orgullosas de aquel gallardete dorado en cuyo centro la diosa Ártemis disparaba su arco contra un jinete persa.

Esa tela maravillosa era tan ligera que, cuando sacaron la bandera al patio, bastó con que se levantara una brizna de aire para que ondeara. Apolonia se había entusiasmado con la seda tanto que Temístocles le había encargado una túnica entera de ese tejido. A ella le daba cierto pudor ponérsela, porque el tacto sobre su piel desnuda era como una caricia que a veces la excitaba sin querer, y se limitaba a usarla en casa cuando estaba a solas con Temístocles.

—¿Seguro que quieres ver el barco? —preguntó Temístocles, algo incrédulo.

—Recuerda que mi ciudad fue la dueña del mar. Yo también lo llevo en la sangre.

Aquello hizo torcer el gesto a Temístocles; pero fue un segundo nada más, y luego accedió a su capricho. Aunque hacía calor, Apolonia se echó un fino manto sobre los hombros y el cabello. Salieron a la calle, acompañados tan sólo por el portero, que llevaba una antorcha para alumbrarlos por la cuesta que bajaba desde su casa al arsenal de Muniquia.

—¿No despiertas a Sicino? —preguntó Apolonia.

—No hace falta. Los cobertizos están bien vigilados. No corremos peligro.

Bajaron la cuesta empedrada que conducía hasta las atarazanas. El puerto de Muniquia, el más pequeño de los tres del Pireo, era tan sólo de uso militar y estaba rodeado por una alta empalizada. La puerta principal se abría en la misma calle que llevaba a casa de Temístocles, y no por casualidad.

Al llegar allí, Temístocles despachó de vuelta al esclavo. Los diez hoplitas y los cuatro arqueros escitas que montaban guardia les franquearon el paso al reconocer al general.

—Deben pensar que soy tu amante —dijo Apolonia cuando entraron al recinto.

—Y en eso tienen razón —respondió él, enlazándole la cintura con el brazo. Caminaron así apenas unos segundos, pero Apolonia sonrió en la oscuridad.

Más de la mitad de la circunferencia que formaba el puerto estaba ocupada por hangares unidos entre sí y cubiertos por tejados a dos aguas que desde el terrado de su casa formaban un curioso diseño de dientes de sierra. Entraron en ellos por la parte posterior, y Temístocles la llevó directamente hacia el cobertizo donde se encontraba la *Artemisia*. De vez en cuando, se cruzaban con grupos de soldados que patrullaban con linternas.

—Hay siempre quinientos hombres de guardia repartidos

entre los arsenales de los tres puertos —le explicó Temístocles.

—¿Tantos? ¿No son demasiados?

—Hace un año se produjo un incendio. Ardieron tres barcos enteros antes de que pudiéramos apagar las llamas, y hubo otros dos a los que tuvimos que cambiarles la mitad de la tablazón. Fue intencionado.

Apolonia asintió. No hacía falta preguntar mucho más. Del mismo modo que en Eretria había traidores que abrieron las puertas a los persas, también se escondían en la ciudad de Atenas. Unos por cobardía, otros por odio al régimen político que daba el poder al pueblo, algunos por avaricia. No se podía descuidar la vigilancia.

—De todas formas, guardamos aparte el material más inflamable —añadió Temístocles—. Las velas y las jarcias están en otro arsenal donde no puede acercarse nadie sin autorización.

Al ver desde arriba los tejados, Apolonia había imaginado que los cobertizos eran edificios estancos. Pero una vez dentro, comprobó que los techos no se sostenían sobre paredes cerradas, sino sobre hileras de columnas de piedra. Temístocles le explicó que habían diseñado así los hangares para que el aire corriera entre los pasillos y secara lo mejor posible las naves. El lugar estaba alumbrado por grandes braseros que caldeaban aún más el aire de aquella noche de verano. Junto a cada uno de ellos montaba guardia un hombre para mantener las llamas y, de paso, vigilar que ninguna chispa ni brasa saltara sobre las naves.

Encerradas entre aquellas columnas y sumidas bajo las fantasmales sombras que arrojaban los hachones, las naves parecían más grandes de lo que realmente eran. El trirreme contiguo a la *Artemisia* estaba encaramado sobre una armazón de madera. Bajo éste, Apolonia observó que había una larga ranura tallada en la roca viva del suelo.

—Es para encajar la quilla —le dijo Temístocles.

La *Artemisia* ya estaba en el suelo, que bajaba hacia el agua en un suave declive, de manera que bastaría con soltar las amarras y retirar las cuñas que retenían la nave para que ésta se deslizara hasta el mar. Temístocles le recitó las dimensiones del barco. Medía treinta y cinco metros de eslora, apenas menos que la longitud del cobertizo, pues allí el espacio estaba aprovechado casi con cicatería. El casco tenía cuatro metros de manga, que en los pescantes superiores donde remaban los tranitas aumentaban a cinco metros y medio. No era demasiado sitio para acomodar a doscientos hombres, por lo que las maniobras de embarque y desembarque se ensayaban constantemente al agudo son de las flautas, y aun así, siempre se producían choques y empujones.

Entre barco y barco, apoyados en las columnas de piedra, había grandes estantes de madera donde guardaban los mástiles, las vergas, las pértigas para desembarrancar, las escalerillas y, por supuesto, los remos. Temístocles se lo fue enseñando todo, descubriendo cada objeto bajo el círculo de luz proyectado por la lámpara que le había prestado uno de los vigilantes.

—Éstas son las armas con las que vamos a derrotar a los persas —le dijo, señalándole los remos.

Cada uno de ellos medía algo más de cuatro metros. Llevaban doscientos por nave, contando con piezas de repuesto. No eran todos iguales. Las palas de los talamitas, que bogaban en el fondo, eran más largas, mientras que las de los tranitas del pescante superior eran más cortas y anchas. Al igual que el casco de los trirremes, los remos estaban tallados en madera de abeto. Cada uno era una obra de artesanía. Los carpinteros los cepillaban a conciencia, desbastando una por una las capas de la madera como si pelaran una cebolla.

Después de enseñárselos, Temístocles se volvió hacia la nave. La parte inferior del casco era negra y olía a brea. Pero a partir de la línea de flotación la habían pintado de azul sobre el fondo de cerapez, y en la proa habían añadido dos grandes ojos rasgados con mirada de pocos amigos.

—Los barcos de Jasón estaban forrados con hojas de plomo para proteger la madera —dijo Apolonia—. ¿Por qué aquí no las ponéis?

Su difunto esposo le había dicho que los mercantes llevaban esas chapas para protegerse del teredón, un pequeño molusco que utilizaba su concha como taladro para abrir túneles en la madera de los barcos a modo de madriguera.

—Aumentarían demasiado el peso —respondió Temístocles—. Hemos construido estos barcos con maderas seleccionadas para que sean los más rápidos del mundo.

Si el casco de un trirreme empezaba a verse bromado, le explicó, una solución era calafatear los agujeros con estopa y brea. Pero al final esas naves quedaban inservibles y había que desguazarlas. Por eso, para evitar que los teredones las perforaran, procuraban sacarlas fuera del agua siempre que era posible.

—Una flota de trirremes necesita encontrar playas bastante extensas para poder varar y secar los barcos. Es una de las servidumbres de la guerra en el mar.

Siguieron caminando junto al casco, en dirección a la proa. Temístocles le enseñó las portillas por donde salían los remos. La hilera inferior, que correspondía a los talamitas, estaba tan cerca de la línea de flotación que, a poco que el mar se picase, entraba agua por ellas. Por eso las protegían con manguitos de cuero. Olían a la lanolina que usaban para lubricarlos, la misma grasa que utilizaban también para proteger los estrobos, los lazos de cuerda o de piel que servían para sujetar los remos a los toletes.

—Ésta es la punta de nuestra lanza —dijo Temístocles cuando llegaron junto al espolón.

Era una sólida estructura de madera construida a proa, en la línea de flotación, de tal manera que parte de ella sobresalía del agua y parte quedaba sumergida. Estaba recubierta de chapas de bronce que formaban al final tres afiladas hojas dispuestas en paralelo.

—Nuestra táctica consiste en embestir a la nave enemiga con el espolón y abrir un agujero en su casco. Pero tenemos que evitar que el adversario nos haga lo mismo a nosotros.

—Debe de ser un choque brutal —dijo Apolonia, imaginándose el impulso que podía adquirir la *Artemisia* justo antes de golpear.

—Lo es. La nave que recibe el impacto se desplaza de golpe casi tres metros. Cuando eso pasa, es imposible mantenerse de pie a bordo de la nave embestida. Ni siquiera es fácil conservar el equilibrio cuando eres tú el que golpea. Si no se maniobra con cuidado, el impacto es tan violento que puede arrancar tu propio espolón.

Recorrieron después el costado de babor. Una vez en la popa, Temístocles acercó una escalerilla y le tendió la mano a Apolonia para que subiera.

—¿Seguro? ¿No ofenderemos a ningún dios? —preguntó ella, imaginándose que tal vez debía llevarse a cabo algún ritual antes de botar la nave y que su mera presencia podía impurificarla.

—Tranquila. Ártemis sabe que tú has bordado su estandarte. Está contenta contigo.

Por primera vez en aquel día, Temístocles había sonreído. Apolonia trepó por la escalerilla, que crujió bajo sus pies. Se imaginó qué pasaría cuando subieran a la vez decenas de hombres, todos más pesados que ella; pero era de suponer que quienes construían aquellas gradas conocían bien su trabajo.

La cubierta era igual que la del trirreme en el que habían huido de Eretria: dos crujías paralelas, de popa a proa, sin balaustradas y separadas por una pasarela central más baja. Apolonia había presenciado más de una discusión entre Cimón y Temístocles sobre cómo debían construirse las nuevas naves. El hijo de Milcíades defendía las ventajas del diseño fenicio, con una cubierta completa sobre las cabezas de los remeros y provista de barandilla. Pero Temístocles estaba obsesionado con ahorrar peso.

—Los barcos fenicios pueden llevar más infantes —decía Cimón—. No me hace mucha gracia la idea de que me aborde una nave con el doble de hoplitas que la mía.

—Si somos más veloces que ellos, no nos abordarán —insistía Temístocles—. Se trata de clavarles nuestros arietes, no de combatir con lanza y escudo como si fuera una batalla campal. Tienes que quitarte esa mentalidad de hoplita.

Y también de traidor, añadió para sí Apolonia al recordar aquella discusión. Si Cimón nunca le había sido simpático, lo que sentía por él después de lo que le había hecho a Temístocles era casi aborrecimiento.

—Éste es mi puesto —le dijo Temístocles.

Por delante del codaste, una amplia pieza de madera en forma de abanico, estaba el asiento del trierarca, clavado a la cubierta. Temístocles le dio la lámpara a Apolonia y le dijo que se sentara. Era un sillón cómodo, con gruesos apoyabrazos tallados en forma de cabeza de cierva. Ella los aferró con ambas manos y trató de imaginarse cómo sería gobernar esa nave.

Temístocles bajó dos peldaños de la escalerilla que conducía a la pasarela central de la nave. Una vez allí, extendió los brazos y empuñó las dos largas varas de madera que se unían a babor y estribor con los dos remos maestros.

—Aquí va el timonel, más bajo que el trierarca, para que éste también pueda ver la proa. —Temístocles soltó las cañas del timón y se volvió hacia ella—. Ven. Te voy a enseñar las tripas del barco.

Apolonia se levantó del asiento y bajó por la escalerilla. Al caminar por la pasarela central, las cubiertas de babor y estribor quedaban a la altura de su barbilla. Pensó que en ese lugar los soldados debían ir bien protegidos de los proyectiles enemigos, y así lo comentó.

—No —respondió Temístocles—. Los infantes tienen que ir arriba, en la cubierta, si queremos que entren rápido en acción. Si fueran aquí abajo, tendrían que correr a la escalerilla por la que hemos bajado, o subirse a pulso. Con la armadura, es imposible.

—Pero estar arriba, sin barandilla, debe ser muy peligroso.

—Lo es. El infante de cubierta ha de ser más valiente que el hoplita que combate en una falange. No tiene el escudo de su compañero para protegerlo, pues no se combate en formación. Además, no sólo sufre la amenaza de recibir un flechazo o un lanzazo, sino que puede caerse al agua durante la lucha, en una embestida o incluso en un simple bandazo provocado por una ola.

—Pero si te caes al agua con la armadura...

—Te vas al fondo como una piedra, sí. Por eso practicamos constantemente los movimientos para quitarnos la coraza. Yo, además de la espada, llevo a mano una navaja muy afilada para cortar las correas del peto. Pero —movió la cabeza con cierto escepticismo—, en el caos del combate uno nunca sabe si conseguirá librarse de la armadura antes de que los pulmones se le llenen de agua.

Apolonia se estremeció. El único destino que se le antojaba más horrible que perecer ahogada era morir entre las llamas.

Recorrieron la pasarela. Agachándose un poco, a ambos lados podían verse los bancos donde remaban los tranitas. Cada uno de ellos era un rectángulo plano, con listones clavados en los bordes para que el remero no resbalara si se producía un choque con otra nave o un golpe de mar. Temístocles le explicó que cada hombre traía su propio cojín para no hacerse rozaduras en las posaderas. Ése era todo el equipo que debían aportar, al contrario que los hoplitas, que se pagaban sus propias armas.

Abajo, por entre las tablas de la pasarela, se adivinaban las bancadas de los zigitas y los talamitas. Apolonia se imaginó cómo se vería aquello atestado de hombres y, sobre todo, cómo olería. Al ver que arrugaba la nariz, Temístocles dijo:

—Ahora la nave huele bien, porque está nueva. Pero cuando lleve un tiempo en servicio, el olor a sudor se quedará aquí dentro, pegado a las tablas, y ya no habrá forma de sacarlo.

A Apolonia no le parecía que la *Artemisia* oliese tan bien. La mezcla de pintura, cera, brea y grasa de carnero resultaba demasiado fuerte para su olfato. Pero podía entender que para un marino como Temístocles no hubiese otros aromas más dulces.

De pronto, se le ocurrió una idea, más que traviesa, alocada. Con cuidado de no verter aceite ni prender la madera, depositó la lámpara sobre las tablas de la pasarela y se volvió hacia Temístocles.

—¿Te gusta cómo huele el sudor de hombre?

—Qué preguntas tienes. Se me ocurren cien cosas mejores que oler.

—Entonces, ¿qué tal si hacemos que la *Artemisia* huela un poco a sudor femenino? —dijo ella, desatando el nudo que cerraba el ceñidor de Temístocles.

Como sospechaba Apolonia, su nave resultó mejor tálamo para Temístocles que la cama de la alcoba. Esta vez no surgió problema alguno, salvo cuando en una de las maniobras para cambiar de postura estuvieron a punto de resbalar de la pasarela y caer sobre los bancos de los remeros. Al principio copularon en silencio, pero llegó un momento en que Apolonia se olvidó de dónde estaban y no pudo contener los gemidos. Después, cuando terminaron, Temístocles se apoyó sobre un codo y se llevó la mano a la oreja.

—¿Qué haces? —preguntó ella.

—Me había parecido que el guardia del brasero te estaba aplaudiendo. Pero ha debido ser imaginación mía.

Ella castigó su burla con un mordisco en el hombro. Después, se acurrucó contra él y usó su manto para cubrirlos a ambos. No hacía frío, pero ahora que había hecho el amor se sentía desprotegida si no se tapaba.

—¿Estás más contento?

—¿Es que en algún momento he dejado de estarlo?

—No tienes por qué disimular conmigo. Sé que Cimón te ha hecho daño. A mí también me ha dolido mucho su traición.

Temístocles se quedó pensativo un rato. Apolonia apenas podía verle el rostro, pues ella misma bloqueaba la luz de la lámpara con su cuerpo. Pero sentía su respiración, y el ritmo de su aliento le hablaba de cuál era el compás de sus pensamientos.

—Tengo la impresión de que mi momento ha pasado antes de llegar —dijo por fin.

—Eso no es cierto. Lo único que ocurre es que te lo han puesto más difícil. Pero tu momento llegará.

—¿Cómo estás tan segura?

—Se lo oí a tu madre. Y ella nunca se equivoca.

—Nunca se *equivocaba.*

—Es verdad. Lo siento.

—No te preocupes.

Hablaron un rato de Euterpe, comparando con pena lo que había sido y la ruina en que se estaba convirtiendo. Después, Temístocles le contó cosas sobre su padre, y también sobre su propia niñez. Apolonia nunca lo había visto con la lengua tan suelta, ni siquiera las pocas veces en que bebía de más y se achispaba. Pensó que debía aprovechar la ocasión, pues sólo en un momento de debilidad podía llegar al corazón de un hombre tan frío y controlado. Se le antojó que Temístocles era como un lobo herido, lamiéndose las llagas en su guarida, y le dejó hablar y hablar.

Por primera vez, él le relató la historia de su humillación en la escuela de Fénix, y Apolonia comprendió a qué se refería Euterpe antes cuando le dijo que sentía haberle pegado. Pero, aunque era evidente que para Temístocles se trataba de un recuerdo doloroso, ella no pudo evitar reírse.

—¿Es que no te indigna?

—¿Cómo va a indignarme? ¡Te dieron una zurra bien merecida! De todos modos, me habría encantado estar ahí para ver cómo a tu maestro le asomaba el rabo de la salamanquesa por la boca. ¡Menudo trasto estabas hecho! Está claro que Neocles es igual que tú.

En ese momento se dio cuenta y se mordió la lengua. Era la segunda vez que utilizaba el presente de un verbo en lugar del pasado. Pero él le dijo que no tenía importancia.

—Sé que tú también lo echas de menos.

Temístocles sorprendió a Apolonia con otra confesión. Sí, Neocles se parecía a él en lo inquieto, pero en nada más. De hecho, añadió, ninguno de los hijos que había tenido con Arquipa había heredado su inteligencia, ni tampoco su férrea voluntad.

—Creo que nuestras hijas van a ser mucho más espabiladas.

Ella pensaba lo mismo. Pero le sorprendía la frialdad con que Temístocles hablaba de sus vástagos varones. Cuando su mirada se posaba sobre alguien o sobre algo, era tan certera y analítica que a menudo resultaba cruel.

Después guardaron silencio durante un rato. Temístocles contuvo el aliento varias veces, como si estuviera a punto de decirle algo, pero no acababa de arrancar. Por fin se decidió.

—Estoy sopesando la idea de casarme contigo.

—¿Cómo?

—Voy a divorciarme de Arquipa. Ya sé que no tiene dote. No pienso mandarla a vivir con su hermano. No, voy a entregarle la casa de la ciudad, y le pasaré una renta suficiente para que viva con dignidad.

¿Y a mí qué me importa lo que le pase a Arquipa?, pensó Apolonia. Pero se lo calló, y dijo en su lugar:

—No tienes por qué casarte conmigo, Temístocles.

—No te entiendo...

¿Qué esperaba, que se pusiera a dar brincos y a gritar como una ménade en las fiestas de Dioniso? *«Sopesando la idea.»* Seguro que eso no lo había sacado de un poema amoroso de Safo.

—No sé si quiero ser una esposa ateniense. Me gusta cómo vivo ahora.

Temístocles se quedó desconcertado. Pero, cuando Apolonia le explicó que no quería renunciar a la libertad que le otorgaba el hecho de ser extranjera y concubina, le prometió que nada cambiaría entre ellos.

—Seguiremos siendo amantes.

A ella le gustó que utilizara esa palabra, a pesar de que llevaban varios años acostándose juntos y tenían dos hijas. Temístocles le pasó la mano por el vientre y las caderas. Mientras él la acariciaba, Apolonia pensó que había engordado un poco. En cambio, él seguía casi igual que cuando lo conoció. Claro que Temístocles no había tenido que parir. Después de los embarazos, la cintura de Apolonia ya no era tan estrecha como antes y se le habían quedado unas estrías blanquecinas en la piel. Pero procuraba cuidarse, y por eso daba esos largos paseos por la playa de Falero mientras Sicino la seguía cargando a las niñas sobre sus enormes hombros.

—¿Por qué quieres casarte conmigo? Soy extranjera, y además sólo sé parir niñas.

Apolonia quería escuchar algo que él jamás le había dicho. *Te amo*. Pero tampoco había concebido demasiadas esperanzas de oírlo, así que cuando él empezó a hablarle de la gratitud que sentía por cómo se estaba comportando con su madre tampoco la decepcionó demasiado.

—Cada uno es hijo de sus actos. Y los tuyos son nobles y desinteresados, Apolonia. Por eso quiero que tengas el reconocimiento que mereces como esposa legal. Pero te prometo que no controlaré tu vida ni te encerraré en el gineceo. Seguirás siendo la dueña de la casa.

Vista así, la oferta era tentadora. Sin embargo, Apolonia se negaba a dar su brazo a torcer tan pronto. No quería que Temístocles hablara de lo que ella se merecía ni de las ventajas que obtendría, sino de lo que sentía él. *Dime, por lo menos, que me necesitas.*

Pero Temístocles volvió a sorprenderla. Se incorporó, se soltó la cadena del cuello y le enseñó el dije que colgaba de ella. Apolonia había observado que lo llevaba desde hacía un tiempo y que no se lo quitaba ni siquiera para bañarse.

—Acerca la lámpara. Quiero que lo veas bien.

Era una lámina de oro doblada por la mitad. Temístocles la abrió y le mostró la inscripción de su superficie. Apolonia sabía leer, pero los caracteres eran tan diminutos que apenas podía distinguirlos.

—¿Qué es?

Temístocles le explicó que aquella especie de amuleto estaba grabado en oro porque ese metal era el más noble, duradero e incorruptible, y también el antagonista del plomo que se usaba en las tablillas de maldiciones. Ya que el texto de la inscripción era precisamente lo contrario: una bendición para el más allá.

—¿Te acuerdas de mi último viaje a Italia?

Ella asintió. Temístocles había partido con una flota de trirremes para hacer maniobras, adiestrar a los remeros y, al mismo tiempo, concertar alianzas para la guerra inminente. En esto último no había tenido éxito, pues sólo había conseguido buenas palabras y vagas promesas de las ciudades griegas del sur de Italia. Pero durante su estancia conoció a un viejo anciano de Síbaris en cuyo honor había decidido ponerle el nombre de la ciudad a su hija pequeña. Ese hombre, llamado Zeuxis, lo había iniciado en sus misterios.

A Apolonia le sorprendió la convicción y seguridad que emanaban de las palabras de Temístocles. A veces ambos habían hablado de los misterios de Eleusis, un ritual en honor de Deméter y Perséfone que prometía un destino mejor para después de la muerte a quienes se iniciaran en ellos, hombres y mujeres de toda condición. Temístocles se mostraba más bien escéptico, y por eso no le había sugerido a Apolonia peregrinar a Eleusis como habían hecho muchas personas que conocían, empezando por Euforión el Nervios. Pero tal vez la enfermedad de Euterpe le había hecho cambiar de opinión: mientras le hablaba de aquel anciano se refería constantemente al olvido y la memoria, y Apolonia comprendió que temía sufrir el mismo mal que su madre.

Temístocles le reveló los misterios de Orfeo tal como se los había confiado a él Zeuxis. Apolonia se acurrucó contra su cuerpo, entrelazó sus piernas con las de él y se dejó arrullar por su voz. Él le contó cómo el músico tracio había bajado al Hades por amor, buscando a su esposa Eurídice, y cómo, gracias a su arte, había descubierto las fórmulas secretas para aplacar a los dioses infernales. Las horas fueron pasando. Apolonia estaba familiarizada con el mito de Orfeo, pero Temístocles se lo narró en todos sus pormenores, algunos de los cuales eran secretos sólo al alcance de los iniciados. Así conoció la verdadera geografía del inframundo: el prado de asfódelos donde se congregaban las almas de los muertos, el ciprés blanco, el río del Olvido, las aguas inflamadas en fuego del río Piriflegetón. Sobre todo, Temístocles hizo hincapié al explicarle lo que ocurría al cruzar las aguas en la barca del viejo Caronte y encontrarse ante los jueces infernales.

—Tienes que aprenderte bien estos versos —le dijo.

—¿Por qué?

—Si los pronuncias, te dejarán pasar por el sendero más escondido y angosto, que es el que lleva al Elíseo. Vamos, repítelos conmigo.

Insistieron varias veces, porque Apolonia no tenía tan buena memoria como él. No pudo evitar reírse un par de veces, sobre todo al repetir los absurdos versos finales:

Sálvame, Brimó, ¡oh gran Brimó!
Andricepedotirso, Andricepedotirso, ¡oh gran Brimó!

—Tómatelo en serio. Es importante —la regañó Temístocles—. Sin esa contraseña final no podrás pasar. Tienes que aprenderlos ahora, por si no vuelvo vivo de Artemisio.

—¡No digas eso!

—En la guerra, la gente muere. No es nada extraordinario. Venga, quiero que te lo aprendas.

Por fin, ella consiguió repetir tres veces seguidas y sin equivocarse aquella especie de conjuro. Temístocles le prometió que, cuando tuvieran más tiempo, la llevaría a Italia para purificarla e iniciarla en los misterios de la forma apropiada. Pero de momento, mientras él partía hacia el norte, tendría que bastarles con eso.

Apolonia se dio cuenta de que Temístocles, sin reconocer de forma explícita que la amaba, se lo estaba demostrando. Lo que le ofrecía era un don muy valioso: vivir después de la muerte en un rincón selecto del reino lóbrego y gris gobernado por Hades.

Pero, sobre todo, lo que le ofrecía era vivir después de la muerte junto a él.

Cuando quisieron darse cuenta, el aceite de la lámpara se había apagado, pero el claror gris que precedía al amanecer empezaba a colarse en su escondrijo. Se levantaron y se vistieron, y bajaron de la nave. El hombre que vigilaba el brasero no era el mismo que estaba allí cuando subieron al trirreme. Pero el camarada que le había dado el relevo debía de haberlo puesto en antecedentes, porque los saludó disimulando a duras penas una sonrisilla. Salieron del cobertizo intentando mantener la compostura y se dirigieron hacia la puerta de la empalizada.

Antes de llegar a ella se toparon con Cimón. Venía acompañado por los mismos hombres con los que la noche anterior había aparecido en su casa para devolverle a Temístocles los diez talentos. El hijo de Milcíades puso gesto de sorpresa al verlos a ambos juntos en aquel lugar y a aquella hora tan temprana. Pero fue Temístocles quien le preguntó primero a él qué hacía allí.

—Obedecer tus órdenes —respondió Cimón—. ¿No querías que supervisara los trabajos de la flota? Vengo todas las mañanas.

—Ignoraba que mis órdenes te importaran tanto.

Cimón ordenó a sus sirvientes que se alejaran, y bajando la voz para que nadie pudiera oírlos, dijo:

—Vamos, Temístocles. Olvídate de la asamblea de una vez. Eso ya es trigo molido. Ahora hay que pensar en cómo vamos a combatir a los persas.

—¿Que me olvide? Va a ser difícil. Tu aparición en la asamblea será recordada durante muchos años.

Cimón se ruborizó un poco.

—Si te refieres a lo del remo, lo hice de corazón, Temístocles. Creo en la flota tanto como tú.

—Si es así, no debiste hacer caso a Calias. No sé qué trato te habrá ofrecido ese hombre para que le sirvas de vocero, pero no...

—Él no tiene nada que ver. Ya soy mayor para tomar mis propias iniciativas.

—Pues la primera iniciativa que has elegido es desastrosa. Por quitarme poder a mí, se lo has arrebatado a Atenas. Has cometido un error que acarreará consecuencias imprevisibles.

—No exageres, Temístocles. Más de la mitad de los barcos de la flota aliada son nuestros. Y esos barcos harán lo que tú digas.

—Esos barcos harán lo que nos deje hacer Euribíades.

—No creo que sea tan complicado. Tú sabes manipular a la gente mejor que nadie.

—Pues acabo de descubrir que tengo un discípulo aventajado.

—¡Vamos, sabes de sobra que, en cuanto se reúna la flota aliada, se planteará la cuestión del mando! ¿Crees que los peloponesios consentirán que mandemos nosotros en vez de los espartanos? Imagínate lo que dirán, sobre todo los corintios. Es mejor ceder de buen grado. Cuando vean que hemos sido tan generosos, estarán más dispuestos a recibir tus sugerencias.

—No está mal. Al final me convencerás de que me has hecho un favor. Me imagino que si has propuesto el regreso de Arístides, también es para tenerme contento, ¿verdad?

—Tú me enseñaste que hay que tener a los enemigos cerca, ¿recuerdas? Y es imposible que tú odies a Arístides más de lo que yo odio a Jantipo.

Apolonia llevaba un rato atónita. Allí estaba Cimón, tratando de enredar con palabras al mismo hombre al que había traicionado, a su benefactor. Por fin, no pudo contenerse más.

—¿Por qué no te callas de una vez, Cimón? ¿A quién quieres engañar con esos argumentos?

—Es mejor que tú no intervengas —respondió él—. Puedes oír cosas que no te gusten.

Una patrulla se acercaba a ellos dando un sospechoso rodeo

en su ronda de vigilancia. Temístocles les ordenó que se alejaran. Después se dirigió a Apolonia bajando la voz.

—Déjalo, Apolonia. Esto no es asunto tuyo.

—¡Quien es ingrato contigo, lo es también conmigo! Este hombre ha estado bajo nuestro techo y ha compartido nuestro pan. ¡Mira cómo nos paga!

—Tú no entiendes el juego de la política, mujer —dijo Cimón—. Ahí no existen la gratitud ni la ingratitud, sólo la conveniencia.

—¿Y la traición tampoco existe? ¿Es que en *tu* política apuñalar por la espalda es una acción loable?

—Apolonia... —insistió Temístocles.

—¡Déjame hablar! Este hombre es un traidor como su padre, que vendió a los eretrios. ¡Es capaz de hacer lo mismo con sus propios compatriotas!

Cimón puso cara de asombro.

—¡Ah! ¿De modo que él te lo contó así? ¿Él te dijo que mi padre traicionó a Eretria? ¡Qué desfachatez!

—Dejadlo —dijo Temístocles, agarrando del brazo a Apolonia para apartarla de allí. Pero ella se lo sacudió de encima y se encaró de nuevo con Cimón.

—¿Qué quieres decir? ¿Qué estás insinuando?

—Vamos, Temístocles, dile de una vez la verdad.

—Es mejor que nos vayamos —respondió él, mirando a los lados—. Estamos dando un espectáculo.

—¡No vas a ir a ninguna parte! No permitiré que se mancille más la memoria de mi padre. —Ahora era Cimón quien parecía indignado. Volviéndose a Apolonia, dijo—: Sí, es cierto que Milcíades y los demás generales votaron por no enviar tropas a la isla de Eubea, pensando que podía resultar peligroso para nuestra ciudad. Sí, es cierto que los atenienses abandonamos a los eretrios. Pero ¿sabes quién convenció a mi padre para que lo hiciéramos? ¿Sabes quién le sugirió que el futuro de Atenas sería mucho más brillante si Eretria desaparecía de la faz de la tierra y dejaba de hacernos la competencia con sus barcos?

Apolonia no quería creer lo que estaba oyendo. Un frío que no había conocido ni en los momentos de mayor terror atenazaba su vientre, y la simiente de Temístocles parecía haberse congelado en su seno.

—¿Quién está obsesionado con los barcos? —insistió Cimón—. ¿Quién ha presentado decretos y más decretos para convertir a Atenas en una potencia naval? La misma persona que veía a Eretria como un adversario peligroso para el futuro al que había que eliminar. Aunque si eran otros los que hacían el trabajo sucio, mucho mejor. No seas ingenua, Apolonia. ¿Aún no sabes de quién te hablo?

Ella se volvió hacia Temístocles. Buscaba en su rostro algún gesto, incredulidad, indignación, estupor por las palabras de Cimón. Pero su semblante era una máscara helada y sus ojos, muy abiertos, miraban a Cimón fijamente.

—¡Mírame a mí! —dijo Apolonia—. ¿Es verdad lo que dice?

Muy despacio, Temístocles volvió la cara hacia ella, pero no contestó.

—¿Es verdad? —dijo Apolonia. La vista se le estaba enturbiando, porque las lágrimas le arrasaban los ojos. Se odió a sí misma por llorar. Quería ser fuerte, sobre todo delante de Cimón. Se sentía una estúpida—. ¿Tú nos entregaste? ¿Tú entregaste a mi esposo, que te había alojado en su casa? ¿Traicionaste a tu próxeno?

Temístocles pestañeó una vez, muy despacio. Ella sabía que estaba entrenado para no delatarse con sus gestos. Pero aquel único parpadeo le bastó para comprender que quien no mentía allí era Cimón.

Todo el calor que había sentido antes por Temístocles se había desvanecido. De pronto, pensó que tras esos ojos oscuros como el carbón no había nada. Recordó la primera vez que la miraron, en aquella playa de Eretria, cuando se atrevió a coger a Nesi en brazos. ¡Después de ser el causante de la muerte de su padre! Apolonia suplicó a los dioses que le permitieran desmayarse y que alguno de ellos tuviera la bondad de envolverla en una nube y llevársela de allí.

Pero que no fuera Atenea. Porque Atenea la había puesto en manos de ese hombre.

Abrió la mano para abofetear a Temístocles, pero por el

camino le pareció poco, cerró el puño y le golpeó con todas sus fuerzas. Cuando se miró la mano, tenía sangre. Era la suya: se había topado con un diente y se había abierto una raja en el nudillo.

El golpe hizo volver la cabeza a Temístocles un instante, pero enseguida volvió a mirarla. Apolonia no podía creerlo. Ella, la traicionada, no tuvo más remedio que apartar los ojos de él, pues no era capaz de aguantarle la mirada. Se volvió hacia Cimón. Esperaba encontrar una sonrisa de triunfo en su rostro, pero el hijo de Milcíades estaba tan serio como Temístocles. Por fin, ya que ninguna divinidad se dignaba sacarla de allí, se dirigió a la puerta de la empalizada. La calle que subía a su casa —¿su casa?— era un confuso borrón entre las lágrimas.

Cuando Apolonia se hubo ido, Temístocles se dirigió a Cimón.

—¿Estás ya contento? ¿O todavía es necesario que me saques los ojos y me eches sal dentro?

Cimón respiró hondo. Se arrepentía de no haber controlado su lengua. Las palabras que acababa de pronunciar no beneficiaban a nadie, y tampoco lavaban del todo la memoria de su padre.

—Lo siento, Temístocles. Me he dejado llevar por la ira. De nada me sirve que tengas problemas con Apolonia, te lo juro.

—¿Y de qué te sirve todo lo demás? ¡Llevo años luchando por conseguir la mejor flota de toda Grecia para defendernos del bárbaro, y tú me la has arrebatado! ¿Qué has conseguido con ello? ¿Crees que los eupátridas que quieren hundirme te lo agradecerán? ¿Es que no recuerdas cómo arrinconaron a tu padre como si fuera un barco viejo?

Cimón no estaba acostumbrado a ver a Temístocles así. Sus ojos parecían más grandes que nunca y brillaban como ascuas.

—Cálmate. Lo que he hecho ha sido por el bien de Atenas.

—¡Lo has hecho por tu propio interés!

—Yo también tengo mis legítimas ambiciones. ¿Qué pretendías, convertirte en un nuevo tirano con poder absoluto sin que los demás nos opusiéramos?

—¡Has condenado a nuestra ciudad!

—¿Por quitarte a ti algo de poder? No seas soberbio, Temístocles. El ombligo del mundo es Delfos, no tú.

Temístocles se acercó más a Cimón y le clavó el dedo en el pecho. Aunque era más bajo que él, Cimón retrocedió intimidado. El fuego que ardía en los ojos de Temístocles daba miedo.

—Sólo hay una persona en el mundo que puede detener a Jerjes. Y esa persona soy yo.

—¿He dicho soberbio? ¡Estás loco, Temístocles! Y a los locos como tú los dioses les cortan la cabeza.

Temístocles respiró hondo, cerró los ojos un instante y luego volvió a mirarle. Su voz volvía a ser fría y controlada, lo que aún dio más miedo a Cimón.

—Detendré a Jerjes. El problema es que ahora tendré que hacerlo por encima de todos vosotros. Pero no te engañes, Cimón. Éste es mi momento, y ni tú ni nadie me lo arrebatará.

Paso de las Termópilas, 18-20 de agosto

Durante el consejo de guerra, Artemisia se dio cuenta de que Jerjes estaba contrariado, aunque el férreo protocolo al que la tradición y su propia forma de ser lo sometían le impedía demostrarlo. Entre los demás generales, que no tenían por qué cohibirse tanto, más de uno mostraba su disgusto con sonoras maldiciones.

No era para menos. Llevaban ya cinco días estancados en las Termópilas. Cuando la vanguardia de la *Spada* llegó a aquel desfiladero que separaba Tesalia de Grecia central, descubrieron que los griegos se habían decidido por fin a ofrecer resistencia. Mardonio primero envió exploradores para reconocer el terreno y luego emisarios para parlamentar. De ese modo se enteró de que los aguardaba allí un ejército espartano, dirigido por uno de sus dos reyes, al que se habían unido otras tropas del Peloponeso, más locrios y focios que veían su tierra amenazada por la cercanía de los persas. Al tratarse de un contingente importante, el general no se atrevió a robarle a Jerjes el privilegio de mandar ese ataque. Por ese motivo había tenido que aguardar a que llegara su división, lo que había supuesto cuatro días de espera.

Jerjes había aparecido al atardecer del cuarto día. En cuanto llegó, lo primero que hizo fue enviar un heraldo a los espartanos para exigirles que le entregaran sus armas. La respuesta que recibió, «*Ven a cogerlas*», le complació sobremanera, pues estaba deseando presenciar una batalla de verdad. Después de varios meses de campaña, aún no habían estallado las auténticas hostilidades. Antes de salir de Macedonia, las tropas persas habían limpiado los caminos que rodeaban el monte Olimpo tanto por la parte del mar como por la que daba al interior del país, desbrozándolos no sólo de árboles y maleza, sino también de enemigos. Pero eran partidas de bandidos montañeses más que verdaderos soldados, y poca gloria podían aportar a su ejército.

En Tesalia les habían informado de que probablemente encontrarían resistencia en aquel desfiladero. Artemisia no estaba del todo convencida. Si la *Spada* se movía con lentitud, la reacción de los griegos ante su invasión parecía todavía más morosa. Entre los oficiales se cruzaban apuestas: algunos decían que llegarían a Atenas sin disparar una flecha, mientras otros auguraban que conocerían a las espartanas, tan afamadas por su belleza, antes que a sus esposos.

Mas no había sido así. Los griegos habían demostrado por fin algo de valor. Ese mismo día, el quinto de detención en las Termópilas, Jerjes hizo que le instalaran un sitial en un punto elevado para contemplar cómo su ejército aplastaba a los rebeldes griegos. Por la mañana atacaron medos, cisios y sacas. Tras sufrir cuantiosas bajas, se retiraron sin tomar la posición. Por la tarde, Jerjes decidió recurrir directamente a sus tropas de élite y envió a tres batallones de los Diez Mil, ya que era imposible desplegar más en el angosto campo elegido por los espartanos. Los llamados Inmortales tampoco habían conseguido ganar ni un palmo de terreno. Pero sabían que tenían la mirada de su rey clavada en la nuca, por lo que, en lugar de abandonar como los hombres que habían combatido por la mañana, siguieron estrellándose, oleada tras oleada, contra los escudos griegos, mientras los cadáveres de sus compañeros se amontonaban a sus pies.

—Nuestras tropas no tienen el armamento adecuado para luchar cuerpo a cuerpo con los griegos en un espacio tan reducido —dijo Hidarnes. Él mismo había tenido que dar la orden de retirada, pues temía perder de golpe a aquellos tres mil bravos guerreros si se empecinaba en quebrar de frente la posición espartana.

Artemisia habría podido explicarles que, efectivamente, en un combate cerrado, falange contra falange, los escudos de cuero y mimbre y las lanzas de dos metros ofrecían serias desventajas contra broqueles de roble chapados en bronce y picas de dos metros y medio. Ella misma había visto el resultado de aquel choque en Maratón. Para aprovechar su superioridad numérica y la maniobrabilidad de sus tropas, los persas necesitaban espacio y distancia. Algo que las Termópilas no les ofrecían.

En el campamento imperial, situado entre la ciudad de Traquis y las aguas del golfo Malíaco, ya se empezaban a encender las antorchas. El consejo de guerra se estaba celebrando en el pabellón rojo de Jerjes. Las otras dos tiendas ya habían llegado, pero esta vez nadie las había despachado en vanguardia, pues el tapón que formaban los griegos lo impedía. La amarilla permanecía guardada en sus fardos, mientras que la azul se había montado en el extremo norte del campamento, lo más lejos posible del desfiladero, y allí se alojaban la esposa y los hijos del Gran Rey, junto con las mujeres que había traído del harén real.

Artemisia volvió a mirar de reojo a Jerjes. Mientras los demás debatían, él permanecía aparte, sentado en el mismo sillón que utilizaba en los banquetes y con los pies en el escaño. En la mano derecha sujetaba un largo cetro que llegaba hasta el suelo, mientras la izquierda reposaba sobre su muslo. Detrás de él había un sirviente con una toalla, otro que abanicaba un ancho flabelo para aliviar el calor y un tercero que portaba las armas de Jerjes, un hacha de guerra en la mano derecha y un arco de madera y marfil en la izquierda.

Si no fuera porque a veces le brillaba la frente y el criado de la toalla se apresuraba a enjugar el sudor real, podría haber parecido que se trataba de una estatua, uno de los relieves que lo representaban en los acantilados de su patria. No era extraño que sudara, pues estaba envuelto en varias capas de ropa, y toda ella muy pesada: los pantalones, las botas de piel de gamo, la túnica de amplias mangas y, por si faltaba algo, un manto púrpura bordado con halcones dorados que parecían a punto de atacarse con sus picos.

Era evidente que para Jerjes no había nada más importante que su dignidad. Sólo de pensar en permanecer inmóvil tanto tiempo como él, a Artemisia le entraban picores desde el cuero cabelludo hasta la planta de los pies. Ella misma estaba sudando, pese a que iba descalza y a que su uniforme griego le permitía llevar los brazos y las piernas al descubierto. En los últimos meses pocas veces había vestido de mujer. Tenía comprobado que si los demás la veían con uniforme militar tomaban más en cuenta sus opiniones.

Los generales discutían en torno a una mesa sobre la que habían colocado una artesa rectangular llena de arena de playa, humedecida y compactada. Mardonio, que tenía buen ojo para la topografía, había dibujado en ella un tosco boceto del desfiladero siguiendo las indicaciones de Efialtes. Éste, que se hallaba presente en la reunión, era natural de Traquis y, como tantos otros miembros de las oligarquías locales, había abrazado con devoción el partido de los persas.

En la parte izquierda del mapa aparecía un aspa que representaba su campamento. La costa seguía hacia el este, más o menos en línea recta. Sobre esa línea quedaba el mar y por debajo se levantaba la sierra del Eta. Entre la costa y la montaña corría el desfiladero, de unos cinco kilómetros de longitud.

—Ésta es la Primera Puerta —dijo Efialtes, señalando un estrechamiento en el sendero.

Esa posición estaba en su poder, principalmente porque los griegos habían renunciado a defenderla. La Primera Puerta daba paso a un pueblo que sus habitantes habían abandonado, Antela, y a una explanada de forma vagamente triangular donde se podían desplegar varios batallones. Allí había unas fuentes termales que daban su nombre a todo el paraje, «Puertas Calientes». Según la leyenda, Heracles se había arrojado a esas aguas poco antes de su muerte, cuando la túnica empapada en la sangre del centauro Neso le estaba abrasando la piel. En realidad, el héroe era culpable de su propio sufrimiento. Si la sangre de Neso estaba emponzoñada era porque Heracles le había clavado una flecha impregnada, como todas las de su carcaj, en la sangre corrosiva de la Hidra de Lerna, un dragón de nueve cabezas al que había dado muerte al principio de sus célebres trabajos. Ni el frío del agua había conseguido mitigar el dolor del héroe, que acabó inmolándose en una pira sobre el Eta. Pero el calor de su cuerpo había pasado al manantial, y ahora, curiosamente, sus aguas sulfurosas resultaban muy saludables para los dolores de huesos.

El triángulo se cerraba al oeste en otro estrechamiento, la Segunda Puerta. Por muchas unidades que se desplegaran en la explanada, allí podía penetrar como mucho un batallón de mil hombres, y eso comprimiendo sus filas.

—Aquí es donde está el muro —señaló Hidarnes, el único de los presentes que se había acercado a él.

—Ese muro lleva mucho tiempo en ruinas —dijo Efialtes por medio del intérprete.

—Lo han reparado —dijo Hidarnes—. Pero lo han hecho de una forma muy rara. En vez de cerrar el camino en perpendicular, lo han construido en oblicuo, de modo que queda una zona de paso entre la muralla y el acantilado.

Tenía su lógica, pensó Artemisia. Seguramente los espartanos habían levantado ese muro para proteger su campamento y contentar a sus aliados. A ellos no les gustaban los parapetos. Su forma de hacer la guerra no consistía en defenderse sobre murallas, ya que su ciudad no las tenía, y preferían disponer de suelo bajo sus pies para maniobrar.

—Ésta es la Tercera Puerta —señaló Efialtes más a la derecha, casi en el borde de la artesa—. Es aún más angosta que la Segunda.

—¿Nos darás alguna buena noticia? —dijo Histaspes, uno de los hermanos de Jerjes—. Eso quiere decir que cuando consigamos desalojar a los griegos de su posición, todavía tendremos que pelear en otro desfiladero.

—La ventaja que tiene para vosotros es que la montaña que la cierra es mucho menos escarpada y podríais acribillarlos desde las alturas con vuestras flechas —respondió Efialtes—. Si los espartanos han decidido hacerse fuertes en la Segunda Puerta es porque allí tienen su flanco bien protegido por el monte.

El pico que se alzaba sobre las fuentes termales, el Calídromo, tenía más de mil metros de altura y se levantaba en farallones casi verticales por la vertiente norte. Era impensable apostar arqueros allí, a no ser que tuvieran alas en las manos y garfios en los pies.

—Pero sí tengo buenas noticias que daros —prosiguió Efialtes.

Su dedo trazó una línea desde Traquis hacia abajo.

—Hay un camino, la senda Anopea, que remonta el curso del río por aquí. Hay que subir bastante, pero es practicable. Después tuerce hacia el este —su dedo giró en ángulo recto a la derecha—. Pasa por unas vaguadas situadas bajo la cima del Calídromo y —su dedo giró de nuevo— desciende hacia el mar más allá de la Tercera Puerta. Si lleváis a vuestros soldados por la senda Anopea, rodearán la posición de los espartanos sin que éstos se enteren y aparecerán justo en su retaguardia. Los tendréis rodeados, y sin escapatoria.

Todos se volvieron a mirar a Jerjes. Pero el Gran Rey no hizo el menor gesto.

—¿Cuántas tropas crees que tienen los espartanos? —preguntó Mardonio, dirigiéndose a Damarato.

La montaña cortaba la visual entre ambos campamentos. Ni los griegos podían saber cuántos eran los persas ni al contrario.

—En la ciudad hay unos ocho mil ciudadanos espartanos —contestó el antiguo rey—. De ellos, habrán enviado a las Termópilas a cinco mil. Vendrán acompañados por periecos y por aliados del resto del Peloponeso. Calculo que puede haber treinta o cuarenta mil hombres.

—Tantos no caben en el desfiladero, ni son necesarios para defenderlo —dijo Mardonio—. Seguro que tienen batallones aquí en la Tercera Puerta, donde termina esa senda, y también en las alturas, repartidos por todos los pasos de montaña. Antes que mandar a nuestros hombres a una muerte segura en una celada, prefiero que sigan luchando de frente. Tarde o temprano venceremos a esos hombres por agotamiento.

—Si nuestra flota no aparece a tiempo con provisiones, seremos nosotros quienes nos agotemos antes —intervino Artemisia. Efialtes la miró con sorpresa. Ya le había extrañado encontrar a una mujer en aquella reunión, y sin duda le asombraba aún más que se atreviera a hablar. Pero los demás ya estaban acostumbrados.

Lo cierto era que en la llanura donde estaban acampados no disponían de alimentos suficientes para la enorme hueste del Gran Rey. La flota que traía víveres desde Macedonia debería haberse reunido con ellos ya. Pero acababan de sufrir varios días seguidos de mal tiempo que habían obligado a los barcos a permanecer varados en la costa de Tesalia. Una de las naves correo les había informado de que la tempestad había echado a pique a un buen número de transportes, mientras que otros habían sufrido graves daños.

—¿Y qué hacemos entonces, Mardonio? ¿Quedarnos clavados aquí? —dijo Hidarnes—. ¿Sigo mandando a mis hombres hasta que los perdamos a todos?

—Confiad en Ahuramazda.

Todos se volvieron hacia el Gran Rey. Se había levantado del sitial y se disponía a volver al interior de la tienda. Eso significaba que daba por levantada la reunión, sin que se hubiera decidido nada. Hubo algunos bufidos de impaciencia y frustración apenas reprimidos.

—Él nos infundirá valor y, sobre todo, nos iluminará con su conocimiento —prosiguió Jerjes—. Mañana se decidirá lo que se tenga que decidir.

Cuando Artemisia salía de la tienda, Mitradates se acercó a ella.

—Quiere verte.

No hizo falta que dijera más. Artemisia se volvió hacia Alexias, que la aguardaba con un piquete de soldados, y le dijo que dejara tan sólo cinco hombres y regresara con los demás a su sector del campamento. Después, permitió que el eunuco la guiara a la parte trasera de la tienda. La noche estaba cerrándose ya. Una luna casi llena brillaba sobre las aguas del golfo Malíaco, aunque a ratos quedaba oculta por nubes dispersas. Al menos el cielo se veía más despejado que en los últimos días, en los que habían sufrido un pequeño invierno incrustado en pleno verano. Muchos soldados arrastraban toses y catarros por culpa de los gélidos aguaceros.

Cuando el Gran Rey partió de Macedonia, Artemisia había decidido acompañar al ejército de tierra. Le había dado muchas vueltas a aquello tras su desagradable e inquietante conversación con Esquines. Éste seguía con la flota como huésped del licio Damasitimo, y Artemisia prefería no tener más encuentros con él. Así que, ya que poseía contingentes propios tanto en la marina como en el ejército, se había decantado por viajar con este último. Sabía que tal vez estaba cometiendo un error, porque siempre conviene tener cerca a los enemigos, pero cualquier decisión parecía peligrosa.

A Jerjes debió complacerle su elección, pues desde que salieron de Macedonia la había llamado en tres ocasiones. Considerando que traía consigo a su esposa y al menos a diez concubinas, resultaba halagador. Tal vez lo que buscaba el Gran Rey no era simple placer, sino compañía: después de hacer el amor, en lugar de despedir a Artemisia como, según le constaba, hacía siempre con las mujeres de su harén, se quedaba hablando con ella. La segunda noche se había explayado tanto que casi les amaneció. El hombre que compartía con ella el lecho era otro Jerjes, un Jerjes que expresaba en voz alta buena parte de lo que callaba durante el día.

Artemisia sabía de sobra que los rumores sobre su relación corrían por todo el campamento. Gracias a ellos, muchos de los generales la trataban con más respeto, o al menos con mayor precaución. Pero ella sentía que caminaba por el filo de una espada. Hacía siete noches que Amestris la había invitado a cenar. La esposa de Jerjes se había mostrado amable, considerando la sequedad de su carácter, pero cada vez que le daba a probar un manjar nuevo, Artemisia se preguntaba si iba a ser el último bocado que comería en su vida. Sí, el catador lo probaba todo delante de la reina y ésta comía del plato antes de pasárselo a Artemisia, pero ¿quién les impediría echar veneno sólo en una parte de la bandeja? Por si acaso, al volver a su propia tienda, Artemisia se había hurgado en la garganta con una pluma de ganso para producirse arcadas hasta que por fin logró vomitar todo lo que había cenado.

Ahora, mientras se dejaba llevar por un pequeño laberinto de biombos y cortinas, pensó que al menos Amestris dormía en otra tienda, a más de un kilómetro de allí. Ignoraba si la esposa de Jerjes se sentía físicamente celosa de ella o tan sólo se trataba de una cuestión de poder e influencia. Pero si su destino llegaba a depender alguna vez de la voluntad de aquella mujer, sabía de sobra que estaba perdida.

Jerjes la estaba esperando. Artemisia tuvo que someterse de

nuevo al mismo ritual que en los jardines de Babilonia, pues era inconcebible que el Gran Rey se desnudara sin ayuda. Pero esta vez los eunucos los dejaron solos y pudieron hacer el amor en la relativa intimidad que brindaban aquellas paredes de tela.

Cuando terminaron, Jerjes pidió a Artemisia que le echara vino en la copa. Ella le sirvió sin sentirse menoscabada por ello, pues sabía que entre los persas el puesto de copero real se consideraba uno de los más altos honores. Concentrada en no verter el vino en la penumbra de la alcoba, no se dio cuenta de que Jerjes había sacado un objeto de debajo de su almohadón. Luego vio que lo acariciaba con las yemas de los dedos y lo miró con curiosidad.

Era la máscara de oro.

Artemisia contuvo el aliento. *Esquines ha hablado*, pensó. Estaba perdida. *«No quedará prueba alguna de que tú y yo hayamos tenido el menor trato»*, le había dicho Patikara en Maratón. En su momento, Artemisia se aseguró de ello recurriendo al asesinato. ¿Quién impediría ahora al rey recurrir al mismo procedimiento?

—Los hombres están muriendo delante de mis ojos —dijo Jerjes, sin apartar la mirada de la máscara—. Yo no puedo hacer nada.

Artemisia volvió a respirar. No se trataba de una amenaza, sino de una confesión. Su vida no corría peligro. Al menos de momento.

—La guerra es cruel e imprevisible, mi señor —dijo, ya que parecía que se esperaba una respuesta de ella.

—Ese reyezuelo está desafiando mi poder. —Artemisia vio cómo los músculos de sus sienes se tensaban, pero, aun así, Jerjes no subió la voz—. Está enfangando mi prestigio delante de los persas y los demás súbditos de mi imperio. El corazón me pide montar mi corcel y salir al campo de batalla para barrer a esos seguidores de la mentira.

—¡No puedes hacer eso, mi señor! —dijo Artemisia, comprendiendo por qué el rey había sacado la máscara.

Se dio cuenta de que le había contradicho abiertamente y se llevó la mano a la boca. Jerjes la miró por fin a la cara.

—He sido demasiado atrevida, mi señor...

—Sólo una mujer atrevida puede mandar tropas para el rey de Persia. Quiero que hables con sinceridad. Eres mi amiga.

—Con tu amistad me honras más de lo que soy capaz de expresar, mi señor. Si he hablado con tanta osadía es porque creo que no debes correr el riesgo de bajar al campo de batalla.

—Leónidas está combatiendo junto a sus hombres.

—Él lo hace a la manera griega, mi señor. Pero sólo es un pequeño gobernante. Tú eres el Rey de Reyes, y por cada súbdito que obedece a Leónidas tú tienes diez mil.

—Ciro también era Rey de Reyes y batallaba a lomos de su caballo.

—¡Él no era tan grande como tú, mi señor! —Artemisia observó una sonrisa casi imperceptible bajo la barba de Jerjes. *Cuanto más poderoso es uno*, pensó, *mejor funciona el halago*. Debía recordar esa lección y aplicársela a sí misma—. Tu noble antepasado estaba empezando a conquistar un imperio y tenía que correr grandes riesgos.

—Es cierto que él no gobernaba tierras tan vastas como yo.

—Tus hijos son muy jóvenes, mi señor, y no hay nadie a tu alrededor que tenga tu talla. Si algo te pasara, tu imperio se hundiría en el caos. Yo misma te lo oí decir. Sólo debe haber un monarca bajo el sol de Ahuramazda. Y ese monarca eres tú, el hombre más poderoso de la tierra.

Pero Jerjes no se dejó convencer tan fácilmente.

—Si soy tan poderoso, ¿cómo es que no puedo hacer lo que quiero? ¿De qué sirve el poder si no puedo ejercer mi voluntad?

Más tarde Artemisia pensaría que tal vez el rey sólo quería un poco de comprensión, y que si le hubiera dado la razón, al menos en parte, le habría bastado para conformarse esa noche, pues no era hombre que faltara a sus deberes. Pero en aquel momento pensó que Jerjes estaba hablando como un niño antojadizo. ¿Qué pasaría si se dejaba llevar por su capricho, cabalgaba a la batalla y moría? ¿Qué sería entonces del medio millón de personas que había puesto en movimiento desde Asia y que ahora empezaban a adentrarse en terreno enemigo?

—El poder conlleva responsabilidad, mi señor —dijo, tratando de contener su irritación—. Yo sólo gobierno una pequeña ciudad, y lo hago en tu nombre. Pero por culpa de ese gobierno no soy tan libre como querría.

—Según tus palabras, yo debo ser el menos libre de los hombres —dijo Jerjes en tono amargo.

—Tal vez sea así, mi señor. Tus hombros cargan más responsabilidades que los de nadie. Me temo que debes seguir actuando como hasta ahora y dejar que tus hombres luchen por ti.

—¿Cuando llegue el momento, Artemisia, dejarás que tus hombres luchen por ti mientras los observas desde la distancia?

Ella tragó saliva.

—Yo no soy nadie a tu lado, mi señor. Mi muerte no significaría gran cosa. La tuya supondría una catástrofe para el mundo. Y recuerda que yo soy uno de tus hombres. Yo combato por ti, y me siento honrada por ello.

Jerjes sonrió. En sus ojos brilló una chispa de picardía, algo poco habitual en él.

—En ese caso, demuéstrame ahora tus aptitudes para la lucha, Artemisia.

Cuando abrió los ojos, se dio cuenta de que se había hecho de día. Se incorporó bajo la sábana y miró a su lado. Jerjes no estaba. Era la primera vez que Artemisia amanecía en la cama real, y se preguntó si no habría roto, sin darse cuenta, algún protocolo que ignoraba.

—El Gran Rey se ha levantado temprano para hacer sacrificios al sol naciente —dijo Mitradates. Debía llevar un rato allí, pero, como no se movía, ella no había reparado en su presencia.

Qué más da que me vea desnuda, pensó Artemisia. El eunuco debía conocer ya de memoria cada lunar de su cuerpo. Se levantó de la cama y dejó que la ayudara a vestirse, mientras se maldecía por haberse quedado dormida en la cama de Jerjes. Pero era comprensible, porque la sesión nocturna había sido agotadora. Le dolían los muslos y las caderas, y sentía maceradas otras partes de su cuerpo.

—El Gran Rey se ha levantado de un humor excelente —dijo el chambelán mientras le cerraba los broches del quitón sobre los hombros. Artemisia malinterpretó una alusión sexual en sus palabras, pero el eunuco se apresuró a añadir—: Alguien le ha traído buenas noticias.

—¿Qué noticias son ésas, noble Mitradates?

—Discúlpame, señora, pero no seré yo quien prive a su majestad del placer de contártelas en persona.

Me está bien empleado por preguntar, pensó Artemisia. Como buen funcionario de palacio, Mitradates experimentaba un placer malsano en demostrar que poseía más información que nadie y en ocultarla o dosificarla con racanería.

Cuando salió de la tienda, los hombres que había dejado allí para que la esperaran se acercaron a recibirla. Tenían aspecto de haber dormido en el suelo, pero ahora se los veía alerta. O más bien, pensó con inquietud, alarmados.

—Mi señora —dijo uno de ellos—. Los nuestros van a combatir.

—¿Cómo?

—Han recibido orden de entrar en el desfiladero y atacar la posición espartana. Ya deben de estar allí.

—¡Por los perros de Hécate! ¿Por qué no me habéis avisado? —dijo Artemisia, mientras se dirigía a su propia tienda dando zancadas que sus soldados apenas podían seguir.

—Mi señora, ¿cómo íbamos a entrar al pabellón real?

Esto es cosa del propio Jerjes, pensó Artemisia. Que se hubiese quedado dormida no era casualidad. El Gran Rey debía de haber improvisado una pequeña venganza cuando ella le llevó la contraria en la discusión. *«¿Cuando llegue el momento, Artemisia, dejarás que tus hombres luchen por ti y los mirarás desde la distancia?»* Apenas había aguardado al amanecer para comprobarlo.

Esa pequeña venganza podía suponer la muerte de decenas de sus hombres. Pero, claro, para Jerjes tenían tan poco valor como las piezas de madera que a veces usaba para representar sus unidades en el campo de batalla.

Por muy Gran Rey que sea, si cree que me voy a quedar de brazos cruzados, está listo.

—Conseguidme un caballo que sea rápido mientras me pongo las armas —ordenó a sus hombres, al tiempo que entraba en su tienda—. ¡Vamos, es para hoy!

Cuando entró al galope en la explanada de las fuentes termales y miró a su derecha, vio sobre la ladera del monte el toldo púrpura que cubría el sitial de Jerjes. El Gran Rey ya estaba allí con todo su séquito. Pero Artemisia pasó de largo y siguió cabalgando por el corredor que quedaba entre las unidades persas y frigias que aguardaban en retaguardia. De los Diez Mil no se veía ni rastro. Después de las bajas que habían sufrido la víspera, Jerjes debía haber decidido reservarlos para más tarde.

En el centro del pequeño valle, las unidades que iban a entrar en acción estaban terminando de desplegarse. En la parte derecha, la que daba a las alturas del Calídromo, formaba un batallón de asirios. Había entre ellos lanceros con broqueles de madera y cascos trenzados de cuero y hierro, y también maceros que se protegían con escudos de cuero en forma de cono reforzados con aguzados umbos de metal.

Los halicarnasios formaban en el ala izquierda, mirando al mar. Artemisia se abrió paso sin contemplaciones hasta llegar a la vanguardia. Una vez allí, descabalgó y buscó a Alexias. Sus hombres, que aguardaban con los escudos en el suelo y los yelmos hacia atrás, la aclamaron al verla.

—¡Ártemis está con nosotros! —dijeron—. ¡Con la diosa cazadora de nuestra parte no podemos perder!

El hijo de Fidón estaba en su puesto, el extremo derecho de la falange, dejando un hueco de unos metros entre ésta y el batallón de los asirios. Cuando vio a Artemisia se le escapó un gesto de contrariedad.

—¿Qué pasa, Alexias? ¿Es que querías toda la gloria para ti solo?

—Señora, no tienes por qué correr este peligro. Nosotros combatiremos hasta la muerte por ti.

—Ni lo sueñes. Yo no soy un rey persa, ¿recuerdas? Soy Artemisia, la amazona de Halicarnaso.

Por delante de las filas pasó un hombre a caballo seguido por un pequeño séquito de jinetes, impartiendo instrucciones a los asirios. Cuando llegó a la altura de los halicarnasios, Artemisia lo reconoció. Era Artafernes, el hombre que había mandado la caballería en Maratón. En aquellos diez años, al contrario que otros, el noble persa había adelgazado. Ahora, al ver a Artemisia, pareció sorprendido.

—¿Cuáles son nuestras órdenes? —preguntó ella.

—En cuanto suene la trompeta, atacaréis —respondió él, y después se introdujo entre las filas halicarnasias y las asirias para volver a retaguardia.

—Mi padre siempre dice que los planes sencillos son los que mejor funcionan —dijo Alexias.

Artemisia se colocó junto al joven hoplita, pero le dejó el puesto de la derecha, el último del batallón. Era ya una tradición que él o Fidón le cubrieran el costado de la lanza. Después apoyó el escudo en el suelo y miró al frente. La ira por la burla de Jerjes y la cabalgada le habían acelerado las pulsaciones, así que trató de serenarse y estudiar con frialdad lo que tenía ante sus ojos.

A poca distancia de ellos había unas torrenteras ahora secas que bajaban del Calídromo, y más allá se extendía una tierra de nadie cada vez más angosta en la que yacían decenas de cuerpos. Allí, el terreno bajaba en un suave declive desde las montañas hasta el mar, y al llegar al agua caía casi a pico en un pequeño acantilado. Apenas tenía dos metros de altura, pero la víspera muchos Inmortales que no sabían nadar habían perecido allí, empujados por la presión de la falange espartana.

Artemisia pensó que para llegar hasta el enemigo tendrían que pasar sobre los cadáveres de los medos y persas que habían muerto el día anterior. No era buena forma de mejorar la moral.

—¿Cómo te encuentras, Palamedes? —preguntó Artemisia al hoplita de su izquierda. Era un joven noble, primo segundo suyo por parte paterna.

—Bien —respondió él. Luego añadió en voz baja—: Aunque tengo la boca cuarteada como la suela de una bota.

—Bebe ahora todo lo que puedas. Después no tendrás ocasión.

Palamedes se descolgó la cantimplora del correaje, pero antes de beber se la ofreció a Artemisia. Ésta probó con precaución. Dos tercios de agua y uno de vino, calculó.

¡A los cuervos!, pensó, y dio un buen trago.

El sol empezaba a apretar ya en un cielo que, por primera vez en varios días, se veía limpio de nubes. Pero no era el calor la razón de que sus hombres tuvieran la boca seca. Iban a enfrentarse contra los afamados espartanos, los guerreros de los que todos los griegos oían hablar desde niños. Y, además, sus hermanos de raza, pues los habitantes de Halicarnaso, aunque estaban muy mezclados con los carios y hablaban un dialecto jonio, se consideraban de origen dorio y tan descendientes de Heracles como los lacedemonios.

La trompeta dio la señal de avanzar. Artemisia ordenó a sus hombres que se calaran los yelmos y embrazaran los escudos, y su pequeña falange, con un frente de apenas cuarenta hombres, se puso en marcha.

Tras cruzar la torrentera, recompusieron las filas. El sol les daba en la cara y arrancaba destellos de los escudos y las lanzas enemigas. Artemisia miró a la derecha. La pared de la montaña se veía cada vez más cerca, y el pasillo entre ellos y el batallón asirio se estaba reduciendo. Se preguntó, como seguramente habían hecho otros guerreros el día anterior, de qué servía tener un ejército de más de cien mil hombres si sólo podían entrar en combate mil cada vez.

Frente a ellos se extendía una línea de unos cien escudos, todos ellos con la lambda de Lacedemonia, pintada de rojo para que resaltara más. Los hoplitas que los sostenían empezaron a avanzar al cadencioso y agudo son de sus flautas. Había algo en su forma de marchar que ponía los pelos de punta. *Es sólo su reputación*, se dijo. Miró hacia el mar. El hombre que ocupaba el puesto de honor en el extremo de la falange enemiga debía de ser Léonidas. Pero no lo escoltaba ningún estandarte; lo único que lo distinguía de otros oficiales era su penacho, rojo en lugar de negro.

Entre los asirios que los acompañaban había arqueros que ahora lanzaron una andanada de flechas contra los espartanos. La mayoría de los proyectiles cayeron en la tierra de nadie y los demás resbalaron sobre los escudos enemigos.

Había llegado el momento de pasar sobre los cadáveres persas.

—¡Mirad dónde pisáis! —ordenó Artemisia—. ¡No rompáis la fila!

Olía a matadero, pero sus pies no chapotearon en el fango negruzco que esperaba. El suelo estaba tan seco que se había bebido toda la sangre. Artemisia se imaginó a los muertos del Hades, arremolinándose en el inframundo como bandadas de pájaros grises, mirando a las alturas con sus pálidos ojos y abriendo las bocas para recibir una nueva ofrenda de sangre humana.

Quedaban cincuenta metros como mucho para que ambas formaciones se encontraran. Los espartanos seguían avanzando despacio, sin desordenar sus filas, como una muralla de una sola pieza, y aunque ya estaban cerca no se habían molestado en abatir las lanzas, en una muestra de desprecio por sus enemigos casi olímpica.

—¿Cargamos ya? —preguntó Alexias.

—No. Lo haremos cuando yo lo diga.

Dirigió una rápida mirada a su derecha. Los asirios no avanzaban de forma tan disciplinada como los griegos ni trababan unos escudos con otros, sino que cada uno procuraba protegerse con el suyo. Siempre había pensado que aquellos hombres, herederos de una antiquísima tradición marcial, ofrecían un aspecto imponente con sus rostros ceñudos, sus narices aguileñas y sus barbas espesas y rizadas. Pero ahora vio en sus ojos el miedo.

Y no era para menos. Tenían enfrente a los espartanos, a los que las madres de Halicarnaso utilizaban como monstruos de fábula para asustar a sus hijos.

Un grito sonó en las filas asirias. Uno de sus guerreros, un gigante de casi dos metros, se lanzó a la carga, y los demás lo siguieron entre alaridos. Artemisia comprendió que ya no podría refrenar más a sus hombres y gritó:

—¡Por Halicarnaso!

Corrieron contra los enemigos entonando el peán para espantar su propio miedo. Por fin, los espartanos bajaron las lanzas y, sin acelerar el paso, se aprestaron para recibirlos. A la derecha de Artemisia no tardó en estallar el estrépito del combate: el resonar del hierro contra el bronce, el chasquido de la madera astillada, los primeros gritos de agonía. Pero no se atrevió a mirar allí, pues el enemigo que tenía frente a ella reclamaba toda su atención.

Los halicarnasios refrenaron su carga cuando estaban a unos pasos de los espartanos. Los hombres que tenían detrás se mantuvieron a la espera, jaleando a sus compañeros sin empujarlos por el momento, pues así se lo había ordenado Alexias con buen criterio antes de que llegara Artemisia. Durante unos minutos, ambas filas, la espartana y la de Halicarnaso, se mantuvieron a unos dos metros de distancia, cruzando lanzazos y tentándose los escudos, sin entrar a fondo al ataque. Los hombres de Artemisia no se atrevían a acercarse más porque tenían miedo. Era obvio que los espartanos no avanzaban porque no querían.

El hombre que estaba frente a Artemisia y batía hierros con ella era un oficial cuya cresta negra le cruzaba el yelmo de oreja a oreja. Debió reconocerla, lo cual no resultaba extraño con su casco beocio, porque sonrió y le dijo con voz ronca:

—¡No deberías estar aquí, Artemisia! ¡Hay mil lugares mejores en el mundo para una mujer!

Aunque al menos había tenido la decencia de no mandarla al telar, Artemisia le tiró un golpe con toda su furia. El espartano interpuso su escudo, que estaba lleno de mellas y abolladuras, y la lanza arrancó una chispa de la lambda. Después, de repente, el oficial miró a un lado, e incluso por debajo del yelmo Artemisia pudo ver cómo abría desmesuradamente los ojos.

—¡No! —gritó—. ¡No retrocedáis, maldita sea!

Artemisia miró en la misma dirección que el espartano. A su derecha, los asirios gritaban de júbilo, mientras los lacedemonios volvían la espalda y huían hacia el muro. Durante unos segundos concibió una descabellada esperanza. ¿Habrían conseguido los guerreros de Mesopotamia lo que no habían logrado el día anterior los medos, los cisios ni los propios Inmortales?

Imitando el ejemplo de sus camaradas, los espartanos que combatían frente a los halicarnasios se dieron la vuelta y emprendieron la huida. Pero Artemisia había sorprendido una mirada de inteligencia entre el oficial y un hoplita que tenía al lado.

Es una trampa.

—¡A por ellos! —gritó Alexias.

Era una orden innecesaria. Los halicarnasios de la primera fila se abalanzaron en persecución de los espartanos, seguidos por los demás. Algunos hombres incluso arrojaron sus lanzas contra los enemigos que huían, aunque por su peso y su longitud no eran las armas más idóneas para disparar, y desenvainaron las espadas.

Artemisia se dio cuenta de que se había quedado sola. Alexias y los hoplitas de la primera fila la habían dejado atrás, y los demás la adelantaban pasando a ambos lados de ella sin darse cuenta de que estaban dando empujones a su reina.

—¡Deteneos, estúpidos! —gritó—. ¡Es una trampa!

Era inútil. Cuando quiso darse cuenta, las únicas espaldas que veía ya eran las de sus propios soldados, que corrían tras los espartanos entre alaridos y levantando una nube de polvo bajo sus pies. Artemisia se volvió. Al otro lado de la torrentera, los batallones frigios, que aguardaban su turno para intervenir, venían a la carga, contagiados por el ejemplo de sus compañeros. Y en el centro de todo aquel caos estaba ella.

Al oír estrépito de metal contra metal, se volvió de nuevo hacia el frente. Cuando los gritos de persecución se convirtieron en chillidos de terror y furia, comprendió lo que había pasado. La carrera de los halicarnasios se había detenido en seco. Algunos cayeron de espaldas al suelo tras tropezar con sus propios compañeros. Una barrera se había interpuesto en el camino.

Los escudos espartanos.

Habían fingido retirarse para desorganizar las filas del ejército de Jerjes. Era una maniobra tan arriesgada que Artemisia no tuvo más remedio que admirar a aquellos hijos de perra. Una falange se desordena con facilidad, y aún más si se da la vuelta.

A no ser que lo único que hayas hecho durante toda tu vida sea entrenar esos movimientos, pensó.

Los hoplitas halicarnasios que servían en retaguardia también eran hombres valientes, y precisamente por eso habían sido elegidos para cerrar las filas. Pero al ver que los camaradas que tenían delante empezaban a retroceder, fueron los primeros en retirarse. Al pasar, algunos de ellos vieron a Artemisia y apartaron los ojos con vergüenza. Podía entenderlos. Habían caído como boquerones en una red.

Pero nadie diría que la reina de Halicarnaso había vuelto la espalda al enemigo por ser mujer. Artemisia se abrió paso entre sus propios hoplitas moviendo el escudo a ambos lados como si cortara maleza con un machete. Cuando se quiso dar cuenta, estaba por detrás de la primera fila de sus hombres, que aguantaban como podían mientras los espartanos los acuchillaban desde detrás de una densa pared de escudos.

Alexias estaba allí, combatiendo con el arrojo de un titán y desgañitándose para dar ánimos a los demás. De pronto, una hoja de hierro asomó por la parte posterior de su muslo y volvió a desaparecer, dejando en su camino una raja de medio palmo de la que empezó a manar sangre. El joven clavó la rodilla en tierra con un gruñido de dolor. Manejando la lanza con una habilidad diabólica, el espartano que lo había herido le clavó el arma en el cuello. Artemisia no pudo verlo, pero oyó el gorgoteo de agonía de Alexias.

—¡No!

Artemisia se abrió paso por un hueco casi inverosímil y tiró un rejonazo contra el rostro del espartano. Éste se hallaba tan ufano removiendo la punta de su pica que no vio venir el golpe. La lanza de Artemisia rechinó al colarse entre las dos carrilleras del yelmo. El impacto fue tan fuerte que sintió un agudo dolor en el hombro, y de la boca del espartano brotó un chorro de sangre mezclado con dientes astillados.

—¡Toma, hijo de puta! —gritó Artemisia.

Los dioses se desquitaron rápidamente de ella. Algo golpeó en su escudo con tanta fuerza que se le dobló el brazo, y el brocal le empujó el yelmo y se lo desplazó de lado, tapándole un ojo. Artemisia trató de colocarse el casco sin soltar la lanza, algo casi imposible en el caos de la batalla, cuando vio de reojo que un guerrero espartano le lanzaba un tajo por la izquierda. Hurtó el cuerpo como pudo, pero la espada le alcanzó en la oreja y en el cuello, y sintió la cálida salpicadura de su propia sangre. Con el golpe, el casco terminó de caerle sobre los ojos y todo quedó en tinieblas. Sentía empujones por todas partes, en el escudo, en las piernas, por la espalda, y temió que cualquiera de esos empujones se convirtiera en la punta de una lanza. Unos brazos le rodearon el cuerpo por detrás y la levantaron en vilo. Artemisia soltó la lanza y empezó a patalear como un potro indómito. Si esos espartanos creían que la iban a violar, estaban muy equivocados.

—¡Artemisia, soy yo! —dijo una voz en el oído que no dejaba de sangrar, y a pesar del zumbido la reconoció. Era su primo Palamedes.

Más brazos la sujetaron, y a ciegas sintió cómo los hombres se la pasaban de uno a otro como un fardo, a pesar de la carga de sus armas. Por fin logró colocarse el yelmo y gritó:

—¡Dejadme en el suelo, maldita sea!

Los soldados la obedecieron. Artemisia desenfundó la espada y trató de orientarse. El frente debía estar en el sitio del que venía todo el mundo, empujando para apartarse de allí. Sin saber muy bien cómo, los halicarnasios y los asirios se habían mezclado en aquel tropel. Por encima de sus cabezas se veían las picas de los espartanos, tremolando como espigas al viento, y entre los gritos de los que morían bajo su carga se oía el persistente martilleo del hierro sobre los escudos.

—¡Volved a combatir! ¡Volved a combatir! —gritó Artemisia.

Pero un grupo de soldados la rodeó y la sacó de allí.

—¡Si no nos vamos ahora moriremos todos, Artemisia! —le gritó Palamedes—. ¡Ya habrá otro día!

Artemisia no tuvo más remedio que resignarse y se dejó llevar. Al menos, los espartanos no los persiguieron. Sin duda, Leónidas los había aleccionado bien para no alejarse demasiado de su posición, pues en cuanto salieran a un terreno más amplio se verían en desventaja. Pese a ello, los halicarnasios y los asirios no habían terminado de sufrir bajas, pues chocaron contra el batallón de frigios que se había animado a seguirlos ante la falsa huida de los lacedemonios, y en aquel encontronazo, muchos cayeron al suelo y fueron pisoteados por sus propios compañeros. Al final, los frigios debieron comprender que aquélla no era la victoria fácil que desde lejos habían creído y empezaron a retroceder también ellos. Los espartanos quedaron dueños del campo y después, durante un par de horas, Jerjes no ordenó más ataques.

—Has tenido suerte —le dijo Jenófanes—. Ese tajo podía haberte seccionado la arteria. Te habrías desangrado como un cerdo hasta morir.

—Gracias por la comparación, matasanos.

Junto a la ladera de la montaña, donde las fuentes termales brotaban de un talud sembrado de cascajo y cantos rodados, se había improvisado una enfermería a la que Palamedes se empeñó en llevar a Artemisia. Poco después había aparecido Jenófanes, el médico de la familia real, enviado por Jerjes en persona para que la atendiera. A Artemisia, demasiado furiosa para sentirse agradecida por aquel honor, le sorprendió la rapidez con que el rey se había enterado de que la habían herido.

Estaba sentada en un banco de piedra, dentro de la casa de baños. En realidad, más que una casa se trataba de un pórtico techado, con un lado abierto que miraba hacia el norte, de tal modo que los visitantes pudieran contemplar el mar mientras disfrutaban del agradable calor del baño. Allí se había plantado un pelotón de soldados halicarnasios, pudorosamente vueltos de espaldas, que hacían de pantalla con sus cuerpos. Pues para curarle la herida el médico había desgarrado con su cuchilla la túnica de Artemisia, que estaba desnuda de cintura para arriba.

Los baños en sí eran unos asientos conocidos como Quitros y excavados en el travertino, la roca blanca y cuajada de cristales que las propias aguas habían ido depositando con el tiempo. Con gusto, Artemisia se habría desnudado del todo para meterse en el agua y limpiarse la sangre y la mezcla costrosa de polvo y sudor. Pero Jenófanes se lo había prohibido, alegando que era malo para las hemorragias.

—Creo que ya no podrás ponerte pendientes —le dijo—. Ese espartano se ha llevado de trofeo media oreja. Es una lástima, porque si era como la otra, tenías un lóbulo precioso.

La familiaridad con Jerjes, su madre Atosa, Amestris y otros personajes de la corte habían convertido a Jenófanes en un hombre bastante impertinente. Cuando Artemisia quiso tocarse la oreja para comprobar qué le quedaba de ella, el médico le dio un manotazo.

—Te acabo de limpiar con una mezcla de mirra y vino de quince años que cuesta un dineral. ¿Quieres volverte a ensuciar con esos dedazos?

—Dedazos los tendrás tú, matasanos. Yo soy una dama.

—¡Ja! Las damas a las que atiendo tienen jaquecas, amenorrea, pelos infectados en las ingles o, como mucho, bultos en el pecho. Ninguna me ha venido nunca con heridas de guerra.

Después le limpió la herida del hombro con una hilaza. La espada, tras llevarse el lóbulo de su oreja, le había golpeado en la clavícula. Pero parte del filo había topado con la coraza, y eso era lo que había salvado a Artemisia, que ahora gruñó entre dientes al sentir la presión de los dedos de Jenófanes.

—No te quejes tanto. Ni siquiera te ha roto el hueso.

—Pues me duele como si me lo hubieran roto —contestó Artemisia. También le dolía el antebrazo. Al ver el moratón que empezaba a salirle, se preguntó si el golpe que había recibido en el escudo y le había descolocado el yelmo se lo había dado un espartano con la lanza o una mula con sus cascos.

—Si tuvieras una fractura, notarías la diferencia. La clavícula rota es muy típica en los soldados de infantería. Eso y la contusión craneal. De ingles y tripas atravesadas a lanzazos no hablo, porque ésos no suelen salir vivos. Ahora bien, si ves a un veterano que apenas puede mover las muñecas o tiene lesiones permanentes en los tobillos, puedes apostar a que ése es de caballería.

—¿Cómo sabes eso, si no has atendido a un soldado en tu vida?

—Lo sé porque soy un hombre de insaciable curiosidad.

Tras limpiarle la herida, Jenófanes la tapó con lino empapado en el mismo bálsamo de vino y mirra. Sobre el lino colocó una fina rodaja de esponja cortada con su cuchilla, un puñado de hojas y, por fin, para mantenerlo todo en su sitio, un aparatoso vendaje que enrolló bajo ambas axilas.

—No aproveches para sobarme las tetas, matasanos —le dijo

Artemisia. Estaba de un humor de perros por culpa de la jugarreta de Jerjes, del dolor y, sobre todo, de la humillante derrota que les habían infligido los espartanos, y casi sin querer le salía el lenguaje cuartelero que había aprendido desde niña oyendo a Fidón y sus hombres.

A ver cómo le cuento a Fidón que no he sido capaz de recuperar el cadáver de su hijo.

—Soy médico —repuso Jenófanes—. Para mí el cuerpo femenino no tiene ningún interés erótico, sólo anatómico.

A pesar de todo, cuando Artemisia se levantó y se quitó los restos sucios y desgarrados de la túnica para ponerse otra limpia, el médico no apartó la mirada de ella.

—Tienes un cuerpo bonito —le dijo con gesto apreciativo—. Un poco andrógino para mi gusto, pero para tus treinta años no está mal.

—Tengo treinta y cuatro —repuso Artemisia mientras terminaba de ajustarse la túnica. Al oír la conversación, uno de los soldados amagó con girar la cabeza para ver a su reina desnuda, pero Palamedes le propinó un pescozón.

Mientras salían de la casa de baños, el médico le dijo que Jerjes quería verla. Artemisia contestó que el rey bien podía esperar, pues antes quería ver a los heridos de su batallón. Sus compañeros los habían reunido junto a un templete en cuyo friso se reflejaban los últimos padecimientos de Heracles y su apoteosis final.

Había allí cerca de veinte hombres, con lesiones de diversa gravedad. Dos de ellos, que estaban vivos cuando Artemisia entró a los baños, acababan de morir. A uno le habían perforado las tripas de un lanzazo. El otro se había desangrado por una estocada de espada en el muslo. Ni con el cauterio al rojo habían conseguido detener la hemorragia. El hombre, un veterano de cincuenta años, estaba tan blanco como una estatua de mármol sin pintar.

Los cirujanos atendían a sus hombres a la sombra de los árboles que crecían junto al templete, pues el sol caía sobre el desfiladero como plomo fundido. A un hoplita, al que prácticamente habían emborrachado para que no gritara, le estaban extrayendo fragmentos de diente y hueso de la mandíbula. Por el aspecto de la herida, el golpe se lo habían dado con el borde de un escudo. Otro estaba tendido en el suelo, con el hombro dislocado. El médico, un fornido egipcio, le puso bajo la axila una pelota de cuero, se sentó a su lado, plantó el pie en la pelota y le dio un tirón salvaje de la muñeca. El hombre, que estaba mordiendo un trapo, apenas pudo sofocar un grito, pero el brazo se colocó en su sitio con un sonoro chasquido. A un tercero, hermano de Palamedes, le estaban cosiendo una estocada en el bíceps derecho. Jenófanes chasqueó la lengua al verlo.

—¿Es que lo está haciendo mal? —preguntó Artemisia.

—A veces no hay más remedio que suturar, pero yo no lo hago si puedo evitarlo. Hay una probabilidad entre cuatro de que a ese hombre se le infecte el brazo y en unos pocos días esté muerto.

El soldado le miró con gesto de alarma, pues Jenófanes no lo había dicho precisamente en voz baja. Artemisia agarró del brazo al médico y lo alejó de allí.

—Está bien, iremos ahora mismo con el Gran Rey. No quiero que desmoralices más aún a mis hombres.

Lo que había visto y lo que había oído le dolía tanto o más que sus propias heridas. El cuadro que le había pintado su primo Palamedes, nuevo capitán de sus hoplitas, era deprimente. Cuando el batallón de Halicarnaso se reagrupó por fin, faltaban cuarenta y ocho soldados. La explanada de las Termópilas no era tan grande como para extraviarse por mucho tiempo, así que Artemisia sospechaba que todos o casi todos habían muerto. Sumados a los dos cadáveres que acababa de ver, eran cincuenta bajas. Había perdido a uno de cada seis hombres. Un desastre sin paliativos. Si alguna vez había subestimado a los espartanos pensando que su fama superaba a sus cualidades bélicas, no volvería a cometer ese error.

Mientras subían por el sendero que llevaba al mirador de Jerjes, Jenófanes se empeñó en explicarle que a esas casi cincuenta bajas tendría que sumarle unas cuantas más.

—Mientras no se entra en combate, el peor enemigo del soldado es la disentería. Pero en cuanto hay batalla, la acompañan los otros dos miembros de la tríada mortífera: la gangrena y el tétanos. En los próximos días puedes perder todavía entre cinco y diez hombres más.

—He visto cuervos menos agoreros que tú, Jenófanes.

—Incluso tú podrías morir —respondió el médico, inmune al tono cáustico de Artemisia—. Aunque, por el aspecto del corte y el color de la sangre que ha brotado de él, creo que ni siquiera tendrás fiebre.

Los zapadores del ejército habían alisado una terraza en la ladera a fuerza de pico y pala. Allí se levantaba un estrado de madera, y sobre él, el sitial de Jerjes. El Gran Rey estaba flanqueado por el consabido sirviente de la toalla y otros dos criados con abanicos. Bajo el toldo púrpura lo acompañaban varios generales y oficiales, y un personaje flaco y calvo que observaba el campo de batalla a través de un largo tubo y le transmitía todo lo que veía. Artemisia había oído decir que aquel artefacto mágico, regalo personal de Mardonio a Jerjes, permitía ver de cerca lo que estaba lejos.

Fue Mardonio quien le salió al paso antes de que llegara al estrado. Le ofreció una jarra de plata llena de cerveza babilonia más o menos fresca y la apartó de allí.

—Cálmate —le dijo—. Vienes del campo de batalla y estás herida. Podrías decir cosas de las que luego te arrepentirías.

Era curioso, pensó Artemisia, pero con el tiempo había trabado cierta amistad con Mardonio, dentro de lo que el protocolo y las diferencias culturales les permitían a ambos. El general se dirigía a ella siempre con respeto, sin despreciarla por ser mujer, como hacían algunos, ni fingir que no lo era, el recurso de otros.

—Tienes tus razones para estar furiosa —le dijo ahora, sentándose a su lado en una piedra a la sombra de un tejo—. Pero estar demasiado cerca del sol tiene sus peligros. Uno puede quemarse.

—No te entiendo.

—Creo que sí me entiendes, Artemisia. A Jerjes le gusta cada vez menos que le lleven la contraria, aunque a veces sus amigos no tenemos más remedio que hacerlo. Ahora considera que ya estáis en paz por lo que le dijiste anoche.

Ha mandado a mis hombres al matadero sólo por contrariarme, ¿y estamos en paz?, pensó Artemisia. Pero otra cosa la inquietó más.

—¿Es que todo el mundo sabe lo que pasa en su alcoba?

—Todo el mundo no, pero yo sí. Desde que Jerjes y yo éramos jóvenes, uno de mis deberes ha sido saberlo todo para protegerlo mejor.

A Artemisia a veces se le olvidaba que el rey y Mardonio tenían la misma edad, porque la calva del general lo hacía parecer mayor.

—Saberlo todo, pero no verlo —añadió Mardonio.

Al menos, es un consuelo, pensó Artemisia. Ya le bastaba con mostrar su cuerpo desnudo a Jerjes, sus eunucos y su médico como para además enseñárselo a su general en jefe.

Desde la ladera se apreciaba mejor la forma de la explanada, un embudo cuyo estrechamiento apuntaba hacia la muralla defendida por los espartanos. Por ese embudo habían entrado ellos, para terminar picados como carne para salchichas.

Las hostilidades se habían reanudado, aunque ahora la táctica del rey había variado. Ya no intentaba perforar las líneas griegas con ataques frontales de infantería, sino que enviaba oleadas de jinetes persas y sacas. Éstos se acercaban a las posiciones de los defensores y, cuando estaban a unos veinte metros de ellos, les disparaban varias andanadas de flechas y volvían grupas.

—No parece que estén causando graves daños —dijo Artemisia.

—Es cierto. Pero mantendrán ocupados a los griegos hasta que oscurezca. Luego, esta noche, probaremos con otra maniobra.

Artemisia se volvió hacia él.

—Mitradates me ha dicho que Jerjes había recibido buenas noticias. ¿Tienen algo que ver con esa maniobra que dices?

—Eres sagaz, Artemisia. Esquines el eretrio ha llegado al amanecer con información muy interesante. —Mardonio esbozó una sonrisa—. Creo que es muy amigo tuyo.

—¿Qué te ha contado?

—Ha insinuado algo sobre Maratón. —Artemisia contuvo el

aliento, pero Mardonio continuó—: No le he escuchado. No me interesa el pasado, Artemisia, sino el presente.

Un momento antes, Mardonio había afirmado que conocía todo lo que conocía Jerjes. Seguramente eso incluía las intrigas de Patikara en Maratón. Artemisia respiró algo más tranquila, ya que el general no parecía dar demasiada importancia a aquel asunto. *Al fin y al cabo*, pensó, *ayudé a hundir a su enemigo Datis.*

—Los griegos han tomado muchas precauciones para que no sepamos cuántos están en las Termópilas —prosiguió Mardonio—. Antes de que llegáramos, obligaron a evacuar la zona a todos sus habitantes y los trasladaron al sur.

—¿Y Efialtes?

—Efialtes llevaba un mes en Tesalia cuando lo encontramos. Conoce los pasos de estas montañas, pero ignora la cifra exacta de defensores.

—¿Y Esquines sí la conoce?

Mardonio asintió.

—No me extraña que Leónidas haya tomado precauciones para evitar que sepamos cuántos son. Nos estamos enfrentando a cinco mil hombres.

Artemisia dejó de parpadear un instante, sorprendida. Después dirigió la mirada al desfiladero. Cinco mil hombres podían ser los que estaba viendo desde allí, formados a ambos lados de la muralla y entre ésta y el mar. Todos habían sospechado que había muchos más soldados tras el recodo del camino, en el ensanchamiento que llevaba hasta la Tercera Puerta y en la villa de Alpeno, así como repartidos por las montañas.

—Es absurdo. ¿Cómo pretenden detener así a más de cien mil guerreros?

—Presupones demasiada inteligencia a los griegos, Artemisia. Pero se ve que vuestros parientes europeos son un poco obtusos.

—¿Cuántos de esos cinco mil soldados son espartanos? —preguntó Artemisia, que no podía sacarse de la cabeza la derrota que habían sufrido bajo sus lanzas.

—Leónidas ha traído tan sólo a trescientos.

¡Trescientos! Al ver las lambdas de los escudos a lo largo de toda la fila frontal, Artemisia pensó que todos los hoplitas que formaban detrás eran espartanos. Por lo visto, Leónidas había decidido arriesgar en la primera fila a sus mejores hombres para engañar a los atacantes.

—Los demás espartanos están fortificando la lengua de tierra que conduce al Peloponeso —dijo Mardonio—. Tiene un nombre que no recuerdo.

—¡El Istmo! Eso significa que han decidido abandonar Atenas a su suerte.

—Eso mismo fue lo que dijo Temístocles cuando llegó aquí y vio las ridículas fuerzas que habían mandado los espartanos. Esa coalición de estados griegos que han jurado resistir hasta la muerte se está rompiendo incluso antes de lo que esperaba.

A Artemisia aún se le aceleraba el pulso cuando oía el nombre de Temístocles. Al notar que se le arrebolaban las mejillas, se recordó a sí misma: *No eres una adolescente. Eres la reina Artemisia.*

—¿Cómo se ha enterado Esquines de todo eso?

Mardonio se permitió una leve sonrisa de suficiencia.

—Esquines no está tan bien informado como él cree. Lo único que ha hecho es traer el mensaje que le ha entregado mi agente.

—¿Tu agente?

—Tengo a alguien cerca de Temístocles. Muy cerca. Tanto que me llegan sus conversaciones literales, palabra por palabra. Al parecer, tu primo tiene problemas para imponer su autoridad. Sus propios compatriotas han decidido entregar el mando de la flota a un espartano. Me alegro de que así sea. Temístocles debe de ser el único hombre inteligente entre todos esos griegos.

Artemisia volvió a mirar al campo de batalla. Tras otra incursión infructuosa, la caballería se retiraba una vez más.

—El caso es que esos trescientos espartanos y sus aliados están demostrando que se bastan para contenernos a todos nosotros.

—De momento sí, porque su posición es muy sólida —repuso Mardonio—. Pero cualquier general inteligente comprendería que, aunque no hubiese aparecido Efialtes para enseñarnos su senda, tarde o temprano habríamos encontrado una ruta para rodear el desfiladero a campo traviesa. Comparadas con las montañas de nuestro país, éstas son guijarros.

—¿Es que ni siquiera han defendido la senda Anopea?

—Su insensatez no llega a tanto. Pero apenas han apostado mil hombres. Aunque suframos el triple de bajas que ellos, te aseguro que los expulsaremos de las alturas.

Artemisia comprendió.

—Y va a ser esta misma noche. Claro, hay luna llena...

—Al Gran Rey no le agrada demasiado actuar así, pero comprende que no hay otra forma. Mañana a estas horas, Leónidas se encontrará rodeado, y veremos si los espartanos saben maniobrar en dos frentes a la vez.

Artemisia se levantó de la piedra. Al hacerlo, se dio cuenta de que le dolía todo el cuerpo. Sus piernas eran maderos rígidos, y su hombro y su oreja dos pulsaciones tumefactas que a ratos se fundían en una sola.

—Si es así, tengo que hablar con Jerjes —dijo.

Cuando anocheció, seis batallones de Inmortales partieron desde Traquis y emprendieron la subida por la garganta del río Asopo. La luna brillaba sin halo en un firmamento despejado y su faz se reflejaba en las tranquilas aguas del golfo. Bajo su luz plateada, Artemisia y cien voluntarios escogidos marchaban con los persas. Levantando la mirada al cielo, pensó: *Siempre me meto en líos cuando hay luna llena.*

A mediodía, cuando se presentó ante Jerjes, éste le había dicho:

—Sé que has combatido con bravura, y que tus soldados han tenido que retirarte del campo de batalla *a la fuerza*. —El rey pronunció esas palabras con un levísimo énfasis—. Entiendo tu disgusto, Artemisia, pero, a veces, un soberano debe apartarse del combate por conseguir un bien mayor.

Cabrón vestido de púrpura, pensó ella, mientras el toallero real enjugaba la frente de Jerjes.

—Mi señor, ¿puedo preguntarte si estás satisfecho con tu *bandaka*?

—Plenamente, Artemisia.

—¿Te he servido bien durante *todos* estos años?

Una luz peligrosa había brillado en los ojos del rey, como si quisiera advertirle que no siguiera por ese camino. Pero la furia contenida infundía valor a Artemisia.

—Si es así, por primera y única vez, quisiera pedirte algo.

Jerjes levantó un poco el mentón, y la punta de su barba rizada señaló a Artemisia como una lanza.

—Tu favor está concedido de antemano, mi fiel Artemisia. Habla.

Así que ahora ella y sus cien hombres marchaban en vanguardia junto a Hidarnes. No llevaban antorchas. Para evitar los reflejos de la luna, habían tapado las puntas de las lanzas con capuchones de cuero y escondido los yelmos en la concavidad de los escudos que cargaban a la espalda. Todo iba envuelto en pieles o trapos para amortiguar el sonido. Incluso se habían tiznado los rostros y los brazos con ceniza para parecer más oscuros entre las sombras, de modo que todos ellos ofrecían un aspecto siniestro.

Avanzaban a duras penas entre piedras y raíces, por una vegetación cada vez más frondosa, de modo que la luz de la luna tampoco les servía de mucho. Efialtes caminaba junto a Hidarnes y Artemisia para guiarlos. Ella se fiaba más de los criados que acompañaban a Efialtes, pues eran cabreros que conocían bien esos andurriales y estaban tan familiarizados con esos senderos abruptos como los animales que apacentaban.

Los persas y los halicarnasios habían dormido unas cuantas horas antes de anochecer para estar más frescos, pero Artemisia no había conseguido pegar ojo. La derrota y la muerte de tantos buenos soldados la atormentaban. En Maratón también se habían visto obligados a huir, pero porque las líneas persas se habían desmoronado. Y en aquella retirada no sólo no habían sufrido demasiadas bajas, sino que ella incluso había matado a un enemigo que, según supo años más tarde, resultó ser un general.

En cambio, esa mañana, los espartanos habían jugado con ellos a placer y los habían humillado. Primero los habían mantenido a distancia, fingiendo combatir, y luego, tras la añagaza de la huida, los habían masacrado con la fría eficacia de matarifes profesionales. Artemisia sentía tales ansias de revancha que la sangre le hervía por dentro como si ella misma hubiera recibido un flechazo emponzoñado por el veneno de la Hidra. ¿O sería la fiebre de la que había hablado Jenófanes? Sus dedos rozaron una vez más el borde filoso de lo que le quedaba de oreja.

Si tengo que morir de tétanos, que sea después de vengarme de los espartanos.

Caminaron durante horas. Los cabreros se turnaban cada poco rato para adelantarse y verificar que no habían perdido la senda y, de paso, comprobar si había enemigos emboscados. Mientras, los soldados se detenían y se reagrupaban, y algunos de ellos daban cabezadas incluso de pie. Desplazar a tantos hombres por un terreno tan abrupto era una tarea muy complicada, y constantemente tenían que enviar enlaces de la vanguardia a la retaguardia y viceversa para que no se les extraviaran unidades. Marchaban en silencio, pues Hidarnes había amenazado con la ejecución inmediata a todo el que hablara sin autorización. Aun así, su avance a trompicones entre los árboles despertaba mil ruidos, y las alimañas nocturnas se espantaban a su paso.

Cuando se ocultó la luna faltaban todavía un par de horas para el amanecer. Hidarnes ordenó que los hombres se detuvieran allí donde estuviesen, estableciesen turnos para descansar un rato y aguardaran nuevas instrucciones.

En cuanto el cielo aclaró un poco, reemprendieron la marcha. Caminaban ahora por una vaguada entre dos picos rocosos que se recortaban oscuros contra el gris del alba. No había pasado mucho rato cuando, en una ladera que se levantaba más allá de un robledal, vieron unas luces tenues.

—Son rescoldos de hogueras —le dijo Palamedes a Artemisia.

Fijándose bien, alrededor de esas luces se advertían bultos negros que debían ser personas. Hidarnes ordenó a un grupo de arqueros que se adelantara. Aquellos hombres se internaron entre los robles. No llevaban blindaje ninguno y sus flexibles botas de piel apenas hacían ruido, de modo que se movían sigilosos como fantasmas. Halicarnasios y persas se reagruparon en columnas y desnudaron sus armas, preparados para entrar en acción.

Pasado un rato se oyeron ladridos y gritos de alarma. Con aquella media luz era difícil distinguir los contornos, pero Artemisia vislumbró sombras que trepaban por la ladera.

—¡Adelante! —ordenó Hidarnes.

Artemisia y sus hombres corrieron hacia el bosque, junto con la vanguardia de la columna persa. Cuando salieron del robledo y llegaron a la ladera en la que habían acampado los defensores del paso, sólo encontraron unos cuantos cadáveres acribillados a flechazos. Un buen número de enemigos se había retirado a la cima que se alzaba a la derecha, pero otros habían seguido por el camino, seguramente para dar la alerta a los espartanos.

—Da igual —dijo Efialtes—. A partir de aquí el sendero es más fácil. Es imposible que nos detengan ya.

Hidarnes se mostró de acuerdo, y ni siquiera se molestó en enviar soldados detrás de los defensores que habían escapado ladera arriba. Su única fijación, como la de Artemisia, era acabar con los espartanos.

Reemprendieron la marcha. El sol despuntaba ya al este. La senda empezó a descender en un suave declive y se curvó paulatinamente hacia el norte. Después de atravesar otro robledal y pasar entre dos elevaciones, vieron por fin el mar.

Artemisia oteó el panorama sin dejar de caminar. A unos tres kilómetros de allí, junto al agua, se distinguían los tejados pardos y rojos de Alpeno, aunque luego las curvas y accidentes del camino se los ocultaron de nuevo. Cuando volvieron a divisar la aldea ya estaban a poco más de un kilómetro, y pudieron ver que las tropas griegas se retiraban hacia el este siguiendo la línea de la costa. Podrían haber corrido para intentar alcanzarlos, pero llevaban cerca de quince horas marchando, no habían dormido y muchos de los hombres habían combatido la víspera o la antevíspera.

—Les han avisado —dijo Palamedes—. Llegamos demasiado tarde.

A Hidarnes no parecía importarle demasiado. Él tan sólo quería que el desfiladero quedara expedito, como le había encargado Jerjes. Curiosamente, Artemisia y sus hombres albergaban más ansias de venganza contra sus parientes dorios que los persas, haciendo bueno el proverbio de que la cuña de la misma madera es la que más duele.

Cuando llegaron a Alpeno, encontraron la villa prácticamente desierta, salvo por unos cuantos perros famélicos que los recibieron con ladridos. Una vez llegados al mar, Hidarnes dio orden de girar a la izquierda y penetrar en el desfiladero por la Tercera Puerta. Artemisia sospechaba que encontrarían la Segunda Puerta y el muro desiertos, o incluso ya en poder de Mardonio y sus hombres. El plan de Jerjes y su general consistía en atacar la posición espartana a media mañana, calculando que a esa hora Hidarnes y los Inmortales estarían llegando por la senda Anopea y sorprenderían a Leónidas por la espalda.

Pero, conforme se acercaban, el aire les trajo el familiar estrépito del combate, punteado por gritos y toques de trompeta. A pesar del cansancio, todos apretaron el paso. Cuando alcanzaron a ver el muro, descubrieron que no había nadie parapetado tras él. Los defensores que quedaban habían salido de la angostura para desplegarse en el llano y luchar contra los batallones persas. El combate había levantado ya una espesa polvareda que la brisa del golfo arrastraba hacia el Calídromo, pero, aun así, era fácil calcular que los enemigos no llegaban tan siquiera al millar.

—Aún tendremos nuestra oportunidad, Artemisia —dijo Palamedes—. ¿Qué te apuestas a que ahí están los trescientos espartanos?

—No me apuesto nada. Estoy segura de ello.

Hidarnes dio orden de detenerse para reorganizar sus tropas. Artemisia hizo lo propio con sus hombres y les ordenó que embrazaran escudos y calaran yelmos. Estaban a unos quinientos metros de aquel muro que la víspera, visto desde su lado occidental, parecía tan inalcanzable como las cumbres del Olimpo. Artemisia mandó a Cleofonte, su trompeta, que tocara la señal de cargar.

—¿Qué haces? —preguntó Hidarnes, sorprendido.

—No pienso apuñalar a los espartanos por la espalda. ¡Quiero que me vean venir! Si no quieres llegar tarde a la matanza, puedes seguirme.

Los griegos entonaron el peán y, pese al cansancio acumulado durante toda la noche, todavía hallaron fuerzas para marchar al paso ligero cargados con sus armas. Los Inmortales los siguieron cantando su propio himno y, como iban más libres de impedimenta, la vanguardia de su primer batallón no tardó en adelantarlos. Artemisia volvió la mirada un instante. Aquel ejército de infiltración formaba una larguísima columna cuyo final llegaba prácticamente hasta la Tercera Puerta del desfiladero.

Al verse atacados por la retaguardia, los enemigos que combatían en la explanada recularon poco a poco hacia la muralla. Habían dejado de formar filas y muchos no tenían ya escudo ni lanza. Mientras retrocedían, decenas de ellos se quedaban rezagados y caían heridos o muertos en el polvo. *No llegaremos a tiempo*, se maldijo Artemisia.

Los defensores rebasaron el muro, unos encaramándose a él, otros atravesando las puertas, que habían dejado abiertas, o cruzando por el pasillo que quedaba entre la pared y el mar. No podían quedar ya más de doscientos hoplitas. Los demás habían sido engullidos por la marea de persas que se abatía sobre la muralla. Pero en la mayoría de los escudos se veían las lambdas rojas de los espartanos.

Bravo por vosotros, los animó Artemisia a su pesar.

Una vez cruzado el muro, en lugar de dirigirse de frente contra Hidarnes y Artemisia, los hombres de Leónidas se volvieron tierra adentro, hacia una elevación sembrada de arbustos y con forma de túmulo. *Eso va a ser. Vuestro túmulo*, pensó Artemisia. Las tropas persas rebasaron a su vez la muralla y rodearon la colina. Algunos, los más intrépidos, empezaron a trepar por la ladera, pero sus oficiales les ordenaron que retrocedieran y aguardaran.

Jadeando, Artemisia llegó al pie del cerro, y se disponía a subirlo cuando Hidarnes la agarró del brazo.

—Si sigues, morirás con ellos. Ya no es momento de combatir a vuestra manera, sino de exterminarlos a la forma persa.

Al otro lado del cerro, Artemisia reconoció el caftán multicolor y la tiara de Mardonio, tan roja como su barba. El general, dotado de una voz tan potente como un heraldo, gritó en griego:

—¡Entregad las armas y el Gran Rey os mostrará su clemencia!

Un espartano le respondió:

—¡Ya os lo dijo Leónidas el otro día! ¡Venid a cogerlas!

Aunque los escudos lacedemonios apenas se distinguían entre sí, Artemisia estaba casi segura de que aquel oficial era el que se había enfrentado a ella el día anterior. Los demás hombres se habían apiñado a su alrededor y levantaban los broqueles. Casi ninguno conservaba la lanza, de modo que más que el célebre erizo de Arquíloco parecían una lastimosa tortuga.

A la orden de Mardonio, sus batallones y los Inmortales levantaron los arcos al cielo y empezaron a disparar a discreción. Las flechas partían en densas bandadas desde ambos lados, y al caer sobre los griegos se juntaban tanto que formaban una nube oscura, como un enjambre de insectos mortíferos. Entre los persas ya no se oían voces, sólo el crujir de la madera y el cuerno al tensarse y el restallido de las cuerdas de tripa al liberar esa tensión. Mientras, de la colina llegaban los gritos de los que caían y las maldiciones de los que llamaban cobardes a los persas por no atreverse a luchar cuerpo a cuerpo.

Cada vez quedaban menos defensores vivos, y los pocos que había formaban una piña replegados bajo sus broqueles. Pero ya ni éstos les valían para defenderse. Sobre ellos estaba cayendo un diluvio desproporcionado para tan pocos hombres, decenas de miles de flechas en cada andanada, y las saetas que no penetraban en los resquicios caían sobre grietas o abolladuras de los escudos y acababan haciéndolos pedazos.

Cuando ya sólo quedaban vivos diez o doce espartanos, el oficial se levantó, arrojó el escudo al suelo, señaló hacia Artemisia y gritó con voz tan potente que sus palabras le llegaron nítidas:

—¡Has traicionado a tu raza, ramera! ¡Pero ya han puesto precio a tu...!

Su frase quedó cortada por una flecha que se clavó en su garganta. Antes de que su cuerpo tocara el suelo, quince o veinte saetas más le atravesaron los brazos y las piernas.

—Me he fijado en él —dijo Palamedes—. Ahora mismo voy a subir a cortarle las pelotas y metérselas en la boca.

Artemisia tenía los ojos llenos de lágrimas que no podía contener. Mientras veía cómo los últimos espartanos caían sobre la cima de la colina, había dejado de odiarlos y volvía a admirarlos. Aún más que cuando era niña. Pues se daba cuenta de que todas las historias que le habían contado sobre el valor de los espartanos se quedaban cortas.

—No hagas eso —le dijo a su primo—. Respetaremos sus cuerpos. Esos malditos cabrones saben ser únicos hasta para morir.

Quien no parecía opinar lo mismo era Jerjes. Para sorpresa y disgusto de Artemisia, después de que el último espartano hubo muerto, se aseguró de que buscaran el cadáver de Leónidas. Al parecer, el rey había perecido en la explanada, al otro lado del muro. Pero sus hombres habían luchado con uñas y dientes en sentido literal —los muslos y los brazos de muchos persas daban fe de ello—, habían arrancado su cadáver de manos de los enemigos y cargado con él hasta la colina.

Cuando encontraron el cuerpo de Leónidas, debajo de sus hombres, Jerjes ordenó que lo decapitaran y clavaran su cabeza en una pica. Artemisia nunca consiguió averiguar la razón de tal ensañamiento, pero de algo sí estaba segura. Cada día veía un poco más pequeño al Gran Rey.

Golfo Malíaco y Artemisio, 16-21 de agosto

Los ojos de Cimón también estaban llenos de lágrimas cuando la *Iris* se dirigió hacia el oeste para dar las malas noticias. Durante largo rato siguió con la mirada clavada en el desfiladero, agarrado al codaste de la nave mensajera. Desde allí, los bárbaros parecían diminutos e innumerables como hormigas y su enorme masa casi había engullido a los espartanos. Más al oeste se veía llegar el contingente persa que, tal como les advirtieron los vigías focios, había rodeado el monte por la senda Anopea. Cimón habría querido quedarse junto a la costa hasta ver el final de los espartanos y los escasos aliados que seguían con ellos; pero Abrónico, el patrón de la *Iris*, insistió en que tenían que alejarse de allí cuanto antes.

De haber estado en su mano, se habría quedado con los espartanos hasta el último momento para morir con ellos. Siempre los había admirado, pero de una forma más bien intelectual, casi abstracta. Ahora, tras compartir con los lacedemonios aquellos días en las Termópilas, su adoración se había convertido en un sentimiento intenso y visceral.

—Te quedarás aquí con Abrónico —le había dicho Temístocles unos días antes, cuando la flota abandonó las Termópilas para dirigirse a Artemisio—. Serás el enlace entre nuestra posición y la de Leónidas. Es lo que te había prometido. —Y añadió con hiriente sarcasmo—: Porque, aunque no lo creas, yo sí respeto mi palabra y mis compromisos.

Desde la asamblea, Temístocles se dirigía a él con fría corrección, puntuada por ocasionales brotes de ironía. Sólo le había levantado la voz el desafortunado día del Pireo. Cimón se arrepentía de lo que le había dicho a Apolonia, pues en su concepto de la lucha política no cabía separar a un hombre de su esposa o tan siquiera de su concubina. Esas mezquindades se las dejaba a otros como su futuro cuñado Calias o Jantipo; quien, por cierto, al igual que Arístides, aún no había aparecido en Atenas cuando la flota zarpó para Artemisio.

Pese a sus remordimientos, Cimón no había intentado pedir perdón. El asunto no se había vuelto a mencionar entre ambos. Temístocles parecía más serio que de costumbre, casi triste; pero Cimón no creía que la verdadera razón fuera su pelea con Apolonia, sino el golpe a sus ambiciones recibido en la asamblea.

Para ser ecuánimes con él, el curso que llevaban las operaciones justificaba su pesimismo. Cuando llegaron a las Termópilas y vieron que el ejército prometido por las ciudades del Peloponeso se reducía a poco más de cuatro mil soldados, el desánimo y el desconcierto cundieron entre los aliados de la flota y, sobre todo, entre los atenienses, que se veían cargando ellos solos con casi todo el peso de la guerra. Leónidas se llevó a Temístocles aparte y ambos subieron a una colina en forma de túmulo a la que los locales llamaban Colono. Desde abajo, Cimón los vio gesticular con vehemencia. Aunque se suponía que eran amigos, en algunos momentos alzaron tanto la voz que se les oía desde abajo.

A los demás atenienses se les explicó que si no había más espartanos en las Termópilas era, de nuevo, por las fiestas Carneas. Pero no sólo incumplían su compromiso los lacedemonios, sino también el resto de sus aliados del Peloponeso. Cuando se adujo que el motivo de que apenas aportaran hombres era que estaban celebrando las Olimpiadas, a los atenienses les pareció una broma grosera. Ellos, como griegos, también participaban en los juegos en honor de Zeus. Pero aquel año se habían limitado a enviar a un par de atletas, una exigua representación oficial y, por supuesto, ningún espectador. Como Temístocles había dicho: *«Si le ofrecemos una buena hecatombe de persas, Zeus sabrá disculparnos por deslucir su festival.»*

Cuando Leónidas y Temístocles bajaron de la loma, parecían haberse puesto de acuerdo. Después, antes de zarpar para Artemisio, Temístocles le contó la verdad a Cimón. Esparta no tenía la menor intención de arriesgarse enviando tropas al centro de Grecia. Su intención era levantar un muro en el Istmo y sembrar de obstáculos los angostos caminos entre el Ática y el Peloponeso.

—Nos aíslan como si fuéramos unos apestados. Ésos son tus admirados espartanos, Cimón. Ésos, que arriesgan a trescientos hombres en las Termópilas y diez naves en Artemisio, son los que dirigen nuestra Alianza. A ésos les habéis otorgado el mando tú y tus amigos.

Cimón se quedó avergonzado. Pero su bochorno duró poco. En cuanto habló con Leónidas y sus hombres, se dio cuenta de que se hallaban tan comprometidos por la causa como los demás.

—No te preocupes, cachorro de león —le dijo Leónidas. Temístocles le había contagiado la irritante manía de llamarlo por aquel apodo—. Tenemos hombres suficientes para mantener esta posición. Te doy mi palabra de que no cederemos ni un palmo de terreno.

Cuando empezaron los combates comprobó que las palabras del rey no eran mera baladronada. Por la mañana, tebanos y arcadios combatieron con gran valor en el desfiladero. Pero por la tarde presenció un espectáculo maravilloso y sobrecogedor. Los Inmortales se estrellaban como las olas del mar contra los espartanos, en una tormenta que no amainó durante horas. Los trescientos de Leónidas formaban en las primeras filas apoyados por sus aliados periecos, que empujaban sus espaldas con los escudos para ayudarles a mantener la posición. Los Inmortales, por su parte, no necesitaban apenas los gritos de los oficiales y seguían peleando espoleados por un ímpetu suicida, aunque caían por decenas en aquel frente tan reducido. Los lacedemonios los aniquilaban con la precisión y la fría economía de movimientos de quienes desde los siete años consagraban sus vidas al arte y la profesión de la muerte.

Los lacedemonios acabaron tan agotados de matar que los tespios tuvieron que entrar por entre sus filas para relevarlos, momento que aprovechó Cimón para tomar parte en la batalla. Disfrutó así del honor de luchar codo a codo con Leónidas: el rey, a sus sesenta años, se negaba a retroceder a las últimas filas. Fue la de Cimón una participación breve, pues los oficiales de los persas ordenaron por fin la retirada. Pero en ese rato acabó con las vidas de dos enemigos e hirió a otro.

Por la noche, mientras un sirviente le ungía los miembros con aceite de romero caliente, Leónidas dijo:

—Veo que eres de mi misma estirpe, Cimón, hijo de Milcíades. No volveré a llamarte cachorro. Ya te has ganado el nombre de «león». En verdad te digo que habrías sido un buen lacedemonio.

Ningún otro elogio habría podido enorgullecer tanto a Cimón. Esa noche se prometió que su primer hijo se llamaría precisamente Lacedemonio.

Al día siguiente, pese al cansancio y las heridas, los espartanos formaron los primeros. Cimón observó el combate encaramado a la muralla y presenció cómo esta vez aplastaban no a un batallón de persas, sino a una falange de hoplitas equipados con el mismo armamento que ellos. Entre esos griegos combatía una mujer de la que Cimón había oído hablar, Artemisia de Halicarnaso. Estando en Atenas no había concedido demasiado crédito a lo que se afirmaba de ella, pero en las Termópilas la vio combatir como un diablo. Durante toda la batalla no tuvo ojos más que para Artemisia. Cuando un espartano la hirió, Cimón la dio por muerta y se entristeció pensando que su hermana Elpinice habría querido ser tan libre como esa reina guerrera. Pero Artemisia se repuso y, pese a que los espartanos estaban consumando una carnicería en sus primeras filas, se empeñó en volver al combate hasta que sus hombres la sacaron de allí en volandas.

Bravo por ti, mujer, se dijo Cimón.

Sus compatriotas no eran tan indulgentes como él con Artemisia. El general Andrónico había presentado una propuesta por la que se ofrecían diez mil dracmas a quien la capturara viva. *«Esa ramera vendida a los persas debe ser humillada y ejecutada en público. ¿Qué ejemplo dará a nuestras mujeres?»,* dijo ante la asamblea. Había alegado la legendaria guerra entre las Amazonas y los atenienses, añadiendo que era intolerable que una hembra se atreviese a mandar a hombres a luchar contra otros hombres que, además, eran griegos como ella. Temístocles respondió que si se dedicaban a ofrecer recompensas por cada oficial o jefe del ejército persa, serían ellos quienes tendrían que cruzar a Asia para conquistar los tesoros del Gran Rey. Pero el pueblo ateniense, tradicionalmente misógino, había aprobado la propuesta de Andrónico.

Durante la tarde del segundo día, los ataques habían sido menos intensos. Se limitaron a incursiones de la caballería saca y persa que, mientras no se abandonaran las posiciones ni el amparo de la muralla, resultaban más fastidiosas que dañinas. Aquel terreno era aún más impracticable para los jinetes, que ni siquiera se acercaban lo bastante a los defensores para alcanzarlos con sus flechas.

Aquellos éxitos tempranos los llevaron a pensar que tal vez serían bastantes para sostener la posición. Al anochecer, mientras cenaban, Leónidas le dijo a Cimón:

—Puede que al final no decepcionemos a nuestros aliados.

—Nadie podría sentirse decepcionado combatiendo al lado de hombres tan valientes como vosotros.

—No se trata de valor —intervino un guerrero veterano llamado Dieneces, sentado con ellos junto a la hoguera—. Es una cuestión de obediencia. La ley nos manda defender este paso. La ley debe ser cumplida. Eso es todo.

Leónidas se levantó con un gruñido y ambas rodillas le crujieron.

—Nosotros resistiremos el tiempo que sea menester. Lo importante es que vuestra flota consiga retener a la persa. Si aguantamos ambas posiciones, mi colega el Gran Rey se arruinará y tendrá que volver a su palacio a recaudar más monedas de oro.

—Nuestra flota aguantará.

—Yo no lo tengo tan claro, Cimón. No soy ducho en cuestiones de mar, pero, por lo que tengo entendido, Artemisio no es un lugar tan estrecho como éste. Allí los persas sí podrán hacer valer su superioridad. En cambio, aquí en las Termópilas —añadió, señalando el perfil del Calídromo, que se recortaba imponente contra el cielo de la noche—, es la propia tierra de Grecia la que se defiende de los invasores.

Irónicamente, el rey ignoraba que al otro lado de aquella sombra rocosa se estaban infiltrando varios batallones persas. El primer aviso se lo dieron los dioses al rayar el alba. Cuando el sacerdote Megistias examinaba las vísceras de la víctima que acababa de sacrificar, anunció:

—Todos los hombres que se queden en este desfiladero morirán antes del anochecer.

Sus palabras, como era de esperar, preocuparon a los defensores. Pero el rey, con el típico humor laconio, dijo a sus soldados que, en ese caso, desayunaran bien y no se preocuparan si gastaban las provisiones, ya que por la noche Hades y Perséfone les darían gratis la cena en el infierno.

Durante un par de horas no observaron ninguna actividad por parte persa. Después, cuando el sol ya se levantaba sobre el mar, aparecieron los focios. Leónidas había enviado a un millar de ellos a guardar las alturas, pero ahora sólo llegaron unos cincuenta. Los demás habían huido para defender su tierra o, probablemente, para salvar la vida en las montañas.

—¡Los persas han tomado la senda Anopea! —les dijeron.

—¿Cuántos son?

—¡Hay por lo menos diez mil! ¡Son los Inmortales!

Leónidas celebró una reunión de urgencia con los demás oficiales. Una vez flanqueada y rebasada la Segunda Puerta, las Termópilas eran indefendibles, por lo que dio instrucciones a los demás aliados del Peloponeso para que se retiraran.

—Yo debo cumplir con lo que dicta el oráculo. O cae un rey, o la propia Esparta sucumbirá. Puesto que así lo quieren los dioses, es digno y decoroso que yo muera aquí.

Por supuesto, sus trescientos espartanos se quedarían con él. Lo contrario ni siquiera se discutió. Pero no fueron los únicos que decidieron resistir. Los tespios, que se habían distinguido por su valor en los combates del primer día, se negaron a retroceder. Había además cuatrocientos tebanos, miembros de las familias que más se oponían a los persas. Los oligarcas que gobernaban Tebas y que estaban deseando rendirse a Jerjes los habían enviado allí para que lucharan con Leónidas, seguramente con la esperanza de que perecieran todos. Esos cuatrocientos hombres también se empeñaron en defender las Termópilas. Tespias y Tebas se hallaban en Beocia, y nada podría impedir ya a Jerjes que conquistara ambas ciudades si ellos abandonaban el desfiladero.

—Me quedaré con vosotros —dijo Cimón a Leónidas.

—Tu deber te reclama en otra parte. Ve a contarle a Temístocles lo que ha pasado aquí, y explícaselo también a los demás griegos. Diles que el ejército de Jerjes no es invencible. —Sus ojos brillaron húmedos un instante—. Y, sobre todo, dile a Temístocles que cuando piense en Esparta no se acuerde de las intrigas del consejo de ancianos ni de mi colega Latíquidas. Que se acuerde de mí, de mis trescientos hombres y de las Termópilas.

Cuando se disponía a embarcar, el rey, que ya se había ajustado la coraza de campana plagada de abollones y hendeduras, le puso una mano en el hombro y le dijo:

—Sé que tienes diferencias con Temístocles. Pero debes apoyarlo. Él es ahora la esperanza de Grecia. Cuando se está en inferioridad de número y de fuerzas, sólo la inteligencia puede ganar una guerra.

Mientras Cimón rememoraba aquellos días que jamás se borrarían de su recuerdo, el desfiladero desapareció de su vista. Tenían a babor la costa del continente y a estribor la de Eubea. Aquel brazo de mar tan angosto habría sido un buen lugar donde cortar el paso a los persas. Pero había pocos fondeaderos adecuados para una flota de más de trescientos barcos como la suya. Temístocles había preferido la larga playa de Artemisio, en el extremo norte de la isla. Ofrecía abundante agua potable y desde ella se podía dominar el paso a ambas costas, la occidental que daba al estrecho y la oriental que se abría al Egeo.

Aquellas aguas eran peligrosas incluso para la *Iris*, una triecontera veloz en la que servían los mejores remeros de la flota ateniense, exceptuando a los que bogaban para Temístocles en la *Artemisia*. Un par de veces se cruzaron con naves correo del enemigo, pero hicieron más por alejarse de ellos que por acercarse a combatir, y sus tripulantes se limitaron a insultarlos desde la cubierta.

Navegaban contra el viento. La topografía del estrecho reforzaba el soplo del etesio, por lo que los hombres tenían que esforzarse el doble para avanzar. Al cabo de un rato, empezaron a ver restos de barcos que el oleaje y el propio viento arrastraban hacia el golfo. Pasaron junto a un fragmento de proa con un gran ojo negro y verde que Cimón reconoció. Pertenecía a la *Panopea*, uno de los primeros trirremes construidos con el dinero del Laurión.

Poco después encontraron varios cadáveres flotando, hinchados y blancuzcos como panzas de pez.

—Ha habido una batalla por lo menos hace dos días —comentó Abrónico.

—¿Cómo lo sabes? —preguntó Cimón.

—Cuando alguien se ahoga, tarda dos días en salir a la superficie otra vez.

Había algunos barcos casi enteros que flotaban entre dos aguas. Se cruzaron con uno griego, pero del bando enemigo: no exhibía en la proa el tridente rojo que habían pintado en todos los trirremes de la Alianza para reconocerse entre sí. La nave tenía dos vías de agua abiertas. Al parecer, había sufrido el ataque simultáneo de dos espolones. Por las portillas de los remos se veían asomar brazos y piernas e incluso alguna cabeza. Bajo el escaso metro de agua que los cubría, los cadáveres ofrecían un siniestro color verdoso. El barco debía de haberse ido a pique con tal rapidez que los infortunados remeros no habían tenido tiempo de escapar de la bodega.

Pasado el mediodía seguían viendo pecios, remos, timones, popas desgajadas. En un fragmento de tablazón a la deriva encontraron el cadáver de uno de los suyos. Los enemigos le habían clavado brazos y piernas a la madera usando flechas y le habían rajado el vientre. Aunque tenían prisa por reunirse con la flota aliada, si es que ésta seguía existiendo, se detuvieron a recoger el cadáver. Ningún griego se merecía un destino como ése.

—Ésta es la guerra de verdad —dijo Abrónico, malinterpretando el gesto serio de Cimón.

—No hace falta que me lo cuentes. Yo combatí en Maratón al lado de mi padre.

—¿En Maratón? Pero no podías tener más de dieciocho años...

—Veinte. Fue mi primera batalla.

El marinero asintió y desde ese momento lo miró con más respeto. Cimón no se molestó en añadir que también había combatido al lado de Leónidas. Abrónico se había mantenido en todo momento junto a su triecontera, sin acercarse al campo de batalla.

Cuando por fin llegaron a Artemisio, el sol ya se había puesto y la playa se veía sembrada de hogueras. Era evidente que acababa de librarse una batalla. Algunos trirremes aún estaban terminando de embarrancar. Bastantes de ellos habían perdido los espolones, y la mayoría mostraban en sus cascos las cicatrices del combate. Se veían también filas de cuerpos tendidos en la playa, a los que sus compañeros iban añadiendo otros que bajaban de los barcos o que arrastraban por la arena.

Cimón se animó un poco al ver también navíos enemigos. Mientras los remeros los despojaban de sus mascarones dorados y de los adornos de popa, los hoplitas de cubierta desembarcaban a los escasos supervivientes atados en reatas con las manos a la espalda, los obligaban a arrodillarse en la arena y, sin más contemplaciones, les cortaban la garganta con el filo de sus espadas. La Alianza había decidido no tomar prisioneros. Había que sembrar el terror en el corazón de los persas para que abandonaran cuanto antes la tierra griega.

Atracaron por fin junto a la *Artemisia*. Cimón saltó a tierra sin esperar a que la triecontera se detuviese y buscó a Temístocles. No le fue difícil encontrarlo. Estaba sentado a popa, en el puesto de trierarca, acompañado por su ecónomo, que le leía listas de nombres y números de un rollo de lino. Cimón subió por la escalerilla y le dio las malas noticias sin más preámbulos.

—Las Termópilas han caído.

Grilo interrumpió su contabilidad, y Temístocles le indicó con un gesto que los dejase solos. Después contestó a Cimón:

—Era de esperar. Anoche no hubo nubes y brilló la luna llena. No pretenderían defender las alturas apostando a cuatro comadrejas.

—¡Habla con un poco más de respeto! Los espartanos han combatido como auténticos héroes y han caído hasta el último hombre.

—Esto no ha sido precisamente el concurso de borrachos del festival de Dioniso, Cimón. Los números que me estaba leyendo Grilo eran el parte de bajas.

—¿Hay muchas?

—Es una lista larga, sí.

Cimón tragó saliva. La expresión de Temístocles se suavizó un poco y dijo:

—Si las Termópilas han caído, eso quiere decir que mi buen amigo Leónidas está muerto. Cuéntame cómo ha sido.

—Antes de nada, quiero saber qué ha pasado aquí.

Temístocles sonrió con amargura.

—Que aún seguimos vivos. Eso ya es algo.

Tres días antes, habían traído ante Temístocles a un hombre muy peculiar.

—¡Soy Escilias de Escíone, el mejor buceador del mundo! —se presentó.

Aquel hombre hablaba tan alto porque estaba medio sordo. Temístocles se apartó un poco de él para que sus voces no lo atronaran. Escilias tenía brazos y piernas largos y fibrosos y un tórax exageradamente ancho que lucía utilizando una túnica con una sola hombrera. Llevaba las guías del bigote enhiestas como púas y oro por todo el cuerpo: pendientes en ambas orejas, ajorcas en muñecas y tobillos, una gruesa cadena al cuello de la que colgaba una esmeralda y anillos hasta en los pulgares.

Para rematar su aspecto de bárbaro, lucía en los brazos sendos tatuajes con las figuras de Poseidón y de su esposa Anfítrite.

Como algunos parecieran dudar de su afirmación, Escilias hizo que Temístocles y otros generales lo acompañaran en una falúa hasta llegar a un punto donde la sonda marcaba veinte metros de profundidad. Allí dejó caer un yelmo de bronce y esperó un rato para que se hundiera del todo. Luego se recogió la túnica en la cintura a modo de taparrabos y se tiró de cabeza al agua. Su sombra desapareció en las profundidades. Pasó el rato sin que el buceador diera señales de vida. Cuando Temístocles calculaba que había pasado tiempo suficiente para que él se hubiera ahogado tres veces, el Nervios dijo:

—A esa mierda de espantajo ya no volvemos a verlo.

—Espérate —dijo Temístocles, al que le había parecido ver una hilera de burbujas a unos diez metros de allí, en dirección a la playa.

Transcurrió un rato más. Al ver que el Nervios se estaba poniendo rojo de contener el aliento, Temístocles le recordó que no era él quien estaba sumergido y que podía respirar. Apenas había terminado de decirlo cuando Escilias apareció en la orilla y los saludó a gritos, levantando el yelmo sobre su cabeza. No se había conformado con descender hasta el fondo para recuperar el casco, sino que además había nadado bajo la superficie los casi cien metros que separaban la falúa de la playa.

—¿Y ahora qué dices? —preguntó Temístocles a su amigo.

—Que es un buceador del carajo —fue toda la respuesta de Euforión.

Una vez demostradas sus aptitudes, Escilias les narró una historia interesante. Desde niño se había dedicado a pescar esponjas. Pero a raíz del naufragio de la flota persa en el monte Atos había descubierto una ocupación mucho más provechosa: recoger tesoros de las profundidades. Al contrario que los trirremes, los barcos de transporte sí llevaban lastre y, cuando naufragaban, se hundían hasta el fondo.

—¡Por eso he acompañado a los barcos de Jerjes desde hace dos meses! ¡En una flota tan grande siempre hay algún barco que se hunde!

Después de verlo bucear, Temístocles empezaba a comprender por qué aquel hombre era tan duro de oído. Debía de haberse reventado los tímpanos más de una vez. Escilias les contó que, cuando un barco persa se hundía, él recuperaba su cargamento, o al menos lo más valioso, a cambio de una comisión.

—¡Hace tres días estalló una tormenta al norte de aquí! ¡Los persas han perdido decenas de barcos!

Jugándose la vida, Escilias había buceado en pleno temporal. El segundo día de rescate encontró un carguero que al hundirse se había posado sobre una roca muy aguzada y se había partido en dos. En la bodega, entre hileras de ánforas y sacos de trigo, había un cofre de madera lleno de monedas, joyas y copas de oro y de plata. El barco pertenecía al príncipe de Sidón, Eshmunazar, al que los griegos llamaban Tetramnesto. Cuando emergió, Escilias le dijo a Eshmunazar que no había visto nada, ya que el fondo estaba muy turbio. Lo cual era cierto. Otro buceador no habría encontrado nada allí abajo, pero Escilias era capaz de aguantar la respiración tanto tiempo que podía avanzar al tiento por entre las rocas del lecho marino hasta encontrar lo que buscaba.

Escilias, experto en recordar cualquier referencia topográfica por confusa o imperceptible que fuese, había memorizado el emplazamiento del cofre. Por la noche regresó solo al lugar, a pesar de que caía sobre la costa un violento aguacero. Una vez allí, aprovechando que la luna creciente aún no se había puesto, se arrojó al agua, agarrándose a una cuerda lastrada con una gran piedra que utilizaba para sumergirse más deprisa.

Temístocles no quería ni imaginar el peligro que había corrido aquel hombre buceando junto a un acantilado de noche y en plena tormenta. Las tinieblas del fondo debían de ser más negras y espesas que las del Tártaro donde Zeus había encerrado a los Titanes. Pero, tras cuatro inmersiones, Escilias acabó encontrando su cofre y lo sacó a la superficie.

Esa misma noche huyó del campamento persa en un pequeño velero, jugándose de nuevo la vida. Aunque el temporal empezaba a amainar, la marejada seguía siendo fuerte. Durante todo el día siguiente navegó hacia el sur, ahora a fuerza de remos. Había quitado la vela para que su silueta se recortara lo menos posible sobre las olas.

—¡Si me ofreces protección —le dijo a Temístocles—, puedo informarte de todo lo que he visto!

Lo que quería Escilias era que Temístocles le garantizara que nadie iba a quitarle el cofre. Lo había rodeado con una gruesa cadena de bronce cerrada con tres candados, pero la madera siempre se podía partir a hachazos.

—Puedes quedarte en mi barco —le dijo Temístocles.

Pensó que si ya tenía a Fidípides, el mejor corredor de Grecia, que servía con él como arquero de cubierta, ¿por qué no disponer también del mejor buceador? En algún momento acabaría siéndole útil.

De haberlo acompañado Sicino, el Hércules persa, la *Artemisia* podría haber parecido la mítica nave de los Argonautas, plagada de héroes. Pero Sicino se había quedado en Atenas para proteger a Apolonia y a las niñas. Considerando la cantidad de enemigos que tenía Temístocles, era un gesto muy altruista por su parte. Pese a ello, Apolonia ni siquiera dejó que Italia y Síbaris se despidieran de él cuando partió a la guerra.

—Te aborrezco —le había dicho en su última conversación. Ya no lloraba ni levantaba la voz. Cada vez que recordaba la fría serenidad de su tono y la dureza de su mirada, Temístocles sentía escalofríos—. Me arrepiento de haberte conocido. Sería mejor que hubiera muerto en Eretria con mi verdadero esposo.

—¿Cómo puedes decir eso? ¿Es que también te arrepientes de nuestras hijas? ¿Vas a renegar de ellas?

Apolonia se había callado durante unos segundos, sin saber qué decir. Pero luego respondió:

—No las mezcles en esto. Ensucias todo lo que tocas, Temístocles. Deja que ellas sigan siendo puras.

Por más que pensaba en ello, Temístocles no encontraba la lógica de aquella contestación y la achacaba a la peculiar forma de pensar femenina. Pero eran las últimas palabras que le había dirigido Apolonia y las llevaba grabadas a fuego en la memoria. *Ensucias todo lo que tocas.*

La conversación con Escilias, dado el volumen al que hablaba, no quedó precisamente en secreto. Conforme recorrían el campamento, los rumores fueron engrosando. Al final, se decía que Escilias había arribado desde el continente buceando más de diez kilómetros y que la tormenta no había hundido a decenas de barcos de transporte, sino a doscientos o trescientos trirremes.

—¡Poseidón está con nosotros! —aseguraban los marineros.

El temporal no había llegado a causar los destrozos que los griegos querían creer, pero sí les ofrecía una oportunidad. Por su culpa, la flota enemiga estaba dispersa desde el monte Pelión hasta Afetas y la isla de Escíatos.

Atenas disponía de cincuenta naves de reserva ancladas en Caristo, al sur de Eubea, por si los almirantes persas decidían enviar parte de su flota circunnavegando la costa oriental de la isla. Escilias informó a Temístocles de que el alto mando enemigo no tenía la menor intención de hacerlo. Demostraban buen criterio, pues el litoral este era mucho más escarpado y quedaba a barlovento, lo que lo hacía muy peligroso. Sobre todo, la estrategia planeada por Jerjes y Mardonio dictaba que la flota y el ejército de tierra debían avanzar siempre en paralelo y a la menor distancia posible.

Apenas escuchó eso, Temístocles, sin encomendarse a nadie más, mandó que se prendieran las almenaras para dar la señal convenida que ordenaría a los cincuenta trirremes presentarse de inmediato en Artemisio. Calculaba que en dos días podrían estar allí, aunque fuera remando en jornadas agotadoras de más de doce horas.

Después, convocó al almirante Euribíades y los generales de los demás contingentes aliados. Sobre una copia en madera del mapa de Hecateo, les señaló los fondeaderos donde, según Escilias, se hallaban las diversas escuadras persas.

—Hemos de aprovechar para atacarlos ahora que tienen los barcos diseminados por toda esta zona.

Euribíades se rascó la mejilla con el muñón de la mano izquierda, como solía hacer cuando dudaba. En él, la proverbial prudencia lacedemonia se juntaba con su poca experiencia marinera. Aunque en Esparta pasaba por ser un lobo de mar, en comparación con otros generales como Temístocles o el corintio Adimanto no era más que un profano.

—Estamos aquí para contener a los persas, no para atacarlos —objetó.

—Contenerlos, ¿para qué? —dijo Arimnesto, veterano de Maratón y general del pequeño contingente de Platea. Sus hombres servían como infantes de cubierta en varios trirremes atenienses—. ¡Ah, ya! Se trata de contenerlos mientras los trescientos soldados que habéis traído destrozan a los ciento veinte mil hombres de Jerjes en las Termópilas.

—¡Muestra un poco de respeto, plateo!

—Te recuerdo que no estás en Esparta, y que yo no soy uno de tus ilotas.

—¿Cómo te atreves, siendo de una ciudad minúscula, a desafiar la autoridad de Esparta?

—Minúscula y todo, Platea aporta a esta guerra casi tantos hombres como Esparta. Y te recuerdo que nosotros ya derrotamos a los persas en Maratón, así que tenemos tanto derecho a opinar como vosotros.

—¡Yo soy el almirante supremo! —exclamó Euribíades, levantando el bastón para golpear a Arimnesto.

—¡Calma, por favor! —terció Temístocles, interponiéndose entre ambos. Adimanto, por su parte, agarró al general plateo y le comentó algo. Arimnesto asintió y después dijo en voz alta:

—Te pido disculpas, Euribíades. Sólo siento admiración por tu ciudad. Estoy seguro de que Leónidas combatirá con valor en las Termópilas.

Euribíades se cruzó de brazos y dijo:

—Disculpas aceptadas.

Temístocles sospechaba que los consejos de guerra del ejército persa no eran así. No se imaginaba a los generales enemigos insultándose y amenazándose delante de Jerjes. *Pero es que nosotros no tenemos un Jerjes*, se dijo. Precisamente por eso luchaban. Por no tener un Gran Rey. Por seguir siendo libres. Luchaban por que el general de una ciudad tan pequeña como Platea pudiera dirigirse con franqueza a todo un almirante de Esparta.

—Temístocles tiene razón —dijo Adimanto—. Hay que aprovechar esta ocasión.

El corintio tendía a coincidir con Euribíades, más por la rivalidad que existía entre su ciudad y Atenas que por motivos razonables. Pero, como Temístocles, llevaba la sal del mar en la sangre y comprendía que, ahora que la flota enemiga estaba dispersa y debilitada tras días de tormenta, era el mejor momento de atacar.

Puesto que ocho de los trece generales se mostraron de acuerdo, Euribíades se dejó convencer, aunque con reservas. Al día siguiente zarparon hacia el norte en dirección a Afetas. Pero lo hicieron con ciento ochenta barcos y dejaron noventa varados en la playa.

Tal como les había asegurado Escilias, en Afetas encontraron tan sólo una parte de la flota persa, barcos jonios y chipriotas repartidos por diversos fondeaderos y playas. El resultado de la batalla subió la moral de los griegos. Luchando en superioridad numérica, a menudo con dos trirremes embistiendo y abordando a un solo enemigo, echaron a pique algunas naves, capturaron otras e incluso una de ellas, de la isla de Lemnos, se pasó a su bando.

La batalla duró muy poco, porque la oscuridad se les echó encima enseguida. Euribíades había insistido en que zarparan tarde; no quería arriesgar la flota en una batalla de un día entero. Pensaba que así no podrían sufrir demasiadas pérdidas; aunque, obviamente, tampoco podrían obtener grandes ganancias.

Al día siguiente actuaron de la misma forma. Esta vez atacaron la isla de Escíatos, donde por la mañana habían atracado las naves de Cilicia. De nuevo apresaron varios barcos, e incluso incendiaron algunos que no tuvieron tiempo de desembarrancar, mientras sus tripulantes huían al interior de la isla. Al atardecer, los griegos regresaron a Artemisio muy ufanos y remolcando sus presas. Allí se encontraron con los cincuenta trirremes de refuerzo que acababan de llegar del sur de la isla.

Temístocles sabía que sólo estaban librando escaramuzas. Por eso, mientras los miembros de la flota celebraban su segunda victoria junto a los fuegos del campamento, pidió al Nervios que lo acompañara.

—Quiero que lleves esto —le dijo, colgándole una bolsa de piel a la espalda.

Al sentir la carga, Euforión se sacudió en unos cuantos tics. Había desarrollado uno nuevo, frotarse una pantorrilla con el empeine del pie contrario hasta seis veces.

—¿Qué coño lleva esa mierda de saco que pesa tanto? ¿Plomo?

—Luego lo verás —contestó Temístocles. Para ocultar la bolsa, puso encima el escudo de Euforión y se lo colgó del cuello a su amigo con la correa del tiracol.

—Eh, que no soy un puto mulo de carga.

—Te voy a pedir dos cosas, Euforión. Vamos a hablar con Euribíades. Delante de él tienes que mantener la boca cerrada.

—Tranquilo. No diré palabrotas. ¡Coño!

Él mismo se dio cuenta de lo que se le acababa de escapar y se tapó la boca con la mano.

—Será mejor que no hables, ni siquiera para dar las buenas noches. Lo segundo que quiero pedirte es que seas discreto. Nadie debe enterarse de lo que vamos a hacer, ¿de acuerdo?

Sin quitarse la mano de la boca, Euforión asintió con tres bruscas sacudidas de la cabeza. Temístocles le dio una palmada amistosa en la mejilla. Sabía que a su amigo le fastidiaba aquel gesto. Pero, tal vez porque se conocían desde niños, no podía evitar mortificarlo de vez en cuando.

Caminaron por la playa, sembrada de hogueras. Junto a ellas, los hombres cenaban, bebían, jugaban a las tabas o a los dados, cantaban o bailaban. Normalmente los remeros, que eran con mucho los miembros más numerosos de la flota, se sentaban aparte de los hoplitas. Existía bastante rivalidad entre ellos, más o menos acentuada según cada barco, y a menudo estallaban peleas. En aquel mismo momento, mientras se dirigían a la nave de Euribíades, Temístocles tuvo que terciar en una, porque Euforión y él prácticamente pasaron por encima de dos hombres que se revolcaban por la arena dándose puñetazos.

—¡Éuporo! ¡Filocles!

Ambos se separaron y se incorporaron, sorprendidos de que el primer general de su flota conociera los nombres de dos humildes talamitas. En este caso, la pelea se había suscitado entre remeros, lo cual tampoco resultaba extraño. Más de ciento setenta hombres tenían que convivir durante muchas horas encerrados en una angosta bodega. Cuando uno no se llevaba un codazo de un compañero o un pisotón de otro, acababa propinándose un cabezazo contra alguno de los puntales o vigas que atravesaban la sentina. Los talamitas, además, sufrían la humedad del fondo. Pese a los manguitos de cuero que tapaban las portillas, el agua acababa entrando por ellas, o se colaba directamente entre las tablas del pantoque. Por más que embrearan los cascos y tensaran los cables maestros para apretar la tablazón, siempre había filtraciones.

Temístocles no había perdido la costumbre de remar durante los viajes para mantenerse en forma y, de paso, demostrar a los ciudadanos de la cuarta clase que consideraba su puesto en la flota tan honroso como cualquier otro. Por eso sabía que, de las miserias que se sufrían allí abajo, la peor era el olor. Cuando los remeros ocupaban sus puestos por la mañana, pese a que la nave se había ventilado durante la noche, la bodega ya desprendía un hedor ácido, como el de una quesería. Luego los hombres rompían a sudar, la temperatura ascendía y aquello se convertía en un fétido caldario. Para colmo, en muchas naves, las ventanas del pescante superior, el único lugar por el que se ventilaba la bodega, se tapaban con gruesas cortinas de cuero para proteger a los tranitas de las flechas enemigas. Los remeros de la *Artemisia* le habían dicho a Temístocles que preferían correr el riesgo de ser alcanzados por un proyectil a cambio de respirar algo de aire puro y no cocerse dentro como quisquillas en un caldero.

Esas condiciones acababan agriando el humor de cualquiera. Los momentos más delicados eran el embarque y, sobre todo, el desembarque, cuando esos ciento setenta cuerpos agotados y sudorosos chocaban y se rozaban entre sí. A veces, los remeros la emprendían a puñetazos incluso antes de bajar de la nave, pero normalmente las peleas quedaban larvadas y no estallaban hasta horas o incluso días más tarde.

Éuporo y Filocles se pusieron de pie y agacharon la cabeza, avergonzados por la mirada de su general. Lo más que Temístocles podía hacer era reprenderlos. En los viejos tiempos habría estado en su mano azotarlos. Ahora eran ciudadanos con todos los derechos y sólo podían ser castigados por un tribunal militar formado por otros ciudadanos. Temístocles se congratulaba por ello, pero a veces echaba de menos una disciplina más estricta y, sobre todo, más rápida y práctica.

—Me alegra comprobar que, después de dos días de combates, a los remeros atenienses les quedan fuerzas todavía para aporrearse entre ellos. Pero tal vez deberíais reservar algo de energía para remar mañana contra los persas.

—Hoy no hemos combatido, señor —respondió Filocles, el más joven de los dos—. Nos ha tocado quedarnos en la playa.

—¡Ah, ya entiendo! En ese caso me cerciorаré de que mañana la *Aglaya* navegue en vanguardia.

—¿Mañana vamos a combatir otra vez, Temístocles? —preguntó otro remero que había estado observando la pelea de sus compañeros.

—Eso espero, Timoleón. Al fin y al cabo, esto es la guerra.

Tras poner paz entre aquellos dos, Temístocles y Euforión prosiguieron su camino. Atravesaron un pequeño pinar y entraron en el sector de la playa donde acampaban los peloponesios. No tardaron en llegar junto a la *Clitemnestra*, la nave capitana de Euribíades. El almirante estaba solo, sentado en el sillón de trierarca. Temístocles sospechaba que lo hacía por imitarlo a él, en la creencia de que acaso así adquiriría sus virtudes marineras. Sin más ambages, le dijo:

—Mañana tenemos que sacar toda la flota, y hacerlo pronto. Como muy tarde, a la hora en que se llena el Ágora.

—Es un riesgo inaceptable. Mis órdenes son no correr peligros innecesarios —contestó Euribíades.

—Todos hemos recibido órdenes: de los consejos de la ciudad, de los representantes de la Alianza Helénica. Hasta de nuestras esposas. —Como era de esperar, Euribíades no le rió la broma. Temístocles no se arredró por ello y continuó—: Pero tus éforos y tu consejo de ancianos están a cientos de kilómetros de aquí, y además tierra adentro. La responsabilidad de tomar decisiones está en tus manos, Euribíades. Si la flota persa se congrega al completo, en estas aguas tan abiertas no tendremos ninguna opción contra ellos. Hay que atacar mañana en una ofensiva general y hundir o capturar al menos sesenta o setenta barcos. Si no, sólo seguiremos dando picotazos de mosquito en la piel de un elefante.

—¿Y si ya se han congregado? Podemos perder toda la flota en un solo día.

En opinión de Temístocles, no podía ser buen jugador quien no estuviese dispuesto a arriesgarlo todo en una sola apuesta. Pero en Esparta la ley prohibía el juego. Incluso el uso del dinero estaba proscrito y, en teoría, comerciaban recurriendo a enormes y engorrosos lingotes de hierro para evitar el excesivo enriquecimiento y la corrupción.

Según le había explicado Pausanias, todos los ciudadanos de pleno derecho, los auténticos espartanos conocidos como los Iguales, poseían lotes de tierra heredados de sus antepasados. Esas tierras se las cultivaban los ilotas a los que tenían sometidos, y de ellas obtenían lo justo para llevar una vida frugal y mantener a sus familias. De ese modo no se veían obligados a trabajar y podían dedicar todo su tiempo a la milicia. Pero, con el tiempo, un reducido grupo de espartanos había acumulado propiedades de forma más o menos encubierta. Algunos ciudadanos se arruinaban por no poder contribuir a los *syssitía*, los banquetes comunales de los guerreros. Otros morían sin hijos, o tan sólo dejaban hijas que heredaran sus propiedades. La élite disimulada de los nuevos oligarcas se las arreglaba para acaparar en sus manos todas aquellas fincas, sobornando a los éforos para que miraran hacia otro lado.

Y Euribíades era uno de ellos.

—En Esparta hay mucha más corrupción de la que sospechas —le dijo Pausanias al despedirse de él tras la última reunión de la Alianza—. Ponle a cualquier espartano, a mí el primero, unas cuantas monedas de oro delante y lo verás correr como un perro detrás de un palo.

—¿Y Euribíades? ¿Qué me dices de él?

—Euribíades es de los más corruptos. ¿Ves la mano que le falta? La perdió en una batalla, pero en Esparta corre la historia de que se le engangrenó de tanto esconder en ella la plata de los sobornos.

Con la mentalidad de jugador que le faltaba al espartano, Temístocles había decidido apostar fuerte.

—¿Hay alguien en la bodega, Euribíades? —dijo.

—En este momento, no.

—¿Podemos bajar un momento?

Euribíades miró con desconfianza a Euforión.

—Está bien. —Se volvió hacia Damocles, el fornido ilota que lo escoltaba en todo momento, y le dijo que los acompañara.

Bajaron a la sentina y se sentaron sobre los bancos de los talamitas. Aquella bodega olía incluso peor que las de los trirremes atenienses. Temístocles pensó que no le vendría mal que la fregaran y rasparan con cepillos de raíces. Pero en lugar de criticar la higiene de la flota espartana, le dijo a Euforión que se quitara el escudo. Después le descolgó la bolsa de piel, desató el nudo que la cerraba y mostró su contenido a Euribíades. A la luz de la lámpara que llevaba el ilota, el oro de los daricos se reflejó en los ojos del almirante.

—¿Qué es esto?

—Medio talento de oro. Para ti.

Tras mucho regatear, había conseguido que Escilias le diera aquellos daricos a cambio de cinco talentos de plata. Temístocles había traído consigo los diez que le devolvió Cimón, pensando que tendría que sobornar algunas voluntades. En concreto, la de Euribíades. *Esta maldita guerra me va a arruinar*, se dijo. Su ecónomo le había dicho que entre los gastos de Delfos y el dinero aportado de su propio peculio para los barcos había consumido más de la mitad de su hacienda. Temístocles lo sabía de sobra, pues no perdía la cuenta de un cobre, pero prefería no pensar en ello hasta que tuviera ocasión de recuperar su fortuna.

Al parecer, había acertado en su apuesta. Euribíades sonrió. Su rostro se transformó al hacerlo. Un sátiro no habría mirado a una ninfa desnuda con tanta lujuria. Metió la mano derecha en la bolsa y sacó un puñado de daricos.

—Ahora empezamos a entendernos —dijo, con una cruda sinceridad que sorprendió a Temístocles.

Mejor será que arreglemos esto cuanto antes, pensó. Si le daba tiempo a Euribíades para pensar, podía avivársele la codicia y tal vez decidiría extorsionarlo un poco más.

—Quiero que hagas caso a mis consejos —le dijo—. Puedes fingir que te opones a ellos ante los demás generales, pero en la justa medida para disimular. Después has de ceder.

—El almirante supremo soy yo, no tú —respondió Euribíades, pero los ojos no se le despegaban de las monedas marcadas con el troquel de Darío.

—Nadie afirma lo contrario. Yo tengo asesores que me aconsejan en materias en las que soy profano. A ellos les pago. En cambio, tú puedes disfrutar de mis servicios gratis. E incluso —añadió, señalando la bolsa de oro—, recibiendo una pequeña donación.

—Con esto no será suficiente —dijo Euribíades, apartando por fin la mirada de los daricos.

Me lo imaginaba.

—Habrá más. Otros tres talentos de plata. Pero sólo cuando esto acabe.

—No me convences, ateniense. Las guerras no se acaban nunca.

—Ésta lo hará, créeme. Para bien o para mal.

Temístocles dejó a Euribíades contando esas monedas que tan prohibidas estaban en Esparta. Aún tenía otra visita que hacer. Adimanto mandaba cuarenta barcos y, por su experiencia marinera, poseía más predicamento entre sus colegas del Peloponeso que el propio Euribíades. Por más que a Temístocles le doliera la bolsa y que su ecónomo jurara en nombre de Hermes que a ese paso iban a quedarse en la ruina, Adimanto también tendría que llevarse su regalo.

Al amanecer, al mismo tiempo que en las Termópilas Megistio vaticinaba la muerte de los espartanos, el sacerdote ateniense Nicipo examinó el hígado del cordero que acababa de sacrificar y comprobó que sus vísceras no auguraban ninguna desgracia. Después, los catorce generales de la flota aliada se reunieron junto al altar erigido en honor de Ártemis la cazadora. Temístocles expuso su plan. Atacar con todas las naves a los persas, sin reservar ninguna.

—¡Es una locura! —se opuso Euribíades, con tal vehemencia que hizo dudar a Temístocles. ¿Estaba representando su papel o haciéndole una jugarreta?—. Tenemos que dejar naves de reserva. Por lo menos treinta o cuarenta trirremes.

—Si es para reforzar nuestra retaguardia y acudir donde más falta hagan, estoy de acuerdo —respondió Temístocles—. Pero para eso habrá que botarlos igualmente. Si se quedan varados en la playa no nos servirán de nada.

El cielo estaba despejado. De momento, la brisa refrescaba, pero el día prometía ser muy caluroso. Temístocles miró hacia el este. El reflejo del sol en el agua lo deslumbró, de modo que volvió la vista a su izquierda para comprobar que el oleaje era suave. No se veían cabrillas en el agua.

—Hace un tiempo excelente para los remeros. Debemos aprovecharlo.

—Si la mar está tranquila —intervino Sátiro, el general de la isla de Ceos—, deberíamos tener en cuenta lo que discutimos ayer. Quince soldados a bordo son muy pocos. Los barcos enemigos llevan treinta infantes de cubierta. A veces incluso más.

—Eso ya lo hemos discutido —respondió Temístocles—. Nuestras cubiertas no están preparadas para tantos hoplitas. Además, el peso adicional entorpecerá nuestras maniobras y hará más lentas las naves.

—Si en las batallas de estos dos días hemos perdido barcos, es porque los enemigos que nos abordaban tenían más hoplitas sobre el puente que nosotros —insistió Sátiro—. Yo propongo que llevemos al menos veinticinco soldados en cada nave, y mejor si pueden ser treinta.

—Eso supondría reasignar tripulaciones. Además, no tenemos hombres suficientes para equipar todos los barcos con tantos hoplitas.

—¡Razón de más para que dejemos naves de reserva aquí! —dijo Euribíades.

Temístocles intentó convencerlos de que esa reserva no serviría de nada si los trirremes no disponían de dotaciones de cubierta. Pero los generales habían arrancado a hablar todos a la vez y a razonar en círculos viciosos, y argumentos como el de

Temístocles eran demasiado sutiles para tal guirigay. Por fin, tras discutir en vano durante largo rato, la propuesta de Sátiro se sometió a votación y fue apoyada por diez de los catorce generales. Aunque parecía una mayoría holgada, esos diez votos no representaban más que la sexta parte de las naves. Tanto el ejército como la flota de la Alianza funcionaban de una manera muy peculiar. Se contaba un voto por cada ciudad, aunque algunas aportaran más de la mitad de los barcos, como era el caso de Atenas, y otras, como Ceos, tan sólo dos.

Está bien. Que hagan lo que les dé la gana. Yo organizaré como quiera mis ciento ochenta trirremes, se dijo cuando abandonó la junta. Por desgracia, al no ser almirante supremo de la flota, su autoridad ante sus colegas atenienses también se había visto mermada. Cuando se reunió con los seis generales que habían venido a Artemisio, descubrió que alguien les había informado de la reciente votación.

—Nosotros también pensamos que hay que reforzar las dotaciones de cubierta —dijo Andrónico, actuando como portavoz de los demás.

—Es un error y lo sabéis.

—¡Vamos! —dijo Leócrates, primo de Arístides y general de la tribu Antióquide—. Quince hombres más en cubierta no aumentan tanto el peso de la nave, y a cambio duplican su fuerza ofensiva.

—La fuerza ofensiva de un trirreme es su espolón. Seguís pensando de forma anticuada. Esto no es Maratón. ¡Estamos en el mar!

Tampoco hubo forma de convencerlos a ellos. En reorganizar la flota transcurrió buena parte de la mañana y cuando zarparon el sol ya estaba casi en su cenit.

Finalmente llevaban doscientos cincuenta trirremes con las cubiertas atestadas de hoplitas. Las dotaciones de las otras setenta naves permanecieron en tierra no sólo guardando sus barcos, sino también los mástiles y el velamen de los que iban a participar en el combate. En una batalla naval, ningún capitán se arriesgaba a utilizar las velas, pues un golpe de viento azaroso podía arruinar cualquier maniobra en el momento más inoportuno. Por eso, antes de zarpar desmontaban los palos y, dependiendo de la urgencia de la situación, los abatían sobre la plataforma central o los bajaban a tierra para que no estorbaran los movimientos de la tripulación.

Sentados en cubierta, con los escudos sobre la tablazón y abrazados a sus propias rodillas, ya que no había otro lugar donde agarrarse, iban veinte hoplitas: los diez habituales de su dotación más diez de la *Euterpe*. En la popa, flanqueando a Temístocles y a su piloto Heráclides, había además cuatro arqueros escitas ataviados con pantalones de brillantes colores que los hacían parecer persas, aunque sus túnicas eran más cortas y de mangas más ceñidas. También se encontraba allí Fidípides, armado con su propio arco de madera de tejo. De niño, antes de convertirse en mensajero, se había ganado la vida cazando conejos y liebres por los montes del Ática, y aún conservaba la puntería.

De pie, en la pasarela baja que separaba ambas cubiertas, iban los marineros, armados con espadas, jabalinas o arcos. No era misión suya participar en el primer choque. Pero al final solían acabar involucrados, ya que sus vidas también corrían peligro si permitían que la nave cayera en poder del enemigo.

Demasiada gente a bordo, pensó Temístocles. Sentado en su puesto, notaba en su trasero el pulso de la nave, la forma en que rompía las olas con su panza, sus virajes, el rítmico bogar de los remeros que seguían el agudo trino de la flauta. Pero también percibía los movimientos de los hoplitas sobre la cubierta. Los remeros, sobre todo los de la bancada superior, solían quejarse cuando había carreras sobre sus cabezas. Los trirremes eran tan ligeros y tenían tan poco calado que enseguida se producían balanceos o cabeceos que dificultaban su labor.

En un trirreme, como en un coro de baile, el ritmo lo era todo. Aunque tranitas, zigitas y talamitas remaban en bancos dispuestos a varias alturas, las palas prácticamente convergían en el agua, por lo que cualquier despiste o falta de coordinación provocaba choques entre ellas. En un día de verano como aquél, sin apenas viento ni mar de fondo, los remeros que iban a proa trabajaban con cierta comodidad, rompiendo una superficie lisa y sin turbulencias. Pero los que iban detrás se encontraban con aguas cada vez más picadas por los remos de sus compañeros. Y en el momento en que se levantaba un oleaje algo más fuerte, los remos empezaban a azotar el aire más veces de las que se clavaban en el agua; eso descompensaba los movimientos de la nave, provocaba más colisiones entre las palas y, a la postre, imposibilitaba el combate naval.

De momento, la superficie del mar se veía de un azul intenso y puro, sin más espuma que la que levantaban las proas y los propios remos de los trirremes. La flota se había desplegado con dos líneas de profundidad, cubriendo un frente de casi tres kilómetros. Los atenienses ocupaban el ala derecha, pero, puesto que sus barcos eran más de la mitad, eso significaba que también cubrían el centro de la formación.

Al contrario del procedimiento habitual en los combates terrestres, Temístocles no iba en el extremo derecho de su flota. Las treinta naves de su escuadra, la *Erictonia*, formaban en la parte central, donde él podía controlar mejor la situación. Por el momento los trirremes navegaban alineados, y desde el asiento de Temístocles las gráciles curvas de los codastes de popa se veían superpuestas como imágenes repetidas en espejos paralelos.

A estribor avanzaba la *Perséfone*. Su trierarca, Clinias, hijo de Alcibíades, lo saludó con la mano.

—¡Un día magnífico! —exclamó Temístocles.

—¡Ya verás qué pronto nos lo fastidian! —respondió Clinias—. ¡Mira al frente!

Frente a ellos se divisaba la escarpada línea de la costa de Afetas, con la que ya se habían familiarizado tras las batallas de los dos días anteriores. Pero ahora había algo nuevo. Temístocles entrecerró los ojos para ver mejor y consiguió distinguir por delante del litoral una línea oscura de la que el sol arrancaba reflejos dispersos.

La flota enemiga. Esta vez los almirantes persas se habían adelantado en lugar de esperar a recibir un nuevo ataque. Y, a juzgar por la separación entre un extremo y otro de la formación, que parecía abarcar todo el horizonte, esta vez traían muchos barcos.

Más bien todos los barcos, pensó.

—Hoy no va a ser igual —dijo su piloto, volviéndose hacia él—. Debe haber por lo menos mil trirremes.

—Déjalo en la tercera parte, Heráclides —respondió Temístocles para evitar que cundiera la alarma entre la tripulación.

Conforme ambas flotas se acercaban, calculó que, si bien Heráclides había exagerado, era fácil que los barcos persas los duplicaran en número. Venían contra ellos más de quinientos trirremes, acaso seiscientos.

Recordó las palabras de Euribíades. *Podemos perder toda la flota en un solo día.*

—¿De qué país son los que tenemos enfrente? —gritó Temístocles, dirigiéndose al oficial de proa, que gozaba de una vista digna del argonauta Linceo.

—¡Creo que fenicios!

—¡Excelente! Los mejores rivales para la mejor escuadra de toda la flota griega.

Estaba lejos de sentir lo que decía, pero había que animar a la tripulación. Ambas flotas acudían al choque como falanges, pero en vez de pisotones y cánticos se oía el rumor de los arietes cortando el agua, el poderoso y acompasado chapoteo de los remos y los penetrantes silbidos de las flautas. Nadie hablaba. En otras ocasiones los remeros entonaban canciones de boga, pero ahora sólo se oían sus jadeos. Debían estar atentos a las órdenes de maniobra, que en la sentina resultaban difíciles de escuchar, ya que la aglomeración de cuerpos y vigas de madera ahogaba los sonidos.

Los hoplitas, aunque impacientes por entrar en acción, seguían agazapados en el sitio para no perturbar las maniobras. Euforión, sentado en la cubierta de estribor, era el único que no conseguía estarse quieto. Al menos no movía las piernas: sus tics en aquel momento se reducían a atusarse las plumas del penacho. Los diez infantes que no pertenecían a la dotación de la *Artemisia* y por tanto no conocían al Nervios habían estado riéndose de él desde que embarcaron. Pero ahora, bien fuera porque se habían acostumbrado ya a sus excentricidades o porque comprendían la gravedad de la situación, permanecían callados.

La flota persa se hallaba ya tan cerca que sus extremos se

habían perdido de vista y la escuadra que tenían frente a ellos ocupaba todo el horizonte de Temístocles. Una de sus naves venía directa hacia la proa de la *Artemisia*, en rumbo de colisión frontal.

—Eso que lleva delante es un ídolo de oro macizo —dijo Fidípides—. Podemos sacar un buen botín de esto.

—¡No empieces a relamerte! —contestó Escilias. El buceador estaba sentado en la escalera de la pasarela central, a los pies del timonel—. ¡Si esa estatua fuera maciza, la nave se hundiría de proa! ¡Es sólo madera pintada!

Hasta entonces, los únicos enfrentamientos de Temístocles contra los fenicios habían consistido en acciones de piratería no demasiado heroicas. Pero conocía su maniobra favorita. El *diekplous*. Fingir una embestida frontal contra los barcos enemigos para, en el último momento, dar un bandazo y pasar entre ellos. De esa manera sus trirremes podían aparecer en la retaguardia de la formación, virar con rapidez y atacar las popas desguarnecidas del adversario.

Temístocles dio una orden al signífero. Éste izó un banderín azul sobre el asta que se levantaba por encima de la popa. El trirreme que navegaba tras ellos, el *Proteo*, viró unos metros a estribor para cerrar el hueco que quedaba entre la *Perséfone* y la *Artemisia*. La misma maniobra se repitió por las líneas de toda la flota ateniense.

—Intentad el *diekplous* ahora, cabrones —masculló entre dientes.

La nave fenicia estaba ya a menos de cien metros. Desde su proa, el rostro de su dios marino, Dagón, los miraba con odio. Si ninguno de los dos trirremes desviaba su rumbo, iban a chocar espolón contra espolón. El timonel se volvió hacia Temístocles.

—Creo que es el momento —le dijo.

—Pues hazlo.

Heráclides viró a babor y apuntó la proa hacia el barco que venía a la izquierda del trirreme fenicio, como si hubiera cambiado de presa. Durante unos instantes, la maniobra ofreció al ariete enemigo la amura y el costado de estribor de la *Artemisia*.

Pero no era ésa la intención de Temístocles. Apenas unos segundos después, ordenó:

—¡Todo a estribor!

El piloto tiró de la caña que manejaba el timón derecho y empujó la vara del izquierdo. El cómitre, que estaba acurrucado en la pasarela junto a Escilias, gritó una orden al flautista y éste la transmitió a los remeros. Los de babor siguieron bogando, mientras que los de estribor levantaron las palas en el aire durante un instante, volvieron a clavarlas en el agua y ciaron invirtiendo el movimiento de sus brazos. Entre rociones de espuma, la *Artemisia* dio una guiñada a la derecha tan brusca que los hoplitas tuvieron que agarrarse al borde de la pasarela central para no resbalar, y la proa apuntó de nuevo al primer enemigo, ahora de través y no de frente.

—¡Magnífico! —exclamó Temístocles. Pocos barcos en la flota griega tenían remeros capaces de llevar a cabo esa maniobra en un espacio tan reducido.

Por desgracia, la tripulación del barco fenicio era tan competente como la de la *Artemisia* y su trierarca se anticipó a ellos maniobrando de forma casi simétrica. El ariete de Temístocles no se encontró con la amura del barco enemigo, como pretendía, sino con su espolón chapado en bronce. Aunque chocaron con cierto ángulo, el impacto sacudió a la *Artemisia* de proa a popa. Temístocles se había aferrado con fuerza a los brazos del sillón, pero, aun así, estuvo a punto de salir despedido y sintió cómo se le sacudían hasta los dientes, mientras que los infantes de cubierta rodaron sobre sus espaldas como tortugas indefensas.

Tras el horrísono crujido del choque se produjo un instante de silencio. Pero los hoplitas no tardaron en levantarse y, entre gritos de guerra, corrieron a defender la proa de la *Artemisia*.

—¡Ciar! —ordenó Temístocles.

Aunque trataron de retroceder invirtiendo la remada, ambas naves habían quedado trabadas. Los hoplitas de la *Artemisia* se aglomeraron en la proa, al igual que los soldados del barco enemigo, lo que hizo que las popas de las dos naves se levantaran. Eso dificultó la tarea de ambos timoneles, que trataban de maniobrar para desenganchar los arietes mientras los cómitres gritaban órdenes a sus respectivos equipos de remeros. Empezó un extraño baile entre los trirremes en que a ratos parecían buscarse y a ratos rehuirse. Los infantes enemigos, persas y medos, disparaban flechas sobre todo lo que se movía sobre la cubierta de la *Artemisia*, y Fidípides y los escitas les respondían como podían. El propio Temístocles había abandonado su puesto de trierarca para cubrir al piloto con su escudo. En aquel momento, Heráclides era el hombre más valioso que tenía a bordo.

Por fin, cuando las proas se soltaron y los costados de ambas naves estuvieron lo bastante cerca, los marineros de la *Artemisia* saltaron fuera de la pasarela y lanzaron los garfios de abordaje. Una vez enganchados en la regala del barco fenicio, se refugiaron de nuevo en la relativa seguridad de la pasarela y desde allí tiraron de las sogas de los garfios. Ambos barcos empezaron a acercarse. Una vez abarloados, sería el momento de saltar al abordaje. Temístocles embrazó su escudo y acudió a la cubierta de babor junto con los demás hoplitas, cuyo peso había escorado la nave más de un palmo. Con el rabillo del ojo, Temístocles había visto que la *Perséfone* se estaba batiendo a estribor con otro enemigo, mientras que a babor, más allá de la nave fenicia, se libraban combates en condiciones similares.

Pero todo eso quedaba ya fuera de su control. De los elementos que provocaban el caos en una batalla campal, allí sólo faltaba el polvo. Pero, a cambio, el suelo que pisaban se movía como en un terremoto constante, lo que añadía el riesgo de caer por la borda al de ser herido por una flecha o lanza enemiga. Y el ruido era aún más ensordecedor. A los gritos de los hombres y el clangor de las armas se sumaban el grave y estremecedor rechinar de las naves que chocaban entre sí, los crujidos de los grandes maderos que se rompían bajo los espolones y los brutales chasquidos de los remos de abeto que se tronchaban como mondadientes. Todo ello acompañado por el aturdidor chapoteo de miles de palas golpeando las aguas y levantando chorros de espuma.

Los infantes aguardaban casi al borde de la cubierta el momento de saltar sobre la nave enemiga, encorvados tras sus escudos para protegerse de las flechas de los arqueros iranios.

Ya habían disparado sus jabalinas y empuñaban las picas, más largas que las que se usaban en tierra para poder herir con ellas aunque las naves todavía no estuvieran borda contra borda.

Cuando ya casi tenían a los enemigos al alcance de sus lanzas, los marineros fenicios se colaron entre los soldados, provistos de hachuelas, y se dedicaron a cortar las cuerdas de los garfios.

—¡Hijoputas cobardes, no hagáis eso! —gritó Euforión.

—¡Vamos a por ellos! —exclamó un hoplita llamado Sofrón, colgándose el escudo del cuello.

—¡No seas loco! —le dijo Temístocles—. ¡Están demasiado lejos!

Los dos metros que separaban ambos barcos podían parecer una distancia corta, pero no para un hombre cargado con casi treinta kilos de armas. Sofrón saltó y logró tocar con la mano izquierda la regala del barco fenicio, pero después resbaló y cayó a plomo al agua.

Algunos marineros fenicios habían traído largos bicheros con los que empujaban el costado de la *Artemisia* para apartarla. Ya no quedaba ninguna cuerda que los uniera, y el trirreme se alejó de ellos; aunque antes los arqueros persas dispararon una andanada de flechas contra las portillas de los remeros. Por los gritos que subieron de la bodega, Temístocles se imaginó que habían alcanzado a varios talamitas.

A su izquierda oyó un chapoteo.

—¿Quién más ha caído al agua?

—¡Nadie! —le contestó Fidípides—. ¡Es Escilias, que se ha tirado!

Durante un instante, Temístocles pensó que era un momento muy extraño para desertar. Luego descubrió que el buceador había saltado por la borda atado a un grueso cabo enganchado a un puntal de la pasarela.

—¡Que dejen de bogar a babor! —gritó Temístocles, y el timonel transmitió su orden al cómitre.

Instantes después la cabeza de Escilias salió entre la espuma. Llevaba agarrado a Sofrón. Los marineros halaron la soga y ayudaron a salir del agua a ambos hombres.

Mientras Sofrón, al que Escilias había conseguido arrancar la coraza debajo de la superficie, tosía y escupía agua sobre la cubierta, Temístocles le dijo al buceador:

—Para ser un hombre casi rico, te arriesgas demasiado.

—¡No me gusta dejar que la gente se ahogue! ¡Es una muerte horrible! —contestó Escilias, atusándose el bigote. Usaba una grasa tan espesa que sus guías seguían tiesas incluso después de haberse sumergido.

—Eres un héroe, amigo. ¿Qué harás si caigo al agua yo, que te debo tanto dinero?

El buceador soltó una carcajada y le palmeó la espalda.

—¡Te arrancaré de las garras de Poseidón aunque tenga que clavarle su tridente en el culo!

A estribor, la *Perséfone* había conseguido hincar su espolón en el trirreme enemigo. Al apartarse ciando, el agua entró en la sentina de la nave, que empezó a escorarse con rapidez y acabó volcándose entre los gritos de pavor de sus remeros. Los hombres de la *Artemisia* aclamaron a sus compañeros de la *Perséfone*, y Temístocles saludó a Clinias con la mano.

El oficial de proa le comunicó que habían perdido el ariete en el choque con la nave fenicia. Eso los dejaba desarmados, y además había debilitado la estructura del barco.

—Deberíamos retirarnos, señor —le dijo el carpintero tras subir de la bodega—. Está entrando agua en el pantoque.

—¿Tanta como para hundirnos?

—De momento no, pero nos hará maniobrar más despacio. Además hemos perdido a cinco remeros de babor.

Los tripulantes ya sabían lo que tenían que hacer, de modo que Temístocles no malgastó el tiempo con instrucciones innecesarias. El cómitre repartió a los remeros para mantener la simetría de boga y los marineros tensaron los cables maestros para apretar las cuadernas. La única orden se la dio a Heráclides:

—¡Vira en redondo! ¡Volvemos a la playa!

—¿Nos retiramos del combate? —preguntó un hoplita.

—¡No! Hay muchos barcos intactos en la orilla. Vamos a tomar uno prestado.

Saber quién había vencido en una batalla naval resultaba más complicado que en una terrestre. El campo en que se libraba el combate era mucho más extenso, y la posibilidad de comunicarse de un extremo a otro, casi nula. Mientras combatió en las aguas de la zona central, primero con la *Artemisia* y luego con la *Tisífone*, Temístocles recibió la impresión de que el resultado estaba siendo parejo. Pero su campo de visión era limitado y en el caos de la batalla ignoraba lo que estaba pasando en otros lugares.

Sólo cuando toda la flota griega arribó a la playa y Temístocles recibió informes e inspeccionó en persona los daños empezó a hacerse una idea cabal de lo que había pasado. Y el panorama no era como para sentirse risueño.

A lo largo del día se habían librado cientos de duelos como el sostenido por la *Artemisia* con la primera nave fenicia. En la mayoría de los casos, los barcos chocaban en ángulos tales que prácticamente rebotaban unos contra otros y los espolones no llegaban a abrir grandes vías de agua en los cascos. Después, dependiendo de lo aguerridos que fueran los tripulantes y hoplitas y de la agresividad de los trierarcas y pilotos, los trirremes se abarloaban e intentaban abordarse mutuamente, o bien se esquivaban y se limitaban a dispararse flechas y jabalinas. Mientras no se llegara a luchar cuerpo a cuerpo, los infantes de cubierta, bien protegidos, apenas sufrían bajas en esos intercambios de proyectiles. Los talamitas, en cambio, pagaban el privilegio de bogar en la bancada superior y eran los que más heridas recibían a través de las amplias portillas, pues además los arqueros los buscaban a propósito. Casi desnudos como estaban, muchos de ellos morían sobre la empuñadura de madera o caían encima de sus compañeros de los bancos inferiores.

En esos enfrentamientos, los barcos fenicios demostraron su superioridad sobre los griegos. Aunque estaban tan cargados de soldados como ellos y eran más altos y pesados por tener balaustradas y cubiertas completas, maniobraban con superior pericia y se movían con más rapidez. Sabedores de que sus infantes de cubierta, iranios armados con arcos, eran más eficaces a distancia que en el combate cuerpo a cuerpo, rehuían el abordaje siempre que podían y buscaban dañar los barcos griegos con sus espolones. También practicaban la arriesgada y difícil maniobra de lanzarse de frente a por un barco enemigo, esconder los remos, virar en el último momento y pasar rozando el casco del adversario. Con ello no sólo le rompían la mayoría de los remos de un costado, sino que también arrancaban los toletes y desgajaban trozos de madera de las portillas. Los propios remos, al partirse, herían a los hombres que los manejaban. A unos les rompían los dientes, a otros les fracturaban los dedos o las costillas, y algunos remeros morían al recibir el golpe de una empuñadura de remo en el cráneo.

Sólo la escuadra *Erictonia*, donde formaba la *Artemisia*, pudo afirmar que su duelo con los fenicios había acabado en empate. El héroe del día era Clinias, trierarca de la *Perséfone*, que había logrado echar a pique un trirreme asiático y capturar otro. Pero las demás escuadras habían sufrido más bajas de las infligidas al enemigo.

Los peores daños los habían sufrido en los flancos de la formación. Allí la flota persa hizo valer su superioridad numérica desplegándose en cuarto creciente y recurriendo a maniobras envolventes, de modo que muchos trirremes de la Alianza se vieron atacados por dos y hasta por tres enemigos. En el ala derecha, la escuadra ateniense *Cécrope* había perdido quince de sus treinta barcos en la naumaquia contra los fenicios, y en la izquierda los egipcios habían causado grandes estragos en la flota del Peloponeso.

Por suerte, pasada la media tarde, el etesio empezó a soplar con cierta fuerza y a arrancar espuma de las crestas de las olas. Los almirantes persas debieron temer que se levantara un ventarrón como el que en los días anteriores había hecho naufragar a parte de su flota de transporte y, puesto que eran ellos quienes estaban más lejos de su base en Afetas, dieron orden de retirarse. Luego, tras hacer el recuento de bajas, Temístocles comprendió que esa decisión los había salvado. Pues aún quedaban un par de horas de luz y el viento amainó enseguida.

Sobre el puente de la *Artemisia*, tras escuchar el relato del desastre final en las Termópilas, Temístocles le resumió a Cimón el resultado de la batalla naval. A proa sonaban los martillazos de los carpinteros que estaban ensamblando el espolón de una nave jonia capturada al enemigo.

—Entre trirremes hundidos e inutilizados, hemos perdido setenta barcos. Según el último recuento faltan casi diez mil hombres. Supongo que algunos llegarán nadando a lo largo de la noche, pero me temo que serán pocos. Entre los muertos están los generales de las tribus Antióquide y la Hipotóntide.

—¿Cuántos barcos hemos apresado?

—Treinta. Y si los trierarcas con los que he hablado no mienten, hemos echado a pique veinticinco más.

—En ese caso hemos perdido la batalla por cincuenta y cinco barcos contra setenta. Puede considerarse casi un empate.

—Si los persas no hubieran decidido retirarse por el viento, su flota habría rodeado a la nuestra y nos habrían aniquilado como hicimos nosotros con ellos en Maratón. Los fenicios y los egipcios han demostrado que son mejores marineros que nosotros —reconoció Temístocles con toda crudeza—. Y quitarle setenta barcos a una flota de trescientos no es lo mismo que restarle cincuenta y cinco a otra que dispone de más de seiscientos. Con un par de «empates» como éste, no nos quedará más remedio que huir a Italia o rendirnos a Jerjes.

Cimón, que había agachado la cabeza al comprender la gravedad de la situación, miró a Temístocles con un destello de furia en los ojos.

—¡Eso nunca! Leónidas no se merece que hables así.

Temístocles pensó que, aunque hubiera empuñado un remo ante la asamblea ateniense, en el fondo de su corazón Cimón seguía siendo un aristócrata al que conmovía más el sacrificio de trescientos hoplitas en el campo de batalla que la muerte casi anónima de diez mil hombres en las aguas del Egeo. Al fin y al cabo, desde su punto de vista, muchos de ellos eran ciudadanos pobres o esclavos y sus vidas no tenían el mismo valor.

Con un suspiro, Temístocles se levantó del asiento. Al hacerlo se dio cuenta de que le dolía todo el cuerpo. *Me estoy haciendo mayor para la guerra*, pensó.

—Era una forma de hablar, mi querido Cimón. Cuando toda Grecia le haya entregado a Jerjes el agua y la tierra que tanto ansía, yo se la seguiré negando aunque me quede solo en mi empeño.

—Hermosas palabras, Temístocles. Pero tal vez te quedes solo de verdad. ¿Cómo vas a convencer a nuestros aliados de que vuelvan a enfrentarse con la flota persa si ya han comprobado que es superior a la nuestra?

—Algo habrá que inventar. Por tierra es imposible detener a Jerjes. Ni siquiera un paso como las Termópilas lo ha frenado, y no podemos contar con que los espartanos nos ayuden a defender Atenas. Hemos empleado todos nuestros recursos en la flota. Ya es demasiado tarde para apostar por otra cosa.

—Pues me temo que tu apuesta no funcionará. Los fenicios llevan surcando los mares desde mucho antes de la guerra de Troya. Tú pretendías convertir a los atenienses en marinos expertos en menos de tres años. Era imposible que saliera bien.

Gracias por tus ánimos, pensó Temístocles, pero se ahorró el sarcasmo.

Cuando Cimón lo dejó solo, Temístocles descubrió que aún no habían acabado sus problemas. Aunque no tenía hambre, se disponía a bajar a tierra para cenar algo. En ese momento vio que Andrónico se acercaba a la escalerilla de la *Artemisia*. No lo acompañaba ninguno de los hombres de su tribu, tan sólo Telo; el pancraciasta era protección más que suficiente para cruzar el campamento de noche.

—Quiero hablar contigo, Temístocles.

—Sube.

Telo se quedó jugando a los dados con un grupo de remeros. Temístocles pensó que no le vendría mal que se organizara una pelea, algo que solía ocurrir en esas partidas, y que sus hombres apuñalaran al esclavo de Andrónico. Pero mucho se temía que antes de meterse en problemas con el pancraciasta preferirían dejarse ganar.

Los peldaños de madera crujieron bajo el peso de Andrónico. Temístocles volvió a sentarse en su puesto de trierarca y, sin invitar al general a tomar asiento, puesto que no había ningún otro en la cubierta, lo animó a que hablara.

—Vengo a hacerte un favor, Temístocles —le dijo Andrónico.

—Te lo agradezco de antemano. Soy todo oídos.

—Tu prestigio no está en su momento más alto. Hasta la chusma de remeros en la que siempre te has apoyado piensa que has cometido un error atacando a los persas.

—Sé que eres de los que se han quedado en tierra con las naves de reserva, Andrónico. Pero puedes preguntarle a cualquiera, y te dirá que los persas venían a atacarnos a nosotros. La prueba es que hemos combatido más cerca de Artemisio que de Afetas.

Andrónico barrió ese argumento con un gesto de la mano y entornó los ojos. *Ah, siempre tan despectivo*, pensó Temístocles.

—Me es indiferente. La cuestión es que cuando volvamos a Atenas te vas a encontrar con problemas. Y esos problemas tienen un nombre.

—¿Cuál?

—Arístides. Ahora que su primo Leócrates ha muerto, están pensando en nombrarlo general de la tribu Antióquide.

—Es una irregularidad. No se pueden nombrar nuevos generales hasta el verano que viene.

Andrónico se encogió de hombros.

—En la guerra se cometen muchas irregularidades. Ya sabes lo voluble que es la plebe. Muchos se están arrepintiendo de haber votado el destierro de Arístides. Piensan que si el Justo está al mando —Andrónico pronunció el apodo con sonsonete burlón—, los dioses favorecerán más nuestra causa. Así que se está hablando de revocar tu nombramiento de autócrator para dárselo a él.

Aunque la noche era cálida, un escalofrío recorrió la espalda de Temístocles.

—¿Cuál es el favor que me propones, Andrónico?

—Apoyarte en la junta de generales. Argumentaré que tus decisiones han sido correctas y que debes seguir siendo el autócrator.

—¿Cuánto me va a costar esta vez?

—Nada que no puedas pagar, Temístocles. Sé que cuando llegamos a Artemisio, los eubeos te regalaron treinta talentos de plata para que convencieras a Euribíades y a los generales de las demás ciudades de que no abandonaran la isla.

—Eso es absurdo. No íbamos a abandonar Eubea en ningún caso. —*Al menos, hasta que cayeran las Termópilas*, añadió para sí—. Nadie me ha entregado treinta talentos de plata, ni diez, ni cinco.

—Es curioso que digas «cinco». Aseguran que, precisamente, de esos treinta le entregaste cinco a Euribíades. Y que los llevó escondidos bajo el escudo ese amigo tuyo que parece poseído.

Aunque aquel rumor mezclaba mentiras con una información muy concreta y veraz, Temístocles miró a los ojos a Andrónico y, sin hacer el menor movimiento con las manos para no traicionarse, le dijo:

—Eso es falso.

—¿También es falso que le diste otros tres talentos al general corintio?

Temístocles aguantó de nuevo sin pestañear y respondió:

—Tan falso como lo primero.

O alguien espiaba sus movimientos con mucha habilidad, o él estaba volviéndose demasiado torpe. Porque, de nuevo, el dardo de Andrónico había acertado en el blanco. Era cierto que le había enviado a Adimanto el equivalente en oro a tres talentos de plata escondidos dentro de una cesta de comida.

Empezaba a sospechar la identidad de quien propalaba esas habladurías y las mezclaba con informaciones veraces. Al parecer, las traiciones no tenían fin. Pero ya se enfrentaría a ese problema en su momento. Ahora tenía otro entre manos.

—Lo siento, Temístocles, pero no te creo —dijo Andrónico—. Sé que el soborno es una de tus habilidades.

La única habilidad que posees tú es aceptarlo, pensó Temístocles.

—Quiero mi parte por apoyarte en la junta. Cinco talentos.

—¿Estás...?

—Espera, Temístocles. No he terminado. También quiero mi

parte por no denunciarte ante el consejo y la asamblea por corrupción. Otros cinco talentos. Diez en total. A ti aún te quedarán otros doce de los que te entregaron los eubeos, no te quejes.

—Veo que sabes sumar.

—Los quiero en oro. Es más discreto y más fácil de transportar.

Temístocles asintió.

—Ahora te daré dos, pero tendrá que ser en plata. El resto te lo entregaré cuando estemos en Atenas.

—No me convence.

—Tendrá que convencerte. Si te entrego ahora todo, ¿quién me garantiza que después no me traicionarás y votarás a favor de Arístides?

—¿Y quién me garantiza a mí que me darás los otros ocho talentos?

Temístocles se levantó y desenfundó su espada. Andrónico retrocedió, malinterpretando sus intenciones. Durante un instante, Temístocles disfrutó de su gesto de terror. Después se pasó el filo de la espada por la palma de la mano izquierda y dejó que unas gotas de sangre cayeran sobre la cubierta.

—Te juro por Gea, Poseidón y Urano estrellado, por Hécate y Perséfone, por las aguas de la Estigia y el Aqueronte, por los cabellos serpentinos de las Erinias y la terrible mirada de las tres Gorgonas que yo mismo iré a llevarte a tu casa esos ocho talentos antes de que acabe la próxima luna llena. De lo contrario, que mis sesos se esparzan por el suelo como esta sangre y que Apolo y Ártemis aniquilen a mis hijos con sus flechas igual que hicieron con los hijos de Níobe.

Andrónico tragó saliva y se quedó callado unos segundos. Después dijo:

—Terrible juramento has hecho en verdad, Temístocles. Aceptaré tu palabra. Pero antes de que zarpemos para Atenas quiero esos dos talentos que me has prometido.

—Descuida. Los tendrás.

Cuando ya estaba bajando la escalerilla, Andrónico se acordó de algo y se volvió.

—Esto no afecta a nuestro otro trato, por supuesto. Mi renta anual por lo de Delfos no tiene nada que ver con este asunto —dijo con una sonrisa cruel.

—Sanguijuela asquerosa —murmuró Temístocles, apretando los dientes.

Andrónico se llevó a su esclavo, que se fue tan contento con los óbolos que había ganado como su amo con la promesa de los talentos. Temístocles había perdido el poco apetito que le quedaba. Se quedó sentado en su sillón, con la mirada baja. La luz plateada de la luna recortaba su silueta en la tablazón de la cubierta. La silueta de un hombre derrotado.

¿Podían ir peor las cosas? Cuando su ecónomo se enterara de que a los ocho talentos que había gastado en sobornos había que sumar otros diez, se llevaría las manos a la cabeza. Había cometido el error de dejarse extorsionar una vez por Andrónico, de mostrarse débil ante él. Aquel hombre no dejaría de chantajearlo. Además tenía a alguien muy cercano a Temístocles que le informaba de todos sus movimientos.

Pero cualquier situación era susceptible de empeorar, y él lo sabía. Aunque no se lo hubiera dicho Andrónico, Temístocles ya sospechaba que la muerte de Leócrates en combate le iba a acarrear perjuicios. Con el generalato de la tribu Antióquide vacante, ¿quién podría evitar que eligiesen a Arístides para el puesto? Y el Justo no era hombre que se dejara sobornar.

No podía acabar bien lo que tan mal había empezado. Primero, la ingratitud de Cimón. Luego, lo de Apolonia. Temístocles sabía que, cuando regresara a Atenas, ella no estaría en la casa del Pireo para recibirlo. Como tampoco estarían Italia ni Síbaris.

De pronto se sintió débil y los ojos se le empañaron. De haberlo visto su madre, lo habría abofeteado como hizo cuando tenía nueve años y volvió llorando de la escuela de Fénix. Pero su madre no estaba, ni allí ni en Atenas. Lo que quedaba de ella sólo era un cascarón cada vez más vacío que en tiempos se había llamado Euterpe.

Se enjugó una lágrima y tragó saliva. No podía mostrarse

débil. Él era Temístocles, hijo de Neocles. Aún demostraría a los eupátridas y a toda Grecia que podía hacer grandes cosas.

Pero ¿qué grandes cosas? Sus trirremes, los barcos con los que llevaba tantos años soñando y que al fin había logrado construir, habían sido derrotados por los enemigos. Tenía que reconocerlo: los fenicios, y también los egipcios, los superaban. Sus naves eran más rápidas, más maniobrables. No porque estuvieran mejor construidas, sino por lo que acababa de recordarle Cimón.

Los atenienses se jactaban de haber nacido de la tierra, fecundada por el semen de Hefesto cuando Atenea se lo limpió de la pierna con un trapo de lana y, asqueada, lo arrojó lejos de sí. Por eso estaban tan apegados al suelo. Era imposible convertirlos en marineros en tan poco tiempo. Se necesitaría una generación para obrar un milagro así. Temístocles estaba convencido de que si repetían diez veces la batalla que se había librado hoy, otras tantas saldrían derrotados.

En esta ocasión no conseguiría detener al corcel negro de Jerjes. La única alternativa que les quedaba a los griegos era morir o someterse.

Tenía toda la espalda empapada de sudor frío, y también las manos. Se levantó para dar un paseo hasta la proa. No quería hablar con nadie ni que sus hombres lo vieran así. Pero apenas había avanzado unos pasos cuando tuvo que agarrarse a la caña del timón. Estaba respirando muy rápido, en bocanadas casi espasmódicas que no lograba controlar. De pronto, los músculos del pecho se le contrajeron y experimentó un terrible dolor en el lado izquierdo, como si una garra de lobo se le estuviera clavando en el corazón. Trató de pedir ayuda, pero las palabras no le brotaron de la boca. Dio un traspiés y cayó por los escalones. *Es el final*, pensó, y durante un segundo rogó a los dioses que el ataque lo matara y no lo dejara convertido en un inválido como Clístenes. Después, su cabeza chocó contra los tablones de la pasarela central.

Cuando abrió los ojos vio sobre su cabeza un cielo negro. Se levantó con precaución. Estaba en una llanura blanca, cuajada de lirios y asfódelos que se extendían hasta difuminarse en la distancia. Pese a que no había luna y las estrellas se habían apagado, podía ver las flores, igual que se veía a sí mismo alumbrado por un resplandor que no provenía de ninguna parte y que tallaba las formas con perfiles cortantes.

Se volvió. A unos pasos acababa el prado y empezaba una playa que la luz fría teñía de azul. Se dirigió hacia ella y la arena crujió bajo sus pies descalzos. Las aguas oscuras lamían la orilla con suavidad. En aquel mar no había olas, y de su lisa superficie subían espiras de vapor blanquecino. A lo lejos se levantaban unos acantilados negros sobre los que volaban enormes sombras aladas.

Descubrió que no estaba solo en la playa. No había barcos, pero sí tripulaciones enteras esperando a que llegaran. Temístocles caminó ante aquella interminable fila. Había hoplitas con el escudo destrozado o la coraza agujereada por una espada enemiga, marineros y remeros con flechas clavadas en el cuerpo o en el cuello, otros con la cabeza rota por el golpe de un remo o un tablón. Pero la mayoría de los hombres no presentaban heridas. Eran los ahogados, miles y miles de ellos, con el rostro hinchado y verdoso y los miembros tumefactos. Todos aquellos muertos aguardaban a que el barco de Caronte acudiera a recogerlos para llevarlos a la otra orilla.

Temístocles los conocía a todos. Ciudadanos de las diez tribus de Atenas y colonos de Salamina o de Eubea. Mientras pasaba delante de ellos recitaba sus nombres, los de sus padres y los de sus demos. *«Eufrosino hijo de Dión, del demo de Decelia. Ireneo hijo de Pirro, del demo de Mirrinunte. Hipómenes hijo de Pasión, del demo de Prospalta.»* Pero eran muchos, demasiados. Quería saludarlos a todos, como si con ello pudiera devolverles la vida, o tal vez para demostrarles que no habían caído en el olvido, que existía al menos una persona que los recordaba. Apretó el paso y ya sólo pronunció sus nombres individuales.

—Eufrosino... Epígenes... Nicómaco... Carias... Artemón... Néstor... Filisto... Epígono... Euctemón... Epafrodito... Sóstrato... Onésimo... Nicias... Epicteto...

Algunos intentaban contestarle, pero tenían la lengua hinchada y de la boca les brotaban chorros de agua con algas verdes. Otros habían perdido los ojos y en sus cuencas anidaban pequeños cangrejos o anémonas.

Había saludado a más de cuatro mil ciudadanos cuando llegó a los extranjeros y los esclavos que también servían en la flota ateniense. A muchos los conocía de nombre. Otros sólo eran rostros para él, y se limitó a inclinar la cabeza ante ellos. Por último estaban los muertos de Mégara, Corinto, Calcis, Egina y las demás ciudades.

Cuando llegó al final de la fila, había contado nueve mil cuatrocientos veinte hombres. Una cosa era ver sus nombres tachados en los catálogos de las tribus o en las listas de embarque. Otra bien distinta desfilar ante esa multitud, contemplar sus rostros y saber que todos habían muerto el mismo día, en el curso de unas pocas horas.

Por su culpa.

Temístocles siguió caminando por la playa y los muertos quedaron atrás, esperando su último barco. Un árbol solitario se levantaba a unos pasos de la orilla, un alto ciprés de hojas blancas como la plata. Al pie del ciprés, un arroyo de aguas transparentes corría cantando como un cascabel, tal vez porque ignoraba que iba a morir unos metros más allá absorbido por la negrura del lago infernal.

Temístocles se agachó y metió los dedos en el riachuelo. Al atravesar la superficie, desaparecieron. No sólo de la vista. Cuando quiso tocar las piedras del fondo le fue imposible, como si su mano entera hubiera sido borrada de la existencia.

Sacó la mano del agua y volvió a sentirla, pero eso no fue un alivio. Acarició la lámina de oro que llevaba colgada al cuello y pensó en desplegarla. Pero no le hacía falta. Recordaba bien lo que había escrito en ella.

Allí se refrescan las almas de los muertos, ¡pero no se te ocurra beber de ella, pues son las aguas del Olvido! Más adelante encontrarás la laguna de la Memoria. Di a sus guardianes: «Hijo de Gea soy y de Urano estrellado. Seco estoy y de sed me muero. Dadme a beber las frescas aguas de la Memoria.»

Temístocles no tenía ningún deseo de recordar más. De pronto comprendía que el olvido no era ningún mal, sino una bendición de los dioses, y que si bebía de las aguas del Leteo, aquellos miles de rostros, y los de los eretrios, y también el de Apolonia se borrarían de su mente.

Se tumbó junto al arroyo, apoyó ambas manos en la orilla y acercó los labios al agua.

—No hagas eso.

Temístocles se volvió. Una hermosa doncella, tan alta que casi le sacaba la cabeza, lo miraba con unos ojos grandes y tristes. Tenía un yelmo de bronce echado hacia atrás y empuñaba una larga lanza de fresno.

Temístocles se quedó arrodillado junto al riachuelo. El arrullo del agua seguía tentándolo, pero no se atrevía a desobedecer a la diosa.

—¿Por qué, señora? —preguntó.

—Lo sabes bien. Si lo haces, lo olvidarás todo. Quién era tu padre, cuál es tu ciudad. Cómo se llaman tus hijos. A qué mujer amas. Será como si nunca hubieras existido.

—Eso es lo que deseo, señora. Quiero beber las aguas del Leteo para olvidar el fracaso que ha sido mi vida. Me han derrotado.

—¿Derrotado? —Atenea sonrió con picardía y en las mejillas se le marcaron dos hoyuelos como los de Apolonia—. Astuto y artero ha de ser el que a ti te aventaje en tramar argucias, aunque sea un dios quien te salga al encuentro. Los dos sabemos de tretas, tú que ganas a todos los hombres en ardides y enredos, y yo que soy célebre entre los dioses por mi agudeza e ingenio. ¿Es que no reconoces a Palas Atenea, la hija de Zeus, que siempre te he ayudado y protegido en tus muchos trabajos? Ea, pues, soporta las aflicciones que padeces en tu casa por más que te duelan y aguanta en silencio tus muchas desgracias. Ahora, ¡despierta, Temístocles!

Cuando abrió los ojos, las estrellas volvían a lucir en una franja de cielo delimitada por las dos cubiertas de la *Artemisia*. Temístocles se incorporó y se tocó la cabeza. Le estaba saliendo un buen chichón sobre la oreja izquierda, pero no sangraba. El pecho le dolía todavía y el aire apenas entraba en sus pulmones. Pero se obligó a sí mismo a respirar hondo, cada vez más despacio, y el dolor fue cediendo.

Lo que acababa de sufrir no era un ataque como el de Clístenes. Comprendió que las garras que se habían clavado en su pecho no eran las de la muerte, sino las de Fobo, el pánico. Había cedido a él en un momento de debilidad, pero nadie lo había visto.

Salvo los muertos.

Se levantó y subió de nuevo a la cubierta, pensando en las palabras de Atenea. Eran casi las mismas, verso por verso, que le había dicho a Ulises cuando éste llegó en secreto a Ítaca. En aquel momento, el héroe estaba solo y tenía que enfrentarse a los orgullosos nobles que se habían apoderado de su palacio y trataban de quitarle a su mujer, Penélope. ¿Cómo había actuado el astuto Ulises?

Con cautela, paso a paso. Solucionando los problemas de uno en uno, confiando en quienes debía confiar, como su fiel porquerizo Eumeo, y utilizando a aquellos que lo querían traicionar, como el pérfido cabrero Melantio.

Así debía obrar él. En primer lugar, hizo que avisaran a Fidípides.

—Están cargando provisiones en la *Angelia* para llevar las noticias a Atenas —le dijo—. Quiero que vayas en ella. Tengo un recado que quiero que lleves, viejo amigo.

Cuando se despidió de Fidípides, se quedó pensando en los demás problemas. Con Andrónico ya trataría en su momento. Ahora, la guerra urgía más.

Divinal Salamina, tú aniquilarás a los hijos de las mujeres. Si aún tenían una posibilidad de vencer a la flota persa era en los estrechos entre Salamina y el continente. Pero si los trirremes y las tropas de la Alianza se congregaban en ella, eso sería a cambio de abandonar la ciudad.

Atenas estaba condenada.

Atenas, 23 de agosto

Apolonia se recostó en el diván a la manera de una cortesana. Se encontraba a solas con Mnesífilo, con quien tenía confianza, estaba cansada y, en cierto modo, ya le daba todo igual. Si lo pensaba bien, ¿acaso no era una especie de hetaira? ¿Qué diferencia había en Atenas entre una mujer como la célebre Targelia y una concubina como Apolonia? Ambas eran extranjeras. Sí, era cierto que Targelia ofrecía placer a muchos hombres y ella se lo brindaba sólo a uno. Pero eso podía cambiar.

¿Qué estoy pensando? Se dijo que había bebido de más y dejó la copa sobre la mesita. Notaba las mejillas ardiendo y lo veía todo como a través de un fino velo blanco.

—¿No quieres más? —preguntó Mnesífilo.

—Ya no tengo sed —respondió ella.

Ella y las tres niñas se habían alojado en el domicilio de Mnesífilo. No muy lejos de allí estaba la casa de Temístocles, donde la propia Apolonia había vivido hasta que se mudaron al Pireo. Esa misma mañana había salido con Nesi y Sicino a buscar agua a la fuente, y en el camino se habían encontrado con Ilara y Soteris, dos esclavas de Arquipa que se alegraron mucho al verlas.

—Te echamos de menos —dijo Ilara, la mayor de las dos—. Y también a Nesi. ¡Cuánto ha crecido y qué guapa está! Dentro de un par de años tendrás que pensar en casarla, señora.

Nesi bajó la mirada y se ruborizó un poco. Por ser amable, Apolonia preguntó a las criadas por Arquipa. Ilara chasqueó la lengua y Soteris sacudió la cabeza.

—Cada día está peor, señora. Si sigue así, no creo que pase del invierno —dijo Soteris.

—No digas esas cosas —la regañó Ilara.

—¡Pero si es la verdad!

—¿Qué le ocurre? —preguntó Apolonia.

—Se ha obsesionado con que se está poniendo gorda como una vaca y apenas prueba bocado. Sólo bebe agua y come un cuenco de ensalada de berros y pepinos con un boquerón ahumado. ¡Al día!

—Pero ¿por qué hace eso? ¿Es verdad que ha engordado tanto?

—¡Quia! Si la vieras ahora, te daría pena, señora. Se le han quedado las muñecas tan finas como las de un bebé y le ha adelgazado tanto la cara que parece que los pómulos le van a rasgar la piel. Cuando la bañamos le podemos contar todas las costillas, pero ella se agarra un pellejo, se tira de él y nos dice: *«¿Veis cómo tengo razón? Mirad qué lorzas tengo.»*

—Vale ya, Soteris —dijo Ilara, y le tiró de la túnica—. Vamos, tenemos que llegar al puesto de Damo antes de que se quede sin pescado.

Pero Soteris, antes de irse, besó a Apolonia y aprovechó para susurrarle al oído:

—Pronto serás nuestra señora. Tú te lo mereces mucho más.

Si Apolonia no tenía intención de regresar a la casa del Pireo, mucho menos pensaba volver a la de Atenas. Sabía que alojarse en el hogar de un viudo como Mnesífilo habría sido un escándalo si fuese la esposa de Temístocles. Pero, al fin y al cabo, sólo se trataba de su concubina. File, que hacía la compra en el Ágora, le había dicho que la gente no le daba importancia a su historia. Todo lo más, algunos afirmaban que Temístocles se había aburrido de su barragana y se la había pasado a su amigo. Como si Apolonia fuera un martillo o una sierra que se pudieran prestar a un vecino. *«Que digan lo que quieran»,* respondió ella. Pero aquel comentario se le había clavado como un puñal.

La casa de Mnesífilo no era ninguna mansión. Apolonia compartía alcoba con las dos pequeñas, mientras que Nesi tenía que dormir con File, la única criada que le quedaba de sus tiempos de Eretria. El aya Hedia había muerto cuatro años antes, y Arges, el último invierno.

A cambio estaba Sicino, que en aquella casa tan pequeña aún parecía más grande, y no tenía más remedio que acostarse en el patio. Temístocles se había empeñado en que se quedara con ellas en lugar de acompañarlo a él a Artemisio. Apolonia le había dicho:

—¿Por qué no te lo llevas contigo?

—Me importa más tu seguridad que la mía —contestó él.

—No quiero tus favores. ¡Llévatelo!

Pero Sicino se había quedado al final. Apolonia procuraba portarse bien con él, pues no tenía culpa de los pecados de su señor. Lo cierto era que se sentía mucho más protegida cuando las niñas y ellas salían a la calle acompañadas del gigantón persa. Y lo hacían a menudo, pues Apolonia sentía que le faltaba el aire y se le aceleraban los latidos del corazón encerrada entre las paredes de la casa de Mnesífilo. Aunque sabía de sobra que el problema no estaba en la casa, sino dentro de ella.

Sicino también acompañaba a Nesi cuando ésta bajaba al Pireo a ver a Euterpe. Sin ser su verdadera nieta, la visitaba más que los hijos varones de Temístocles, ya que iba a verla casi todos los días. Era una caminata de más de una hora de ida y otro tanto de vuelta. Pero a Nesi, que últimamente abusaba mucho de los dulces de miel, aquellos paseos le venían bien para no engordar.

A Apolonia le daba mucha pena no ver a Euterpe, pero ni quería regresar a aquella casa ni, por supuesto, se atrevía a traer a la madre de Temístocles con ellas. Nesi no entendía el porqué de esa situación.

—¿Por qué ya no quieres estar con papá? —le preguntaba de vez en cuando. Sabía que Temístocles no era su padre natural, pero no se acordaba de Jasón ni conservaba memoria alguna de su vida en Eretria.

—Es un asunto muy complicado. Algún día te lo explicaré.

—Yo quiero volver a casa. Ésta es muy pequeña, y además está sucia.

—¡Pues ayuda tú a limpiarla, señorita! Mnesífilo no tiene

dinero para pagar tantos esclavos como Temístocles. Pero debemos agradecerle que nos brinde su hospitalidad.

—Pero si yo se lo agradezco, mamá. Es que no entiendo por qué vivimos aquí, teniendo una casa mucho más grande.

Apolonia tenía tentaciones de contarle la verdad, pero no le parecía bien. Aunque no se lo quisiera reconocer a sí misma, en su interior sentía que si lo hacía traicionaría a Temístocles. ¿Traicionarlo? ¡Él era el traidor!

Las pequeñas también le preguntaban, pero resultaba más fácil engañarlas. Su padre estaba de viaje, algo que era muy frecuente, y ellas se habían mudado allí porque había una guerra y estaban más seguras. Lo malo era que después no tenía más remedio que explicarles en qué consistía una guerra. ¿Cómo hacerlo si ella misma no lo entendía? Hombres clavando hierros en las tripas de otros hombres, hombres violando mujeres, hombres incendiando casas, talando árboles, aniquilando todo lo que era hermoso. ¿Por qué tanto odio y destrucción si la vida era tan breve?

—¿Seguro que no quieres más vino? —preguntó Mnesífilo.

—No, gracias. No me parece...

—¿Decoroso?

—Sí, eso es.

—¡Qué más da hoy! Estás con un viejo amigo. Por una noche, puedes dejar que el vino te regocije el corazón.

El bisnieto de Solón solía moderarse, pero en esta velada había vaciado la copa más de cinco veces, y tenía los ojos brillantes y la punta de la nariz colorada. Apolonia pensó que Mnesífilo tenía razón y que necesitaba algo que le deshiciera el nudo que se le había formado en el pecho y apenas le dejaba respirar. Ella misma se rellenó la copa. Había enviado a File a dormir, pues era muy tarde.

—Dime una cosa, Mnesífilo. ¿No te preocupa tenerme en tu casa?

—¿Por qué iba a preocuparme? De lo único que tengo miedo en esta vida es de obrar mal. Y sé que ahora no lo estoy haciendo.

—Temístocles puede ponerse furioso contigo. Si no me hubieses brindado tu hospitalidad, yo no tendría más remedio que volver al Pireo con él.

—Por eso te ofrecí mi casa. No es justo dejar sin opciones a una persona. Cuando decidas volver con Temístocles, debe ser por tu libre voluntad, no porque dependas de él.

Apolonia pensó que tampoco dependía del todo de Temístocles. Con su peculio tal vez podría comprar o alquilar una casita en Atenas. El caso era que le gustaba más el Pireo, porque estaba al lado del mar. Pero eso significaría vivir demasiado cerca de Temístocles. No, mejor Atenas. Tejía bien, y rápido. Entre ella y File, con la ayuda de Nesi, podrían confeccionar túnicas, mantos, cortinas y tapetes, y venderlos en el Ágora. Eso, junto con el dinero que aún conservaba de Eretria, les daría lo suficiente para vivir sin mendigar la caridad de nadie.

Pero ¿cómo casaría a Nesi, que se acercaba a la edad núbil? ¿Y a Italia y a Síbaris cuando crecieran? No podía darles una dote decente a las tres. Por un momento se imaginó a sus pequeñas convertidas en concubinas o hetairas y sacudió la cabeza con rabia.

—Ya me las arreglaré —respondió, más a sus propios pensamientos que a las palabras de Mnesífilo—. No pienso volver con él.

—Está muy arrepentido. No te haces idea de cuánto le ha torturado siempre que llegaras a saber lo... Bueno, lo que pasó.

—Debería habérmelo confesado. ¡Tuve que enterarme por boca de Cimón!

—¿Le habrías perdonado si te lo hubiese dicho él?

—¡No!

—¿Ves? Por eso no se atrevía a contártelo. Tenía miedo de perderte.

—¿Y por qué iba a tenerlo? Él es el gran Temístocles.

—Porque te ama.

Apolonia iba a beber, pero se detuvo con la copa en los labios. Su corazón se aceleró, y se odió a sí misma por ello.

—Nunca me lo ha dicho.

—No es dado a demostrar sus emociones, sobre todo si son

tan nobles como el amor. —Mnesífilo soltó una carcajada—. A veces da la impresión de que le avergüenza albergar buenos sentimientos.

—Pero ¿de verdad lo crees capaz de albergar buenos sentimientos? ¡Mira lo que hizo con mi patria!

—No fue una decisión fácil, créeme. Antes de aconsejar a Milcíades sopesó en un platillo de la balanza las ventajas para Atenas y en otro los peligros. Y decidió que si nuestra ciudad ayudaba a la vuestra, podía acabar destruida. Me temo que quizá tenía razón.

—¿Cómo puedes decir eso?

—Si hubiéramos cruzado el estrecho para socorreros, tal vez los persas habrían arrasado dos ciudades en lugar de una sola.

—Hablas con tanta frialdad como él. ¡En Eretria vivía gente! Miles de personas que murieron o que fueron esclavizadas. —Los ojos de Apolonia se empañaron. Quería creer que estaba derramando esas lágrimas por el destino de Eretria, no por Temístocles.

—No soy tan frío, Apolonia. Sólo intento comprender la forma de pensar de Temístocles. Él lo ve todo desde las alturas, como un dios. Es un don para él, pero también una maldición. No he conocido a otro hombre igual. Es capaz de tomar decisiones en el momento sin apenas tiempo para reflexionar, pero también sabe prever con más antelación y exactitud que nadie lo que puede ocurrir. Creo que los dioses han creado a Temístocles para salvarnos en este momento de tribulación. —Mnesífilo dio un trago de su copa y añadió—: No me puedo creer que yo haya dicho esto. Está claro que el vino suelta la lengua y aligera la mente. Demasiado.

—Temístocles será todo lo inteligente que tú quieras —dijo Apolonia—. Pero trata a las personas como si fueran cuentas de su ábaco o calderilla de cobre de la que se puede prescindir. ¡Eso no está bien!

—Puede parecer que actúa así, Apolonia, pero no es verdad. Pregúntales a los hombres que han servido bajo su mando. Pregúntale a Arifrón, que estaba a punto de desmoronarse de pavor en la batalla. Gracias a la comprensión de Temístocles, es ahora un hombre respetado en toda la ciudad y gobierna su propio trirreme. O habla con los tripulantes de los barcos que ha capitaneado Temístocles. Todos te dirán que no quieren servir con otro jefe.

—No me digas ahora que conoce todos los nombres de sus remeros, porque lo sé. No lo hace porque le interesen de verdad las vidas de los demás, sino porque sabe que eso le da popularidad.

—En parte tienes razón, Apolonia. Pero a fuerza de fingir que se preocupa por los demás, ha acabado preocupándose de verdad.

Siguieron discutiendo sobre Temístocles largo rato, y vaciaron otra jarra de vino. Conforme los vapores de Dioniso nublaban sus mentes, razonaban en círculos cada vez más cerrados y repetían, una y otra vez, los mismos argumentos. Luego, en cierto momento, Mnesífilo le preguntó a Apolonia por qué ya no subía a la Acrópolis como antes.

—No quiero rezarle a Atenea —contestó ella.

Le guardaba rencor a la diosa, aunque no se atrevía a expresar ese pensamiento en voz alta por temor a un castigo divino. Volvió a contarle a Mnesífilo el sueño que la había impulsado a huir de Eretria. Ya habían hablado de él antes. Pero en otras ocasiones Apolonia encontraba un dulce placer en referirle a su amigo cómo Atenea le había dicho que buscara el barco de Temístocles, mientras que ahora se sentía engañada.

—¿Cómo pudo decirme Atenea que buscara al verdugo de mi ciudad?

—El verdugo de tu ciudad fue Darío, Apolonia, igual que ahora Jerjes pretende serlo de Atenas. Las personas que no impiden que se lleve a cabo una acción injusta cuyo origen parte de la voluntad de... —Mnesífilo aventó su propio argumento con un manotazo—. Estoy borracho. No era eso lo que quería decir.

—¿Y qué querías decir?

—Que lo importante es que Atenea te dijo que debías ir con Temístocles. Si así lo han dictado los dioses, no puedes huir de tu destino.

—¡Apolonia!

Abrió los ojos. Una silueta delgada se recortaba entre las sombras. Llevaba un sombrero de viaje y un caduceo. Apolonia pensó que Atenea había escuchado sus palabras y sus pensamientos y había decidido abandonarla del todo. Por eso, en lugar de ella se le acababa de aparecer Hermes, el heraldo de los dioses.

—Tengo un mensaje para ti.

Apolonia recordaba perfectamente que cuando soñó con Atenea estaba paralizada. Ahora, sin embargo, logró incorporarse, aunque al hacerlo la cabeza le dio vueltas. El manto se le había resbalado y se tapó con él, porque se sentía destemplada. Qué falta de decoro, pensó, haberse quedado dormida allí mismo, en el diván del comedor, como hacían los varones en sus simposios.

A Mnesífilo le había pasado lo mismo. Se incorporó frotándose los ojos y apretándose la cabeza. Con la cara hinchada y los ralos cabellos revueltos, aparentaba más edad de la que realmente tenía.

—Fidípides... —dijo—. ¿Qué haces tú aquí? ¿Quién te ha abierto la puerta? ¿Ya es de día?

—Hazme las preguntas de una en una y te contestaré.

Mientras Mnesífilo repetía las preguntas y Fidípides las respondía —venía a traer un mensaje de Temístocles, le había abierto Sicino y no, aún no había amanecido—, Apolonia bebió directamente de la hidria que contenía el agua que se mezclaba con el vino. Era cierto que Dioniso soltaba las lenguas y abría los corazones, pero luego se tomaba su venganza.

—¿Y cuál es el mensaje de Temístocles? —preguntó Mnesífilo.

—Los persas han derrotado a los espartanos en las Termópilas. Leónidas ha muerto.

A Apolonia le afectó más enterarse de la muerte del rey que pensar que la barrera que podía contener la invasión persa había caído. Sólo había visto una vez a Leónidas, pero le pareció un hombre muy afable. Hablaba de su esposa y de sus nietos con mucho cariño, casi con dulzura. Lo último que habría esperado en un espartano.

Pero las malas noticias no habían terminado. Según Fidípides, aunque los atenienses intentaban convencerse a sí mismos de que habían plantado cara a la flota enemiga, lo cierto era que los persas también los habían derrotado por mar.

—Tenían demasiados barcos —dijo el mensajero—. Es imposible enfrentarse a tantas naves a la vez.

—¿Y qué va a pasar entonces? —preguntó Apolonia.

—Temístocles dice que hay que evacuar la ciudad.

Huir otra vez, pensó Apolonia.

Fidípides les explicó que había venido con la nave mensajera *Angelia*. Sus tripulantes habían remado día y noche para llegar cuanto antes, comiendo pan de cebada empapado en vino y aceite de oliva sin dejar de bogar. Cuando alcanzaron las costas del Ática al anochecer, a Fidípides se le ocurrió que, si desembarcaba en Maratón, podía llegar a Atenas antes que el barco. Por el camino se dedicó a avisar a los vigilantes de los demos para que comunicaran a sus convecinos las malas noticias y la orden de evacuación general.

—Ahora tengo que presentarme ante los prítanos de guardia. Pero he pasado antes por aquí porque tengo que darte una cosa, Apolonia.

Al dirigirse a ella, Fidípides siempre atemperaba su habitual sequedad. En una ocasión, Apolonia le había preguntado a aquel misántropo por qué no se casaba. Aunque Temístocles estaba delante, el mensajero contestó sin vacilar: «*Porque sólo conozco a una mujer que valga la pena en esta ciudad, y eres tú.*» Lo que en otros hombres habría parecido un intento de galanteo, en Fidípides sonó como la escueta enunciación de un hecho, y Temístocles y ella no tuvieron más remedio que reírse.

Ahora, Fidípides le entregó una bolsita de cuero.

—Esto me lo ha dado Temístocles para ti. Me ha dicho que era muy importante. Parecía preocupado de verdad. Por eso me he pasado por aquí antes de informar a los miembros del consejo.

Apolonia abrió la bolsa. Dentro estaba la lámina de oro que Temístocles llevaba al cuello.

—¿Te ha dado algún mensaje para mí?

—Uno que no entiendo. —Fidípides frunció el ceño, recordando—. *«Dile a Apolonia que se quede con esto. Ella merece más que yo estar con los bienaventurados.»*

A Apolonia se le hizo un nudo en la garganta. Incluso a cientos de kilómetros, Temístocles sabía cómo manipularla. Primero le había dejado a Sicino para demostrar que le importaba más la seguridad física de ella que la suya. Y ahora, al entregarle la lámina con las instrucciones del maestro órfico, le estaba diciendo que también prefería salvar el alma de Apolonia, aunque eso le supusiera a él morar el resto de la eternidad entre las sombras del Hades.

Sí, aunque estuviera lejos, Temístocles sabía cómo hacerle daño. Apolonia apretó la lámina de oro contra su pecho y lloró, porque no podía dejar de amar a ese hombre.

Pero eso no quería decir que volviera con él. Según el decreto aprobado casi un mes antes, las mujeres y los niños irían a Egina y Trecén. Apolonia trató de recordar cuál de las dos ciudades estaba más lejos.

Evacuación del Ática

Al ver que sus aliados pensaban sólo en proteger el Peloponeso y que su intención era reunir sus fuerzas más allá del Istmo y cerrar éste con un muro de mar a mar, los atenienses se sintieron indignados por esta traición y desalentados y abatidos por verse abandonados. La idea de enfrentarse contra un ejército de tantos miles de hombres ni se les pasaba por la cabeza. La única posibilidad que les quedaba —abandonar la ciudad y confiar su destino a los barcos— no convencía a casi nadie: no entendían cómo se iban a salvar si abandonaban los templos de sus dioses y los sepulcros de sus padres.

Temístocles, desesperado ya de persuadir a la multitud con argumentos humanos, actuó como en las tragedias, y por medio de tramoya les hizo ver oráculos y señales de los dioses. Así, se sirvió como presagio de la serpiente del santuario de la Acrópolis, que desapareció en aquellos días. Los sacerdotes, al encontrar intactas las ofrendas que le dejaban cada día, anunciaron a la muchedumbre —siguiendo instrucciones de Temístocles— que la diosa había abandonado la ciudad y que les señalaba el camino hacia el mar. [...]

Cuando toda la ciudad de Atenas se echó al mar, unos sufrían viendo aquel espectáculo y, en cambio, otros se sentían maravillados por la audacia que les hacía enviar a sus hijos a otro lugar mientras ellos mismos, insensibles a lágrimas y lamentos, cruzaban hacia la isla de Salamina. También movían a compasión muchos ciudadanos a los que habían tenido que abandonar por su avanzada edad. Algunos animales domésticos y de compañía, mostrando un cariño conmovedor, corrían junto a sus amos aullando de pena al verlos embarcarse. Entre éstos, se cuenta que el perro de Jantipo, padre de Pericles, no pudo soportar que su amo lo abandonara y, arrojándose al mar, llegó nadando junto al trirreme hasta Salamina, donde no tardó en morir de agotamiento. Y se dice también que el lugar que hasta hoy día se llama «túmulo del perro» es su tumba.

Plutarco, *Vida de Temístocles,* VIII-XI

Avance de Jerjes hasta Atenas

Jerjes partió de las Termópilas y avanzó a través del territorio de los focios, saqueando las ciudades y destruyendo fincas y granjas. Los focios habían abrazado la causa de los griegos, pero al ver que eran incapaces de ofrecer resistencia, toda la población abandonó sus ciudades y se refugió en las alturas más escarpadas del monte Parnaso. Después el rey atravesó el territorio de los dorios sin causarles daños, ya que eran aliados de los persas. Allí dejó tropas a las que ordenó que se dirigieran a Delfos para quemar el santuario de Apolo y llevarse las ofrendas sagradas, mientras él avanzaba hasta Beocia con el resto de los bárbaros y acampaba allí.

El contingente enviado para saquear el oráculo había llegado a la altura del santuario de Atenea Pronaya, cuando, de repente, estalló una gran tormenta acompañada por continuos relámpagos. Para colmo, la tormenta arrancó grandes peñascos de la montaña que cayeron sobre las tropas bárbaras. Como resultado, muchos persas murieron y todo el destacamento, aterrorizado por la intervención de los dioses, huyó del lugar.

Así fue cómo el oráculo de Delfos, con la ayuda de alguna divina providencia, se salvó del saqueo. [...]

Mientras atravesaba Beocia, Jerjes devastó el territorio de los tespios e incendió Platea, que estaba abandonada. Pues la población de ambas ciudades había huido en masa al Peloponeso. Después de esto penetró en el Ática y se dedicó a devastar los campos.

Después arrasó Atenas y prendió fuego a los templos de los dioses. Y mientras el rey estaba ocupado con estos asuntos, su flota navegó de Eubea al Ática, saqueando de paso la isla y toda la costa del Ática.

Diodoro Sículo, *Biblioteca histórica,* XI, 14

La flota aliada se reúne en Salamina

Cuando los efectivos que venían de Artemisio pusieron rumbo a Salamina, el resto de la flota griega, al saberlo, hizo lo mismo acudiendo en masa desde Trecén, ya que previamente se les había dado orden de congregarse en Pogón, el puerto de Trecén. Se reunió de ese modo un número de naves mayor que el que había combatido en Artemisio y que procedían además de un número superior de ciudades.

El almirante al mando de la flota era el mismo que en Artemisio: Euribíades, hijo de Euriclides, un espartiata que no tenía sangre real. Sin embargo, los atenienses eran quienes aportaban las naves más numerosas y también las más marineras. [...]

Una vez reunidos en Salamina, los generales estudiaron la situación, ya que Euribíades había propuesto que todo el que lo deseara manifestase su opinión sobre qué lugar de los que estaban en poder de los griegos era más apropiado para presentar una batalla naval. Como el Ática había sido abandonada, se refería con su propuesta a las demás regiones de Grecia.

La mayoría opinó que debían zarpar con rumbo al Istmo y combatir frente al Peloponeso. El argumento era el siguiente: si combatían en Salamina y resultaban derrotados, se encontrarían bloqueados en una isla donde no podrían recibir ayuda. En cambio, en las inmediaciones del Istmo podrían alcanzar territorios controlados por ellos.

Heródoto, *Historias,* VIII, 42-49

Tercer acto

Salamina, 480 a. C.

Salamina, 15 de septiembre

—Gracias por aceptar mi invitación, caballeros. Es un honor para mí cenar en compañía de cuatro de los nobles más ilustres de Atenas —dijo Temístocles, dirigiéndose a Arístides, Cimón, Calias y Jantipo.

—No hace falta que seas tan adulador —respondió el Pepino—. Atenas ya no existe.

Se encontraban en la casa que había pertenecido a Clístenes. Cuando murió, Temístocles se la había comprado a sus hijos. Era una morada pequeña, pero con las reformas había quedado muy elegante. Aprovechando que la tarde caía y soplaba una brisa refrescante, le había pedido a Sicino que sacara los divanes y las mesitas al jardín. Para que pudiera conversar en privado con los cuatro eupátridas, Mnesífilo, a quien le había cedido la casa desde la evacuación, había bajado al pueblo llevándose a los parientes que se alojaban con él.

En aquellos días era muy complicado conseguir algo de intimidad. Salamina, que normalmente tenía unos cinco mil habitantes, se hallaba atestada ahora por más de cien mil personas, entre remeros, marineros, hoplitas, asistentes diversos y familias que en lugar de huir a Egina o Trecén habían preferido quedarse allí, a la vista de su ciudad. A esas alturas ya habían consumido buena parte de los víveres traídos de Atenas, y en la isla quedaba ya poco ganado que sacrificar. Por el momento, llegaban barcos cargados de provisiones desde Egina y los puertos del Peloponeso; pero Temístocles se preguntaba cuánto tardarían los persas en bloquear la isla.

—¿Hace falta algo más, señor? —preguntó Sicino, tras dejar la crátera del vino sobre un trípode de bronce.

—No, gracias. Voy a pedirte un favor. En la alcoba hay un escudo muy pesado. Quiero que lo cojas y, sin sacarlo de su funda, lo bajes a la *Artemisia* y se lo des al piloto. Heráclides sabe dónde tiene que guardarlo.

El persa entró en la casa. Poco después volvió a atravesar el jardín cargado con el escudo y tomó el camino de la izquierda, que llevaba al pueblo de Salamina y, más allá, a la bahía de Cicrea, donde estaba varada la flota ateniense. Las naves de los demás aliados se congregaban al abrigo del alargado promontorio de Cinosura, salvo las corintias, que fondeaban en otra pequeña rada más al norte.

Finalmente, Apolonia se había ido a Egina sin aceptar ni la compañía de Sicino ni la protección de la lámina órfica. Su decisión había contrariado a Temístocles, pero luego pensó que el persa podía serle más útil en Salamina. De momento, lo importante era ganar la guerra. Si sobrevivía, ya tendría tiempo de recuperar a Apolonia.

—Qué respetuoso eres con tus esclavos —dijo Calias, que tenía fama de azotar personalmente a los suyos—. ¿Les sirves el vino también?

—Sicino es un meteco, no un esclavo —respondió Temístocles—. Además, mi madre siempre decía que se consigue más con miel que con hiel.

—No es que Euterpe haya sido nunca muy melosa —comentó Cimón—. Dicho sea con todos mis respetos por ella.

Había tres divanes en el jardín. Temístocles cenaba en uno orientado hacia el este, de manera que podía ver sobre las cabezas de sus invitados las nubes de humo que se levantaban de las ruinas de Atenas. Los otros dos lechos se hallaban frente a él. Arístides y Jantipo compartían uno, y Cimón y Calias el otro. Así lo había dispuesto Temístocles para que se sintieran apoyados entre sí y a él lo vieran más débil y vulnerable. Lo último que convenía a sus propósitos era parecer una amenaza ante los ojos de sus invitados.

Calias y Cimón ya eran oficialmente cuñados. Elpinice, al

contrario que otras mujeres, se había negado a que la llevaran a Egina y había decidido compartir en Salamina el mismo destino de su hermano y de su esposo. *Brava mujer*, pensó Temístocles, que experimentaba cierta atracción morbosa por la hija de Milcíades.

—¿Qué os parece lo de Delfos? —comentó Calias—. A los defensores de la Acrópolis no les habría venido mal que Atenea hubiese enviado una tormenta como la que mandó Apolo sobre las cabezas de los persas.

Esa misma mañana una barcaza con desertores había traído la noticia de cómo una milagrosa tempestad y una avalancha de rocas habían salvado al oráculo de la rapacidad persa. La mayoría de la gente aceptaba aquella historia, tal vez porque estaban deseando contar con un éxito en la guerra, aunque se debiese a los dioses. Temístocles no. Bien convencido estaba de que se trataba de una patraña inventada por los sacerdotes para lavar la reputación de Delfos ante el resto de Grecia. Al final, Mardonio había sabido recompensar los servicios del oráculo.

Atenas no tuvo tanta suerte. Jerjes había conseguido triunfar donde fracasara su padre. Hacía quince días que, ante la mirada impotente de los aliados congregados en Salamina, la *Spada* había entrado en Atenas desde el norte casi al mismo tiempo que la armada persa fondeaba en la bahía de Falero. Apenas una hora después empezaron los fuegos.

Tan sólo la Acrópolis resistió durante unos días el asedio enemigo. Allí habían permanecido varios sacerdotes y sacerdotisas, encomendando su suerte a las divinidades a las que servían, y también una guarnición de hoplitas, en su mayoría guerreros veteranos que se habían juramentado para no dejar que el lugar más sagrado de su ciudad fuera profanado por los persas.

En aquellas postrimerías del verano, el etesio soplaba del norte arrastrando aires secos y límpidos. Gracias a eso, pese a que la Acrópolis estaba a más de diez kilómetros, desde la isla se podía distinguir el perfil de su masa gris, recortándose incólume sobre las ruinas de la ciudad. Durante varios días, los griegos refugiados en Salamina otearon el horizonte y se felicitaron de que la Acrópolis resistiera otra jornada más. Pero, por fin, en el décimo día de asedio, sobre la roca sagrada apareció primero una negra humareda y luego, al atardecer, el resplandor de las llamas.

La caída de la Acrópolis había hundido aún más los ánimos de los atenienses, que llevaban días viendo arder la ciudad y sus aledaños. Las columnas de humo se extendían de horizonte a horizonte. Los persas, metódicos en su destrucción, se dedicaban a incendiar los demos más alejados e incluso las alquerías aisladas. Ni siquiera el Pireo se había salvado del todo, pese a que los persas habían tenido la mínima sensatez de respetar los arsenales para reparar sus propios barcos.

A Temístocles le resultaba increíble que, pasados quince días, todavía quedara algo por arder en Atenas. Sospechaba que Mardonio había ordenado a sus hombres que trajeran leña todos los días a la ciudad para avivar las hogueras y desmoralizar aún más a los griegos refugiados en la isla. Pues atribuía al general de la *Spada*, más que a Jerjes, todas las decisiones concretas.

—Preferiría no comentar lo de Delfos, porque tengo mis sospechas —dijo Arístides, para sorpresa de Temístocles—. Ahora, ya que por fin nos hemos quedado a solas, dinos para qué nos has convocado.

—Temístocles quiere negociar con nosotros —intervino Cimón—. ¿Me equivoco acaso?

—No, no te equivocas. Te felicito por tu perspicacia.

—¿Por qué? No tenemos ningún cargo oficial —dijo Arístides.

—No nos engañemos. Vosotros cuatro, cada uno a su manera, influís más sobre los ciudadanos que todos los demás generales juntos.

Aquel comentario pareció complacer la vanidad de sus invitados, salvo la de Calias, que era el más desconfiado de los cuatro.

—Cuando dos partes negocian, cada una debe conocer las intenciones de la otra —dijo—. Cuéntanos cuáles son las tuyas, Temístocles.

—Muy sencillo. Quiero ganar esta guerra.

—¡Y yo quiero el secreto de la inmortalidad! —dijo Jantipo—. Ya que nos ponemos a pedir imposibles...

—No hay nada imposible. Tú tampoco creías que fuésemos

capaces de derrotar a los persas en Maratón. Y lo conseguimos. —Su mirada recorrió a sus cuatro invitados, uno por uno—. Podemos volver a repetirlo.

—¿Cómo piensas hacerlo, Temístocles? —preguntó Arístides.

En dos años y medio de destierro, la cabeza de su antiguo compañero de escuela había encanecido y ahora se entremezclaban en ella hebras de plata y de oro. El tiempo también le había redondeado la barbilla, robándole algo de brío. De forma casi inconsciente, Temístocles acarició su propio mentón. Aún se mantenía afilado y tirante, sin indicios de papada. Por alguna razón siempre había identificado una barbilla bien perfilada con una personalidad enérgica, y se sentía orgulloso de conservarla mejor que Arístides.

—Tenemos que combatir por mar —respondió—. Pero no en cualquier lugar, sino en el estrecho de Salamina. La razón de que sufriéramos tantas pérdidas en Artemisio fue que el enemigo nos envolvió por ambas alas. Aquí no hay sitio para esas maniobras. Además, por muy diestros que sean los marineros de Jerjes, nosotros conocemos mejor estas aguas.

—No pretendo inmiscuirme en asuntos militares —dijo Calias—, pero me parece que ésa es una excelente razón para que los bárbaros se nieguen a entrar y combatir en el estrecho.

Los persas llevaban varios días desplegando su flota más allá del islote de Psitalea, entre el Pireo y Falero, ofreciendo una batalla en aguas abiertas que los griegos no aceptaban. La situación recordaba a Maratón, donde cada bando había elegido el territorio más apropiado para sus características y se negaba a combatir en el del otro. Al final, fueron los atenienses quienes tomaron la iniciativa y salieron a campo abierto. Gracias a la sorpresa y a que no combatían contra el grueso de las fuerzas de Datis, les había salido bien.

Pero Temístocles sabía que esta vez no podían arriesgarse a repetir la misma jugada. En Maratón los griegos demostraron que su armamento era superior en la lucha cuerpo a cuerpo. Sus barcos no gozaban de la misma ventaja. Además, por mucho que le doliera reconocerlo, los fenicios y los egipcios eran mejores marineros.

—Habrá que conseguir que entren al canal —dijo Temístocles—. Al menos, contamos con una ventaja. El tiempo.

—¿Crees que a nosotros nos viene bien que pasen los días? ¡Por favor! —protestó Jantipo—. Si seguimos encerrados en esta isla tan pequeña con los de Esparta, Corinto, Mégara y Egina, acabaremos matándonos entre nosotros y ahorrándole la batalla a Jerjes.

—Podéis creerme si os digo que sé cómo piensa el Gran Rey. Estoy seguro de que cada día que pasa en Atenas sin que aceptemos el desafío de su flota se impacienta más y más. De momento, Mardonio, que es un hombre prudente, debe estar refrenándolo, pero no podrá seguir así mucho tiempo. Por otra parte, mantener a ese ejército y esa flota es muy caro, y aún más con el lujo que exige la dignidad de la corte real.

—¿Cómo sabes tanto de los persas?

En vez de dirigirse a Calias, que le había hecho la pregunta, Temístocles miró a Cimón al responder.

—La información que tengo sobre ellos me costó cara. Mucho más cara de lo que pensáis. Pero es fiable.

—Ya nos has contado tus intenciones —dijo Arístides—. Ganar esta guerra. En eso estamos de acuerdo. ¿Qué quieres pedirnos?

Temístocles se incorporó, bajó los pies al suelo y se quedó de pie, apoyado en el diván.

—Unidad. Ésa es la clave.

—¿Pretendes hablarme de unidad, tú que hiciste que me desterraran? —dijo Jantipo.

—Déjale hablar —intervino Cimón—. Más agravios tengo yo contra ti, y he aceptado compartir la mesa contigo. Sigue, Temístocles.

—Gracias, Cimón. Sí, estaba hablando de unidad. Esa unidad que está a punto de desmoronarse. A nuestros aliados los mueven intereses y temores distintos de los nuestros. Sobre todo temores. Ellos tienen todavía mucho que perder, mientras que nosotros ya hemos perdido casi todo.

—Todo —le corrigió Calias.

—He dicho casi todo, y lo he dicho bien. Aún nos queda la muralla de madera de Atenea.

—Todo el mundo sabe que ese oráculo lo amañaste tú.

—Intenté amañarlo, pero no lo conseguí —reconoció Temístocles. Su sinceridad desconcertó a los demás, como pretendía—. El oráculo que yo había preparado hablaba de Artemisio, no de Salamina. En aquel momento me negaba a reconocer que éste es el único lugar donde podemos vencer a la flota griega, porque eso suponía la destrucción de Atenas. Os aseguro que los versos de la muralla de madera no son míos.

—Querría creerte —dijo Arístides—. Pero a lo largo de tu carrera no me has dado motivos para confiar en tu sinceridad.

—No negaré que he recurrido a todo tipo de artimañas para ganar esta guerra. Pero lo he hecho por la grandeza de Atenas. —Aquello avivó el interés de Arístides y Cimón. Eran dos guerreros de espíritu homérico que no podían sino reaccionar al escuchar la palabra «grandeza» del mismo modo que Aquiles reaccionaba al oír trompetas de guerra—. Aunque os digan que he recibido sobornos, lo cierto es que he empeñado mi propia fortuna por el bien general. Si Euribíades no ha dado aún la orden de abandonar Salamina es porque le pagué personalmente cinco talentos y le prometí otros tres.

—El soborno no sólo corrompe a quien lo recibe, sino también a quien lo da —dijo Arístides. Era una frase que solía citar, pero en esta ocasión la pronunció con menos convicción que otras veces.

—Dejad entonces que esa corrupción recaiga sobre mí y ensucie mi espíritu. Porque gracias a ella tenemos esperanzas de vencer. Como os decía, ya es bastante difícil lograr que los griegos actuemos unidos. Por eso no debemos agravar la situación con disensiones entre nosotros los atenienses.

Jantipo, que había estado callado más tiempo de lo habitual en él, dio un largo trago de su copa y soltó una carcajada.

—Es muy fácil acabar con esas disensiones. Quítate de en medio. Desaparece de la política y verás cómo todos coincidimos en que, por una vez, has hecho algo bien.

—Eso es justo lo que os propongo, nobles eupátridas.

Los cuatro se quedaron mirándolo con expresión de estupor.

—Explícate —dijo Arístides, incorporándose en el diván.

—Es muy sencillo. Calias ha dicho que en una negociación cada parte plantea a la otra lo que quiere. Y lo que yo deseo es esto: que respetéis mi mando de autocrátor. Como ya os he dicho, tenéis más influencia y poder que los arcontes, los generales o los miembros del consejo. Declarad abiertamente ante el pueblo ateniense que confiáis en mí. Después, dejadme las manos libres para que derrote a Jerjes a mi manera. —Mirando a Arístides a los ojos, añadió—: Porque sé que puedo hacerlo.

—¿Y cuál es la contrapartida? —preguntó Cimón.

Sin apartar la mirada de Arístides, Temístocles dijo:

—Haced lo que os pido y os libraréis de mí. Juro solemnemente que si me apoyáis ahora, Temístocles hijo de Neocles no se presentará nunca más a las elecciones para general. Os daré la victoria, y después desapareceré.

Al día siguiente, con las manos derechas entrelazadas dedo por dedo, Arístides y Temístocles proclamaron solemnemente:

—¡Aquí enterramos nuestra enemistad hasta que hayamos acabado la guerra contra los persas!

Estaban en la playa de Cicrea, donde varaba la flota ateniense. Todos los ciudadanos, decenas de miles, se habían congregado alrededor de los dos hombres, que habían excavado un hoyo en la arena de la playa. El sol de la tarde alargaba sus sombras y exageraba la diferencia de estatura entre ambos.

En medio de un silencio expectante, Temístocles y Arístides se agacharon sobre el agujero, metieron las manos enlazadas en él y dijeron:

—Sean testigos y garantes Hades y Perséfone, que desde ahora guardarán nuestras diferencias en las profundidades de la tierra.

Después de tapar el hoyo, se incorporaron, separaron las manos y las levantaron sobre sus cabezas para mostrar que lo que hubiera entre ambos había quedado sepultado bajo la arena. Un gran clamor se levantó entre la multitud y, como si el ejemplo de los dos políticos hubiera cundido, cada hombre se abrazó con el compañero que tenía al lado. Por un momento, a la vista de su ciudad arrasada y de una flota que los duplicaba en número, todos creyeron que la victoria era posible.

—Siempre has tenido talento para la escenificación, Temístocles —reconoció Arístides—. Espero que ahora consigas montar un decorado igual de convincente para tu batalla.

Temístocles volvió a agarrar la mano de Arístides para mantenerla en alto y sonrió a la muchedumbre mientras ésta los aclamaba.

—Ya tengo algo pensado —contestó—. Todas las naves que nos quedan están reparadas. Pero no nos vendría mal que cambiara el viento.

—En ese caso, amigo mío —dijo el eupátrida—, antes de cenar hagamos un sacrificio a Eolo.

Acrópolis de Atenas, mismo día

Mientras los dos políticos atenienses zanjaban sus diferencias, Artemisia contemplaba el atardecer desde la roca sagrada de Atenas. Había subido por primera vez el día anterior, muy temprano, junto con los Pisistrátidas, hijos y nietos de Hipias. Tras ordenar la destrucción de la Acrópolis, Jerjes parecía haberse arrepentido. Al fin y al cabo, se hallaban lejos de su tierra, en un país donde reinaban divinidades extranjeras. Por eso había decretado que se celebraran sacrificios en la Acrópolis para congraciarse con ellas. Lo cual dio que pensar a Artemisia: tal vez el Gran Rey no estaba tan convencido de que sólo existía un dios como quería hacer creer.

Los soldados habían arrasado y saqueado todos los santuarios y templetes, pero el botín obtenido no era demasiado suculento. Los atenienses habían tenido la precaución de llevarse todo el oro y la plata, e incluso las incrustaciones de las estatuas. Aun así, entre maderas calcinadas, cascotes, restos de cerámica y columnas derribadas, Artemisia alcanzó a sospechar cómo debía de haber sido aquel lugar en todo su esplendor. Tal vez porque se acercaban aquellos días del ciclo lunar en que estaba más sensible, sus ojos se empañaron. No quería que nadie viera sus lágrimas, de modo que se las secó y se mordió el labio.

Ahora, en cambio, estaba sola. Había subido con su primo Palamedes y una guardia de hoplitas, pero les había pedido que la esperaran en la escalinata que daba acceso a la Acrópolis. Tenía todo el monte sacro a su disposición. Lo recorrió despacio, leyendo las inscripciones que aún podían descifrarse en las columnas. Entre los saqueadores debía haber jonios también, pues sobre muchas de ellas habían pintarrajeado con tizne mensajes obscenos y penes y vulvas grotescos.

Debajo de un tablón renegrido había algo que brillaba. Apartó la madera con el pie y se agachó. Era una estatuilla de Ártemis pintada en vivos colores. La diosa vestía una túnica corta que dejaba ver sus rodillas y estaba disparando a algún animal, o tal vez a los Nióbidas. Con la caída, el arco y la flecha se habían partido, pero el resto estaba intacto. Artemisia pensó que era un buen presagio y decidió quedársela.

En su deambular llegó junto a los restos de otro santuario. En él había un pozo de cuyo brocal derruido colgaba una cuerda. Tiró de ella y sacó un balde a medio quemar. Metió la mano por curiosidad, tomó un poco de agua en el cuenco de la palma y bebió. Estaba salada.

Recordó que de niña alguien le había narrado un mito ateniense. Poseidón y Atenea competían por convertirse en los patrones del Ática. Su disputa se dirimió en la cima de la Acrópolis. El dios clavó en la roca su arma, el tridente que provoca seísmos y maremotos, y al hacerlo brotó un manantial que ofreció a los atenienses. Por desgracia, el agua era salada como correspondía al rey del mar. En cambio, cuando Atenea hincó su lanza en el suelo, de éste brotó un olivo de ramas retorcidas cargado de aceitunas.

Por no tener que obedecer a una hembra, los varones atenienses votaron a favor del patronazgo de Poseidón, pese a que su don era inútil. En cambio, las mujeres, que eran más numerosas, eligieron a Atenea y vencieron. Desde entonces Atenea brindó su nombre y su protección a la ciudad; pero los varones, resentidos con sus esposas, les retiraron el derecho a votar y las encerraron en sus casas para que se limitaran a tejer lana y no volvieran a injerirse en el gobierno de la ciudad.

Fue mi abuela quien me lo contó, se dio cuenta Artemisia. Fiel a sus convicciones, Tique aseguraba que aquel mito representaba la llegada de los hombres del norte, de los griegos que habían derrocado a la Gran Diosa y la habían sustituido por sus propias divinidades.

Artemisia se volvió y buscó el olivo sagrado. Lo habían aserrado a la altura de su cintura y, no conformes con ello, habían quemado el tronco, que estaba prácticamente hueco. Sin embargo, de él salía un retoño de medio metro, plagado de hojas y diminutas flores blancas. Artemisia pensó que era imposible que los saqueadores hubieran pasado por alto aquella rama. ¿Cómo había podido brotar en tan pocos días? Del mismo modo que acababa de interpretar el hallazgo de la estatuilla como un buen augurio para ella, ahora se temió que aquel vástago nuevo significara que Atenas podía resurgir de sus cenizas y causarle problemas al Gran Rey.

La textura de las sombras le hizo presentir que el sol se iba a poner. Se dirigió al pretil que bordeaba la cara sur de la Acrópolis para contemplar el crepúsculo, pero antes de llegar reparó en algo raro y se detuvo. Retrocedió unos pasos y vio un pedestal de mármol que, aunque la estatua que sustentaba había desaparecido, aún se mantenía en pie y conservaba íntegra su inscripción.

Soy la Aguadora. Temístocles, hijo de Neocles, del demo de Frear, arconte, me consagró a Atenea gracias a las multas impuestas a los que robaban o desviaban el agua.

El corazón se le aceleró como le pasaba siempre que oía el nombre del padre de su hijo. Llevada por un impulso indescifrable, depositó en el pedestal la figurilla de Ártemis, que quedaba ridículamente pequeña sobre aquella peana. Después, con una silenciosa plegaria a la diosa, se apresuró a llegar al antepecho y asomarse.

El sol estaba rozando el horizonte más allá de Salamina. Los enemigos del Gran Rey se hallaban en aquella isla. Prácticamente cercados, pero protegidos por la angostura del estrecho.

Allí abajo estaba también Temístocles, el hombre que con su sola voluntad impedía que los últimos reductos de resistencia griega se rindieran al Imperio Persa. Artemisia lo recordó sin uñas, con la espalda surcada de heridas, obligado a arrodillarse ante Jerjes. Y, sin embargo, había dicho: «*Volveré a detenerte.*»

En ese momento, mientras el disco del sol terminaba de desaparecer bajo el manto de la tierra, el suelo empezó a moverse a los lados. Artemisia se agarró al pretil para no caer. Al oír cómo los escombros traqueteaban a su alrededor, tuvo la absurda ocurrencia de que una racha de viento extremadamente fuerte estaba zarandeando la cima de la Acrópolis, y se preguntó si conseguiría derribarla. Luego, casi en el mismo momento en que las sacudidas terminaban, se dio cuenta de que se trataba de un terremoto. Recordó otro que había sentido en Halicarnaso. Era muy niña y estaba en la cama, y al día siguiente pensaba que lo había soñado hasta que su padre le dijo que no, que había sido un temblor. La sensación había resultado tan desconcertante entonces como ahora.

Artemisia tuvo una súbita premonición y volvió al pedestal grabado con el nombre de Temístocles. La pequeña columna de mármol seguía en pie, pero la estatuilla de Ártemis había caído al suelo y se había partido en dos.

Al ver aquella señal, Artemisia albergó la firme convicción de que iba a morir en breve. Y Temístocles sería su verdugo.

Salamina, 19 de septiembre

No era la primera vez que Sicino acompañaba a Temístocles a una reunión de generales. Estaba convencido de que no se parecían nada a los consejos de guerra del Gran Rey. Aquí todos gritaban y se quitaban la palabra unos a otros, e incluso se insultaban. Delante de Jerjes, tal falta de modales habría acarreado al infractor una buena tanda de latigazos o algo peor. En realidad, Sicino no sabía qué castigo estaba previsto en tales ocasiones, pues la pura idea de quebrantar el protocolo real se le antojaba inconcebible.

Pero los griegos no entendían de protocolo ni de respeto. Sicino había visto cómo un general llegaba al extremo de agarrar de las manos a otro que estaba hablando para así interrumpirlo. Aquella reunión estuvo a punto de acabar a puñetazos.

Por eso Temístocles insistía en que lo escoltara.

—En una de esas discusiones, con la excusa de un arrebato de ira, alguien podría intentar asesinarme —le dijo mientras se dirigían a la bahía de Silenia, donde estaba varada la nave del almirante espartano—. Entre nosotros anidan muchos traidores, más cerca de lo que creemos.

Sicino tragó saliva y miró al suelo. *Yo no soy un traidor*, se dijo. No le quedaba más remedio que obedecer las órdenes de sus superiores, y las de Mardonio habían sido terminantes: espiar a Temístocles. Pero una machacona vocecilla interior le repetía: *Mardonio no manda más que Mitra*.

Desde el pequeño seísmo que había sacudido la isla, Sicino llevaba dos noches seguidas soñando con la mina del Laurión. Volvía a trabajar en ella y se arrastraba por un túnel tan angosto que se quedaba atorado sin poder avanzar ni retroceder, mientras el compañero que llevaba la linterna delante de él lo abandonaba dejándolo a oscuras. Después, el suelo temblaba y empezaba a caerle tierra en los ojos y la boca. La arena áspera se le metía entre los dientes y también dentro de la garganta, ahogando sus gritos. Cuando estaba a punto de asfixiarse, el juez Mitra se le aparecía y le recordaba: *«Sirve con rectitud a tu nuevo señor, y no mientas más.»* Sólo entonces Sicino abría los ojos y se incorporaba de golpe en la cubierta de la *Artemisia*, empapado en sudor y con el corazón desbocado. Le atormentaba la posibilidad de no despertar. ¿Qué ocurriría si se asfixiaba dentro de la mina durante el sueño? ¿Moriría de verdad y se precipitaría en el infierno?

No tenía por qué condenarse. Todavía no se había acercado a él el verdadero agente de Mardonio. Así que, aunque era cierto que Sicino procuraba fijarse en todo lo que hacía y decía su patrón, como no le había entregado esa información a nadie, no podía afirmarse que fuese de verdad un espía ni un traidor.

—Sicino, es para hoy.

Sicino se dio cuenta de que se había vuelto a quedar pensando con la boca abierta, y la cerró.

—Perdona, señor.

Temístocles le palmeó la espalda.

—No te preocupes, no pasa nada —le dijo, mientras ambos caminaban hacia la nave del almirante espartano—. ¿Sabes, Sicino? A veces pienso que vivimos una época tan dura como la edad de hierro que cantaba Hesíodo: *El anfitrión no respeta al huésped, ni el amigo al amigo. Los hijos desprecian a sus padres en cuanto se hacen viejos. No hay reconocimiento para el hombre justo ni para el honrado ni para el que cumple su palabra. El malvado intenta dañar al virtuoso con palabras retorcidas y falseando los juramentos.* En tiempos así, es reconfortante tener al lado a un sirviente fiel como tú. —Temístocles se detuvo un momento frente a él y le miró a la cara—. No he sido justo al llamarte «sirviente». Pese a que hemos nacido en pueblos destinados por la voluntad de los dioses a ser enemigos, ambos hemos compartido peligros y penurias, y tú has protegido a los míos con lealtad.

—Gracias, señor —balbuceó Sicino, tratando de hurtar la cara. Temístocles le agarró la barbilla y le obligó a mirarlo. Sus ojos eran tan oscuros y grandes como los del propio Mitra. A Sicino se le hizo un nudo en la garganta.

—Pase lo que pase y hagas lo que hagas, Mitranes hijo de Bagabigna, quiero que sepas que no te considero un sirviente, sino un amigo.

Temístocles se dio la vuelta por fin y siguió caminando. *Menos mal*, pensó Sicino, porque se daba cuenta de que se le había subido la sangre al rostro y debía de tener las mejillas de color púrpura.

La reunión se celebró en la cubierta de la nave insignia de Euribíades, la *Clitemnestra.* Dos pelotones de soldados espartanos formaban un cordón a ambos lados del trirreme. Con todo, era difícil que los curiosos que se arremolinaban por allí cerca no se enteraran de lo que se debatía, puesto que los griegos no tenían precisamente la costumbre de discutir en voz baja. De todos modos, esta vez el almirante espartano parecía decidido a poner orden.

—¡Juro por Cástor y Pólux que al que tome la palabra sin mi permiso le abro la cabeza con mi bastón! —dijo, enarbolando el arma de la amenaza.

Aquella cubierta tan alargada y estrecha no parecía el mejor lugar para celebrar una junta de generales. Sobre todo teniendo en cuenta que eran veintiuno, más un número casi igual de asistentes o guardaespaldas como Sicino. Euribíades presidía desde el sillón de trierarca. Los demás estaban de pie, empezando por Temístocles, a la derecha del espartano. Como había poco sitio, Sicino se había quedado detrás de su patrón, en una plataforma más baja entre el codaste y el puesto del trierarca. Gracias a sus dos metros de estatura, la cabeza le quedaba casi a la altura de la de Temístocles y podía verlo y escucharlo todo.

Pensó que ojalá Apolonia le hubiera permitido acompañarla a Egina. Cuando estaba con ella y con sus hijas todo era mucho más fácil. Se sentía útil protegiendo a las crías, y también a Nesi y a la propia Apolonia. Además, era divertido oír las carcajadas de Italia cuando la encaramaba a sus hombros o la volteaba en el aire —Síbaris aún era demasiado pequeña para esos juegos tan bruscos—. Sobre todo, estaba más relajado porque no tenía que memorizar todo lo que decían. Si algún día aparecía el misterioso agente de Mardonio y le exigía el informe, ¿cómo iba a importarle lo que hicieran una mujer y sus tres hijas?

Se dio cuenta de que llevaba un rato despistado y trató de aguzar el oído. De momento, parecía que los generales respetaban el turno de palabra, lo que le permitía enterarse. Aunque ya llevaba trece años en Grecia, seguía aturullándose cuando hablaban muy rápido o todos a la vez, y también cuando utilizaban juegos de palabras que no captaba. Aunque, si había de ser sincero, en su propio idioma también se le escapaban muchas sutilezas.

Quien tenía la palabra era Temístocles, que insistía en que la flota de la Alianza debía combatir allí mismo y no retirarse. Los griegos estaban muy preocupados porque la víspera habían divisado una polvareda al norte, por la zona de Eleusis, donde se encontraba uno de sus santuarios más importantes. Allí llevaban a cabo unos rituales tan secretos que todo aquel que los divulgase era condenado a muerte. Al parecer, tenían relación con unos *daevas* femeninos, y también con el infierno. Aunque no fuesen diosas auténticas, a Sicino le infundían bastante respeto aquellos misterios. Nunca dejaba de pensar en lo cerca que había estado de precipitarse desde el puente de Chinvat hacia las tinieblas eternas.

Los vigías apostados en la zona norte de Salamina habían informado de que esa polvareda se debía a que un enorme ejército se estaba desplazando por el camino que corría por la costa norte del golfo de Eleusis, en dirección al Istmo. Temístocles calculaba que debía ser una división, compuesta por veinte *hazarabam*. Sicino estaba de acuerdo, pues sabía que por caminos tan estrechos veinte mil hombres podían formar una columna de marcha tan larga que parecerían muchísimos más.

Escilias, el buceador de bigotes tiesos que su patrón había traído consigo de la batalla del norte, decía que no tenían que preocuparse tanto, que sólo era una maniobra de distracción, porque ni a Jerjes ni a Mardonio se les ocurriría separar el ejército de la flota. Sicino no estaba tan convencido. La *Spada* llevaba conquistando países desde los tiempos de Ciro sin ayuda de barcos.

Adimanto, el general de Corinto, de pie a la izquierda de Euribíades, tampoco creía que se tratara de una diversión. Aquel hombre de rostro flaco y ojos rasgados como los de un zorro no le caía bien a Sicino, pero reconocía que sus palabras tenían su lógica.

—Debemos acudir a defender el Istmo cuanto antes. Aquí estamos bloqueados sin hacer nada, mientras nuestros hermanos que defienden la muralla corren peligro. Tenemos que ir a ayudarles y juntar fuerzas con ellos. Por separado somos más débiles.

—¿Nuestros hermanos? —dijo Temístocles—. ¿Me estás pidiendo que acuda corriendo a ayudar a los mismos hombres que no se han molestado en venir a Atenas, que se han negado a salirle al encuentro al bárbaro para impedir que quemara nuestra ciudad?

—Tiene la palabra Adimanto. No le interrumpas —le advirtió Euribíades.

—Gracias —dijo el corintio—. En cuanto a lo que estaba diciendo, todos podéis comprender que aquí no avanzamos nada y que la situación está estancada. Nos encontramos hacinados desde hace más de veinte días en esta isla, donde apenas hay agua potable para todos, sólo porque Temístocles insiste en que este estrecho *podría* ser el mejor sitio para combatir contra la flota enemiga.

—Lo es. Salta a la vista —dijo Temístocles.

—Guarda silencio —ordenó Euribíades—. No habrá más avisos.

A Sicino le extrañaba la actitud de su patrón. Temístocles siempre se mostraba paciente y comedido con todo el mundo, y más dado a escuchar que a interrumpir a los demás. Pero ahora la voz le temblaba de indignación.

Debe de estar así de alterado por lo de Apolonia, pensó. A veces, aunque no fuese muy observador, sabía darse cuenta de esas cosas. Además, comprendía a su patrón, porque a él también le apenaría perder a una mujer como Apolonia.

—No seré yo quien contradiga a mi ilustre colega, aunque él no sepa respetar el turno de palabra de los demás —dijo Adimanto sin dignarse mirar a Temístocles—. Pero precisamente porque salta a la vista que el estrecho de Salamina es un buen sitio para combatir, a los persas no se les ocurrirá entrar en él. Jerjes no tiene la menor intención de combatir aquí. ¡Incluso ha intentado la locura de atacarnos por tierra tendiendo un terraplén desde el continente hasta la isla!

Sicino no pensaba que fuese ninguna locura. Jerjes, que había perforado la península del Atos, habría sido bien capaz de conseguirlo de no ser por los trirremes cargados de arqueros que acosaban a sus zapadores y le obligaron a renunciar a su empeño.

—Por eso quiero que sometamos a votación mi propuesta —prosiguió Adimanto—. Antes de que a los persas se les ocurra cerrarnos el canal que hay entre Salamina y Mégara, debemos zarpar y reagruparnos junto al Istmo, en el puerto de Cencres. *Todos*, incluso los atenienses.

—¡No pienso consentir que se cometa esa traición!

Adimanto, que seguía sin mirar a Temístocles, gritó incluso más que él. Tenía una voz penetrante y clara, muy difícil de acallar.

—¡Y propongo también que en esa votación no participe este hombre que no deja de interrumpirme! Aquí estamos reunidos representantes de ciudades libres y que aún existen, y por eso tenemos derecho a votar. ¡Temístocles es un apátrida! —Se volvió hacia el mar y señaló al otro lado del estrecho, donde seguían elevándose espirales de humo de las ruinas de Atenas—. ¡Por pura envidia de los que todavía tenemos patria, no descansará hasta que los persas arrasen nuestras ciudades como han hecho con la suya!

—¡Te exijo que retires esas palabras ahora mismo! —exclamó Temístocles, agarrando a Adimanto del brazo para que se volviera hacia él. Euribíades se levantó del asiento e interpuso el bastón entre ambos.

—Toma la palabra cuando te corresponda, Temístocles.

—Hay infamias que deben responderse en el momento.

—¿Sabes lo que les pasa a los que salen antes de tiempo en las carreras?

—Dímelo tú —respondió Temístocles, rechinando los dientes.

—¡Que los jueces los azotan por adelantarse!

—Seguro que los espartanos nunca os adelantáis. Por eso nunca llegáis a tiempo a ningún sitio —contestó Temístocles.

El almirante levantó el bastón para pegarle. Sicino se preguntó si debía defender a su patrón en esa circunstancia. Pero antes de que pudiera intervenir, Temístocles detuvo la muñeca de Euribíades y la apretó con tanta fuerza que las venas de la mano del espartano se hincharon como sogas.

—Golpéame luego si quieres, pero ahora escucha lo que tengo que decir.

Le soltó con brusquedad, y el general espartano se sentó con la boca abierta, sin acertar a decir nada. Temístocles se dirigió a Adimanto, señalándolo con el dedo índice.

—Infeliz, si nosotros hemos abandonado nuestras casas y nuestras murallas es porque creemos que no vale la pena convertirse en esclavos por defender cosas que no tienen vida. Pero, a cambio, poseemos la ciudad más poderosa de Grecia. ¿Sabes cuál es esa ciudad? Los doscientos trirremes con los que vamos a rechazar al invasor. ¡Con vuestra ayuda o sin ella! Ya habéis permitido que Jerjes arrasara nuestra ciudad. Ahora, como por segunda vez os vayáis y nos traicionéis, no tardarán en enterarse todos los demás griegos de que los atenienses poseemos una ciudad libre que no es inferior en nada a la que hemos abandonado. ¡Y mucho menos a la tuya!

Después se dirigió a todos.

—Esto es lo que os digo, *hermanos* griegos. Si os dejáis llevar por los consejos de Adimanto y las dudas de Euribíades, ocasionaréis la ruina de toda Grecia. Pero no será con nuestra ayuda. Si decidís que la flota se retire al Istmo, no contéis con nosotros. Porque recogeremos enseguida a nuestras mujeres y a nuestros hijos y nos trasladaremos en masa al sur de Italia. Hay un lugar llamado Siris mucho más fértil que cualquier tierra de Grecia, y los oráculos nos han recomendado que fundemos allí una colonia. Luego, cuando todos estéis bajo la bota del Gran Rey, incluidos los espartanos, os acordaréis con nostalgia de nuestros doscientos barcos. ¡Pero entonces será demasiado tarde!

Durante unos segundos nadie contestó. Aprovechando aquel silencio, Temístocles se volvió hacia Sicino y le dijo:

—¡Nos vamos!

—Esto es un desastre. Esta guerra me recuerda cada vez más a la revuelta jonia. Al final, acabaremos como en la batalla de Lade.

Temístocles, Euforión y Mnesífilo estaban recostados en sendos divanes. Sicino había preferido sentarse en un arcón, pues ninguno de los taburetes que había en aquella casa le parecía seguro para su peso. Era una cena temprana. Aún quedaban un par de horas de luz.

Cuando abandonaron la reunión, Temístocles estaba tan furioso que le dijo a Sicino que no quería saber nada de la guerra ni de la flota ni de los condenados griegos. En vez de regresar a Cicrea, la bahía donde estaban varados los barcos atenienses, había tomado el camino que subía al promontorio de Cinosura y llevaba a la casa de Clístenes. Pero antes le encargó a Sicino que buscara a Euforión y Mnesífilo.

—Diles que necesito hablar con mis amigos.

Después, cuando Sicino se disponía a dejar a los tres hombres a solas, Temístocles le dijo:

—He dicho «mis amigos». ¿Es que no recuerdas la conversación que hemos tenido antes? Quiero que cenes con nosotros.

Sicino se quedó, sintiéndose a medias halagado y a medias culpable. Fue una comida sencilla y frugal: queso, pan de cebada, aceitunas y anchoas en salazón. Con más de cien mil personas en la isla, había que economizar provisiones. De momento seguían llegando barcos con víveres de Egina y Trecén. Pero algunos de ellos ya habían sido atacados por los trirremes persas, y mucho se temía Sicino que no tardarían en pasar hambre. Lo cual le preocupaba bastante.

—¿Por qué has dicho lo de Lade? —le preguntó Mnesífilo a Temístocles.

—¿Estuviste en esa batalla? —dijo Euforión—. Creo que fue la mayor mierda de todas las mierdas.

—No, no estuve —respondió Temístocles— . Pero conozco a varios marineros que sí combatieron allí. Los aliados griegos desplegaron más de trescientas naves contra los persas, igual que nosotros. Y también tenían su propio Temístocles: un hombre que entendía de mar, que intentaba convencer a todos de que había que entrenar las maniobras y tomarse la guerra en serio..., y al que nadie hacía caso, como a mí.

—¿No era un focense? —dijo Mnesífilo.

—Dionisio de Focea, sí. Ese hombre se empeñaba en algo inaudito. Quería que sus tripulaciones se adiestraran todas las mañanas. Por las tardes, además, les obligaba a quedarse a bordo de los trirremes hasta que oscurecía por si se producía un ataque enemigo. ¡Disciplina, lo que más nos gusta a los griegos! Casi tanto como la unión.

Sicino se quedó desconcertado un instante por las palabras de su patrón. Luego pensó: *Está siendo irónico.*

—Todos andaban tan resentidos con él que, cuando llegó la hora del combate, los barcos de Samos y los de Lesbos desertaron. El oro de Darío también tuvo algo que ver, eso seguro. Por supuesto, la batalla acabó en desastre.

Ahora que Sicino lo recordaba, él conocía a soldados de la flota persa que habían estado en aquel enfrentamiento. Pero no le habían dicho que los enemigos hubiesen desertado, tan sólo que había sido otra gloriosa victoria del Gran Rey. Después de aquello, Mileto cayó y la rebelión de los insurrectos jonios quedó aplastada.

—¿Temes que pase lo mismo ahora? —preguntó Mnesífilo.

—No lo temo. *Lo sé.* Pero esta vez los traidores no van a esperar a que se produzca la batalla para desertar.

—¡Por las boñigas de Pan! ¿Qué quieres decir? —preguntó Euforión.

Temístocles bajó la voz tanto que Sicino tuvo que acercarse para oírlo mejor.

—Esta misma noche va a producirse la desbandada. Ya sabéis dónde están los barcos corintios, en la playa que hay más allá de nuestra bahía. Pues bien, durante la cuarta guardia zarparán hacia el norte y se escaparán por el canal de Mégara.

—¿Estás seguro de eso? —preguntó Mnesífilo—. Adimanto es un hombre insolente y soberbio, pero no creo que sea capaz de semejante traición.

—¿A ti qué te parece, Sicino? —preguntó Temístocles, volviéndose hacia él. El persa se quedó sorprendido. No era frecuente que le consultaran su opinión—. ¿Crees que Adimanto es capaz de hacernos esa jugarreta?

Todos los griegos sois traidores por naturaleza, pensó Sicino. Por supuesto, no era el comentario más oportuno, así que contestó:

—No lo sé, señor. No parece que le guste mucho seguir aquí en Salamina. Y es verdad que se le veía muy enfadado contigo.

—¿Lo veis? Sicino se ha dado cuenta.

—No me parece un argumento que... —dijo Mnesífilo.

—No me baso en eso —dijo Temístocles—. No me creas tan necio, mi buen amigo. Sé que hay muchos ojos espiándome, pero yo también tengo mis agentes. Creedme si os digo que esta noche va a producirse mucho movimiento en los estrechos. Si nos descuidamos, cuando amanezca estaremos solos en Salamina. O, en el mejor de los casos, acompañados por los megarenses, que con su ciudad destruida tienen tan poco que perder como nosotros.

—¿Lo sabe Euribíades? —preguntó Mnesífilo.

Temístocles se encogió de hombros.

—No me consta que lo sepa. Pero, sinceramente, no me extrañaría. Los últimos espartanos fieles a nuestra causa murieron en las Termópilas.

—¿Y no nos han dicho nada a nosotros, que tenemos más de la mitad de los barcos de la flota?

—Nosotros no queremos abandonar Salamina ni alejarnos de Atenas. ¿Cómo van a decírnoslo? Pueden pensar que intentaremos impedírselo, tal vez por la fuerza.

—¿Y es que no vamos a intentarlo? ¿Es que no *vas* a intentarlo tú? Todos juntos apenas somos rival para la flota persa, pero por separado estamos perdidos.

—Yo no voy a intentar nada, mi querido Mnesífilo. Me rindo.

—¿Qué? ¿Cómo has dicho?

Mnesífilo se incorporó en el diván, al igual que Euforión. Pero Temístocles siguió recostado, con gesto indolente.

—Has oído bien. He dicho que me rindo. Se acabó. Estoy harto de malgastar mi vida y arruinar mi hacienda por el bien de todos los griegos. No merece la pena.

Temístocles agachó la cabeza. Sicino no se esperaba algo así de su patrón, que nunca había cedido al desánimo. Tal vez le estaba entrando por fin algo de sensatez en la mollera. Al fin y al cabo, era una persona inteligente y tenía que comprender que era imposible enfrentarse al Gran Rey con esperanzas de victoria.

—¿Es que te vas a entregar a los persas? —preguntó Mnesífilo.

—Reconozco que lo he estado sopesando —respondió Temístocles.

A Sicino se le iluminó el semblante. Sí, efectivamente Temístocles estaba entrando en razón. Sin duda el Gran Rey aceptaría el vasallaje de un hombre tan capacitado y Sicino no tendría que sufrir dividiendo sus lealtades. Sin embargo, su alegría duró poco.

—Pero la respuesta es no, Mnesífilo. He jurado muchas veces que jamás me arrodillaría ante Jerjes. —Durante un segundo se quedó mirándose los dedos. El único que comprendía la razón era Sicino—. Nunca violo mis juramentos. Haré como Dionisio de Focea, que se instaló en Italia.

—Y se convirtió en pirata, por lo que tengo entendido.

—Yo no soy eupátrida. Lo que cada uno haga para ganarse la vida me es indiferente. —Temístocles dio un sorbo de vino y prosiguió—: Si Corinto y otras ciudades van a desertar esta noche, es el mejor momento para que huyamos. De lo contrario, mañana podríamos encontrarnos encerrados en el estrecho. Cuando Jerjes se entere de que Adimanto ha escapado por el canal de Mégara, seguramente enviará varias escuadras para bloquearlo e impedir que nadie más pueda salir por allí.

—Hasta ahora no ha querido dividir su flota —dijo Mnesífilo.

—Para mantener su superioridad numérica, por si nos decidíamos a salir del estrecho y presentarle batalla. Pero en cuanto sepa que nuestros aliados nos han abandonado, ya no tendrá esa preocupación y podrá cerrar la tenaza por los dos lados de la isla.

—Joder, si tenemos que huir de Salamina antes de ahogarnos en nuestra propia mierda, ¿qué estamos haciendo aquí tan tranquilos? —preguntó Euforión, sacudiendo la cabeza como un perro recién salido del agua. Temístocles soltó una carcajada.

—Lo de «tranquilos» no lo dirás por ti, ¿verdad?

—Euforión tiene razón —dijo Mnesífilo—. Si ése es tu plan, tendrías que hablar con los demás generales para organizar ya la evacuación.

—No habrá ninguna evacuación.

—¿Qué quieres decir?

—Es imposible que toda la flota ateniense escape en secreto. Mi intención es comunicar mis planes tan sólo a los hombres de mi escuadra, y salir a la vez que los corintios. Es el momento más apropiado: cuando quedan un par de horas para el amanecer, la vigilancia siempre se relaja.

—Mierda, joder, pero ¿cómo vas a sacar treinta barcos sin que se enteren los demás? —dijo Euforión.

—Los que se enteren que nos sigan. Pero nosotros zarparemos los primeros, antes de que el enemigo tenga tiempo de reaccionar. —Temístocles se incorporó por fin en el diván—. Pasaremos entre Cinosura y Psitalea. Nada de flautas marcando el ritmo de la boga: lo haremos con piedras, muy despacio para que los remos no chapoteen. Para cuando amanezca, ya estaremos camino de Egina.

—Si quieres que tu escuadra salga la primera, me parece bien —dijo Mnesífilo—. Pero debes decírselo a los demás generales para que todo el mundo tenga la oportunidad de escapar.

Temístocles dio un puñetazo en la mesa. Unas cuantas aceitunas saltaron fuera del plato y cayeron rodando al suelo.

—¡Que se jodan los demás generales! Siempre han estado buscándome las cosquillas, pero desde que estamos en Salamina me han hecho la vida imposible. Arístides debe de estar a punto de llegar con los Eácidas. ¡Que los salve él!

Sicino se quedó desconcertado. ¿Quiénes eran esos Eácidas que, en vez de huir, se atrevían a venir a Salamina para enfrentarse al Gran Rey? Luego recordó que, después del breve terremoto, los atenienses habían hecho un sacrificio a su dios del mar, al que atribuían tales fenómenos. También habían decidido que, por alguna razón que a él se le escapaba, el temblor significaba que debían impetrar la ayuda de unos héroes locales. Ésos debían de ser los Eácidas. Por eso habían enviado a Arístides a Egina para que trajera sus estatuas.

—¿No habías hecho las paces con Arístides? —preguntó Mnesífilo.

—No seas ingenuo. Esa farsa no significaba nada. Él y yo somos como el agua y el aceite.

Pero si habían hecho un juramento, pensó Sicino.

—Si no se lo dices tú a los generales, tendré que hacerlo yo —dijo Mnesífilo.

Hay hombres que entrecierran los párpados cuando quieren intimidar a otros. En cambio, Temístocles abría los ojos aún más de lo habitual, dejaba de pestañear y bajaba la voz. Sicino lo encontraba más amenazante.

—Está claro que he cometido un error compartiendo mi información contigo, Mnesífilo.

—Esto no es información. ¡Pretendes que me convierta en un traidor!

Temístocles se volvió hacia Euforión, que parecía tenso como una cuerda de arco y no paraba de golpearse los hombros y recorrer con el dedo el borde de su copa a toda velocidad.

—Veo que no cuento con todos mis amigos. ¿Tú estás conmigo, Nervios?

Sicino no sabía por qué Temístocles actuaba así. Era él quien le había dicho mucho tiempo atrás: «*Aunque cuando hablamos entre nosotros de Euforión lo llamamos el Nervios, no se te ocurra soltárselo a la cara. Le molesta mucho.*» Utilizar su mote no parecía la mejor forma de ganarlo para su causa.

Euforión entrecerró los párpados un instante en un gesto que casi parecía de odio. Después apartó la mirada de Temístocles y respondió:

—Esto es la gran madre de todas las mierdas. Pero tienes razón. Si se entera todo el mundo y salen trescientos barcos a la vez, los cabrones de los persas nos pillarán en aguas abiertas.

—Recuerda que tienes a un persa al lado. No los insultes.

—No importa —dijo Sicino. Hacía tantos años que conocía a Euforión que prácticamente ya no oía sus palabrotas. Lo que seguía sacándolo de quicio era que no pudiese estar quieto, pero tampoco tenía remedio.

—¿Tengo tu palabra de que no te irás de la lengua?

—¡Que Pan me convierta en cagarruta de cabra si digo algo!

—Muy bien. Entonces quiero que tú y Sicino vayáis a la *Artemisia* y me esperéis allí. Habla con Heráclides y dile que prepare la nave. Que tense bien los cables maestros, y que los demás trirremes de nuestra escuadra hagan lo mismo. No quiero que los persas nos oigan por culpa de los crujidos de los cascos.

—¿Tú no vienes?

Temístocles miró a Mnesífilo, que se había incorporado en el diván y no apartaba los ojos de él. A Sicino le dio la impresión de que estaba más asustado que indignado. *¿Será capaz de matarlo?*, se preguntó. Por eso se alegró de que Temístocles lo mandara fuera de allí. Si pretendía hacer daño a Mnesífilo, prefería que no se lo encargase a él. El viejo era buena persona y lo había alojado unos días en su casa, aunque fuese en el patio.

—Yo me quedo. Tengo cosas que arreglar con Mnesífilo —dijo Temístocles, desenvainando su espada—. Vamos, poneos en marcha. Pronto se hará de noche.

Euforión se apresuró a salir, sin mirar atrás, y Sicino lo siguió.

Desde la puerta de la casa se veía todo el alargado espolón de Cinosura, y a la izquierda la bahía de Silenia. En la playa, junto a los barcos, los hombres empezaban a encender fuegos para preparar la cena, y los trirremes que patrullaban la entrada del estrecho regresaban ya al puerto. Más allá, la costa del Ática se veía algo borrosa, teñida de un sucio color cárdeno. El día había amanecido seco y con una visibilidad excelente, como en las jornadas anteriores, pero conforme pasaban las horas cada vez se notaba más bochorno. El sudor no llegaba a evaporarse de la piel y se quedaba pegado a ella en diminutas y pegajosas perlas hasta que acababa resbalando. A Sicino le sacaba de quicio aquella sensación, sobre todo cuando un reguero le goteaba por la espalda. Pensó que tal vez aquel tiempo enervante tenía la culpa de que los generales se hubiesen mostrado tan irritables en la reunión y del extraño comportamiento de Temístocles.

Sicino se dispuso a tomar el sendero de la izquierda, que conducía al pueblo de Salamina y de ahí a la bahía de Cicrea. Pero Euforión lo agarró del brazo y le dijo:

—Espera. Tengo que decirte una cosa.

A Sicino le sorprendió que, incluso en una frase tan breve, no se le escapara ninguna palabrota. Pero aún se quedó más estupefacto cuando Euforión añadió en persa:

—Ha llegado la hora de caminar por el puente de Chinvat.

Mnesífilo se quedó mirando a Temístocles, mientras la punta de la espada apretaba su nuez.

—Siempre he pensado que te conocía mejor que nadie, Temístocles, y que no me podías engañar. Te tenía por un embaucador y un tunante, pero con grandeza de miras. Ahora descubro que eres un miserable.

—¿De veras? —dijo Temístocles, sonriendo. De pronto parecía encontrarse de un humor excelente.

—No pienso ser cómplice de tu última bellaquería. Voy a delatar tus planes a los generales.

—No, no lo harás. —La sonrisa de Temístocles era cada vez más amplia.

—Entonces tendrás que matarme —dijo Mnesífilo, con menos aplomo en la voz del que hubiese querido. Desde que tenía cincuenta años había comprobado con desagrado cómo los testículos le colgaban cada vez más bajos. Ahora los tenía tan pegados al cuerpo que casi habría podido pasar por un eunuco, y sus intestinos amenazaban con vaciarse sobre el diván.

—La verdad es que, con el dilema que me planteas, no me quedaría otro remedio. ¿Estarías dispuesto a morir por tus principios?

Mnesífilo intentó responder «*Sí*», pero más bien le salió un débil cacareo. Tragó saliva y, con algo más de dignidad, probó de nuevo.

—Sí. Hazlo ya.

Temístocles apartó la espada de su cuello y volvió a guardarla en la vaina. Después le agarró de la mano y tiró de él para levantarlo del diván.

—Me has hecho el hombre más feliz del mundo, mi viejo amigo. En verdad acabo de comprobar que en momentos sublimes se puede alcanzar la perfección.

Cuando se puso de pie, Mnesífilo se apretó el vientre con ambas manos, como si quisiera devolver las tripas a su sitio. Ahora que había enfundado la espada, Temístocles le daba casi más miedo que antes. Sin comprender nada, lo siguió hasta el jardín. Temístocles se asomó por encima de la tapia que lo rodeaba y volvió a sonreír.

—¡Bien! Por allí van los dos. Excelentes noticias.

Mnesífilo se asomó también. El gigante persa y el Nervios bajaban casi a trompicones hacia una cala donde los aguardaba un bote de remos.

—Pero ¿no los habías mandado en dirección contraria?

—Exacto, mi querido Mnesífilo. Quienes vamos a ir ahora mismo a Cicrea somos tú y yo.

—¿Puedo saber qué está pasando?

—No es necesario que lo entiendas todo aún.

—¡Pero es que no entiendo nada!

Tomaron el sendero que descendía hacia el pueblo. En vez de entrar y atravesar el Ágora, Temístocles lo llevó por calles menos concurridas. Aun así, no dejaron de encontrarse con conocidos que le preguntaban por lo sucedido en el consejo de generales. Algunos lo felicitaban por haberse enfrentado a Euribíades y decirle unas cuantas verdades a Adimanto. Temístocles contestaba con monosílabos, sin dejar de andar. Caminaba a zancadas, espoleado por algún demonio interior. Mnesífilo, al que todavía le temblaban las rodillas del susto, apenas podía seguirlo. Por fin, se detuvo y se dobló sobre sí mismo para recuperar el aliento.

—¿Por qué te paras? ¡Tenemos mucho que hacer!

—Si... si no me dejas descansar un momento —jadeó Mnesífilo—, me vas a matar de verdad.

Temístocles le esperó, aunque con visibles gestos de impaciencia. Cuando el pinchazo en el costado remitió, Mnesífilo se puso en marcha de nuevo. Por más que intentaba que su amigo le ofreciera alguna explicación, no lo consiguió.

—Vamos a ir por partes —fue todo lo que le dijo—. Primero tengo que solventar una deuda y cumplir un juramento. Luego nos ocuparemos de los asuntos bélicos.

Tras dejar atrás el pueblo, llegaron al campamento ateniense. Mientras pasaban entre los corros de soldados y marineros que se preparaban la cena junto a las fogatas, Temístocles agarró con fuerza el brazo de Mnesífilo y masculló entre dientes:

—Ni una palabra, ¿está claro?

—Al menos compénsame explicándome algo.

—Lo sabrás todo en su momento, te lo prometo.

Los hombres se apartaban, porque era evidente por su gesto grave y la determinación de su paso que el general llevaba mucha prisa. Llegaron por fin junto a la *Artemisia*. Tras una breve conversación en voz baja con el piloto, Temístocles subió por la escalerilla y dijo a Mnesífilo que lo siguiera. Recorrieron la pasarela central hasta la proa y una vez allí bajaron a la bodega. En el espacio que mediaba entre los primeros remos y el espolón, Temístocles había hecho levantar un tabique de madera con una puerta cerrada por un candado. Ahora la abrió y sacó de dentro un hatillo de ropa. Eran dos capotes militares provistos de capucha.

—Ponte uno.

—¿Con el calor que hace? Definitivamente, tú has decidido acabar conmigo.

Ahora que estaban a solas en el interior del barco, Temístocles volvía a sonreír. Después de tanto tiempo cargando con las preocupaciones de toda Grecia, aquel gesto casi travieso lo rejuvenecía. Pero a Mnesífilo, superado el susto inicial, le estaba sacando de quicio.

—Ya has visto que en una isla atestada de gente es complicado mantener el anonimato. No quiero que nos anden parando a cada momento para preguntarme por lo que ha pasado con Euribíades.

—Te advierto que me niego a tener nada que ver con tus manejos si es para... Un momento. ¿Eso qué es?

Temístocles estaba sacando de la cabina un escudo que debía pesar bastante a juzgar por cómo lo manejaba. Mnesífilo recordaba haberlo visto en la casa de Clístenes. Ahora, cuando su amigo lo apoyó sobre un banco de remero y le retiró la funda de piel, pudo verlo mejor.

—¡Por los perros de Hécate! Pero si es...

—La Gorgona que adornaba la estatua grande de Atenea. En efecto.

El monstruo fundido en oro contemplaba a Mnesífilo con sus enormes ojos de esmeralda, abriendo la boca en un gesto sanguinario. La luz temblorosa de la lámpara proyectaba sombras huidizas que daban la impresión de que las serpientes que tenía por cabellos se movían con vida propia. Mnesífilo no se consideraba una persona supersticiosa, pero al sentir sobre sí la petrificante mirada de la Gorgona hizo un gesto apotropaico con los dedos para ahuyentar el mal.

—Pero si todos los tesoros de la Acrópolis están a buen recaudo en el templo de Áyax... —dijo.

—Es sólo un préstamo. La cogí cuando me llevé la serpiente del santuario de Erecteo. Pero lo he hecho con la connivencia de los sacerdotes. Aún no me he vuelto un ladrón sacrílego. En realidad —dijo, mientras guardaba la Gorgona en la funda de piel de un escudo—, me va a servir precisamente para evitar un sacrilegio.

Encapuchados y cargando con la Gorgona, desanduvieron el camino que llevaba al pueblo de Salamina. Se había hecho de noche. Sin embargo, lejos de refrescar, cada vez hacía más calor. O así se lo parecía a Mnesífilo, porque el bochorno era aún peor bajo aquellos capotes untados de grasa impermeable. Pero, aunque sudaba copiosamente y le dolían las piernas de la caminata, no estaba dispuesto a quedarse atrás. Quería averiguar qué tramaba Temístocles.

—Eolo nos sonríe. Va a cambiar el viento —dijo Temístocles, levantando la mirada hacia el cielo. Se había hecho de noche. Era el segundo día de luna llena, pero su disco se veía sucio y amarillento por la calima que flotaba en el aire y que borraba las estrellas.

—Mejor nos vendría el etesio para huir hacia Egina, ¿no crees? —dijo Mnesífilo. Aunque no entendía demasiado de navegación, era evidente que lo mejor para viajar hacia el sur era un viento del norte.

—En eso tienes razón —contestó Temístocles, con una sonrisa indefinible.

—Está claro que no me quieres contar nada.

—Sólo te diré una cosa por ahora. Siento haberte asustado antes, pero tenía mis razones. Jamás te haría daño.

Mnesífilo no estaba tan seguro de ello. En aquel momento, creía a Temístocles capaz de cualquier cosa.

Llegaron ante una casa en la parte oeste del pueblo. Las ventanas eran pequeñas y estaban cerradas, pero se oía música de flautas y voces alegres en el interior. Temístocles llamó a la puerta. Al cabo de un rato, el postigo se abrió y tras él apareció un rostro alumbrado por una vela cuya llama temblona no contribuía a embellecer sus rasgos brutales.

—¿Qué queréis?

—Buscamos al general Andrónico. Nos han dicho que se aloja aquí con su amigo Sófanes.

—Andrónico no quiere que lo molesten.

Temístocles se levantó la capucha.

—Dile quién soy.

El esclavo abrió la puerta sin preguntar más.

—Esperad aquí —les dijo tras dejarlos en una estancia de paredes desnudas.

Allí dentro los ruidos de la fiesta sonaban mucho más fuertes. Mnesífilo contó dos voces de varón y tal vez tres o cuatro de mujer. Ellas parecían muy jóvenes, y algo le hizo sospechar que debían de andar ligeras de ropa.

Se sentía cada vez más intrigado. Imaginaba que se trataba de un soborno, pero no alcanzaba a relacionarlo con la conversación que habían sostenido durante la cena. Siempre se había jactado de conocer a Temístocles como si lo hubiera criado a sus pechos, pero esta noche lo tenía desconcertado.

No pasó mucho rato hasta que apareció Andrónico. El general, tocado con una corona de pámpanos, venía colocándose los pliegues de la túnica y anudándose el cinturón.

—¡Vaya, vaya! ¡Cuánto bueno por aquí! Mi amigo Temístocles y el ilustre Mnesífilo. Me preguntaba ya si cumplirías tu palabra o tendría que recordártelo.

—Hoy es el segundo día de luna llena. Por tanto, no he sobrepasado el plazo.

El esclavo se quedó en la estancia, cubriendo la espalda a su amo. Aunque era algo más bajo que Andrónico, Mnesífilo observó que sus hombros se veían a más altura. Aquella tosca cabeza modelada a fuerza de puñetazos parecía brotar directamente del tronco sin la mediación de un cuello.

—¿Has traído lo mío? —preguntó Andrónico.

Temístocles, con visible alivio, apoyó en el suelo la carga que traía, desató el lazo de la funda de cuero y la dejó resbalar. Al ver los rasgos de la Gorgona, al general se le congeló la sonrisa.

—¿Qué significa esto? ¿Has despojado a la estatua de Atenea para pagarme? ¿Es que pretendes burlarte de mí?

—¿Quién te impide fundirla en lingotes? Yo mismo he pesado esta Gorgona. Son casi cincuenta minas de oro macizo. ¿Estás de acuerdo en que equivale a los ocho talentos de plata que convinimos?

—Sí, pero...

—Será a mí a quien culpen por la falta de la Gorgona, no a ti. Fui yo quien firmó el recibo al sacerdote cuando la retiramos del templo. No tienes por qué preocuparte. Te he traído la suma convenida y en el plazo convenido. ¿Estás de acuerdo con eso?

Al observar que, por detrás de Andrónico, el esclavo se desataba el cordel que le ceñía la túnica, Mnesífilo empezó a preguntarse si saldrían vivos de la habitación. Aunque Temístocles tenía una espada, no apostaría su dinero por él en una pelea contra aquel matón con las manos desnudas.

—Te he preguntado si estás de acuerdo.

Andrónico se rascó la cabeza, ladeando la corona de hojas al hacerlo. Por el color de sus mejillas y sus orejas, debía llevar bebiendo desde media tarde.

—Está bien. Pero después no quiero tener problemas. Si alguna vez me...

—Por tanto, he cumplido mi juramento —le interrumpió Temístocles, y volvió a cubrir la Gorgona con la funda de piel—. Eso es lo que quería oír.

—¿Qué quieres de...?

El esclavo, que había terminado de quitarse el cíngulo, rodeó con él el cuello de Andrónico y apretó. La pregunta del general se convirtió en un gorgoteo. Mnesífilo pensó que debería hacer algo, no sabía muy bien qué, pero su cuerpo se negaba a reaccionar. Miró a Temístocles y descubrió en su rostro una sonrisa de crueldad, un gesto nuevo que nunca había visto en él y que le provocó un escalofrío. Mientras, en el comedor seguían sonando las flautas y las risas. Sófanes debía de estar disfrutando como un sátiro con aquellas chicas.

—Alguien que ama tanto el dinero como tú, Andrónico, debería haber aprendido algunas reglas —dijo Temístocles—. Se puede ser corrupto y venal, como tú. Se puede ser incluso codicioso.

El esclavo se había inclinado hacia atrás para cargar a Andrónico sobre su pecho, de tal manera que los pies del general pataleaban inútiles en el aire, mientras sus dedos se esforzaban por introducirse entre el improvisado dogal y su cuello. Su rostro pasó del violáceo al cárdeno, algo oscuro cayó entre sus piernas y chapoteó en el suelo, y un olor fétido llenó la habitación.

—Pero nunca —prosiguió Temístocles, con un gesto de asco—, *nunca* se puede ser tacaño. Si tienes al mejor guardaespaldas de Atenas no le puedes pagar con racanería, como si fuera un vulgar porteador. Porque siempre llega alguien que mejora tu oferta.

Pasado un rato que a Mnesífilo se le hizo eterno, Andrónico dejó de moverse y sus brazos cayeron a los costados como tallos marchitos. A pesar de ello, su esclavo siguió apretando hasta que se convenció por fin de que el general estaba muerto, y sólo entonces lo dejó caer al suelo.

—Una imagen apropiada —dijo Temístocles al ver tendido a Andrónico sobre su propio excremento—. Bien, Telo, has cumplido tu pacto. La barca te espera en la cala de Cranión.

El asesino se quedó mirando a la Gorgona tapada con la funda. Lo que le estaba pasando por la cabeza casi se podía leer grabado en su frente. Mnesífilo retrocedió un par de pasos, pero Temístocles se quedó en el sitio.

—Sé lo que estás pensando, Telo, pero no es buena idea —dijo, desenvainando la espada y dirigiendo su punta hacia el esclavo—. Expoliar a los dioses sólo acarrea infortunios. Disfruta de lo que ya tienes y aguarda mis instrucciones. Aún te daré a ganar mucho más dinero.

El aplomo de Temístocles impresionó a Mnesífilo, y también debió dar que pensar a Telo. El esclavo soltó el cíngulo homicida sobre el cadáver de Andrónico y abandonó la habitación. Temístocles volvió a colgarse la pesada Gorgona a la espalda y dijo:

—En esta fiesta ya estamos de más. Nos vamos.

Mientras salían de la casa, las risas de la orgía se convirtieron en gritos de terror y el trino de las flautas se calló, sustituido por golpes y carreras. Mnesífilo miró a Temístocles, interrogante.

—Parece que Telo no quiere dejar testigos. Lo siento por Sófanes y esas pobres flautistas. Ahora, volvemos a la *Artemisia* a dejar esto. No tengo edad ya como para cargar el resto de la noche con un escudo de oro macizo.

Por el camino, Temístocles le explicó que Andrónico había estado extorsionándolo desde su viaje a Delfos.

—Como todos los chantajistas, se había vuelto insaciable. Pero no contaba con que su esclavo podía tener sus propias ambiciones.

—¿Qué le ofreciste?

—Los dos talentos y las tres mil dracmas que le había pagado ya a Andrónico, y medio talento más en la barca que lo espera para llevarlo a Epidauro.

Mnesífilo no sabía ya si sentirse atónito o escandalizado por todo lo que estaba escuchando y presenciando aquella noche. Pero Temístocles todavía le reservaba sorpresas.

—Si Telo demuestra que es capaz de vencer él solo a diez hombres armados, se habrá ganado de sobra esos tres talentos —dijo.

—¿Qué quieres decir?

—No creerás que voy a dejar que se marche impunemente con mi dinero para que dentro de un tiempo imite el ejemplo de su amo y se dedique a chantajearme. En esa cala lo esperan diez sicarios de mi plena confianza.

—¿Y si son ellos los que te roban?

—No lo harán. A diferencia de Andrónico, yo sí pago bien a mis hombres. Y, por supuesto, no hay ninguna barca.

Mnesífilo sacudió la cabeza.

—No sé cómo puedes dedicarte a tus turbios negocios en un momento como éste.

—Me gusta afrontar los problemas de uno en uno. Eso es algo que me enseñó mi madre. Procura resolver siempre lo que está en tu mano, empezando por lo más urgente, y no te preocupes por lo que no tiene remedio.

Temístocles alzó la mirada hacia la luna y añadió:

—La noche aún es joven, pero creo que ahora sí ha llegado el momento de convocar al consejo de generales.

Falero

—Dime, Mitranes. ¿Crees que el informe de ese traidor es veraz? —le preguntó Mardonio.

Se encontraban en Falero, en el pabellón del general. Aparte de varios *arshtika*, acompañaba a Mardonio un personaje vestido con una túnica púrpura y azafrán aún más lujosa que la suya. A Sicino le resultaba familiar. Luego oyó que se dirigían a él como Aquémenes y recordó de quién se trataba. Lo había visto competir contra Mardonio por ver quién clavaba más flechas en las tres dianas, cuando estaban en Babilonia. Era hermano de Jerjes y sátrapa de Darío. Mientras Mardonio los interrogaba, había escuchado toda la conversación en silencio, aunque cada vez que Euforión meneaba la cabeza, él se mesaba los espesos rizos de la barba.

Sicino comprendía perfectamente que los movimientos de Euforión pusieran nerviosos a sus interlocutores. Por suerte, desde el momento en que se presentaron ante los persas, el ateniense había dejado de escupir palabrotas.

Mientras remaba en el bote que los llevaba a Falero, Sicino no había podido evitar la curiosidad y le preguntó por qué era tan malhablado. Primero se lo dijo en su idioma, pero enseguida pasó al griego, ya que comprobó que Euforión sabía pronunciar en persa la contraseña del puente de Chinvat y poco más. Euforión le explicó que cuando soltaba una palabra malsonante, sobre todo si estaba relacionada con los excrementos, se tranquilizaba mucho. Lo mismo le sucedía con aquellos movimientos tan absurdos que solía hacer. Si se lo proponía, podía tener las manos y los pies quietos. Su problema era que si no se relajaba con una buena palabrota o algún tic ritual, al cabo de unos instantes empezaba a subirle un cosquilleo insoportable por la nuca y se le contraían los músculos del cuello y los hombros. Al final, sin quererlo, se movían por sí solos y empezaba a sufrir unas sacudidas de cabeza tan fuertes que a veces incluso se hacía daño en las vértebras y se mareaba.

—Pero cuando gobierne la puta ciudad de Magnesia, como me ha prometido Mardonio, podré decir y hacer lo que quiera. Y al que se ría, *kjjjjj* —dijo, pasándose el índice por el cuello en un gesto expresivo.

Sicino podía comprender por qué él estaba remando en aquella barca para revelar al mando persa lo que había escuchado durante la cena. Al fin y al cabo, su verdadero nombre era Mitranes, hijo de Bagabigna, y aunque llevara tantos años sin ponerse el uniforme, era un decurión de la *Spada*. Pero no entendía que Euforión, siendo amigo de Temístocles, lo traicionara de esa forma.

—¿Traicionarlo yo? ¿Traicionarlo yo?

Tras palmearse las rodillas y tironearse de las orejas, le explicó que Temístocles llevaba utilizándolo desde que eran críos. Como se sentía inferior a ellos, los eupátridas, se había arrimado a Euforión pensando que por sus defectos sería más accesible.

—Desde entonces siempre ha estado soltándome pullas y mirándome por encima de su hombro de mierrrrrda —dijo, regodeándose en su grosería.

A Sicino no le parecía que, aparte de un par de comentarios que se le habían escapado esa misma noche, Temístocles se burlara tan a menudo de su amigo. Pero cuando Euforión se quejó de su costumbre de palmearle la cara, tuvo que reconocer que eso sí lo hacía y que a él también le habría molestado.

—¡Qué se habrá creído! Él, el hijo de un comerciante que ha estado toda la vida comiendo mierda y más que mierda, dándome bofetaditas a mí, ¡un Alcmeónida!

La retahíla contra Temístocles continuó durante un buen

rato. Euforión tenía clavadas muchas espinas, pero la peor era la humillación que su amigo le había hecho pasar cuando le propuso a su hermana que se casara con él, y Nicómaca se permitió el lujo de rechazarlo. ¡Estando el propio Euforión delante!

Sicino escuchaba boquiabierto. No podía concebir un odio así, tan solapado, tan venenoso, larvado durante tantos años. Estaba convencido de que ni siquiera Temístocles, que solía ser tan sagaz, se había dado cuenta. Pero luego Euforión siguió despachándose contra otros personajes, primero de su propia familia y luego de otras, hasta que Sicino se dio cuenta de que aquel aborrecimiento no lo sentía sólo por Temístocles, sino también por el resto de los atenienses.

—Siempre me han tomado por un tonto de baba esos engreídos de mierda. Pero ¿qué se creían? Los he engañado a todos.

Euforión le explicó con orgullo cómo llevaba trabajando para los persas desde hacía más de diez años. Sí, era él quien había hecho las señales luminosas desde el Agrélico. Cuando casi lo pillan, se le ocurrió una improvisación genial y le llevó el escudo a Temístocles como si hubiese estado a punto de atrapar al espía.

Normalmente, Euforión informaba a los persas haciendo señales luminosas con reflejos de día y antorchas de noche. Pero los mensajes que se podían transmitir de esa manera eran muy sencillos, como el de Maratón: *«Espartanos no llegarán.»* A veces tenía que recurrir a intermediarios y desertores. Como un mes antes, cuando se las arregló para hacer llegar desde Artemisio un informe sobre el número y la disposición de las tropas que defendían las Termópilas.

—Estás muy orgulloso de lo que haces —le dijo Sicino.

—Lo estoy. Soy muy bueno en el arte del engaño. Mejor que Temístocles, que se cree el hombre más listo del mundo.

—¿Y por qué ahora no has hecho señales luminosas desde Salamina?

—¿Pues no te lo he explicado, joder? —Euforión puso los ojos en blanco, y después los hizo girar varias veces a ambos lados—. Esta información es muy delicada y precisa. Además, no tengo la menor intención de estar en las aguas del estrecho cuando entre la flota persa. El mar se va a convertir en mierda pura. Cuando tus amigos persas se lancen a la puta degollina, a ver quién los convence de que soy uno de sus agentes.

Sicino no había caído en eso. Empezó a temer que no los dejaran llegar ante Mardonio, o que incluso los ajusticiaran pensando que eran espías, pero del bando griego. Sin embargo, en cuanto llegaron a Falero los condujeron ante el general. Euforión se rió de él al ver su cara de sorpresa y le preguntó cuántos hombres creía que había que midieran más de cuatro codos de alto y uno de ancho y tuvieran en la cara una cicatriz morada como la suya. Sicino se sintió un poco tonto, pero hubo de reconocer que el ateniense llevaba razón.

Ya en presencia de Mardonio y Aquémenes, Sicino fue traduciendo al persa las palabras de Euforión. El informe era muy preciso y detallado. Los griegos tenían exactamente trescientos diez trirremes en condiciones de combatir, que fue desglosando por contingentes y ciudades. El principal era el ateniense. Aunque ante sus aliados Temístocles siempre alardeaba de sus doscientas naves, Sicino se sorprendió al saber que sólo les quedaban operativas cinco escuadras de treinta naves y otra de veinte.

—El siguiente contingente en número es el de Corinto, con cuarenta trirremes al mando de Adimanto —tradujo después—. Ésos son los barcos que van a huir esta noche por el canal de Mégara. A esa misma hora Temístocles tiene pensado escapar entre Salamina y Psitalea con una escuadra de treinta barcos.

Mardonio iba asintiendo a todo lo que oía, y cada vez que lo hacía su barba roja y tiesa crepitaba contra su túnica. Cuando Euforión concluyó su informe, el general le dijo a Sicino:

—Mitranes, dile a este griego que ahora hablaremos a solas para considerar su información, pero que si se demuestra veraz, no sólo se le concederá Magnesia, sino también Priene y Colofón.

Cuando se lo tradujo a Euforión, el ateniense se puso tan contento y a la vez tan nervioso que las sacudidas de su cabeza se multiplicaron y, para calmarlas, tuvo que realizar de nuevo su ritual de absurdos movimientos. Mientras salía de la tienda, Mardonio se le quedó mirando con una extraña sonrisa. Sicino pensó que parecía de desprecio. No sería raro, se dijo. A nadie le podía caer bien alguien que vendía así a su propio pueblo, aunque se beneficiara de su perfidia.

Fue entonces cuando Mardonio le hizo la pregunta.

—Dime, Mitranes. ¿Crees que el informe de ese traidor es veraz?

—Sí, señor. Yo mismo he estado presente mientras Temístocles contaba que los corintios iban a huir. Él quiere huir al oeste, y no sé si pretende convertirse en pirata, porque ha dicho que si...

Mardonio levantó la mano y Sicino comprendió que debía callarse y esperar otra pregunta.

—Así que los últimos restos de su Alianza se están desmoronando. ¿Qué más has oído? ¿Delante de ti Temístocles ha comentado algo sobre sus consejos de guerra?

—¡Oh, sí señor! Incluso me ha llevado a ellos.

Sicino le contó el enfrentamiento de esa misma tarde entre Temístocles, Adimanto y el almirante espartano. Mardonio cada vez sonreía más. Tras escuchar a Sicino, se volvió hacia Aquémenes.

—Se me ocurre lo siguiente —le dijo—. Yo voy a consultar con el rey. Pero tú puedes zarpar con tus barcos para cerrar el canal de Mégara. Si partes ahora mismo, puedes estar allí antes de que aparezcan los corintios. ¿Qué opinas?

—Me parece bien —contestó el hermano de Jerjes—. Si el rey decide atacar, habremos ganado tiempo. En caso contrario, tan sólo tendremos que regresar.

Sin esperar más, Aquémenes salió de la tienda. Mardonio agarró la mano de Sicino y se la apretó.

—Has aparecido en un momento oportuno, hijo de Bagabigna. Gracias a tu lealtad, el Gran Rey va a conseguir la más espléndida de sus victorias. ¿Querrás participar en ella?

—¡Por supuesto, señor!

—Descansa un poco, Mitranes. Te lo has merecido. Mañana, cuando saltes sobre los barcos griegos, sembrarás el terror entre los infieles y complacerás al señor Ahuramazda en su corazón.

Sicino sonrió al imaginarse la escena. Luego se preguntó qué pasaría si por azar abordaba el barco de Temístocles, y se le borró la sonrisa.

Salamina

A medianoche, cuando la tercera guardia relevó a la segunda, Temístocles aún no tenía manera de saber si su plan había empezado a funcionar. Había vigías apostados por toda la isla, sobre todo en la parte oriental, pero nadie había informado de actividad inusual por parte persa. El aire seguía siendo sofocante y hacía tanto calor que los soldados y marineros, que otras noches prácticamente se empujaban y apelotonaban por acercarse al calor de las hogueras, ahora se alejaban de los rescoldos incluso en sueños o se levantaban para apagarlos con agua.

Los generales seguían reunidos, aunque tras la información inicial de Temístocles ya no había un debate general, sino varias conversaciones en corrillos. No habían convocado a todos esta vez, sino tan sólo a los jefes de los principales contingentes, de tal manera que entre ellos y sus asistentes eran menos de veinte personas. Temístocles no estaba dispuesto a que hubiera desertores de última hora que informasen a los persas.

Aunque por deferencia hacia él estaban reunidos en la bahía de Silenia, cerca de la *Clitemnestra*, Euribíades se mantenía aparte, mientras Temístocles dibujaba en la arena de la playa para explicarle las maniobras a Adimanto y los generales de Egina y Mégara.

—Lo siento, Euribíades —le había dicho antes Temístocles—. Para que el engaño fuera completo, necesitaba que tu enojo contra mí fuera auténtico.

—¿Y por qué Adimanto sí lo sabía? ¡Has burlado mi autoridad!

—Adimanto sabe fingir mejor que Ulises. Recuerda que viene de una ciudad de comerciantes, y el patrón de los mercaderes es el astuto Hermes.

—Cuando vuelva a reunirse la Alianza haré que te juzguen por traicionar a todos los griegos. ¡No escaparás impune a esto!

—No me estropees lo que tengo entre manos, Euribíades. Luego denúnciame ante el tribunal de Zeus Olímpico si quieres. —Temístocles añadió en voz baja—: Pero te advierto que si sigues comportándote de esta forma, no verás los otros tres talentos.

A esto, el almirante espartano no había sabido qué contestar. Ahora estaba sentado sobre una piedra, dando vueltas al bastón en su mano derecha mientras contemplaba la nada con el ceño fruncido. Al mirarlo de reojo, Temístocles casi podía ver el orgullo y la codicia personificados en dos diminutos *dáimones* alados que tiraban de él en direcciones opuestas.

Se volvió de nuevo a sus colegas de la flota. Cualquiera que los hubiera visto a él y a Adimanto, acuclillados sobre la arena hombro con hombro, no habría podido creer que eran los mismos hombres que habían estado a punto de llegar a las manos unas horas antes.

—Esto es lo que yo creo que pasará —dijo Temístocles, señalando las líneas que representaban el despliegue de la flota persa a lo largo de la costa—. Al menos, es lo que yo haría si estuviera en el lugar de Jerjes y creyera que la información que he recibido es fidedigna.

—Yo, en cambio, si fuera él, no me arriesgaría a entrar en el estrecho —dijo Adimanto—. Me limitaría a esperar fuera como una comadreja y cazar a los ratones uno a uno conforme fueran saliendo de la guarida.

Aunque llevaba un rato poniéndole objeciones a Temístocles, ahora lo hacía en tono razonable, muy lejos del histrionismo con el que había actuado sobre la cubierta de la *Clitemnestra*.

—Él no es así. Su concepto de la grandeza no le permite actuar como tú dices. En una ocasión afirmó que quería librar la mayor guerra que el mundo hubiese visto para que los valientes demostraran en ella su valía.

—¿Cómo sabes tú todo eso? —preguntó el general de Mégara.

—Fue una información que me costó un precio muy caro —contestó Temístocles.

—De todos modos, aún hay mil cosas que pueden salir mal —dijo Adimanto—. Tu esclavo puede hundirse en la barca antes de llegar a Falero. Los centinelas persas pueden rebanarle el cuello. Los mandos persas pueden no creerlo. O pueden creerlo, pero no hacer nada. O pueden hacer algo, pero no lo que tú crees. ¿Y si se limitan a rodearnos, pero no pasan más allá de Cinosura?

—Sicino llegará, te lo aseguro, y nadie le rebanará el cuello. Ese hombre tiene más vidas que Sísifo. Y tendrán que creerlo. No hay persona con menos doblez en el mundo.

Al pensar en Sicino, volvió la mirada hacia Mnesífilo, que se había tumbado en el suelo y dormía con la cabeza tapada por una esquina de su propio manto. Mientras esperaban a que llegasen los generales convocados a esa junta de urgencia, Temístocles había explicado a su amigo el porqué de su actitud durante la cena.

—Cuando se quiere engañar a una persona, también hay que engañar a todas las que lo rodean. Si yo te hubiera contado con antelación lo que pensaba hacer, tu actuación no habría sido convincente. Eres demasiado honrado.

—No intentes halagarme ahora, después de los sobresaltos que me has dado esta noche. ¿Cómo adivinaste que Sicino y Euforión tomarían ese bote?

—Porque, para empezar, sabía que Sicino llevaba ocultándome algo desde que salimos de Babilonia. Se puede leer en él como en un papiro desplegado.

—Apolonia me dijo algo parecido, que Sicino mentía al asegurar que no podía volver a Persia. Pero ella estaba convencida de que tú te habías tragado su embuste.

—Como ya te he dicho, la mejor manera de que no se descubra un engaño es no contárselo a nadie. Y me convenía tener a mi lado a Sicino para pasar a los persas la información que yo juzgara más oportuna.

—¿Y lo de Euforión?

—¡Ah, qué torpe he sido con él! Cuando Clístenes me insinuó que había traidores en su propio linaje, más cerca de lo que yo sospechaba, no me imaginé que se refería al Nervios. Quizá el viejo me creyó más astuto de lo que soy.

—A veces no es malo dejarse engañar por amistad. No te avergüences de tus buenos sentimientos.

—De lo que me avergüenzo es de mi estupidez. Por culpa de sus taras, todo el mundo piensa que Euforión es un imbécil. Me temo que yo también lo subestimé.

—¿Cómo lo descubriste entonces?

—El caso es que debió de sentirse tan impune, o pensar que yo estaba tan ciego y tan sordo, que al final acabó actuando como un imbécil.

Sólo Euforión, que conocía el monto exacto de sus pagos a Euribíades y Adimanto, podía haber propalado el rumor de los treinta talentos con que lo habían sobornado los habitantes de Eubea. Al menos, el muy torpe podía haber sido algo más impreciso con los detalles.

Pero eso no se lo había explicado Temístocles a Mnesífilo. La forma en que había resuelto sus problemas con Andrónico ya era lo bastante sórdida como para hablarle de más cohechos.

Al menos uno de ellos había estado bien empleado, el de Adimanto. Al final había descubierto que apreciaba al corintio. Era un granuja amante de la plata y aún más del oro, y además un consumado actor por el que Frínico y Esquilo se habrían peleado a puñetazos. En cierto modo, se parecía a Temístocles, sólo que sin su grandeza de miras. Mientras pergeñaban el plan, lo había reconocido.

—Mientras me pagues, puedes quedarte tú con la gloria.

Un granuja, sí, pero el tipo de granuja que a Temístocles le gustaba. Un hombre que, una vez aceptado un soborno, se mantendría fiel a su palabra. E igualmente un excelente marinero que ahora, como él, no hacía más que levantar la cabeza y observar el cielo.

—¿Crees que tendremos viento sureste?

La luna llena había alcanzado su cenit. Su faz seguía viéndose borrosa y sólo las estrellas más brillantes titilaban a través de la calima que enturbiaba el aire.

—No lo creo. Lo sé —dijo Temístocles con una seguridad que estaba muy lejos de sentir. Llevaba varios días haciendo sacrificios para propiciarse a Eolo y convencer a sus hijos Noto y Euro de que juntaran sus fuerzas. Confiando en ello, había decidido que los barcos atenienses volverían a llevar tan sólo quince combatientes de cubierta. Sobre las flotas de las demás ciudades no podía decidir.

En ese momento, mientras trataba de escrutar presagios en el cielo, alguien atravesó el perímetro de centinelas que vigilaban para que nadie molestara ni espiara a los generales. Era Arístides, y parecía traer graves noticias. Incluso Euribíades abandonó su mutismo y se incorporó para escucharlas.

—Las imágenes de los Eácidas ya están en su templo —les informó—. Pero mientras regresaba de Egina, han estado a punto de apresarnos.

—Explícate —le dijo Temístocles.

—Ha sido un rato antes de llegar a Cinosura. Era una flota entera que se dirigía hacia el suroeste. Navegaban como fantasmas, sin lámparas y sin hacer apenas ruido. Nos hemos cruzado en su camino, a poco más de dos estadios de su vanguardia. Nos han visto, porque nosotros sí llevábamos luces. Si hubieran querido interceptarnos lo habrían conseguido fácilmente. Pero han mantenido su rumbo como si no existiéramos.

—¿Cuántos eran?

—No sabría decírtelo. Navegaban en hilera, con un frente de tres naves, y cuando los dejamos atrás seguían pasando. Podrían ser cien barcos, tal vez más.

—Van a atacar nuestra isla... —dijo Polícrito, el general de Egina.

—No. Cuando lleguen al extremo sur de Salamina cambiarán de rumbo. Se dirigen al estrecho de Mégara. Eso quiere decir que han picado el cebo.

—¿Cebo? ¿De qué estás hablando? —preguntó Arístides.

Pero Temístocles no le respondió. Al parecer, Arístides no sólo había traído en su barco a los Eácidas. Detrás de los guardias había una mujer.

Apolonia.

Falero

Cuando despertaron a Artemisia y le dijeron que Jerjes quería verla, se sorprendió por lo intempestivo de la hora. Siempre que compartía el lecho con el Gran Rey la avisaban mucho antes. Luego, al enterarse de que se trataba de un consejo de guerra, su extrañeza fue todavía mayor, pero lo agradeció. Era el primer día de su menstruación y no habría sabido muy bien cómo rechazar a Jerjes con delicadeza.

La reunión no se celebró en ninguno de los tres pabellones reales, sino en la tienda de Mardonio, que estaba más cerca de la playa. Eshmunazar de Sidón había desplegado sobre una gran mesa un mapa de Salamina. Era la primera vez que Artemisia veía una carta de navegación como ésa, pues los fenicios eran muy celosos de sus secretos. Las escuadras persas estaban representadas por tacos de madera rojos y las griegas por piezas sin pintar.

Primero, Mardonio informó a todos los presentes de que, merced a dos espías, había sabido que buena parte de la flota enemiga iba a desertar poco antes del amanecer. Después tomó cuatro tacos rojos que representaban las ciento veinte naves egipcias y los movió desde Falero hacia la parte suroeste de la isla.

—Mientras nosotros hablamos, la escuadra de Aquémenes está rodeando Salamina para situarse aquí. —Hizo girar los tacos y los llevó hasta los estrechos que se abrían en la parte occidental de la isla, por debajo de Mégara—. Cuando los corintios intenten pasar y se encuentren con nuestros barcos, lo más probable es que viren para huir, ofreciendo sus popas. Pero si intentan abrirse camino embistiendo de frente, descubrirán que los egipcios con sus armas pesadas son una barrera infranqueable.

A Artemisia la sorprendía la soltura con que Mardonio manejaba aquellas escuadras de madera y hablaba de barcos. Desde su naufragio en el Atos aborrecía el mar y todo lo relacionado con él. *«La guerra y el mar son imprevisibles por separado»*, decía. *«Sólo a un loco se le ocurriría juntarlos.»*

Pero tal como se presentaba la situación, se les ofrecía la posibilidad de obtener una apabullante victoria sobre los griegos, y Mardonio quería participar de ella. Se estaba valiendo del informe de sus espías para convertirse en protagonista de la reunión y diseñar la estrategia. Por los gestos de Ariabignes, Megabazo y los demás almirantes, era evidente que se daban cuenta y estaban molestos con él.

Mardonio siguió explicando sus planes. Sacó de Falero las demás escuadras y apostó parte de ellas entre Psitalea y Salamina.

—Por aquí intentarán huir los atenienses, o parte de ellos. Si nuestro rey da la venia, en cuanto se levante esta reunión enviaremos varias escuadras para interceptarles el paso. Además, apostaremos en la isla de Psitalea a quinientos hombres de la *Spada*. Ellos acabarán con los griegos que puedan llegar nadando cuando hundamos sus barcos.

A continuación colocó los demás tacos rojos al otro lado de Psitalea, desplegados hasta la costa del continente.

—Las escuadras fenicias cerrarán esta salida. En cuanto empiece a clarear, nuestra flota entrará en el estrecho. Primero los barcos fenicios y después todos los demás.

Colocó los tacos de madera en fila, pegados a la costa, y los fue deslizando hacia el oeste. Artemisia se preguntó cuál era el propósito de aquella formación tan alargada, una serpiente acuática de dos kilómetros de longitud que seguía el contorno de la orilla. ¿Perseguir a los barcos corintios? Para eso no hacían falta casi quinientos trirremes. ¿Y qué harían con el resto de las naves griegas que estaban varadas en la isla?

Enseguida salió de dudas. Mardonio siguió empujando la hilera de tacos, hasta que la punta de aquella línea oblicua pasó entre ambas Farmacusas.

—Cuando todas las naves estén en posición, el Gran Rey dará una orden desde su puesto de observación. Entonces nuestros barcos virarán a la izquierda.

—A babor —susurró el fenicio Eshmunazar.

Mardonio giró todas las piezas de madera en ángulo recto de manera que quedaron apuntando hacia la isla de Salamina.

—Con las primeras luces, nuestra flota atacará a los griegos en sus fondeaderos —dijo señalando las bahías de Cicrea y Silenia—. Es posible que consigan botar algunas naves, pero las echaremos a pique. La mayoría seguirán varadas en tierra y sus dotaciones aún se estarán despertando o desayunando. Destruiremos sus barcos en la orilla y mataremos a sus tripulantes.

Alguien carraspeó. Era el fenicio Mattan, soberano de Tiro.

—Habla —dijo Mardonio.

—El plan me parece excelente. Sólo me pregunto si los griegos se dejarán matar con tanta facilidad.

—No achacaré tus dudas a cobardía, porque sé que tú y tus marineros os habéis batido con valor hasta ahora —respondió Mardonio. Artemisia pensó que no se habría atrevido a dirigirse así a un noble persa. En cualquier caso, al fenicio no pareció afectarle la insinuación—. Los griegos están desunidos, desmoralizados y desorganizados. Para entonces muchos de ellos, los que hayan intentado desertar durante la noche, ya estarán dando de comer a los peces.

»La mayoría de los hombres que encontraremos en la isla serán remeros, armados como mucho con puñales. Los soldados de infantería probablemente intentarán resistirse, pero no les quedará más remedio que retirarse al interior de la isla. Una vez dueños de las playas, nuestros transportes desembarcarán en Salamina a los Diez Mil.

Mardonio dio un puñetazo sobre el mapa y los tacos saltaron como sacudidos por un terremoto. Artemisia se acordó de la estatuilla rota y no pudo evitar un escalofrío.

—Sabemos que casi todos los varones de Atenas se encuentran en Salamina. Los atenienses han incendiado Sardes, han matado a los embajadores del Gran Rey, se han negado a entregar la tierra y el agua y han convencido a otros griegos para que se rebelen contra la legítima soberanía de nuestro señor. —Artemisia se dio cuenta de que Mardonio no mencionaba la derrota de Maratón. Oficialmente no se había producido—. Son salvajes que se oponen al orden natural querido por Ahuramazda. Pero mañana a estas horas no quedará vivo ninguno de ellos.

Había llegado el momento de que los generales, reyes vasallos, almirantes y oficiales diversos dieran su opinión. Conforme les llegaba el turno de hablar, cada uno se levantaba y mostraba su aprobación alabando aquel excelente plan con breves palabras, dirigiéndose a Mardonio para que éste transmitiera su mensaje al Gran Rey. Tras cada intervención, aunque no le interpelasen directamente a él, Jerjes manifestaba su aquiescencia con una leve inclinación de cabeza.

Le correspondía hablar a Artemisia. Sabía muy bien lo que se esperaba de ella. No se les había convocado para que opinaran, sino para que aplaudieran. Pero le dolía la tripa, con un dolor sordo y constante que ninguno de los varones allí presentes podía comprender. El calor hacía aún más molesta su menstruación, y los bálsamos que ardían en los pebeteros le estaban revolviendo el estómago. Todo ello agriaba su humor y afilaba su lengua, y además no podía dejar de pensar en el presagio que había recibido en la Acrópolis.

—Mardonio, te ruego que le digas en mi nombre al Gran Rey lo siguiente. Es dueño de la parte más importante de Grecia. Atenas ha sido arrasada, por lo que el incendio de Sardes y sus otros desmanes han quedado vengados de sobra. Si esperamos un poco más, los griegos caerán como fruta madura. Dejemos que huyan para luego derrotarlos de uno en uno. Estoy convencida de que muchos de ellos están arrepentidos de haberse opuesto al poder de nuestro soberano y en secreto desean ofrecerle la tierra y el agua. Si no lo hacen es porque, estando todos juntos, sienten vergüenza de ser los primeros en ceder.

»Ahora bien, si intentamos combatir contra toda su flota reunida, aunque la nuestra sea muy superior en número y pericia, existen más posibilidades de que suframos un contratiempo que si nos dedicamos a someterlos ciudad por ciudad. Convendría no olvidar, además, que los atenienses luchan en su terreno y que los hemos acorralado. Un animal herido y arrinconado es aún más peligroso y puede causar más daños cuando está a punto de morir que mientras tiene la opción de huir. Por todo eso, sinceramente, yo desaconsejaría esta operación aunque esté planeada con tanta brillantez.

A las palabras de Artemisia las siguió un silencio tan espeso y pegajoso como el aire de aquella noche sofocante. Mardonio se la quedó mirando con perplejidad. Su gesto parecía decir: *«¿Por qué me haces esto precisamente tú?»*

El siguiente en hablar fue el rey licio Damasitimo. Su huésped Esquines debía haberle contagiado su resentimiento contra Artemisia, porque se limitó a decir:

—Esto tenía que ocurrir. Dejamos que las mujeres participen en los consejos de guerra, y al final hablan como mujeres. Si la tirana Artemisia opina que no deberíamos combatir, razón de más para hacerlo, porque es un argumento de cobardes, como corresponde a su sexo.

Artemisia enrojeció de ira, pero no se atrevió a levantarse para tomar la palabra sin permiso. No obstante, Mardonio le dio la oportunidad señalándola con su bastón.

—Duras han sido las palabras de Damasitimo. ¿Tienes algo más que decir, Artemisia?

—Sí —contestó ella, levantándose—. Te ruego que también le transmitas al rey esto. En la batalla de las Termópilas no me comporté como una pusilánime, así como en los combates navales de Artemisio mis barcos tampoco cedieron en valor a los de nadie. No he hablado así por cobardía, sino por el respeto y afecto que siento por nuestro señor. Aunque haya desaconsejado entrar en el estrecho, yo misma zarparé en mi nave capitana para combatir con valor en nombre del Rey de Reyes y derramar mi sangre por él.

Habló mirando a Mardonio, pero al escuchar el golpeteo del cetro de Jerjes sobre el estrado se dio la vuelta. El Gran Rey se había puesto en pie, lo que suponía que el consejo quedaba disuelto, aunque faltaban varios oficiales por hablar.

—Me complacen el valor y la sinceridad de la reina Artemisia, que son virtudes propias de un amigo. Aunque no me satisfaga tanto su opinión. Pero incluso los mejores amigos se pueden equivocar. Ahora, ruego a Ahuramazda que sonría a sus hijos y al amanecer les otorgue la victoria.

Así que habrá batalla, pensó Artemisia, mientras Jerjes abandonaba la sala. Se disponía a volver a su tienda para despertar a sus hombres y ordenar que embarcaran, cuando Mardonio le pidió que esperara. Haciendo caso omiso de los demás almirantes y capitanes que querían hablar con él, el general la llevó a un reservado de su tienda.

—¿Qué te ocurre, Artemisia? —le preguntó—. ¿Por qué has dicho eso?

—¿A ti también te molesta que te contradigan, Mardonio? Todos han estado de acuerdo con tu plan. Que entre tantos oficiales sólo yo haya manifestado una opinión contraria debería alegrarte.

—Me estás malinterpretando. No me has contrariado, porque tu opinión no podía mudar el parecer del rey. Él está decidido. El plan no es mío, sino suyo. Yo sólo he perfilado algunos detalles.

—Lo ignoraba.

—Tu actitud me desconcierta. ¿Qué te preocupa? No tendremos otra ocasión como ésta.

—Lo sé.

—Quizá no lo sabes del todo bien. El rey necesita esta batalla, y la necesita ya.

—¿Por qué? ¿Acaso no estamos ganando esta guerra?

—En cierto modo, no —reconoció Mardonio. Miró a los lados, aunque no había nadie entre aquellas paredes de lona, y bajó la voz—. Nuestras previsiones fueron muy optimistas. No se ha cumplido ni una de ellas. El otoño se nos echa encima. En estas fechas habíamos planeado que el Gran Rey estaría de regreso en Asia mientras yo me dedicaría a organizar la nueva satrapía. Pero este ejército monstruoso es lento como un carretón de bueyes. Hemos gastado el doble de dinero de lo previsto, lo que significa que el erario tendrá que pagar muchos más intereses. Las provisiones se agotan. Si nuestros vasallos macedonios y tesalios nos alimentan quince días más, morirán de hambre durante el invierno. No es eso lo que desea el Gran Rey. ¿Te das cuenta de la gravedad de la situación?

—Pero... No entiendo. La situación no es tan mala. Atenas está destruida. Casi toda Grecia se halla en nuestro poder. El Gran Rey puede regresar a Asia cuando quiera y celebrar su triunfo. Basta con que tú te quedes aquí con dos o tres divisiones y poco a poco vayas conquistando los reductos rebeldes. Para eso no harán falta tantas provisiones ni dinero.

—Si el Gran Rey fuera Darío, tal vez te daría la razón. Pero no es Darío. Es Jerjes. Y ya sabes lo que eso significa.

—Su gran victoria.

—Así es. Vencer poco a poco y por desgaste no es digno de su grandeza. Quiere una batalla grandiosa. Para eso necesita a todos sus enemigos juntos, no por separado. Y además quiere verla en persona. Acaba de ordenar que trasladen su trono al monte que domina el estrecho de Salamina para presenciar el triunfo de su flota.

—Entiendo.

—Por eso te pregunto: ¿Por qué has hablado así? ¿Qué es lo que te atormenta?

Artemisia agachó la cabeza.

—Me avergüenza reconocerlo, pero he tenido un presentimiento. Un mal presentimiento.

Mardonio enarcó una ceja.

—¿Has recibido un sueño? —Al igual que Jerjes, se tomaba muy en serio los sueños.

—No. Ha sido... una especie de presagio. —Levantó la mirada—. Combatiré por el Gran Rey y moriré si es preciso. —Tocándose la oreja mutilada, añadió—: Las heridas que he recibido por él las luzco con orgullo. Pero no me quedaré tranquila si no te digo una cosa, Mardonio.

—Dímela y calma tu espíritu.

—No me fío de Temístocles.

Mardonio soltó una carcajada.

—No me extraña. La ventaja que tenemos es que los griegos tampoco se fían de él.

Salamina

Acababa de empezar la cuarta guardia, la última de la noche. El momento en que los espíritus decaen más, la hora en que más almas abandonan este mundo. Temístocles oteaba el horizonte desde la punta de Cinosura. Había venido a caballo para buscar signos de maniobras enemigas, pero la turbidez del aire y las nubes disminuían tanto la visibilidad que el mar delante de él era un manto negro e informe del que tan sólo destacaban los perfiles aún más negros de Psitalea y, más allá, la costa del Ática.

Los oficiales ya estarían despertando a los hombres, igual que había ocurrido en Maratón. Temístocles sabía que tenían que medir y calcular bien el tiempo de cada movimiento. Si actuaban demasiado pronto, alertarían a los persas y los ahuyentarían de la trampa. Si se retrasaban, perderían la ventaja de la sorpresa y la posición tal como las había diseñado en su estrategia. Pero lo más importante ahora era saber si la flota enemiga estaba actuando como él creía. Parte de ella, sin duda, había zarpado para bloquear el canal de Mégara. Pero con eso no bastaba. Los demás barcos tenían que entrar en el estrecho.

Se volvió hacia el interior de la isla. A su derecha se veían algunas luces en el pueblo de Salamina, y también en la bahía donde las tripulaciones ya empezarían a preparar los trirremes de Esparta, Egina, Mégara y los demás aliados. Pero la luz que buscaba en la casa de Clístenes no la encontró. Aun así, sospechaba que Apolonia y Mnesífilo debían estar despiertos, hablando de los sucesos de aquella extraña noche. Le había pedido a su amigo que no le contara nada a Apolonia. Pero después del mal trago que le había hecho pasar, primero amenazándolo y luego haciendo que lo acompañara a ver a Andrónico, lo más probable era que Mnesífilo estuviera resentido y se desahogara con ella.

Todavía no sabía qué pensar. Ciertamente, Apolonia había decidido venir con Arístides. Pero cuando Temístocles se acercó a hablar con ella, había cruzado los brazos para marcar las distancias.

—Has vuelto.

—Estoy harta de huir.

—¿Y las niñas?

—Se han quedado en Egina, con Nicómaca.

Temístocles aprobó su decisión. Su hermana, que había enviudado recientemente y no tenía hijos, quería mucho a sus sobrinas y cuidaría bien de ellas, igual que estaba cuidando de su madre.

—¿Y bien? —dijo Temístocles.

—Y bien, ¿qué? —contestó ella.

—Has venido. Eso tiene que significar algo.

Apolonia no se descruzó de brazos.

—Te sigo odiando. Me has clavado una puñalada que jamás te perdonaré.

—Pero el caso es que has vuelto.

—Es evidente que estoy aquí, sí.

Mnesífilo, que se había despertado con la llegada de Arístides, se había acercado en ese momento para saludar a Apolonia, y Temístocles aprovechó para mandarlos a ambos a la casa de Clístenes. No se sentía en condiciones de discutir por los tortuosos senderos de una mujer. En otro momento tal vez, pero ahora toda su mente estaba concentrada en lo que iba a ocurrir.

Dirigió de nuevo la mirada a Psitalea. Aquel islote rocoso tenía cierta altura, la suficiente para ocultar las siluetas de varias escuadras tras su masa negra. Si estaba en lo cierto, probablemente ya había barcos persas emboscados detrás. Al fin y al cabo, él tenía pensado hacer lo mismo con Farmacusa. Aunque no fuese tan alta, confiaba en que ocultase sus maniobras a ojos de los enemigos hasta el último momento.

Unos cascos sonaron detrás de él. Se volvió esperando ver a algún mensajero de los que llevaban toda la noche recorriendo la isla buscando indicios de presencia enemiga. Pero era Arístides, a lomos de un caballo blanco que parecía un fantasma entre las sombras. El eupátrida desmontó y se acercó a Temístocles.

—¿Has visto algo?

Cuando Arístides llegó con las imágenes de los Eácidas y la información sobre aquellas escuadras persas, Temístocles le confió su plan. Para su sorpresa, no lo había criticado.

—No. De momento, nada. No es la mejor noche para observar.

—Pero sí una buena noche para maniobrar al amparo de la oscuridad —dijo Arístides—. Eso puede ayudar a que los persas se decidan.

Temístocles no había considerado ese argumento, algo raro en él, y agradeció que Arístides se lo señalara.

—He de reconocer tu mérito, Temístocles —dijo el eupátrida—. Aunque me opuse a ti con todas mis fuerzas, admito que has creado una hermosa flota. La vista de esos barcos en formación es un goce para la vista si eres aliado, y un terror si eres enemigo.

—Gracias, Arístides.

Se quedaron un rato sin decir nada, ambos con las manos cruzadas detrás de la espalda, tratando de escrutar las sombras y escuchando el rumor de las olas que golpeaban las piedras del promontorio. Temístocles estuvo a punto de decir algo por dos veces y, finalmente, a la tercera se decidió.

—¿Sabes una cosa? Yo también quiero reconocer algo. Aunque lo he utilizado para atacarte en público, en verdad te mereces el sobrenombre de Justo. No sé. Tal vez si volviera a nacer me gustaría parecerme a ti.

Arístides soltó una carcajada.

—¡Qué gracioso! A veces yo pienso lo mismo de ti. —Después añadió algo que sorprendió a Temístocles—: ¿Por qué nunca volviste a la escuela de Fénix, Temístocles? Si nos hubiéramos conocido mejor entonces, tal vez habríamos podido ser amigos.

—Estás de guasa. ¿Cómo iba a volver después de sufrir aquella humillación delante de todos los demás?

—¿Humillación? ¡Pero si te convertiste en nuestro héroe!

—No me puedo creer lo que me dices.

—Pues créetelo. Y sobre todo en el mío. No te haces idea de lo harto que estaba de ese viejo lascivo. Le diste su merecido. Todavía me río cuando me acuerdo del rabo de aquel bicho asomando por su boca. Cuando se lo cuento a mis hijos, se ríen tanto que constantemente me dicen: *«Padre, cuéntanos otra vez la historia de la lagartija de Temístocles.»*

Era una salamanquesa, corrigió mentalmente Temístocles.

—Sí, pero también os reíais mientras Fénix me azotaba.

Arístides se encogió de hombros.

—¿Y qué íbamos a hacer? En aquella época siempre nos reíamos cuando castigaban a otro. Los niños son muy crueles y se alegran siempre de esas cosas. Dime una cosa. ¿Tú no te habrías reído si Fénix me hubiera azotado a mí, o a Jantipo, o incluso a tu amigo Euforión?

Temístocles lo pensó unos instantes.

—Supongo que sí.

Qué curioso, pensó. De modo que lo que había impulsado toda su vida era en realidad un falso recuerdo. Aquella terrible humillación ante todos no había sido tal. *«¡Pero si te convertiste en nuestro héroe!»* ¡Qué poderosa fuerza era la mentira, aunque fuese inconsciente!

Entonces, al notar algo en el aire, volvió al presente y sonrió.

—Jerjes ha picado el anzuelo —dijo.

—¿Cómo lo sabes?

Temístocles señaló hacia el este, en dirección al Pireo.

—De noche, el aire sopla desde el continente, al contrario que durante el día. Por eso el viento nos está trayendo ahora ese olor. ¿No lo notas?

Arístides olisqueó un par de veces y luego arrugó la nariz.

—Lo que sea no huele nada bien. ¿Qué es?

—El sudor de miles de remeros hacinados en las sentinas. El olor de nuestro enemigo. La flota de Jerjes está entrando en el estrecho.

Estrecho de Salamina, 20 de septiembre

Mientras regresaban de Cinosura, vieron unas luces más al norte. Eso significaba que los corintios ya se habían puesto en movimiento. En el camino se encontraron con un jinete que venía a buscar a Temístocles y se lo confirmó.

—Me envía Adimanto —les dijo—. Dice que ya han tendido la ropa y encendido el fogón, pero que se lo van a tomar con mucha calma, como tú les has indicado.

Como Arístides no comprendiera qué significaba aquel mensaje, Temístocles se lo explicó. Los corintios habían encendido luces a proa de sus trirremes e izado las velas, aunque tan sólo a medio trapo y con las vergas bajas. No se trataba de aprovechar el viento, que además no favorecía su propósito, sino de que el color blanco del velamen los delatara desde lejos y pareciera que huían.

—De modo que Adimanto es el cebo de tu trampa.

—Así es.

Dejaron atrás la primera bahía, donde las tripulaciones aliadas ya estaban atareadas con sus preparativos. Cuando llegaron a Cicrea ya empezaban a distinguirse los perfiles. Aunque aún faltaba un rato para que asomara el sol, el cielo se había ido despejando de nubes, y al oeste se veía una luna redonda y amarillenta a punto de ponerse. Los barcos estaban casi a punto, con los remos listos en los toletes y los estrobos atados y bien engrasados. Tan sólo las popas seguían varadas en la arena; bastaría con empujar con las pértigas y clavar en el agua los remos de proa para alejarse de la orilla.

Los remeros y los miembros de la marinería terminaban de

desayunar, mientras los hoplitas se congregaban a cierta distancia de la playa para escuchar la lectura de los catálogos y saber quiénes combatirían a bordo de los trirremes y quiénes se quedarían en la orilla armados y esperando acontecimientos. De acuerdo con los demás generales y con una representación de los trierarcas, Temístocles ya había decidido varios días antes que si se producía una batalla, llevarían tan sólo a bordo a diez hoplitas, elegidos de entre los más jóvenes, y cinco arqueros. Aquélla era la táctica para la que habían diseñado aquellos trirremes tan ligeros y sin cubierta completa; abandonarla en Artemisio no les había servido de mucho.

—¿Qué ocurrirá si nos abordan? —había preguntado un trierarca.

Cimón había contestado por Temístocles.

—Procurad que no os aborden. ¿Es que no valen más diez hoplitas atenienses que veinte soldados bárbaros? ¿No os acordáis de Maratón?

Temístocles le agradeció su apoyo otorgándole el mando de la *Dínamis*, cuyo trierarca había muerto en Artemisio. Cimón ya había gobernado aquella misma nave en combate y, pese a su juventud, había demostrado su valía. Podrían discutírsele otras virtudes al cachorro de león, mas no las militares.

Al ver a Arístides y Temístocles juntos, los hombres se levantaban a su paso y los saludaban. Alguien hizo un comentario que les arrancó una sonrisa a ambos:

—Si esos dos se han puesto de acuerdo en algo, ya no podemos perder.

Temístocles supervisó el sacrificio ritual antes de la batalla. El adivino Eufrántides examinó las vísceras de la víctima y comprobó que no había ningún presagio en contra. Después llegaron dos mensajeros que le confirmaron que habían avistado a la flota persa entrando en el canal.

—¿Vienen directos hacia aquí?

—No, señor. De momento avanzan costeando el Ática.

Aún les quedaba algo de tiempo. Temístocles se dispuso a ocupar su puesto en la nave capitana. En ese momento, Arístides le agarró del brazo y le preguntó:

—¿Vas a dirigirte a los hombres?

Tan concentrado estaba Temístocles en los preparativos de su trampa que no había previsto aquello. Estudió los rostros de los ciudadanos. En unos se advertía entereza, en otros desconcierto, en bastantes un miedo puro y sincero. Para muchos de aquellos hombres sería su último desayuno. Necesitaban que alguien les infundiera seguridad y les recordara que tenían una meta por la que luchar.

Meta con la que, por cierto, Arístides acaso no estaría de acuerdo.

—Hagamos una cosa. Habla tú con los infantes de cubierta —le dijo, señalando hacia los hoplitas.

—¿Quieres que pronunciemos discursos separados?

—Digamos que estos hombres entienden un lenguaje algo más directo y simple. Pero hay que hablar con ellos de todos modos. —Temístocles apretó el brazo de su viejo rival—. Esto no es Maratón, Arístides. Ahora el triunfo no depende tanto de la lanza ni del escudo. Esta batalla la ganarán o la perderán nuestros remeros.

Mientras el Justo se alejaba para arengar a los hoplitas, Temístocles subió por la escalerilla de la *Artemisia* y, encaramado a la popa, levantó los brazos para llamar la atención de sus tripulantes. Cuando éstos se pusieron en pie para escuchar sus palabras, los miembros de las demás dotaciones se fueron aproximando, hasta que, llevados por su ejemplo, todos los remeros de la flota se congregaron en una asamblea improvisada sobre la playa y guardaron silencio.

Había más hombres que en las reuniones más nutridas del Ágora o la Pnix, pues incluso aquellos jornaleros que trabajaban en los demos más alejados de la ciudad y que nunca acudían a las asambleas se encontraban aquel día en la playa de Cicrea. La mayoría estaban preparados ya para embarcar, con las túnicas arremangadas en la cintura o simples taparrabos. Se veían más cuerpos enjutos que robustos; las jornadas al remo, las batallas y los días de racionamiento en la isla los habían reducido a piel y músculo, sin apenas una gota de grasa.

Temístocles sintió sobre él la mirada de miles y miles de ojos, captó su silencio expectante y se dio cuenta de que todos esperaban algo de él. Miró a ambos lados y vio, tan cerca unos de otros que los remos casi se tocaban, los ciento setenta trirremes que en breves momentos iban a entrar en combate. Un escalofrío le recorrió la espalda, y el vello de los antebrazos se le erizó.

Ésta es mi flota, pensó. *Éste es mi día.*

—¡Ciudadanos de Atenas! ¡Remeros de la flota! Todos vosotros me conocéis, pero yo también os conozco a todos vosotros.

«Es verdad», murmuraron algunos al pie de la *Artemisia.*

—Vosotros sois aquellos a los que los hoplitas miran por encima del hombro. Aquellos a los que despectivamente apodan «los más» y también «los peores». Hoy vais a demostrarles que, efectivamente, sois más que ellos y que vuestra fuerza reside en vuestro número. ¡Pero nadie tiene derecho a llamaros «peores», porque no sois inferiores a nadie ni en destreza ni en valor!

»Hubo un gran hombre en esta ciudad. Era un eupátrida, sí. Pero en su corazón pertenecía a vuestro pueblo. Se llamaba Clístenes. Ese hombre cambió las leyes. Mientras me apretaba la mano en su lecho de muerte me explicó por qué. Éstas fueron sus palabras: *«Si Atenas quiere ser grande de verdad, necesita a todos sus ciudadanos por humildes que sean. La pobreza no debe impedir a nadie que luche por el bien de la ciudad. ¡Nos hacen falta todas las manos!»*

»Hablando de manos, mirad las mías. Están llenas de callos. Muchos me conocéis desde hace tiempo y sabéis que apenas me despuntaba la barba cuando ya remaba en los barcos de mi padre como uno más. Hoy desearía bogar con todos vosotros para clavar nuestros espolones de bronce en el corazón del enemigo. Sé que tengo que estar arriba, en la cubierta, porque debo ser vuestros ojos. ¡Pero vosotros seréis mis manos y mis pulmones! ¡Vosotros seréis mi corazón!

»No tendremos otra ocasión como ésta, atenienses. La victoria de Maratón fue grande. Pero se os privó de compartirla, y los miembros de las primeras clases se atribuyen todo el mérito de aquel triunfo.

»Sin embargo, ahora se os presenta la oportunidad de humillar al más soberbio de todos los nobles, a aquel que en su arrogancia se hace llamar Rey de Reyes. ¡Vamos a demostrarle que no reconocemos reyes ni tiranos! ¡Vamos a demostrarle que nuestro único soberano es la ley, y que la ley sólo nos la otorgamos nosotros mismos, los ciudadanos de Atenas!

»Los veteranos de Maratón aún recuerdan con orgullo su victoria y la guardan en su memoria como el más valioso de los tesoros. Pues a partir de hoy, cuando a vosotros os pregunten: *«¿Qué estabas haciendo el dieciséis de boedromión, en el año del arcontado de Calíades?»*, entonces contestaréis con tanto orgullo como ellos: *«¡Yo estaba remando en Salamina! ¡Yo estaba* venciendo *en la batalla de Salamina!»*

Un rugido respondió sus palabras. Se dijo que aún soplaba el terral y probablemente arrastraría sus gritos lejos de los persas. ¿Por qué no incendiar sus espíritus un poco más?

—Venced hoy a los bárbaros, y pronto llegará el día en que podáis exigir el cargo de arconte y el de polemarca. ¡Incluso el puesto de general! Porque cuando los orgullosos eupátridas os lo pretendan negar, les podréis decir: *«¡Somos los remeros de Salamina! ¡Tenemos tanto derecho a gobernar Atenas como vosotros, porque nosotros la hemos salvado!»* Si vencéis hoy, os aseguro una cosa: ¡Nada estará fuera de vuestro alcance! ¡Nada será imposible para vosotros!

»Voy a confesaros algo, atenienses. Toda mi vida la he vivido para que llegara este día. Si hoy me otorgáis el triunfo, mi vida habrá tenido sentido. Si no, será tan inútil y vacía como si hubiese escrito mi historia sobre las aguas del mar.

»Os propongo un pacto, atenienses.

—¡Adelante! ¡Dinos cuál es! —contestó un joven remero llamado Dinocles.

—Es un pacto sencillo y os aseguro que lo cumpliré. ¡Dadme vuestras manos ahora, entregadme vuestros corazones sólo por un día! ¡Concededme esta victoria hoy, hijos de Atenea! ¡Si lo hacéis, recibiréis a cambio el tesoro más valioso que puede poseer un hombre!

Hubo un silencio expectante, tan espeso que Temístocles

pudo oír los latidos de su propio corazón. Entonces gritó con tanta fuerza como no lo había hecho en su vida:

—¡Yo os entrego el futuro!

La arenga de Arístides a los hoplitas no fue tan visceral. Encaramado a una roca blanca, les habló de los viejos valores, del amor a la tierra, de su patrona Atenea y de cómo en Maratón ya habían demostrado a los persas que eran muy superiores a ellos en fuerza y valor. Cimón pensó que él lo habría hecho mejor. Como orador, Arístides adolecía de dos defectos. El primero, que utilizaba argumentos demasiado cerebrales. En cambio, Temístocles sabía apelar a las pasiones, a veces incluso a las más bajas. Su propio amigo Mnesífilo había afirmado que, al igual que a los criados que llevan de la mano a los niños se les llama «pedagogos», habría que acuñar un nuevo término para él, que conducía al pueblo adonde quería: «demagogo».

El segundo problema de Arístides era que, a pesar de su estatura y la amplitud de su pecho, no poseía una voz muy potente, y debido a su tono grave, las últimas filas no oían más que un confuso runrún. Pero Arístides lo solucionó en parte cuando al final de su alocución hizo subir a Esquilo para que los inspirara con unos versos. El poeta los improvisó con tal pasión y poderío que todos los hoplitas levantaron sus lanzas y aporrearon con ellas los escudos.

¡Adelante, hijos de los griegos!
¡Luchad por el honor y la libertad de vuestra patria,
de vuestros hijos y de vuestras mujeres!
¡Recuperad las tumbas de vuestros antepasados
y los templos de vuestros dioses ancestrales!
¡Éste es el día en que lucháis por todo!

Después de aquello, las dotaciones se dirigieron a sus respectivas naves. Mientras los remeros y los marineros terminaban de embarcar, los jóvenes que lucharían a bordo de los trirremes se despedían en la playa de los demás hoplitas. Quedaban allí amigos, amantes, hermanos, primos, padres veteranos de Maratón que deseaban suerte a sus hijos, incluso algún abuelo que pese a sus años se había enfundado la coraza y había embrazado el escudo.

Cimón se despidió de su cuñado Calias y de Arístides. Éste le dijo:

—Adelante, hijo de Milcíades. Demuestra que no eres inferior a tu padre en valor ni a Temístocles en astucia. —El Justo le abrazó—. En verdad te digo que tú eres el porvenir de Atenas, Cimón.

Enardecido por estas palabras, Cimón acudió a su puesto en la *Dínamis*. Los primeros trirremes ya empezaban a batir los remos y se dirigían hacia la Farmacusa para sortearla por ambos lados. Al verlo, Cimón se apresuró para que su nave no fuera la última, y el entrechocar metálico de sus armas al correr le complació. Eran cien kilos de músculo y metal los que hacían crujir la arena bajo sus pies, pero aquel peso lo hacía sentirse poderoso como Aquiles.

—¡Cimón!

Había llegado casi al pie de la escalerilla cuando oyó aquella voz femenina. Ahora que la playa se había vaciado un poco, las mujeres, niños y ancianos que se habían refugiado en Salamina y no en otros lugares más lejanos acudían para presenciar la partida de las naves. Cimón esperó mientras Elpinice se acercaba corriendo. O no había tenido tiempo de recogerse el cabello o no se había molestado, y su melena negra ondeaba como una bandera a su espalda. A bordo de la *Dínamis* se oyeron algunos silbidos y comentarios encendidos, hasta que alguien los acalló recordando que aquélla era la hermana de su trierarca.

—¿Te has despedido ya de tu esposo? —le dijo Cimón cuando ella llegó a su lado y se abrazó a él. Podía sentir el jadeo de su pecho y los latidos de su corazón incluso a través de la coraza.

—Calias no va a ninguna parte. No tengo por qué despedirme de él. Eres tú quien corre peligro.

Cimón aguantó unos instantes abrazado a su hermana y sintiendo las miradas de su tripulación clavadas en la nuca. Por fin, la apartó y la miró a los ojos. ¡Por Cipris, qué hermosa era!

—Antes de que anochezca volveremos a vernos.

—¡Júramelo!

—Te lo juro.

—Y yo te juro que si no vuelves me mataré —le dijo ella, con los ojos arrasados de lágrimas. Después le agarró por el cuello, tiró de él y le dio un beso en los labios. No fue precisamente un beso de hermana, y Cimón sintió en los ijares el calor del deseo.

Cuando subió la escalerilla y ordenó desatracar, Elpinice seguía allí abajo, con ambas manos apoyadas en el pecho. Cimón hizo un esfuerzo, apartó la vista de ella y la dirigió hacia el este, donde la aurora ya teñía el cielo con sus rosados dedos como heraldo del sol.

—¡Adelante! —ordenó al cómitre, que transmitió la orden a los remeros—. ¡Hacia la victoria!

Nave Artemisia

Terminada la arenga, los remeros corrieron a ocupar sus puestos a lo largo de toda la playa. En ese momento, alguien chistó a Temístocles desde tierra. Bajó la mirada y vio junto a su popa a Epicides. Aunque podría haberse pagado las armas de hoplita, fiel a sus ideas antiaristocráticas llevaba tan sólo un taparrabos, correas en los dedos para evitar que resbalara el remo y un cojín de piel de cordero.

—¡Enhorabuena por tu discurso! —le dijo.

Temístocles pensó que si a Epicides le había gustado tanto su arenga, en caso de salir vivo de la batalla, iba a tener problemas con los eupátridas. Pero el batanero lo tranquilizó enseguida, demostrándole que aún se podía ser más revolucionario.

—¡Hubiera sido mucho mejor si los hubieras incitado a tirar al mar a todos esos hoplitas! ¡Ellos son nuestros auténticos enemigos, no los persas!

—Ve a tu barco, Epicides. Si no, tendrás que ir nadando —lo despidió Temístocles.

Los remeros subieron a la carrera por ambas escalerillas. Temístocles ocupó el puesto del timonel y extendió ambos brazos para que todos pudieran rozarle la mano al pasar. Según pasaban en aquella maniobra que habían ensayado más de mil veces, los fue saludando por sus nombres, mientras ellos le respondían con la consigna convenida para la batalla, *Atenea Justiciera.*

Después de los remeros embarcaron los marineros que todavía no se encontraban a bordo, y por último los hoplitas y los arqueros. Fidípides ocupó su puesto detrás de Temístocles y le dedicó una fiera sonrisa. Le faltaba uno de los incisivos, lo que no contribuía demasiado a embellecer aquel rostro tan flaco.

—¿Quién te ha hecho eso? —le preguntó, sospechando que se había metido en alguna pelea.

—Pregunta mejor cuántos dientes ha perdido el otro.

Aunque Fidípides no tenía físico de campeón de pugilato, Temístocles lo dejó estar. Cuando creía que la tripulación ya estaba completa e iba a ordenar que retiraran las escalerillas, Escilias subió corriendo. El buceador traía una soga enrollada y lastrada con plomos.

—¿Qué haces tú aquí? —le preguntó Temístocles—. ¿No tuviste bastante batalla con Artemisio?

El buceador palmeó el rollo de cuerda.

—No pensarás que voy a dejar que te hundas en el fondo del mar sin más, con todo lo que tenemos en común tú y yo.

Temístocles sonrió. Escilias sabía de sobra que, aunque él muriera, había dispuesto que Grilo debía entregar al buceador los dos talentos de plata que aún le debía. En cualquier caso, después de ver cómo había rescatado a Sofrón, se sentía más seguro teniéndolo a bordo.

La *Artemisia* zarpó por fin. Al principio avanzaron con lentitud en aquella bahía atestada de barcos. Pero enseguida los remeros acompasaron sus paladas, las naves fueron adquiriendo impulso y los timoneles las llevaron a sus puestos dentro de la formación.

Se habían desplegado como en Artemisio, en unidades de quince trirremes de frente y dos de fondo. Tres de aquellas escuadras pasaron a la izquierda de Farmacusa, y las otras tres, a la derecha de la isla. La *Erictonia*, la escuadra de Temístocles, navegaba en el extremo derecho de la formación y conforme avanzaba se iba desplazando a estribor para dejar sitio a las demás.

Temístocles no captaba el olor de la flota enemiga, porque el que emanaba de su propia sentina le saturaba la nariz. Pero ya no era necesario. En cuanto dejaron a babor Farmacusa, la armada persa apareció ante sus ojos. Las bordas de los trirremes, aun siendo más altas que las de los barcos griegos, eran tan bajas que costaba distinguirlas entre el agua y la línea de la costa, pero los curvos codastes y los pabellones que ondeaban sobre ellos se perfilaban con claridad.

Eran muchos barcos, centenares desfilando a lo largo de toda la costa que se extendía ante sus ojos. Se encontraban donde él quería y colocados como él quería, ofreciendo sus costados de babor a los espolones de las naves griegas.

Temístocles alzó los ojos hacia el cielo. Sobre el Himeto, cuyas cimas se habían teñido de un lustre tan dorado como su célebre miel, empezaba a despuntar el sol. Se puso de pie y giró en derredor, tratando de fijar aquel momento en su mente. A popa, en la playa que se extendía entre ambas bahías, se habían congregado los hoplitas de reserva, animando a los compañeros con sus gritos, y tras ellos, las mujeres, los ancianos y los niños. Se preguntó si Apolonia estaría allí, con Mnesífilo. Estaba casi seguro de que sí. Era persona de temple que no escondería los ojos a la batalla por miedo al destino.

Se volvió a estribor. A veinte metros de la *Artemisia* avanzaba la escuadra de Mégara, y más allá se veían los pabellones rojos con la lambda de Euribíades y sus espartanos. Algo más lejos, en el puesto de honor de la formación, se hallaban los trirremes de Egina, que Temístocles no alcanzaba a ver.

Después miró a babor. A su izquierda estaban la *Areté* de Aminias y la *Dínamis* de Cimón, seguidas por muchas más, hasta formar un frente de ochenta y cinco espolones que apuntaban al enemigo. Mucho más lejos, a unos tres kilómetros, se divisaban las velas blancas de las naves de Adimanto.

Por fin, volvió la mirada a proa. Por la forma de sus codastes y por sus estandartes, supo que los trirremes que avanzaban en vanguardia eran fenicios, los mismos que habían demostrado su superioridad en Artemisio. *Pero hoy os habéis atrevido a entrar en las puertas de nuestra casa*, pensó.

Las innumerables tropas de Jerjes se disponían a contemplar la batalla, pintando aquella escarpada costa de abigarrados colores. Sin duda la mancha púrpura que se veía por encima de la Farmacusa Menor debía de ser el toldo que cubría el trono de Jerjes. Se decía que sus ejércitos combatían con redoblada bravura cuando sentían encima la mirada del Gran Rey. Pronto sabrían si era verdad.

El escenario está preparado, pensó Temístocles. Era hora de empezar la representación.

Se detuvo un instante antes de dar la orden. En el mismo momento en que el sol terminaba de salir sobre el Himeto, un soplo de aire rozó su mejilla derecha. Se notaba tibio y sofocante, pero Temístocles lo bendijo. Era el detalle que le faltaba a su decorado, la bendición que llevaba días rogándole a Eolo. Sabía que ese viento había venido desde la lejana Libia, arrastrando el calor de sus desiertos y recogiendo por el camino la humedad del mar. La experiencia le decía que si él lo sentía así en su posición, al socaire de la larga cola de Cinosura, los barcos que navegaban pegados a la costa del Ática recibirían su soplo con mucha más fuerza. Y, en efecto, las aguas de aquella zona ya empezaban a rizarse con cabrillas blancas.

Heráclides se volvió hacia Temístocles. También había reparado en aquello.

—Oh, oh —le dijo—. Vamos a tener problemas.

—Más problemas tendrán ellos, que tienen la borda más alta y llevan la cubierta atestada.

Se hallaban a poco más de quinientos metros de la flota persa. Había llegado el momento.

—¡Socles! —gritó Temístocles. Uno de los hoplitas que servía en cubierta se volvió. Aparte de sus armas, llevaba una trompeta sobre las rodillas—. ¡Ahora!

El joven, que iba sentado como los demás, se levantó, tomó aire y tocó las vibrantes notas de la *Epitropé*, la llamada para cargar.

Las piezas estaban dispuestas. Ahora los dioses decidirían. Él poco más podía hacer.

Puesto de observación real

Mucho antes del alba el Gran Rey había celebrado sus sacrificios matinales y las libaciones en honor de Ahuramazda para rogarle que en aquel día señalado concediera la victoria a sus hijos. Después toda la comitiva real se dirigió al puesto de observación. Los sirvientes lo habían instalado cerca de un santuario de Heracles, héroe al que los griegos consideraban el más importante de todos, pese a que sus hazañas, al menos tal como se las habían narrado a Mardonio, eran más dignas de una bestia que de un ser humano.

Habían levantado el estrado para el sitial de Jerjes en la ladera del Egáleo, a unos cincuenta metros de altura sobre el mar. No ofrecía una vista de águila, pero permitía dominar todo el estrecho. Mardonio tenía a su izquierda el promontorio de Cinosura que lo cerraba, grisáceo y borroso en la distancia. Desde allí la flota persa se extendía como una línea interminable. La vanguardia ya había sobrepasado el puesto de observación, y sin embargo seguían entrando barcos en el estrecho, desplegados en escuadras de treinta naves, cada una de las cuales desfilaba en tres hileras paralelas.

En línea recta con el mirador se hallaban ambas Farmacusas. La Menor se encontraba prácticamente a sus pies, a unos cien metros de la orilla. Por allí acababan de pasar los primeros barcos. Aunque hasta entonces habían navegado pegados a la costa, en aquel punto habían tenido que apartarse de ella. Los bloques de piedra utilizados por los zapadores para emprender la construcción del terraplén no habían conseguido alcanzar el islote, pero ahora formaban una escollera que obstaculizaba el paso de las naves.

Al ver cómo esa primera escuadra tenía que refrenar su marcha y las tres líneas de barcos, que hasta entonces parecían trazadas a escuadra, se desordenaban, Jerjes chasqueó la lengua. Mardonio lo miró con preocupación. En el Gran Rey, ese leve gesto equivalía a una retahíla de blasfemias. Lo cierto era que no habían tenido en cuenta aquellas rocas. El pequeño desbarajuste en la vanguardia se fue transmitiendo a las escuadras que venían detrás. Para no chocar con las unidades que tenían delante, algunas se desviaban a babor y se acercaban más a las aguas del centro del estrecho. En sí eso no parecía un gran problema. Pero en algunos puntos había dos escuadras navegando en paralelo, lo que quería decir que cuando llegara el momento de atacar, unas bloquearían el camino de otras.

—Estos fenicios no son tan buenos navegantes como alardeaban —murmuró Hidarnes, a la derecha de Mardonio.

Aparte del jefe de los Diez Mil, se veía a muchos otros personajes de la corte en las inmediaciones del estrado, todos deseosos de compartir el triunfo con el Gran Rey. Los generales de las divisiones de la *Spada*, los oficiales más destacados, los jefes de los contingentes que aportaban los diversos pueblos. También sacerdotes y adivinos, magos que seguían las prédicas de Zaratustra y otros que se mantenían fieles al politeísmo de sus ancestros —como hacía el propio Mardonio, aunque en secreto por no ofender a Jerjes—. No faltaban los Pisistrátidas, Damarato y toda la caterva de traidores y renegados griegos, incluyendo al espía ateniense Euforión.

De momento, su informe había demostrado ser fidedigno, al menos en parte. Los barcos que habían montado guardia hasta poco antes del amanecer en la entrada oriental del estrecho no detectaron señal alguna de Temístocles ni de su escuadra. Pero hacía ya más de una hora que los navíos corintios habían zarpado de su ensenada con las velas izadas y las luces encendidas. Al pronto, a Mardonio le pareció que había al menos tres escuadras y supuso que los atenienses habían decidido escapar finalmente por el lugar más alejado del campamento persa y, por tanto, más seguro. Cuando fue clareando, se dio cuenta de que las luces que llevaban los barcos lo habían engañado; no podían ser más de cincuenta.

En ese caso, ¿dónde estaban todas las demás naves? Frente a ellos, al otro lado del estrecho, se hallaba el fondeadero de la flota ateniense. Allí se veían algunas hogueras, pero no más que otros días a esas mismas horas, y la Farmacusa Mayor les tapaba casi toda la vista. El observador que miraba por el tubo mágico no había logrado distinguir gran cosa, ya que aquel objeto que Mardonio le había confiscado a Temístocles agrandaba las imágenes, pero a cambio las deformaba y difuminaba la luz.

Pero conforme los minutos pasaban, el cielo se iba aclarando y las sombras se materializaban en perfiles y objetos. Aunque la atmósfera seguía turbia, Mardonio observó movimiento al otro lado del canal, como si la propia línea de la costa se adelantara.

Eso no puede ser, pensó. Ni por un momento había dudado de que hoy iban a presenciar primero un intento de estampida y luego una matanza. Estaba demasiado acostumbrado a la desunión, la cobardía y la codicia de los griegos. Siendo bastante más joven había luchado en Lade, donde casi la mitad de la flota griega desertó en plena batalla. No había tenido ningún problema para sobornar al oráculo de Delfos, el centro más sagrado de la religión griega. Varios éforos y magistrados espartanos comían en su mano como aves de corral. Incluso en la rebelde Atenas tenía agentes como el Alcmeónida Euforión.

Y, sin embargo, lo que estaba viendo Mardonio no era ninguna desbandada. La flota enemiga se estaba desplegando por ambos lados de la Farmacusa Mayor, y no para huir, sino en formación de combate.

La sombra de la montaña que se proyectaba sobre el estrecho se fue encogiendo conforme el sol se levantaba en el cielo. Cuando dejó al descubierto a la flota griega, la luz del amanecer arrancó destellos dorados de los escudos de los guerreros y de los espolones que hendían el agua. Mientras durante unos segundos la armada persa aún seguía sumergida en la sombra, Mardonio recordó relatos de supervivientes de la batalla de Maratón. Allí también se había visto un reflejo igual cuando los atenienses cargaron poseídos por los demonios.

Mardonio sabía perfectamente que no se trataba de ningún fenómeno sobrenatural, pues los trirremes griegos estaban navegando enfilados hacia el sol. Pero sus tripas no debían ser tan conscientes de ellos y se contrajeron en un retortijón supersticioso. Miró a Jerjes. El Gran Rey tenía la mirada clavada en los barcos enemigos, impertérrito y silencioso. Pero la gota de sudor que cayó sobre sus cejas antes de que el toallero real tuviera tiempo de enjugarla era muy humana, e hizo pensar a Mardonio que Jerjes también se estaba acordando de Maratón.

—¿Qué prodigio es ése? —preguntó Hidarnes, a su lado.

El jefe de los Diez Mil no se refería al reflejo del sol. Hombre de tierra adentro, lo que estaba viendo en el agua no tenía explicación para él. Mardonio miró a su izquierda. Una línea que partía de la punta de Cinosura parecía dividir las aguas en dos. La zona por la que navegaban los griegos se veía más lisa y brillante, casi como un espejo, mientras que en las cercanías de la costa por la que navegaba la flota persa las aguas se habían picado y empezaban a aparecer crestas blancas sobre las olas.

—No es ningún prodigio —respondió Mardonio.

Aunque no fuese un lobo de mar fenicio, tenía suficiente experiencia para saber lo que estaba pasando, y el flamear del aire en el dosel púrpura se lo confirmaba. Se había levantado un fuerte viento que entraba por el canal, soplaba paralelo a la costa y revolvía las aguas, mientras que en la zona protegida por el largo promontorio de Cinosura los griegos avanzaban sobre una superficie mucho más calmada.

Aquel viento de popa impulsaba a las naves persas. Pero, teniendo en cuenta que debían maniobrar a babor para enfrentarse a la acometida griega, no era ninguna bendición.

Mardonio vio un movimiento a su derecha con el rabillo del

ojo. El traidor Euforión, que hasta hacía un momento estaba departiendo con los Pisistrátidas, trataba de escabullirse subrepticiamente entre la multitud de cortesanos.

—Coged a ese hombre —ordenó a dos lanceros, y añadió mascullando para sí—: Si esto es lo que sospecho, alguien va a pagar por ello.

Nave Artemisia

Mientras otras trompetas respondían a babor y estribor y sus ecos se extendían por todo el estrecho, Temístocles dio una orden para que se la transmitieran a los remeros:

—¡Boga de ataque!

Bajo la cubierta se oyó un *aaa-úmmpffff* colectivo y el agudo trino de la flauta aceleró su ritmo. Los remos se hundieron con más fuerza. Temístocles conocía la sensación. Cuando se bogaba a ese ritmo, el remero tenía la impresión de que el agua se volvía sólida, la pala se quedaba clavada en ella y al hacer palanca empujaba al resto de la nave. En realidad, el remo se deslizaba igual o mejor que antes. Era la propia potencia del golpe la que causaba esa ilusión de dureza.

Sentía en el trasero cada arreón de los remos, brindando más impulso a la nave mientras se dirigían hacia los costados de los enemigos. Ya les llegaban las trompetas de los persas, y también sus gritos, aunque Temístocles apenas podía oírlos sobre los ruidos de su propia flota. Abajo, los remeros entonaban su monótono cantar, poniendo en él toda la fuerza de sus riñones:

—*Rip-pa-pái!... Rip-pa-pái!... Rip-pa-pái!... Rip-pa-pái!...*

Ellos ya no iban a perder el ritmo. Ahora había que espolear los ánimos de los hombres que en cuestión de un minuto iban a combatir. Tenían que sembrar el pavor en los corazones de aquellos enemigos que, creyéndose a punto de cobrar una presa fácil, se encontraban ahora con una armada operativa y lista para el combate. Con la flota de la Grecia libre.

—¡Entonad el peán! —gritó.

Fue Socles quien empezó el canto guerrero. Enseguida se unieron a él los hoplitas y los marineros, e incluso los arqueros escitas que no conocían la letra tararearon la música con sílabas ininteligibles. Temístocles miró a ambos lados. A estribor, la nave megarense se había rezagado un poco. A babor, en cambio, la *Areté* de Aminias les sacaba dos o tres metros, mientras que la de Cimón se mantenía casi a la par.

—¡Cómitre! ¡Que nadie nos adelante!

Aminias le saludó desde su asiento, le hizo un gesto desafiante y gritó algo que Temístocles no alcanzó a oír. Los barcos fenicios estaban ya a menos de cien metros, tratando de virar hacia babor para cerrar ángulos y oponerles sus proas. Pero la mar estaba picada y daban cabeceos. El viento sureste, el mismo que casi había hecho vomitar a Mnesífilo el día que visitaron a Clístenes en su lecho de muerte, hacía rabear las naves de popa y dificultaba la maniobra.

Dejaron de estar al socaire de Cinosura. De golpe, pasaron de aguas calmadas a otras más revueltas. La proa de la *Artemisia* se levantó un instante, y luego su panza plana cayó sobre el seno de la ola con un sonoro restallido. Temístocles notó bajo el asiento la fuerza que intentaba desviar la proa de su nave a babor, pero Heráclides movió con destreza el timón y mantuvieron su curso. Cada vez que rompían una ola y volvían a caer entre rociones de espuma, los infantes de cubierta marcaban con un sonoro *ooo-Ó* los versos del peán. *Son jóvenes, está bien que disfruten*, pensó.

Pero ya no había tiempo para más. En aquellos brutales estallidos de energía que apenas se podían mantener durante medio kilómetro, un trirreme llegaba a alcanzar tanta velocidad como un atleta en la carrera del estadio. Ahora, por culpa del oleaje, la *Artemisia* no se desplazaba tan rápido como Temístocles habría querido. Pero su presa tampoco. Era un barco de aspecto siniestro, con todo el casco pintado de negro, salvo dos ojos rojos a los que les habían dibujado venas sanguinolentas. La borda estaba protegida por escudos, tras los que los arqueros les disparaban flechas.

Temístocles miró a un lado. Su escudo estaba asegurado con

una correa a un lado de la silla. Pensó un instante en ponérselo. Pero allí en la popa aún estaba lejos del enemigo, y entre los bandazos que daba su barco y los cabeceos de la *Artemisia*, la mayoría de los proyectiles acababan en el agua. Sin embargo, decidió ponerse el yelmo.

El barco volvió a levantarse y dio otro panzazo sobre las olas. Por estribor se levantó una cortina de agua y espuma que barrió a los hoplitas de ese lado. Estaban ya casi encima de la presa, que seguía virando para enfrentarles la proa.

—¡No les va a dar tiempo! ¡Les vamos a alcanzar de lleno! —dijo Fidípides, agarrándose al respaldo del sillón de Temístocles para no caer.

—¡El cabeceo! —gritó Escilias.

Era lo mismo que estaba temiendo Temístocles. La proa volvió a levantarse una vez más. Estaban tan cerca del barco enemigo que ya alcanzaban a oír los gritos de sus tripulantes y hasta veían los dientes en sus bocas abiertas. Si golpeaban al trirreme fenicio sobre la línea de flotación lo dañarían, pero no conseguirían echarlo a pique, al menos antes de que sus hombres intentaran abordarlos.

A su izquierda sonó un estridente crujido. Aunque habían conseguido adelantar a la nave de Aminias, ésta había chocado contra un navío enemigo que se había apartado de la formación.

—¡Nos han quitado la primicia! —se quejó Escilias, como si en verdad fuera un tripulante más de la *Artemisia*.

—¡Detened los remos! —gritó Temístocles—. ¡Infantes a proa!

Tras su experiencia de Artemisio había hecho levantar un parapeto de madera y cuero en la proa, calculando que la carga adicional bien merecía la protección que brindaba, y muchos trierarcas lo habían imitado. Los hoplitas se levantaron a duras penas entre los movimientos de la nave y acudieron adonde se les mandaba. Ya no había tiempo para nada más. Temístocles apretó los dientes. La *Artemisia* cabalgó la ola un segundo y después, ayudada por el peso extra de los soldados, cabeceó hacia la proa. El espolón golpeó en la amura enemiga a unos cinco metros de la proa, con ángulo suficiente para abrir una brecha. Ambas naves se quejaron por el impacto con un monstruoso lamento de maderos rechinantes. Temístocles consiguió no salir disparado del asiento, aunque sintió que los hombros casi se le descoyuntaban por el esfuerzo. Un par de marineros cayeron al suelo en la pasarela y el parapeto de proa crujió y se estremeció bajo el peso de los hoplitas.

El impacto siempre era peor para quien lo recibía. El barco fenicio se desplazó de golpe dos o tres metros y varios guerreros se precipitaron por la borda. Algunos chocaron contra los remos y se hundieron en el agua, mientras que otro cayó sobre la cubierta de proa de la *Artemisia*.

—¡A babor! —ordenó Temístocles.

Pero Heráclides no necesitaba aquella orden. Columpiándose prácticamente en las cañas de los remos maestros para no perder el equilibrio, viró a la izquierda para acompañar el movimiento de la nave a cuyo casco se habían enganchado. De lo contrario, la torsión lateral podía hacerles perder el espolón e incluso dañar toda la proa y abrirles una vía de agua.

Durante unos segundos ambas naves se movieron sincronizadas como dos amantes danzando. Los hombres del trirreme fenicio arrojaron ganchos de abordaje sobre la *Artemisia* para evitar que se separara de ellos, pues su única forma de escapar al naufragio de su barco era apoderarse de la nave enemiga. Los hoplitas y marineros se apresuraron a cortar las sogas con espadas, machetes y hasta con las puntas de las lanzas. Un gigantesco guerrero persa se asomó sobre la borda, que superaba en altura a la cubierta griega casi metro y medio, y arrojó una roca que debía de pesar casi un talento. La piedra le rompió el pie a un hoplita, abrió un boquete en la cubierta de proa y desapareció de la vista.

Temístocles temió que hubiera causado daños en la sentina, pero ya no tenía remedio. Mientras sus infantes alanceaban y arrojaban al agua al enemigo que había caído sobre la cubierta, él ordenó:

—¡Ciar!

Los remeros volvieron a clavar las palas y bogaron hacia atrás para apartarse del barco enemigo. En ese momento, un guerrero vestido con un rico caftán que lo identificaba como un noble persa tensó su arco y le disparó una flecha, gritando:

—¡Temístocles!

Apartó la cara por reflejo al ver el brillo de la punta metálica. La flecha rechinó al rebotar en su yelmo. A Temístocles no le resultaba familiar aquel noble, pero sin duda los enemigos conocían el estandarte de su nave e incluso el blasón de su escudo, el dragón negro que había detenido a Jerjes en Maratón.

El gigante de las piedras aún lanzó una más contra la *Artemisia*, pero se quedó corta, pues ambas naves ya se estaban apartando. Fidípides soltó una flecha que sobrevoló zumbando los treinta y cinco metros de la crujía de la *Artemisia* y se clavó en la frente del persa. Éste cayó dando una voltereta sobre la regala de su nave y se hundió pesadamente en el agua.

—¡Buena puntería! —dijo Temístocles al mensajero.

Ahora pudieron comprobar que la brecha que habían abierto en el casco enemigo se hallaba por debajo de la línea de flotación. El agua empezó a entrar a raudales y el trirreme se escoró a babor. Los gritos de pánico de los remeros les llegaron incluso a través de la tablazón.

—¡Corrige a estribor! —ordenó Temístocles.

Tenían frente a ellos otro barco fenicio que, al no disponer de espacio para maniobrar, apenas había iniciado el viraje y les ofrecía su costado, más indefenso todavía que el del trirreme negro. La *Artemisia* dejó atrás su primera presa, abandonándola a su suerte, y se encaminó hacia la segunda. Las instrucciones de Temístocles a todos los trierarcas de la flota habían sido tajantes. No se procedería al abordaje a no ser que fuera inevitable, ya que estaban en inferioridad numérica, y nadie debía perder el tiempo remolcando pecios enemigos como trofeos. Eran avispas, les dijo. Tenían que clavar el aguijón una y otra vez para sembrar el caos en la flota enemiga.

Apenas habían tenido tiempo de adquirir impulso, pero la velocidad que llevaban les bastó para tronchar con el ariete varios remos de la parte de popa y arrancar el timón de babor enemigo. Temístocles ordenó ciar de nuevo y miró a ambos lados para comprobar que tenían más barcos griegos a su altura. No se trataba de internarse en la formación enemiga solos ni de ganar sin más ayuda la batalla, sino de actuar en conjunción con el frente de su escuadra. La idea era actuar como un carpintero que desbasta madera, arrancando virutas capa por capa. Y las naves enemigas eran esas virutas.

Puesto de observación real

A Mardonio, más que avispas, las naves griegas se le antojaban peces de río diminutos y voraces que picoteaban en bandada la gran masa compacta de la flota persa, arrancaban un bocado, retrocedían y volvían a adelantarse para morder de nuevo. Por detrás de las popas enemigas quedaba más de un kilómetro de aguas libres. La batalla se estaba librando junto a la costa del continente, en una estrecha franja de trescientos o cuatrocientos metros.

Bajo el toldo púrpura reinaba un tenso silencio, roto sólo por ocasionales susurros. Todo el mundo percibía la cólera del Gran Rey, la sentía en el aire como la vibración picante que precede a la tormenta, y nadie quería levantar la voz. Del campo de batalla llegaba un estrépito confuso de crujidos, trompetazos y cuernos, un chapoteo constante y caótico y, sobre todo, gritos. Miles de gritos de agonía, de mando, de dolor, de desafío, de triunfo.

En la parte norte del estrecho, a la derecha de Mardonio, quince o veinte naves de la primera escuadra fenicia habían logrado escapar de la arremetida ateniense y ahora estaban trazando un amplio giro a babor. Probablemente pretendían acercarse a Salamina para acabar girando en círculo, atacar a los griegos por la retaguardia y aliviar así la presión sobre sus camaradas. Pero los que hacía un rato que habían virado en redondo eran los barcos corintios, los mismos que según el traidor iban a huir a Mégara. Con las velas arriadas y los mástiles pelados se dirigían hacia el sur a plena boga, olvidada ya la parsimonia de su fuga fingida. Su ataque alcanzó a la pequeña flotilla persa por el costado de babor. El secretario del tubo mágico torció el gesto y se inclinó sobre Jerjes para decirle:

—Majestad, la nave del almirante Ariabignes ha sido alcanzada y se está hundiendo.

Jerjes apenas movió la barbilla. Ariabignes era hermanastro suyo, hijo de Darío y de su primera esposa. No era la primera baja de la que informaba el observador, pero sí la más importante.

—Mira hacia la entrada del estrecho y dime qué está pasando —le ordenó Mardonio.

El observador apuntó el tubo hacia el este y empezó a describirles lo que veía. Las naves carias, cilicias y chipriotas ya habían entrado en el estrecho, incluyendo la *Calisto* de la reina Artemisia. Por detrás, entre Cinosura y Psitalea, quedaban unos ciento cincuenta trirremes de las ciudades y las islas jonias y otros contingentes.

Mardonio se inclinó sobre Jerjes y le dijo al oído.

—Majestad, ordena a los jonios que retrocedan y dejen libre la salida del estrecho. Así podremos sacar a la flota de esta trampa sin sufrir demasiadas pérdidas.

—No —respondió el Gran Rey, sin apartar los ojos del espectáculo que se representaba para él.

Mardonio sabía que se estaba extralimitando, pero en aquel momento veía en peligro toda la flota persa.

—Majestad, si los jonios entran en el estrecho, sólo empeorarán la situación.

Jerjes volvió la mirada hacia él. Sus ojos negros brillaron como carbones encendidos durante un instante. Después recobró el control, o tal vez recordó que Mardonio y él eran amigos desde niños.

—Los ejércitos Aqueménidas nunca retroceden. Mi flota los aplastará como a un mosquito por la pura fuerza del número.

Aquello era más voluntad y deseo que inteligencia, pero Mardonio se puso firme y guardó silencio. La batalla siguió su curso con una lentitud engañosa. Desde la distancia, los barcos parecían pequeños y sus movimientos premiosos, pero Mardonio sabía que allí abajo las cosas se veían y sentían muy distintas y que todo se desarrollaba a una velocidad que apenas dejaba tiempo para reaccionar.

Puesto que no se les envió señal para que hicieran lo contrario, las escuadras de la retaguardia entraron en la bahía, agravando la situación. Con sus proas prácticamente empujaban a las naves que tenían delante, y ese movimiento se transmitía hasta la zona de la Farmacusa Menor. Pero allí, justo a los pies del trono de Jerjes, se había formado un monstruoso tapón de barcos, de tal manera que los remos de las naves persas chocaban entre sí, y algunas se golpeaban con los arietes porque no tenían el menor espacio para maniobrar. A Mardonio aquella imagen de apelotonamiento y desorden le recordó a los ríos de Macedonia, donde los leñadores de las tierras altas arrojaban los árboles recién talados para que la fuerza de la corriente los arrastrara hasta el mar.

En realidad, sólo una parte de las naves estaban involucradas en el combate, las que ocupaban el flanco occidental de la formación. Las demás permanecían estancadas entre los trirremes atacados y la escarpada costa, sin poder hacer nada, esperando tan sólo a que les llegara su turno de recibir los espolonazos enemigos. Unos pocos trierarcas, más audaces o más expertos que los demás, lograban abrirse paso entre las líneas enemigas para llegar a aguas más abiertas, y algunos de ellos incluso conseguían hundir o apresar barcos griegos. De todo ello informaba el observador a Jerjes, y el secretario real tomaba nota para recompensar a aquellos hombres, si es que sobrevivían.

Algunos barcos fenicios, empujados por los suyos, acababan encallando en la costa. Sus tripulaciones bajaban a tierra y levantaban los brazos al cielo, increpando y maldiciendo. Obedeciendo una señal de Jerjes, Mardonio ordenó a los hombres de la *Spada* que obligaran a aquellos hombres a embarcar de nuevo y regresar al combate, o en caso contrario que los ejecutaran.

Al cabo de un rato se presentaron ante el rey varios trierarcas y oficiales fenicios a los que los soldados no se habían atrevido a matar, y con grandes aspavientos le dijeron:

—¡Los jonios nos han traicionado, majestad! ¡Son ellos los que nos están atacando!

—¡Silencio! —exclamó Mardonio, y ordenó a unos lanceros que prendieran a aquellos hombres. No podía explicarles, por supuesto, que los jonios no estaban causando daños a los barcos fenicios por propia voluntad, sino por la obcecación de Jerjes.

En ese momento, el observador informó que un barco jonio, de la isla de Samotracia, acababa de ser hundido por un trirreme enemigo. Pero los samotracios de cubierta, más numerosos que los infantes griegos, habían conseguido encaramarse a la nave que los había echado a pique y apoderarse de ella.

—Ésos héroes son los traidores, según vosotros —dijo Hidarnes, que sentía un profundo desprecio por los fenicios.

El Gran Rey dijo algo en voz baja. Mardonio se agachó para escuchar su orden, y luego mandó a los lanceros:

—Lleváoslos y decapitadlos.

En ese momento se acordó de Euforión. El ateniense, con los brazos inmovilizados por dos fornidos *arshtika*, balanceaba la cabeza a ambos lados como un poseso. Sin aguardar instrucciones de Jerjes, Mardonio se acercó a él, lo agarró de la barbilla y le obligó a mirarlo a la cara. Para inmovilizarlo, aunque era un hombre fuerte, tuvo que recurrir a ambas manos, pues las sacudidas espasmódicas del ateniense eran muy violentas.

—Tú, sabandija. Te has atrevido a traicionar al Rey de Reyes. No tienes vidas suficientes con las que pagar ese delito.

—¡Por favor, señor! ¡Debe haber sido un error! ¡Temístocles me ha engañado! ¡Tú sabes que es un hombre pérfido y astuto!

—Es posible que él lo sea, y que tú en cambio seas tan sólo un pobre imbécil. —A Mardonio le dolían ya los bíceps de apretar las mandíbulas de Euforión para que no se moviera—. Pero te aseguro que no volverás a menear tu estúpida cabeza nunca más.

—¡Te lo ruego, señor! ¡No hagas que me decapiten!

—¿Quién ha dicho que te vayan a decapitar? —Le soltó por fin. El Alcmeónida sacudió la cabeza a un lado con tal fuerza que el crujido de sus vértebras sonó a madera tronchada—. Llevádselo al verdugo de Assur. Quiero que lo empale bien, hasta que la punta de la estaca le salga por la boca. ¡No! Mejor decidle que no se la clave a fondo. Quiero que trabaje con todo su arte. Si este hombre muere antes de tres días, juro que le cortaré las manos al verdugo. ¡Apartadlo de mi vista!

Los lanceros se llevaron a Euforión, entre alaridos que no parecían salir de una garganta humana. Descargada algún tanto su frustración, Mardonio volvió a ocupar su puesto junto al Gran Rey. El sol ya estaba alto en el cielo, casi en su cenit. Como la situación no mejoraba, el observador trataba de mitigar el enfado de Jerjes dándole buenas noticias.

—La reina Artemisia acaba de hundir un barco, majestad, y sus hoplitas y sus arqueros están matando a los enemigos en el agua como si fueran atunes.

—¿Estás seguro de que es ella? —preguntó Mardonio.

—Sí, señor. Lleva un estandarte con un oso blanco sobre fondo rojo.

Por primera vez en toda la batalla, Jerjes levantó la voz y dijo:

—¡Ah! Los hombres se me han convertido en mujeres, y las mujeres en hombres.

Nave Calisto

Lo que había ocurrido no era exactamente lo que el observador real había visto o creído ver. Aunque algo de verdad se escondía en ello, ya que Artemisia había echado a pique una nave con el espolón de su nave.

La *Calisto* y las otras cuatro naves de Halicarnaso habían zarpado mucho antes de amanecer. Lo habían hecho casi a oscuras, pues a esa hora aún quedaban en el cielo jirones de nubes que sólo dejaban ver a ratos la luna llena. Salieron de Falero haciendo el menor ruido posible, marcando el ritmo de la boga con piedras y bajo la amenaza de tormento para cualquiera que se atreviese a romper la disciplina de silencio.

Al llegar a la altura de Psitalea se detuvieron, obedeciendo las instrucciones de Mardonio, y durante más de dos horas permanecieron al resguardo de la isla, usando los remos tan sólo para mantener la posición. En Psitalea había ya quinientos soldados, agazapados en la parte oriental para que sus perfiles no los delataran vistos desde Salamina. Al menos podían dormir aunque fuera tendidos sobre rocas puntiagudas. En cambio, los remeros tenían que bogar en la oscuridad y el silencio, sufriendo el calor húmedo de la noche que en las sentinas se hacía más sofocante.

Cuando el cielo, que poco a poco se había despejado de nubes, empezó a agrisar, la flota se puso en marcha. No era necesario transmitir órdenes. Las instrucciones habían sido claras. La maniobra se inició en el extremo derecho, donde formaba la escuadra del almirante Ariabignes. Todo lo que debían hacer los demás trirremes era esperar a que partieran las tres naves que tenían a su derecha, aproarse tras ellas y seguirlas al interior del estrecho, lo más cerca posible de la costa.

Navegaban tan despacio que Artemisia habría podido adelantar a la *Calisto* nadando. Se detenían constantemente y ciaban para no chocar con los trirremes de delante. Ya era de día cuando los cinco barcos de Artemisia rebasaron el promontorio de Cinosura. Desde hacía una hora estaban recibiendo un viento de popa que levantaba una marejada muy incómoda; llevaban oyendo los ruidos del combate casi el mismo tiempo. Artemisia ignoraba qué estaba ocurriendo por delante de ellos, pero su piloto Diógenes no albergaba la menor duda.

—El plan de Jerjes ha funcionado al final, señora —le dijo en tono casi apesadumbrado—. Es evidente que los griegos sólo sabemos huir y traicionarnos unos a otros. Estamos condenados a que nos manden otros.

Sin embargo, momentos después escucharon el peán acompañado de trompetas de guerra. No sonaba como el grito desesperado de alguien a quien han sorprendido en la huida y se revuelve como una fiera acorralada, sino como el canto decidido de quien se lanza a un ataque organizado.

Aunque la infiltración había empezado de forma ordenada, ahora tenían a su izquierda unas naves chipriotas que no deberían estar allí y que no dejaban ver a Artemisia qué estaba sucediendo. Se despojó de la coraza por aligerar peso y se encaramó al codaste. Desde allí, a unos cuatro metros sobre la cubierta, pudo contemplar el panorama. Lo que vio la llenó de angustia. A babor de la *Calisto* navegaban, en efecto, tres trirremes de la flota persa. Pero el que se encontraba más alejado acababa de recibir la embestida de una nave griega.

Aprovechando que estaba allí arriba miró en derredor. Su situación era muy comprometida. No podían enfrentarse a los atacantes, porque aquellos barcos chipriotas se lo impedían. No podían desviarse a estribor, porque obligarían a sus otras dos naves a chocar contra la costa. Tampoco podían virar en redondo y escapar del estrecho, ya que por detrás de ellos venían aún cientos de barcos. No tenían más remedio que seguir hacia el frente, pero el panorama que se presentaba allí no parecía mucho mejor.

Hacía bien en no fiarme de Temístocles, se dijo.

Conforme el día avanzaba, la situación no mejoró. Los remeros, después de tantas horas de bogar, aunque fuese a un ritmo tan lento, estaban muy cansados y cada vez les resultaba más difícil coordinar sus movimientos. Había que frenar constantemente y ciar para no chocar con el barco de delante, pero también parar con las pértigas a las naves que venían por detrás. Todo entre gritos y amenazas de barco a barco. Los miembros de la flota del Gran Rey parecían haberse convertido en sus propios enemigos. La combinación del viento y la cercanía de la costa creaba una especie de succión que los arrastraba contra la orilla, agravada por la presión del ataque griego por la otra parte. Los barcos que navegaban en el ala derecha de la flota, al verse empujados a tierra por sus compañeros, trataban de hacerse hueco maniobrando a babor, con lo que a veces los remos se trababan entre sí, empezaban a paletear y se producían choques e incluso peleas de barco a barco.

Artemisia había apostado un vigía fijo, pero cada poco rato volvía a trepar ella misma al codaste y estudiaba la situación. Debían haberse internado en el estrecho un kilómetro como mucho. Entre Salamina y el centro del canal, los barcos griegos se movían a placer, haciendo relevos entre sus líneas para atacar a los trirremes del ala izquierda persa.

Cuando llegaron a la zona donde actuaba la flota ateniense, la última nave chipriota que quedaba cubriendo su flanco izquierdo se hundió, atacada por un trirreme enemigo. La *Calisto* se encontró de pronto con el costado de babor desguarnecido, aunque, a cambio, disponía de más espacio para maniobrar. Una nave griega venía contra ellos, buscando su popa. Huir a estribor era imposible, pues la masa de sus propios barcos lo impedía.

—¡Todo a babor, Diógenes!

A pesar de que tenían los músculos anquilosados tras tantas

horas de lento bogar, los remeros, que eran los mejores de la flotilla de Halicarnaso y sabían que de ellos dependía la vida de su reina, entraron en ritmo de combate en apenas unos segundos. Artemisia se alegró en aquel momento de la decisión que había tomado antes de embarcar. Puesto que no sólo aportaba barcos a la flota, sino también sus propios soldados, no la obligaban a llevar infantería irania. De ese modo, había podido decidir por sí sola cuántos hombres llevaba en cubierta. En algunos barcos fenicios había visto cuarenta y hasta cincuenta guerreros, una fuerza formidable si se daba el caso de llegar al abordaje. Pero ella no tenía la menor intención de dejarse abordar por nadie, y con doce hoplitas y cuatro arqueros a bordo la *Calisto* era mucho más rápida y marinera.

Esquivaron por apenas dos metros el espolón enemigo. Después, tras una brusca guiñada a la izquierda, se vieron con la proa orientada a Salamina.

Dos trirremes atenienses venían de frente. No había ni diez metros de separación entre ellos. Contando con el espacio de los remos, era imposible pasar por allí. Artemisia podía ver a los hoplitas en los parapetos de proa, mirándola con tanta hostilidad como los ojos pintados en sus barcos. ¿Por cuál de las dos naves decidirse?

—¡A babor!

Nada más decirlo, se dio cuenta de que había cometido un error. Diógenes viró bruscamente para embestir la amura del trirreme que tenían a la izquierda, pero el viento y la marejada redujeron su ángulo de ataque. Sabiendo que fallarían el golpe, Artemisia ordenó:

—¡A estribor! ¡Recoged remos de babor!

El cómitre transmitió la orden a sus hombres, mientras Diógenes se esforzaba por corregir el rumbo. Aquella maniobra era muy complicada, pues al tirar de los remos hacia el interior de la nave los hombres debían guiar las empuñaduras en ángulo cuidando de no golpear con ellas a los compañeros que bogaban al otro lado. Artemisia oyó gritos abajo y se imaginó que a alguien le habrían roto algún diente. Pero los remos desaparecieron por las portillas justo a tiempo.

El propio casco de la *Calisto* chocó con los remos de babor del barco enemigo. Al recibir el impacto se doblaron en ángulos imposibles y se quebraron con estrepitosos chasquidos. Mientras ambas naves se cruzaban, los soldados se dispararon flechas, lanzas e incluso piedras que habían cargado a bordo. Pero pasaron tan rápido la una junto a la otra que apenas tuvieron tiempo de intercambiar una andanada y nadie resultó herido. Al menos sobre la cubierta. Sin duda en la sentina del trirreme enemiga la rotura de los remos había causado graves heridas a los hombres que los manejaban.

Apenas dejó atrás la nave ateniense, la *Calisto* aprovechó el impulso de la maniobra y siguió virando a babor. ¿Adónde dirigirse ahora? Ya no había tácticas, planes ni estrategias, y cada barco de la flota persa intentaba sobrevivir como podía. Lo único sensato que podían hacer era poner rumbo a Cinosura y salir de aquella encerrona.

Por alguna razón recordó aquella noche de Maratón en que había matado al enviado de Patikara clavándole un pasador de metal en el oído. Como en aquella ocasión, se veía obligada a improvisar y saltarse algunas normas.

—¡Haz lo que yo te diga, Diógenes!

—¿Qué pretendes, señora?

—¡Salir vivos de aquí! ¡Ve haciendo lo que yo te ordene en todo momento!

Estaban navegando casi en paralelo y en el mismo sentido que los barcos atacantes. Fue entonces cuando Artemisia vio el costado de un barco licio que estaba trabado proa con proa con un trirreme ateniense, y reconoció su estandarte. Era la nave capitana de Damasitimo, el rey de Calinda.

Aquel hombre la había insultado en el consejo de guerra apenas unas horas antes. En su barco servía como hoplita Esquines de Eretria. ¿Había que buscar alguna excusa más?

—Embístele por la popa, Diógenes.

El piloto se volvió hacia ella.

—Pero, señora...

—¿Quieres volver a ver a tu esposa y a tus hijos? Pues tendremos que hacernos pasar por atenienses.

Diógenes se lo pensó tan sólo un segundo y maniobró como Artemisia le había indicado. Los remeros no podían saber hacia dónde se dirigía el espolón de la *Calisto*, pero los soldados y los tripulantes de cubierta sí, y se volvieron hacia ella con miradas de desconcierto. Artemisia se puso en pie y gritó, desgañitándose para hacerse oír en medio del fragor de la batalla:

—¿Queréis vivir o no?

Durante un segundo dudaron. Pero cuando el más veterano de ellos gritó «*¡Sí!*», los demás lo corearon: halicarnasios y licios tenían más rencillas guardadas que gestas en común. En cualquier caso, la opinión de los soldados carecía ya de importancia, porque la *Calisto* iba directa contra el costado del trirreme de Damasitimo y la colisión era inevitable.

Mientras en las proas de las naves enganchadas licios y atenienses combatían a lanzazos y trataban de abordarse mutuamente, Damasitimo se volvió hacia Artemisia y gritó algo desde su sillón de trierarca que ella no llegó a oír. Tenía al lado a Esquines, armado como hoplita pero sin intervenir en el combate que se estaba librando a proa.

Muy propio de ti, pensó Artemisia.

El espolón de la *Calisto* golpeó contra el casco casi en ángulo recto. Artemisia flexionó las piernas para absorber el impacto. Después recogió sus armas y corrió hacia delante. Si quería sobrevivir, era evidente que Damasitimo y Esquines debían morir. No le bastaba con la posibilidad de que se ahogaran. Tenía que ver sus cadáveres.

—¡Matadlos! —ordenó a sus hombres mientras corría hacia la proa.

Los guerreros de la nave licia estaban enzarzados en su combate con los atenienses, y además el golpe había arrojado por la borda a muchos de ellos. Tan sólo el timonel y algunos marineros acudieron en ayuda de Damasitimo. El rey de Calinda estaba tan gordo que no sólo se movía con la lentitud de una tortuga, sino que presentaba el doble de superficie a las flechas que un hombre normal. Los cuatro arqueros de la *Calisto* acertaron con sus proyectiles, y Damasitimo se desplomó sobre la caña del timón, la partió con su peso y quedó inerte sobre la cubierta.

—¡Artemisia! —gritó Esquines, apuntando su pica hacia ella y acercándose a la borda como si tuviera intención de saltar sobre la *Calisto*—. ¡Yo te maldigo, zorra!

Ella se ahorró bravatas y le arrojó directamente la lanza. La punta atravesó el faldar de cuero de Esquines y se clavó en su entrepierna. Con un alarido, el eretrio cayó de rodillas. Los arqueros ya habían empulgado sus armas de nuevo y lo remataron.

—Yo prefiero matarte, que es más práctico —dijo Artemisia, viendo cómo Esquines se desplomaba boca abajo sobre las tablas.

Terminada la breve escaramuza, los remeros de la *Calisto* ciaron para desengancharse. El barco licio empezó a hundirse de popa, mientras en la proa los atenienses daban cuenta de sus últimos enemigos. Artemisia ya se felicitaba por haberlos logrado engañar cuando uno de ellos gritó:

—¡Es Artemisia, la de las diez mil dracmas!

Al oírlo, ordenó a Diógenes ciabogar para retroceder y a la vez virar a estribor lo más rápido posible, en dirección a la salida del estrecho. Mientras corría de regreso a su puesto de trierarca, Artemisia ordenó:

—¡Arrancad el estandarte! ¡Echad abajo la regala! ¡Tenemos que parecer un barco ateniense!

Mientras un marinero retiraba el gallardete con la imagen de la osa, los hoplitas se dedicaron a arrancar los barrotes de la balaustrada a patadas, golpes de espada e incluso de escudo. Pero a la nave que los perseguía ya no la podían engañar. Además, la condenada era rápida y les iba recortando distancia. Los arqueros enemigos se habían apostado en proa para disparar. Una de sus flechas mató al muchacho que acababa de arriar la bandera, y Artemisia tuvo que arrodillarse y parapetarse tras su escudo para no resultar herida.

—¡Atención a estribor!

Era una locura. Jamás saldrían vivos de aquel laberinto de naves, remos y espolones. Artemisia miró hacia la nueva amenaza, un trirreme azul. Si mantenían el rumbo y la velocidad actuales, les iba a perforar el costado en cuestión de segundos. Al ver la estatua de la diosa cazadora en la proa y el gran gallardete dorado que ondeaba sobre el codaste, Artemisia se convenció de que ya estaba muerta. Pues aquél era el trirreme de Temístocles, el hombre que estaba destinado a matarla. Así se lo habían vaticinado los dioses en la Acrópolis.

El barco del ateniense dio una guiñada a estribor y frenó su remada levantando chorros de espuma. Gracias a eso, la popa de la *Calisto* pasó apenas a tres metros del espolón enemigo y lo dejó atrás. Pero la maniobra de la nave de Temístocles no había terminado ahí, sino que se interpuso en el camino del trirreme que perseguía a los halicarnasios y lo obligó a desviarse y perder velocidad.

Mientras los tripulantes de ambas naves se insultaban y se recriminaban mutuamente su torpeza, la *Calisto* se alejó de ellas. Artemisia se agarró al codaste y miró hacia atrás. Desde aquel barco que se llamaba como ella, Temístocles levantó la mano y la saludó.

A veces los presagios se equivocan o los interpretamos mal, pensó Artemisia, y se desplomó en el sillón de trierarca con un suspiro de alivio.

—Nos hemos salvado por poco, señora —le dijo el piloto, volviéndose hacia ella sin soltar el timón.

—Todavía es pronto para decirlo, Diógenes. Aún tenemos que pasar por atenienses hasta salir de aquí.

Y luego rezar para que el sirviente del Gran Rey no haya observado nuestra maniobra con su ojo mágico, pensó. De pronto se dio cuenta de que estaba huyendo, algo que no había hecho en las Termópilas, aunque en aquella ocasión luchaba contra los espartanos. Se dijo que esto era diferente. Ella era una amazona, una reina guerrera, no un torpe atún que se deja pescar en una almadraba. Ésa no era forma de morir.

Quizá lo que pasaba, pensó mientras se acariciaba la cicatriz de la oreja, era que ya no estaba dispuesta a morir por Jerjes. Tal vez, sólo tal vez, se estaba haciendo mayor.

Nave Dínamis

Ya había pasado de largo el mediodía cuando Cimón pudo gritar por fin:

—¡Al abordaje!

Por la mañana habían perdido el espolón en la primera embestida. Aunque no habían sufrido más daños, ya no podían combatir de la forma que todos los trierarcas habían convenido antes de la batalla. Las instrucciones eran evitar el abordaje y concentrarse en perforar los cascos enemigos con los arietes, aprovechando que, si el plan de Temístocles funcionaba como estaba previsto, las naves persas estarían tan apiñadas que no podrían maniobrar.

El viento y el oleaje se habían conjurado a favor de los griegos. Además, el hecho de llevar las cubiertas atestadas de soldados no hacía precisamente más maniobrables los barcos persas. Cimón no había estado en Artemisio, pero por lo que había oído tenía la impresión de que aquí en Salamina los trirremes fenicios habían embarcado aún más infantería.

Querían sorprendernos en la orilla, pensó. Lo que Jerjes o sus almirantes habían previsto no era en realidad una batalla naval, sino una operación de desembarco.

La víspera, discutiendo con un trierarca, Cimón le había dicho que diez hoplitas griegos valían más que veinte guerreros bárbaros. Pero no estaba tan loco como para intentar un abordaje contra cuarenta, así que, tras perder el ariete, ordenó a sus hombres que ciaran hasta el segundo escalón de la formación, y desde allí se dedicó a apoyar las maniobras de otras naves.

Bregaron durante horas, cerrando líneas para evitar que los barcos enemigos huyeran, acudiendo en auxilio de naves aliadas cuando las veían en apuros. En una pasada habían roto quince o veinte remos a un trirreme fenicio, y en otra, sus arqueros abatieron a dos soldados enemigos. Si la situación no cambiaba, ésos eran todos los méritos que podría alegar al final de la batalla.

Entonces se les presentó la ocasión. Una nave de su escuadra, la *Procne*, embistió a un enemigo. Pero con los cabeceos provocados por las olas, el ariete golpeó demasiado bajo y prácticamente resbaló sobre el fondo del trirreme fenicio. Los tripulantes del barco atacado actuaron con rapidez, consiguieron enganchar a la *Procne* con sus garfios de abordaje y la abarloaron a su costado de babor.

La lucha estaba siendo desigual. Aunque los hoplitas atenienses luchaban con bravura para repeler a los enemigos, no eran capaces de cubrir toda la longitud de la cubierta. Diez o quince persas saltaron sobre su popa, haciendo balancearse ambas naves, acabaron con el timonel y el trierarca y se dispusieron a seguir la matanza en la bodega.

Los tripulantes del barco fenicio estaban tan enfrascados en su lucha contra los defensores de la *Procne* que apenas se dieron cuenta de que la *Dínamis* se arrimaba a ellos por su banda de estribor y les lanzaba sus propios ganchos. Un instante antes de saltar sobre la cubierta enemiga, Tericles, un hoplita que acababa de cumplir veinte años, dijo:

—¡Maldita sea!

—¿Qué te ocurre? —le preguntó Cimón.

El joven, que había enrojecido como una doncella, se miró la entrepierna.

—Me he orinado encima, señor.

Cimón soltó una carcajada.

—No te preocupes por eso, muchacho. A mí me pasó lo mismo en Maratón. Y aquel día maté a más de un persa.

Fue entonces cuando dio la orden de lanzarse al abordaje, y él mismo saltó el primero sobre los escudos que protegían la balaustrada. Sus hombres lo siguieron profiriendo gritos de guerra para atraer sobre sí la atención de los soldados fenicios.

Seguían estando en minoría; pero contaban con la ventaja de su armamento, el mismo que les había otorgado la victoria en Maratón. Al ver que recibían refuerzos, los defensores de la *Procne* cerraron sus escudos como una pequeña falange, se hicieron fuertes en la zona de proa y consiguieron rechazar a los infantes persas. La pelea, que duró largo rato, terminó en la cubierta de la nave fenicia. Cimón perdió a tres de sus hombres, entre ellos a Tericles, y de los soldados de la otra nave cayeron la mitad, pero lograron hacerse dueños del trirreme. Tras arrojar al agua a los últimos arqueros persas, que al final se habían resistido incluso a mordiscos, cuatro hoplitas griegos bajaron a la bodega.

Desde la cubierta, Cimón oía los gritos y los golpes. Se trataba de una labor sórdida, más propia de matarifes que de soldados, pero si no se conseguía hundir el barco enemigo con el ariete había que proceder de ese modo. Cimón podía imaginarse la escena: los cuatro soldados, bien protegidos por sus escudos, sus yelmos y sus corazas, avanzando desde un extremo de la sentina, abriéndose paso entre los bancos y clavando sus lanzas en los cuerpos desnudos. En un trirreme había más de ciento cincuenta remeros, pero su número no valía de nada en un lugar tan angosto, ya que tan sólo seis de ellos, como mucho, podían luchar a la vez contra sus atacantes. De modo que los remeros optaban por huir en dirección contraria. En la guerra naval existía una especie de convención no escrita según la cual se les permitía escapar por la otra escalera de la bodega siempre que se arrojaran al mar. Si alguno intentaba quedarse en la nave, los hoplitas emboscados en la salida los mataban en el acto. Luego, por supuesto, los hombres que habían saltado al agua quedaban a merced de las flechas y las lanzas enemigas, amenazados por las palas de los remos y por los propios barcos, que aplastaban y ahogaban a muchos bajo sus cascos y sus quillas.

Pero ahora Cimón no prestó atención a aquel procedimiento. Junto a la amura de proa resistía un último guerrero persa. Nadie se atrevía a acercarse a él, porque aquel gigante de dos metros ya había matado a tres hombres. Llevaba un escudo griego en vez de una adarga de mimbre y cuero, y en la mano derecha empuñaba un hacha de guerra que un hombre normal habría tenido que enarbolar con ambos brazos. A sus pies se desangraba su última víctima, un hoplita al que un tremendo hachazo había dejado con la cabeza colgando de una delgada tira de carne y piel.

De momento se había defendido de los disparos de los arqueros interponiendo el escudo y gracias a la cota de malla que llevaba sobre el caftán y que lo protegía hasta las rodillas. Cimón pensó que no podría resistir mucho tiempo más. Morir acribillado a flechazos no era un fin digno para un guerrero como aquél.

—¡Sicino! ¿Me reconoces? —le dijo.

Cimón era de las pocas personas que sabía que Sicino no era cario, sino persa. A menudo se había preguntado si sería capaz de vencerlo en combate. El criado de Temístocles le sacaba un palmo y era mucho más corpulento y musculoso que él, pero Cimón estaba convencido de que podía compensar esa diferencia con su agilidad y su pericia. Si conseguía matarlo en duelo singular, compensaría de sobra no haber hundido ninguna nave enemiga.

—¡Te he hecho una pregunta!

Sicino asintió.

—Pues di mi nombre entonces.

—Tú eres Cimón, hijo de Milcíades. El mismo que traicionó a mi señor.

Le llamó la atención que, después de haber desertado, siguiera llamando «señor» a Temístocles, y pensó que las costumbres serviles, una vez adquiridas, debían de ser muy difíciles de erradicar.

—Yo no puedo traicionar a nadie, puesto que no sirvo a nadie —respondió Cimón.

—Yo tampoco. Y no me llamo Sicino. ¡Soy Mitranes, hijo de Bagabigna!

—Sea como tú quieras. Encomiéndate a tus dioses, porque hoy vas a morir por fin.

Cimón se adelantó con ciertas precauciones. Su lanza tenía mucho más alcance que el hacha de Sicino, pero no debía olvidar la envergadura del persa. Le tanteó primero el escudo, por ver cómo se movía. Sicino lo sorprendió lanzando un hachazo muy rápido contra el astil de la lanza que falló por apenas un dedo.

—¡Que nadie me ayude! —dijo al ver que un par de hoplitas hacían ademán de acercarse—. ¡Este hombre es mío!

Intercambiaron algunos golpes más. Sicino demostraba muy buenos reflejos con el escudo y consiguió detener todos sus rejonazos. Cimón, por su parte, no dejaba que se le acercara. Estaba seguro de que un solo hachazo bastaría para partir en dos el escudo de roble y romperle el codo. Empezó a pensar que tal vez no había sido muy buena idea desafiar a Sicino. Pero ya no podía pedir ayuda a menos que quisiera quedar como un cobarde delante de los demás.

Entonces vio una oportunidad. No parecía demasiado noble, pero era el propio Temístocles quien le había enseñado que había que aprovechar el terreno. Los dos habían estado girando, Sicino sobre sus talones y Cimón dibujando una semicircunferencia a su alrededor. Ahora el cadáver del hoplita estaba detrás del persa, y los pies de éste pisaban el charco de sangre que las tablas enceradas de la cubierta aún no habían absorbido.

Cimón profirió un grito salvaje y tiró una lanzada a fondo contra Sicino. Éste tuvo los suficientes reflejos para, una vez más, bloquear el golpe con el escudo. Pero al hacerlo retrocedió y su pie derecho tropezó con la cabeza a medio desgajar de su víctima. Al notar que daba un traspiés, intentó recuperar el equilibrio, pero su otro pie resbaló en la sangre y cayó de espaldas. Estaba muy cerca de la borda, y la regala, que ya había recibido muchos golpes durante el combate, no resistió su peso y se partió. Con un aullido de terror que sorprendió a Cimón, Sicino se precipitó al mar.

Mientras se hundía braceando en vano y viendo cómo la superficie se alejaba de él, Sicino pensó en lo cruel que era el destino. La noche anterior, Mardonio le había regalado aquella cota de malla.

—Pesa más de un talento —le dijo sacudiéndola en el aire para que pudiera escuchar el tintineo de los anillos—. Después de encomendarte tu misión en Babilonia, mandé que la confeccionaran para ti.

—¿Para mí, señor?

—Lo mereces por tus servicios al Gran Rey —repitió Mardonio.

Tras entregarle la cota, le dejaron elegir sus armas. Sicino había comprobado los estragos que causaban las lanzas griegas en los escudos de mimbre y cuero, así que se decidió por un escudo de roble y bronce del botín conseguido en la Acrópolis, y también por aquella enorme hacha de guerra.

En cuanto sintió que se hundía en el agua soltó el hacha, y luego el escudo. Pero no bastaba. Por mucho que intentaba nadar, la loriga tiraba de él hacia las tinieblas del fondo como si cada anillo de hierro cargara con el peso de todas las mentiras del mundo.

Había un círculo blanco allí arriba que se movía y temblaba en la superficie del agua, y supuso que debía de ser el sol. Cada vez estaba más lejos y brillaba menos. Sicino siguió bajando y bajando, hasta que su espalda topó con algo duro. No sabía a qué profundidad se encontraba, pero aún llegaba algo de luz. La suficiente como para comprobar que había más gente como él, soldados tumbados en el fondo del mar. Sólo que ellos ya estaban muertos.

Tengo que quitarme esto. Pero le había costado mucho ponerse la loriga. De hecho, le habían ayudado dos sirvientes, porque era muy complicado. Sus dedos, que nunca habían sido demasiado hábiles, lucharon con los cierres. Se puso nervioso, empezó a boquear y tragó agua. Sólo había logrado desenganchar un broche cuando la luz se desvaneció y todo se volvió negro.

—Sicino...

Volvía a estar rodeado de sombras. Ya no sentía el fondo rocoso bajo su espalda, ni el agua en su garganta o sus pulmones. Pero tampoco sentía aire. A decir verdad, no experimentaba ninguna sensación, lo cual significaba que había muerto.

—¿Qué te dije, Sicino?

El rostro barbudo del juez Mitra había vuelto a materializarse delante de él. Sicino se preguntó qué era mejor, morir ahogado en agua o en tierra. Pero quizá la pregunta importante no era ésa, puesto que ya estaba muerto, sino qué destino iba a correr para el resto de la eternidad.

A Mitra no se le podía engañar.

—Me dijiste que sirviera con rectitud a mi nuevo señor y que no mintiera más.

—¿Y quién era tu nuevo señor?

—El Gran Rey... —aventuró él.

—No mientas, Sicino. Te dije «nuevo señor» y no «señor» sin más. Es importante diferenciar las palabras, porque para eso están. ¿Quién era tu nuevo señor?

—¿Temístocles?

—Tú sabes que sí. ¿Y le has servido con rectitud?

—Lo he intentado...

—Sí o no, Sicino.

Titubeó de nuevo. Si decía que no, se condenaría. Si decía que sí, estaría mintiendo y también se condenaría.

Decidió elegir la verdad, como le había enseñado su padre.

—No le he servido bien. Y me arrepiento, pero no sabía cómo acertar.

Mitra sonrió con benevolencia.

—La virtud consiste en saber elegir entre el bien y el mal. Pero, a veces, para las almas sencillas la elección no es tan fácil. Te doy una oportunidad más, Sicino. No vuelvas a equivocarte de señor.

Entonces el juez Mitra hizo algo muy extraño, porque agarró la cabeza de Sicino con ambas manos y le besó en la boca. No fue un beso protocolario, como el de los súbditos más nobles al saludar al Gran Rey. Mitra se esforzó por abrirle los labios con los suyos y casi le metió la lengua. Al hacerlo le pinchó en la cara con unos bigotes que parecían clavos, y aunque Sicino se resistió, le insufló su aliento. Sintió unos brazos que lo agarraban de las axilas y tiraban de él. Pero ya no estaba en el limbo, sino en un lugar mucho más desagradable, en un infierno que consistía en tener la nariz y la garganta llenos de agua.

Los marineros tiraban de la cuerda emplomada entre gruñidos.

—¡Daos prisa! —gritó Temístocles.

—Demonios, cómo pesa —se quejó Fidípides, que les estaba echando una mano—. ¿Qué habrá pescado Escilias, una vaca?

Por fin, entre la espuma y los remos asomaron las cabezas del buceador y de Sicino. Escilias tenía abrazado al persa por debajo de las axilas. Cuando consiguieron izarlos hasta la cubierta y el gigante persa se desplomó sobre la tablazón vomitando y escupiendo agua, Temístocles comprendió por qué Fidípides se quejaba tanto. Por si Sicino no fuera lo bastante corpulento, aquella loriga de prietos anillos de metal le llegaba hasta las rodillas.

Pero Escilias había llegado a tiempo. Aunque no dejaba de toser y escupir agua, Sicino seguía vivo. Temístocles se preguntó si se debía a sus enormes pulmones o a su increíble resistencia a morir. Cuando lo vio caer al agua desde la cubierta donde luchaba con Cimón, la *Artemisia* se encontraba a más de cincuenta metros. Después de llegar hasta allí, Escilias había tenido que bucear un buen trecho; a juzgar por lo que se había hundido la cuerda, doce o trece metros de profundidad.

Mientras se dirigían a Salamina, Temístocles se sentó en la cubierta junto a su antiguo esclavo. Durante un momento sopesó la idea de revelarle que gracias a él sus compatriotas persas habían caído en la trampa, pero le pareció demasiado cruel, al menos en aquel momento.

—Aquí estás, Sicino. De vuelta conmigo. Parece que el destino se niega a separarnos.

El gigante persa consiguió dejar de toser por fin y se incorporó con la ayuda de Temístocles y de Escilias. Tenía la mirada desenfocada, como si estuviera contemplando todavía una visión del más allá. Y así debía de ser, porque exclamó en persa:

—¡Mi señor Mitra, no volveré a mentir! ¡Nunca! ¡Por nadie!

Temístocles le apretó el hombro y le dijo, también en persa:

—Tranquilo, Sicino. Ya te lo expliqué una vez. Mentir es decir lo contrario de la verdad. La clave es «decir», ¿recuerdas? Tú, simplemente, has callado algunas cosas. No eres culpable de nada.

Sicino miró a su alrededor, como si se diera cuenta por primera vez de que estaba a bordo de la *Artemisia*.

—¿Dónde me llevas, señor?

—¿Dónde quieres que te lleve, Sicino? Ya estás en casa.

Nave Artemisia

Antes de llegar a Farmacusa les salió al encuentro una barca de pescadores. Dejaron en ella a los heridos y a cambio incorporaron a tres hoplitas que venían en ella. Temístocles pensó en desembarcar también a Sicino. Pero aunque ya se había quitado la cota de malla seguía llevando los pantalones persas, y temía que pudieran matarlo si él no estaba delante para protegerlo, de modo que le ordenó que se quedara en la pasarela junto a los marineros.

—¡Vira en redondo, Heráclides! —ordenó—. ¡Volvemos al combate!

La batalla se prolongó durante horas. Desde la cubierta era difícil hacerse una idea cabal de lo que estaba sucediendo, pero lo cierto era que las aguas alrededor de Salamina se veían libres de barcos enemigos, mientras que la costa del continente parecía cada vez más un desguace de naves viejas. Entre pecios, popas desgajadas, remos y tablones sueltos, los escasos barcos intactos que le quedaban al enemigo intentaban resistir los ataques que les llegaban por todas partes.

Poco a poco los griegos se habían ido haciendo dueños del estrecho, y su audacia se acrecentó conforme avanzaba la tarde. Mientras los trirremes aliados embestían con los espolones a las naves que seguían a flote, por entre ellos se colaban botes, falúas o incluso balsas que llegaban de Salamina. Aquellas minúsculas embarcaciones iban cargadas de hoplitas que se habían despojado de las corazas por si caían al agua. También había remeros de la flota griega cuyos barcos se habían ido a pique, pero habían tenido tiempo de ganar a nado la orilla y ahora regresaban al combate a vengar a sus compañeros. En algunos botes se veía incluso a críos de poco más de diez años, viejos retirados ya de la milicia y mujeres con las túnicas recogidas sobre las rodillas. Todos aquellos combatientes espontáneos se dedicaban a buscar a los supervivientes de la flota persa que se aferraban a los maderos o trataban de mantenerse a flote nadando. Cuando daban con ellos, los arponeaban como atunes, los acuchillaban, les sacaban los ojos con las fíbulas de las túnicas o les abrían la cabeza golpeándolos con los remos. La ira y el rencor acumulados durante tantos días a la vista de las ruinas humeantes de Atenas habían salido a flote allí, en aquellas aguas sembradas de cadáveres.

Las sombras empezaban a alargarse cuando en una de aquellas barcas Temístocles vio a Epicides, que estaba cortándole la garganta a un remero fenicio exhausto. Aunque se trataba de un pobre hombre que debía servir en la flota persa por una paga humilde, o tal vez incluso de un esclavo, el batanero lo despachó con tanto placer como si estuviera degollando a toda la aristocracia de Atenas a la vez.

—¿Qué le ha pasado a tu barco? —le preguntó Temístocles desde la popa.

—¡Nos abordaron! —respondió él—. ¡Nos hemos salvado sólo treinta remeros!

Al saber que Epicides venía de Salamina, Temístocles ordenó que le echaran un cabo y le ayudaran a subir a bordo.

—¿Qué novedades hay? —le preguntó.

Epicides le dijo que, por lo que contaban los vigías apostados en las alturas de la isla, parte de la flota persa había logrado huir hacia Falero, abriéndose paso entre sus propios barcos.

—¿Cuántos han huido? —preguntó Temístocles, impaciente.

—No lo sé, yo no lo he visto con mis propios ojos. Me han dicho que tal vez la mitad, o incluso menos.

¡La mitad! Temístocles no quería creerlo aún, pero una mirada a su alrededor le convenció de que podía ser cierto. Y los barcos que no hubieran salido del estrecho ya no iban a hacerlo, pues los trirremes de Egina y de Mégara habían formado un cordón entre Cinosura y el continente.

—Por cierto, tu amigo Arístides —añadió Epicides, recalcando con cierta sorna la palabra «amigo»— se ha atrevido a mojarse los pies.

—¿Qué quieres decir?

—Ha tomado consigo a quinientos hoplitas, se los ha llevado a la punta de Cinosura y desde allí ha convencido a unas naves de Egina para que los transporten a Psitalea.

En el islote, le explicó Epicides, había un contingente de infantería enemiga que debía llevar apostado desde la noche anterior. Cuando una nave de Egina averiada embarrancó allí, los persas los atacaron y los mataron a todos. Por eso los eginetas habían accedido encantados a la petición de Arístides y habían desembarcado a sus hombres en Psitalea. El combate había sido encarnizado, porque persas y atenienses estaban igualados en número, pero al final los hoplitas habían logrado limpiar el islote de enemigos.

—Ésa es una excelente noticia —dijo Temístocles, con una amplia sonrisa.

—¿Por qué? —le preguntó Fidípides—. Sólo es un pedrusco en el que no hay ni cabras.

—¿Es que no te das cuenta? ¿No os dais cuenta? —añadió Temístocles dirigiéndose a los demás infantes, que habían formado un corrillo en la popa para escucharle—. Desde que empezó esta guerra sólo hemos sabido retroceder. Primero abandonamos Tesalia, luego Artemisio y las Termópilas, después evacuamos Atenas. Es la primera vez que le ganamos terreno al enemigo. ¡Las tornas van a volverse, os lo aseguro!

Temístocles ordenó a Heráclides que lo llevara a Psitalea para comprobar con sus propios ojos la situación. La isla se hallaba en poder de los griegos, y las aguas que la rodeaban también. Algunos barcos persas se habían refugiado en el Pireo, donde por el momento Temístocles no se atrevía a seguirlos, pero la mayoría de los supervivientes habían preferido huir a Falero, lo más lejos posible del estrecho. En una batalla terrestre vencía el que quedaba dueño del campo y otorgaba o negaba permiso al enemigo para recoger a sus muertos. Ahora ellos eran dueños de las aguas que rodeaban Salamina. Sólo quedaba conocer la magnitud de su victoria. Pero Temístocles sospechaba que la flota del Gran Rey no volvería a ser una amenaza para los griegos.

El sol se estaba poniendo cuando la *Artemisia* regresó y las últimas naves de la flota ateniense regresaron al fondeadero de Cicrea. Muchos de aquellos trirremes remolcaban despojos de la batalla: mascarones, codastes, naves enteras. La mayoría venían con marcas y cicatrices del combate, y en muchos tan sólo bogaban dos filas de remeros o incluso una, mientras los demás, exhaustos, recuperaban el aliento sentados en cubierta. Sin embargo, lo importante era que volvían muchos. Esa noche, pensó Temístocles, no habría tantos ciudadanos atenienses esperando a la orilla del Aqueronte. Como pronosticara la Pitia, la muralla de madera de Atenea había resistido.

Pero no era suficiente. Con una flota como la que poseían, jamás deberían haber abandonado el Pireo al enemigo, ni tampoco su ciudad. Sólo Zeus sabía cuánto tiempo les costaría reconquistar Atenas. Mas cuando lo hicieran, deberían asegurarse de que nadie los obligara a evacuarla nunca más.

Diez años antes, el día en que murió Clístenes, Temístocles había concebido una visión. Sesenta mil manos empuñando los remos de una nueva flota. El sueño se había cumplido y gracias a él los atenienses habían vencido a los marineros del Gran Rey delante de sus propios ojos.

Bien está, se dijo Temístocles. Pero ahora había que mirar más allá.

Se volvió hacia la ciudad. Nuevas humaredas se alzaban desde el Pireo y Atenas. Los persas, furiosos por la derrota, debían de haber prendido más hogueras con lo poco que quedase por quemar. Pero Temístocles no veía las llamas ni las negras columnas de humo. Después de una batalla que se había prolongado casi de sol a sol, después de la noche más larga de su vida, después de meses de guerra y largos años de planes, trabajos y desvelos, su mente, en vez de reposar y echar la vista atrás para disfrutar lo conseguido, volvía a maquinar escrutando el futuro.

Ahora, al contemplar las ruinas de Atenas, los ojos de Temístocles contemplaban una muralla. Tan alta como la de Babilonia, de sólidos sillares, provista de torres de vigilancia. Una muralla que no sólo protegería la Acrópolis, sino toda la ciudad. De ella partirían otras dos que bajarían en paralelo hasta el Pireo y unirían para siempre Atenas con su puerto. Si conseguían que Atenas tuviera una salida al mar y dominara éste con su flota, ningún enemigo podría obligarles nunca más a abandonar los templos de sus dioses ni las tumbas de sus padres.

Y para conseguirlo, se dijo, no hacía falta ser general. No tenía por qué faltar al juramento que había prestado a los cuatro jefes de los eupátridas. ¿Cómo lo había llamado Mnesífilo una vez? ¿Demagogo? Sí, él sabría conducir al pueblo de la mano para que decidiera lo que era mejor para Atenas.

Alguien le puso una mano en el hombro.

—Creo que estás mirando en la dirección equivocada —le dijo Fidípides.

Temístocles se volvió hacia la proa. Ya estaban a punto de llegar a la playa de Cicrea. Junto a las hogueras recién encendidas, los vencedores, remeros, hoplitas y marineros, en esta ocasión todos juntos, celebraban la victoria, ofrecían sacrificios a los dioses, mostraban los trofeos arrebatados al enemigo, curaban a los heridos y lloraban a los muertos.

Pero no era eso lo que le señalaba Fidípides. En la orilla, dejando que la marea le acariciara los pies, aguardaba Apolonia. Durante unos segundos, Temístocles no supo qué pensar. Después, ella levantó la mano y le saludó.

Temístocles suspiró. Tras diez años de guerra en Troya y otros diez de vagar por los mares, Ulises había descansado por fin junto a Penélope. Tal vez, aunque sólo fuera por una noche, había llegado el momento de que Temístocles también le concediera reposo a su mente, bebiera vino, hiciera el amor con Apolonia y se quedara dormido en sus brazos.

El amanecer ya le traería otros afanes.

EPILOGO

Puesto de observación real, 21 de septiembre

Cuando salió el sol, Jerjes seguía sentado en su trono. Había pasado allí toda la noche, sin moverse. Sobre su cabeza el toldo flameaba movido por la brisa, y tras él, con gesto somnoliento, aguantaban a pie firme su toallero, el portador del abanico y también el de las armas. No había nadie más. Los lanceros de su guardia habían formado un perímetro alrededor de él y no dejaban que nadie se acercara.

Condujeron a Artemisia a su presencia poco después del amanecer. Se presentó convencida de que la iban a decapitar por lo acaecido la víspera. Pero al descubrir que Jerjes sólo los había convocado a Mardonio y a ella se tranquilizó un poco. El Gran Rey nunca juzgaba en tal intimidad.

Artemisia imaginaba por qué el rey seguía allí sentado, mirando a las aguas donde lo habían vencido. Los trirremes griegos navegaban a sus anchas por todo el estrecho, no hasta el centro como en días anteriores, sino incluso hasta la Farmacusa Menor y el terraplén. Desde sus cubiertas insultaban a los soldados persas de la orilla, que les disparaban flechas sin demasiada convicción. El desánimo había calado incluso en los ánimos de los guerreros de la *Spada* que no habían llegado a participar en la batalla.

Pero Artemisia estaba convencida de que lo que Jerjes veía no era lo mismo que estaban contemplando los demás. Por su expresión, sus ojos parecían haberse quedado congelados en el día de ayer, cuando aquellas angostas aguas se habían convertido en un hervidero en el que llegaron a enfrentarse a la vez más de setecientos barcos. Sin duda estaba rememorando una y otra vez el momento en que comprendió que Temístocles lo había engañado, que había jugado con ellos y con sus agentes para atraerlos a aquella ratonera.

Los sentimientos de Artemisia eran ambiguos. Los habían vencido, ella había escapado viva a duras penas y de sus otros cuatro trirremes sólo se habían salvado dos. De pronto, todo el esplendor de la gran expedición se había desinflado como una enorme pompa, dejando sólo ese vacío que se había adueñado de la expresión de Jerjes.

Pero del mismo modo que tras la victoria de las Termópilas Artemisia había sufrido y llorado por el fin de los espartanos, ahora no podía evitar cierto orgullo por el valor que habían demostrado los griegos de Europa.

—Los barcos, Mardonio —dijo Jerjes—. Cuántos hemos perdido en total.

—Doscientos cuarenta y cinco trirremes, majestad.

Bastantes de ellos, pensó Artemisia, debían de haber desertado al final de la batalla por temor a la cólera de Jerjes. A ella misma se le había pasado por la cabeza, y aún no sabía por qué no lo había hecho. Sin duda la batalla de Salamina había arrojado a la piratería a decenas de barcos junto con sus tripulaciones. En cualquier caso, esas naves estaban tan perdidas para el Gran Rey como las que se habían ido a pique o caído en poder de los griegos.

—Los hombres —dijo Jerjes—. Cuántos.

Normalmente controlaba su tono y limaba sus inflexiones para parecer más hierático. Pero ahora su voz no sonaba solemne, sino átona, gris, como si le costara un mundo encontrar el aire suficiente para articular cada palabra.

—Entre soldados y tripulaciones, cuarenta y ocho mil, majestad.

¡Cuarenta y ocho mil! Por más desertores que se restaran a esa cifra, Artemisia pensó que, como mucho, la rebajarían en cuatro o cinco mil hombres. Sumando las bajas del bando enemigo, estaba convencida de que nunca en la historia habían muerto tantas personas en un solo día. Sin duda Minos, Éaco y

Radamantis, los jueces infernales, se encontraban abrumados de trabajo.

Una batalla grandiosa, sin duda, tal como había soñado Jerjes. Pero cuando la posteridad la recordara no hablaría de su gran victoria, sino de su fracaso. El Imperio Persa podía sobrevivir a una derrota como ésa, e incluso a diez más. Sin embargo, Artemisia dudaba de que el Jerjes que ella conocía llegara a sobreponerse alguna vez a lo ocurrido en los estrechos de Salamina.

En aquel momento experimentó una emoción nueva y extraña. En ocasiones había sentido temor ante el Gran Rey, y también admiración, lealtad y deseo. Tras las Termópilas incluso había albergado hacia él un rencor teñido de desprecio. Pero ahora habría querido abrazar a aquel hombre, acunarle la cabeza contra el pecho y consolarlo. Porque veía la negrura sin fondo que había anidado en sus ojos y sentía compasión por él. ¡Ella, Artemisia, una mujer, le tenía lástima al hombre más poderoso del mundo!

Por supuesto, ni siquiera se atrevió a tocar su mano. Tampoco se le ocurrió recordarle que ella era la única que había desaconsejado penetrar con la flota en el estrecho de Salamina.

—Majestad —dijo Mardonio—. No debes afligirte. Ha sido tan sólo un revés. El resultado final de nuestra expedición no puede depender de unos troncos flotantes, sino de hombres y caballos, al modo ancestral de nuestro pueblo. Si lo piensas bien, no encontrarás ni una sola ocasión en que los persas nos hayamos mostrado como unos cobardes. Quienes se han comportado como tales han sido otros pueblos, como los cilicios o los chipriotas. Y, sobre todo, los fenicios.

Miró de reojo a Artemisia, que pensó que al menos el general había tenido el tacto de no nombrar a los jonios ni los carios.

—Lo que ha ocurrido no se puede achacar a los persas, majestad —prosiguió Mardonio—. Tu reputación sigue intacta, como intacta está la *Spada.*

—Así es —respondió Jerjes con la misma voz inerte, y bebió un sorbo de vino de la copa de oro que sostenía en la mano derecha. Normalmente, pensó Artemisia, un copero se la habría ofrecido cada vez que él demostrara intención de beber. Pero ahora el rey no la soltaba.

—Te pido permiso para hablar a la vez como consejero y amigo, pues tal me has considerado siempre.

—Lo tienes, mi buen Mardonio.

—Regresa a tus dominios con lo que queda de la flota y la mitad del ejército, majestad. Tus súbditos añoran tu presencia. Ya llevas demasiado tiempo en esta tierra bárbara. Déjame a mí con tan sólo tres divisiones. Si lo haces, te prometo que dentro de un año llegará a tu palacio un correo para comunicarte que toda Grecia ha sido sometida a tu poder.

Artemisia admiró el aplomo de Mardonio. No sólo no se echaba a sí mismo la culpa del desastre de Salamina —responsabilizar a Jerjes era impensable—, sino que daba un paso adelante y se ofrecía para enderezar la situación.

—¿Qué opinas tú, Artemisia? —dijo Jerjes—. Fuiste la única entre mis *bandakas* que me dio un recto consejo.

—Majestad, creo que Mardonio tiene razón. Lo más conveniente es que vuelvas a tu patria y lo dejes a él con las tropas que te ha solicitado. Sigo convencida de que los griegos caerán como fruta madura. Y tú regresarás triunfante, pues has destruido la ciudad de Atenas, cumpliendo así la voluntad de tu padre.

Artemisia dijo lo que debía. Pero habló sin pasión, porque esa expedición ya no le interesaba. Que Mardonio conquistara Grecia para el Gran Rey. Su corazón estaba harto de guerras y lleno de melancolía. Ahora sólo quería volver a su patria.

En algo se equivocaba Artemisia. Aunque el Gran Rey tenía los ojos clavados en Salamina, no estaba reviviendo la batalla de la víspera. La imagen que contemplaba a través de las rendijas de su máscara de oro era más remota, una visión de diez años atrás. La del hombre que llevaba el escudo del dragón negro, el hoplita que había detenido la carga de su corcel clavando su lanza en el suelo de Maratón.

Aquel hombre no había vencido al Imperio Persa, porque éste, por la voluntad de Ahuramazda, era indestructible y habría de durar hasta el día de la Separación. Pero a Jerjes el Gran Rey, Rey de Reyes, Rey de las Tierras, hijo de Darío, el Aqueménida, lo había derrotado. Había doblegado su voluntad y había quebrantado su espíritu.

Jerjes extendió su copa hacia el horizonte y brindó por su adversario.

—Yo te saludo, Temístocles el ateniense.

El premio de Temístocles

Cuenta Heródoto que el premio al valor por ciudades se lo llevaron los eginetas, mientras que el individual, aunque con envidia y a regañadientes, se lo concedieron todos a Temístocles. Tras retirarse al Istmo y votar desde el altar al general más valeroso, cada uno se eligió en primer lugar a sí mismo y en segundo a Temístocles.

Los lacedemonios, por su parte, lo condujeron a Esparta. Y si bien allí el premio del valor se lo concedieron a Euribíades, a él le otorgaron una corona de olivo en reconocimiento de su sabiduría, le regalaron el mejor carro de la ciudad e hicieron que trescientos jóvenes lo escoltaran hasta la frontera.

Se cuenta también que en las siguientes Olimpiadas, al presentarse Temístocles en el estadio, los espectadores se desentendieron de los deportistas y no dejaron de mirarlo en todo el día mientras entre aplausos de admiración se lo señalaban a los extranjeros y les decían quién era.

Al oírlos, Temístocles confesó complacido a sus amigos:

—En este día he recogido el fruto de mis esfuerzos por Grecia.

PLUTARCO, *Vida de Temístocles*, XVII

Apéndice histórico

La cantidad de bibliografía publicada sobre las Guerras Médicas puede crear la ilusión de que se sabe mucho sobre este período. Pero son más las lagunas y dudas que las certezas. He tratado de aprovechar lo que los novelistas llamamos «los huecos de la historia» a la vez que seguía un relato histórico coherente. Esto último no siempre es posible. En unos casos no hay forma de encajar las diversas fuentes, que ofrecen relatos contradictorios. En otros, la tradición que nos ha llegado no parece verosímil.

Las Guerras Médicas aparecen mencionadas en un sinfín de textos clásicos. Comentaré a continuación las principales fuentes.

Las *Historias* de Heródoto*. El llamado «padre de la Historia» centra toda su obra en este conflicto de proporciones épicas entre griegos y persas, y es la fuente básica y la más rica en datos. Pero no carece de defectos. Su conocimiento del mundo persa muchas veces parece de oídas o de segunda mano. No posee la formación militar de otros historiadores como Tucídides o Polibio, por lo que sus batallas están narradas de una forma caótica, y se centra más en lo personal, anecdótico o prodigioso que en la visión de conjunto. Los estudiosos que, como Burn, Hignett,

* Aunque he utilizado los textos originales para mis traducciones, debo recomendar la versión española de Carlos Schrader para la editorial Gredos. La traducción es magnífica. El número de notas puede apabullar al lector, pero son muy útiles y amenas, y en ellas se encuentra abundante bibliografía.

Green, Hammond o Strauss (sus obras aparecen citadas en la bibliografía), tratan de extraer de las *Historias* un desarrollo táctico y estratégico coherente se encuentran con grandes dificultades.

Cuando Heródoto redacta su obra ya han pasado cincuenta años de los hechos. La mayoría de sus fuentes son orales, testimonios de veteranos de aquel conflicto que, como suele suceder en todas las guerras, se enteran más de los rumores difundidos por la famosa «radio macuto» que de las operaciones reales. Las escenas de consejos de guerra son una recreación de lo que Heródoto cree que debió ocurrir o de lo que le parece lógico que se dijera. Sin embargo, hay fragmentos dialogados en su obra con tal fuerza dramática que no he resistido la tentación de utilizarlos. Así ocurre, por ejemplo, cuando Temístocles amenaza al resto de los aliados griegos con llevarse sus naves a Italia, o en los consejos que Mardonio y Artemisia dan a Jerjes antes y después de la batalla de Salamina.

En cuanto a *Los persas* de Esquilo, se trata de una tragedia, no de una obra histórica. Pero la descripción que hace de la batalla de Salamina es interesante porque la escribe tan sólo ocho años después de los hechos, y porque además participó en ella —del mismo modo que había participado en la de Maratón—, o al menos la presenció.

Del siglo I antes de Cristo tenemos la *Biblioteca histórica* de Diodoro Sículo. Su fuente principal para esta época es Éforo, otro historiador del siglo IV a. C. cuyas obras se han perdido. Los estudiosos suelen considerar a Diodoro un autor de segunda fila en comparación con Heródoto, y lo cierto es que incurre en errores cronológicos de bulto, tal vez debidos a dificultades a la hora de organizar el material.

También son imprescindibles las *Vidas paralelas* de Plutarco; sobre todo la de Temístocles, y también las de Arístides y Cimón. Plutarco escribe en el siglo II después de Cristo. Aunque tiene acceso a fuentes que se han perdido, también es cierto que recoge tradiciones posteriores sobre las Guerras Médicas que se han acumulado a modo de sedimento y que en muchos casos son apócrifas y hay que tamizar. Plutarco no es un historiador, sino un moralista, y se resiste incluso menos que Heródoto a la tentación de lo anecdótico. De este mismo autor nos ha llegado un opúsculo titulado *Sobre la malicia de Heródoto* que critica al historiador en muchos aspectos. En él se basa mi interpretación de la campaña de Eretria y del papel de Adimanto y la flota corintia en la batalla de Salamina.

Debo citar también la *Historia de la Guerra del Peloponeso* de Tucídides. En el libro I hay referencias muy interesantes a este conflicto y, en particular, a Temístocles. El elogio que Mnesífilo hace de Temístocles y su capacidad de previsión mientras habla con Apolonia es una paráfrasis de las alabanzas del propio Tucídides.

En cuanto al Imperio Persa, por más defectos que tenga Heródoto, ya querríamos que existiera un Heródoto persa. Siempre me ha llamado la atención que Gore Vidal critique tanto al historiador en su novela *Creación*. (Supongo, o quiero pensar, que esto se debe al punto de vista narrativo que adopta.) Pero luego, a la hora de describirnos costumbres persas o lugares como la imposible ciudad de Ecbatana, no duda en recurrir al historiador griego.

En realidad apenas queda otro remedio. Las inscripciones en piedra de los soberanos Aqueménidas son escasas y, en su afán por glorificar a los reyes, apenas nos ofrecen datos históricos. Hay crónicas babilonias de la época, como la de Nabonides, o el texto conocido como el Sello de Ciro, pero la cantidad de información que se puede obtener es escasa. Incluso una obra monumental como la de Pierre Briant, con más de mil páginas, depende mucho de Heródoto y otros historiadores posteriores, algo que reconoce el autor.

Briant empieza su libro con dos citas sobre la dificultad de conocer la verdad histórica que no me resisto a traducir. La primera es de Léo Ferré: *«Aunque no sea verdadera, hay que creer en la historia antigua.»* La segunda es de Umberto Eco: *«Es difícil saber si una interpretación concreta es correcta. Las malas son mucho más fáciles de identificar.»*

Lo que Briant aplica a la historia de Persia puede ampliarse también a toda la historia de la Antigüedad, y en particular a las Guerras Médicas. Sabemos que ocurrieron, sí, pero ¿conocemos de verdad lo que sucedió en ellas? Mientras no haya nuevos descubrimientos arqueológicos o aparezcan textos desconocidos, seguiremos moviéndonos en el terreno de las conjeturas.

La mayoría de los personajes de la novela son históricos. Con esto quiero decir que aparecen mencionados en los textos: muchas veces son poco más que un nombre que he recubierto en la novela con carne, huesos y piel. De los que desempeñan un papel más importante, tan sólo Apolonia y Euforión el Nervios son ficticios.

En su biografía de Temístocles, Plutarco transmite informaciones que a veces se contradicen. He elegido aquellas que me ofrecían la posibilidad de construir mi propio personaje. Por poner un ejemplo, Plutarco dice que según algunos autores la madre de Temístocles se llamaba Abrótono y era tracia, y que según otros se llamaba Euterpe y era una mujer caria de Halicarnaso. Esta segunda opción me ofrecía la posibilidad de emparentar a Temístocles con Artemisia, por lo que la elegí. Así he procedido en general. Por otra parte, los lectores familiarizados con Plutarco echarán de menos algunas anécdotas concretas. Como ya decía antes, la mayoría no deben de ser ni siquiera históricas, así que las he expurgado sin el menor reparo cuando no contribuían al perfil de mi protagonista.

Artemisia también es un personaje real. De ella se sabe poco: que participó en la batalla de Salamina, que hundió uno de los barcos de su propia flota para poder escapar y que, al menos según Heródoto, Jerjes tenía en gran estima sus consejos. No consta, desde luego, que participara en Maratón, pero tampoco se afirma en ningún lugar lo contrario, de modo que aprovecho otra vez los huecos de la historia.

La presencia de Jerjes en Maratón es otra fabulación mía, seguramente menos verosímil que la de Artemisia, pero que me resultaba útil desde el punto de vista argumental. Sin embargo la historia del «soplo» previo a la batalla bien pudo ser cierta. Hay una curiosa explicación en la *Suda*, una monumental enciclopedia bizantina del siglo X con cerca de 30.000 artículos. En ella se menciona la expresión *khoris hippeis*, «la caballería está lejos». La explicación que da la *Suda* es ésta: «*Cuando Datis invadió el Ática, dicen que los jonios, al retirarse aquél, subiéndose a los árboles les hicieron señales a los atenienses para informarles de que la caballería se había marchado. Al saberlo, Milcíades cargó y consiguió la victoria.*»

Sobre si Datis dividió sus fuerzas o no, y sobre si hubo caballería o no, han corrido ríos de tinta. Heródoto no menciona la caballería. Sí lo hace el romano Nepote, que no es una fuente demasiado fiable, y según ciertas interpretaciones en los frescos de la *Stoa Poikile* de Atenas, pintados no mucho después de los hechos, aparecían jinetes persas. Los artículos de Schrimpton y Hammond que cito en la bibliografía defienden la presencia de la caballería, aunque o bien no se presenta a tiempo para desempeñar un papel decisivo (Hammond) o bien se retira ante la carga ateniense (Schrimpton). En mi versión de la batalla, con la intervención de los jinetes de Patikara, he llegado a una especie de solución de compromiso.

Heródoto habla de una carga de cerca de kilómetro y medio a la carrera que, aparte de ser físicamente imposible con tanto peso, no tendría mucho sentido, ya que los proyectiles enemigos no llegaban a esa distancia. Por eso la he reducido. En cuanto a la táctica de adelgazar el centro para igualar la longitud del frente griego, ya la menciona Heródoto. En su relato ese centro es derrotado y retrocede bastante; en el mío no llega a romperse del todo porque no me queda claro que en ese caso no se hubiera producido una desbandada general. Según nuestro historiador, tan sólo murieron 192 griegos, mientras que los persas perdieron más de seis mil hombres. Aunque suena desproporcionado, lo cierto es que se calcula que la mayoría de las bajas en las batallas antiguas se producían al final, cuando uno de los dos ejércitos se desordenaba presa del pánico y huía.

También se discute el papel del polemarca en esta época. A partir del año 487 los arcontes empezaron a elegirse por sorteo y perdieron mucho poder. Tal vez en Maratón el polemarca era el auténtico jefe del ejército ateniense, o quizá desempeñaba un papel más ritual. Siempre se señala a Milcíades como el héroe de Maratón. Pero, como decía antes, hay que tener en cuenta que las fuentes de Heródoto son sobre todo orales. Y en este caso, dado el enorme prestigio que consiguió su hijo Cimón, no sería extraño que Heródoto hubiera aceptado su versión de los hechos un tanto propagandística o tendenciosa.

En la vida de *Arístides* de Plutarco se habla de Arístides y Temístocles combatiendo en el centro de la formación griega. Puede tratarse de un recurso literario para subrayar la rivalidad entre ambos, pero no dejaba de ser interesante. En mi novela he convertido a Temístocles en taxiarca. Este cargo podría ser posterior a las Guerras Médicas, cuando los diez generales empezaron a actuar más como jefes de todo el ejército que de los contingentes tribales, que por tanto quedaron bajo la dirección de los taxiarcas. Como en tantas otras cosas de esta época, no se sabe con seguridad.

El corredor de Maratón aparece en los textos con los dos nombres, Filípides y Fidípides. La relación entre ambos y la historia de la carrera con el jinete es invención mía. Según una versión, cuando terminó la batalla corrió los 42 kilómetros hasta Atenas, anunció la victoria y murió. Sin embargo, esta tradición no se menciona en Heródoto, y no la he utilizado. Como curiosidad, diré que desde 1983 se celebra en Grecia la carrera de la *Spartathlon* entre Atenas y Esparta para conmemorar la proeza de Fidípides. El hombre que más veces la ha ganado, el mítico Yiannis Kouros, tiene la plusmarca de esa prueba con 20 horas y 25 minutos para casi 250 kilómetros de recorrido. Como señala la propia página oficial de la *Spartathlon,* cuando los corredores llegan a Esparta, muchos sufren alucinaciones. Lo cual explicaría la historia de la visión de Fidípides.

Obviamente, en los sueños y visiones de los griegos se les aparecían sus dioses, como en otros tiempos se han aparecido santos, vírgenes o extraterrestres. Una visión como la que recibe Apolonia al principio de la novela debía de resultar algo muy frecuente, y que se solía tomar muy en serio. En Heródoto hay multitud de ejemplos.

Hablando de Apolonia, debo decir que se suele dejar de lado el papel de Eretria en esta primera campaña de Maratón. Yo decidí hacer hincapié en él gracias a los comentarios de Burn y de Plutarco en *Sobre la malicia de Heródoto*. Eso me llevó a descubrir *Archaic Eretria,* de K. G. Walker, una monografía que me resultó de gran utilidad.

Heródoto habla del asedio de Eretria, aunque no menciona máquinas de guerra. Las que describo, arietes y torres, aparecen ya en relieves asirios. Considerando que los asirios pertenecían al Imperio Persa, me parece verosímil incluir estos artefactos en mi novela. Además, ayudarían a explicar por qué antes de Salamina a los atenienses ni se les pasó por la cabeza defender sus murallas en vez de evacuar la ciudad. No incluyo catapultas ni otras armas de torsión, ya que son posteriores, o al menos no han quedado testimonios de su uso.

Supongo que a los lectores les llamará la atención el catalejo que utiliza Temístocles y del que luego se apropia Jerjes. Parece claro que los griegos conocían lentes de aumento, y desde luego usaban cristales para prender fuego, como se menciona en *Las nubes* de Aristófanes, concretamente entre los versos 765 y 772. Ya es más dudoso que, como sugiere Robert Temple en *El sol de cristal*, embutieran dos de esas lentes en una caña hueca para ver de lejos. Sin embargo, ayudaría a interpretar un pasaje de Polibio que me intrigó cuando lo leí mientras escribía *Alejandro Magno y las águilas de Roma*. Hablando de señales luminosas con antorchas, el historiador dice: «*Cuando los dos grupos se separen es preciso que cada uno en su puesto disponga de un anteojo con dos pínulas, de manera que el receptor de la señal de fuego pueda distinguir con una el lado derecho y con la otra el izquierdo.*»

El traductor de Gredos, Manuel Balasch, explica en una nota a pie de página: «*O en lenguaje más moderno: "un telescopio con dos tubos". Naturalmente, no se trata de aumentar la visión, sino únicamente de fijarla en un punto determinado.*» La misma opinión tiene Walbank en su *A Historical Commentary on Polybius* cuando dice sobre este pasaje que ese artefacto concentraba la visión *«sin, por supuesto, magnificar»*. Lo que le llama la atención a Temple es ese énfasis en «por supuesto» y «naturalmente», como si nos advirtieran: ¡Esto no puede ser de ninguna manera! Pero no dejan de descubrirse pruebas del grado de sofisticación que podía alcanzar la tecnología antigua. Pensemos en el mecanismo de Anticitera o en las naves del lago de Nemi. ¿Habría sido imposible con la tecnología de la época fabricar un telescopio un tanto tosco, con imágenes invertidas y aberración cromática? Honradamente, creo que no.

Cuando ya había escrito toda la parte de Maratón y el uso de la dioptra, releyendo *La batalla de Salamina,* de Barry Strauss, reparé en un comentario fascinante que la primera vez se me había pasado por alto. Se encuentra en la página 308. Cuando Artemisia embiste a Damasitimo, Jerjes quiere saber si es verdad que se trata de ella. Según Strauss: *«La pregunta de Jerjes demuestra que resultaba difícil discernir los detalles desde el lugar donde estaba sentado. No es extraño que un escritor, ya en la época romana, narrase una fantástica historia acerca de una serpiente con agudeza visual suficiente para distinguir detalles a más de tres kilómetros de distancia.»*

En la nota de Strauss se puede ver que ese autor es un tal Ptolomeo Hefestión (o tal vez Queno), cuya obra *Nueva historia* aparece resumida en la *Biblioteca* del patriarca bizantino Focio. No he conseguido el texto original, tan sólo acceder a una traducción *online* al inglés. Pero no me resisto a traducirla a su vez: *«Eupompo de Samos crió, maravilla increíble, una serpiente salvaje. Según se cuenta, era su hija. Se llamaba Dracón, tenía una vista muy aguda y podía ver fácilmente a veinte estadios. Él [Eupompo] la puso al servicio de Jerjes por mil talentos y, sentada con él bajo un plátano dorado le describía lo que veía del combate naval entre los griegos y los bárbaros y las proezas de Artemisia.»*

La forma de un catalejo podría haber recordado a una serpiente estirada, sin duda. ¿Una historia fantástica sin más, o una tradición malinterpretada por ignorancia y por el paso del tiempo?

He mencionado antes las murallas de Atenas. Hasta después de las Guerras Médicas no se construyeron los muros que unían la ciudad con el Pireo. ¿Qué había antes? Me resulta extraño que en el año 490 tan sólo estuviera fortificada la Acrópolis, por lo que menciono una muralla más tosca y en mal estado que rodea algunos de los distritos de la ciudad, dejando fuera Melite, el barrio donde vive Temístocles. No debía ser muy sólida, en cualquier caso, ya que en Maratón los atenienses prefirieron enfrentarse a los invasores lejos de la ciudad y diez años más tarde simplemente la evacuaron.

Para la topografía de la Atenas de esa época, muy distinta a la de tiempos de Pericles, me he basado sobre todo en la obra de Goette que cito en la bibliografía y en *The Ancient City,* de Peter Connolly. (Como todas las obras de Connolly, es una delicia, está bien documentada y aporta algo que los escritores buscamos ansiosamente: imágenes.)

En la época de las Guerras Médicas, como ocurría también años más tarde según Tucídides, la mayor parte de la población del Ática vivía en el campo, dispersa en los numerosos demos. Eso significa que el *asty,* la ciudad, no podía tener tantos habitantes como se le suponen en muchas versiones noveladas de las Guerras Médicas. Por ejemplo, hay una novela juvenil sobre Maratón publicada por Penguin en 2004 —no añadiré más— en la que se habla de doscientos cincuenta mil habitantes sólo en la ciudad. Resulta llamativo que luego no consigan reclutar ni siquiera diez mil soldados para enfrentarse a Datis.

Hablando de cifras, parece que esos cerca de diez mil hombres eran insuficientes para enfrentarse a las tropas persas y por eso los atenienses tardaron tanto en decidirse a batallar. Bien distinto habría sido si hubiesen contado con la ayuda de los espartanos. ¿Por qué no acudieron a tiempo? En Heródoto no se habla en concreto de las fiestas Carneas, sino tan sólo de la luna llena. Pero las Carneas sí aparecen mencionadas más adelante al hablar de las Termópilas. En mi novela, Esparta nunca muestra demasiado interés en socorrer a los atenienses, ni en la campaña de Datis ni durante la invasión de Jerjes. Sé que a muchos admiradores de los espartanos les molestará mi versión de los hechos. Pero lo cierto es que mandaron una fuerza muy reducida a las Termópilas y, aunque algunos historiadores, como Hignett o Burn, sostengan que era adecuada para esa misión, yo no acabo de verlo así.

El entreacto en Babilonia es la parte más novelesca de *Salamina,* pero quería mostrar algo del Imperio Persa desde su interior. En él critico algunas de las historias fantásticas que propaló Heródoto, como la de que todas las mujeres babilonias tenían que prostituirse una vez en su vida. Parece que hubo una revuelta en Babilonia al principio del reinado de Jerjes, acaudillada por un tal Belshimanni. Los hechos no están demasiado claros, así como tampoco las represalias del Gran Rey. La destrucción total de Etemenanki de la que se habla en algunos textos me parece exagerada. Por eso en mi novela la modero.

Una vez que Jerjes llegó al trono, emprendió enseguida los preparativos para la gran invasión. Sin duda fue una expedición grandiosa para la época. Un ejemplo lo tenemos en la excavación del canal que cruzaba la península del Atos, hazaña de los ingenieros y los zapadores que ha sido confirmada por excavaciones arqueológicas.

Las cifras que da Heródoto para la fuerza invasora son inverosímiles. Sumando efectivos navales y terrestres le salen 2.641.610 hombres (*Historias*, VII, 185). Cifra que dobla al sumarle los asistentes, para subir hasta los 5.283.220. Los historiadores han tratado de corregir estos números. Muchos los dividen por diez; otros los reducen de forma aún más drástica. A principios del siglo XX Hans Delbrück fue el primero en señalar las terribles dificultades logísticas que supondría alimentar y organizar un ejército de tal magnitud, cuya retaguardia aún estaría en Susa cuando la vanguardia llegara a Atenas. Según él, el ejército de Jerjes habría tenido a lo sumo 75.000 hombres. Cawkwell se acerca a su postura en *The Greek Wars. The Failure of Persia*.

Sin aceptar cifras fantásticas, en *Salamina* casi duplico las de Delbrück y de Cawkwell. Por un lado, si los atenienses abandonaron su ciudad y dejaron que fuera destruida sin oponer prácticamente resistencia, la amenaza debía de ser realmente aterradora para ellos. Por otro lado, como sostengo en la novela, en parte el fracaso de Jerjes se debió a la magnitud excesiva de la expedición.

En mis cálculos he seguido más o menos las tesis que el general Frederick Maurice expone en el artículo que menciono en la bibliografía. Maurice, que recorrió en persona toda la zona del Helesponto, señala la dificultad de encontrar agua potable para tantas personas y bestias de carga como el principal problema para movilizar un ejército tan numeroso. Su límite superior para la hueste invasora es de 150.000 hombres. También es sumamente interesante su interpretación de los dos puentes de barcos sobre el Helesponto y las razones por las que eran preferibles a utilizar las naves a modo de transbordadores.

Al parecer, las armas de los hoplitas griegos eran superiores en el combate cuerpo a cuerpo, y eso explica que con el tiempo los reyes persas contrataran mercenarios helénicos para sus ejércitos. Pero la imagen del ejército persa como una horda indiferenciada de esclavos que combaten espoleados por el látigo, tan sólo para ser masacrados por heroicos guerreros griegos a los que, sin embargo, superan en una proporción de diez a uno, es una fantasía que se ha ido sedimentando en las mentes de lectores y espectadores.

En *Salamina* podría haber utilizado ejércitos de quinientos mil hombres, o incluso de un millón, como se ve en otros libros. Pero, en primer lugar, en esas novelas nunca llega a dar la impresión de que haya tantos soldados. No basta con decir «medio millón de hombres». Hay que mostrarlos, enseñar dónde están, dar verdadera impresión de número. Si un ejército antiguo hubiese querido desplegar de forma mínimamente eficaz a 500.000 soldados en el campo de batalla, habría necesitado un frente de más de 50 kilómetros.

En segundo lugar, no le veo la gracia literaria a tal desproporción. Si los persas eran esos bárbaros salvajes y a la vez refinados y degenerados que se nos muestran, ¿qué mérito tuvo vencerlos? Mi opinión personal es que el ejército de Jerjes era una máquina bien organizada, que sus guerreros poseían un código de virtudes marciales en nada inferior al de los hoplitas griegos y que de no mediar ciertos errores podían haber conquistado Grecia. La propia batalla de Salamina es uno de esos errores. Como señala Cawkwell: *«¿Por qué Jerjes quiso una batalla naval que no era estrictamente necesaria? [...] La destrucción total de la flota griega debió haber sido una tentación irresistible para la grandeza del Rey de Reyes.»* Si la flota persa no hubiera entrado en el estrecho, tal vez la historia del mundo habría sido bien distinta. Precisamente por eso, porque la victoria griega no era inevitable, fue una gesta épica.

La clave de *Salamina* son los trirremes. Aparte de la obra de Casson, que es el clásico por excelencia sobre los barcos de la Antigüedad, me ha sido de una ayuda inestimable *The Athenian Trireme*. En este libro se explica cómo un consorcio privado construyó, con la ayuda del gobierno griego, un trirreme bautizado *Olympias* que a partir de 1987 realizó una serie de pruebas con tripulaciones de voluntarios y que ahora se exhibe en un dique seco en Atenas.

Se sabe muy poco de cómo eran los verdaderos trirremes de la época, puesto que las representaciones pictóricas o escultóricas dejan lugar a algunas dudas. No hay pecios de trirremes, ya que no llevaban lastre en sus bodegas y, por tanto, no se hundían. (En contra de lo que aparece en muchas novelas e incluso libros de historia, y de lo que yo mismo creía hasta hace unos años.) Puede que algunos detalles de la construcción de la *Olympias* no se ajusten a la realidad, pero es lo mejor que tenemos, de modo que la he utilizado como modelo para los barcos de *Salamina*. Además, el libro de Morrison ofrece información muy valiosa sobre las prestaciones de estas naves y la vida cotidiana de sus tripulantes y, sobre todo, de sus remeros. Gracias a él sabemos que una de las principales miserias que debían sufrir en las bodegas era el terrible hedor de ciento setenta cuerpos sudando y encerrados en un espacio tan pequeño.

También me ha sido muy útil *A War Like No Other,* de Victor Hanson. Aunque centrado en la Guerra del Peloponeso, en el capítulo «Ships» se encuentra abundante y precisa información sobre la forma en que se desarrollaban las batallas navales. En esta época Atenas era la dueña de los mares, hasta tal punto que en el año 429 el almirante Formión se atrevió a enfrentarse a una flota enemiga de 47 barcos con tan sólo 20 trirremes, los rodeó ¡en una maniobra envolvente!, y los derrotó.

La Atenas del 480 aún no había llegado a tal punto. En palabras de Plutarco, fue Temístocles quien convirtió a sus ciudadanos *«de inmóviles hoplitas que eran en marinos y navegantes»*. Los atenienses no tenían por aquel entonces una gran tradición marinera, al contrario que otros pueblos, como los eretrios o los focenses. Por tanto no me resultaba creíble que supiesen manejar sus naves mejor que los fenicios, con quienes chocaron directamente en la batalla de Salamina. Eso puede comprobarse en Artemisio. El relato de Heródoto, como sucede casi siempre en las batallas, es un tanto confuso. Pero aunque asegura que ambos bandos *«combatieron con suerte pareja»*, luego dice que los griegos *«habían sufrido un grave revés, especialmente los atenienses, que tenían averiadas la mitad de las naves»*. En las aguas más abiertas de Artemisio la armada de Jerjes habría impuesto su superioridad numérica y táctica, aunque no de una forma tan decisiva como para aniquilar a la flota griega.

También he reducido el número de naves de Jerjes. Heródoto habla de más de mil doscientos barcos. He respetado esta cifra, pero reduciendo los trirremes a la mitad y dejando el resto como barcos de transporte. El propio Heródoto no sabe muy bien qué hacer con tantas naves. En VII 190 destruye 400 barcos en una tempestad antes de Artemisio, y después, en VIII 13, aniquila el contingente de 200 que habían intentado circunnavegar Eubea por el oeste (en mi novela no aparece este periplo porque los historiadores, en general, no aceptan esta información de Heródoto). Como él mismo dice, *«esto ocurría por voluntad de los dioses para que la flota de los persas se nivelara con la de los griegos y no tuviese tanta superioridad numérica»*.

Más sobre números: según Heródoto, en Salamina los griegos tenían 378 barcos. Yo los he reducido a los 310 de Esquilo en *Los persas,* que me parece más razonable teniendo en cuenta las bajas que se habían producido en Artemisio.

Sobre la batalla de Salamina en sí también hay muchas discusiones. Como dice Peter Greene en *The Greco-Persian Wars* (pág. 186): «*Paradójicamente, y pese a su trascendental importancia, Salamina debe considerarse como una de las batallas peor documentadas en toda la historia de la guerra naval.*»

He seguido a Diodoro, al propio Green, a Burn y a Hammond en lo relativo a la escuadra egipcia que parte a bloquear el canal de Mégara. Heródoto no menciona esa maniobra, Strauss la ve con escepticismo y Hignett la niega.

¿Por qué Jerjes envía esa escuadra, si es que la envía, pero en cualquier caso decide plantear la batalla dentro del estrecho y no en aguas abiertas? Es aquí donde interviene el mensaje sobre la supuesta huida de los griegos. Según Heródoto, lo lleva Sicino, el pedagogo de los hijos de Temístocles. Plutarco añade el detalle de que es prisionero de guerra. En cualquier caso, el mensaje sería del propio Temístocles. Según Plutarco: «*... Temístocles, general de los atenienses, uniéndose a la causa del rey, era el primero en informarle de que los griegos pensaban retirarse; le aconsejaba por tanto que, lejos de permitirles huir, los atacara y destruyera sus fuerzas navales mientras aún estuvieran en desorden y lejos de su infantería.*»

Para Esquilo, el mensaje lo llevó un griego, mientras que Diodoro habla de «*un hombre*». Pero después de la batalla aún hay otro mensaje que manda Temístocles para convencer a Jerjes de que huya cuanto antes, recado que de nuevo lleva Sicino, según Heródoto, o un eunuco llamado Arnaces, según Plutarco.

Las posturas de los historiadores sobre este relato varían, como ocurre con otros detalles: las supuestas disensiones entre los aliados, el intento de construcción del terraplén antes o después de la batalla, el papel de Adimanto y la flota corintia... Para complicar las cosas, ni siquiera hay acuerdo sobre la propia topografía de Salamina. En general, se considera que Psitalea, donde Jerjes apostó soldados de infantería, es la actual isla de Lipsokoutali; aunque Hammond, en su artículo sobre Salamina, sostiene que se trata del islote de San Jorge, al que yo he denominado «Farmacusa Mayor».

Los nombres de Silenia y Cicrea son invención mía hasta cierto punto, ya que no quería utilizar términos modernos como Ambelaki y Paloukia que no tienen sentido en griego clásico. Si los lectores buscan en un mapa moderno la Farmacusa Menor no la encontrarán, ya que está generalmente aceptado que el nivel del mar ha subido desde entonces, y lo que era un islote ahora es poco más que un bajío.

Volviendo a Sicino, al existir tantas dudas y contradicciones sobre él, decidí inventar mi propia historia para la novela; una historia en que el criado de Temístocles es cómplice involuntario. Eso me permitía mostrar algo del zoroastrismo. Esta religión no estaba aún tan extendida como en la época Sasánida (espléndidamente retratada en las novelas de Olalla García, con quien he mantenido interesantes conversaciones sobre este tema), pero parece que Darío y sobre todo Jerjes la favorecían en detrimento del politeísmo ancestral de los pueblos iranios. Si a los lectores les extraña la grafía «Ahuramazda» en lugar de «Ahura Mazda», les diré que es la tradicional en la época Aqueménida. En esto, como en otras cosas, me ha sido imprescindible el manual de antiguo persa de Skjærvø. Se trata de un lenguaje del que se sabe poco, ya que el corpus de inscripciones es reducido, de modo que en ocasiones he tenido que ser audaz y prácticamente inventar palabras.

Parece claro que el nombre Sicino no es persa. Si existió este personaje tal vez habría que entender que no era propiamente persa, sino natural de un país perteneciente al Imperio Persa. Yo prefería que en *Salamina* sí fuese iranio para mostrar el punto de vista de «los otros», de modo que creé la historia de Mitranes y su nombre falso. No había apenas esclavos persas en Atenas en esta época: como señala Margaret Miller en su libro, parece que los griegos no los tomaban como prisioneros, sino que los mataban. Por eso Sicino se llama así y, para disgusto suyo, no puede vestir pantalones como él querría.

La historia de las arengas separadas es mía, ya que Heródoto sólo menciona que Temístocles pronunció «un gran discurso». Pero quería contraponer los ideales maratonianos, propios de la aristocracia y los hoplitas, y los de la flota de Salamina, que presagian ya la futura democracia radical de Efialtes y Pericles.

Como decía, los relatos de la batalla no son del todo satisfactorios. Durante meses he estado dibujando cientos de rayitas para representar barcos en la pizarra de mi despacho, consultando la carta 1596 del Almirantazgo y conversando con mi amigo León Arsenal, escritor y antiguo marino. El problema para mí era cómo los atenienses —el grueso de la flota griega— pudieron derrotar a marinos con más pericia que ellos. Parece que Salamina no fue tanto una batalla de abordaje «al estilo tradicional», como las denomina Tucídides, sino que se utilizó sobre todo el espolón de proa. En esa táctica los atenienses se convertirían en consumados maestros, pero aún faltaban muchos años para ello. ¿Cómo pudieron maniobrar con la suficiente rapidez para sorprender a los barcos enemigos?

En mi novela lo explico recurriendo a varios factores. En primer lugar, Temístocles se empeña en que las naves se construyan con las maderas más ligeras posibles. Además, los barcos atenienses no tienen cubiertas completas ni regalas, lo que reduce peso y obra muerta. (Años después, en la batalla del Eurimedonte, Cimón equiparía sus barcos con cubiertas cerradas.) Por otra parte, la dotación de hoplitas de cubierta es más reducida, lo que mejora la maniobrabilidad del trirreme, pero conlleva riesgos si se produce un abordaje.

Y, por último, recurro al viento. La única referencia aparece en Plutarco: «*[Temístocles] se preocupó de que sus trirremes no enfilaran de proa hacia los de los bárbaros hasta que llegó la hora en que todos los días se levantaba del mar una brisa fresca que provocaba marejada en los estrechos.*» Histórico o no, me parecía un elemento narrativo interesante. Tras consultar artículos diversos y hablar de nuevo con León Arsenal sobre terrales y virazones y la topografía del estrecho, me decidí por recurrir al siroco. (El viento predominante en verano es el etesio, que en griego actual se denomina *meltemi,* pero no me servía para la batalla.)

Para terminar, algunas precisiones sobre medidas y fechas. En cuanto a las primeras, he decidido utilizar kilómetros, litros y kilogramos en lugar de estadios, cotilas o talentos para no obligar a los lectores a realizar cálculos mentales constantemente. Cuando son los personajes los que hablan sí recurro a las medidas originales.

Las fechas de las Guerras Médicas no están tan claras como podría suponerse. Al menos en los años sí hay acuerdo: 490 para Maratón y 480 para Salamina. En el primer caso he utilizado la cronología de Hammond, ya que hay otros autores que sitúan la batalla en agosto y no en septiembre. En cuanto a Salamina, he seguido a Green al fecharla el 20 de septiembre y no el 28 o el 29. La razón es que me permitía condensar temporalmente los hechos, lo cual siempre ayuda a conseguir un mayor dramatismo. Por la misma razón he concentrado el mensaje de Sicino, la decisión de Jerjes y el último consejo de guerra de los griegos en una sola noche y no en dos, como es la opinión mayoritaria.

BIBLIOGRAFIA

Para que sea más útil al lector, he desglosado la bibliografía por apartados. Hay libros que podrían figurar bajo varios epígrafes, pero he preferido no duplicarlos por no aumentar el volumen de la lista.

Fuentes clásicas

Cornelio Nepote, «Milcíades», en *Vidas de hombres ilustres.* He trabajado directamente sobre el texto latino de thelatinlibrary.com.

Diodoro Sículo, *Biblioteca histórica.* He utilizado el tomo 4 de la edición de la Loeb.
Eneas el Táctico, *Poliorcética, Polieno, Estratagemas,* trad. de José Vela y Francisco Martín García, Madrid, 1991.
Esquilo, «Los persas», en *Tragedias,* trad. de Bernardo Perea, Gredos, Madrid, 2001.
Estrabón, *Geografía,* varios tomos, trad. de J. García Ramón y J. García Blanco, Gredos.
Heródoto, *Historias,* varios tomos, trad. de Carlos Schrader, Gredos.
Pausanias, *Descripción de Grecia,* varios tomos, trad. de M. Cruz Herrero, Gredos.
Plutarco, *Sobre la malicia de Heródoto.* He utilizado la traducción inglesa del Proyecto Gutenberg.
—, *Vidas paralelas.* Para la de Temístocles, he recurrido a mi propia traducción publicada en Akal: *La Atenas del siglo V. Vidas de Temístocles, Pericles, Nicias y Alcibíades,* Madrid, 2000.
Tucídides, *Historia de la guerra del Peloponeso,* trad. de Luis M. Macía, Madrid, 1989.

Estudios sobre Temístocles

Frost, Frank J., *Plutarch's Themistocles. A Historical Commentary,* Chicago, 1998.
Podlecki, A. J., *The Life of Themistocles,* Montreal y Londres, 1975.

Monografías y artículos sobre las Guerras Médicas

Burn, A. R., *Persia and the Greeks. The Defence of the West, c. 546-478 BC,* Stanford, 1984.
Cartledge, Paul, *Termópilas. La batalla que cambió el mundo,* Barcelona, 2007.
Cawkwell, George, *The Greek Wars. The Failure of Persia,* Oxford, 2006.

Fields, Nic, *Thermopylae 480 BC. Last stand of the 300,* Oxford, 2007.

Green, Peter, *The Greco-Persian Wars,* Berkeley, 1996.

Hammond, N. G. L., «The Campaign and the Battle of Marathon», *Journal of Hellenic Studies,* 1968, vol. 88, págs. 13-57.

—, «The Battle of Salamis», *Journal of Hellenic Studies,* 1956, vol. 76, págs. 3-54.

Hignett, C., *Xerxes' Invasion of Greece,* Oxford, 1963.

Holland, Tom, *Persian Fire,* Nueva York, 2005.

Maurice, F., «The Size of the Army of Xerxes in the Invasion of Greece 480 BC», *Journal of Hellenic Studies,* 1930, vol. 50, part 2, págs. 210-235.

Sekunda, N., *Marathon 490 BC. The first Persian invasion of Greece,* Oxford, 2002.

Shrimpton, Gordon, «The Persian Cavalry at Marathon», *Phoenix,* 1980, vol. 34, n.º 1, págs. 20-37.

Strauss, Barry, *La batalla de Salamina,* Barcelona, 2006.

He de mencionar también *The Defence of Greece, 490-479 BC,* de J. F. Lazenby, libro publicado en 1993 y muy citado a partir de entonces. Después de buscar mucho he conseguido una reedición de 2007 que acaba de llegar a mis manos en el momento en que estoy corrigiendo las pruebas de la novela. Lazenby es un autor muy respetado como historiador militar, y las tesis básicas de su obra son dos. La primera, que Heródoto, con sus defectos, es casi la única fuente para esta guerra y que las otras —Diodoro, Plutarco, etc.— apenas poseen valor. La segunda, que pese a que los historiadores posteriores suelen atribuir grandes refinamientos tácticos y estratégicos a los militares griegos, en realidad eran básicamente aficionados que apenas habían desarrollado aún el arte de la guerra.

Barcos de la Antigüedad

Casson, Lionel, *Ships and Seamanship in the Ancient World,* Baltimore, 1995.

Fields, Nic, *Ancient Greek Warship. 500-322 BC,* Oxford, 2007.
Gardiner, Robert (ed.), *The Age of the Galley,* Londres, 1995.
Morrison, Coates y Rankov, *The Athenian Trireme,* Cambridge 2000.
Thubron, Colin, *The Ancient Mariners,* Virginia, 1981.

Militaria

Connolly, Peter, *Los ejércitos griegos,* Madrid, 1981.
Delbrück, Hans, *Warfare in Antiquity* (trad. de Walter J. Renfroe Jr.), Nebraska, 1990.
Farrokh, Kaveh, *Shadows in the Desert. Ancient Persia at War,* Oxford, 2007.
Gabriel, R. A., Metz, K. S., *From Sumer to Rome. The Military Capabilities of Ancient Armies,* Connecticut, 1991.
Goldsworthy, A. K., «The *Othismos,* Myths and Heresies: The Nature of Hoplite Battle», *War in History,* 1997, 4 (1).
Hanson, Victor D., *A War Like No Other,* Nueva York, 2005.
—, *The Western Way of War,* Berkeley, 1989.
—, (ed.), *Hoplites: The Classical Greek Battle Experience,* Londres y Nueva York, 1993.
Healey, Mark, *The Ancient Assyrians,* Oxford, 1999.
Lendon, J. E., *Soldiers & Ghosts. A History of Battle in Classical Antiquity,* Yale, 2005.
Sekunda, N., *Greek Hoplite 480-323 BC,* Oxford, 2000.
—, *The Persian Army, 560-330 BC,* Londres, 1992.
—, *The Spartan Army,* Oxford, 2004.
Snodgrass, A. M., *Arms & Armor of the Greeks,* Baltimore, 1999.
Warry, John, *Warfare in the Classical World,* Londres, 1980.

Persia y Oriente en general

Allen, Lindsay, *The Persian Empire,* Chicago, 2005.
Boyce, Mary, *Zoroastrians. Their religious Beliefs and Practices,* Londres, 2001.

Briant, Pierre, *From Cyrus to Alexander. A History of the Persian Empire* (trad. del original francés de Peter Daniels), Winona Lake, 2002.
Brosius, Maria, *Women in Ancient Persia, 559-331 BC,* Oxford, 1998.
Leick, Gwendolyn, *The Babylonians: An Introduction,* Londres y Nueva York, 2003.
Miller, Margaret C., *Athens and Persia in the Fifth Century BC,* Cambridge, 2004.
Olmstead, A. T., *History of the Persian Empire,* Chicago, 1959.
Skjærvø, Prods Oktor, *An Introduction to Old Persian,* Cambridge, 2002.
Wiesehöfer, Josef, *Ancient Persia,* Londres, 1996.

Historia de Grecia en general

AA.VV., *El mundo de Atenas. Introducción a la cultura clásica ateniense,* PPU, Barcelona, 1998.
Davies, J. K., *Athenian Propertied Families, 600-300 B.C.,* Oxford, 1971.
Fornis, César, *Esparta. Historia, sociedad y cultura de un mito historiográfico,* Barcelona, 2002.
Goette, H. R., *Athens, Attica, and the Megarid. An Archaeological Guide,* Londres y Nueva York, 2001.
How, W. W., Wells, J., *A Commentary on Herodotus in Two Volumes,* Oxford, 2002.
Osborne, Robin, *Demos. The Discovery of Classical Attika,* Cambridge, 1985.
Sinclair, R. K., *Democracy and Participation in Athens,* Cambridge, 1988.
Smith, William (ed.), *Dictionary of Greek and Roman Antiquities,* Boston 1870. (Edición facsímil en www.ancientlibrary.com).
—*Dictionary of Greek and Roman Biography and Mythology* (3 vols.), Boston, 1867. (Edición facsímil en www.ancientlibrary.com.)
Walker, Keith G., *Archaic Eretria. A Political and Social His-*

tory from the Earliest Times to 490 BC, Londres y Nueva York, 2003.

Sociedad, religión, ciencia, economía, vida cotidiana, etcétera

Barbancho, Francisco J., y Mataix, J., *Hortalizas y verduras en la alimentación mediterránea,* Almería 2007.
Bernabé, A. y Jiménez San Cristóbal, A. I., *Instrucciones para el más allá. Las laminillas órficas de oro,* Madrid, 2001.
Blundell, Sue, *Women in Ancient Greece,* Harvard, 1995.
Burkert, Walter, *Greek Religion* (traducción del alemán de John Raffan), Harvard, 1985.
Christ, Matthew R., *The Bad Citizen in Classical Athens,* Cambridge, 2006.
Cohen, Edward E., *Athenian Economy & Society. A Banking Perspective,* Princeton, 1997.
Connolly, P., y Dodge, H., *The Ancient City. Life in Classical Athens & Rome,* Oxford, 1998.
Dilke, O. A. W., *Greek and Roman Maps,* Londres, 1985.
Dodds, E. R., *Los griegos y lo irracional,* Madrid, 1989.
Eslava Galán, Juan, *Amor y sexo en la antigua Grecia,* Madrid, 1997.
Flacelière, Robert, *La vida cotidiana en Grecia,* Madrid, 1989.
García Soler, María José, *El arte de comer en la antigua Grecia,* Madrid, 2001.
Golden, Mark, *Children and Childhood in Classical Athens,* Baltimore, 1993.
Grimal, Pierre, *Diccionario de mitología griega y romana,* Barcelona, 1997.
Higgins, M. D., y Higgins, R., *A Geological Companion to Greece and the Aegean,* Nueva York, 1996.
Hornblower y Spawforth, *The Oxford Classical Dictionary,* Oxford, 1999.
Majno, Guido, *The Healing Hand. Man and Wound in the Ancient World,* Harvard, 1991.
Meiggs, Russell, *Trees and Timber in the Ancient Mediterranean World,* Oxford, 1982.

Pomeroy, Sarah B., *Xenophon Oeconomicus. A Social and Historical Commentary,* Oxford, 1995.
Sallares, Robert, *The Ecology of the Ancient Greek World,* Nueva York, 1991.
Temple, Robert, *El sol de cristal. Tecnologías perdidas de la Antigüedad,* Madrid, 2001.
Vandenberg, Philipp, *El secreto de los oráculos,* Barcelona, 1991.
Wycherley, R. E., *How the Greeks built Cities,* Nueva York, 1962.

Agradecimientos

A José Miguel Pallarés, sin cuyos (buenos) oficios *Salamina* no habría sido posible. Además, le debo atinados consejos sobre los primeros capítulos que espero haber sabido aplicar en el resto de la novela. A León Arsenal, por sus sugerencias como escritor y como marino. En cuanto a estas últimas, por supuesto, es responsabilidad mía cualquier barbaridad que se me haya escapado y que pueda hacer rechinar los dientes de los lobos de mar.

A todo el equipo de Espasa. A Miryam Galaz y Ana Rosa Semprún, por sus ánimos y su paciencia. A Fátima Aranzabal y Paz López-Felpeto, por su gran trabajo. A Juan Miguel de Pablos, Paco Solano y Loida Díez. A David Cebrián. A Manuel Calderón. Su portada, clavada en la pared de mi estudio, me ha servido de inspiración para terminar *Salamina* en los momentos de bajón.

A mi hermano Jose, por su vídeo y por sus ánimos. A mis compañeros y sin embargo amigos David Moreno y Jesús Centeno, que de nuevo han ejercido de críticos y correctores, y de vez en cuando han puesto en remojo mis neuronas. A Manu, por llevarme a Granada, donde me oxigené un poco el cerebro.

A Hipólito Sánchez, por nuestras conversaciones acerca del arte de la guerra entre los griegos. Lo que más lamento es que, por falta de tiempo, no he podido asistir a sus experimentos prácticos sobre el funcionamiento de una falange hoplítica. ¡Pero prometo hacerlo más adelante! A José Luis, periodista y aficionado a la fantasía y la historia, por sus libros sobre el arte de la guerra.

A mi hija Lydia, por su paciencia con un padre un tanto excéntrico que unas veces vive en la remota Tramórea y otras en la antigua Grecia, y por las relajantes burbujas de lava que me han servido para dejar vagar mis pensamientos por las brumosas tierras de donde se extraen las ideas. A Tere y a Juan.

A mis colegas Juanmi Aguilera y Rafa Marín, por compartir inquietudes literarias, quejas, aventuras y, sobre todo, muchas risas. A David Mateo, alias Tobías Grumm, por su amistad y por contar conmigo para tantos proyectos.

Más que dar las gracias tengo ahora que pedir perdón a todos aquellos a los que he tenido descuidados por culpa de este trabajo tan solitario. Como mi hermano Jorge, y también Yolanda, Bárbara y Tania. Por supuesto, mi madre, que a menudo tiene que escuchar mis monosílabos guturales cuando me pregunta algo y yo estoy enganchado a los auriculares del ordenador mientras aporreo las teclas. Julio, Mari Cruz y Belén, a los que suelo decir: «Hola-adiós-me vuelvo a mi cubil a escribir.»

Al Reverendo y a Manolo les he vuelto a chafar no sé cuántas partidas de mus en el Pulido (un saludo para Choni y Santi), aunque de vez en cuando se han vengado apaleándome a conciencia.

También quiero tener un recuerdo para Julián (sí, tú el primero), Cristina, Daniel, María José, Carlos, Bárbara, Carlos, Pepe y Bea. Y para Esther, Víctor e Inés. Para mi tocayo placentino Javi.

Para Sara, que siempre me anima en estas tareas. Para el Nene, Carmen y ahora también para Miguel. Para el gran Juan(ito) Sanguino. Para Conchi, Víctor, Rafa, Laura, Román, y las dos peques, Raquel y Laura. Para Saluqui. Por culpa de *Salamina* y otros libros falto demasiado a menudo a esas comidas campestres en las que nos lo pasamos tan bien. Y para Yolanda, a cuyo cumpleaños no pude ir.

Para los lectores de laespadadefuego.com, en la que apenas he podido entrar mientras escribía *Salamina,* y para sus moderadores Takelu, Orion y Alier-mim.

Para los Pino: Santi, Isabel, Esther, José Carlos, Joaqui, Julio, Conchi, Juan Antonio, Gema y, por supuesto, Santiago. Y para